D0656810
BASTEI
LÜBBE

Taschenbücher von PIERS ANTHONY
im BASTEI-LÜBBE-PROGRAMM

Die Saga vom magischen Land Xanth
20 156 Chamäleon-Zauber
20 158 Zauber-Suche
20 160 Zauber-Schloß
20 162 Zentauren-Fahrt
20 164 Elfen-Jagd
20 166 Nacht-Mähre
20 168 Drachen-Mädchen (November 91)
20 094 Ritter-Geist
20 106 Turm-Fräulein
20 120 Helden-Maus
20 139 Himmels-Taler
20 154 Welten-Reise

Die Inkarnation der Unsterblichkeit
22 098 Reiter auf dem schwarzen Pferd
22 104 Der Sand der Zeit
24 102 Des Schicksals dünner Faden
24 114 Das Schwert in meiner Hand
24 119 Sing ein Lied für Satan

Die Titanen-Trilogie
24 084 Zeit der Kämpfer

Piers Anthony

Die Macht der Mantas

Drei Science Fiction Romane
in einem Band

Ins Deutsche übertragen
von Hans Wolf Sommer

BASTEI-LÜBBE-TASCHENBUCH
Science Fiction Abenteuer
Band 23 119

Erste Auflage: Oktober 1991

Deutsche Lizenzausgabe 1991
Bastei-Verlag Gustav H. Lübbe GmbH & Co.,
Bergisch Gladbach
Originaltitel: Omnivore/Orn/Ox
Titelillustration: Eric Ladd
Umschlaggestaltung: Quadro Grafik, Bensberg
Satz: KCS GmbH, 2110 Buchholz/Hamburg
Druck und Verarbeitung: Brodard & Taupin,
La Flèche, Frankreich
Printed in France
ISBN 3-404-23119-8

Der Preis dieses Bandes versteht sich
einschließlich der gesetzlichen Mehrwertsteuer.

Inhaltsverzeichnis

OMNIVOR

1 Ein Laib Brot

Nördlich von Appalachia hatte ein Stück Wildnis überlebt. Subble stellte eine Verbindung zwischen der Topographie und den bekannten Koordinaten her und brachte sein Luftfahrzeug neben einer Fichte mit dichten Zweigen weich zur Landung. Als er ausstieg, umfing ihn der eigentümliche Harzgeruch des Baumes.

Das gleichmäßige Geräusch von Metall, das gegen Holz hämmerte, führte ihn an einer stark verkrüppelten Birke vorbei in ein Waldstück aus hohen Buchen. Auf seine ungezügelte Weise war der Wald geradezu angenehm. Subble wurde sich bewußt, daß es auf der Erde nur noch wenige Gegenden gab, die der ursprünglichen Natur so nahekamen.

Die Geräusche, die so nahe geklungen hatten, waren tatsächlich ein ganzes Stück entfernt. Subble bahnte sich einen Weg durch ein Dickicht aus jungen Eschen und Ahornbäumen und erreichte schließlich einen Waldpfad: zwei glatte braune Furchen, die sich im blättrigen Erdboden abzeichneten. Giftpilze sprossen in regelmäßigen Abständen an seinen Rändern in die Höhe, und er entdeckte einen mächtigen Schimmelpilz, der einen verrottenden Baumstumpf überwucherte. Winzige Mücken wurden auf Subble aufmerksam und tanzten unermüdlich vor seinen Augen umher.

Der Pfad mündete in eine künstliche Lichtung, die durch eine gefällte Buche geschaffen wurde. Ein Mann stand mit dem Rücken zu ihm, einen gestiefelten Fuß auf den Stamm gestützt. Sein breiter Rücken beugte sich, als er eine schwere Axt schwang. Der Holzfäller war stark. Man sah es an der Geschmeidigkeit des Schwungs und dem Anschwellen seiner karierten Hemdsärmel. Bei jedem zweiten Hieb flogen Holzstücke durch die Luft, als die Klinge eine Scharte in die Gabelung eines dicken Astes trieb.

Der Ast löste sich und krachte in das blättrige Gestrüpp auf der anderen Seite des Stamms. Der Mann drehte sich um und sah Subble. Er balancierte die Axt in der linken Hand und wischte sich mit dem kräftigen rechten Unterarm den Schweiß von der Stirn.

»Ja?« fragte er mit gerunzelter Stirn.

Das war der kritische Punkt. »Ich stelle Nachforschungen an«, sagte Subble und blieb auf Distanz.

Der Mann versteifte sich. Subble bemerkte das leichte Hervortreten der Sehnen auf dem Rücken der Hand, die die Axt hielt.

»Ja?«

»Ich will nur ein paar Informationen. Wenn Sie Vachel Smith sind, Personalnummer 4409 . . .«

»Lassen Sie das. Seit zehn Jahren bin ich Veg und keine Nummer nicht.«

Subble ignorierte den Tonfall und die übertriebene Sprechweise.

»In Ordnung, Veg. Ich habe einen Job, genauso wie Sie, und ich habe ihn zu erledigen, ob ich nun will oder nicht. Je eher wir . . .«

Veg schleuderte die Axt auf den Buchenstamm, wo sie mit zitterndem Stiel steckenblieb. Er ballte die Fäuste und trat einen Schritt vor.

»Als das letzte Mal ein verdammter Schleimscheißer aus der Stadt auf mich einquatschte, habe ich ihm das Schlüsselbein gebrochen. Kommen Sie zur Sache und verschwinden Sie wieder.«

Subble lächelte. »Na schön, ich will es kurz machen. Aber ich brauche Ihre Mithilfe. Es geht um Informationen, die sonst niemand geben kann.«

»Ja? Was?«

»Ich weiß es nicht. Deshalb muß ich fragen.«

»Sie wissen es nicht!« Veg schien sich nicht sicher zu sein, ob er lachen oder fluchen sollte. »Sie kommen auf mein Grundstück und wissen nicht mal, wonach Sie eigentlich suchen?«

Es war am besten, ihn weiterfragen zu lassen. »So ist es.«

Aber Veg fragte ihn nicht weiter. »Sie wollen sich über mich lustig machen, Mister!« Er kam näher.

Subble stieß hörbar den Atem aus und zeigte Verärgerung. Er war nicht so groß wie der Holzfäller und auch nicht so muskulös, aber er wich nicht zurück.

»Wenn Sie mich mit Gewalt von Ihrem Besitz vertreiben wollen, muß ich mich gewisser Defensivmaßnahmen bedienen, die ich beherrsche«, sagte er, als Veg heranrückte.

»Ja?« Veg sprang ihn an.

Subble trat zur Seite und streckte den rechten Fuß heraus, als Vegs rechte Faust nach seinem Kopf zielte. Er rammte seine rechte Fußspitze gegen die Vegs, ging in die Knie, packte das Hemd des großen Mannes und warf ihn über seine Schulter.

Veg landete unverletzt und unbeeindruckt auf dem feuchten Erdboden des Pfades.

»Ja!« sage er abermals und griff zum zweitenmal an.

Subble duckte sich, wuchtete Veg eine Schulter in den Magen und setzte anschließend ein paar schnelle und wirksame Griffe an Nacken und Schultern an.

Veg hielt sich auf den Füßen, aber sein Kopf war bewegungslos, und seine Arme baumelten nach unten. Subble gestattete ihm, sein Gleichgewicht wiederzufinden, und gab seine Gliedmaßen frei.

»Ich hatte Sie gewarnt.«

Der Holzfäller schüttelte sich und bewegte den Kopf hin und her. »Ja«, sagte er.

»Jetzt habe ich mit Ihnen zu reden, denn das ist mein Job. Ich werde sofort gehen, wenn ich habe, was ich brauche. Ich bin auch bereit, einen Handel mit Ihnen abzuschließen.«

»Mister, ich habe mich noch niemals kaufen lassen.«

»Das hat Ihnen auch niemand vorgeschlagen. Sie legen eine Pause ein, und während Sie reden, mache ich solange weiter. Auf diese Weise verlieren Sie keine Zeit, und ich bin schnell wieder weg.«

Veg lachte. Nach dem Mißerfolg war seine gute Laune offenbar wiederhergestellt. »Sie sind ein zielstrebiger Bursche. Aber so schnell lasse ich mich nicht unterkriegen, Mister. Ich kenne Sie nicht und werde Ihnen nichts erzählen.«

Subble gab sich Mühe, den Mann nicht zu reizen. Er warf einen Blick auf den auseinanderklaffenden Baumstamm und entdeckte eine scheue, zimtfarbene Drossel mit Flecken auf der Brust.

»Wacholderdrossel«, sagte er.

Veg folgte seinem Blick. »Ja, ich kenne sie«, sagte er mit etwas weicherer Stimme. »Kommt alle zwei, drei Tage vorbei. Ich habe auch eine Rotdrossel – die sollten Sie mal singen hören. Das Nest habe ich allerdings nie gefunden.« Dann erinnerte er sich, mit wem er sprach, und runzelte wieder die Stirn.

»Ich muß ziemlich plump vorgegangen sein, um Sie so schnell gegen mich einzunehmen.« Das war eine wohl kalkulierte Einleitung.

»Es geht nicht gegen Sie, Mister. In jedem, der eine Wacholderdrossel erkennt, wenn er sie sieht, steckt etwas Gutes. Es geht gegen die Regierung – damit haben wir nicht viel im Sinn. Sie wissen wirklich nicht, warum Sie hergekommen sind?«

»Vor jedem Auftrag werden die Erinnerungen eines Agenten getilgt. Man hat mir drei Adressen gegeben und mich gewarnt. Das war buchstäblich alles, was ich über Sie wußte, bevor ich landete. Ihren Namen, wo ich Sie finden konnte, und eine Warnung vor Gefahr.«

»Das ist verrückt!«

»Es hindert mich daran, an den Fall mit einer vorgefaßten Meinung heranzugehen. Alles muß sich auf dem Fall selbst ergeben, nichts aus meinen Erwartungen oder irgendwelchen Unterlagen, die unvollständig oder unrichtig sein könnten.«

»Aber wenn Sie nicht einmal wissen, um was es geht . . . Ich könnte Sie anlügen, und Sie würden es nicht merken. Ich könnte Ihnen erzählen, daß ich ein kleiner Dieb bin, der . . .«

»Das sind Sie nicht.«

»Sagten Sie nicht, daß Sie keine Ahnung . . .«

Subble blickte wieder zu dem Baum hinüber, aber der Vogel war nicht mehr da. Eigenartigerweise galt das auch für die anderen Tiere des Waldes. Irgend etwas hatte sie vertrieben. »Ich habe keine Informationen erhalten, aber mein Training versetzt mich in die Lage, mir sehr schnell welche zu beschaffen. Ich weiß über Sie jetzt schon eine ganze Menge.«

»Okay, Mister . . . Wie heißen Sie doch noch?«

»Subble.«

»Mister Regierungsagent, woher wollen Sie wissen, daß ich *kein* Dieb bin?«

»Ich will Ihnen eine allgemeine Vorstellung geben. Ich beherrsche gewisse Techniken, Ihre Atmung zu registrieren, Ihren Herzschlag, die Anspannung Ihrer Muskeln, die Nuancen Ihres Gesichtsausdrucks, die Modulation Ihrer Stimme, die Untertöne . . .«

»Wollen Sie behaupten, daß Sie durch bloßes Beobachten wissen, wenn ich lüge?«

»Ja. Sie sind kein hinterhältiger Mensch.«

»Ich bin auch kein Lügner. Bei Ihnen bin ich mir da allerdings nicht so sicher.«

Subble fühlte sich nicht beleidigt. »Sie sind scharfsinnig. Ich *bin* ein hinterhältiger Mensch. Ich bin sehr wohl in der Lage zu lügen, wenn meine Mission es erfordert.«

Veg berührte seinen schmerzenden Nacken. »Sie können nicht nur das, nehme ich an.«

»Stimmt. Ich hätte Sie verstümmeln oder töten können. Aber ich mißbrauche meine Fähigkeiten nicht mehr, als Sie Ihre Axt mißbrauchen oder das Nest dieser Drossel zerstören würden. Sie *könnten* jeden jungen Baum im Wald fällen.«

»Um Himmels willen, nein! Dies hier ist Holz der vierten Generation. Ich hole nur die Bäume heraus, die den anderen das Licht nehmen, und . . .« Er machte eine Pause. »Ja, ich weiß, was Sie meinen. Sie laufen nicht herum und tun den Leuten weh, nur weil es Ihnen Spaß macht. Aber Sie können trotzdem nichts herausfinden, wenn ich nicht mit Ihnen rede.«

»Ich fürchte doch, wenn es keine andere Alternative gibt.«

Veg beobachtete ihn mit aufrechter Neugier. »Wie?«

»Indem ich Feststellungen mache, Fragen stelle und Ihre Reaktionen studiere.«

»Okay. Ich werde jetzt den Mund halten. Und Sie sagen mir dann, was Sie herausfinden.«

»Es wird Ihnen nicht gefallen, Veg.«

Der Mann nahm seine Axt auf und kehrte zu dem Stamm zurück, den er bearbeitete.

»Sind Sie Vegetarier?« fragte Subble. »Ja, Sie sind einer«, gab er sich sofort selbst die Antwort.

»Das haben Sie schon vorher gewußt!« schrie Veg erschüttert. »Sie hätten diese Frage gar nicht gestellt, wenn es Ihnen nicht bekannt gewesen wäre!«

»Ich wußte es. Aber Sie waren derjenige, der es mir erzählt hat. Ihr Spitzname, zum Beispiel, und der Geruch Ihres Atems und Ihre Anspannung, als ich vom Töten sprach. Sie haben seit zehn Jahren kein Fleisch mehr angefaßt.«

Veg preßte die Lippen zusammen. »Erzählen Sie mir etwas, was Sie nicht aus einer Schnüffelkartei der Regierung haben können«, sagte er. Er machte keine Anstalten, weiterzuarbeiten.

»Wenn Sie Ihre Waffe weglegen würden . . .«

»Waffe? Oh!« Er schleuderte seine Axt zu dem Stamm und verfehlte ihn diesmal.

»Sehen Sie, wie aufgeregt Sie jetzt sind? Ich müßte ganz schnell handeln, wenn sie mich *damit* angreifen würden. Sind Sie sicher, daß Sie . . .«

»Machen Sie weiter. Beweisen Sie es.«

Subbles Stimme war ganz leise, aber er beobachtete Veg sehr aufmerksam. »Interessieren Sie sich für Baseball? Nein. Shakespeare? Nein. Für irgendeinen anderen Dramatiker? Ja. Einen modernen? Ja, aber für keinen allzumodernen. Amerikaner? Ausländer? Aha, Engländer? Shaw natürlich!«

Veg wollte etwas sagen, tat es dann aber doch nicht. Es war stärkerer Tobak erforderlich, um ihn zu überzeugen.

»Wie steht es mit Frauen? Ja und nein. Es geht nicht um irgendeine Frau. Sind Sie verliebt? Ja, ich sehe, daß Sie es sind und daß es ernsthafterer Natur ist. Aber irgend etwas ist nicht so, wie es sein sollte. Ist sie hübsch? Ja, reizend. Haben Sie mit ihr geschlafen, so wie Mann und Frau miteinander schlafen? Nein? Aber Sie sind nicht impotent . . . Nein! Würde sie es tun? Sie würde vermutlich. Ihr Name lautet Aquilon . . .«

Vegs Schlag ging um mehrere Zentimeter vorbei.

»Das war leicht, denn der Name ist zufällig der zweite auf meiner Liste«, erklärte Subble. »Unter den gegebenen Umständen war es nur logisch, daß sie diejenige sein würde, in die Sie . . . Greifen Sie mich nicht noch mal an!«

Der große Mann blieb stehen. »Ja, Sie haben mich gewarnt.

Abermals.« Er blickte Subble mit einem gewissen Respekt an. »Ich schätze, ich glaube Ihnen.«

»Ich will mich nicht in Ihre Privatangelegenheit einmischen. Es geht mir lediglich um die Informationen, wegen denen man mich hergeschickt hat. Mein Angebot gilt. Wenn Sie irgend etwas für Ihre Mühe haben wollen . . .«

»Mister . . . Subble, nicht wahr . . .? Sie haben mehr auf dem Kasten, als ich vermutete. Aber wie ich schon sagte: Es geht nicht gegen Sie. Es geht gegen die Regierung. Damit gibt es jedesmal Ärger. Ich ahne den Grund, aus dem Sie gekommen sind, und ich kann Ihnen nichts sagen. Nicht wenn irgend so ein Bürokrat . . .«

»Ich bin kein normaler Agent. Was Sie mir sagen, bleibt vertraulich. Ich sammele die Informationen, verarbeite sie und erstelle einen einzigen mündlichen Bericht, in dem nichts Irrelevantes enthalten ist. Um meine Nachforschungen voranzubringen und zu Schlußfolgerungen zu kommen, muß ich vielleicht ein paar persönliche Dinge ansprechen, aber außer mir braucht die niemand zu wissen.«

»Sie sind sich dessen ziemlich sicher.«

»Das bin ich. Es tut mir leid, daß mein Wort wertlos ist, denn ich könnte und würde es leicht brechen. Natürlich könnte ich Sie jetzt belügen, aber ich tue es nicht. Nehmen Sie das als inoffizielle Versicherung. Ihre Beziehung zu Aquilon hat nichts . . . Lassen Sie das!«

»Schon gut. Okay, es geht also nur um Sie und mich. Aber das trifft nicht zu. Es geht auch um meine Freunde und die Regierung, und ich habe ganz einfach nicht das Recht.«

Subble hatte etwas in dieser Richtung erwartet. Die Natur seines Auftrags nahm langsam Gestalt an, und er war jetzt imstande, von Veg ziemlich viel in Erfahrung zu bringen. Aber seine Schulung hatte ihn gelehrt, die Rechte der anderen peinlich zu beachten. Ein Agent, der seine Ziele durch Rücksichtslosigkeit erreichte, lief Gefahr, am Ende erfolglos zu bleiben, weil Gewalt unausweichlich Gegengewalt erzeugte. Und es war nicht klug, auf eine Art und Weise zu arbeiten, die das allgemeine Mißtrauen sämtlichen Agenten gegenüber noch verstärkte. Es lag Gefahr in der Luft, und sie kam nicht von Veg allein. Es war überaus wichtig, nicht auch noch eine persönliche Feindschaft hinzuzufügen.

»Veg, ich habe den ganzen Tag Zeit. Und wenn ich mich nicht irre, den morgigen Tag auch noch. Ich habe keinen festen Termin, aber ich muß die Fakten herausbekommen, wie auch immer sie aussehen. Wie wäre es, wenn ich ein paar Stunden bei Ihnen bleibe, damit wir uns besser kennenlernen und Sie mir so viel erzählen können, wie Sie gerne möchten? Wenn Sie Ihre Geschichte beendet haben, werde ich nicht weiter in Sie dringen, und Sie haben die Gewißheit, daß Sie sich keinem Fremden anvertraut haben.«

»Und wenn ich mich entschließe, Ihnen nichts zu erzählen?«

»Dann erzählen Sie mir nichts.«

Veg dachte darüber nach und kratzte dabei seinen rotblonden Kopf. »Sie werden mit ›Quilon‹ reden?«

»Das muß ich. Und mit Calvin. Und mit jedem, der Bescheid weiß – über was auch immer.«

»Und Sie erstellen Ihren Bericht erst zum Schluß – lediglich eine Zusammenfassung?«

»Ganz recht.«

»Dann dürfte es so wohl am besten sein. Obwohl es mir ganz und gar nicht gefällt.«

Subble lächelte matt. Er konnte sehen, daß Veg schwere Bedenken hatte, nicht allein aus persönlichen Gründen. Es *lag* Gefahr in der Luft, und Veg wußte es.

»Ich erkenne, daß Sie mir nicht mehr allzusehr gram sind«, stellte Subble fest. »Sie respektieren physische Fähigkeiten, so wie es viele starke Männer tun. Aber Sie fürchten, daß ich verletzt oder getötet werde, wenn ich zuviel herausfinde, und daß es dann ernsthaften Ärger geben wird. Ich erwähne das nur, damit Sie sich bewußt sind, daß ich es weiß. Und Sie haben recht. Ich fürchte den Tod zwar nicht, aber wenn ich sterbe, wird es eine gründliche Untersuchung geben. Sie wissen, was das bedeutet.«

»Ja«, sagte Veg unglücklich.

Subble ging nicht weiter auf die Sache ein. Es war immer schwierig, das Vertrauen eines Menschen zu gewinnen, aber es war stets erforderlich. Er glaubte daran, daß Offenheit am besten war, und kurz über lang würde Veg merken, daß er gut beraten war, wenn er dem Agenten wenigstens genug Informationen gab, um sein Leben zu bewahren.

»Wie kann ich helfen?«

»Nun . . .« Veg blickte sich um und suchte nach einem Vorwand, um das Unvermeidliche zu akzeptieren. »Ja, es gäbe da eine kleine Sache, die ich mir für eine besondere Gelegenheit aufbewahrt habe. Hier entlang.«

Er trottete den Pfad entlang, kreuzte einen anderen Weg und folgte ihm. Subble sah die Hufspuren von Pferden, Tieren, denen man heutzutage nur selten begegnete, die in diesen geschützten Gebieten jedoch noch Verwendung fanden. Maschinen aller Art waren hier verbannt.

Man fällte die Bäume mit Handwerkszeugen und schleppte die Stämme mit tierischer Kraft weg. Jeder, der nichts für das rauhe Leben übrig hatte, wurde genötigt, schnell wieder zu gehen. Es gab viele Menschen und zu viele Maschinen in der Welt, und die verbliebenen Wildniszonen waren eifersüchtig bewachte Gegenden.

Veg entfernte sich von dem Pfad, zwängte sich durch die runden Blätter einer jungen Linde und das gezackte Blattwerk der Ahornbäume und sprang über eine uralte Steinmauer. Vor über einem Jahrhundert hatten die Menschen solche Mauern mit den Händen errichtet, indem sie die Gesteinsbrocken verwendeten, von denen sie ihre Felder befreit hatten.

Ein sitzendes Eichhörnchen ließ seine erbeutete Eichel fallen und huschte lautlos davon.

»Tut mir leid, Freund, ich habe dich nicht gesehen«, murmelte Veg, als der hübsch gestreifte Körper verschwand. Veg blieb unter einer riesigen, markierten Buche stehen und legte die Hände vor den Mund.

»Hallo, Jones!« brüllte er.

Nach ein paar Minuten erschienen zwei dunkle Männer und machten auf der anderen Seite des Baums halt.

»Was ist los, einsamer Freund?« erkundigte sich der eine mit offenkundigem Sarkasmus. Er war ein kräftiger Bursche, kleiner als Veg, aber sehr selbstsicher. Er trug die üblichen Jeans und ein kariertes Hemd und hatte einen schmalen, gepflegten

Schnurrbart. Sein Begleiter sah ähnlich aus, hatte allerdings keinen Schnurrbart.

»Also«, sagte Veg. Er stemmte angriffslustig die Fäuste in die Hüften. »Erinnert ihr euch an den Grenzzwischenfall im letzten Monat?«

»Du meinst, als du versucht hast, auf unserem Territorium zu wildern?«

»Ich meine, als ihr den Grenzstein um sieben Meter verschoben und drei meiner besten Eschen und einen Ahorn für euch in Anspruch genommen habt.« Er machte eine Handbewegung, und Subble sah den Stein in einiger Entfernung.

»*Wieder* in Anspruch genommen, meinst du!«

»Und ich habe gesagt, daß ich zu gegebener Zeit darauf zurückkomme.« Die beiden Männer nickten grinsend.

»Nun, der Zeitpunkt ist gekommen«, sagte Veg.

Der Mann mit dem Schnurrbart trat näher. »Ist das dein Sekundant?« fragte er und blickte Subble geringschätzig an. »Ein Schleimer aus der Stadt?«

»Das ist mein Sekundant. Er heißt Subble.« Veg wandte sich an Subble. »Dies ist Hank Jones. Er und sein Bruder bewirtschaften das Nachbargrundstück – und auch einen Teil von meinem Grundstück!«

»Stadtlaffen!« sagte Jones. »Nun, ich nehme an, Grenzverletzer dürfen nicht wählerisch sein.« Er ließ einen linken Schwinger gegen Veg vom Stapel.

An Subbles Maßstäben gemessen, war es umständlich und plump, aber die Grundregeln waren simpel und eindeutig. Die beiden Männer traten hinaus auf die Lichtung jenseits des Baums, tauschten wilde Hiebe aus und verzichteten dabei fast völlig auf die Deckungsarbeit. Es schien darum zu gehen, den Gegner durch Schläge zur Aufgabe zu zwingen. Fäuste, Füße und Kopf wurden bedenkenlos eingesetzt, aber niemals Finger oder Zähne. Jones' Bruder feuerte seine Partei an, mischte sich jedoch nicht ein.

Veg nahm den ersten Schlag am Ohr und schüttelte ihn ab. Seine eigene Faust bohrte sich in Jones' Bauch und trieb den Mann zurück. Jones führte den Gegenangriff mit dem Kopf zuerst. Die Wucht war so groß, daß Veg zu Boden stürzte. Als er sich auf Hände und Knie aufrichtete, setzte Jones seinen Stiefel ein und stieß ihn wieder um. Anschließend ließ er einen harten Tritt mit der Stiefelseite gegen die Schulter folgen. Der Einsatz von Stiefelsohlen war ebenfalls nicht erlaubt, stellte Subble fest.

Veg knurrte und sprang hoch. Er trieb Jones gegen die Buche und hämmerte gnadenlos auf ihn ein, bis der Mann umkippte.

Jones' Bruder trat auf das Paar zu, und auch Subble setzte sich in Bewegung. Veg gehörte zu den Leuten, die sich auf sich selbst verließen, und er würde keinen ›Sekundanten‹ akzeptiert haben, wenn er es nicht für erforderlich gehalten hätte.

Die Kämpfer lösten sich sprunghaft von dem Baum, schmutzig und verschwitzt, aber mit unverminderter Energie. Veg wich zurück, um seine Balance wiederzugewinnen, und Jones' Bruder stieß ihm einen Stock zwischen die Füße. Veg stolperte, und Jones war sofort über ihm.

Subble schritt über den Kampfplatz und blieb vor seinem Gegner stehen. »Freund, wenn du mitmachen willst, dann such dir deinen eigenen Gegner«, schlug er vor.

Der Mann runzelte die Stirn und holte aus. Die Attacke war unglaublich plump, aber Subble nahm den Schlag an der Schulter und antwortete mit einem einfachen Haken unter die Gürtellinie. Er brauchte seine besonderen Fähigkeiten hier nicht einzusetzen und zog es vor, sie nicht zu offenbaren. Offensichtlich waren diese Zusammenkünfte Familienangelegenheiten, an denen alle interessierten Parteien teilnahmen.

Aus einem Kampf waren zwei geworden, und die vier Männer waren nicht mehr allein. Subble, der nur zum Teil in seinem Kampf engagiert war, beobachtete die anderen Holzfäller, die von allen Seiten aus dem Wald hervortraten, bis ein großer Kreis von heiteren Gesichtern die Kämpfer umgab.

Die Geräusche solcher Kämpfe drangen bis in eine größere Entfernung, wie es schien, und die Nachbarn verschwendeten keine Zeit, herbeizueilen.

»Wie ich es sehe, tragen Veg und Hank Jones ihre Meinungsverschiedenheiten aus«, erklärte ein Mann seinem Begleiter. »Ich vermute, daß der Fremde als Vegs Sekundant fungiert und es für angebracht hielt, Job Jones auf Distanz zu halten. Ein Mann aus der Stadt.«

»Ich halte es mit dem Fremden«, sagte der andere. »Nach Lage der Dinge erfüllt er seine Aufgabe.«

»Ja?« warf ein dritter ein. »Ich bin für Job.«

»Du hast auf einen Verlierer gesetzt, Sohn. Kein Jones kommt lange ohne seinen Bruder zurecht.«

Der dritte hob die Faust. »Was dich angeht, *bin* ich sein Bruder!« Und der dritte Kampf fing an. Auf die gleiche Weise wurden auch für die beiden neuen Gegner Partei ergriffen, und bald war ein viertes Gefecht im Gange.

Subble lachte innerlich. Er hatte recht gehabt: Kampf bereitete diesen rauhen Burschen genausoviel Vergnügen wie ihre Arbeit. Jeder Vorwand war ihnen recht. Sie konnten nicht ruhig danebenstehen, wenn die anderen Krieg führten. Sie mußten sich beteiligen. Aber es ging Mann gegen Mann, nicht Gruppe gegen Gruppe.

Er duckte einen Schwinger von Job Jones ab und schlug auf bewährte Weise zurück. Job torkelte gegen einen anderen Kämpfer und kam ihm ins Gehege, als der gerade mit der Faust Maß nahm.

»Tut mir leid«, murmelte Job.

»Vergiß es«, sagte der andere und fuhr mit seinen Bemühungen fort.

Das Ganze erinnerte an einen Ballsaal, der vor rastlosen Tänzern überquoll. Es war unmöglich zu sagen, auf welcher Seite jeder einzelne Mann stand, aber jedes Paar hielt sich für sich, und niemand schlug absichtlich nach jemand anderem als seinem gewählten Gegner. Wie beim Tanzen führte jedes Paar in dem Wirrwarr seine eigenen Figuren aus. Es schien sogar eine Musik dazu zu spielen.

Eine Hand fiel auf Subbles Schulter. »Sie haben genug getan«, sagte Veg heiter. »Setzen Sie sich etwas.«

Überrascht hörte Subble auf.

Job Jones ließ unverzüglich von ihm ab und ging auf die andere Seite zu seinem Bruder hinüber, während sich Veg hinhockte und das Getümmel betrachtete. Hank Jones spielte mit urwüchsigem Gesicht auf einer Mundharmonika. Es gab also wirklich Musik.

Es dauerte nicht lange, dann gesellte sich der Mann, der Subbles Partei ergriffen hatte, zu ihnen, während sein Gegner neben den sitzenden Jones-Brüder Platz nahm. Aus den Reihen der Unbeteiligten formten sich noch immer neue Kampfpaare, die man an ihrer sauberen Kleidung und dem Fehlen von Kampfspuren unterscheiden konnte. Neuankommende Zuschauer sorgten für ständige Ablösung. Die Männer trugen einen gemeinsamen Stempel von derber Selbstsicherheit und frischer Lebensart, was deutlich mit dem kontrastierte, das Subble als Stadtnorm kannte.

»Nicht genug Platz für alle gleichzeitig«, erklärte Veg.

Irgend jemand holte eine Gitarre hervor und klimperte mehr oder weniger im Gleichklang mit der Mundharmonika. Ein anderer Mann nahm einen Stock und schlug damit den Takt auf der zernarbten Buche.

Subble war erstaunt über das Ausmaß der Schlacht. Ein Dutzend Paare kämpfte auf der Lichtung, und noch mehr Männer verteilten sich in den Randzonen. Jemand hatte einen Wagen herbeigeholt, der mit einem riesigen Bierfaß beladen war. Holzbecher mit der schäumenden Flüssigkeit machten die Runde, zusammen mit Eimern, die Waldbeeren und Bucheckern enthielten.

Subble ließ sich ein warmes Bier geben und nahm einen Schluck. Es handelte sich eigentlich gesehen um ein Malzgetränk. Aber da es selbstgebraut war, enthielt es ungefähr zwanzig Prozent Alkohol. Er lächelte. Die örtlichen Steuerbeamten hatten dieses Faß bestimmt nie zu Gesicht bekommen.

Veg bemerkte seine Reaktion. »Sie sind doch nicht deshalb hergekommen?« fragte er mit plötzlicher Betroffenheit.

Subble leerte seinen Becher. »Sie wissen, daß dem nicht so ist.«

Die Schlacht verebbte, als sich die Bierdünste ausbreiteten. Die Reihen der Sitzenden bildeten einen Kreis fast um die ganze Lichtung. Die Männer unterhielten sich angeregt und schwangen ihre Becher.

Das Getümmel schmolz bis auf zwei, schließlich bis auf ein einziges Gefecht zusammen. Das Publikum sah jetzt sehr begierig zu und nahm nicht so sehr Anteil an dem einen oder an dem anderen Mann, sondern mehr an dem Kampf als solchem.

»Welcher von beiden ist unserer?« erkundigte sich Subble, der die Übersicht verloren hatte. »Oder spielt es keine Rolle mehr?«

»Es spielt eine Rolle«, sagte Veg. »Ich hoffe, es ist Buff. Er ist ein guter Mann.«

Buff *war* ein guter Mann, und nach einer Weile sprach man ihm den Sieg zu. Die letzten beiden griffen nach Bechern und tranken sie keuchend aus, während sie sich auf den Boden sinken ließen. Die Musik endete mit einem Tusch, und erwartungsvolles Schweigen breitete sich aus.

»Jetzt fängt der Spaß an«, murmelte Veg. Dann laut: »Dieses Zusammentreffen hat den Zweck, meine Grenzstreitigkeiten mit den Jones-Jungs zu bereinigen. Für wen bist du eingetreten, Buff, du schiefohriger Bastard?«

»Nicht für dich, Rübenkopf«, rief Buff zurück. »Ich war für Zebra.«

»Warst du für mich, du Vieh?« brüllte Hank Jones als nächster.

»Nee, Schnäuzer«, sagte Zebra. »Ich war für Kenson.«

Und so ging es weiter. Abwechselnd forderten Veg und Jones jedes einzelne Glied der Siegerkette heraus, wobei sie bei jedem Schritt launige Beschimpfungen austauschten, während sich das Faß gurgelnd in die schäumenden Gefäße entleerte. Lange bevor die Reihe durch war, war sich Subble über das Ergebnis im klaren, aber er enthielt sich eines Kommentars.

»Ich war für diesen geckenhaften Fremden hier«, verkündete der Mann, der für Subble eingetreten war, und rülpste.

»Und wer, zur Hölle, war dein Mann, du Stadflüchtling?« brüllte Veg zum Verständnis derjenigen, die sich zu spät eingeschaltet hatten, um Bescheid zu wissen.

»*Du* warst es«, rief Subble.

Ein Begeisterungssturm für den Sieger brach los.

In wenigen Augenblicken hatte eine Gruppe bärenstarker Männer den Grenzstein in die Position gebracht, die Veg anzeigte. Wie es schien, hatte Jones keine Lust mehr, auf seinem Instrument zu spielen, aber er kam zum Händeschütteln herüber. »Ich hätte diese Bäume ohnehin nicht gefällt«, sagte er.

Die Menge löste sich auf. Die Männer kehrten auf ihre eigenen Grundstücke zurück, glücklich über die Unterbrechung. Der Schankmeister lud seine Sachen auf und rumpelte den Pfad hinunter. Subble fragte sich, wer für die Kosten der Erfrischung aufkam, und gelangte zu der Ansicht, daß es sich vermutlich um eine ständige Einrichtung handelte. Statt Bäume zu fällen, braute er vielleicht, bekam aber vom Sägewerk trotzdem seinen Anteil. Wie auch immer, das System schien reibungslos zu funktionieren.

Subble gab unverbindliche Redensarten von sich, aber ganz plötzlich war seine Aufmerksamkeit woanders. Am Rande des Geschehens hatte eine Gefahr Posten bezogen, etwas, das nicht mehr war als ein dunkler Schatten hinter Bäumen. Er brachte seine trainierten Sinne in die richtige Richtung und registrierte ein momentanes Flimmern, die Andeutung einer Bewegung, ein unterdrücktes Pfeifen. Ein Wolf mochte so auf die Feuer der Frühmenschen gestarrt haben, darauf wartend, daß die Flammen erloschen und daß der Schlaf kam ...

»Sie haben sich gut geschlagen«, sagte Veg, und der Schatten war verschwunden.

Subble schnüffelte, aber er registrierte nur die verrottenden Blätter und die Pilze des Waldbodens. Er hatte es verloren.

Sie trotteten zurück. Der Wald war so leer wie zuvor, obwohl Subble wußte, daß sich noch viele Männer innerhalb einer Meile aufhielten. Bald würden die entfernten Geräusche ihrer Arbeit wieder aufklingen.

Vegs Zunge hatte sich durch mehrere Becher des Gebräus gelöst. »Sie begreifen schnell, und Sie kämpfen fair, wenn Sie einmal dabei sind. Was halten Sie von unserer Truppe?«

»Es ist eine feine Truppe. Ich wünschte, es wäre möglich ...«

»Sub, kommen Sie mir nicht wieder mit der Reserviertheit eines Regierungsagenten. Wir haben gemeinsam eine Schlacht geschlagen, und wir haben gewonnen!«

Eine Schlacht: Fäuste und Trinken und ein Symbol der Freundschaft. Warum war es so, daß sich die Menschen oft erst dann respektieren konnten, wenn sie ihre Kräfte im Kampf gemessen hatten? Hier war es rein physisch. Aber auch in den komplizierteren, weniger offenen Zusammentreffen, bei Männern und bei Frauen, ging es kontinuierlich weiter. Menschen und Tiere maßen sich miteinander, bevor sie etwas von sich abgaben, und wenn sie dabei nicht gleich eine Hackordnung errichteten, dann doch wenigstens eine gewisse Rangfolge. War dies ein fundamentales Charakteristikum des Lebens?

Subble bedauerte, daß er nicht die Freiheit hatte, diese These gründlich zu untersuchen. Agenten waren Männer der Tat, nicht der Gedanken, wo auch immer ihre Neigungen liegen mochten.

»Nun, ich habe wenig Beziehungen dazu«, sagte er zu Veg. »Mein Werdegang ist nicht wie der Ihre. Ich habe niemals an einer solchen . . . Schlacht teilgenommen. Ich bin konventioneller aufgewachsen.«

Veg holte eine Säge aus einem hohlen Baumstamm.

»Ich bin nicht der Klügste, aber ich weiß, daß Ihre Erziehung nicht konventionell war«, sagte er. Er ging hinüber zu einem Stapel Fichtenstämme. »Packen Sie ein Ende, und dann können wir uns näher kennenlernen.«

Subble nahm den hingehaltenen Griff und stimmte sich auf den Rhythmus des Sägens ein. Er wußte, daß es auf das Ziehen, nicht auf das Schieben ankam, und daß man keinen Druck anwenden durfte. Das Eigengewicht der Säge führte sie ganz von selbst durch das Holz.

Was er nicht gewußt hatte, war die Bedeutung einer ausbalancierten, bequemen Position, die den Blutkreislauf der Beine sicherte und den Armen und dem Oberkörper genug Bewegungsfreiheit gestattete. Er machte es nicht korrekt, und obwohl er nicht ermüdete, wußte er, daß ein normaler Mann auf diese Weise sehr schnell erschöpft sein würde.

Veg hatte die Stämme mit Markierungen von je einem guten Meter Länge versehen, und jedesmal wenn ein Stück abgetrennt war, knöpfte er sich die nächste Markierung vor und begann von neuem.

»Nehmen Sie mich«, sagte er. »Die Leute halten mich für einen durchschnittlichen, unwichtigen Komiker, der kein Fleisch essen will, und das ist auch okay. Aber es gibt Dinge, die ich . . .«

Er machte eine Pause, und Subble wußte, daß ihm beinahe etwas über die Bedrohung entschlüpft wäre, die ihr geheimnisvolles Auge auf die Schlacht gerichtet hatte. Mit Sicherheit wußte er davon, und die Sache war für Subbles Mission von Bedeutung. Aber Veg war noch nicht bereit, darüber zu sprechen.

Sie sägten eine ganze Weile weiter. Subble kopierte Vegs Haltung, und schließlich hatte er den Bogen raus. Die Bewegungen waren entspannend und erinnerten vage an den ständigen Wellenschlag an einem einsamen Strand. Sie gaben dem Verstand Gelegenheit zur inneren Sammlung.

»Also, warum ich kein Fleisch esse«, sagte Veg. »Es ist schon okay, darüber zu reden, wie überbevölkert die Welt ist, daß es nicht genug Platz zum Leben gibt, daß nicht genug Nahrung vorhanden ist, daß alle verrückt werden, weil sie keinen Raum haben, wo sie mal richtig losbrüllen können. So erzählt man mir, daß ich von all dem eine Neurose bekomme und daß ich mir deshalb das Leben etwas schwerer machen muß. Glauben Sie das?«

»Nein«, sagte Subble, der die richtige Antwort auf die zweideutige Frage spürte. Jede Kreatur suchte sich ihr eigenes Territorium, das sich von dem anderen Vertreter der jeweiligen Spezies unterschied. Vögel sangen, zum Teil jedenfalls, um durch die Töne die Grenzen ihrer Domäne, ihres Jagdgebietes, abzustecken, und die Menschen liebten es, ihr Heim als ihre Burg zu bezeichnen. Der Wettbewerb, an dem er gerade teilgenommen hatte, war eine ziemlich handgreifliche Manifestation dieses Bedürfnisses gewesen. Es war wichtig für Veg, genau zu wissen, wo seine Grenzen verliefen. Die erfolgreiche Verteidigung dieser Grenzen gab ihm eine fundamentale Befriedigung. Er hatte für sein Territorium gekämpft und gewonnen. Neurotisch? Kaum. Es war eine Rückkehr zur Normalität.

»Sie haben verdammt recht, nein. Diese verrückten Psychiater haben niemals ihren kleinen Zeh in den Wald gesetzt. Sie haben niemals den Planeten verlassen. Und warum . . .«

Abermals diese Pause. Veg tastete sich an den Kern heran und machte dann wieder einen Rückzieher.

»Sie sind ein Vegetarier, und das ist möglicherweise einer der Gründe dafür, daß man mich hergeschickt hat«, sagte Subble, um ihm zu helfen. »Aber Sie sehen sich nicht in der Lage, mir etwas über den Zusammenhang zu erzählen.«

»Ja.«

Sie sägten eine Weile schweigend weiter. Ein kleiner Wurm kletterte auf Subbles Schuh. Er kämpfte, um sich auf den unsicheren Sägespänen zurechtzufinden, und erstarrte, als er sich beobachtet glaubte. Alle Kreaturen hatten ihre Probleme und ihre Ängste, dachte Subble. Ein Wurm schützte sich durch Bewegungslosigkeit, ein Mensch durch Schweigen.

Veg versuchte es wiederum. »Sagen Sie mir, ob Sie jemals so etwas gehört haben. Vielleicht ergibt es für Sie einen Sinn. Als ich ein kleiner Junge war, hat mein Bruder . . . Nun, er war ein guter Junge. Ich mochte ihn. Wir kämpften manchmal gegeneinander, aber es gab nie echten Ärger, will ich sagen. Ich hatte die Muskeln, und er hatte den Grips, so fühlten wir uns nicht eingeengt. Wir machten alles gemeinsam, aber ich wußte, daß er derjenige war, der es zu etwas bringen würde. Dann wurde er krank. Er war im Krankenhaus, aber er sah ganz okay aus. Ich besuchte ihn da, und er sagte, daß er sich gut fühlte, und sie erzählten ihm, daß er bald wieder in die Schule gehen könnte. Ich glaube, das war das einzige Mal, daß ich ein bißchen eifersüchtig auf ihn war. Er konnte den ganzen Tag herumliegen, während ich mich mit dem langweiligen Unterricht herumplagen mußte. Dann starb er. Ein Lehrer kam eines Tages zu mir und erzählte mir, daß er den Weg gegangen war, vom dem sie immer gewußt hatten, daß er ihn gehen würde. Fast vom ersten Tag an hatten sie es gewußt. Sie hatten es nur ihm und seinen Freunden und mir nicht gesagt. Krebs! Und alle diese Ärzte hatten gelogen und uns erzählt, daß es ihm immer besser ging, obwohl er im Sterben lag. Sie und ihr heuchlerischer Eid!

Ich glaubte es zuerst gar nicht. Ich träumte, daß er noch immer da war und daß er nur ein Bein oder so was gebrochen hatte. Ich glaube, ich brauchte ein paar Jahre, um zu begreifen, daß er wirklich gegangen war. Und es traf mich schwer. Ich meine, hier war also mein Bruder, ein guter Junge, gegen den niemand etwas hatte, aber er starb.

Und ich wurde mir klar darüber, daß, wenn es diesen Gott gegeben hätte – ich glaube nicht an Gott –, diesen Burschen, der nach unten blickt und sagt: ›Einer von diesen zwei Jungs muß gehen, es ist nicht genug Platz für beide da‹, und er eine Wahl hätte treffen müssen, dann ...

Verstehen Sie, *ich* war derjenige, den er hätte nehmen müssen, weil ich der Welt ohnehin nicht viel zu geben hatte. Man muß das Schaf retten und den Bock entfernen, und er war das Schaf. Aber dieser Gott nahm den Falschen. Und da war dieses Schicksal, dieses gute Leben, das für meinen Bruder bestimmt war – und der falsche Junge, um es auszufüllen. Ich lebte *sein* Leben, und es war alles falsch. Aber dann dachte ich, daß der Fehler nun einmal gemacht war und es zu spät war, ihn zu korrigieren, und daß doch nicht alles verloren sein würde, wenn ich so viel davon rettete, wie ich nur konnte. Was ich zu tun hatte, war ... Nun, ich mußte etwas in der Weise daraus machen, wie er es wohl gemacht hätte, verstehen Sie? Ich mußte beweisen, daß es vielleicht doch kein großer Fehler war, sondern nur ein kleiner, und daß sich letzten Endes doch nicht so viel geändert hatte.«

Schweigend zersägten sie ein weiteres Stück. Der kleine Wurm war im Blattwerk verschwunden, und die Sägespäne türmten sich gewaltig auf – acht oder zehn Zentimeter hoch. Eine emsige Fliege hatte sich darauf niedergelassen. Es war erstaunlich, wie fesselnd der Mikrokosmos wurde, wenn man sich ein bißchen darauf konzentrierte.

»Gibt irgend etwas davon in Ihren Augen einen Sinn?« fragte Veg nach einer Weile.

»Zuviel Sinn«, sagte Subble, während er einen persönlichen Schmerz spürte, der ihn überraschte.

»Aber zu wissen, wie er starb, tut noch immer weh«, sagte Veg ermutigt.

Wie oft fürchteten sich die Leute davor, ihre wahren Gefühle auszudrücken. Sie hatten Angst, sich lächerlich zu machen, und stellten deshalb künstliche Gefühle zur Schau. Veg war betroffen, weil er die Maske heruntergelassen hatte, aber jetzt war alles in Ordnung.

»Ich habe darüber nachgedacht, und wenn es etwas gibt, dessen ich mir sicher bin, dann ist es die Erkenntnis, daß ein solcher Tod falsch ist. Es ist mir egal, was sie über Statistiken und Lebenserwartung sagen – so viele Jungs hätten sterben können, und ausgerechnet er mußte es sein. Dann aber erkannte ich, daß auch diese anderen Jungs die Brüder von irgend jemandem waren, verstehen Sie? Und wenn ich sie gekannt hätte, wüßte ich vermutlich auch für sie einen Grund, aus dem sie weiterleben sollten. Es war nicht richtig, den Bruder von *irgend jemandem* zu töten. Und dann dachte ich über die Tiere nach . . . Und als ich damit fertig war, tötete ich nichts mehr, was sich bewegte, und gestattete auch nicht, daß es ein anderer für mich tat. Es ist so, als ob dieses Fleisch *sein* Fleisch wäre.«

»Aber Sie sind bereit zu kämpfen«, stellte Subble fest.

»Ja. Ich habe niemals diese pazifistischen Typen verstanden, die Gewaltlosigkeit predigen und gegen den Krieg demonstrieren und dann nach Hause gehen, um ein großes, saftiges Steak zu verzehren. Ein Mensch kann sich wenigstens wehren. Ein Schlag gegen das Kinn verletzt ihn nicht, aber . . .«

Subble bewegte sich so schnell, daß Veg, der ihm ins Gesicht sah, die letzten Worte sprach und seinen Satz beendete, bevor er sich bewußt wurde, daß er allein war.

»Wa . . .«

Aber Subble kam schon zurück, um weiterzusägen – enttäuscht. Die Bedrohung am Waldesrand hatte sich noch schneller bewegt, was die Sache nur mysteriöser machte. Wenige belebte Dinge auf der Erde konnten einem Agenten entkommen, der sich in Bewegung gesetzt hatte.

»Was für eine Art Mensch *sind* Sie?« fragte Veg irgendwie kriegerisch. »Sie waren wie der Blitz . . .«

»Ich war hinter diesem Ding her. Es belauert uns schon den ganzen Nachmittag. Ich bin mir ziemlich sicher, daß man mich deswegen hergeschickt hat.«

»Sie haben es *gesehen*?« Veg stellte sich nicht unwissend, obwohl das für Subble keinen großen Unterschied gemacht hätte.

»Gerade genug, um mir zu verraten, daß es ein Tier ist. Sie haben da ein gefährliches Spielzeug, Veg.«

»Ja.« Der große Mann schien fast erleichtert zu sein, etwas dazu sagen zu können. »Aber es ist nicht das, was Sie denken. Ich weiß nicht, *was* Sie denken, aber das ist es nicht.«

»Ich habe keine Meinung. Ich bin hergeschickt worden, um

Informationen über eine Angelegenheit zu sammeln, die bedeutsam für die Sicherheit der Erde ist. Ich fälle kein Urteil und komme zu keiner endgültigen Entscheidung. Wenn ich Ihnen sage, daß dieses Ding gefährlich ist, dann ist das keine Meinung, sondern eine Feststellung. Es reagierte schneller als ich.«

Vegs Augenbrauen zogen sich zusammen. »Nur weil Sie es nicht gekriegt haben, ist es eine Bedrohung für die Welt?«

»Ich bin ein sehr schneller Mann, Veg. Meine Fähigkeiten *sind* eine Bedrohung für jede normale Gemeinschaft, wenn sie nicht vollständig unter Kontrolle sind.«

Veg war ihm jetzt wieder feindlich gesinnt. »Warum sollte ich Ihnen also überhaupt vertrauen?«

»Es ist keine Frage des Vertrauens. Sie müssen mich so nehmen, wie ich bin, und entsprechend Ihre Entscheidungen treffen.«

»Okay. *Sagen* Sie mir, was Sie sind.«

»Ich gehöre zu einer speziellen Sorte von Regierungsagenten. Ich muß Ihnen etwas über die Hintergründe erzählen . . .«

»Erzählen Sie.«

»Dieser Kontinent ist im Vergleich zu einigen anderen verhältnismäßig dünn besiedelt, aber seine ökonomischen und politischen Organisationsformen sind dennoch enorm kompliziert. Jedes kleine Rädchen wirkt außerordentlich auf das Ganze . . .« Subble erkannte, daß Veg ihm nicht folgen konnte, und ging die Sache anders an. »Nehmen wir das Verbrechen. Wenn ein Mann aus dem Wald seinen Nachbarn umbringt, um an seinen Besitz zu kommen, werden die anderen Holzfäller sehr schnell ahnen, wer es getan hat, oder?«

»Ja. Es gibt hier nicht allzu viele Geheimnisse.«

»Das ist die ›Isolierte-Gemeinschaft-Methode‹. Jeder kennt jeden, und die Gruppe wird mit jeder Schwierigkeit fertig. Aber nehmen wir einmal an, *ich* würde hier jemanden töten und mit meinem Flieger nach Hause zurückkehren, bevor irgend jemand etwas davon merkt.«

»Schätze, wir müßten es dem Sheriff melden. Aber er hätte es ziemlich schwer . . .«

»Genau. Ein Verbrechen ist nicht mehr einfach aufzuklären,

wenn viele Gemeinschaften betroffen sind, die miteinander in Beziehung stehen, und es viele gegensätzliche Interessen gibt. Die Beurteilung der Situation durch Ihren Sheriff würde wertlos sein, wenn es darum geht, mich dingfest zu machen, denn er *weiß* nichts von mir und meinen Motiven. Ich könnte in Appalachia in irgendein Kosmetikgeschäft gehen, um meine Gesichtszüge zu modifizieren, mein Haar umzustilisieren und zu färben, meine Körperform durch Stützgurte und Injektionen zu verändern – in einer halben Stunde würde ich für Sie nicht mehr wiederzuerkennen sein. Selbst wenn der Sheriff genaue Kenntnis von meiner Identität hätte, würde bis zu meiner Ergreifung so viel Zeit vergehen, daß mein Rechtsanwalt sich um die Beweismittel gegen mich kümmern könnte. Und glauben Sie mir, die Veränderungen, die ein Kosmetikinstitut an meinem physischen Erscheinungsbild vornehmen könnte, sind nichts im Vergleich zu dem, was ein Anwalt an meinem *rechtlichen* Erscheinungsbild tun könnte.«

»Sie wollen mir erzählen, daß Sie mit einem Mord durchkämen?«

»Ja. In der komplexen Welt von heute kann es beinahe jeder – wenn er weiß, wie. Er muß lediglich vermeiden, in den paar Stunden entdeckt und verhaftet zu werden, die er braucht, um seine Spur zu verwischen, und das Unterfangen, ihn der Gerechtigkeit auszuliefern, wird so kompliziert und teuer, daß es die Anstrengung nicht wert ist.«

Veg schüttelte den Kopf. »Ich bin nur ein einfacher Junge vom Land. Ich glaube Ihnen, daß es in der großen Stadt rauh zugeht. Aber was hat das mit den Gründen zu tun, aus denen Sie hier sind?«

»Fraglos dürfen wir Mörder nicht davonkommen lassen – und auch keine anderen Kriminellen. Aber das ist nur ein Teil des Problems. Was wir brauchen, ist eine sorgfältig geschulte und disziplinierte Streitmacht von Agenten, die die meisten Fälle so schnell aufklären können, daß Komplikationen gar nicht erst entstehen. Männer, die man sofort alarmieren kann und die unverzüglich eingreifen. Männer, die den Verstand und die Muskeln haben, ganz allein zurechtzukommen, aber auch die Disziplin, um übermenschlich fair zu sein. Männer, deren

Berichte so ähnlich sind, daß der Zentralcomputer sie in wechselseitige Beziehung bringen kann, ohne vorher irgendwelche individuellen falschen Ansichten oder Vorurteile berichtigen zu müssen.

Veg runzelte abermals die Stirn. »Sie haben immer noch nicht meine Frage beantwortet.«

Subble antwortete mit einem Lächeln. »Ich bin fast da. Sie würden bei Ihrem Streit mit Jones nicht zulassen, daß Jones' Bruder einen Schiedsspruch fällt, oder?«

»Nein, zum Teufel! Er würde . . .«

»Sie verstehen also, was ich mit Vorurteilen meine. Die Schwierigkeit ist, daß jede Person auf dieser Welt in irgendeiner Weise Vorurteile hat, selbst wenn sie das gar nicht will. Aber wenn Tausende von Berichten von Tausenden von Agenten über Tausende von einzigartigen Situationen in jeder Stunde übermittelt werden, dann sind Vorurteile ein Luxus, den wir uns nicht leisten können. Der Computer muß sicher sein, daß ihm der Fall exakt präsentiert wird, oder der Bericht ist wertlos. Aber er kann nicht einen Haufen von identischen Robotern losschicken . . .«

»Sie *sind* ein Mensch?« wollte Veg wissen.

»Ich bin ein Mensch, aber kein gewöhnlicher. Das heißt, nicht gewöhnlich im üblichen Sinn.«

»Hören Sie auf, um den heißen Brei herumzuschleichen, und *sagen* Sie es mir!«

»Ich bin ein ausgeschlachtetes menschliches Chassis, das man nach Computererfordernissen wieder zusammengesetzt hat – körperlich und geistig.«

»Ein Androide!«

»Nein. Ich bin ein Mensch, mit den Erinnerungen und den Gefühlen eines Menschen. Ich bin geboren und aufgezogen worden genauso wie Sie, und ich bin sicher, daß ich meine eigenen Probleme und Erfolge hatte. Aber die Vergangenheit, die ich *jetzt* habe, ist auf den Körper aufgepropft worden.«

Veg kämpfte mit der Vorstellung. »Sie meinen, Sie sind nicht wirklich? Sie können nicht . . .«

»Ich bin wirklich, aber nicht so, wie ich geboren wurde. Was auch immer ich war, ist weggeschnitten und durch das vollkommene Gerüst des idealen Agenten ersetzt worden. Meine Erinnerungen sind seine Erinnerungen, und meine Fähigkeiten sind seine Fähigkeiten. Es gibt Tausende wie mich, Männer und Frauen.«

»So daß Ihr Bericht genauso aussehen wird wie der von jemand anderem?«

»Mehr oder weniger. Es ist nicht bloß eine Frage der Standardisierung, sondern der Konformität bis zu den höchsten Ansprüchen. Ich kann Dinge tun, die meine ursprüngliche Verkörperung niemals hätte erreichen können.«

»Sich so schnell zu bewegen wie der Blitz beispielsweise«, stimmte ihm Veg zu. »Ich glaube, ich weiß jetzt, warum Sie verstanden haben, daß ich das Leben meines Bruders auffülle. Sie tun dasselbe.«

Sie waren fertig mit dem Sägen.

Veg richtete sich auf und streckte seine verkrampften Beine. »Sub, ich glaube, ich weiß jetzt alles über Sie, was ich wissen will. Ich werde Ihnen so viel erzählen, wie ich kann, aber ich kann Ihnen nicht alles sagen. Ich meine, ich weiß mehr, aber . . .«

»Aber da wäre Aquilon. Ich verstehe schon.«

»Ja. Quilon und Cal und alles übrige. Und wenn ich aufhöre, dann stellen Sie keine weiteren Fragen mehr. Sie machen, daß Sie wegkommen, und ich werde Sie nie wiedersehen, okay? Und Sie schnüffeln auch nicht hinter dem her, was sich hier im Wald befindet.«

»Einverstanden«, sagte Subble.

Das Unbehagen, das normale Menschen in seiner Gegenwart verspürten, war für ihn Gewohnheitssache und störte ihn nicht. Vielleicht rührte ein Teil dieser Antipathie von der Tatsache her, daß Agenten nur Leute befragten, die etwas zu verbergen hatten. Veg hatte zugestimmt, bis zu einem gewissen Grad mit ihm zu kooperieren, mehr war nicht erforderlich.

Als Veg redete, vergaß Subble die simple Art des Mannes und seine umständliche Sprechweise und nahm die Episode in sich auf, als hätte er sie selbst erlebt. Er versetzte sich in Gedanken auf einen fernen Kolonialplaneten, betrachtete eine Szenerie, die ganz anders war als auf der Erde, atmete durch einen

Nasenfilter und sah sich an der Seite einer reizenden, aber ernst blickenden Frau . . .

»Nicht lächeln, Quilon«, sagte der große Mann, während er die Unterarme auf die Kontrollinstrumente stütze.

Das Mädchen neben ihm führte beide Hände mit einer natürlichen, anmutigen Bewegung zu den Lippen, als ob sie prüfen wolle, daß ihre Gesichtszüge sie nicht verrieten.

»Quilon«, fuhr Veg fort, »du weißt, daß du in Sommershorts wunderschön aussiehst. Es wäre eine Schande, wenn du diesen Eindruck jetzt durch ein Lächeln ruinierst.«

Ohne zu lächeln, beugte sich Aquilon vor und lehnte ihre Stirn gegen seine muskulöse Schulter.

»Nicht«, bat sie leise.

Veg starrte geradeaus. Er wurde sich bewußt, daß er sie verletzt hatte, aber er wußte nicht, warum. Tatsächlich bewunderte er Aquilons Ernsthaftigkeit. Sie verlieh ihren Zügen eine klassische Schönheit, die nur wenige Frauen besaßen.

Er hatte viele lächelnde Frauen gekannt und keine von ihnen respektiert. Sie pflegten in der Nähe des Raumhafens herumzuhängen und waren scharf auf sein Geld und seine Muskeln und vor allem auf seine außergewöhnliche Profession: Raumfahrer. Die älteren von ihnen waren kompetent – und teuer – und nicht immer vertrauenswürdig. Die Teenies legten eine Bereitwilligkeit wie junge Hunde an den Tag und waren ganz wild darauf, ihn Sachen zu fragen, die aufregend sein *mußten*.

Er war kein philosophisch veranlagter Mann, abgesehen von einem Gebiet, das er für sich behielt. Er wollte wenig mehr als körperliches Vergnügen und mitfühlende Gesellschaft, aber die Umstände hatten ihm Zynismus aufgezwungen. Die willigen Frauen des Raumhafens waren erpicht auf Neuigkeiten aus dem Weltraum und suchten dessen Nähe, aber sie waren nicht erpicht darauf, selbst Weltreisen zu unternehmen. Sie hatten wenig Interesse an den persönlichen Bedürfnissen und Gefühlen des Mannes in der Uniform. Sie bezahlten mit Sex und glaubten, daß das genug war. Es stimmte, daß er Sex brauchte, aber Sex dauerte Minuten. Was war mit den Stunden, die übrigblieben?

Aquilon war anders. Zuerst einmal war sie selbst in den Weltraum gegangen, und das war ein eindeutiges Zeichen von Entschlossenheit, Fähigkeit und Mut. Zweitens war sie jung und von erstaunlicher Schönheit – todsichere Voraussetzungen, um im Weltraum in ernsthafte Schwierigkeiten zu geraten. Sie ermutigte keinen Mann, aber sie brauchte einen, um vor anderen Männern geschützt zu sein.

Sie war zu Cal gekommen.

Cal hatte keine Absichten auf sie und wußte viele Dinge. Sie konnte mit ihm reden, ohne Zuneigung zeigen oder auf der Hut sein zu müssen, und sie konnte ihn berühren, ohne gezwungenermaßen daran erinnert zu werden, daß sie eine Frau und er ein Mann war. Sie konnte sicher in seiner Kabine schlafen, denn er drängte sich in keiner Weise einem anderen Menschen auf. Ja, sie bediente ihn, indem sie ihm Bücher aus der Schiffsbibliothek brachte, seine Instrumente reinigte und ihm bei den wenigen Gelegenheiten, bei denen Uniformen im Weltraum getragen wurden, seinen Rock zuknöpfte. Cal war nicht immer kräftig genug, diese Dinge selbst zu tun.

Aber niemand mischte sich ein. Zuerst hatte es etwas Unruhe gegeben, aber dann hatte Veg mit den Männern gesprochen.

»Wie bei Ferrovius und dem römischen Höfling«, hatte Cal weise bemerkt.

Veg hatte es nicht verstanden, und so hatte es der kleine Mann erklärt: »Ferrovius war eine Person in Shaws Schauspiel *Androklus und der Löwe*. Er war so ähnlich wie du, Veg. Er war ein früher Christ, damals, als ein solcher Glaube noch nicht in Mode war, und hatte sich der Gewaltlosigkeit verschrieben. Als ihn der Römer auf die Wange schlug, hielt er ihm ehrerbietig die andere hin. Dann aber schlug er vor, daß der Römer etwas Ähnliches machen solle. ›Ich saß die ganze Nacht mit diesem Jüngling zusammen und kämpfte um seine Seele‹, erzählte er uns. ›Und am Morgen war er nicht nur ein Christ, sondern sein Haar war so weiß wie Schnee.‹«

Danach hatte Veg, der sich nur wenig für Literatur interessierte, die Mühe auf sich genommen, das ganze Schauspiel zu lesen, und er hatte dabei festgestellt, daß der irische Dramatiker auch Vegetarier war.

In jedem Fall hatte Veg der übrigen Schiffsbesatzung klargemacht, daß Cal sein Freund war. Als Aquilon auf den Plan trat, wurde sie Cals zweiter Freund. So einfach war das.

Die Beziehung zwischen Veg und Aquilon war etwas kühler. Sie war absolut höflich, und es gab harmlose Neckereien.

Sie berührte seinen gespannten Bizeps. »Tut mir leid, Veg. Es war mein Fehler.«

»Na ja«, sagte er grinsend.

Plötzlich strahlte seine Welt, obgleich man das von dem, was er sah, nicht sagen konnte. Er steuerte den Traktor um einen der riesigen Pilze herum und rümpfte die Nase, als er sich einbildete, den feuchten Geruch wahrzunehmen. Er starrte durch die Frontscheibe und versuchte, den Dunst zu durchdringen, der den Planeten Nacre einhüllte. Die Ebene vor ihnen verlor sich in der Dunkelheit. Im Vordergrund waren nur die Pilze zu erkennen, die wie Ballons aus dem fruchtbaren Staub emporwuchsen.

»Sind wir in der Nähe der Berge?« fragte Aquilon, während ihre schlanken Finger mit einem kleinen, aber ziemlich eigenartigen Malerpinsel spielten. Veg brummte etwas.

Der Traktor beschleunigte und wuchtete sich durch die Atmosphäre. Der Wind peitschte in das offene Cockpit und ließ Aquilons Haar wie kurze blonde Fähnchen erscheinen. Sie blickte geradeaus, tief durch die verborgenen Nasenfilter einatmend. Sie lächelte nicht.

Veg fuhr langsamer, als die Hügelkette auftauchte. Nacre war niemals kartografisch erfaßt worden. Der Fuß der Berge trat deutlich hervor, während die Gipfel in den alles einhüllenden Nebel ragten und verschwanden. Aquilons Finger bewegten sich in der Luft, eifrig bemüht, die Bilder, die sie sah, auf die Leinwand zu bannen.

»Sieh dir die Vegetation an!« rief sie aus. »Diese Giftpilze!«

Jetzt, da sie sich langsamer vorwärts bewegten, konnte Veg erkennen, was sie meinte. Die Ebene war größtenteils konturenlos gewesen, eine neblige Wüste, aber der Fuß des Berges war aus nächster Nähe gesehen eine einzige Pilzpracht. Was wie nacktes Gestein ausgesehen hatte, waren in Wirklichkeit graue und blaue Pilze. Die hoch aufragenden Exemplare formten eine

Art Schirm über den kleineren Gewächsen. Was Sand zu sein schien, waren Myriaden von winzigen Stäbchen, die aus dem braunen, schwammartigen Unterbau hervorragten. Dazwischen gab es Farbabstufungen – rot, gelb, blau und schwarz. Aus der Entfernung verschwamm alles zur Formlosigkeit, was überwiegend an der Atmosphäre lag. Aus der Nähe war es ein Wunderland der Formen und Farben.

Er hielt an.

»Rühr nichts an«, warnte er sie. »Einige dieser Pilze könnten giftig sein.«

Anschließend kam er sich albern vor, denn er erinnerte sich an ihre Ausbildung. Sie müßte *ihn* warnen. Es bestand keine Gefahr, daß jemand hineinbiß.

Aquilon klappte ihre Staffelei auseinander und malte eifrig. Sie trug braune Shorts und eine weiße Bluse. Wieder fragte Veg sich, warum sie das bequeme Leben, das sie auf der Erde hätte haben können, aufgegeben hatte, um in den einsamen Weltraum zu gehen.

Er ging zum hinteren Ende des Traktors und öffnete die Haube der rückwärtigen Ladeluke. Dort befand sich ein sehr kleiner, schmaler, bebrillter Mann mit spärlichem braunem Haar. Hosenbeine und Ärmel trug er so lang, als wolle er vermeiden, daß jemand seine Glieder sah, und der Hemdkragen schmiegte sich ganz eng um seinen schmalen Hals.

»Wie geht's dir, Cal?«

Der kleine Mann lächelte tapfer.

»Ganz gut«, sagte er, aber sein Gesicht war verkrampft und weiß.

»Wir haben angehalten, um ein paar Bilder zu machen«, erklärte Veg. »Vielleicht willst du ein paar Muster?«

Die eingesunkenen Augen hellten sich auf. »Du hast schon einige besondere Variationen gefunden!« Die abgemagerten Hände hoben sich, um die Schnallen des Gurts zu berühren, sanken dann wieder müde nach unten. »Vielleicht könntest du noch ein paar für mich auswählen.«

»Sicher«, sagte Veg verlegen.

Er konnte sehen, daß die Fahrt für seinen Freund sehr anstrengend gewesen war. Er vergaß immer wieder, daß andere seinen Enthusiasmus für hohe Geschwindigkeiten nicht teilten. Cal hatte sich der Schwerkraft von Nacre noch nicht richtig angepaßt, obgleich sie geringer war als auf der Erde, und die Filter erschwerten seine Atemtätigkeit. Im Raum, unter den Bedingungen der Nullgravitation, kam er gut zurecht und konnte sich bei der Beschleunigung einem Flüssigkeitsbad anvertrauen. An Land litt er. Aber Cal hatte darauf bestanden, an der Erkundungsfahrt teilzunehmen, gleichgültig wie rauh die Reise auch werden mochte. Er war genauso gespannt wie Aquilon auf das, was vielleicht in der Hügelkette zu finden war. Es war nicht Mut, der ihm fehlte, sondern Kraft.

Veg streifte Schutzhandschuhe über und marschierte auf die üppigsten Exemplare los.

»Nicht diese!« rief Aquilon und veranlaßte ihn zu einem tiefen Atemzug durch den Mund. Er stieß die Luft hastig aus und begriff, daß sie diese Gruppe für ein Porträt haben wollte. Er ging weiter.

Die Atmosphäre von Nacre war ausgiebig getestet und als sicher eingestuft worden – in Grenzen allerdings. Einige Atemzüge durch den Mund würden kaum ernsthaften Schaden hervorrufen, aber das ganze Personal war darauf trainiert worden, automatisch durch die Filter zu atmen, sogar im Schlaf. Veg wußte dies, aber die ungefilterte Luft kam ihm unrein vor, und es ekelte ihn, sie zu inhalieren.

Die Flora und die Fauna waren eine andere Sache. Einiges davon war auf unerwartete Art und Weise tödlich, und das meiste mußte noch getestet und klassifiziert werden. Die Regel lautete: Nicht berühren, bevor es das Laboratorium nicht für harmlos erklärt hat.

Aquilon sah ihn an, als er herankam, aber er störte sie nicht beim Zeichnen. Veg machte halt, breitete eine Sammelfolie aus und streckte vorsichtig die Hand nach dem Angebot aus, das ihm am nächsten war.

Die Pilze waren sogar noch bunter, als er gedacht hätte, und sie standen so dicht beisammen, daß es kaum möglich war, einen ganz bestimmten herauszupflücken. Er griff nach einem fünfzehn Zentimeter großen Stinkhorn, blau wie der Erdenhimmel, und hatte dabei Angst, daß die emporragende Spitze abbrechen würde, aber zu seiner Erleichterung und Überraschung war der Pilz so hart wie ein Stück Holz. Er zog ihn aus dem Boden, knipste bedauernd die drahtartigen Wurzelfasern ab und legte ihn auf das Tuch.

Ein Stück weiter entfernt stand ein Exemplar von der Größe eines Tennisballs, um das sich unzählige Fäden wanden. Als er mit der Hand näher kam, bewegten sich diese Fäden verblüffenderweise. Er zuckte zurück und verlor beinahe das Gleichgewicht. Sein Blick glitt vorbei an den Pilzfelsen und fiel auf das Gelände dahinter.

Er versteifte sich.

»Quilon«, rief er mit gedämpfter Stimme.

Sie wußte sofort, daß es um etwas Wichtiges ging. Sie kam schnell, aber ruhig und folgte der Richtung seines Blicks.

»Ich sehe es«, sagte sie, jetzt genauso angespannt und still wie er.

Da war eine Bucht in dem Meer aus Staub, und davor hockte eine Kreatur, die etwa die Größe eines kleinen, gebückten Mannes hatte. Auffallendstes Merkmal war ein einzelnes, enorm großes Auge.

»Was ist es?« fragte sie ihn.

Veg antwortete nicht.

Die Kreatur stand unbeweglich da, das Auge, acht Zentimeter im Durchmesser, unverwandt auf sie gerichtet. Der Körper war eine zusammengekrümmte, kugelförmige Masse, die sich auf einen einzelnen muskulösen Fuß stützte.

Sie tauschten einen Blick.

Veg beantwortete die nicht ausgesprochene Frage mit einem Kopfschütteln.

»Wir sollen lediglich die Topographie der Landschaft erkunden«, sagte er. »Wir können es nicht wagen, uns mit den lokalen Lebensformen einzulassen – nicht mit etwas, das so fremdartig ist wie dies dort drüben.«

»Es sieht nicht gefährlich aus.«

»Aber achtzehn Menschen wurden getötet, bevor wir hier ankamen – von irgend etwas ...«

Mehr brauchte er nicht zu sagen. Als Mitglieder einer halb privaten Expedition, die einen vielversprechenden, aber gefährlichen Planeten erforschen sollten, waren sie zur Vorsicht verpflichtet. Die Bezahlung war in gewissem Rahmen abhängig von der erfolgreichen Lösung des Problems, und qualifizierte Freiwillige waren rar. Seltsame Leute ließen sich verpflichten und seltsame Dinge passierten, aber das einzelne Individuum vermied Risiken weniger aus Gründen der persönlichen Sicherheit, sondern mehr, um den Erfordernissen der Expedition als Ganzes gerecht zu werden. Ein törichter tapferer Mann war eine Belastung.

Gelegentlich hatte sich Veg gewundert, warum man Cal erlaubt hatte, Mitglied der Gruppe zu werden, da er doch die besten Voraussetzungen besaß, um sich selbst umzubringen. Vielleicht deshalb, weil er auch die besten Voraussetzungen hatte, seinen Finger, zittrig wie er auch sein mochte, auf die Wurzel des Übels zu legen und dadurch viele andere Leben und viel Zeit zu retten.

Wie dem auch war, sie mußten diese fremdartige Kreatur beobachten, sich ihr aber nicht nähern, so groß die Versuchung auch sein mochte.

Aquilon hatte bereits angefangen zu zeichnen, ohne dabei eine Gemütsregung zu zeigen.

»Es hat einen Schwanz«, sagte Veg, »aber keinen Rachen. Anders als die Omnivoren. Wie kämpft es?«

Sie gab keinen Kommentar ab, bemalte nur in schneller Reihenfolge weitere Leinwände.

Alle Tiere, die sie auf Nacre beobachtet hatten, schienen nach einer ziemlich ähnlichen Zeichnung gefertigt worden zu sein, so als ob sie von einem gemeinsamen Vorfahren abstammten. So wie die Tiere der Erde vier Gliedmaßen und zwei Augen entwickelt hatten, beschränkten sich die auf Nacre auf einen Fuß und ein Auge. Und wie auf der Erde hatten sich diese Tiere in große und kleine, in mutige und scheue, in Räuber und Beute aufgespalten. Die wildesten von ihnen allen waren die Omnivoren.

»Es könnte Waffen haben, die nicht zu sehen sind«, sagte Veg. »Dieses Auge . . .«

Selbst aus der Entfernung war das Auge ungemein eindrucksvoll. Die glänzende, konvexe Oberfläche war geformt wie eine

Linse, tief und dunkel wie ein Brunnen. Im Inneren, vielleicht jenseits des sichtbaren Spektrums, schien etwas zu flimmern, fast wie Glut.

»... ist etwas dran«, stimmte ihm Aquilon zu und zeichnete ein vergrößertes Bild des Organs.

Veg zog sie schließlich weg, beide Hände auf ihren schlanken Schultern, während sie mit dem Malen fortfuhr.

»Wir sollten besser nach Hause gehen und über diese Sache berichten. Könnte wichtig sein.«

Widerstrebend gab sie nach. Sie wichen zurück, bis die Kreatur hinter der schützenden Flanke des Bergs aus ihrem Blickfeld entschwand. Dann hielt Veg Wache, während Aquilon zum Traktor hinübereilte, um Cal mit der Situation vertraut zu machen. Vegs Hand lag auf seiner Waffe, aber er hoffte, daß er sie nicht zu ziehen brauchte. Zum einen benutzte er nur ungern eine Waffe, obgleich er es tat, wenn er dazu gezwungen wurde. Und zum anderen hatte er keine Garantie, dafür, daß der Abwehrnebel, den sie ausstieß, Wirkung erzielen würde, da diese Kreatur ziemlich anders war als alle, die sie bisher gesehen hatten.

Nachdem er Aquilon einen gewissen Vorsprung gegeben hatte, legte er den Weg zum Traktor ebenfalls zurück. Es war unvorsichtig von ihm gewesen, Pilze zu sammeln, ohne das Gebiet vorher gründlich zu inspizieren. Dieses Ding hätte sich heimlich an sie heranmachen können ...

»Mehr habe ich nicht«, sagte er entschuldigend zu Cal, als er den einzigen Pilz deponierte und den Laderaum zuschloß.

Der kleine Mann nickte nur, und Veg wußte, daß er sich wünschte, die neue Kreatur selbst gesehen zu haben. Ein einziger Blick hätte Cal mehr gesagt als eine zehnminütige Beobachtung durch Veg.

»Ich fahre auf dem Rückweg daran vorbei. Du kannst es durch dein Periskop betrachten.«

»Wenn auf diesem Planeten doch nur das Funkgerät arbeiten würde ...« beklagte sich Aquilon, als er sich vorne zu ihr gesellte.

Diese Klage war ein alter Hut.

Erkundungstrupps waren nicht gerne ohne Kontakt mit der

Basis, aber der Staub schien die meisten elektromagnetischen Wellen in der Atmosphäre zu blockieren. Später würde man alternative Kommunikationsmöglichkeiten entwickeln, aber augenscheinlich mußten sie eine phänomenale Entdeckung für sich behalten, weil sie keinen anderen von der Basis erreichen konnten.

»Vielleicht sehen wir es niemals wieder . . .«

Er startete die mächtigen Motoren und fuhr langsam an. Das Gefährt bog um die Schulter des Bergs und stieß in die Bucht hinein.

Das Tier blieb an Ort und Stelle, blinzelte unergründlich. Veg fuhr vorsichtig daran vorbei, machte dann halt und wendete, wobei er hoffte, daß Cal einen guten Ausblick hatte. Extraterrestrisches Leben aller Art faszinierte den Mann.

Der Traktor wendete und schlug den Weg ein, auf dem er gekommen war. Aquilon, immer noch neugierig, kletterte auf den Rücksitz und blickte während der Abfahrt über die Lehne.

Veg warf einen kurzen Blick auf eine mehrere Quadratzentimeter große nackte Stelle ihres Oberschenkels, biß sich dann auf die Lippe und konzentrierte sich aufs Fahren.

Die Kreatur bewegte sich. Veg konnte es auf dem rückwärtigen Sichtschirm sehen. Sie machte einen ungelenkten, hohen Sprung, krümmte sich in der Luft zusammen und landete vier Meter näher auf ihrem einen Fuß. Das funkelnde fremdartige Auge beobachtete weiterhin aufmerksam.

»Ich glaube, es ist genauso neugierig, wie wir das sind«, sagte Aquilon strahlend. Als die Geschwindigkeit zunahm, blickte sie immer noch nach hinten. »Es folgt uns.«

Veg grinste, erleichtert, daß sie jetzt alle drei sicher im fahrenden Wagen sagen. »Vielleicht möchte es ein Wettrennen.« Er beschleunigte auf dreißig Stundenkilometer. »Sag mir Bescheid, wenn es aufgibt.«

»Noch nicht«, antwortete das Mädchen.

Sie beobachtete die Kreatur, die wieder und wieder sprang und dem Traktor dabei näher kam.

»Es holt auf!«

Veg spielte mit den Kontrollen. Er ließ der mächtigen

Maschine freien Lauf, bis die Skala fast fünfzig Stundenkilometer anzeigte.

»Es holt immer noch auf«, sagte Aquilon aufgeregt. »Aber es ist nicht mehr... dasselbe. Ich meine...« Sie zögerte und blickte ihn an, als erwarte sie eine Zurückweisung. »Es... Ich glaube, es hat seine Körperform geändert. Um schneller hüpfen zu können.«

Das war keine Übertreibung, wie er selbst feststellen konnte. Der Körper war flach geworden und hatte sich verlängert. Von springen konnte nicht mehr die Rede sein. Das Wesen berührte den Boden in Abständen von sechs bis sieben Metern und beförderte den Körper in flachen Flugbahnen vorwärts. Das große Auge befand sich an der Vorderseite eines Kopfes, der wie eine Rakete geformt war und in den halslosen Rumpf überging, während der Schwanz hinterherflatterte.

Veg versuchte, den Schirm, das Mädchen und das Gelände gleichzeitig zu beobachten, mußte dies jedoch abwechselnd tun.

»Da haben wir aber etwas aufgegabelt«, murmelte er und nahm die Herausforderung an. »Wenn es wirklich ein Wettrennen möchte...«

Noch einmal beschleunigte der Traktor. Er war für hohe Geschwindigkeiten auf rauhem Terrain erbaut worden. Veg schaltete die Frontscheinwerfer ein und manövrierte das Gefährt geschickt um die Pilze herum.

Aquilon hielt sich an der Haltestange hinter dem Sitz fest, während der scharfe Wind an ihrem Körper zerrte. Sie blickte immer noch zurück. Ein Ausdruck feierlicher Erregung lag auf ihren hübschen Zügen. Ihre Lippen waren geöffnet, aber sie atmete durch die Nase. Voller Spannung fixierte sie das Einbein hinter ihnen.

Bei neunzig Stundenkilometern fing es langsam an, zurückzufallen.

Widerstrebend ließ sich Aquilon auf den Sitz sinken.

»So etwas Schnelles habe ich noch nie gesehen...« Erst jetzt wurde sie sich bewußt, daß sich ihre Bluse aus dem elastischen Hüftband gelöst hatte und nur noch lose um Schultern und Arme hing.

Veg nickte anerkennend, gab aber keinen Kommentar ab. Diesmal würde er sie nicht wieder wütend auf ihn machen!

Sie ordnete ihre Kleidung und beugte sich vor, um auf den Schirm vor dem Fahrer blicken zu können.

»Sieh doch«

Unmittelbar hinter ihnen holte die Kreatur wieder auf.

»Aber wir haben hundertzehn Stundenkilometer drauf«, erklärte Veg.

Aquilon beobachtete aus nächster Nähe, während Veg an ihrem Kopf vorbeiblickte. Bei dieser Geschwindigkeit hatte er wirklich keine Zeit, sich auf den Schirm zu konzentrieren.

»Es hat sich wieder verändert«, sagte sie und gab ihm eine Beschreibung.

Das Ding hüpfte überhaupt nicht mehr, statt dessen blieb es ganz dicht am Boden, wobei sich sein Fuß so schnell bewegte, daß die Bodenberührung gar nicht wahrnehmbar war. Der Körper bewegte sich auf fast geradem Kurs vorwärts, flach ausgestreckt wie eine dünne Scheibe von dreieinhalb Metern Durchmesser. Das riesige Auge starrte weiterhin nach vorne, hypnotisch und düster glühend.

»Wie konnte ich es nur für ungelenk gehalten haben?« flüsterte Aquilon. »Es ist wunderschön, wie ein Schmetterling. Nein, eher wie ein Manta, ein Rochen zu Hause auf der Erde. Nur daß es in der *Luft* schwimmt, so schnell . . .«

Der Traktor sprang nach vorne, mit aufbrüllenden Motoren.

»Dieses Mal«, sagte Veg mit grimmigem Enthusiasmus, »dieses Mal zeige ich ihm wirklich unsere Staubfahne!«

Er drückte einen Knopf, und ein gepanzertes Schiebedach glitt über das Cockpit. Die Turbulenzen im Inneren hörten auf, aber schwere Vibrationen schüttelten die Insassen, als das Gefährt über die Ebene jagte. Veg war stolz auf die Maschine, die für jedes Rad einen eigenen Antrieb und eine überwältigende Kraft besaß.

Dichte Staubwolken stiegen auf und versperrten die Sicht nach hinten. Wieder verschwand der Verfolger aus dem Blickfeld. Aber einen Augenblick später erschien er abermals.

»Hat es überhaupt eine Grenze?« Aquilon atmete schwer und blickte die Kreatur hingerissen an. »Eine derartige Leistung . . .«

Als der Traktor weiter beschleunigte, verlor das flache Wesen langsam an Boden und tauchte schließlich im Nebel unter. Diesmal kehrte es nicht zurück.

Veg ging langsam mit dem Tempo herunter, leicht benommen von der Geschwindigkeit. Er hatte selten einen Vorwand, den Traktor richtig auszufahren.

Aquilon war die erste, die reagierte. Sie hob ihren Kopf wie ein wachsames Reh.

»Es brennt«, sagte sie. »Irgend etwas brennt.«

Veg lachte und kniff sie mit seinen behandschuhten Fingern ins nackte Knie. Dann roch er es ebenfalls. »Oh!«

Der Traktor geriet ins Schleudern.

»Ein Rad ist blockiert«, knurrte er. »Muß den Motor abstellen. Der verdammte Staub scheint . . .«

Wieder ein Schleudern, das sie beide zur Seite warf. Veg fluchte und kämpfte mit den Kontrollen. Der Staub stieg in wogenden Wolken empor und verbarg Himmel und Erde.

Das Gefährt stürzte nicht um. Sie saßen ruhig da, während sich der Sturm draußen legte, und der Gestank von durchgeschmortem Gummi nach innen drang. Veg öffnete das Schiebedach und schob es mit der Hand zurück.

»Wir sind gestrandet«, sagte Veg dumpf. »Eigene Schuld. Diese Maschine wird sich in den nächsten Wochen nicht wieder bewegen.«

Aquilon zog die Schlußfolgerung selbst. »In diesem Nebel und Staub gibt es keine Spuren, denen sie folgen könnten, wenn sie feststellen, daß wir verschollen sind . . . Und wir können sie nicht alarmieren. Eine großangelegte Suchaktion würde zu lange dauern.«

Ihre Augen weiteten sich plötzlich. »Wir haben Cal ganz vergessen.«

Veg stieß die Tür auf und sprang auf den Boden. Aquilon glitt hinüber und stieg etwas vorsichtiger aus. Gemeinsam bahnten sie sich durch die sich setzenden Staubpartikel einen Weg zur Rückseite des Traktors.

Cals Brille war zerbrochen und hing über einem Ohr, aber es war kein Blut in seinem Gesicht. Veg löste seinen Gurt und hob ihn nach draußen.

Aquilon schlang beide Arme um den bewußtlosen Mann und hielt ihn fest, während Veg seinen Körper auf Verletzungen untersuchte.

»Er ist in Ordnung«, verkündete er. »Das Schleudern hat ihn in Ohnmacht fallen lassen.« Er hoffte, daß er recht hatte.

Aquilon setzte Cal auf den Boden und legte seinen Kopf auf ihren Schoß. Es dauerte nicht lange, bis sich seine Augen öffneten.

Veg entspannte sich. Erst jetzt gestand er sich selbst ein, wie besorgt er gewesen war. Der Schock hätte seinen Freund in ein Koma fallen lassen können, und wenn irgendeine innere Verletzung . . .

»Sporen«, sagte Cal und setzte sich mit Aquilons Hilfe aufrecht.

»Sporen?« Für einen Augenblick fürchtete Veg, daß Cals Verstand doch gelitten hatte.

»Dies ist eine Pilzwelt – ungenügende Lichtverhältnisse für Chlorophyllpflanzen. Viel von diesem ›Staub‹ ist in Wirklichkeit eine überschüssige Menge von Sporen, mikroskopisch klein, denn auf diese Weise reproduzieren sich die meisten Pilzarten. Ein Palynologe könnte dir sagen, daß fünfzigtausend hoch sieben von ihnen auf einen flachen Teelöffel passen. Sie schweben in der Luft und dringen in alles ein. Es gibt so viele Arten von ihnen, daß man sie selbst auf der Erde fortwährend in neuen Materialien entdeckt. Vermutlich haben sich einige von ihnen in die Kugellager der Räder hineingearbeitet und im Öl gekeimt, was dazu führte . . .« Cal war wieder ganz der alte.

Veg trat an die Seite des Traktor und blieb vor einem dort untergebrachten Fach stehen.

»Vorräte?« erkundigte sich Aquilon.

Als sie neben ihm stand, reichte ihm ihr Kopf kaum bis zur Schulter.

»Gewehr und ein Kompaß«, sagte er. »Wir sind in Schwierigkeiten, meine Hübsche.«

Sie schlüpfte unter seinem Arm durch und wühlte in dem Fach herum. »Es ist ein komplettes Überlebenspaket«, sagte sie befriedigt. »Messer, Streichhölzer, Erste Hilfe, Handbuch. Damit schaffen wir es zurück zur Basis.«

Veg sah sie nur an.

»Hör zu«, fuhr sie unschuldig fort. »Der Kompaß zeigt knapp vierzig Kilometer an. Das ist nicht so weit . . .« Sie unterbrach sich, als sie merkte, daß Veg keine Antwort gab. »Was ist los?«

»Ich habe noch nie eine Frau getroffen, die logisch denken konnte. Die angezeigten Kilometer sind Luftline. Wenn wir dem ebenen Boden folgen, dürften es eher hundertundfünfzig sein. Wir waren ein paar Stunden unterwegs – mit dem Traktor. Du und ich, Quilon, könnten es schaffen . . .«

»Oh!« Ihre Hand flog zum Mund. »Cal . . .«

»Ja.«

Veg fing an, das Fach auszuladen und die Utensilien aufzubauen, die das Paket enthielt.

Schon hatte sich ein dünner Film aus dem allgegenwärtigen Staub auf den horizontalen Flächen des Gefährt gebildet. Nur die geisterhaften, toten weißen Pilzriesen lockerten die Dunkelheit der verhüllten Ebene auf. Es war nicht kalt, aber Veg sah Aquilon zittern, als er das Paket zuschnürte, das Gewehr nahm und sich an Hand des Kompasses orientierte.

»Könntest du dich nicht auf den Weg machen und Hilfe holen?« fragte sie ohne große Hoffnung. »Du könntest es an einem Tag schaffen, und wir wären unterdessen im Traktor sicher.«

»Wenn ich das Terrain kennen würde, ja«, sagte Veg ernsthaft.

»Aber es gibt da ein paar böse Abgründe, die noch schlimmer sind, weil man sie nicht sehen kann. Das Lager befindet sich genau unter einer Klippe. Wenn mir etwas zustoßen würde, wenn ich nur ein bißchen aufgehalten würde, wärt ihr erledigt. Mit nur einer einzigen richtigen Waffe, ohne Nahrung und nur etwas kostbarem Wasser können wir uns nicht trennen.«

Er versuchte, die Stimmung ein wenig aufzuheitern. »Außerdem hätte ich dich gerne da, wo ich dich im Auge behalten kann.« Er zeigte in den Dunst hinein. »Hier entlang! Und hoffen wir, daß das Gelände eben bleibt. Hilf der Lady, Cal.«

Aquilon verstand den Wink und nahm den Ellbogen des kleinen Mannes. Sie setzten sich in Bewegung, folgten dem vorangehenden Veg. Das Tempo war langsam, kaum drei Stundenkilometer, aber Cal stolperte fast sofort. Er hatte die nutzlose Brille weggeworfen. Er konnte seine unmittelbare Umgebung erkennen und brauchte unterwegs auch nicht zu lesen. Schweiß tropfte auf seine Brauen, als er sich bemühte, Anschluß zu halten, aber es war offensichtlich, daß selbst dieses langsame Tempo die Kräfte seines ausgemergelten Körpers überstieg.

Die Frau, einen halben Kopf größer als er und schwerer, legte ihm fest den Arm um die Hüfte und half ihm vorwärts. Der Druck des Arms veranlaßte Cal zu einer Grimasse, aber er sagte nichts. Veg, das Gewehr schußbereit, versuchte, sich nicht umzudrehen, verlangsamte seine Schritte jedoch.

Zwei Stunden später kam eine Gruppe von Tieren in Sicht.

»Herbivoren«, sagte Veg. »Pflanzenfreser. Keine Gefahr.«

»Nahrung«, sagte Aquilon. »Warum warten wir nicht hier, bis du ein Kleines zurückbringst? Wir könnten die Pause gebrauchen.«

In erster Linie meinte sie, daß Cal die Pause gebrauchen konnte.

Veg legte das Paket auf den Boden und näherte sich mit schnellen Schritten der Herde, das Gewehr noch in der Hand.

Mehr als dreißig Kilometer zurückzulegen! Er könnte es ganz leicht schaffen . . . und Aquilon ebenfalls. Aber Cal . . .

Mit Cals Tempo könnten sie es nicht schaffen. Die ständigen Ruhepausen eingeschlossen würde es wenigstens drei Tage in Anspruch nehmen, und wenn sie es so lange auch ohne Nahrung aushalten konnten, würde sie das fehlende Wasser doch erledigen. Er war jetzt schon durstig, und es gab nur eine Flasche destilliertes Wasser.

Früher oder später würde Cal aufgehen, daß er ihre Chancen beeinträchtigte. Dann würde es wirklich Ärger geben. Veg hatte nicht die Absicht, seinen Freund zu verlassen. Er würde ihn ganz einfach tragen müssen. Vielleicht konnten sie auf diese Weise genug Zeit gutmachen. Aquilon konnte den Packen tragen. Er würde ihn leichter machen müssen, indem er alles hinauswarf, was sie nicht unbedingt benötigten . . .

Er trat nach einem fußballgroßen Pilz, der aus einer Staubspalte hervorquoll. Der Pilz blieb im Boden haften und nahm seinen Stiefel auf wie ein Schwamm, brachte ihn beinahe zu Fall. Veg fluchte. Er war genauso wütend auf sich selbst, weil er seine Stimmung an einem harmlosen Lebewesen ausgelassen hatte, wie auf den Pilz, der dem Tritt Widerstand entgegengesetzt hatte. Eine transparente Flüssigkeit tropfte von seiner Fußspitze.

Veg näherte sich dem Rand der Herde, ohne sich zu bemühen, das Gewehr in Anschlag zu bringen. Die friedlichen Herbivoren von Nacre waren ein alltäglicher Anblick und bedrohten niemanden. Ihr Fleisch *war* eßbar, aber er hatte nicht vor, eins zu schlachten, nicht einmal für Aquilon. Sie würde das selbst tun müssen – und damit rechnete er nicht.

Wie buchstäblich alle Tiere hier waren auch diese Wesen einbeinig. Er konnte einige von ihnen herumhüpfen sehen, wobei sie mit jedem Sprung einen Meter oder noch weniger zurücklegten. Sie zogen nicht viel umher, und eine Herde bewegte sich ungefähr auf die gleiche Weise vorwärts wie eine Sanddüne: Partikel auf Partikel. Hier waren etwa fünfzig Exemplare versammelt, und nicht mehr als ein halbes Dutzend war in Bewegung, um am vorderen Rand frische Weidegründe zu suchen. Die anderen grasten, wobei ihre langen, rosafarbenen Atmungsorgane von den Spitzen ihrer birnenförmigen Köpfe abstanden und den einzelnen Individuen ein kaninchenähnliches Erscheinungsbild verliehen. Insgesamt gesehen erinnerte die Gruppe an ein sanft wogendes Kornfeld. Veg hatte gehört, daß diese Atmungsorgane Wasser aus der Atmosphäre gewinnen konnten. Zu schade, daß menschliche Wesen dazu nicht auch in der Lage waren!

Es gab die Herbivoren in allen Grauschattierungen und den verschiedensten Größen. Wie festgestellt worden war, wuchsen sie ihr ganzes Leben lang. Einige wenige waren größer als er selbst. Er bückte sich, um einen mittelgroßen Vertreter hochzunehmen, der aussah, als würde er nicht mehr als fünfzig Pfund wiegen. Er hatte mit diesen Kreaturen schon frühen Kontakt gehabt, aber nie sein Erstaunen über ihre absolute Fremdartigkeit ablegen können.

Er legte seine Hände um die schmalste Körperstelle, indem er es unmittelbar oberhalb des runden Fußes packte, bevor es seine Absicht erkennen und davonhüpfen konnte.

Er zog an dem Tier.

Der Fuß, in einem vollen Kreis auf den Boden gestemmt, um den nahrhaften Staub aufzunehmen, pendelte kraftlos hin und her, als er die Kreatur vor sich in die Luft hielt. Der rundliche Körper war ein formloser Klumpen. Das eine Auge quoll leicht hervor, ohne Unruhe zu zeigen. Das längliche Atmungsorgan stand schräg ab, eine zuckende Masse dünner Fasern.

Die wedelnden Fühler wischten durch sein Gesicht wie ein feuchter, sanfter Pinsel. Durch sie hindurch sah er, wie sich Aquilon der Herde näherte.

»Dein Schoßtier«, rief er laut, wobei er wußte, daß der Lärm diese Kreaturen nicht stören würde. Keins der Tiere, die man bisher auf Nacre entdeckt hatte, gab irgendwelche Laute von sich oder besaß Hörorgane. Es handelte sich um einen schweigenden Planeten, was, wie Cal angemerkt hatte, sehr schlimm war, denn der immerwährende Nebel machte das Sehen zu einer weitaus weniger nützlichen Wahrnehmungsart als irgendwo sonst. Der fallende Staub behinderte das Licht und blockierte Strahlen und Signale . . .

Die Entfernung zwischen ihm und Aquilon hatte sich halbiert, und sie wedelte mit den Armen und schrie laut.

»Veg! Hinter dir!«

Er wirbelte herum, den Herbivoren noch in der Hand.

Irgend etwas löste sich aus der Herde. Es stieg viel zu hoch, um ein normales Mitglied der Gruppe zu sein. Schlank und schwarz, wie es war, kontrastierte sein Körper scharf mit den grauen Schattierungen seiner Nachbarn. Ein großes Auge war in dem Wesen sichtbar, unnatürlich bösartig und völlig andersartig als die leeren Spiegel der Herbivoren. Es landete am Rand der Gruppe, die Veg am nächsten war, und bewegte sich auf ihn zu, wobei der Körper eine plötzlich vertraute flache Form annahm.

»Der Manta!« schrie Aquilon.

Veg ließ das Gewehr in seine Hände gleiten. Dies war das letzte, was er erwartet hatte. Das Rennen im Traktor war eine Sache gewesen, es jedoch im Freien zu treffen . . .

Die Hitzekammer seines Gewehrs leuchtete, als sich der Druck aufbaute. Seine Hände hatten automatisch die richtigen Dinge getan, so als seien sie begieriger auf das Töten als er selbst. Der Dampf brauchte nur ein paar Sekunden, um sich zu formen, aber danach war das Gewehr schußbereit.

Der Manta, leicht zur Seite geneigt, kam unglaublich schnell. Jetzt sah Veg den peitschenartigen Schwanz, und schockartig wurde ihm klar, was dieser Schwanz anrichten konnte. Er hatte nicht feuern wollen, aber jetzt hatte er keine andere Wahl mehr.

Der Dampf zischte, als er den Abzug betätigte – einmal, zweimal. Der Manta kam noch immer, unverletzt.

Fluchend riß Veg ein Explosivgeschoß aus dem Arsenal und legte es in die Hilfskammer.

Der Manta war kaum mehr als eine schmale Linie. Mit dem Kopf voran bewegte das Wesen sich jetzt mit einer solchen Geschwindigkeit, daß es bereits an Veg vorbei war, bevor er zum zweitenmal richtig zielen konnte. Der Manta passierte ihn oberhalb des Kopfes, schlug jedoch nicht zu.

Dann landete das Wesen zwischen ihm und Aquilon und stand ihr gegenüber. Veg sah, wie sie voller Schrecken zurückwich, sie, die ihn mit seinem fahnenartigen Schwanz und dem großen Auge für so wunderschön gehalten hatte.

Der Manta hatte es auf sie abgesehen!

Veg feuerte.

Diesmal schüttelte sich der Manta, als das Geschoß seinen Körper aufriß. Er drehte sich, zog sich in der Luft zusammen, stürzte dann schwer zu Boden und bewegte sich nicht mehr.

Veg hatte ihn schließlich doch getötet.

2 Ein Krug Wein

Die Berge wichen dem nördlichen Seenland, als Subble seine Flugmaschine westwärts lenkte, um den überfüllten Luftraum über Appalachia zu meiden. Dann flog er über die Schornsteine des mittleren Westens hinweg in Richtung Süden und erreichte die weiten Flächen des bewirtschafteten Farmlandes jenseits des Mississippi. Moloche trotteten wie gigantische Wanderameisen über die endlosen Pflanzungen.

Er glitt über die zahllosen, erhöht liegenden Pipelines der sich rapide erschöpfenden Ölfelder Oklahomas und landete schließlich auf einem der Wohntürme, die unmittelbar nördlich von der texanischen Grenze lagen. Auf dem breiten Asphaltdach stand reichlich Parkraum zur Verfügung, und er rollte ohne Zwischenfälle bis zum Besucherparkplatz. Ein Laufband brachte ihn zum nächsten Aufzug. Die ganze Anlage war völlig phantasielos. Alles lief bisher ab wie gewohnt.

Im zwanzigsten Stockwerk stieg er aus und kämpfte sich durch das Labyrinth, bis er das richtige Apartment fand. Auf sein Läuten öffnete sich die Tür sofort, und warme Luft strömte ihm entgegen.

Eine überwältigend schöne Frau stand vor ihm. Ihr langes helles Haar war achtlos zu einem Knoten zusammengebunden, aber dieser Umstand konnte kaum von den klassischen Linien ihres Gesichts ablenken. Sie war blauäugig und lächelte sanft.

»Sie sind . . .«

»Quilon«, sagte sie sofort. »Kommen Sie rein. Ich brauche Sie.«

Subble trat ein, den Frühlingsduft des einfachen Parfüms registrierend, das sie benutzte. Sein Wahrnehmungsvermögen sagte ihm, daß diese Frau viel komplizierter und gestörter war, als Veg sie gesehen hatte, aber nicht gefährlich im physischen Sinne. Sie ergänzte sich auf vielerlei Arten mit dem derben, starken Vegetarier, und es war gar nicht verwunderlich, daß sie sich liebten.

»Ich bin . . .«

»Einer dieser Agenten«, sagte sie. Sie gab ihm einen Packen mit zusammengefalteten Sachen. »Ziehen Sie das an, bitte.«

Subble zog sich in ihr kleines Schlafzimmer zurück und wechselte die Kleidung, wobei er seinen harmlos aussehenden Anzug auf ihr Bett legte. Er machte sich keine Gedanken über die Dinge, die sie darin vielleicht finden mochte. Nur ein geschulter Waffenkenner würde die leichten Modifikationen an Stoff und Leder erkennen können, und außerdem würde er wachsam sein.

Sie hatte ihn mit einem archaischen, fremd aussehenden Raumkostüm von jener Sorte versehen, die angeblich in den frühen Tagen der Weltraumforschung in Gebrauch gewesen war: plump, schwerer Stoff und ein kugelförmiger Transparenthelm. Dies *war* jedoch ein Kostüm. Der Stoff war porös, und der Helm bestand aus Fiberglas.

»Gut«, sagte sie, als er wieder zum Vorschein kam. »Stellen sie sich jetzt vor diesen Hintergrund und sehen Sie müde aus. Sie sollen den zweiten Mann auf dem Mond darstellen, damals um 1970 herum. Sie haben sich im Grenzgebiet der Dunkelzone verirrt, und die Sonne geht auf. In sechs Stunden müssen Sie einen Unterschlupf gefunden haben, oder Sol wird Sie braten. So ist es gut.«

Sie hatte eine Staffelei aufgebaut und war halb hinter einer großen Leinwand verborgen. Ihre rechte Hand beschäftigte sich mit Farbe und Bild, während sie ihm mit der linken Zeichen gab, um ihn in die Position zu bringen, die sie wünschte.

»Wenden Sie Ihr hübsches Gesicht von mir ab . . . ein bißchen tiefer. Beugen Sie die Knie . . . mehr . . . gut! Bleiben Sie so. Jetzt können Sie reden oder das tun, warum Sie gekommen sind, wenn Sie dabei ihre Pose nicht verändern.«

»Sie stellen kommerzielle Illustrationen her«, sagte Subble, ohne sich zu bewegen.

»Im Augenblick«, stimmte sie zu. »Aber ich male die ganze Zeit, ob ich dafür Geld bekomme oder nicht.«

»Sie bekommen noch andere Bezahlung als Geld?«

Obgleich sie ihn so plaziert hatte, daß er sie nicht beobachten konnte, informierten ihn seine Ohren und die Nase doch über ihre genaue Position und Verfassung. Ihr Atem ging ein bißchen unregelmäßig, der Herzschlag war beschleunigt, und das Parfüm konnte nicht den Geruch der Nervosität verbergen, den sie ausstrahlte. Sie war bei weitem nicht so selbstsicher, wie sie ihn glauben machen wollte.

»Die beste Bezahlung«, sagte sie. »Inneren Frieden.«

Aber sie war im Moment weit von einem solchen Lohn entfernt.

»Was haben Sie mit mir vor?«

»Ich bin mir nicht sicher.«

Sie lachte. »Ein komischer Mann, der so etwas zu mir sagt! Aber es stimmt ja wohl – man zwingt Sie, alles selbst herauszufinden, nicht wahr? Ich könnte mir allerdings vorstellen, daß dies ziemlich gefährlich ist.«

»Wir sind dafür ausgerüstet.«

Sie war jetzt ruhiger, so als ob sie einen Pluspunkt verbucht hatte. »Das merke ich schon. Sie behalten diese Pose bei, als seien Sie eine Statue. Nicht einmal ein leichtes Zittern. Man braucht eine sehr spezielle Kontrolle, um das zu schaffen. Aber nehmen wir einmal an, jemand weigert sich ganz einfach, mit Ihnen zu sprechen?«

»Ich kann dann immer noch viel von dem in Erfahrung bringen, was ich wissen will. Aber ich ziehe Kooperation bei weitem vor.«

Sie war wieder nervös. »Ziehen Sie das jetzt an«, sagte sie und brachte ihm ein anderes Kostüm.

Subble kehrte in ihr Schlafzimmer zurück und wechselte erneut die Kleidung. Er stellte fest, daß sie hier keins ihrer eigenen Gemälde aufgehängt hatte.

Das neue Kostüm war ein konservativer Business-Anzug aus dem zwanzigsten Jahrhundert, dessen einziges unpassendes Merkmal aus einer bunten Wahlplakette mit der Aufschrift ICH UNTERSTÜTZE JACK am rechten Rockaufschlag bestand.

Aquilon hatte sich ebenfalls umgezogen und trug jetzt einen Sporttaucheranzug, der echt zu sein schien. Der enganliegende Gummianzug stellte eine Figur zur Schau, die ohne jeden Makel war.

»Sie stehen mir zugewandt da und blicken interessiert drein, so als ob sie Begriff wären, sich unsterblich in ein süßes Mädchen zu verlieben. Nein, *nicht* lüstern. *Interessiert.* Sie sehen in ihr die ideale Hausfrau, Ehefrau und ... Nein.«

Sie klemmte den Pinsel hinter das rechte Ohr und kam hinter der Leinwand hervor.

»Sehen Sie mich an. Ich bin die zukünftige Mutter Ihrer Kinder, aber Sie lieben mich noch nicht. Das ist alles noch latent. Heben Sie die Augenbrauen ein bißchen und strecken Sie eine Hand aus, Finger gekrümmt, aber entspannt. Ihr Gewicht ruht auf den Fußballen, aber ein bißchen schief, als ob Sie einen

Schritt nach vorn machen wollen. Ja!« Sie holte tief Atem, was ihren bemerkenswerten Busen noch mehr betonte. »Nun stellen Sie sich mich in einer Küchenschürze beim Bügeln Ihrer Hemden vor. Wir sind im Jahre 1960, müssen Sie wissen. Alles muß gebügelt werden. Man muß dies alles von Ihrem Gesicht ablesen können, einschließlich des Jahres und der Jahreszeit. Frühling natürlich. Sie kennen den Spruch: Der Mann begehrt die Frau, aber die Frau begehrt das Begehren des Mannes. Aber es muß ein *sauberes* Begehren sein. Es ist für eine saubere Publikation bestimmt. Sie müssen der Typ Mann sein, dessen Begehren das nette Mädchen begehrt, wenn Sie verstehen, was ich meine. So! Behalten Sie diesen Ausdruck bei.«

Sie malte eifrig. »Nun zeigen Sie mir, wie Sie aus einem unkooperativen Kunden Informationen herausholen«, sagte sie mit einer Stimme, die plötzlich wie leblos klang. Genau wie Veg verlangte sie einen persönlichen Beweis.

Subble beobachtete sie und entdeckte die Falle. Die Staffelei verdeckte den größten Teil ihres Körpers, so daß er die Schwankungen ihres Atems und der Körperhaltung nicht direkt wahrnehmen konnte, und der undurchsichtige Anzug verbarg mögliche Errötungen der Haut und feine Muskelzuckungen und ließ auch keinen Körpergeruch frei werden. Sie legte eine getönte Gesichtsmaske aus Plastik an und atmete durch ein funktionierendes Sauerstoffsystem, so daß es auch hier keine Hinweise gab. Er konnte ihr Gesicht noch immer sehen, aber es war so ausdruckslos wie eine Fotografie.

Aquilon kannte sich mit Spezialagenten aus.

»Sehr hübsch«, sagte er. »Aber allein die Tatsache, daß Sie Ihr Gesicht leblos werden lassen können, gibt mir einen Anhaltspunkt. Und selbst wenn ich gar keine anderen Quellen hätte, könnte ich viel in Erfahrung bringen, indem ich Ihr Apartment studiere. Wenn es unbedingt nötig wäre, könnte ich Sie ausziehen und den physischen Signalen wieder freien Lauf lassen. Interessant wäre das schon – man müßte die Wettbewerbsbedingungen ändern, wenn Sie an einer Schönheitswahl teilnehmen. Aber ich wiederhole: Ich will nur das, was Sie mir freiwillig geben.«

Sie nahm die Maske ab. »Informationen, meinen Sie.«

»Sicher.«

»Ich frage mich, ob es stimmt, daß man Ihr Bewußtsein nach jedem Auftrag löscht.«

»Es stimmt.«

»Ist das nicht so, als ob man stirbt?«

»Nein. Es ist so, als ob man vom Sterben befreit wird.«

Sie schüttelte sich ausgiebig, ohne sich weiterhin Mühe zu geben, ihre physischen Reaktionen zu kontrollieren.

»Warum?« fragte sie. »Ich meine, welchen Schaden können ein paar Erinnerungen anrichten?«

»Eine ganze Menge. Der springende Punkt ist, daß wir alle buchstäblich gleich sind – jeder einzelne Agent –, abgesehen von geringfügigen Unterschieden bei Hautfarbe, Gewicht, Fingerabdrücken und so weiter. Das ist so, um den Eindruck von Doppelgängern zu vermeiden und niemanden zu bekannt werden zu lassen. Wo es drauf ankommt, sind wir nahezu identisch – Verstand, Physis, Training. Wenn es einem Agenten gestattet wäre, individuelle Erfahrungen zu behalten, würde er sehr bald ein Individuum *werden*, und um die einheitliche Ojektivität wäre es geschehen.«

»Aber einige Erinnerungen könnten Ihnen helfen, Ihre nächste Aufgabe besser zu bewältigen.«

»Solche Erinnerungen werden den einzelnen Individuen genommen und dann dem ganzen Corps einheitlich eingepflanzt.«

Sie errötete. »Sie meinen, wenn der Computer denkt, daß Sie sich an mich erinnern sollten, dann würde ich in Tausenden von Bewußtseinen vorhanden sein? Und jeder einzelne Agent in der Welt würde wissen, wo ich lebe und . . . alles andere?«

Er lächelte beruhigend. »Es könnte . . .«

»Das ist es! Das ist der richtige Ausdruck.«

Er behielt ihn bei, während sie ihr Porträt vervollständigte, fuhr dann fort. »Der Computer *könnte* Sie auf dem ganzen Globus bekannt machen, aber es ist unwahrscheinlich, daß er eine so ungewöhnliche Frau wie Sie für geeignetes Material hält. Sie können sicher davon ausgehen, daß unsere persönliche Beziehung privat bleibt.«

»Das muß ich«, murmelte sie. »Ziehen Sie sich noch einmal um.«

Diesmal war es das sparsame Kostüm eines Dschungelmannes, kaum mehr als ein Lendentuch. Er mußte einhändig an einem Deckenhaken baumeln und mit der rechten Hand einen Knüppel aus Pappmaché schwingen. Aquilon hatte eine asiatische Toga angezogen.

»Versuchen Sie so auszusehen, als würden Sie an einer Liane hängen«, sagte sie. »Sie haben prächtige Muskeln.«

»Gehört alles zur Ausstattung, meine Dame.«

Sie malte. »Läßt man Sie zwischen den einzelnen Aufträgen *leben*? Oder gibt es nur Arbeit und kein Spielen?«

»Nach jeder abgeschlossenen Mission gibt es eine Ruhepause«, sagte Subble. »Im allgemeinen ist eine Anzahl von Agenten beiderlei Geschlechts im Erholungszentrum. Aber wir *leben*, wie Sie es ausdrücken, jederzeit. Bei der Erfüllung unserer Pflichten kommen wir mit einigen faszinierenden Leuten zusammen.«

»Aber Sie können es nicht *bewahren*«, sagte sie. »Man könnte Sie genausogut vor ein Erschießungskommando stellen. Und Sie *wissen*, daß das Auslöschen kommt.«

»Ganz im Gegenteil. Ich sagte Ihnen schon, daß wir vom Sterben befreit sind. Sie sehen einem mühseligen, allmählichen Altern, dem Verlust Ihrer Fähigkeiten, unausweichlicher Krankheit und dem Tod entgegen. Das ist ein lebenslanges Sterben. Ich sehe nur einer abgeschlossenen Mission und einem bezahlten Urlaub entgegen. Ich brauche mir keine Gedanken über das Alter und irgendwelche Körperbehinderungen zu machen oder mich gar um meine Zukunft sorgen. Der Tod ist für mich kein Schreckengespenst. Ich weiß, daß ich mein ganzes bewußtes Leben lang ein buchstäblicher Supermann sein werde, der den größten Herausforderungen der Welt gegenübersteht. Das beste aller Leben ist für mich reserviert.«

»Sind Sie sich bewußt, daß Sie seit sechs Minuten an einem Arm hängen?«

»Fünf Minuten und fünfunddreißig Sekunden genau«, sagte er.

Sie blickte auf ihre Uhr. »Sie *sind* schon ein Mann. Jetzt können Sie loslassen.«

Subble sprang geräuschlos auf den Fußboden. »Technisch

gesehen bin ich gar kein Mann im eigentlichen Sinne. Ich bin eine Nummer. Ich bin anhand eines dreibuchstabigen Kodes zu identifizieren – SUB, mit einem vermenschlichenden Anhängsel. Ich unterscheide mich von SUA oder SUC nicht mehr, als es mein Kode tut.«

»Ich glaube es nicht«, sagte sie ärgerlich. »Sie müssen doch Gefühle haben.«

»Nicht im Dienst. Wenn die Mission vorüber ist, werde ich mich ein paar Tage an Sie und Ihren Freund Veg erinnern und Ihre ohne jeden Zweifel charmante Art zu würdigen wissen. Aber im Augenblick . . .«

»Oh«, sagte sie, die Herausforderung annehmend. »Sie haben also jetzt keinerlei normale menschliche Reaktionen! Kein Vergnügen, keinen Ärger, kein . . .«

»Ich habe sie. Aber sie sind vollkommen unter Kontrolle.«

Für ein paar Sekunden schwieg sie. »Ich muß eine Serie für ein Natur-Magazin machen. Das Gesetz erlaubt nicht, daß es über den Schirm verbreitet wird, aber es wird in ziemlich hoher Auflage auf herkömmlichem Weg vertrieben. Werfen Sie Ihr Tarzankostüm einfach da rüber.«

»Sie wollen, daß ich nackt posiere?«

»Wenn Sie keine moralischen Skrupel haben . . .« Erwartungsvoll baute sie sich mit ihrem Pinsel vor einer neuen Leinwand auf. Subble legte sein Lendentuch ab.

Aquilon starrte ihn dreißig Sekunden an, bevor sie etwas sagte. »Das wird das Titelbild einer Nummer, die eine garantierte Verkaufsauflage von vierhundertundzwanzigtausend hat«, ergriff sie schließlich das Wort.

»Agenten sind schon früher auf Titelseiten erschienen.«

»So weit gehen Sie – nur um Antwort auf ein paar Fragen zu bekommen?«

»In vernünftigem Rahmen wird ein Agent alles tun, um eine harmonische Beziehung herzustellen und die Integrität der Organisation zu bewahren. Mein Körper ist öffentliches Eigentum, und Sie scheinen einen guten Grund zu haben, ihn zu benutzen. Wenn Sie einmal Vertrauen zu mir gefaßt haben, werden Sie mir vielleicht die Information, die ich brauche, nicht länger vorenthalten.«

»Strecken Sie Ihre Arme aus, so als ob Sie in einen Swimmingpool springen wollen«, sagte sie. Dann fing sie an, über sich selbst zu sprechen. »Wir haben eine Dreiecksbeziehung. Veg und Cal und ich – wir lieben uns. Ich weiß, daß das komisch klingt. Aber ich muß mich für *einen* von ihnen entscheiden und kann es nicht. Ich kann ganz einfach keine Wahl treffen. Das ist der Hauptgrund, aus dem wir uns getrennt haben. Zusammen ging es einfach nicht mehr, trotz ... trotz allem, was geschehen ist. Ich muß zu einem von ihnen beiden gehen – wenn ich es kann.« Sie legte eine besorgte Pause ein. »Wieviel hat Veg Ihnen erzählt?«

»Daß er Sie geliebt hat. Daß Sie drei auf Nacre verschollen waren. Daß er einen ›Manta‹ getötet hat.«

»Das war alles? Nur ...«

»Das war alles. Er war der Ansicht, daß dies sein Anteil war und der Rest Ihnen und Calvin gehört.«

»Ja ...« Eine ganze Weile malte sie schweigend. »Nun, ich muß jetzt eine Wahl treffen. Ich könnte mit dem einen schlafen, aber um fair zu sein, müßte ich es dann auch mit dem anderen tun. Das wäre Promiskuität, und beide würden das wissen. Mir liegt zuviel an ihnen beiden, um sie so zu verletzen. Es ist zu intim. Ich könnte mit irgend jemandem schlafen, der mir gleichgültig ist, denn es ist ja nur der Körper beteiligt – öffentliches Eigentum, wie Sie sagen. Es sind die Gefühle, die zählen. Wo das Herz mit dabei ist ...« Sie machte wieder eine Pause, blickte ihn offen an. »Ich könnte mit Ihnen schlafen, rein sexuell, meine ich, weil ich zu Ihnen keine Beziehung habe. Es wäre nichts als eine physische Erleichterung. Eine unpersönliche Angelegenheit. Würden Sie das gerne tun?«

»Meine Neigungen stehen in keinem Zusammenhang mit meinen Pflichten.«

»Wenn ich mich Ihnen also jetzt anbieten würde, physisch, dann würden Sie ablehnen?«

»Sofern keine vernunftsmäßigen Gegengründe vorliegen, ja.«

»Vernunftsmäßige Gründe!«

»Wollen Sie, daß ich mit dem Posieren fortfahre?«

»Nein, aber bleiben Sie, wo Sie sind. Ich möchte wissen, wie weit Ihre Kontrolle geht.« Sie berührte ihre Toga, die sich darauf von ihrem Körper löste. Darunter trug sie nichts. »Jetzt sehen Sie mich genau an.«

Subble tat, was sie verlangte. »Ist ein Kommentar erwünscht?«

Sie seufzte. »Sie haben Ihren Standpunkt bewiesen, im wahrsten Sinne des Wortes. Sie haben sich überhaupt nicht täuschen lassen, nicht wahr? Ich meine, Sie haben gewußt, daß ich Sie becircen wollte, um nicht über Nacre reden zu müssen.«

»Veg hat es mit seinen Fäusten versucht.«

»Mit ähnlichem Erfolg, da bin ich mir sicher. Und Cal wird seinen Verstand einsetzen. Und Sie nehmen das alles ungerührt hin und führen Ihren Auftrag genau nach Plan aus.«

»Ich habe keinen Plan. Ich war von Vegs Wesen genauso beeindruckt, wie ich es von Ihrem bin. Sie sollten meine physische Kontrolle nicht als Herabsetzung mißverstehen.«

Sie marschierte zu ihrer Kostümsammlung hinüber und warf ihm einen Bademantel zu. »Gehen wir uns betrinken.«

Eingehüllt in Mäntel mit den Aufschriften ER und SIE gingen sie auf ihre Küche zu.

Sie hob eine Hand. »Warten Sie.«

Er wartete.

Sie kam zu einem Entschluß und drehte sich um. »Hier entlang.«

Er folgte ihr durch die Tür und den Flur bis zum Aufzug. Sie drückte auf den Knopf für das Basement vierzig Stockwerke tiefer. Die anderen Passagiere blickten starr geradeaus und hielten es für unter ihrer Würde, das Pärchen zur Kenntnis zu nehmen: aufgewühltes Haar, nackte Beine und Füße, Bademäntel im Partnerlook.

Das Basement, bei dem es sich mit Sicherheit um das oberste von zahllosen anderen unterirdischen Geschossen handelte, war eine nüchterne Räumlichkeit aus verschiedenen breiten Korridoren. Es gab einen Wegweiser, aber Aquilon ignorierte ihn. Sie führte ihn einen der Hauptgänge hinunter.

Rohre mit einem mächtigen Durchmesser hingen unter der niedrigen Decke, und tunnelartige Öffnungen führten in Höhlen voller Ventile und Meßanzeigen. Ein milder, aber durchdringender Geruch hing in der Luft. Subble schnüffelte und isolierte die Hauptbestandteile: Moder, Tierdung, Saatgut, Insektizide, Ammoniak, Maschinenöl und Abfälle. Dies schien die Viehverwertungsabteilung des Komplexes zu sein. Viele Wohntürme hatten ihre eigene, um zwischenstaatlichen Kontrollen, Frachtgebühren und Steuern aus dem Weg zu gehen.

Noch ein anderer Geruch: derselbe Eindruck von Fremdheit, den er bemerkt hatte, als er nach der sich verflüchtigenden Spur des Dings in Vegs Wald gesucht hatte. Die . . . Kreatur war am letzten Tag hiergewesen. War das der Grund, aus dem sie ihn hierhin geführt hatte?

Am Ende der Halle saß ein Mann an einem Pult und brütete über einer Tabelle. Er blickte auf, als sie näher kamen. Er lächelte.

»Schön, Sie zu sehen, Quilon«, sagte er und rieb sich über die geschwollenen Augen.

Subble registrierte seine tief verwurzelte Müdigkeit, seine unterdrückte Verzweiflung und sein Elend. Dieser Mann war unglücklich verheiratet, unzufrieden mit seinem Beruf, gelangweilt und von Schuldgefühlen geplagt. Sein Puls beschleunigte sich, als Aquilon näher trat. Er war nicht verliebt in sie, aber ihre physischen Qualitäten hatten es ihm angetan.

»Hallo, Joe«, gab Aquilon zurück und lächelte.

Der Ausdruck des Mannes änderte sich nicht, aber Subble spürte den elektrischen Funken, der durch seinen Körper strömte und ihn hellwach werden ließ. Er war scharf auf die Aufmerksamkeit einer schönen Frau. Offensichtlich benutzte Aquilon ihn. Ihr Lächeln war zynisch und berechnend, so als ob Strom durch einen Rheostaten kontrolliert wurde, aber sie war bereit, seine Leidenschaft anzuheizen und ihr in gewisser Weise entgegenzukommen. Wie Veg hatte sie sich auf gewisse Notwendigkeiten eingestellt, wie auch immer diese aussehen mochten. Es würde nötig sein, herauszufinden, warum sie die Bekanntschaft mit Joe pflegte. Vielleicht spielte die Gegenwart des Fremden dabei eine Rolle. Das Wesen versteckte sich hier, und ein Bericht dieses Mannes konnte das ans Tageslicht bringen.

»Ich würde meinem Gast gerne die Farm zeigen, wenn's recht ist.«

Joe blickte Subble an. »Was tut ein Regierungsagent hier? fragte er argwöhnisch. »Wir werden regelmäßig inspiziert.«

»Bitte«, sagte Aquilon sanft und beugte sich über das Pult. Der Mann war bereit, ihr jeden Wunsch zu erfüllen.

»Aber es ist ja alles in Ordnung«, sagte er, während er sich wieder seiner Tabelle zuwandte.

Sie betraten die Einrichtung, und der Geruch steigerte sich gewaltig.

»Er ist in Wirklichkeit ein Computer-Programmierer«, sagte sie, als sie ihn einen schmalen, mit Stroh übersäten Gang entlangführte. »Man hat ihn hierhingesetzt, weil er die Farm modernisieren soll. Er muß mit allem gründlich vertraut sein, bevor er den Fluß der Dinge ändern kann. Die Reihenfolge der Fütterung, der Anteil von Kalzium in der Nahrung, die Intensität des Lichts – das Vieh ist für solche Dinge sehr empfänglich. Das Programm muß genau auf jede Art abgestimmt werden, sonst sinkt die Profitrate.« Ihr Tonfall ließ erkennen, daß sie eine absinkende Profitrate wenig kümmerte. »Es ist natürlich alles automatisiert, und deshalb ist er abgesehen von einem Mechaniker der einzige, der Dienst tut, bis er seine Aufgabe erfüllt hat. Er muß gegenwärtig auch den Veterinär spielen, obwohl er dafür nicht ausgebildet ist. Und er haßt es.«

Subble nickte. Solche Dinge waren alltäglich. Programmierer fanden sich oft in verrückten Situationen wieder, genau wie Agenten. Aber die öffentliche Vorstellung kleidete sie beide oft in Glanz, der seltsamerweise von einer gewissen Unbeliebtheit begleitet wurde.

»Dies sind unsere Häschen«, sagte sie.

Sie standen in einem gut beleuchteten Raum, der beidseitig mit Käfigen vollgestellt war. Die unterste Reihe reichte fast bis zur Raummitte, so daß es für die Füße nicht einmal einen Meter Bewegungsfreiheit gab. Die zweite Lage war etwa dreißig Zentimeter nach hinten versetzt und die dritte noch einmal dreißig Zentimeter. In Kopfhöhe war also genug Platz, unmittelbar unterhalb der zischenden Belüftungsdüsen. Es gab keine Klimaanlage in dem Raum, sondern es wurde offenbar nur Sauerstoff zugeführt. Und es war heiß. Der Geruch war bedrückend.

»Das sind die Ställe der Jungtiere«, erklärte sie. »Sehen Sie, es gibt keine Böden, nur ein Drahtgeflecht, so daß die Exkremente durchfallen können. Die Boxen der älteren Tiere sind komfortabler – sie haben einen festen Boden aus Plastik und eine weiche Unterlage. Wie würde es Ihnen gefallen, wenn Sie Ihr Leben in einem dieser Kästen verbringen müßten?«

Subble inspizierte den Käfig neben ihr. Ein Rollband brachte die Nahrungspille heran, und ein Träufelventil sorgte für Wasser. Ein anderes Band beförderte langsam den herabfallenden Dung weg. Der Käfig war ungefähr einen Meter zwanzig lang und halb so breit. Die Kopfhöhe reichte kaum aus, die Insassen eine normale Körperhaltung einnehmen zu lassen. Darin befand sich ein Mutterkaninchen, schneeweiß, und ihr Wurf von neun rosaohrigen Babys.

»Sie muß zwölf Familien in zwei Jahren aufziehen, dann wird sie selbst geschlachtet«, sagte Aquilon. »Ihr Fell wird seinen Weg in irgendeinen Herrenhut finden, und ihr zartes Fleisch wird als Qualitätsbraten abgepackt. Sie wird nie richtiges Tageslicht zu sehen bekommen, und ihr einziges Vergnügen, wenn man es so nennen kann, ist es, wenn der Rammler zu ihr kommt. *Er* hat nicht viel Zeit, denn er wird genau nach der Anzahl der Muttertiere gefüttert, die er bedient, und wenn er schwach wird, dann ist es aus mit ihm.«

Sie war soweit, ihm etwas Wichtiges zu erzählen, scheute jedoch davor zurück und führte ihn in eine andere Abteilung. Was war es, das diese Leute so mit Sorge erfüllte? Veg hatte keine Angst um sich selbst gehabt und Aquilon auch nicht, aber beide *hatten* vor irgend etwas Angst.

»In Ihrer Nahrung befinden sich Antibiotika, aber es sterben immer noch eine ganze Menge in ihren Käfigen. Fliegen geraten irgendwie hinein. Und Schimmel. Pilze tauchen überall auf, und sie scheinen so schnell zu mutieren, daß man nicht damit Schritt halten kann.«

»Wie auf Nacre?«

Die Frage verwirrte sie. »Manchmal wünschte ich mir, daß es so wäre. Hier ist das Hühnerhaus.«

Hier waren die Lichter schwach und rot. Subble hatte keine Schwierigkeiten, aber Aquilon mußte einen Augenblick warten, bis sich ihre Augen angepaßt hatten.

»Das ist so, damit sie nicht umherflattern und aufeinander einhacken«, sagte sie. »Einigen sind sowieso die Schnäbel entfernt worden, oder sie haben Augenklappen. Aber da nur jeweils vier in einem Käfig untergebracht sind, gibt es nicht allzuviel Ärger. Alles eine Frage der Wissenschaft. Auch die Musik hilft.«

Und wirklich: Die Lautsprecher spielen. ›Mögen die Schafe friedlich weiden‹, als ob liebliche Melodien die Frische der Eier erhöhen könnten.

»Es sind keine Schafe, sie können nicht weiden, und friedlich sind sie auch nicht«, bemerkte Aquilon bitter.

»Was halten Sie davon?« erkundigte sie sich, als sie zu einem anderen Raum weitergingen.

»Gute standardmäßige Ausstattung«, sagte er. »Scheint so effizient zu sein, wie es die Kunst des Handwerks erlaubt.«

Sie ging schweigend weiter.

In der Schlachtabteilung ging es betriebsamer zu, obwohl auch hier alles vollautomatisiert war. Die ausgewählten Hähnchen wurden in Sackgassen befördert, durch bewegliche Bürsten weitergetrieben, bis eine Maschine Bänder um ihre Füße schlang, hochhob und sie mit dem Kopf nach unten auf ein abwärts führendes Fließband legte. Am Ende der Reise ergriff eine andere Maschine ihre zappelnden Köpfe und schnitt ihnen die Kehle durch.

»Man betäubt sie vorher nicht einmal«, sagte Aquilon und schüttelte sich. »Weil ihr Zappeln dazu beträgt, das Blut schneller auslaufen zu lassen. Ich habe versucht, Joe dazu zu bringen, eine Betäubung in das Programm aufzunehmen, und er würde es auch gerne tun. Aber er sagte, daß man ihn feuern würde, wenn er etwas aufnimmt, daß die Kosten derartig erhöht. Er steckt genauso in der Klemme wie wir alle.«

Subble nickte zustimmend, obwohl die Realitäten der Situation für ihn keine moralische Frage waren. Ein Schlachthausbetrieb war nichts für einen Mann, dem Schmerzen Skrupel bereiteten – aber das Schicksal eines Arbeiters, den man wegen Ineffektivität feuerte, war auch keine lustige Angelegenheit.

»Wenn sie nicht schnell genug sterben«, fuhr sie gepreßt fort, »kümmern sich die Sterilisierungstanks um dieses Detail. Oder

der Entfederer oder der Ausweider. Immerhin bin ich mir sicher, daß die meisten Hähnchen tot sind, wenn man sie verpackt.«

Sie versuchte nicht mehr, die Ironie herunterzuspielen.

»Sie sind noch viel besser dran als die Kälber und Schweine.

Subble erkannte, daß sie das Ganze ziemlich mitnahm. Dies war nicht das, was sie ihm ursprünglich hatte zeigen wollen, aber sie nahm die Sache sehr ernst.

Sie mußte nach einem Ort gesucht haben, an dem sie das Wesen verstecken konnte. Und dann hatte sie die Farm gefunden und sich mit den Bedingungen auseinandergesetzt, die hier herrschten.

»Machen wir, daß wir hier rauskommen«, sagte sie.

Sie hatte ihre Meinung wieder geändert, zögerte immer noch, das Geheimnis zu enthüllen, obwohl sie gemerkt haben mußte, daß er aufmerksam werden würde. Was hielt sie zurück?

Wieder im Apartment wusch sie sich krampfhaft in seiner Gegenwart, so als ob ihr Körper durch herumspritzendes Blut besudelt worden war.

»Verstehen Sie jetzt?« fragte sie, während sie Arme und Brüste abtrocknete und einen frischen Bademantel anzog.

Er zog sich aus und wusch sich ebenfalls, wohl wissend, daß sie ihn als befleckt ansehen würde, wenn er es nicht tat.

»Warum Sie in den letzten Monaten kein Fleisch und keine Eier mehr gegessen haben?« fragte er. »Nein.« Er wollte ihr Gelegenheit geben, es selbst zu erklären.

»Wenn wir dies heute unseren Tieren antun, was werden wir uns morgen selbst antun?« verlangte sie zu wissen. Ihre Stimme klang bitter. »Sehen Sie nicht, wie weit wir schon gekommen sind? Dieser ganze Distrikt – eine Zusammenballung von Menschen in Käfigen, Reihe an Reihe, gefüttert mit Pillen, die durch Rohrleitungen kommen und die man Nahrung nennt. Jedes Bewußtsein wird abgelenkt durch standardisierte, künstliche Unterhaltung, die jemand programmiert hat, damit es nicht allzuviel Aufhebens gibt. Sie müssen den Hähnchen Beruhigungstabletten geben, damit sie sich nicht dem Kannibalismus zuwenden, wenn es in ihren dunklen, unnatürlichen Behausungen zu voll wird. Und wir haben ebenfalls Drogen, nicht wahr? Damit wir das alles ein bißchen länger aushalten können.«

Sie ging in die Küche und holte ein Flasche Gin. »Kommen Sie, betäuben Sie sich mit mir«, lud sie ihn ein.

»In der Natur geht es nicht freundlicher zu«, stellte Subble fest. »Was der Mensch tut, um sich mit Nahrung zu versorgen, ist lediglich eine methodische Erweiterung . . .«

»Ich weiß«, rief sie aus. »Diese schreckliche Grausamkeit ist absolut logisch. Wir müssen also den kleinen Kälbern Eisen vorenthalten, damit ihr Fleisch weiß wird, und wir bringen von Natur aus saubere Schweine dazu, im Dreck zu waten, damit wir ein paar Pennies sparen können. Es gibt alles einen Sinn – aber wo bleibt dabei das Herz? Gibt es keinen besseren Weg?«

»Emotionen helfen nicht weiter.«

»So wie das Hähnchen zum Schlachthaus geht«, rief sie und schwenkte ihr leeres Glas, »so geht die Menschheit zur Bombe! Ich bin *bereit*! Züchten Sie mich und füttern Sie mich und rupfen Sie mich und . . .«

»Wenn es Ihnen eine Beruhigung ist«, sagte Subble, »sollten Sie wissen, daß die intensive Tierhaltung im Rückschritt begriffen ist.« Er war beunruhigt wegen ihres Verhaltens. »Der Zwang, das Programm zu überarbeiten, ist ein Beweis dafür. Synthetik ist effizienter.«

»Es spielt keine Rolle«, sagte sie verzweifelt. »Ich kann es immer noch nicht ertragen, Angehörige einer Spezies zu sein, die sich derart brutalisiert hat. Veg hat recht. Ich bin ein . . . Omnivore.«

»Wir alle müssen das sein, was wir sind – und das ist nicht völlig schlecht. Es gibt Entschädigungen, sogar Glorie. Sie wissen das.«

»Mit dem Verstand, nicht mit dem Herzen«, sagte sie und nippte an einem neuen Glas. »Ignoranz ist kein Segen. Ich wußte nie, was ich war, bis Nacre. Jetzt wünsche ich mir, ich könnte alles rückgängig machen – ein Leben voll gedankenloser Schlechtigkeit. Ich wünsche mir, daß ich wieder zurück wäre, wir drei auf Nacre, um für alle Ewigkeit dort zu bleiben.« Abrupt wechselte sie das Thema. »Wissen Sie, daß uns Veg ›Schönheit, Hirn und Muskel‹ genannt hat? Ich verstehe es als physisch, emotionell und intellektuell, nur daß ich die Reihenfolge durcheinandergebracht habe. Nun, Sie verstehen schon. Aber in Wirklichkeit ist es . . . Kennen Sie Omar Khayyam?«

»Den Astronomen und Poeten aus dem elften Jahrhundert? Zeitgenosse und Freund von Hasan, dem Assassin, der . . .«

»Hören Sie auf«, sagte sie mit plötzlicher Wildheit. »Ich meine das *Rubaiyat*, die Dichtung. ›Ein Buch Verse unter dem Zweig, ein Krug Wein, ein Laib Brot und Du.‹«

»›Neben mir singend in der Wildnis / Oh, die Wildnis mir zum Paradiese würde.‹ Das müßte Edward FitzGeralds Fassung sein, dritte Ausgabe, glaube ich.«

Sie blickte ihn düster an. »In Ordnung, machen Sie sich Ihren Spaß. Welcher Unterschied *besteht* zwischen den Ausgaben?«

»Gemäß der wörtlichen Übersetzung von Heron-Allen lautet der Text: ›Ich begehre ein wenig roten Wein und ein Buch Verse / Gerade genug zum Leben, und ein halber Laib ist nötig / Und daß du und ich sitzen an verlassenem Ort / Ist wertvoller als das Königreich eines Sultans.‹ Von McCarthy gibt es zwei Prosavarianten, von Whinfield eine Alternative dazu, von Graves eine weitere, und FitzGeralds eigene erste und zweite Fassung, differieren ein bißchen. Wollen Sie, daß ich sie zitiere?«

»Warum sind Sie kein Englischlehrer geworden? Ganz bestimmt haben Sie die Gabe, etwas Wunderschönes zu zerstören!«

»Es mag sich eines Tages die Gelegenheit ergeben, in die Rolle einer solchen Person zu schlüpfen«, sagte er. »Viel wichtiger ist jedoch, daß die Literaturkenntnisse unter anderem dazu beitragen können, die Schlüsselaspekte einer komplexen Situation besser zu verstehen. Deshalb werden wir in dieser Beziehung sehr sorgfältig geschult.«

»Genau wie mir meine Anatomiekenntnisse als Künstler hilfreich sind?«

»Ungefähr so.«

»Also, kommen Sie Cal nicht mit diesem Kram. Er haut Sie in die Pfanne, bevor Sie das ganze Zitat rausgebracht haben.«

»Ich werde mich daran erinnern«, sagte er lächelnd.

Sie war bei ihrem dritten Drink. »Gleich als ich Ihr Gesicht sah, wußte ich, wer Sie waren und was Sie wollten«, murmelte sie in ihr Glas. »Aber es ist nicht so einfach, wie Sie denken. Nun, ich nehme nicht an, daß es Sie kümmert, ob es einfach ist oder nicht. Aber dies . . . Also, ich kann Ihnen nicht sagen, was es ist. Wenn ich vielleicht genug trinke, werde ich es Ihnen erzählen. Vielleicht müssen Sie doch mit mir schlafen, um mich zum Reden zu bringen. Sie könnten sich dazu zwingen, da bin ich ganz sicher. Vielleicht werde ich mich auch umbringen.«

»Sind Sie gewillt, mir die Gemälde zu zeigen?«

Sie blickte ihn scharf an. »*Welche* Gemälde?«

»Diejenigen, die nicht an Ihrer Schlafzimmerwand hängen.«

»Was soll's?« sagte sie und warf einen Eiswürfel in ihren Gin. »Er mußte darauf kommen. Er ist ein Agent.«

Sie stand unsicher auf, ging zu einem abgeschlossenen Wandschrank hinüber und suchte in ihrer Handtasche nach dem Schlüssel.

»Ich habe diese Bilder noch niemandem gezeigt.«

Sie brachte mehrere große Leinwände und lehnte sie gegen das Tischbein. Sie hielt die erste in die Höhe. »Das ist die Herde der Herbivoren«, sagte sie. »Ich habe sie an Hand meiner Notizen nachgemalt.«

Subble studierte das Bild mit Interesse. Aquilon hatte sehr viel Talent, und ihr Herz und ihre Seele waren in das Gemälde eingegangen.

Die dargestellte Landschaft war düster. Die Nebelwelt Nacre, bekannt für ihre Helligkeit im Weltraum, verleugnete ihr Licht. Die aufgedunsenen Pilze, die Veg beschrieben hatte, waren undeutlich im Hintergrund zu sehen. Im Vordergrund befand sich die Herde: stehende Klumpen wie Kraken, deren Tentakel zu fleischigen Säulen geworden waren. Die rosafarbenen Atmungsorgane waren so fein gezeichnet, daß sie zu winken schienen.

Aber es war mehr die Technik, die ihn berührte, als die naturgetreue Nachempfindung einer fremden Landschaft. Irgendwie hatte Aquilon Gefühle in dieses Gemälde hineingelegt und es zum Leben erweckt. Er sah sie mit einem Respekt an, den er bisher nicht empfunden hatte.

Sie hob das zweite Exemplar hoch, ein kleineres Blatt, das auf einen Karton geklebt war.

»Das ist ein Original«, sagte sie. »Ich habe es auf dem Felsenvorsprung nach der Wanderung am ersten Tag gemalt.«

Subble erwähnte nicht, daß Veg darüber nichts berichtet hatte. »Sie malen, wenn Sie müde sind?«

»Ich male, *weil* ich müde bin«, sagte sie ruhig. Ihre Sprache wurde schleppend, als der Alkohol seine Wirkung tat. »Wie kann ich sonst meine Gefühle ausdrücken?«

Sie griff abermals zur Flasche, aber Subble hielt ihre Hand fest.

»Es wäre mir lieber, wenn Sie das nicht täten«, sagte er. »Mir macht Alkohol wenig aus, weil mein Unterbewußtsein mit meinem Bewußtsein verbunden ist. Es gibt keine Barrieren, die eingerissen werden müßten. Aber Sie . . .«

»Was denn – auf einmal *Gefühle*? Was kümmert es Sie, was ich tue?«

Subble antwortete nicht sofort. Er betrachtete das Bild und dachte über die Umstände seiner Entstehung nach. Sie waren geklettert, und Aquilon mußte todmüde gewesen sein, weil sie Cal zu helfen hatte. Unfähig, ihre Gefühle auf normale Weise auszudrücken, hatte sie sich dem Malen zugewandt. Ihre Augen waren auf das phantomdunkle Grau des Himmels gerichtet gewesen, während ihr Pinsel eine Szene auf die Leinwand bannte. Das Gemälde, obwohl an Ort und Stelle angefertigt, mußte aus Erinnerung oder Imagination entstanden sein, denn der Schleier, den die mikroskopisch kleinen Lebensformen in der Atmosphäre zusammen mit der hereingebrochenen Dämmerung errichteten, verdunkelte alles, was mehr als ein paar Handbreit von dem Felsenvorsprung entfernt war. Aber es hatte stetig Gestalt angenommen: ein Abbild des Wegs, den die drei in der letzten Stunde bewältigt hatten, um die Schultern des Berges kriechend, behaftet mit Pilzen, die an stilisierte Baumwollballen erinnerten.

Der Weg, den sie gegangen waren, mußte mühsam und häßlich gewesen sein, und Aquilons Wiedergabe war hervorragend. Ihr Bild war eine Komposition aller Aspekte der Kletterpartie. Die Strapaze des steilen Anstiegs war da, die Härte der nackten Felsen, das Schwindelgefühl müder Füße, die auf dem Schleim zertretener Pilze ausglitten. Da war eine Andeutung von der Hoffnungslosigkeit eines Mannes, dem die Kraft oder der Wille zum Leben fehlten, und vielleicht auch die eines Mädchens, das damals nicht lächeln konnte.

Und das Gemälde selbst war großartig.

»Als Sie versucht haben, mich zu verführen, mußte ich Widerstand leisten«, sagte er langsam. »Das bedeutete nicht, daß ich Sie unattraktiv fand. Und als ich versuchte, Ihnen einen Rat zu geben, geschah das nicht, weil mich Ihr Wohlbefinden nicht kümmerte. Nun, da Sie mir gezeigt haben, wie es in Ihnen aussieht, bitte ich Sie, es nicht . . . hierdurch herabzuwürdigen.« Er zeigte auf die Flasche und stellte fest, daß er noch immer ihre Hand hielt.

Diese zufällige Intimität war viel eindringlicher als ihre Nacktheit. Sie blickte ihn an, wurde sich dessen bewußt, und entzog sich ihm sanft.

»Eine Flasche Gin«, sagte sie. »Ich glaube, wir haben nicht den richtigen Start erwischt. Es tut mir leid.« Sie rührte die Flasche nicht an.

Das dritte Bild war ganz anders. Wildheit beherrschte es. Ein Monstrum funkelte den Betrachter aus einem einzigen Auge an, und dahinter erhob sich der Kopf einer unglaublichen Schlange, lauter Zähne, weder Augen noch Nase. Subble hatte niemals eine solche bedrohliche Mischung gesehen.

»Der Omnivore von Nacre«, sagte Aquilon.

Das letzte Gemälde zeigte den Manta, sofort erkennbar als die Kreatur, die Veg beschrieben hatte. Er war in voller Bewegung, und auf seltsame Weise wunderschön.

»Das ist meine Mission«, sagte er und studierte das Bild.

»Ich weiß.« Sie legte ihren Kopf auf den Tisch und weinte.

Subble stand auf und legte die Bilder zur Seite. Er wanderte durch das Apartment und betrachtete die gesammelten Werke, die sich überwiegend mit irdischen Themen beschäftigten. Wenige von ihnen hatten den Zauber der vier, die sie gerade gemeinsam angesehen hatten. Aquilon hatte angedeutet, daß sie ihr gegenwärtiges Leben verabscheute. Ihr Herz war auf Nacre, bei den beiden Männern, die sie dort gekannt hatte, und bei den Kreaturen, an die sie sich erinnerte.

Sie rührte sich hinter ihm, warf die Flasche weg und ging ins

Badezimmer. Er hörte, wie das Wasser verschwenderisch floß, und wußte, daß sie versuchte, sich zu übergeben.

Er kam an die Bilder, die sie von ihm gemacht hatte: ein Raumfahrer, der über eine öde Mondlandschaft stolperte, ein ansehnlicher Gentleman aus dem zwanzigsten Jahrhundert, ein Affenmensch, der an einem Dschungelbaum hing, und ein Taucher *au naturel*. Jedes Porträt war akkurat und detailgetreu und hatte vom ersten bis zum letzten das gewisse Etwas. Der Raumfahrer könnte ein jeder gewesen sein, aber der Taucher war Subble. Nicht nur ein Agent – Subble, das Individuum. Und, so seltsam es auch war, diesen Gedanken auf das Bild eines nackten Mannes anzuwenden, Aquilon hatte etwas von sich selbst auf die Leinwand gebracht. Sie war erstaunlich schnell, denn diese Bilder waren mehr als nur einfache Skizzen, und ihr Talent war angeboren, nicht antrainiert. Ihr Werk reflektierte, was in ihr vorging.

Subble war kein Künstler, aber die Interpretation von Illustrationen gehörte zu einer Reihe von Gebieten, auf denen er ziemlich kompetent war. Er konnte viel über den Charakter und die Stimmung eines Künstlers in Erfahrung bringen, indem er seine Technik studierte.

Er stand eine ganze Weile da und nahm die Bilder in sich auf.

Seine Kleider lagen noch immer auf dem Bett. Er ging, um sie zu holen.

Aquilon lag neben seinem Anzug und beobachtete ihn. »Sie geben auf?«

Er nahm seine Kleider mit der Absicht, sie in den Nebenraum zu bringen, bevor er sich umzog. »Es sind schon zwei Männer, die Sie lieben.«

»Und nun genieren Sie sich«, sagte sie. »Sie wollen nicht, daß ich Ihren Körper noch einmal sehe.«

Er ging zur Tür.

»Kommen Sie her«, sagte sie.

Er legte seine Sachen auf den Stuhl neben der Tür und ging zu ihr. Aquilon schlang die Arme um ihn, küßte ihn und zog ihn nach unten, so daß er neben ihr lag.

»Du weißt, daß wir jetzt nicht miteinander schlafen können«, sagte sie.

»Ich weiß.«

Umschlungen lagen sie da, die Bademäntel geschlossen. »Was ist mit deiner Unbezwingbarkeit geschehen?« murmelte sie in sein Ohr.

»Ich habe gesehen, was du bist.«

Sie legte den Kopf an seine Schulter. »Wenn *ich* nur wüßte, was ich bin, dann wäre ich nicht hier.«

»Du bist eine wirklich wunderbare Frau. Dein Körper hat damit nichts zu tun.«

Seine Schulter wurde feucht von Tränen. »Willst du mir helfen?«

»Ich werde es versuchen.«

»Wenn ich nur wirklich wunderbar wäre«, rief sie aus. »Aber ich bin häßlich auf eine Weise, die niemand heilen kann. Wenn ich mich nur entscheiden könnte. Veg und Cal sind sauber, auf ihre Weise, aber ich bin schmutzig, und ich kann mich einfach nicht entscheiden, wem ich mich . . . aufbürden soll. Und nun stehe ich zwischen ihnen, weil ich zu keinem Entschluß kommen *kann*. Und ich kann nicht einmal . . .«

Sie verkrampfte sich und biß in die harten Muskeln seiner Schulter. »Ich kann dir das nicht erzählen. Cal muß es tun. Alles, was ich tun kann, ist . . .«

Sie machte eine Pause, rollte sich auf den Rücken, schloß die Augen, nahm seine Hand und erzählte ihm von dem Omnivore.

Cal atmete mit einem Mitleid erregenden Keuchen, aber er redete, kaum daß Veg gegangen war. »Das hättest du nicht tun sollen, Quilon.«

Aquilon ließ sich neben ihm niedersinken und kramte in dem Packen herum.

»Er kann so etwas viel besser allein erledigen«, sagte sie. »Du und ich, wir würden ihm nur im Weg stehen.«

Sie entfaltete eine Tasse und holte den Wasserbehälter hervor. »Du solltest etwas hiervon trinken.«

»Ich glaube nicht, daß du es verstehst«, sagte Cal vorsichtig und lehnte den Trunk ab. »Wie gut kennst du Veg?«

Sie sah ihn überrascht an. »Nun, seit drei Monaten natürlich.

Seit ich mich der Expedition anschloß. Wir sind gut miteinander ausgekommen. Aber ich dachte, ihr beiden seid alte Freunde.«

»Mehr als das«, sagte er verdrießlich. »Wir sind ein Team: Gehirn und Muskel ... Und nun ist Schönheit dazugekommen.«

Aquilon errötete leicht.

»Hast du dir nicht klargemacht ...«

»Ich hatte es vergessen.« Sie sprang geschmeidig auf die Füße. »Ich gehe ihm nach. Es war nicht meine Absicht ...«

»Laß es.« Mit einer müden Handbewegung winkte Cal sie zurück. »Er würde niemals eine harmlose Kreatur töten. Er wird das Ganze als Witz hinstellen. Vielleicht wird er wirklich einen Herbivoren mitbringen, den du dann bestaunen kannst. Und das ist vielleicht auch gut so.«

Er blickte auf das Wasser, das sie noch immer in der Hand hielt, und wandte sich ab. »Bisher können wir höchstens fünf Kilometer zurückgelegt haben. Ich schaffe es nicht.«

»Natürlich schaffst du es«, sagte Aquilon. »Ich werde dir helfen.«

Cal schüttelte bedauernd den Kopf und versuchte zu lächeln. »Darum geht es nicht allein. Mit deiner Hilfe könnte ich die Strecke bewältigen – vielleicht. Aber ich kann auch nichts essen, mußt du wissen.«

»Du meinst, du bist ebenfalls ein ...«

»Nein. Es ist sehr schwierig zu erklären. Ich kann mich nicht, wie du wahrscheinlich, von dem ernähren, was das Land hergibt, und ich habe keinen eigenen Proviant bei mir. Das Wasser wäre eine gewisse Hilfe, aber ich würde längst tot sein, bevor wir das Lager erreicht hätten.«

Aquilon öffnete den Mund, war aber nicht fähig, etwas zu sagen.

»Mach dir nichts draus«, sagte Cal sanft. »Ich habe es selbst heraufbeschworen, als ich darauf bestand, mitzukommen. Es war ein kalkuliertes Risiko. Ich wußte, daß es mein Ende sein würde, wenn der Traktor ausfiel. Ihr beide habt eine größere Chance, wenn ihr nicht darauf wartet, daß ich sterbe.«

»Cal ...« Sie zögerte. »Ich kenne dich bei weitem nicht so

gut, wie ich dachte, aber . . .« Sie wedelte mit den Händen in der Luft herum, so als ob sie ein Gedankenbild formen wollte, das sich mit Worten nicht ausdrücken ließ. »Ich kann dich hier nicht einfach zurücklassen. Der Omnivore . . .«

Der kleine Mann zuckte die Achseln. »Ich kann dir nur sagen, daß ich mir schon längere Zeit gewünscht habe zu sterben. Nun hat das Schicksal mir die Gelegenheit dazu gegeben. Ich fühle mich nicht als Opfer. Für mich ist das Ende klar – und ich möchte es allein erleben.«

Aquilon blickte ihn an. Sie spürte, wie sich ihre Pupillen zu schwarzen Höhlen in der Bleiche ihres Gesichts zusammenzogen. Sie versuchte, ihre physischen Reaktionen zu kontrollieren, aber es war zu plötzlich zuviel auf sie eingestürmt. Cals Blick blieb ganz fest. Er war kein alter Mann, aber die scharfen Linien um die Augen und Mund verrieten, wie er litt. Nein, er wollte sich nicht opfern.

Sie stellte die Tasse in dem Bewußtsein ab, daß er sich zu trinken geweigert hatte, damit er schneller sterben konnte.

»Ich hole Veg«, sagte sie, unfähig ihn noch länger anzusehen.

»Seltsam«, sagte Cal, als er Aquilon bei der Arbeit zusah. »Wenn diese Kreatur ein echter Karnivore, ein Fleischfresser, ist . . .«

Aquilon blickte nicht von dem Leichnam hoch. Veg hatte ihn in ihr ›Lager‹ geschleppt, und diese überraschende Entwicklung der Dinge hatte die Diskussion um Cals Schicksal für den Augenblick vertagt.

»Wir können es nicht richtig beurteilen, nicht wahr?« sagte sie. »Wir kennen die Merkmale, die für Erdentiere typisch sind – die Form der Zähne und so weiter –, aber dieses hier hat keine Zähne. Ich hoffe, daß die Laborexperten auf Grund meiner Bilder zu einer Beurteilung kommen. Aber wenn es anders ist als die Herbivoren und Omnivoren . . .«

»Nennen wir es die Ahnung eines Paläontologen«, sagte Cal lebhaft. »Diese Kreatur vermittelt den Eindruck eines Karnivoren. Die Geschmeidigkeit, die Schnelligkeit, die Bewaffnung . . . Seht euch die messerscharfen Seiten des Schwanzes an! Dieses

Ding ist wie dafür geschaffen, während des Laufens Beute zu schlagen. Aber eins stört mich. Wenn es wirklich unser Karnivore ist, warum hatten die Herbivoren dann keine Angst vor ihm? Es muß sich mitten in der Herde versteckt haben.«

»Er hat recht, weißt du das?« sagte Veg überrascht. »Du hast es zuerst gesehen, Quilon. Du sagst, daß es aus der Herde kam. Aber es ist ganz einfach unnatürlich, daß die Herbies keine Angst vor dem Jäger haben.«

Diesmal blickte Aquilon auf. »Herbies?«

»Nun, wie würdest du sie nennen? Du hast dem Manta seinen Namen gegeben.«

»In Ordnung«, sagte sie. »Herbies.«

»Nicht lächeln jetzt.«

Aquilon lächelte nicht.

»Es sei denn, sie haben gewußt, daß es unmöglich ist zu entkommen«, überlegte Cal. »Seine Geschwindigkeit ist phantastisch.«

»Aber es kam erst zum Vorschein, als wir da waren«, stellte Aquilon fest. »Warum griff es *uns* an, obwohl die ... Herbies doch viel einfacher zu erbeuten waren?«

»Es wollte wieder ein Wettrennen veranstalten«, sagte Veg. »Es wollte herausfinden, wie es abschneidet, wenn wir unsere Maschine nicht bei uns haben. Wie ein Hund.« Er wurde ganz ernst, denn wenn er das geglaubt hätte, würde er seine Hemmnisschwelle, es zu töten, nicht überwunden haben. »Aber wir können uns so ein Wettrennen nicht erlauben – mit ihm nicht und mit dem Omnivoren auch nicht.«

Für eine gewisse Zeit kam Schweigen auf. Die Erwähnung des Omnivoren hatte eine niederdrückende Wirkung.

»Dieses Auge«, sagte Aquilon. »Nie zuvor habe ich so etwas gesehen. Es ist fast so schwer wie das Gehirn. Und dieses Gehirn hat sehr viele Windungen.«

»Das gibt mir auch zu denken«, gestand Cal ein. »Ich wollte, ich könnte mir die Details näher ansehen, aber ohne meine Brille ...«

Veg blickte auf den Wasserbehälter und stellte ihn bedauernd zur Seite. »Wie gut kann es deiner Meinung nach sehen?«

»Das Auge ist über zwanzig Zentimeter lang und hat einen

Durchmesser von fast acht«, sagte Aquilon ernst. Das scharfe Messer in ihrer Hand blinkte, als sie den Lichtkegel darauf richtete und geschickt Gewebeteile durchtrennte. »Es gibt so viele größere Nervenstränge, die es mit dem Gehirn verbinden, daß es fast unmöglich ist zu sagen, wo der eine aufhört und der andere anfängt. Das Auge selbst ist gefüllt mit einer Art lichtbrechender Flüssigkeit. Fast wie eine elektronische Röhre. Man kann die Eigenschaften nicht einmal abschätzen, aber meine Meinung ist, daß der Manta viel besser sehen kann als wir.«

»Dem stimme ich zu«, sagte Cal. Sein ganzes Verhalten war anders, wenn es ein Problem gab, mit dem er sich auseinandersetzen konnte. »Insgesamt ist diese Kreatur eine erstaunliche . . .«

»Wie ich es sehe, bleibt uns kaum noch eine Stunde Tageslicht«, unterbrach Veg. »Wir müssen weiter, wenn wir nicht in der freien Ebene von der Nacht überrascht werden wollen.«

Cal runzelte die Stirn. »Veg, ich möchte dir sagen . . .«

»Quilon, du nimmst den Packen, wenn du ihn tragen kannst. Ich kümmere mich um Cal.«

Veg hob den kleineren Mann hoch und setzte ihn vorsichtig auf seine Schulter.

»Wir haben hier einige Zeit verloren. Aber wir können sie wieder aufholen, wenn wir jetzt losgehen.«

Schweigend rollte Aquilon ihre anatomischen Skizzen zusammen, stieß das Seziermesser in den Boden, um es zu säubern, und legte sich die Riemen um. Veg bestimmte das Tempo, gut sechs Kilometer in der Stunde, trotz der Last. Cal versuchte nicht, noch etwas zu sagen.

Es gab am Rand des Bergkamms eine Art Pfad, der sich zwischen regenbogenfarbenen Pilzen und Felsvorsprüngen hindurchwand. Am Fuß des Bergs waren die Pilze prächtig – ganze Reihen von ihnen, Trichter, Spiralen und Türme, die wie ein Märchenland aus Zuckerguß wirkten. Aber drei Kilometer aufwärts hingen nur noch weiße, müde Klumpen an den Rändern der Simse, unfähig, auf den Felsen festen Fuß zu fassen, aber auch nicht gewillt, die schmalen Brückenköpfe aufzugeben, die sie erobert hatten. Sogar der Staub erschien dünn und trocken.

Es war ein mühevoller Aufstieg – aber irgend etwas hatte den Pfad geschaffen, und irgend etwas mußte ihn auch jetzt noch benutzen. Und er führte weitgehend in die Richtung, in die sie gehen mußten.

Als die Dämmerung kam, saßen sie gegen den Berg gelehnt und erholten sich von der Anstrengung. Veg hatte keine Klage geführt, aber Cal sah schlecht aus, und Aquilon fühlte sich von dem hautabschürfenden Gewicht des Packens am ganzen Körper wund. Die Luft war jetzt kühler, aber dies schien ihren Durst nur noch zu verstärken. Keiner von ihnen rührte die Wasserflasche jedoch an.

Veg löste einen der Pilze von seinem unsicheren Standort. »Ihr wißt, daß ich gegen einen dieser Sorte getreten und einen nassen Fuß dabei bekommen habe.«

Cal hob den Kopf. »Gib ihn mir«, sagte er.

Veg reichte ihn hinüber, und der kleine Mann quetschte ihn versuchsweise. Einige Tropfen Flüssigkeit fielen auf den Boden.

»Sehen wir uns das an«, sagte er.

Aquilon reichte ihm eine Tasse, und er sammelte den Saft.

»Warte«, sagte Veg. Er nahm den Pilz und preßte ihn mit beiden Händen.

Flüssigkeit spritzte zwischen seinen Fingern hervor, füllte die Tasse und floß über seine Beine.

»Es ist ein Wasserschwamm«, rief er aus.

Cal hielt das randvolle Gefäß in den Händen und blickte tief hinein. Die Flüssigkeit war fast durchsichtig. Er setzte die Tasse an die Lippen.

»He!« riefen Veg und Aquilon gleichzeitig.

»Wasser«, sagte Cal behaglich. »Wir müssen praktisch sein. Wenn ich es überlebe, haben wir eine brauchbare Quelle. Ihr beiden teilt euch die Flasche. Zu dem Zeitpunkt, an dem ihr es braucht, werdet ihr es entweder bekommen, oder eure Last ist leichter geworden.« Aquilon blickte Veg an, und er blickte sie an. Cal war praktisch, in Ordnung. Er behauptete, daß er sterben wollte, und ohne Wasser würde er das mit Sicherheit auch tun. Er hatte bei dem Experiment nichts zu verlieren und konnte vielleicht eine Galgenfrist für sie alle herausholen.

Sie beobachteten ihn, als er die Tasse austrank.

»Ich kann mich an keinen Berg zwischen uns und der Basis erinnern«, sagte Aquilon zweifelnd. »Bist du sicher, daß der Kompaß . . .« Sie suchte nach einer Ablenkung von der morbiden Warterei, der sie ausgesetzt waren.

»Der Kompaß zeigt richtig an«, sagte Cal und streckte sich bequem aus. »Er arbeitet nach dem Kreiselvektoren-Prinzip. Dieser hier wurde auf die Basis eingestellt. Solange er läuft, muß er genau anzeigen.«

Veg blickte auf den gefährlich aussehenden Pfad vor ihnen. »Ich wünschte, sie hätten das Notsignal nach dem Kreiselopfer-Prinzip eingestellt«, murmelte er. »Noch immer fast dreißig Kilometer zu gehen. Immer aufwärts und abwärts, wie es scheint.«

Die Dunkelheit nahm langsam zu, und es blieb ihnen nur noch wenig Zeit, um einen geeigneten Platz für die Nacht zu finden.

»Keine Zeit mehr zum Reden«, sagte Veg. »Wenn wir ein ebenes Plateau oder einen anderen sicheren Platz finden, kann uns nichts passieren. Wir lassen jetzt besser alles zurück, was wir erübrigen können. Quilon, du nimmst das Gewehr und etwas Munition . . .« Er durchwühlte den Packen und suchte nach den Gegenständen, die er entfernen konnte. Bald türmte sich ein kleiner Haufen neben der Nebelpistole auf. »Keine Omnivoren *hier*«, sagte er, als er ihren Blick auf sich ruhen sah.

Sie wollte protestieren, wurde sich aber klar darüber, daß ihr die Kraft fehlte, die überzähligen Dinge noch weiterzutragen.

»Dann trink du wenigstens das Wasser«, sagte sie.

Zu ihrer Überraschung nickte er und setzte die Flasche an den Mund. Sie war sicher, daß er nicht egoistisch handelte, obgleich sich ihr Durst plötzlich vervielfachte. Er hatte etwas anderes im Sinn. Möglicherweise wollte er seine Kräfte bewahren, um *sie* zu tragen, falls Cal . . .

Veg hatte sich bereits in Bewegung gesetzt. Sie streifte den Riemen ab und folgte ihm müde den Berg hinauf.

Sie kletterten. Der unermüdliche Veg trug seinen Kameraden, ohne auch nur ein bißchen langsamer zu werden, während sich Aquilon, obwohl sie unbepackt war, anstrengen mußte, Schritt zu halten. Die Nacht schlug über ihnen zusammen. Der Nebel wurde so dicht, daß sie wenig mehr als den Pfad unmittelbar vor ihnen erkennen konnten.

»Glück«, rief Veg aus.

Aquilon, die das Wort mißverstand, schloß zu ihm auf und blickte nach vorne. Sie hatten ein ideales Plateau erreicht, kaum mehr als eine Verbreiterung des Pfades. Oberhalb und unterhalb fiel der Berg so schroff ab, daß es für einen nächtlichen Ruhestörer sehr schwierig werden würde, sich ihnen unbemerkt zu nähern.

Veg setzte Cal ab.

»Ich muß den Packen holen«, sagte er und verschwand in der Nacht.

»Nimm das Gewehr mit«, rief sie ihm nach.

Sie hatte Wert darauf gelegt, die Waffe nicht zurückzulassen.

Cal blieb, wo er war, schlafend oder bewußtlos. Aquilon zog ihre Bluse aus. Sie wagte nicht daran zu denken, was sein Zustand bedeuten mochte, und rollte die Bluse zusammen, um sie unter seinen Kopf zu legen. Sie holte ihren Pinsel und den Zeichenblock hervor.

Ein paar Minuten später öffnete Cal die Augen und sah, daß sie malte.

»Mein Gott, wo nimmst du die Energie zum Malen her?«

»Dein Gott?« erwiderte sie, verwundert aber auch erregt, weil sie erkannte, daß es ihm besser und nicht schlechter ging. Jeder Augenblick, der jetzt noch verging, war ein Beweis dafür, daß es sicher war, den Saft des Schwammpilzes zu trinken. »Du hast eine so wunderliche Ausdrucksweise.«

Er ließ sich nicht zu einer Erwiderung herab, sondern beobachtete sie mit einem Lächeln.

Aquilon ließ den Pinsel über die Leinwand gleiten. Wieder einmal floß die Farbe wie in einem magischen Automatismus, und die Magie kam von ihr. Der Pinsel war ein Gerät, das in ihren geübten Fingern zu einem Zauberstab wurde. Die Berührung eines der versteckt angebrachten Wahlknöpfe konnte jede Farbkomposition innerhalb des sichtbaren Spektrums produzieren und sie in sparsamer oder großzügiger Form herausfließen lassen. Veg hatte darüber gestaunt, daß sie diese Abstufungen in Farbton und Dichte so subtil zu handhaben wußte, und sie hatte ihm gesagt, daß der Pinsel tatsächlich eine Verlängerung ihres Arms war. Und das, obwohl im Scherz gesagt, kam der Wahrheit ziemlich nahe. Sie war sich der Kontrolle, die sie ausübte, gar nicht bewußt. Sie verlangte nach einer Grauschattierung, und sie kam; königsblau – schon war es da. Der Pinsel konnte genausogut unmittelbar an ihr Gehirn angeschlossen sein oder vielleicht auch an ihre Seele, an ihr kreatives Wesen. Die Bildeindrücke, die sie aufnahm, verschmolzen zu einem großen Ganzen, das sich auf der Leinwand reflektierte.

Die Leute fragten sie immer, warum sie keine Kamera benutzte. Wie konnte sie ihnen den Unterschied zwischen einem lebenden Pinsel und einer toten Maschine erklären? Man sagte, daß der Künstler seine Bildeindrücke verzerrte, während die Kamera exakt war. Die Wahrheit war jedoch, daß der Künstler die lebendige Essenz einfing, während die Kamera ein totes Abbild festhielt. Im Leben gab es keine eingefrorenen, begrenzten Szenen. Wenn die Linien ihres Pinsels nicht so klar umrissen waren wie die einer Fotografie, dann lag das daran, daß die Linien des *Lebens* nichts so klar umrissen waren wie die des Todes. Wenn ein lebendes Wesen auf eine Formel reduziert werden konnte, dann lebte es nicht länger.

»Du paßt zu deinen Gemälden«, sagte Cal ernsthaft.

Aquilon wandte sich von ihm ab, übermannt von einem Gefühl, das sie nicht verstehen konnte. »Tut mir leid«, sagte er. »Ich wollte dich nicht verletzen. Du und dein Werk, ihr seid sehr anmutig. Kein Mensch könnte eins von beiden betrachten, ohne darauf zu reagieren.«

Sie legte ihr Bild zur Seite, blickte aber weiterhin über den Rand des Plateaus hinweg. Es gab dort nichts zu sehen. Man konnte leicht glauben, daß es keinen Abgrund gab, sondern nur einen himmlischen Vorhang, der das Plateau einhüllte. Und natürlich gab es keine Sterne.

»Liebst du mich?« fragte sie zu ihrer eigenen Überraschung.

»Ich fürchte, ja.«

»Das ist der wahre Grund, aus dem du mitgekommen bist – im Traktor.«

Er leugnete es nicht.

Sie sah ihn wieder an und wußte dabei, daß ihr Gesicht jetzt nicht mehr war als ein blasser Fleck, der von ihrem Haar überschattet wurde. Die Pilze am Rand ihres kleinen Lagers strahlten Licht aus, und sanfte Pastellfarben glänzten in dem Schweigen ringsum – rot, gelb, blau und grün. Sie wünschte, daß sie sich dessen schon bewußt gewesen wäre, bevor sie ihr Gemälde weggelegt hatte. Aber vermutlich trat der Effekt erst auf, wenn die Dunkelheit vollständig geworden war.

»Cal«, flüsterte sie, wobei sie wie ein verängstigtes kleines Mädchen klang. »Cal, würdest du mich auch lieben, wenn ich nicht schön wäre?«

»Ich würde dich lieben.«

Sie ging zu ihm, fand seine Hände und hielt sie zwischen den ihren.

»Als ich sechs war«, sagte sie, »war ich hübsch. Dann kam der Virus. Ich war nur einen Tag lang krank, aber danach ... Ich wußte nicht einmal ...«

»Die Krankheit unserer Zeit«, murmelte Cal. »Eine schreckliche Schönheit ist geboren.«

»Ich ... ich dachte, ich würde lächeln«, sagte sie. »Und sie *schrien.* Immer wenn ich glücklich war, schlugen sie mich, und ich wußte nicht, warum. Ich mußte lernen, niemals zu lächeln.« Sie holte Luft. »Und sie ... sie nannten mich nach dem kalten Nordwind ...«

Er streichelte ihr Haar. »Das war Grausamkeit.«

»Sie wußten Bescheid, während ich ganz verwirrt war ...«

»›Den Besten mangelt es an jedweder Überzeugung, während die Schlechtesten voll sind von leidenschaftlicher Heftigkeit.‹ Vergib mir, daß ich auf die Literatur zurückgreife, Quilon, aber ich kann es nicht besser sagen als William Butler Yeats. Es gibt zuviel Kummer in unserem Dasein.«

»Ich will nicht William Butler Yeats«, funkelte sie ihn an. »Ich will *dich.*«

»Und doch würdest du mich verändern«, machte er ihr sanft klar.

Sie beugte den Kopf und hielt noch immer eine seiner Hände fest. »Wir sind verschieden, du und ich und Veg. Wir sehen ganz .... normal aus, aber wir sind es nicht. Wir sind hin und her gerissen, verängstigt und sehr allein ...«

»Das ist eine Halbwahrheit, Quilon. Wir . . .«

Sie lehnte ihren Kopf gegen seine Schulter und vergaß seine Schwäche. »Ich habe mir das nie vor Augen geführt. Wir brauchen einander, Cal, weil wir selbst nur halbe Menschen sind. Du hast nicht das Recht zu sterben, nicht von dir aus, was auch immer dir zugestoßen ist . . .«

Plötzlich und überraschend schluchzte sie.

Cal legte die Arme um sie, lehnte sich zurück gegen den Felsen und die nachgiebigen Schimmelpilze, die daran hafteten, und fuhr fort, ihr weiches Haar zu streicheln. Sein Verhalten zeigte, daß er sich getroffen fühlte.

»Ich wünschte, ich könnte wieder lächeln . . .«, sagte sie leise.

Aquilon erwachte, als Vegs schmaler Lichtkegel über sie glitt. Cal sank zurück gegen den Felsen. Er war zu höflich gewesen, um sie zu bitten, etwas zur Seite zu rücken, und eine seiner Hände ruhten noch immer auf ihrem nackten Rücken. Auch er wurde langsam wach.

»Nichts davon jetzt, Freund«, sagte Veg nicht unfreundlich. »Laß sie los und komm hier rüber. Wir haben ein Problem.«

Aquilon richtete sich auf, hob Cals Kopf und arrangierte das Hemdpolster so, daß es Veg ansehen konnte, ohne sich zu bewegen. Aber er zog es vor, trotzdem aufzustehen. Sie zuckte die Achseln und blieb an Ort und Stelle, um die Bluse wieder anzuziehen. Es schien jetzt keinen Zweifel mehr zu geben: das Pilzwasser war ein Erfolg.

Veg legte den Packen nieder und richtete das Licht darauf. »Seht ihr das?« fragte er mit schwerer Stimme.

»Irgend jemand hat die Riemen durchgeschnitten!«

Veg lachte. »Wohl eher irgend *etwas*«, berichtigte er Cal. »Riemen aus Krokodilleder. Ich habe nie viel für sie übrig, aber ihr wißt, daß *ich* das nicht getan habe. Es war verdammt mühsam, das Bündel hier raufzuschleppen und dabei die Lampe zu halten, um den Pfad erkennen zu können. Mußte alles auf den Armen tragen.«

»Aber was könnte . . .«

»Wer sonst als Bruder Manta?«

Aquilon dachte nach. »Ja, der Manta könnte es getan haben. Das würde bedeuten, daß es mehr als einen in dieser Gegend gibt. Aber ich verstehe wirklich nicht, warum ... Und warum gerade die Riemen?«

»Diese Kreaturen sind nicht dafür ausgerüstet, besonders gut zu klettern«, sagte Cal.

Veg packte ihn an der Schulter und drehte ihn herum, so daß er den Pfad sehen konnte, der nach unten führte. Aquilon blickte an ihnen vorbei in dieselbe Richtung.

Dort, weniger als sieben Meter entfernt, beobachtete sie vom Rand des Plateaus aus ein einzelnes leuchtendes Auge.

Morgen: das Auge blieb. Sie hatten geschlafen, abwechselnd, während sein Ehrfurcht einflößender, prüfender Blick auf ihnen ruhte. Es gab nichts anderes zu tun. Veg weigerte sich, auf den Manta zu feuern, und sie wußten, daß sie ihm nicht entfliehen konnten. Genau dies, dachte sie, mochte die Ansicht der Herbivoren gewesen sein. Warum vor einer solchen Kreatur fliehen oder gegen sie kämpfen? Beides würde nichts helfen.

Bei Tageslicht hatten sie Gewißheit. Es war das Auge eines anderen Mantas, vielleicht des dritten, den sie gesehen hatten. Er kauerte am Rand ihres kleinen Plateaus. In ruhender Haltung wirkte er nicht so erschreckend, aber nach allem was sie über seine Natur wußten, konnten sie ihn auch kaum ignorieren.

Aquilon stand auf, schüttelte den unvermeidbaren Staubfilm ab und streckte ihre Glieder auf eine natürliche, aber ungemein aufregende Art und Weise.

»Ich wünschte, wir hätten den anderen als Nahrung aufbewahrt«, sagte sie. »Den Packen kann ich ausbessern, aber wir müssen immer noch essen.«

»Wir können etwas von dem weißen Pilz probieren«, sagte Veg. »Wenn das Wasser in Ordnung ist, ist es der Rest vielleicht auch. Das würde uns diese Sorge nehmen, wenigstens so lange, bis wir die Basis erreichten.«

»Aber sogar Erdenpilze können einen umbringen«, protestierte Aquilon. »Und viele sind schlimmer. Wie können wir so ein Risiko eingehen?« Sie war hungrig genug, es trotzdem zu tun.

»Ich habe letzte Nacht etwas davon probiert«, sagte Veg ein wenig betreten. »Schmeckte entsetzlich, hat mir aber nicht geschadet. Besser als der Staub.«

Er war Cals Beispiel also schnell gefolgt!

»Der Staub?« fragte sie schockiert. »Du hast versucht, den Staub zu . . .«

»Der Staub ist organisch«, sagte Cal.

»Die Sonne erreicht niemals die Oberfläche von Nacre. Das ist der Grund, aus dem wir nichts Grünes sehen, abgesehen von gelegentlichen Pilzen. Aber die lebenden Zellen treiben ständig dahin. Sehr nahrhafte Hefe, wenn man sie verdauen kann. Die Herbivoren haben damit offensichtlich keine Schwierigkeiten.«

»Oh, ich verstehe«, sagte sie. »Und die Omnivoren fressen die Herbivoren . . . und die Mantas müssen es auch tun.«

»Die ökologische Pyramide«, gab ihr Cal recht. »Sie muß existieren. Natürlich fressen die Omnivoren auch Staub und Pilze. Sonst würden sie den falschen Namen tragen.«

»Was auch immer der Manta ist, er ist jedenfalls schnell. Vermutlich muß er das auch sein, um sich vor den Omnivoren zu schützen.« Veg blickte auf das Tier, das unbeweglich am Rand saß. »Versuch das hier, wenn du Hunger hast, Quilon.« Er hielt ihr ein Stück der weißen Substanz hin.

Sie streckte die Hand aus, um es entgegenzunehmen.

Der Manta schoß in die Luft, wobei sein Körper fast die bedrohliche Form annahm, die er während des Rennens gehabt hatte. Er schnellte zwischen sie.

Aquilon taumelte mit einem Schrei zurück. Veg stand da wie erstarrt, als die Kreatur an seiner Seite zur Ruhe kam, neben dem Pilz. Sie starrten den Manta an.

»Bist du *sicher,* daß er zahm ist?« frage Aquilon scherzhaft.

Veg beobachtete ihn verwirrt. »Ich dachte, ich hatte es letzte Nacht hinter mir«, gab er zu. »Als ich sah, wie das Auge hinter mir her kam, und ich kein Gewehr bei mir hatte. Aber er folgte mir nur. In diesem Augenblick fing es an, mir leid zu tun, daß ich den anderen abgeknallt hatte. Vielleicht *war* es gar kein Angriff gewesen.«

Cal sprach von der anderen Seite. »Ich glaube nicht, daß er jetzt angegriffen hat. Er schien die Absicht zu haben, euch beide zu trennen.«

»Hände weg von der Dame?« sagte Veg geheimnisvoll. »Aber letzte Nacht wart ihr beide euch ziemlich nahe . . .«

Aquilon errötete. »Vielleicht dachte er, daß wir . . .«

»Jetzt mach aber mal 'nen Punkt«, rief Veg mit gespieltem Ärger. »Ich kann sehr gut ohne einen moralischen Manta auskommen. Zumindest dann, wenn er *mich* als den überzähligen Mann ansieht.«

»Vielleicht sollten wir heiraten?« murmelte sie süß.

»Ich könnte niemals eine . . .« Veg unterbrach sich, aber es stand zwischen ihnen, ein Scherz, der weh tat.

Sie hatte seine Galanterie als echtes Interesse mißdeutet, und er hatte sie in ihre Grenzen verwiesen. Sie waren Mann und Frau, aber in der Praxis gab es einen fundamentalen Unterschied. Sie hatte gedacht, daß sein Vegetarismus nur eine persönliche Vorliebe war, aber nun erkannte sie, daß seine ganze Lebensanschauung davon geprägt wurde.

»Der Pilz«, sagte Aquilon aufgeregt. »Vielleicht *ist* er giftig. Vielleicht wollte er uns daran hindern, ihn zu essen.«

Veg hielt die weiße Masse noch immer in der Hand. Langsam führte er sie zum Mund, die Kreatur neben ihm dabei beobachtend.

Der Manta blickte zurück, bewegungslos.

Veg biß hinein. Nichts geschah.

»Versuch du es«, sagte er und warf den Rest zu Aquilon hinüber.

Sie fing es geschickt auf und wiederholte die Prozedur, während der Manta geschmeidig herumfuhr, um sie zu beobachten. Der leichte Fäulnisgeruch ließ sie würgen. Es war, als würde man eine verrottete Tomate essen.

Der Manta zeigte keine Reaktion.

Sie blickte zu Cal hinüber und bot ihm den Bissen an, aber er schüttelte ablehnend den Kopf.

Veg zuckte die Achseln. »Ich werde uns jetzt eine vollständige . . . äh . . . Mahlzeit zubereiten«, sagte er und nahm das Messer zur Hand.

Aquilon ging zu Cal hinüber. Sie wußte, daß er hungrig war, und daß ein paar Stunden Unterernährung für ihn dasselbe waren wie Verhungern für einen normalen Menschen. Er hatte ganz einfach nicht die physischen Reserven, damit fertig zu werden.

»Was willst du tun?« fragte sie und blickte ihm in die Augen. »Du sagtest, daß du nicht essen könntest . . .«

»Ich nehme nicht an, daß es etwas nutzt, wenn ich euch vorschlage, mich hier zurückzulassen und zum Hauptlager zurückzukehren.«

Sie schüttelte den Kopf. »Wenn du uns nur sagen würdest, wie wir dir helfen können.«

»Ihr könnt mir nicht helfen. Ich werde in wenigen Stunden sterben, egal was ihr tut. Wenn ich euch nur von der Wahrheit überzeugen könnte . . .«

Veg, der noch mehr Pilze abschnitt, hatte aufmerksam zugehört. »Vielleicht ist es an der Zeit, daß du uns etwas erzählst, Cal. Ich kenne dich seit drei Jahren, aber du hast nie ein Wort verlauten lassen. Warum bist du immer so schwach, daß du kaum gehen kannst? Warum kannst du nichts von unseren Essen zu dir nehmen?«

Cal schloß die Augen, als ob er Schmerzen habe. »Ihr würdet es nicht verstehen.«

Aquilon nahm seine Hände, wie sie es in der Nacht zuvor getan hatte. »Wir werden dich nicht sterben lassen, Cal«, sagte sie. »Wir werden alle zusammenbleiben.«

Veg kaute auf einem Pilz herum und widersprach nicht.

»Der Tod ist mein Schicksal«, sagte Cal. Seine Worte klangen ziemlich unmelodramatisch. »Alles, was ich euch sonst noch erzählen könnte, wäre eine Lüge.«

»Dann erzähl uns die Lüge«, sagte Veg mit vollem Munde.

Aquilon war von der Einfachheit dieses Satzes überrascht. Sie vergaß immer wieder, daß das wenig subtile Verhalten des großen Mannes nichts mit Dummheit oder Gefühlskälte zu tun hatte. Mit einem einzigen Schlag hatte er Cals ausgeklügeltes Verteidigungssystem zum Einsturz gebracht.

Cal blickte sie an, um ein Zeichen von Nachgiebigkeit erkennen zu können, hatte dabei aber keinen Erfolg.

»Eine Geschichte also«, sagte Cal schließlich. »Und dann geht ihr weiter – ihr beide.«

Er bekam keine Antwort.

»Ich war ein Paläozoologe, der nach Fossilien suchte«, sagte Cal und schloß die Augen. »Man kann im allgemeinen eine bestimmte Art nicht lokalisieren, indem man einfach ein Loch in den Boden gräbt. Meine Spezialität waren Insektenfresser aus dem Eozän, und ich ging einem Gerücht auf den Grund, demzufolge der Schienbeinknochen eines primitiven Primaten in einer Erdablagerung entdeckt worden war. Das spielte sich in einer ziemlich rückständigen Ecke der Welt ab, und ich hatte der lokalen Politik nicht genug Beachtung geschenkt. Ich sprach nicht einmal die Sprache.«

»Ich glaube kein einziges Wort«, sagte Veg gleichmütig.

»Ich wurde als Spion verhaftet und war nicht in der Lage, ihnen die wahre Natur meiner Mission klarzumachen. Die Leute, die mich gefangenhielten, verstanden nichts von Paläontologie. Sie waren überzeugt davon, daß ich Ihnen Informationen vorenthielt, und sie hatten teuflische Methoden, Zwang auszuüben. Auf dem Gebiet der *modernen* biologischen Wissenschaft waren sie nicht rückständig. Seltsam, wie Rückschritt und Fortschritt manchmal koexistieren . . .«

»Was haben sie mit dir gemacht?« wollte Veg wissen.

Cal fuhr mit sichtlicher Anstrengung fort. »Es spielt jetzt keine Rolle – mit einer Ausnahme . . . Meine Nahrung wurde . . . eingeschränkt. Sie arrangierten es so, daß ich von nichts anderem leben kann als von . . .« Er sprach nicht weiter.

»Wir müssen es wissen«, sagte Aquilon weich.

». . . Blut.«

Für mehrere Minuten herrschte Schweigen.

Schließlich ging Veg zu dem Packen hinüber und holte eine Tasse hervor. Er kauerte nieder.

»Kannst du es so nehmen, oder muß es durch eine Transfusion verabreicht werden?« fragte er einfach.

»Sie haben mich in einen Vampir verwandelt«, flüsterte Cal. »Ich lebe von Plasma . . . Meine Mahlzeit muß ich mir beim Doktor holen. Er ist der einzige auf dem Schiff, der Bescheid weiß. Die Blutgruppe – Rhesusfaktor – spielt keine Rolle. Ich nehme es auf oralem Weg. Wie ich mir gewünscht habe zu sterben!«

Aquilon wirbelte herum, als ihr die Bedeutung von Vegs Frage klar wurde. »Du kannst nicht . . .« schrie sie.

Veg war dabei, sein Messer sorgfältig in der Flamme eines seiner Streichhölzer zu sterilisieren. »Halt dich da raus«, sagte er schroff.

Er mußte es gewußt haben. Er hatte den letzten Rest des Wassers getrunken, damit er . . . Blut haben würde..

»Aber du kannst nicht einmal einen Herbivoren töten«, sagte sie außer sich. »Wie kannst du da . . .« Veg wischte sich den Arm ab und setzte das Messer an. Aquilon machte Anstalten, sich auf ihn zu stürzen, hielt sich dann jedoch zurück.

Sie hatte geglaubt, die Motivationen dieser Männer zu kennen, und sie hatte geglaubt, daß sie sich gegenseitig verstanden. Aber ihr Wissen um die Anatomie, menschlich oder tierisch, hatte sie zu der Überzeugung kommen lassen, daß Cals Geschichte eine Lüge *war*. Keine Droge, die sie kannte, konnte einem Menschen das antun, was Cal behauptet hatte. Allenfalls war es möglich, eine infantile Abhängigkeit von Milch hervorzurufen, die dem Blut tatsächlich sehr ähnlich war. Und wenn man es doch speziell auf Blut beschränken *konnte*, dann konnte bestimmt auch ein chemisches Surrogat in ausreichender Qualität von einem Labor hergestellt werden. Die orale Verabreichung entlarvte das Ganze – eine Transfusion war eine präzise Angelegenheit, aber der Verdauungstrakt eines Menschen war so ausgerüstet, daß er mit vielerlei Dingen fertig werden konnte.

Cal hatte ihnen wirklich eine Geschichte aufgetischt – und Veg mußte sie als das erkannt haben, was sie war. Warum nahm er die Fiktion dann als Wahrheit? Wie konnte er, im wahrsten Sinne des Wortes, sein Blut dazu hergeben, eine Scharade aufrechtzuerhalten?

Und dann verstand sie es. »Ich glaube nicht, daß ich jemals gewußt habe, was wahre Freundschaft ist«, sagte sie ruhig. »Aber du mußt dir deine Kraft bewahren, um ihn tragen zu können. Sonst kommt keiner von uns zurück.«

Veg zögerte. »Er muß essen.«

Sie hielt ihm ihren eigenen Arm hin. »Ich brauche nichts zu tragen«, sagte sie.

Veg betrachtete sie und nickte. »Du bist schon eine Frau«, sagte er, sprang auf die Füße und stürmte an ihr vorbei.

Als sie sich umdrehte, erkannte sie den Grund. Cal hatte es fast bis zum Rand des Abgrunds geschafft. Über seine Absichten konnte es keinen Zweifel geben. Veg packte den kleinen Mann und brachte ihn zum sicheren Teil des Plateaus zurück.

»Ihr wißt nicht, was ihr tut«, keuchte Cal schwächlich. »Ich *muß* sterben ...«

»Du hast keine Wahl«, sagte Veg. »Es sei denn, du willst, daß *ihr* Blut im Staub versickert.« Er kam zu Aquilon zurück, das Messer in der Hand.

Abermals bewegte sich der Manta und schoß mit alarmierender Schnelligkeit zwischen sie.

»Was, zum ...« Veg grunzte, ärgerlich jetzt. »Du kannst Cal berühren, und ich kann Cal berühren. Aber er läßt nicht zu, daß ich dich berühre. Was ist los mit dem Krüppel?«

»Wirf mir das Messer rüber«, sagte Aquilon.

Sie preßte die Zähne zusammen, um sich gegen den Schmerz zu wappnen, machte einen sauberen chirurgischen Schnitt in den fleischigen Teil ihres Unterarms und ließ das Blut in die Tasse tropfen.

Die vier bewegten sich den Abhang hinauf. Veg hatte die Spitze übernommen, Cal auf den Schultern. Aquilon folgte mit dem Gewehr und ihrem Zeichenblock. Am Schluß kam der Manta, unregelmäßig hüpfend. Offensichtlich war er nicht an langsames Reisen gewöhnt. Aquilon war sich seiner nervös bewußt. Fast glaubte sie den Schlag seines Schwanzes auf ihrem entblößten Rücken zu spüren. Aber er kam niemals zu nahe heran.

Die kugelförmigen Pilze wurden größer und zahlreicher. Sie säumten den Pfad wie fette Schneemänner, und auch die kleineren Zuckergußgewächse tauchten wieder auf.

Der Boden bebte. Ein lautes Krachen und Dröhnen wurde in der Dunkelheit über ihnen laut. Irgend etwas stürmte den Pfad hinunter!

Veg legte Cal an der Seite nieder und wirbelte herum. »Nur einer machte einen solchen Lärm«, sagte er grimmig.

Aquilon packte das Gewehr und betätigte den Zündknopf. Sie fühlte die Wärme der Kammer in den Händen. Als sie sah, wie der Wasserstrahl in dem durchsichtigen Lauf vaporisierte, kam ihr der Gedanke, daß es möglich gewesen wäre, das Pilzwasser zu destillieren, um die Bakterien abzukochen und die Giftstoffe zu eliminieren, die sich vielleicht in der Flüssigkeit befunden haben mochten.

Das Gewehr war schußbereit. Veg trat auf sie zu und streckte die Hand nach der Waffe aus. Der Manta machte einen Sprung und funkelte drohend.

Veg wich zurück.

»Wirf es her!«

Zu spät ...

Eine große gefleckte Gestalt kam aus dem Nebel vor ihnen geschossen. Sie würde, wie Aquilon wußte, ungefähr eine Tonne wiegen. Die stachlige, fleckige Haut hing in gewaltigen Falten und ließ die Kreatur wie eine riesige, gehörnte Kröte erscheinen. Ein einzelnes kleines Auge war in das Fleisch des vorderen Körperteils eingebettet und funkelte bösartig. Dies war die Feindseligkeit in Person. Dies war der Omnivore.

Cal, der ihm am nächsten war, krümmte sich auf dem Boden zusammen. Die wilde Bestie, zu gierig auf ihre Beute, sprang und flog über ihn hinweg, wobei die scharfen Zähne des peitschenden Schwanzes wenige Zentimeter von seinem Kopf entfernt zusammenschlugen.

Jetzt befand sich Aquilon unmittelbar vor dem Monstrum. Das Gewehr in ihren Händen zischte.

Der Omnivore wandte sich ihr zu, hob seinen starken Schwanz über den Kopf. Die teuflischen Kiefer daran klafften auf, als der Schwanz wie eine tödliche Schlange hin und her pendelte. Diese Kiefer konnten einen Arm halbieren, und der Schwanz konnte einen menschlichen Körper in die Luft wirbeln und gegen den Felsen schleudern.

Ihre Kugeln waren nur wie Nadelstiche, und sie hatte keine Zeit, ein Projektil in die andere Kammer zu schieben. Die kräftigen Muskeln an dem einzigen Fuß des Omnivoren zuckten, bereit zum nächsten Sprung.

Veg trat von der Seite heran. Er brüllte, versuchte, die Aufmerksamkeit des Omnivoren abzulenken, obwohl er nur mit einem kümmerlichen Messer bewaffnet war.

Das Monstrum fuhr herum, trotz seiner albernen Schreie auf ihn aufmerksam geworden. Es konnte ihn natürlich nicht hören, aber sein Wahrnehmungsvermögen war vielseitiger als das anderer Nacre-Kreaturen. Es konnte ihn riechen und die Wärme seines Körpers spüren. Die Kiefer des Schwanzes krachten laut zusammen, als es sich dem neuen Gegner zuwandte.

Der Manta, der sich ganz ruhig verhalten hatte, erwachte wieder zum Leben. Er erhob sich in die Luft und nahm dabei wieder einmal die Form an, die ihm sein Namen eingebracht hatte. Das Auge schien Funken zu sprühen, als die Kreatur um die beiden Menschen herumkurvte und vor dem Omnivoren landete.

So unmittelbar vor dem Monstrum wirkte der Manta winzig. Wenn er stand, war er etwa einen Meter zwanzig groß und konnte nicht mehr als achtzig oder neunzig Pfund wiegen – bei irdischen Schwerkraftverhältnissen. Und doch schreckte der massige Omnivore zurück. Er sprang rückwärts, drehte sich in der Luft herum. Sein mit Zähnen versehener Schwanz zuckte hervor wie eine Art schützender Nachhut und kreuzte den zweiten Sprung des Mantas.

Der Manta breitete sich aus, plötzlich riesig. Aquilon konnte das Zischen der Luft hören, als er lossprang. Er glitt über den Omnivoren. Es gab ein scharfes KRACKS – wie das Knallen einer Peitsche – und die grauen Zähne am Ende des Monsterschwanzes kamen durch die Luft genau auf Veg zugeflogen. Er prallte zurück – und torkelte über den Rand des Pfads.

Mit einem Schrei huschte Aquilon herbei. Veg rollte hilflos den Abhang hinunter. Pilze zerplatzten unter ihm, bremsten aber seinen Fall. Er schlug gegen einen die Giganten und blieb liegen, den Kopf unter einem der kleineren Gewächse verborgen.

Aquilon kletterte nach unten, um ihm zu helfen. Sie war froh, daß der Abhang hier nicht so steil war. Als sie ihr Ziel erreichte, schwer atmend und schwindlig, richtete sich Veg auf und spuckte weiße Klumpen aus.

»Alles in Ordnung?« fragte sie töricht.

»Gib mir 'nen – pfui – Kuß, und wir finden es heraus«, erwiderte er lächelnd.

Es waren Pilzstücke, die er ausspuckte. Überwältigt vor Erleichterung gab sie das Lächeln zurück.

Sie sah ihn blinzeln. Schrecken zeigte sich in seinen verengten Augen. Hinter ihm erschien die Gestalt des Mantas, die den Abhang hinuntersegelte. Das Auge war auf Aquilon gerichtet. Plötzlich faltete sich der Körper zusammen.

Zu spät führte sich Aquilon vor Augen, was sie getan hatte. Sie hatte ihn mit ihrem Lächeln entsetzt, mit jenem schrecklichen Gesichtsausdruck, den sie niemals wieder hatte zeigen wollen. Nun war alles, was sich zwischen ihnen entwickelt hatte, dahin. Sie wußte, was es hieß, sich den sofortigen Tod zu wünschen. Tod . . .

»Cal!« rief sie, als sie sich erinnerte. »Er ist noch immer da oben mit dem . . .«

Veg hastete den Abhang hinauf, gefolgt von dem hüpfenden Manta. Aquilon schloß sich ihnen an, aber in ihrem Kopf begann sich alles zu drehen. Sie hatte ihren Körper schon zu sehr erschöpft, und dann war da noch der Schock dieses . . . Lächelns gewesen. Aber das Leben ging weiter, und es gab andere Dinge, um die man sich Sorgen machen mußte. Sie verlangsamte ihre Schritte und setzte ihren Weg vorsichtig fort.

Sie erreichte den Pfad, voller Angst vor dem, was sie erwarten mochte. Es hatte keinen Laut von Veg gegeben – oder sonst etwas. Es war zu still.

Der Omnivore lag tot da, sein Körper zerschnitten, so als ob ein kosmisches Messer über ihn gekommen war. Bläßliches Blut tropfte aus dem Leichnam, bildete kleine Rinnsale auf dem Fleisch und versickerte im Staub darunter. Cal versuchte, etwas davon in seiner Tasse aufzufangen.

Es war ein schrecklicher Anblick, gleichzeitig lächerlich und mitleiderregend. Irgendwie verwirrte die Vorstellung, daß Cal das Blut des Omnivoren trinken sollte, Aquilon mehr als das Spenden ihres eigenen Bluts. Und doch war es eine Lösung, die sich von selbst anbot, wenn sie als Gruppe überhaupt überleben wollten.

Es war richtig. Es war eine Fügung des Schicksals. Der Omnivore konnte sie ernähren, und das Risiko, das der Verzehr seines Fleisch und Bluts barg, war nicht größer als das, was sie bereits auf sich genommen hatten, als sie den widerlichen Pilz aßen und den Saft tranken. Wenn es funktionierte, bedeutete das statt eines grausamen Todes das Leben für sie alle.

Es machte sie noch immer krank.

Irgend etwas berührte ihren Fuß und ließ sie hochspringen und nach unten blicken. Die Zähne des Omnivorenschwanzes lagen da wie der Kopf eines verstümmelten Hundes, reflexartig zuschnappend, so als ob sie ein Eigenleben führten.

Aquilon beugte sich über den Abgrund und ließ ihrer Übelkeit freien Lauf.

3 Ein Buch Verse

Cals Haus grenzte unmittelbar an die wogenden Wasser des Golfs von Mexiko. Subble hatte vergeblich nach einem privaten Landeplatz an der dichtbesiedelten Sonnenküste von Florida Ausschau gehalten und mußte letzten Endes auf dem Wasser niedergehen.

Cal arbeitete in der Sonne gleich hinter dem Deich. Er war klein, kaum größer als einen Meter fünfzig und ziemlich mager, aber seine Haut war gebräunt, und Anzeichen von ungewöhnlicher Schwäche waren nicht zu erkennen.

Um ihn herum befand sich ein elektronisches Gerät, das aus zahllosen Drähten, einem TV-Gehäuse, einer Amateurfunkausrüstung und diversen Laborwerkzeugen bestand, die vom Lötkolben bis zum hochentwickelten Taschenoszilloskop reichten.

»Gut«, bemerkte Cal, als Subble heranschwamm. »Ich kann ein paar zusätzliche Hände gebrauchen.«

»Aquilon hat Sie angerufen«, sagte Subble.

»Und Veg. Die beiden versuchen, sich um mein Wohlergehen zu kümmern, wie Sie wohl wissen. Ich schulde ihnen sehr viel.«

Subble nickte. Er begriff auf Grund des Verhaltens des Mannes, daß Cal bei weitem der Eindrucksvollste unter den Personen auf seiner Liste war, dem äußeren Anschein zum Trotz. Der Mann war hochintelligent und ging an das Gespräch eher auf klinische, denn auf defensive Art und Weise heran. In ihm steckten keine Angeberei und keine Überheblichkeit. Subble war für ihn eine Situation, die erforscht, und eine Hypothese, die verifiziert werden mußte. Cal würde die Fakten registrieren und sich dann von seinem Urteil leiten lassen. Und doch verbarg er etwas Bedeutsames, genau wie es die anderen getan hatten.

»Ich denke, wir sind uns über die Situation im klaren«, sagte Cal. »Und diese Ausrüstung sollte Ihnen keine Rätsel aufgeben.«

»Ein selbstgebauter Fernsehempfänger mit einem geschlossenen Stromkreis, der auf die Signale eingestellt ist, die das Auge des Mantas abstrahlt«, sagte Subble.

»Ja. Wir brauchten lange, um die Natur der Kreaturen zu begreifen. Wir nahmen an, daß sie ungefähr auf die gleiche Weise sahen wie wir selbst, obwohl ›Quilons Sezierung‹ dagegen sprach. Aber natürlich würde die gewohnte Optik auf einer dunstigen Welt wie Nacre ineffektiv sein. Genau wie die Fische in den Tiefen des Meeres zu leuchten beginnen.«

Subble studierte den Apparat. »Sehr vielseitig anwendbar.«

»Sehr unpräzise, meinen Sie. Ich bin kein Elektroingenieur. Solange das Gerät nicht in der Praxis getestet ist, muß es generalisiert sein. Und das Testen ist ein Problem.«

»Ich sah den Manta im Wald bei Veg, und ich roch einen anderen in Aquilons Keller«, sagte Subble ruhig. »Ich nehme an, der erste lebte von den Tieren des Waldes und der zweite von Ratten. Wenigstens zwei andere Mantas sind während der letzten beiden Tage an diesem Ort gewesen, und Ihr Gerät war in Betrieb. Wieso ist das Testen also ein Problem?«

Cal war nicht alarmiert. »Zum einen ist der Import von unregistrierten Fremden illegal. Wir nannten sie Schoßtiere, aber das war eine falsche Bezeichnung, und ihre Gegenwart hier läßt erkennen, daß die Regierung mißtrauisch wird. Zum anderen sind diese Kreaturen gefährlich. Selbst Sie mit allen Ihren Kräften und Fähigkeiten wären gegen einen einzelnen Manta hilflos.«

Subble gab dazu keinen Kommentar ab. Er untersuchte einen großen Kunststoffbehälter und stellte im Inneren Fächer und Klammern fest. Der Behälter war gebaut worden, um den kompletten Empfänger aufzunehmen und auf dem Wasser zu schwimmen. Er blickte über den Golf hinweg.

»Ja, sie können über das Wasser ›gehen‹«, sagte Cal. »Bei hoher Geschwindigkeit bildet das Wasser für sie eine Oberfläche, die genauso solide ist wie der Staub, für den die Natur sie ausgebildet hat. Aber die Luft hier ist dünn – für sie.«

»Wann werde ich sie treffen?«

Cal schüttelte den Kopf. »Ich weiß, daß Sie keine Angst vor dem Tod haben, aber eine vorzeitige Begegnung würde mit einem Desaster enden, für Sie und vielleicht auch für die Erde.«

»Nicht für den Manta?«

Cal versuchte, eine Batterie in den Behälter zu heben, aber seine Kraft reichte nicht aus. Subble nahm sie ihm aus den Händen und befestigte sie am richtigen Platz. Offenbar hatte der kleine Mann nicht vorgehabt, die Ausrüstung selbst auf die See hinauszubringen.

»Wir leben in einer gespannten Atmosphäre«, stellte Cal fest. »So viele Milliarden von denkenden Individuen, so viel Kriegshysterie, kulturelle Unruhe und Erfolgszwang. Die meisten Leute auf diesem Planeten trachten verzweifelt danach, allem zu entfliehen, aber es gibt keinen Ort, wo sie hingehen können. Nur einige wenige qualifizieren sich für den Weltraum. Und so greifen sie nach allem, was in ihre Reichweite kommt, und reißen es in dem Glauben an sich, daß sie nach oben kommen . . .«

Subble erinnerte sich an Aquilons eigene aufgewühlte Gemütsverfassung. Er zitierte:

> Die Sinnlichen und die Trostlosen rebellieren vergebens
> Sklaven ihrer eigenen Zwänge. In wahnsinnigem Spiel
> Zerreißen sie ihre Fesseln und tragen den Namen
> Der Freiheit eingegraben auf noch schwereren Ketten.

»Coleridge«, stimmte Cal zu. »Er bezog sich natürlich auf die Französische Revolution, aber er sprach ebenso für die Menschheit, wie es die großen Dichter tun. ›Als Frankreich im Zorn seine gewaltige Faust erhob . . .‹ Wie leicht wäre es, das auf die heutige Welt zu übertragen!«

Subble lächelte. »Als der Mensch im Zorn seinen nuklearen Arm erhob/Und mit jenem Eid, der Luft, Erde und Meer zerschmetterte/Seine machtvollen Strahlen abfeuerte und die Freiheit beschwor/Sei mein Zeuge, wie ich hoffte und bangte.«

»Nur daß einige von uns nicht länger hoffen. Der Mensch ist ein Omnivore, im übertragenen wie auch im buchstäblichen Sinn. Er konsumiert alles . . .«

»Ein Omnivore«, murmelte Subble und erinnerte sich an Aquilons Bemerkungen.

»Sie fangen an, das Problem zu erkennen. Der Mensch ist der wahre Omnivore, um vieles wilder als die Kreatur, die wir auf Nacre mit diesem Namen belegten. Ich fürchte, es hat Quilon ziemlich schwer getroffen, als sie sich vor Augen führte . . .«

»Sie rührt jetzt kein Fleisch mehr an.«

»Ich weiß genau, wie sie fühlt. Nacre war eine ziemlich drastische Lektion. Aber keiner von uns wurde sich über die wirklichen fundamentalen Unterschiede zwischen der menschlichen Natur und den Kreaturen auf Nacre klar. Wie die Dinge lagen, tasteten wir blind umher.«

»Genau wie ich«, deutete Subble an. »Was ist dieser ›fundamentale‹ Unterschied, wenn damit nicht die ökologische Anpassung oder die Methoden der Wahrnehmung gemeint sind?«

»Ich kann Ihnen das nicht erklären, bevor ich Ihnen nicht zuerst etwas über das Dritte Königreich erzählt habe.«

»Ich kann Ihnen nicht folgen.«

Es hört sich an wie ein Märchen, aber der Mann hatte etwas ganz Konkretes im Sinn.

Cal nickte. »Vermutlich übersehen Sie es genauso, wie wir das auf Nacre getan haben. Ich hatte ganz bestimmt kaum eine Entschuldigung dafür. Das ganze Wissen der Welt läßt einen Menschen nicht das Offensichtliche erfassen, wenn dieses Wissen zu einer festgefahrenen Denkweise führt. Dies macht es viel schwieriger als die unterschiedlichen Wahrnehmungsmethoden, einen vollen Kontakt mit den Mantas herzustellen.«

Subble studierte ihn genau, fand aber kein Anzeichen dafür,

daß er Ausflüchte machte. Der Mann hatte eine Konzeption, die insbesondere für ihn schwerlich zu akzeptieren und zu diskutieren war, und man konnte darauf wetten, daß sie in unmittelbarem Zusammenhang mit dem stand, was ihm Veg und Aquilon nicht hatten sagen wollen. Ein wesentlicher Teil des Puzzles fehlte.

»Was muß ich tun, um diese Information zu erlangen?«

»Es ist keine Information per se. Es ist eine Denkweise. Ich habe sie selbst noch nicht gemeistert und schaffe es vielleicht auch nie, obwohl ich gerne denke, daß ich Fortschritte mache. Aber es ist ein schwieriger Weg, ganz besonders für jemanden wie Sie. Sie besitzen zu viele neuzeitliche Fähigkeiten.«

»Zu *viele*?«

»Das kann eine Belastung sein. Es gibt Reiche, in die nur die Armen eingehen können.«

Subble lächelte wieder. »Abermals sage ich euch: Es ist leichter, daß ein Kamel durch ein Nadelöhr geht als ein Reicher in das Himmelreich.«

»Ich fürchte, das ist genau das, was ich meine. Sie haben sich eins der populärsten falschen Zitate unserer Sprache ausgesucht und sind sich dessen vermutlich nicht einmal bewußt.«

»Ich versichere Ihnen, daß das Zitat richtig ist. Matthäus 19,24.«

»Genau. Sie sind mit einer Standardbildung indoktriniert worden. Deshalb haben Sie nie die Segnungen echter Gelehrsamkeit kennengelernt. Sie sind eingeengt durch die standardmäßigen Beschränkungen und Irrtümer. Ich wage zu sagen, daß Sie die ganze Bibel zitieren können . . .«

»Ich kann es.«

»Aber Sie haben niemals daran gedacht, die Fassung oder die Übersetzung in Frage zu stellen. Anderenfalls wäre Ihnen der Verdacht gekommen, daß Jesus von Nazareth, in welcher Eigenschaft auch immer er existierte, vermutlich niemals von einem Kamel gesprochen hat, das einen so lächerlichen Versuch unternahm, wie durch ein Nadelöhr zu steigen. Ich glaube, der ursprüngliche Ausdruck war ›Schiffstau‹, falsch übersetzt und niemals korrigiert.«

Subble schwieg. Es stimmte: Er hatte keine Möglichkeit,

diese Behauptung zu verifizieren oder zurückzuweisen, aber sie hörte sich authentisch an. Es machte keinen Unterschied, ob der kleine Mann recht hatte oder nicht. Er war im Vorteil, weil sein Wissen einschlägiger war als sein eigenes. Cal hatte die Schwäche eines Mannes aufgedeckt, dessen ganze Erziehung aufgepfropft war. Cal kontrollierte die Situation.

»Die Information spielt keine Rolle«, sagte Cal. »Es ist die *Einstellung,* die zählt. Sie waren sich Ihrer ganz sicher, weil Sie wußten, daß Ihr Zitat stimmte. Sie hatten recht – und doch wieder nicht. Das ist der Grund, aus dem unser reicher Mann so große Schwierigkeiten hat . . . Er kann sich selbst nicht entschließen, seinen Reichtum aufzugeben, selbst wenn dies eine Voraussetzung für die Erfüllung seiner Hauptwünsche ist. Der arme Mann ist besser dran. Er hat ganz einfach weniger zu verlieren. Deshalb kann er dorthin gehen, wo es der reiche Mann nicht kann.«

»Sie wollen mir also sagen, daß ich mein Wissen ablegen muß, um meine Mission erfüllen zu können?«

»Im Prinzip, ja. Zumindest müssen Sie Ihr Vertrauen in Ihr Wissen zur Seite legen. Ihre Sicherheit wird Sie hier scheitern lassen.«

»Können Sie mir einen handfesten Grund geben, so etwas zu tun?«

»Das paßt zu meinem Stichwort, Sie als einen Materialisten zu verdammen, der niemals das Himmelreich erlangen wird! Aber ich verlange keinen blinden Glauben an irgend etwas, den Glauben selbst eingeschlossen. Ich kann Ihnen einen Grund nennen: Sie müssen lernen, mit dem Manta zu kommunizieren. Und der Manta ist fremdartig. Viel fremdartiger, als seine Handlungen und sein Aussehen zu erkennen geben. Irgendwann wird der normale Mensch vielleicht mit dem normalen Manta einen sinnvollen Dialog führen können. Aber das wird noch viele Jahre dauern, vermute ich. Sie müssen es *jetzt* tun – und das bedeutet, daß Sie zum Manta gehen müssen. Sie müssen ihn auf seinem eigenen Gebiet treffen. Keine menschlichen Konventionen werden Ihnen dabei helfen, sie stören nur. Sie werden möglicherweise keine zweite Chance bekommen, wenn Sie es beim ersten Mal verpfuschen.«

Wieder erinnerte sich Subble an Aquilons Episode und wußte, daß Cal die Wahrheit sprach. Das Aussehen des Mantas war fremd, und seine Handlungen waren noch fremder. Und die Reaktionen der drei, die mit ihm auf seiner Heimatwelt zu tun gehabt hatten, waren noch viel fremder. Wenn er die ganze Wahrheit herausfinden wollte, mußte er am Ende mit dem mysteriösen Manta zusammentreffen.

Aber wenn er seine großartige Ausbildung zur Seite legte, war er verwundbar – so wie es vielleicht auch das Trio der Sternenfahrer gewesen war.

»Können Sie sich vorstellen, was für einer Konditionierung ich ausgesetzt war?« fragte Subble. »Keine Spitzfindigkeit kann meine Logik erschüttern. Keine Folter kann mich zerbrechen. Keine Gehirnwäsche kann die Loyalität zu meiner Mission auslöschen, ohne mich vorher zu töten. Haben Sie einen Vorschlag, wie ich das erreichen soll, obwohl meine ganze Existenz doch darauf ausgerichtet und geformt wurde, es zu verhindern?«

»Ich bin mir nicht sicher, aber ich glaube, Sie können sich an das Dritte Königreich heranarbeiten. Und dadurch und mit meiner Ausrüstung haben Sie eine Chance. Der Trick ist, daß man Sie leiten muß, ohne Ihren Geist dabei zu zerstören. Vertrauen Sie mir und lassen Sie sich von mir so weit führen, wie ich kann. Dann sehen wir weiter.«

»Warum sollte ich Ihnen vertrauen?«

Cal lächelte. »Weil ich vollkommen aufrichtig bin. Sie können meine Emotionen leicht lesen. Ich weiß das, und Sie wissen, daß ich es weiß. Sie müssen mir glauben – oder den Glauben an Ihre eigenen Fähigkeiten verlieren, was auf dasselbe herauskommt. Sie haben also gar keine Wahl.«

»In Ordnung. Wohlan, Macduff. Zeig mit den Weg zum Dritten Königreich. Ich folge.«

»Und verdammt sei, der zuerst ruft: Es ist genug!« sagte Cal.

Er ging ins Haus und kehrte mit einem verzierten Kupfergefäß zurück, das einem antiken Teekessel ähnelte. Er setzte es auf das Pflaster. Nach mehreren Ansätzen gelang es ihm, eine kleine grünliche Flamme zu entfachen, die unmittelbar unterhalb der vorstehenden Spitze züngelte.

»Eine Lampe«, stellte Subble fest. »Aladins Wunderlampe?«

»Etwas in dieser Richtung. Normalerweise dauert es allerdings eine Weile, bis Myko erscheint. Wir unterhalten uns. Sie sagen mir, wenn Sie ihn sehen.«

»Myko – eine Vorsilbe, die sich auf Pilze bezieht. Keine schmeichelhafte Bezeichnung.«

»Nicht unbedingt.« Cal deutete auf eine Stelle neben der Lampe, und sie nahmen im Schneidersitz ihre Plätze auf den Steinen ein.

Zarte Parfümdüfte entstiegen der Flamme: Zeder und andere exotische Aromen verschmolzen zu einem Wohlgeruch, der neu für Subble war. Er hakte die Bestandteile im Kopf ab und ordnete jeden automatisch ein, aber es blieb noch ein Rest, den er nicht kannte. Ein ungewöhnlicher Duftstoff sicherlich, aber harmlos. Offenbar versuchte Cal, eine bestimmte Atmosphäre für das zu schaffen, auf was er hinauswollte.

»Sie haben Quilon und Veg bereits getroffen«, sagte Cal. »Und Sie wissen einiges über die Situation, in die wir auf Nacre geraten sind. Sie wissen über den Omnivoren Bescheid?«

»Ja.«

»Ich nehme an, es sieht wie ein verblüffender Zufall aus, daß ausgerechnet unser Trio die erforderlichen Qualitäten besaß, um dort überleben zu können.«

»Ja. Mein Boß betrachtet solche Zufälle mit Mißtrauen. Im allgemeinen steckt mehr dahinter, als nach außen hin sichtbar ist.«

Subble starrte in die Flamme und wartete darauf, daß die Falle zuschnappte. Er konnte keine Fremden in der Nähe entdecken, aber Cal erwartete jeden Augenblick etwas ganz Bestimmtes.

»Tatsächlich war überhaupt nichts Zufälliges dabei«, sagte Cal. »Unsere ungewöhnlichen Qualitäten waren für das Problem nebensächlich und führten allenfalls zu einiger Verwirrung. Wir waren ganz einfach die Gruppe, die zu dem Zeitpunkt auf Nacre isoliert wurde, in dem die Kontaktaufnahme fällig war. Jeder hätte es tun können.«

Das stimmte nicht so ganz. Cal besaß Informationen, die ihn durch und durch erschreckten. Seine Körperprozesse spiegelten es auf allen Ebenen wider. Veg und Aquilon hatten einen Verdacht gehabt, aber Cal *wußte* – was auch immer es war.

»Der Zufall brachte uns zusammen, aber das bedeutete nichts«, sagte Cal. »Ich wünschte, er würde uns noch einmal zusammenbringen.«

»Dreiecksbeziehung?«

»Dreiecksbeziehung. Quilon plagt sich mit der Wahl herum, wenn es tatsächlich gar nicht erforderlich ist. Liebe ist nicht exklusiv.«

»Sie sagte, daß sie sich schmutzig fühlte.«

Cal seufzte. »Die Sinnlichen und die Trostlosen rebellieren vergebens«, sagte er. Durch den dichter werdenden Rauch der Lampe erschien seine Gestalt unscharf. »Sklaven ihrer eigenen Zwänge. Die Menschen der Erde sind zu Neurotikern geworden, die alles nach innen kehren, was sie draußen nicht mehr loswerden können. Sehen Sie sich buchstäblich jede einzelne lebende Person an, und Sie werden es feststellen. Unterdrückter Wahnsinn. So viel davon ist bestimmt kein Zufall. Einzigartige Qualitäten gibt es nicht mehr, nur noch einzigartige Methoden, den Horror einer weitergehenden Existenz auszudrücken. Einige nennen es Kreativität, andere Psychoneurosen. Aber es bleibt der Wahnsinn eines Volkes, das seine letzte rationale Grenze verloren hat.«

»Veg . . .«

»Überzeugte sich selbst davon, daß der Tod das Übel war, das er bekämpfen mußte. Glücklicherweise war er zufrieden, sich auf die Weigerung zu beschränken, ohne Erfordernis zu töten oder das Fleisch irgendeiner Kreatur zu verzehren, die den erkennbaren Instinkt der Selbsterhaltung besitzt. Er war nie tiefer getroffen und bleibt eins der am besten angepaßten Mitglieder unserer Gesellschaft. Er ist glücklich – solange sein Wald bestehen bleibt.«

Subble hatte da seine Zweifel. Aber er bemühte sich, Cal zu folgen und nicht mit ihm zu debattieren. »Aquilon . . .«

»Wurde davon in ihrer Kindheit getroffen. Sie war ein hübsches Mädchen, beneidet wegen ihres Aussehens. Irgendeine zufällige Begebenheit suggerierte ihr, daß sie sich selbst bestrafen mußte, indem sie ihr Lächeln opferte. Auf diese Weise würden die anderen nicht wütend auf sie sein. Sie nahm dieses Gebot zu wörtlich, und die Strafe war viel grausamer als das Vergehen. O ja, sie wurde geschlagen, aber das war die Ignoranz ihrer Familie, die das äußere Zeichen als absichtliche Bösartigkeit ansah, obwohl sich darunter tatsächlich eine wundervolle Persönlichkeit verbarg.«

»Ja«, sagte Subble, der sich erinnerte. »Aber sie lächelt jetzt.«

»Und sie ist schlimmer dran als zuvor. Jetzt hat sie einen abwegigeren Komplex entwickelt. Als sie noch glaubte, daß die Zerstörung ihres Lächelns sie befreite, wurde sie nicht von anderen Phobien und Zwängen heimgesucht. Nun sucht sie nach ihnen. Sie versucht, Vegs Weg zu gehen, als ob der Tod das größte Übel wäre – was natürlich nicht stimmt. Das *Leben* ist das Problem unserer Welt. Zu viele Menschen leben auf der Erde, so dicht zusammengedrängt, daß Raum und Freiheit weitgehend nur noch Konzeptionen der Vergangenheit sind. Der Tod ist das größte Privileg, das dem Menschen gewährt wird. Der Tod ist verantwortlich für seine ganze Entwicklung. Der Tod ist nicht unser Feind – er ist unsere Rettung.«

»Das ist ein ungewöhnlicher Standpunkt.«

»Es ist der Standpunkt eines Paläontologen. Jeder, der die Geschichte des Lebens auf der Erde studiert, muß den Tod als eine lebendige Kraft respektieren. Ohne den Tod gäbe es keine natürliche Auslese. Ohne Auslese wären niemals Wirbeltiere, Säugetiere und Menschen entstanden. Die Schwachen, die Mißgebildeten, die Zurückgebliebenen – sie müssen Platz für den Fortschritt machen. Aussonderung und Auslese der Spezies: ständige Variationen, einige gut, die meisten schlecht, aber im großen und ganzen überleben die Guten und pflanzen sich fort. Wenn Sie in den Ausleseprozeß eingreifen, vernichten Sie den Menschen.«

»Und wir haben eingegriffen«, sagte Subble. Er verstand die Argumente, sah aber den springenden Punkt nicht. »Wir haben *jedes* menschliche Leben bewahrt, schwach und stark, und die Natur kommt nicht zum Zug.«

»Oh, die Natur kommt zum Zug. Aber nicht auf eine Weise, die wir als normal betrachten«, berichtigte ihn Cal. »Ich glaube, unser Dschinn ist auf dem Weg. Sehen Sie ihn?«

Subble blickte in die Flamme. Er war drauf und dran gewesen, Fragen über die Natur von Cals eigener Krankheit zu stellen, hatte seine Chance jedoch verpaßt.

»Myko aus dem Dritten Königreich? Ich fürchte, nein.«

»Dort über der Lampe – wie ein kleiner Wirbelwind. Grau zuerst, aber heller werdend, während er sich ausdehnt. Hören Sie auf, vernünftig zu sein, und sehen Sie hin!«

»Wenn Sie darauf bestehen . . .«

Subble konzentrierte sich – und sah ihn.

Die grüne Flamme tanzte, wechselte die Farbe, golden, purpur und hellrot, und aus der Tülle löste sich eine schmale Rauchsäule, grau und wirbelnd. Als er sie beobachtete, wuchs sie an, wurde zu einem Staubteufel, einem Miniaturtornado, einem knospenden Derwisch und explodierte schließlich zu einem riesigen düsteren Mann, der mit einem fließenden Band aus dichtem Rauch bekleidet war.

»Ich sehe ihn«, sagte er.

Der Dschinn stemmte knüppelartige Hände in die Hüften und starrte ihn an.

»Gut«, sagte Cal. »Myko wird uns in das Dritte Königreich führen.«

Subble sprang auf. Er wurde sich bewußt, daß man ihn abermals reingelegt hatte.

»Eine psychedelische Droge! Lysergsäurediäthylamid . . .«

Der Dschinn lachte, und der Ton warf ein Echo. Sein Hinterkopf ähnelte einem farbigen Giftpilz, und sein Gebiß bestand aus den Stoßzähnen eines Elefanten.

»LSD?« fragte Cal. »Nein. Das ist ein halluzinatorisches Agens, obwohl beide ursprünglich von Pilzen herstammen. Ihre Eigenschaften differieren in einer Weise, die für Sie nicht wichtig sein dürfte.«

»Ist das die Grundlage Ihrer neuen Philosophie?« erkundigte sich Subble enttäuscht. Er streckte die Hand aus, um die Lampe zu löschen.

»Nein. Myko ist bloß ein Mittel zum Zweck, ein Weg, der uns zu dem Kontakt, den wir suchen, führen kann oder auch nicht. Geben Sie ihm eine faire Chance, bevor Sie sich von ihm abwenden.«

»In meinem Bewußtsein ist nichts, was nicht schon vorher da war«, sagte Subble, ließ die Flamme jedoch brennen. »Man kann keine Geheimnisse entschleiern, wo es keine gibt. Aber die Verzerrungen, die die Droge verursacht, könnte meine Effektivität beeinträchtigen.«

»Ihr Bewußtsein ist auch jetzt noch intakt. Betrachten Sie sich selbst. Sind Sie in übermütiger Stimmung? Deprimiert? Haben Sie das Gefühl, als würden Sie schweben? Ist der Horizont unendlich geworden? Fühlen sie sich Gott näher? Sexuell angeregt? Welche Wirkung hat die Droge auf Ihr Körpersystem ausgeübt? Inwieweit sind Sie behindert?«

Subble machte ein paar schnelle körperliche und geistige Übungen. »Sie hat mein Körpersystem nur ganz leicht beeinflußt«, gab er zu. »Nicht genug, um meine Leistungsfähigkeit entscheidend herabzusetzen.«

»Inwieweit hat sich dann für Sie etwas geändert?«

Subble blickte auf den vor ihm stehenden Dschinn, der verächtlich zurückstarrte. »Die Droge hat eine Halluzination hervorgerufen, die sich nicht verflüchtigt.«

Der Dschinn lachte bellend. »Oh, du sterblicher Narr – ein leichter Atemzug von mir, und du würdest ins Meer stürzen und erbärmlich ertrinken, ohne dich dagegen wehren zu können!«

Er *wußte,* daß der Dschinn nicht existierte, aber das änderte überhaupt nichts.

»Fordern Sie Myko nicht heraus«, warnte Cal. »In der physischen Welt mögen Sie überlegen sein, aber dies ist nicht Ihre Welt. Sie folgt nicht Ihren Regeln.«

»Ja«, sagte Myko mit Befriedigung.

»Welchen Regeln folgt sie?« fragte Subble interessiert.

»Meinen«, sagte der kleine Mann. »Die Droge ruft Halluzinationen hervor, ohne das Bewußtsein zu behindern oder die Denkprozesse zu beeinflussen. Sie haben totale Kontrolle über Ihren Verstand und über Ihren Körper. Ich aber kontrolliere die Umgebung.«

»Ein gemeinsamer Traum?«

»Der Einfachheit halber können Sie es so nennen. Tatsächlich wird Ihre Sicht durch versteckte Hinweise bestimmt, die ich

Ihnen gebe – durch gewisse Schlüsselwörter und die Lampe, die Sie unwillkürlich mit Aladins Abenteuer in Verbindung gebracht haben. Was Sie sehen, unterscheidet sich natürlich etwas von dem, was ich sehe, genauso wie sich unsere Kenntnisse und unser Geschmack unterscheiden. Und das ist letzten Endes ohnehin ein Aspekt des Lebens. Niemand kann zum Beispiel sicher sein, daß die Farbe, die er als rot sieht, nicht für seinen Nachbarn blau ist: ein Blau, das sein Nachbar rot nennt. In dieser Beziehung ist die Veränderung nicht gewaltig, und die Droge sorgt vielleicht für eine größere Übereinstimmung, denn jeder echte Unterschied kann, wenn es darauf ankommt, durch die beherrschende Sichtweite beseitigt werden.«

»Wie können Sie so sicher sein, daß Ihr Wille stärker ist als der meine?«

»Möchten Sie einen sichtbaren Beweis oder eine vernünftige Erklärung?«

»Beides.«

»Trägt Myko einen Turban?«

»Nein. Sein Schädel ist lächerlich kahl.«

»Sehen Sie noch mal hin.«

»Er trägt einen Turban.«

»Sie irren sich.«

Der Dschinn war wieder glatzköpfig. Subble konzentrierte sich, bemühte sich, den Turban zu sehen, der für einen kurzen Augenblick erschienen war, aber nichts änderte sich. Myko grinste ihn an und schien seinen Spaß zu haben. »Es sieht so aus, als ob der Geist seinem Herrn gehorcht«, gab Subble zu.

»Ja. Erstens ist er *mein* Geschöpf, eine Erfindung *meiner* Wahl, oft von mir vorgeführt, während Sie ihm zum erstenmal begegnen. Vermutlich weiß ich über die arabische Mythologie viel mehr als Sie, und das verleiht mir Macht, genauso wie mir meine Kenntnis der Bibelübersetzung einen Vorteil einräumte. Jetzt ist die Situation noch eindeutiger. Sie könnten Myko nicht kontrollieren, es sei denn, Sie wüßten mehr über ihn.«

»Ja«, wiederholte Myko.

»Zweitens bin ich schon viele Male hiergewesen – unter dem Einfluß der Droge, meine ich – und habe Toleranz und Kontrolle entwickelt. Ihre Wirkung ist bei mir nicht so stark, obwohl wir beide die gleiche Dosis genommen haben, und das gibt mir einen festeren Halt an der Objektivität, wie wir sie beide kennen. Erfahrung ist der beste Lehrer.«

Subble studierte den Dschinn, beeindruckt durch die offenkundige Realität der Kreatur, obwohl doch Einigkeit darüber bestand, daß sie ein Produkt der Einbildung war. Wenn man wußte, daß Furcht grundlos war, sollte man sie eigentlich ablegen können.

»Ich kann auch deine Gedanken lesen«, sagte Myko. »Nicht daß es mir Vergnügen bereitet.«

»Und schließlich stehen Ihnen Ihre eigenen Zielvorstellungen im Wege«, sagte Cal. »Sie *wollen* die Kontrolle gar nicht übernehmen, weil Sie dadurch Ihre Mission aufs Spiel setzen würden. Sie brauchen keine Überlegenheit, Sie brauchen Informationen. Und Sie wissen, daß ich Sie Ihnen nur auf diesem Weg geben kann.«

»Ich erinnere mich natürlich nicht an Erfahrungen meiner Vergangenheit«, sagte Subble. »Aber ich habe den Verdacht, daß Sie, Veg und Aquilon das verdammteste Trio sind, das mir je begegnet ist. Ich würde Sie gerne erleben, wenn sie alle drei zusammen sind.«

Cal lächelte ein bißchen traurig. »Es ist jetzt ein Quartett: Kraft, Emotion, Intellekt und ... Geist. Vielleicht *werden* wir bald wieder zusammen sein. Allein können wir nicht existieren.«

Subble registrierte, daß der kleine Mann nicht an die romantischen Aspekte dachte. Es gab da noch etwas, genauso wie es bei den anderen gewesen war. Cal hatte recht. Jeder Mensch auf der Erde war in eine seltsame Konfiguration hineingepreßt worden, aber diese drei hatten eine eigenartige Beziehung zueinander, die sie zu etwas Besonderem machte.

»Aber wir haben andere Dinge zu erledigen«, sagte Cal kurz. »Myko, zeig uns das Gewölbe.«

»Ich höre und gehorche«, erwiderte der Dschinn eifrig.

Er bückte sich und berührte den Boden. Ein großer Silberring erschien, innen und außen verziert und senkrecht in die mittlere Steinplatte eingelassen. Myko zog daran, und der Stein hob sich und legte eine abwärts führende Treppe frei.

»Da hinunter?« fragte Subble, der sich nicht länger bemühte, zwischen den Realitätsebenen zu unterscheiden. »Nicht in die Schwarze Höhle von Kalkutta?«

»Ein weiterer Irrtum«, sagte Cal.

»Diese Episode ist pure Fiktion. Sie war ein Gerücht, das Historiker als Faktum nahmen, da es die britische Politik in Indien rechtfertigte.«

»Verstehe. Aber in *dieser* Fassung könnte Ihr Dschinn uns einsperren und die Kontrolle über die Halluzination übernehmen.«

»Ein interessanter Gedanke«, sagte Cal. »Aber dieses Risiko müssen wir eingehen. Sie müssen die Wunder des Dritten Königreichs erleben, um sie richtig würdigen zu können. Dies ist wichtig.«

»Wie Sie meinen«, stimmte Subble zu.

Myko schrumpfte etwas, produzierte eine Fackel, hielt sie an die Flamme der Lampe und wartete, bis sie Feuer fing. Dann ging er nach unten voran.

Die Stufen führten in einen Gewölbegang, von dem schwere geschlossene Türen abgingen.

»Das Dritte Königreich hat alles im Überfluß, was der Mensch benötigt und begehrt«, sagte Cal. »Hier ist die Nahrungskammer. Beobachten Sie alles ganz genau.«

Der Dschinn öffnete die Tür mit einer großartigen Gebärde und blieb wachsam daneben stehen, als die beiden Männer eintraten.

Eine riesige Tafel war aufgestellt worden, die sich unter den aufgetragenen exotischen Delikatessen bog. Am Kopfende lag ein gefülltes Schwein auf einer Platte, mit wohlriechenden Kräutern und Gewürzen garniert. Dahinter war ein riesiger gerösteter Truthahn zu sehen, mit Petersilie bekränzt, und dahinter eine Reihe von Lachsfilets, dekoriert mit Rosinen und Zitronenscheiben.

Sie gingen an der schier endlosen Tafel entlang, vorbei an Krabbencocktails, Bratenscheiben und Lammkeulen. Es gab Geflügel, Thunfisch, Tomaten, Früchte, mit Soßen, die zu zahlreich und zu exotisch waren, um alle aufgezählt zu werden. Es gab dampfende Terrinen mit Suppen und aromatische Backwaren und Pasteten. Es gab Schokoladenkuchen und Erdbeerkompott. Frische Maiskolben glänzten neben goldenen Karotten und Artischocken. Tafelweine aller Art standen neben ihren traditionellen Gerichten, und danach kamen dampfender Kaffee und Eiscreme.

Sie schlossen den genüßlichen Rundgang ab und kehrten in die Halle zurück.

»Eindrucksvoll?« erkundigte sich Cal.

»Eindrucksvoll. Kann man irgend etwas davon essen?«

»O ja, und zwar mit dem größten Vergnügen. Aber Sie würden in dem Augenblick, in dem die Vision endet, wieder hungrig sein. Das ist das Ärgerliche an der Magie – keine bleibende Wirkung.«

»Nehmen wir an, es wäre wirklich etwas weniger außergewöhnliche Nahrung vorhanden.«

»Sie könnten sie genüßlich verzehren und hätten anschließend einen vollen Magen und eine angenehme Erinnerung.«

Subble begriff, wie leicht eine Wahnidee Gestalt annehmen konnte.

Myko hatte sich nicht dazu herabgelassen, sie nach drinnen zu begleiten. Er stand an der Tür und hielt sich die Nase zu.

»Unsere nächste Ausstellung findet in der Gesundheitskammer statt«, sagte Cal. Er machte eine Handbewegung, und die Tür öffnete sich.

Der Raum war groß – so groß, daß der Eindruck entstand, sie würden in ein Tal hinaustreten. Unmittelbar vor ihnen befand sich eine offene Ebene, die mit kräftigen Bäumen bewachsen war: Buchen, Eschen, Ahorn und eine einzelne mächtige Rottanne. Bronzefarbene griechische Athleten trieben Sport. Einer schleuderte den Speer, ein anderer schwang den Diskus. Vier von ihnen machten einen Wettlauf, und zwei weitere führten einen Ringkampf aus. Weiter hinten im Tal spielten zwei lebhafte junge Frauen in Shorts Tennis. Die Männer sahen wie Veg aus, die Frauen wie Aquilon. Ein Mann, der Subble selbst ähnelte, übte sich in kunstvollen Sprüngen in einen Pool – nackt.

Die Luft war erfrischend. Gelegentlich kam eine leichte Brise auf. Das Gras unter ihren Füßen wuchs üppig, und nirgendwo zeigte sich etwas, Flora oder Fauna, das sich nicht in der Blüte des Lebens befand.

»Und Reichtum«, sagte Cal und ging voran zur dritten Kammer.

Myko war verschwunden.

Es war ein Palast, der in sich selbst aus vielen Kammern bestand. Die erste war gefüllt mit Gold- und Silbermünzen seltener und schöner Prägung, einige rund, andere achteckig oder mit einem Loch in der Mitte. Sie quollen aus großen Gefäßen hervor und türmten sich auf dem Fußboden zu Bergen.

Der zweite Raum war noch eindrucksvoller: Juwelen aller Farben und Arten – blaue Diamanten, grüne Smaragde, rote Rubine, sternenförmige Saphire und zahllose kleinere Edelsteine, einige prächtig eingefaßt, andere in ihrer natürlichen kristallinen Form erstrahlend. Es gab Perlenketten und herrliche Ringe und Armbänder.

Der dritte Raum enthielt unbezahlbare Gemälde und Skulpturen: Subble erkannte das Werk von Michelangelo, da Vinci, van Gogh, Picasso und vielen anderen Meistern, alle durch Originale repräsentiert. Viele kannte er nicht, allenfalls konnte er sie stilmäßig einordnen: Ming-Dynastie, Maya Jaina, Mittleres Ägyptisches Reich, Lederarbeiten der Mandingos, ein Buddha aus der Gupta-Zeit. Und in der hinteren Ecke, endlich in der Gesellschaft, die ihr gebührte, die von Aquilon gemalte Nacre-Landschaft.

Der vierte Raum war eine Bibliothek voller Erstausgaben, die schönsten Bücher, die die Menschheit hervorgebracht hatte. Jeder Autor, jeder Forscher, den Subble schätzte, war vertreten, und jeder Band befand sich in makellosem Zustand, obwohl einige, wie Caxtons *Le Morte d'Arthur*, Jahrhunderte alt waren.

»Und zum Schluß die Kammer des Lebens und des Todes«, sagte Cal, als sie durch die Galerie und die Schatzkammern in die Halle zurückkehrten. Er öffnete die letzte Tür.

Auf beiden Seiten hatten sich Armeen aufgestellt: links eine römische Phalanx, rechts die berittene Horde Dschingis Khans. Wie wahrscheinlich alle Agenten hatte sich Subble schon immer gefragt, wie so eine Auseinandersetzung ausgehen würde. Die Römer hatten ihre Zeit vor allem wegen ihrer Disziplin und ihrer sorgfältigen Schulung beherrscht, aber die ein paar Jahrhunderte später auftretenden Mongolen waren nur dem Namen nach eine Horde gewesen. In Wirklichkeit gehörten sie zu den methodischsten Kämpfern und Kriegern aller Zeiten. Bei zahlenmäßiger Gleichheit wären die nomadischen Reiter bis zum Aufkommen der Feuerwaffen vermutlich jeder anderen Militärtruppe überlegen gewesen. Und wenn sie Gewehre besessen *hätten* . . .

Immerhin, man konnte nicht sicher sein, solange die Armeen nicht tatsächlich aufeinandergetroffen waren. Der Feldherr spielte dabei eine entscheidende Rolle, die Moral und die Umstände an sich.

Als die beiden Besucher aus der Halle eintraten, griffen die Reiter brüllend und Pfeile vom Rücken ihrer Pferde abschießend an, während die Römer wie eine Mauer vorrückten, gedeckt durch ihre Schilde und die langen Speere nach vorne gereckt.

Cal blickte ihn prüfend an, und da erinnerte sich Subble. Die Phalanx war nicht römisch, sondern griechisch und mazedonisch. Wie genau *war* die römische Legion bewaffnet und organisiert? Kurzschwert, Flexibilität . . .

»Was wir erleben, ist nur optisch, akustisch und olfaktorisch«, sagte Cal. »Die Bilder werden ohne Effekt durch uns hindurchgehen und umgekehrt.«

Die Armeen stießen aufeinander, und Subble fand sich mitten in einem wilden Gefecht wieder. Die Pferde bäumten sich vor den Schilden auf, traten mit den Hufen nach ihnen und trieben sich durch das Gewicht ihrer Körper zurück. Ein Huf traf Subble, ging durch ihn hindurch und wirbelte Erde und Sand auf. Der braunhäutige Reiter hieb mit seinem Krummsäbel in die Lücke der Phalanx, und der Römer fiel. Ein Speer fuhr heraus, drang in den Bauch des Pferdes ein, und der Reiter stürzte zu Boden, als die Eingeweide hervorquollen.

Ein unentwirrbares Gemetzel hub an, angefüllt mit dem Gestank von Blut und Eisen und Schweiß. Subble war an Gewalt gewöhnt, aber die Brutalität dieser Auseinandersetzung stieß ihn ab. Und er war sich immer noch nicht sicher, ob die Römer jemals eine Phalanx errichtet oder ob sich die Mongolen jemals auf einen Kampf Mann gegen Mann eingelassen hatten.

Cal zog ihn in die Halle zurück und schloß die Tür. Das Blutvergießen endete abrupt.

»Kommen Sie und entspannen Sie sich ein wenig«, murmelte er. »Ich habe ein paar Fragen an Sie.«

Am Ende der Halle lag ein Wohnraum aus dem zwanzigsten Jahrhundert, mit Klimaanlage und einem Radio, das sanfte Musik spielte. Überrascht erkannte Subble, daß es sich um dasselbe Stück handelte, das er bei der Besichtigungstour durch die Farm in Begleitung Aquilons gehört hatte. Die Tiere waren durch die Musik – und durch Drogen – stillgehalten worden, während sie sich für den Schlachtbock mästeten.

»Bitte beschreiben Sie mir, was Sie erlebt haben«, bat ihn Cal.

»Sie haben nichts beobachtet?«

»Ich möchte auf etwas ganz Bestimmtes hinaus.«

Subble beschrieb detailliert, was er in jeder Kammer gesehen hatte, wobei ihn die letzte ein bißchen verlegen machte. Er war sich sicher, daß Cal einige berechtigte Korrekturen anbringen könnte.

»Ihre Versionen unterscheiden sich von den meinen«, sagte Cal. »Sie halten immer noch an Ihren eigenen Erwartungen fest. Ich habe Sie davor gewarnt, und das ist auch einer der Gründe, aus denen ich Sie hierhergebracht habe. Es würde mit einem Desaster enden, wenn Sie dem Manta mit dieser Einstellung gegenübertreten. Befreien Sie Ihr Bewußtsein von allem, und folgen Sie mir. Diesmal werde ich Ihnen die wahre Natur des Dritten Königreichs zeigen.«

Der kleine Mann schulmeisterte ihn, aber Subble nahm die Zurechtweisung hin und folgte ihm zurück in die vierte Kammer.

Sie war leer.

»Blicken Sie auf den Boden«, sagte Cal.

Der Untergrund erschien: satte, dunkle Erde.

»Sehen Sie den Champignon dort?« erkundigte sich Cal und zeigte darauf.

Ein einzelner Champignon sproß hervor. Er schoß im Zeitraffer aus der Erde und öffnete seinen weichen Schirm, weiß und zart.

»Dies ist ein Saprophyt«, sagte Cal.

»Ein Saprophyt ist ein Organismus, der von toten organischen Stoffen lebt«, stimmte Subble zu. »Dies ist charakteristisch für den Champignon und verwandte Pilze, während andere Parasiten sind.«

»Denken Sie darüber nach.«

Dann begriff Subble den Zusammenhang. Ein Pilz – ein Geschöpf, das sein Leben aus dem Tod gewann, versteckt hinter der Tür von Leben und Tod. Dies war eine viel treffendere Definition, als es die Vision der Schlacht gewesen war. Und er hatte sich über die militärischen Details Gedanken gemacht! Pilze – Nacre war eine Welt der Pilzformen, wo Chlorophyllpflanzen ausgeschlossen blieben. Tod – Cal war besessen davon, persönlich und philosophisch. Der Dschinn Myko, dessen Name ›Pilz‹ bedeutete, das Halluzinogen, das von einer Pilzart stammte ...

Und das mysteriöse Dritte Königreich selbst ...

Tier, Pflanze und Pilz! Tiere waren beseelt. Sie besaßen, unter anderem, die Fähigkeiten der Bewegung und der bewußten Reaktion. Pflanzen praktizierten Photosynthese und bezogen ihre Nahrung aus anorganischen Substanzen. Aber Pilze bewegten sich nicht und holten sich ihre Energie auch nicht vom Licht – und doch lebten und gediehen sie. Sie hatten einen alternativen Weg gefunden, und einige Experten – Mykologen – sahen in ihnen die Repräsentanten eines eigenen Königreichs, unabhängig von den Pflanzen.

Ein Königreich, das die Pflanzen ausgeschaltet hatte, um auf Nacre vorherrschend zu werden.

»Vergessen Sie Nacre für den Augenblick«, sagte Cal. »Ich werde Ihnen zeigen, was das Dritte Königreich für die Erde bedeutet. Pilze, Schimmel, Mehltau, Hefe, Bakterien – ein bißchen mehr Hitze und Feuchtigkeit, und dieses Königreich würde auch hier dominieren. Pilze können sich von fast allem Organischen ernähren: Fleisch, Gemüse, Milch, Leder, Holz, Kohle, Plastik, Knochen. Die Arten passen sich schnell an. Entwickeln Sie einen neuen Düsentreibstoff, und Sie werden bald einen Pilz finden, der sich davon ernährt. Die Sporen sind zäher, als wir es sind. Kälte bringt sie nicht um, und Hitze muß schon sehr extrem sein, um sie alle zu zerströren. Entzug von Wasser – sie können jahrelang getrocknet und aufbewahrt werden, und wenn sich die Bedingungen ändern, wachsen sie wieder. Pilze können mit phänomenaler Schnelligkeit wachsen. Einige sind, wie Sie wissen, Parasiten – ihre Nahrung *muß* nicht tot sein. Einige wechseln vom einen zum anderen. Ein Pilz kann in wenigen Tagen Hunderte von Millionen Sporen freisetzen. Und diese Sporen sind überall. Sie schweben unsichtbar in der Luft, die wir einatmen, und setzen sich auf jeden Bissen Nahrung fest, den wir essen, gleichgültig für wie ›rein‹ wir ihn halten.«

»Mit anderen Worten, sie sind allgegenwärtig«, sagte Subble. »Aber letzten Endes haben wir sie hier unter Kontrolle.« Er erinnerte sich allerdings an die Kellerfarm und fragte sich, ob das wirklich stimmte.

»Das ist Ansichtssache. Der Mensch kann nicht ohne sie existieren, während die Pilze ganz bestimmt ohne uns existieren können – ohne das gesamte Königreich der Tiere, genauer gesagt.«

Subble war erstaunt. »Wie kann sich ein Parasit oder Saprophyt ohne Tiere, lebend oder tot, ernähren? Und wieso bin ich persönlich von diesem kleinen Champignon oder seinen Vettern abhängig? Ich kann ihn essen, wenn er nicht giftig ist, aber ich muß das ganz bestimmt nicht. Ich würde ihn nicht vermissen, wenn er für alle Zeiten verschwindet.«

»Um Ihre erste Frage zu beantworten: Parasiten und Saprophyten können natürlich nicht in der Isolation existieren, aber das Königreich der Pflanzen reicht völlig aus, um ihre Nahrungsbedürfnisse zu befriedigen. Also sind die Tiere nicht notwendig. Eine Antwort auf die zweite Frage ist komplizierter, aber auch wichtiger, weil sowohl die Pflanze als auch die Tiere jetzt vom Königreich der Pilze abhängig sind. Sind Sie mit dem Sauerstoff-Kohlendioxyd-Zyklus vertraut?«

»Natürlich. Die Tiere nehmen Sauerstoff auf und setzen Kohlendioxyd frei. Die Pflanzen benötigen Kohlendioxyd für die Photosynthese und geben Sauerstoff ab. So bleibt alles schön im Gleichgewicht.

»Nein. So schön ist das gar nicht. Die Respiration der Tiere erbringt nur ein Viertel dessen, was die Pflanzen brauchen.«

»Ein Viertel? Das geht nicht auf.«

»Der Rest ist ein Nebenprodukt der Kompostierung.«

»Und die Kompostierung . . .«

»Ist der Dienst, den Bakterien und Pilze leisten. Ohne sie würden tote Organismen so bleiben, wie sie gestorben sind – steril. Ihre Bestandteile würden niemals in die Erde und die Atmosphäre zurückkehren. Drei Viertel des Kohlendioxyds wären dauerhaft gefangen – mit steigender Tendenz. Die Pflanzen wären auf einer Einbahnstraße, die zum Aussterben führt. Und mit dem Ende des Königreichs der Pflanzen . . .«

»Das Ende des Königreichs der Tiere! Ich kann Ihnen jetzt folgen.«

»Und ohne Kompostierung hätte die Erde kein höher entwickeltes Lebewesen hervorgebracht. Es würde keinen Regenerationszyklus geben. Die ersten Mikroorganismen, die sich jemals gebildet haben, würden noch immer bei uns sein, seit zwei oder drei Milliarden Jahren tot, aber so dauerhaft wie Stein. Die natürliche Auslese hätte niemals eine Chance gehabt. Kein Raum, keine Nahrung, keine Luft. Um es genau zu sagen, nach unseren heutigen Kenntnissen ist die Gegenwart von Pilzen irgendeiner Art überall Voraussetzung für die Entwicklung höherer Lebensformen.

Subble betrachtete den Champignon mit neuem Respekt. »Ich gratuliere dir, kleiner Saprophyt.«

Cal führte ihn zu der dritten Tür, hinter der sich vorher Geld, Edelsteine, Kunstwerke und die Bibliothek verborgen hatten. Abermals war der Raum leer, bis er sprach.

»Sie haben den Reichtum in seiner konventionellen Form gesehen. Aber in Wirklichkeit besteht Reichtum nicht aus Geld, Kunst oder Literatur. Diese Dinge repräsentieren nur einen gehobenen Lebensstandard. Ein Mensch kann sterben, wenn man ihn in einen Raum voller Gold oder eine Bibliothek einsperrt. Das Gold muß in funktionelle Produkte umgetauscht werden, die Bücher müssen interpretiert werden, um sie praktisch anwenden zu können. Was Sie gesehen haben, waren die gängigen *Symbole* für Reichtum, Besitz und Wissen. Sie eignen sich zu Zwecken des Registrierens, des Vergleichens und der Aufbewahrung, tragen aber nicht unmittelbar zum persönlichen Wohlbefinden bei.«

»Darüber brauchten wir nicht zu streiten«, sagte Subble.

»Statt dessen wollen wir uns die Dinge ansehen, die wir *gebrauchen* können. Betrachten Sie die gesunden Felder voller Gerste, Weizen, Roggen, Hafer.«

Subble sah das Schachmuster der Getreidefelder wie von einem Flugzeug aus. Die Ähren bewegten sich im sanften Wind.

»Und Erbsen, Tomaten, Zwiebeln, Kartoffeln.«

Das Flugzeug ging tiefer, um diese Bodenfrüchte ins Blickfeld zu bringen.

»Rinder, Schafe, Pferde.«

Viehherden erschienen – wie damals, als die Tiere noch nicht in dunkle Gebäude eingesperrt und zwangsernährt wurden.

»Aber dies sind herkömmliche Pflanzen und Tiere«, stellte Subble fest.

»Aber sie sterben. Sehen Sie, die Blätter welken, und die Tiere sind schwach und kraftlos.«

Und so war es. Eine schreckliche Plage überschattete die fruchtbare Szenerie und zerstörte Flora und Fauna gleichermaßen.

»Sie sind von winzigen Fadenwürmern, von Nematoden, angegriffen worden«, erklärte Cal. »Wir schrumpfen jetzt schnell auf die Größe von Ratten, Mäusen, Insekten – aber der Zerstörer ist weder Nagetier noch Insekt.«

Das Flugzeug verschwand, und es war, als würden sie fallen. Rasend schnell rückten die Felder näher und dehnten sich nach allen Seiten aus. Dann standen die beiden Männer auf dem Boden und beobachteten, wie die Welt um sie herum explodierte.

»Wir sind einen Zentimeter groß, einen zehntel Zentimeter, einen hundertstel.«

Die Welt war ein belebtes Mikroskopbild.

»Wir befinden uns in einer Erdkammer der Humusschicht unmittelbar unterhalb der Oberfläche. Dies ist die biologisch aktivste Zone der ganzen Welt, der lebensnotwendige Schlüssel des gesamten ökologischen Zyklus. Dies ist der erbittertste Kriegsschauplatz aller drei Königreiche. Sie kämpfen erbarmungslos, müssen Sie wissen – und es gibt hier viel erschreckendere Monster als alle, die wir aus dem Makrokosmos kennen.« Cal machte eine Handbewegung. »Vor uns haben wir eins davon: den Nematoden, den erfolgreichsten wurmartigen Organismus der Erde.«

Subble betrachtete ihn: eine augenlose Python, acht Meter lang, aus der gegenwärtigen Perspektive gesehen. Der halb transparente Körper hinter der freiliegenden Mundöffnung hatte einen Durchmesser von dreißig Zentimetern.

»Er frißt alles, aber besonders Wurzelfasern«, fuhr Cal fort. »Und er kann sein eigenes Gewicht binnen einer Woche an Eiern legen. Er ist einer der wildesten Zerstörer, die wir kennen, und unsere Zuchtpflanzen haben kaum eine wirkungsvolle Verteidigung gegen ihn.«

Der Nematode glitt auf sie zu, sein Körper schleimig und schlank.

Subble trat zurück. »Werden andere Tiere mit ihm fertig?«

»Wenn er nicht gestoppt wird, würde er die Welt beherrschen, aber weder Pflanze noch Tier scheinen in der Lage zu sein, ihn zu kontrollieren. Er schmarotzt auch bei größeren Lebewesen. Im Laufe der Zeit kann er sich im Darm eines Säugetiers um ein Tausendfaches verlängern. Keine größere Pflanze würde seinen Ansturm überleben und . . .«

»Ich erkenne die Schwere des Problems«, sagte Subble und wich einen weiteren Schritt zurück, als die blinde Mundöffnung nach ihm suchte. »Aber *was* stoppt ihn?«

Cal deutete zur Seite. »Dort haben wir eine hübsche Gruppe von saprophytischen Pilzen. Völlig harmlos – wir können gefahrlos durch das Fadengeflecht, das Myzelium, hindurchgehen.«

»Gelobt sei das Dritte Königreich«, sagte Subble und kletterte durch das schwammige Dickicht, das er sah. Wenigstens etwas, das dem Vordringen des hungrigen Wurms Widerstand entgegensetzte. Aber der Nematode blieb auf ihrer Spur und zwängte sich dicht hinter ihnen durch das Myzelium. »Sehen Sie, der Schleim auf dem Körper der Kreatur hat einen eigenartigen Effekt auf den Pilz. Sobald sich ein Nematode nähert, sprießen kurze Zweige mit Haken an den Enden hervor.«

Die Haken erschienen, jeder einzelne etwa dreißig Zentimeter im Durchmesser. Der Wurm ignorierte sie und folgte den sich zurückziehenden Männern mit blindwütiger Entschlossenheit. Subble fühlte sich in der Nähe des gierig schnappenden Maules noch immer nicht allzu wohl.

Aber die Haken wurden so zahlreich, daß man ihnen nicht mehr ausweichen konnte. Die Männer stießen sie zur Seite, aber der Wurm gab sich diese Mühe nicht. Er zwängte sein Vorderteil in einen Haken hinein und drang weiter vor, was ihm leicht gelang. Aber der dickere Mittelteil seines Körpers blieb stecken. Die Kreatur wand sich hin und her, versuchte, sich zurückzuziehen. Aber der Haken blähte sich wie ein Gummireifen auf und hielt den Wurm in der Mitte fest.

Ein wildes Toben begann. Das Monster schleuderte Kopf und Schwanz mit erschreckender Gewalt nach links und rechts, aber der tückische Ring zog sich immer fester. Der Nematode war viel größer und schwerer als der Pilz, aber er war nicht im Boden verankert und konnte in dieser Position seine Kraft nicht voll ausspielen. Er war unfähig, das schmale Band zu sprengen.

Allmählich wurden seine Bewegungen schwächer, und er verendete.

»Einige Pilzarten zwingen den Wurm mit klebrigen Auswüchsen zu Boden und führen dann Fasern in seinen Körper ein, um die Innereien zu verzehren. Andere legen Sporen in ihm ab, die keimen und zu Parasiten werden.« Cal beobachtete den sterbenden Wurm leidenschaftslos. »In jedem Fall ist es tatsächlich das Dritte Königreich, das in diesem wichtigen Fall unsere Pflanzen schützt und dadurch zum Bewahrer unseres Reichtums wird. Es tötet tierische Parasiten und geht in vielen Fällen symbiotische Beziehungen ein, ohne die selbst die mächtigsten Bäume nicht gedeihen könnten. Wir haben gerade gesehen, wie ein Omnivore einem Gegner zum Opfer fiel, den er in keiner Weise für gefährlich hielt. Aber das ist nur ein Aspekt der Geschichte.«

Das war bedeutsam. Ein Omnivore war von einem scheinbar unschuldigen Pilz zu Fall gebracht worden. Selbst durch die Schleier der Halluzination erkannte Subble, mit welchem Nachdruck Cal diese Konzeption betonte.

»Offensichtlich haben Sie dieses Thema erforscht.«

»Ich habe mich zumindest damit beschäftigt«, erwiderte Cal. »Nach Nacre mußte ich das. Die Repräsentanten des Dritten Königreichs hier bei uns sind primitiv, vielleicht weil es immer genug Nahrung für sie gab und eine weitere Evolution für ihr Überleben nicht nötig ist, aber auf Nacre bleiben sie der Schlüssel zum Verständnis der fortgeschrittenen Arten. Ich habe noch nicht damit angefangen, die ökonomische Bedeutung zu erwähnen, die dieses Königreich für die Erde hat. In unserer Industrie verwenden wir Schimmelorganismen, um künstliche Säuren herzustellen, die wir für die Fertigung von Plastikmaterial, neuen Farbstoffen, fotografischen Entwicklungslösungen, Bleichmitteln, Keramikstoffen und so weiter benötigen ... Pilze bei der Erdölzerlegung ... Gärungsprozesse in elektrischen Batterien ... Und dann der Reichtum an Wissen, den wir im Laboratorium gewinnen: Schimmelpilze und Bakterien sind die primitivsten Organismen, die DNS enthalten, den Grundbaustein des Lebens.«

»Reichtum, in der Tat«, sagte Subble beeindruckt. »Aber ich weiß noch immer nicht, wie mir das alles bei der Erfüllung meiner Mission helfen soll.«

»Es ist nicht an mir, Ihnen das zu sagen«, erwiderte Cal ernst. »Aber meine Hoffnung ist, daß Sie während dieser Demonstration irgendwo den springenden Punkt entdecken, den ich nicht entdeckt habe. Wir sollten besser in der Lage sein, die fortgeschrittenen Pilze zu verstehen, wenn wir die primitiven verstanden haben. Ich fürchte, wir haben einen bösen Fehler auf Nacre gemacht, aber ich kann mich nicht dazu bringen, ihn zu definieren, und ich habe keine Idee, wie er wieder aus der Welt zu schaffen ist. Das ist es, was Sie lernen müssen. Und ich glaube, nur der Manta kann das Bild für Sie vervollständigen. Sie müssen lernen, unter seinen Bedingungen zu kommunizieren, so wie Sie jetzt lernen, es unter den meinen zu tun.«

»So verstehe ich es.«

Und das war wohl auch der Grund für die Droge. Cal könnte ihm das Material direkt präsentiert haben, nicht aber die Erfahrung des Halluzinogens. »Überprüfen wir die anderen Räume«, sagte er.

Sie nahmen wieder ihre normale Größe an.

»War es nicht ein Champignon, den Alice im Wunderland aß, um ihre Größe zu verändern?« erkundigte sich Subble, erwartete aber keine Antwort. Das Dritte Königreich war wirklich allgegenwärtig, nachdem er erst einmal auf seine Existenz als solche aufmerksam geworden war.

»Gesundheit«, sagte Cal an der nächsten Tür. »Die meisten Leute kennen Pilzinfektionen wie Ringelflechten oder Histoplasmosen. Aber sie denken nicht daran, wieviel mehr sie den aus Pilzen gewonnenen Antibiotika und Heilmitteln verdanken. Sie haben eine Ansammlung von gesunden Menschen gesehen. Aber wie viele von ihnen wären ohne Penizillin und die anderen Pilzderivate so gesund geblieben?« Er öffnete die Tür.

Ein übler Geruch drang nach draußen. Die Kammer wurde durch einen gewaltigen, schäumenden Bottich ausgefüllt, in dem der grinsende Dschinn mit einem mächtigen Paddel herumrührte.

»Was für eine Überraschung«, rief Myko. »Dies hier ist mein Zuhause.«

Es waren Penicillium-Schimmelpilze, die in einer kohlensauren Nährflüssigkeit zum Wachsen angeregt wurden.

Cal schloß die Tür und bannte den Geruch.

»Gar nicht zu reden von der laufenden Arbeit mit Hefeorganismen im Zusammenhang mit Strahlenerkrankungen, Krebs und Gedächtnisverlusten!«

»Oder mit geistiger Gesundung durch eine bewußtseinserweiternde Drogentheraphie«, fügte Subble hinzu. »Das ist ein kleiner Pilztrick, den ich so schnell nicht vergessen werde.«

In der Gesundheitskammer wurde ein kurzes Auflachen hörbar. Wie es schien, hatte Myko seine Freude an einem Feedback.

»Oder Gedankenkontrolle«, murmelte Cal. »Wissen hat seine Gefahren.«

Sie standen vor der Tür der Nahrungskammer.

»Lassen Sie mich raten«, sagte Subble. »Eßbare Pilze in den prächtigsten Variationen: Morcheln, Boviste, Pfifferlinge, Steinpilz, Trüffel . . . Und gebackenes Brot, fermentierte Alkoholika, gereifter Käse – all das, was wir Hefe- und Pilzkulturen zu verdanken haben.«

»Nur zum Teil«, sagte Cal lächelnd. »Ich könnte Ihrer Liste noch das himmlische Manna aus der Bibel hinzufügen, denn das war ein anderes Pilzprodukt, das die Leute in der Zeit der Not verzehrt haben, aber ich dachte eigentlich in eine andere Richtung. Tatsächlich wäre es nicht erforderlich, unser Buffet aufzugeben. Ich könnte es mit Hilfe des Dritten Königreichs verdoppeln oder verdreifachen.«

»Indem Sie Schlachtvieh mit Pilzen füttern?«

»Indem ich unsere Abfälle an Hefekulturen verfüttere.«

»Lassen Sie die Tür zu«, rief Subble. »Das Penizillin war schon schlimm genug. Lassen Sie mich das Buffet so in Erinnerung behalten, wie es war. Erzählen Sie mir davon.«

Diesmal lachte Cal. »Der Prozeß ist ziemlich interessant, aber ich gebe zu, daß es einige unangenehme Begleitumstände gibt. Selbst unsere Abwässerkanäle sind zu wundervollen Nahrungsbecken geworden.« Aber er nahm die Hand von der Türklinke.

»Heute gibt es sechs Milliarden Menschen auf der Erde, und nicht mehr als zehn Prozent davon hungern wirklich. Trotz der erschreckenden Zuwachsrate ernähren wir unsere Bevölkerung besser als jemals zuvor. Man kann das nicht mit Steaks machen, egal wie brutal die intensive Viehhaltung auch betrieben wird. Ein Rind liefert weniger als anderthalb Pfund Trockenfleisch für jede hundert Pfund Nahrung, die es braucht. Dafür werden viele Monate und eine große Weidefläche benötigt, wenn man ein wirklich gesundes Produkt haben will. Ein großer Teil von dem, was die dichtgedrängten Viehbatterien hervorbringen, ist im technischen Sinn untauglich für den menschlichen Verzehr: geschmackloses, kaum nahrhaftes Fleisch, das mit Restsubstanzen von Insektiziden und schädlichen Hormonen verseucht ist.«

Dies schien Cal mehr zu beunruhigen als die Vorstellung von Nahrungsmitteln aus dem Abwässersystem.

»Ein Schwein liefert sechs Pfund Fleisch für dieselbe Menge Futter, und es tut es schneller und braucht weniger Platz«, fuhr er fort. »Aber es gibt immer noch nicht genug Raum und genug Futter für die Milliarden von Schweinen, die erforderlich wären, um uns zu beköstigen, wenn dies unsere größte Nahrungsquelle wäre. Mit anderen Tieren ist es genauso. Pflanzen sind als Nahrungsbringer viel effizienter, aber es gibt lediglich so und so viel fruchtbares Land. Sicher, wir legen künstlich beleuchtete Innenfarmen auf mehreren Ebenen an, und wir greifen auf das Meer und in beschränktem Ausmaß auch auf die Atmosphäre zurück, aber unsere größte einzelne Proteinquelle ist heutzutage Hefe.«

»*Hefe*? Pur?«

»Nicht gerade die Sorte, die den Brotteig aufgehen läßt«, sagte Cal. »Aber das Prinzip ist dasselbe. Hefepilze ernähren sich von fast allem, was organisch ist – von Sägespänen, Melasse, verfaulten Früchten, sogar von Petroleum und Teer.«

»Ein weiterer Omnivore!«

»So könnte man es nennen, ja. Hefepilze produzieren fünfundsechzig Pfund eßbare Bestandteile für hundert Pfund Nahrung, zehnmal mehr als bei jedem Tier. Und sie konsumieren Nahrungsstoffe, die andernfalls zum überwiegenden Teil nutzlos wären. Sie vervielfältigen ihr Gewicht pro Tag um viele Male und benötigen dazu nicht mehr Raum, als die Nährbehälter in Anspruch nehmen. Man kann sie mit anderen Nahrungsmitteln vermischen, denn sie verfälschen den Geschmack nicht und sind reich an Nährstoffen. Tatsächlich stammt die Hälfte von dem, was wir heute essen, von Hefepilzvarianten, ohne daß sich der Durchschnittsbürger dessen bewußt ist. Unser Truthahn, unser Spanferkel – wenn es sich um ein echtes Produkt handeln würde, wäre ein großer Teil davon mit Hefepilzproteinen versetzt worden. Dazu ist eine ganze Menge Kunstfertigkeit nötig.«

»Das muß es wohl«, stimmte Subble zu. »Wenn das Buffet in meiner Vorstellung aus Pilzkulturen gemacht war, dann habe ich es nicht gemerkt.«

»Sie sind dabei in guter Gesellschaft. Unsere Raumfahrer werden mit ihren eigenen Abfallprodukten ernährt – zersetzt durch Hefepilze. Die Menschheit kann auf ihrem gegenwärtigen Stand ohne die großzügige Unterstützung des Dritten Königreichs nicht länger überleben.«

Sie gingen die Treppenstufen hoch und traten hinaus auf die Terrasse.

»Das ist es«, sagte Cal. »Das ist das, was das Dritte Königreich für die Erde bedeutet. Erinnern Sie sich daran, daß Nacre eine fortgeschrittene Pilzwelt ist. In dieser Beziehung ist uns der Planet um Milliarden von Jahren voraus. Irgendwo in all diesen Informationen liegt der Schlüssel zum Desaster verborgen, vielleicht für uns alle.«

Er beugte sich über die Lampe, die noch immer friedlich brannte, und löschte die kleine Flamme.

Fast augenblicklich verschwand die abwärts führende Treppe.

»Keine Nachwirkungen?« erkundigte sich Subble und deutete auf die Lampe.

»Nicht bei dieser Dosierung. Man soll es allerdings nicht übertreiben. Keines dieser Halluzinogene ist ein pures Vergnügen.« Er dachte für einen Augenblick nach.

»Ich bin mir nicht sicher, was passieren würde, wenn man sich vollkommen an diese Droge gewöhnt. Theoretisch macht sie nicht süchtig, aber sie ist verdammt starker Tobak. Wir haben einen Meter davon entfernt gesessen, so daß sie ausreichend verdünnt wurde, aber wenn man sie unmittelbar über der Flamme inhaliert . . .«

». . . könnte mein Antigehirnwäschen-Syndrom eine Selbstzerstörung bewirken«, vervollständigte Subble.

»Ja. Die Droge würde im Endeffekt eine psychoneurotische Verwirrung bei Ihnen hervorrufen, da Sie weitaus weniger daran gewöhnt sind als wir.«

»Sie haben mir das alles aus einem ganz bestimmten Grund gezeigt, nicht nur um mir den Hintergrund und praktische Erfahrung beizubringen. Was ist der Grund?«

Cal wich seinem Blick aus.

»Ich habe nicht den Mut, es Ihnen zu sagen. Ich hoffe inständig, daß ich mich irre. Das aber müssen Sie selbst herausfinden und dann das tun, was Sie tun müssen. Vielleicht finden Sie dabei zufällig auch eine Lösung für unsere persönlichen Probleme.«

Subble nichte. »Ich habe versprochen, auch Aquilon zu helfen. Das ist der wahre Preis für Ihre Kooperation. Ich werde tun, was ich kann. Aber zuerst muß ich Ihre Lampe und Ihr

Kommunikationsgerät nehmen und mich auf den Weg machen, um den Manta zu treffen. Dort wird sich alles entscheiden.«

»Ich weiß nicht, ob ich Ihnen Erfolg oder Mißerfolg wünschen soll.«

»Noch eins«, sagte Subble. »Ich hätte gerne Ihren Teil des Nacre-Abenteuers. Bisher kenne ich die Geschichte nur zum Teil.«

»Ja, da wäre ja noch das«, stimmte Cal zu. »Ich hätte es fast vergessen. Wir essen ein paar Hefepilzpfannkuchen und . . .«

Stunden später lagerten sie, entfernt von den Eingeweiden und dem Gestank, auf einem anderen schmalen Plateau.

Veg und Aquilon waren müde und in sich gekehrt. Der Manta war so unergründlich wie immer. Er hatte von dem Leichnam des Omnivoren gegessen und seine Säfte durch den Verdauungstrakt in seiner Unterseite in sich aufgenommen. Jetzt schien er damit zufrieden zu sein, sich zu entspannen. Aquilon hatte sich das, was übriggeblieben war, angesehen und beschlossen, doch lieber weiter Pilze zu essen. Nur Cal war von neuer Kraft erfüllt.

»Wißt ihr was?« sagte er. »Der Manta muß die bemerkenswerteste Kampfmaschine dieses Planeten sein! Habt ihr gesehen, wie er den Omnivoren zerstückelt hat? Unser Gewehr konnte dem Monstrum nichts anhaben, aber der messerscharfe Schwanz des Mantas machte ihn fix und fertig. Und der Omnivore wußte es. Er hatte Angst.«

»Wir haben nicht alles gesehen«, sagte Aquilon. »Aber warum greift der Manta *uns* nicht an?«

Sie fragte mehr, um ihn zu ermuntern, als aus wirklicher Neugier.

»Warum hält er Veg von mir fern, aber nicht von dir?«

»Ich habe darüber nachgedacht«, sagte Cal.

Er befand sich in einer eigenartigen Hochstimmung, so als ob ihn die schreckliche Auseinandersetzung beflügelt habe. Er würde den Grund dafür herausfinden müssen. Konnte es irgendeine belebende Chemikalie im Blut des Omnivoren gewesen sein, das er zu sich genommen hatte? Oder hatte die Enthüllung seiner Schande Erleichterung statt Scham hervorgerufen? Nein, es war noch etwas anderes, etwas sehr Bedeutsames, das er bis jetzt noch nicht bestimmen konnte.

»Ich habe mich auch gefragt, warum die Herbivoren keine Angst vor dem Manta hatten. Und ich glaube, ich weiß die Antwort.«

Veg starrte mürrisch auf den Boden, das Gesicht von Aquilon abgewandt. Irgend etwas war zwischen den beiden vorgefallen, etwas, von dem Cal nichts wußte. Aber was? Sie hatten gar keine Zeit für ein privates Gespräch gehabt, und der Kampf mit dem Omnivoren konnte ihre persönliche Beziehung eigentlich nicht getrübt haben.

Der Charakter ihrer kleinen Gruppe hatte sich irgendwie verändert. Zu Beginn des Abenteuers war Veg der bestimmende Mann gewesen. Er hatte den Traktor gesteuert und den Rückweg zum Lager festgelegt. Dann, nach dem Abschlachten des ersten Mantas, hatte er unauffällig Aquilon Platz gemacht, der Künstlerin und Anatomin. Jetzt war Cal an der Reihe, der bestimmende Mann zu sein. Aber das war nicht der Ursprung seiner gehobenen Stimmung.

Aquilon war neugierig. »Du kannst die Handlungen des Mantas erklären?«

»Ich glaube schon. Aber es ist nicht einfach, und die Schlußfolgerungen können sehr unerfreulich sein.«

»Ich meine, wir sollten besser Bescheid wissen«, sagte Aquilon. »Wenn unsere Sicherheit betroffen ist . . . Und es ist ja nicht so, daß es nicht schon genug Unerfreuliches gegeben hat.«

Cal sah sie an, nachdenklich wegen der Wirkung, die seine Worte auf sie haben mochten. Sie war ein sehr sensibles Mädchen. Er blickte zu Veg hinüber, wußte aber, daß der große Mann die Implikationen mit einem Schulterzucken abtun würde.

»Es betrifft unsere Sicherheit und . . . unseren Stolz«, sagte er. »Die ökologische Kette auf Nacre scheint sehr einfach zu sein: eine Gattung von Herbivoren, eine von Omnivoren und eine von echten Karnivoren. Aber das ist nur ein kleiner Teil der Geschichte. Es ist unmöglich für tierisches und fungoides Leben, unter Ausschluß von Pflanzen zu existieren, die Photosynthese betreiben. Sie sind diejenigen, die Nahrung aus Licht und anorganischen Substanzen hervorbringen, indem sie Chlorophyll, den grünen Farbstoff, verwenden. Alles andere ernährt sich von ihnen, direkt oder indirekt.«

Veg zeigte langsam Interesse. »Es gibt hier keine.«

»Und doch *sind* sie hier. Sie sind in der Atmosphäre, mikroskopisch klein, und schweben in den höheren Regionen, wo genügend Sonnenlicht durchdringt. Tatsächlich ist es so, daß sich die wichtigen ökologischen Ketten in der Atmosphäre bilden und der Boden lediglich eine Halde für die Abfälle ist. Auf diese Weise bleibt das Pflanzenleben primitiv, da es keine Basis auf dem Boden errichten und keine Wurzeln schlagen kann, um Blumen, Bäume und so weiter hervorzubringen. Es ist wie mit dem Plankton in den Meeren der Erde, das dort gedeiht, wo die Bedingungen vorteilhaft sind, und auf den Boden absinkt, wenn es zu groß wird, um sich in den oberen Regionen zu halten. Das ist unser Staub hier – stetig nach unten sinkendes Plankton. Die Pflanzen scheinen hier nur eine untergeordnete Nische eingenommen zu haben, rückständig für alle Zeiten, so wie es vielen Pilzen auf der Erde geht. Natürlich ist das nur eine grobe Vereinfachung ...«

Cal bemerkte ihre Ungeduld und wurde sich bewußt, daß er wie ein Lehrer wirkte. »Jedenfalls sind die Verhältnisse auf dem Boden beschränkt genug, um drei Tiergattungen die Vorherrschaft zu sichern, wenigstens in den Gegenden, die wir gesehen haben. Die sogenannten Herbivoren ernähren sich von dem Staub und sind leichte Beute, aber ohne sie würden die anderen Gattungen umkommen. Offensichtlich würde es dem Omnivoren leichtfallen, sie auszurotten ...«

»Aber was ist mit dem Manta?« fragte Aquilon. »Er sollte noch eher ...«

»Laß ihn reden«, knurrte Veg.

»Der Manta, der echte Karnivore, hält die Balance aufrecht, indem er den Omnivoren zur Beute nimmt, der wiederum alles frißt, was vorhanden ist – vom Staub bis zu den Menschen. Der Manta hingegen braucht die Herbivoren überhaupt nicht als Nahrung ...«

»Das ist es!« rief Veg aus.

Aquilon bedachte ihn mit einem Seitenblick.

»Der Manta verzehrt keine Herbies. Er beschützt sie!«

»Laß ihn reden«, sagte Aquilon.

»Wenn ich recht habe«, fuhr Cal schnell fort, »dann definieren diese Kreaturen alles im Rahmen ihres eigenen Systems. Es gibt lediglich drei tierische Klassifizierungen: Herbivore, Omnivore und Karnivore, eine Klasse, die keine andere Kreatur zur Beute nimmt, eine, die alles zur Beute nimmt, und eine, die nur eine andere Klasse zur Beute nimmt – die mittlere. Demnach hat der Herbivore nur den Omnivoren zu fürchten und wird von dem Manta sogar geschützt. Sie unterscheiden einander mehr vom Typus her als von der physischen Erscheinung, da ihre äußere Form ziemlich flexibel ist. Und sie mögen in der Lage sein, ähnliche Einteilungen auch bei nicht artverwandten Gattungen vorzunehmen. Wie es das Schicksal will, repräsentieren wir drei . . .«

Die beiden anderen wurden lebendig. »Herby!«

»Omnivore!«

»Und Karnivore«, vervollständigte Cal. »In diesem Licht gesehen sind die Motive klar. Für ihn ist Veg eine hilflose Kreatur, die beschützt werden muß. Jedesmal, wenn ihn ein Manta gesehen hat, ist er ihm gefolgt, vermutlich aus einem Impuls heraus. Natürlich muß er ihn beschützen, da die Gefahr so nahe ist.«

»Er hat *ihn* vor *mir* geschützt«, sagte Aquilon nicht unbedingt erfreut.

»Als ich mich inmitten der Herde befand, segelte der Manta über mich hinweg«, rekapitulierte Veg. »Er hätte mich mit diesem Schwanz in zwei Hälften zerteilen können, aber er hatte es auf sie abgesehen. Und als der Omnivore angriff, rührte er sich nicht, bis ich der Bestie in den Weg kam. Er muß gedacht haben, daß Cal für sich selbst sorgen könne, während Quilon ihn überhaupt nicht kümmert.« Er machte eine Pause. »Und ich habe den ersten getötet. Er wollte mir helfen, und ich habe ihn niedergeschossen . . .«

»Andernfalls hätte er Quilon töten können«, erinnerte Cal ihn.

Aquilon begann die persönliche Gefahr, in der sie sich

befand, zu begreifen. »Aber warum hat mich dieser da nicht geradewegs angegriffen, anstatt zu beobachten?«

»Er muß erkannt haben, daß wir alle drei fremd sind«, sagte Cal. »Er weiß vielleicht noch nicht so richtig, wie er mit uns umgehen soll, und hält sich zurück, bis er zu einem Entschluß gekommen ist.«

»Also noch kein Grund, die aus Alligatorhaut bestehenden Riemen des Packens abzuschneiden«, murmelte Veg.

»Kennst du nicht den Unterschied zwischen Krokodil- und Schweinsleder?« erkundigte sich Aquilon. »Diese Riemen sind aus Omnivorenhaut.«

Veg sah verlegen aus.

»Kein Wunder, daß er nach einer so großen Überraschung ein Auge auf uns halten will«, fuhr sie fort.

»Ich schlage vor, daß wir zur Basis zurückkehren«, sagte Cal.

Aquilon blickte in den tiefen Brunnen des Manta-Auges und schüttelte sich.

Mit neuem Ansporn kletterten sie weiter. Der Manta folgte, ohne irgend etwas zu unternehmen – noch.

Am Nachmittag nahm der Pfad ein Ende. Einen Augenblick schleppten sie sich noch an hängenden gelben Ketten vorbei, die den Pfad üppig überwucherten, im nächsten standen sie vor einer weiten Ebene, die sich im Dunst verlor.

Veg studierte den Kompaß. »Knapp zehn Kilometer. Aber die können wir heute nicht schaffen.«

»So nahe?« fragte Aquilon ihn. »Wieso nicht?«

»Klar, die Ebene können wir schaffen. Aber es ist der Abstieg, der mir Sorgen macht. Wir müssen auf einer Höhe von fünfzehnhundert Metern sein. Irgendwo müssen wir runter.«

»Noch eine Nacht auf der Straße wird uns nicht schaden«, sagte Cal. »Wenn der Manta es erlaubt. Ich würde verdammt gerne wissen, *wie* gescheit diese Kreatur ist.«

»Gescheit wie ein Mensch, meinst du?« fragte Veg.

»Das habe ich nicht gesagt. Wir wissen, daß er ein komplexes Gehirn besitzt, und seine Handlungen verraten ganz bestimmt mehr als blinde Impulse. Mit seiner überragenden Kampfausrüstung braucht er jedoch gar keine Intelligenz, wie wir sie verstehen. Es gibt nicht genug Herausforderungen. Er *könnte* Genie besitzen, aber . . .«

Aquilons Pinsel und Leinwand erschienen. Sie hatte ihre Furcht vor dem Manta abgeschüttelt. Die Nervosität unterdrückend, die sie spüren mochte, saß sie vor dem Manta und malte sein Porträt: den Buckel des Körpers, die flackernde Tiefe des mächtigen Auges, das sie ohne zu blinzeln fixierte, den grausamen, peitschenlangen Schwanz.

Der Manta saß ganz ruhig da, während sie das Porträt beendete. »Versuch eins mit dem Omnivoren«, sagte Cal, der ihre Absicht erkannte.

Aquilon gehorchte und produzierte aus der Erinnerung eine wirkungsvolle Wiedergabe des angreifenden Monstrums. Sie zeigte sie dem Manta, erzielte jedoch keine Reaktion.

Sie versuchte es mit einem Herbivoren, einem Pilz, einem vergrößerten Manta-Auge, alles ohne Erfolg. Es würde nicht möglich sein, zu einer Kommunikation zu kommen, wenn sie nichts fand, worauf der Manta reagierte. Auf einen weiteren Vorschlag Cals hin zeichnete sie einen Omnivoren, der eine Gruppe von Herbivoren angriff. Immer noch nichts. Sie fuhr fort und porträtierte lebensnahe Karikaturen der drei Menschen. Schließlich malte sie ein Bild, das sie vor den Männern verbarg und nur dem Manta zeigte. Als das auch keine Reaktion hervorrief, zögerte sie, errötete leicht und gab Veg ein Zeichen.

»Irgend etwas, was ich für dich tun kann, meine Schöne?« fragte er.

Veg kam – und der Manta bewegte sich. Staub wirbelte auf, als sein flacher Körper zwischen sie schoß. Aquilon schrie und ließ die Zeichnung fallen, während Veg zurücksprang.

»Immer noch verboten«, kommentierte er traurig. »Dieses Ding achtet genau auf das, was es für meine Interessen hält. Sonst weißt du vielleicht, was ich tun . . .«

Sein Blick fiel auf das Bild, das auf dem Boden lag. »Ja, du weißt es wirklich.«

Cal sah auf das Bild. Es war eine Zeichnung von Veg, der Aquilon umarmte.

Der nächste Tag begann mit unangenehmen Turbulenzen. Auf Nacre, dem verschleierten Planeten, der im Weltraum wie eine Perle glänzte, war der Wind selten mehr als ein laues Lüftchen, und die Temperaturschwankungen zwischen Tag und Nacht lagen innerhalb eines Zehn-Grad-Limits. Abgesehen von dem unaufhörlichen Fallen des Staubs schien es keinen Regen zu geben, aber an diesem Morgen entwickelte sich etwas – etwas, das einem Sturm sehr nahekam.

Sie bewegten sich weiter vorwärts, legten die letzten Kilometer in Richtung Basis zurück. Vegs Schätzung bestätigte sich innerhalb von zwei Stunden. Auf der anderen Seite des Kamms fiel der Berg jäh ab. Die menschliche Basis war so nahe, daß sie das entfernte Geräusch von Maschinen hören konnten, aber das Lager blieb im Nebel verborgen.

Die Klippen waren an dieser Stelle übermächtig. Es gab keine Möglichkeit für sie, sie zu überwältigen. Ein paar Pilze ragten über den Abgrund hinaus, wagten sich aber nicht weiter vor. Veg brüllte in die Tiefe hinein, erreichte damit jedoch nichts. Sie würden einen Umweg machen müssen.

So plötzlich wie er gekommen war, verließ der Manta sie auch wieder. Er segelte über den Rand des Abgrunds, schraubte sich nach unten und verschwand im Dunst.

Erstaunt blickte Veg ihm nach. »Er kann fliegen!«

Dann wandte sich sein Verstand wichtigeren Dingen zu.

»Die Anstandsdame hat sich entfernt!« Er legte den Arm um Aquilons schmale Taille und zog sie an sich. Er küßte sie.

»Nicht schlecht«, sagte er nach einem Augenblick. »Für einen Omnivoren . . . Vielleicht sollten wir wirklich heiraten!«

Cal fragte sich noch immer, was den Bruch zwischen ihnen hervorgerufen hatte, der jetzt offenbar wieder geheilt war, machte sich aber nicht die Mühe, Fragen zu stellen. Er spürte keine Eifersucht. Eine Stunde später mußten sie wieder haltmachen. Über der Ebene erschien eine schmale Linie von Scheiben, die mit erstaunlicher Geschwindigkeit aus dem Dunst hervorkamen.

»Mantas«, sagte Veg. »Dutzende von ihnen.«

»Ich fürchte, Ragnarök ist nahe«, sagte Cal. »Unser Wächter ist mit Gesellschaft zurückgekehrt. Wenn es uns doch nur gelungen wäre, irgendeinen Kontakt herzustellen.«

Aber er war nicht ernsthaft besorgt. Wenn ihr sofortiger Tod auf der Tagesordnung gestanden hätte, wäre der ursprüngliche Manta in der Lage gewesen, dies allein zu erledigen. Was jetzt kam, war etwas anderes.

In wenigen Augenblicken hatte die Reihe der segelnden Kreaturen die Entfernung zurückgelegt und umkreiste die Menschengruppe. Nach den drei Kontakten mit Einzelwesen war es eigenartig, so viele auf einmal zu sehen. Ein geschlossener Kreis bildete sich, alle anderthalb bis zwei Meter ein Manta, die Augen auf das Zentrum gerichtet, wo das menschliche Trio stand. Die meisten von ihnen waren schlank und schwarz, obgleich sie sich in Größe und Statur unterschieden.

»Sie haben den einen gefunden, den ich erschossen habe«, stieß Veg hervor. »Sie sind hier, um Rache zu nehmen.«

»Das bezweifle ich«, sagte Cal. »Woher wollen sie wissen, wer von uns die Waffe abgefeuert hat? Vermutlich sind sie nur neugierig, wie diese verrückte Sammlung von Fremden es schafft, harmonisch miteinander umzugehen.«

Er glaubte daran selbst kaum und war sich sicher, daß sich auch keiner der anderen täuschen ließ. Es gab so vieles, was sie über diese Kreaturen nicht wußten. Die Mantas mußten sie aus einem bestimmten Grund eingekreist haben. Hatten sie einen Führer, der Entscheidungen traf?

Er schielte auf einen großes, graufarbenes Individuum, wenigstens zweihundert Pfund schwer und fast anderthalb Meter groß. Sein Auge war auf ihn gerichtet. Drohend? Intelligent? Konnte Größe ein Anzeichen von Status sein, da der größte wahrscheinlich der älteste war?

Außerhalb des unmittelbaren Rings bewegten sich die kleineren Mantas. Ihre Wege kreuzten und überkreuzten sich. Es schien sich um ein zielloses Muster zu handeln. Wie Ameisen verhielt jedes Mitglied, wenn es auf ein anderes traf, tauschte Blicke aus und wich zur Seite.

Cal beobachtete all dies mit wachsender Erregung. »Dieses Auge – warum habe ich nicht vorher daran gedacht! Es ist konstruiert wie eine elektrische Röhre, eine Kathode. Es muß ein Kommunikationssignal aussenden!«

»Aber warum haben meine Bilder keine . . .«

»Ich verstehe jetzt alles«, fuhr Cal fort. »Klar, in diesem einen optischen Organ sammeln sich mehr Wahrnehmungen, als wir mit unseren multiplen Sinnen aufnehmen können. Es handelt sich um ein hochwirksames, natürliches Radargerät, das einen kontrollierten Strahl abgibt und die zurückkommenden Daten koordiniert. Der Staub verhindert Verzerrungen, weil er die Reichweite begrenzt. Es würde mich nicht überraschen, wenn das Auge Tiefen feststellt, indem es die Zeitverzögerung des zurückkommenden Signals analysiert.

»Aber wenn das Auge so gut sieht . . .« setzte Aquilon an.

»Das ist der Grund! Wir sehen innerhalb unseres ›sichtbaren‹ Spektrums, aber der Manta muß keineswegs notwendigerweise auf derselben Ebene operieren. Selbst wenn er die Farben erkennen könnte, würde er sie kaum als die Wiedergabe eines dreidimensionalen Objekts interpretieren. Sein Sehvermögen verwendet nicht dieselben Vorstellungen von Perspektiven wie das unsere. Du hättest ihm genausogut ein glattes, leeres Blatt zeigen können.«

Veg war in dem Kreis auf und ab gegangen. »Der Manta sieht also zu gut für uns?«

»Zum Teil ja, aber . . .« Cal unterbrach sich, dachte darüber nach. »Wir wissen aus dieser Sektion, daß buchstäblich das ganze Gehirn des Mantas mit dem Auge verbunden ist. Wenn er ein moduliertes Signal aussendet . . . Nun, sein ganzer Intellekt ist darin inbegriffen. Stellt euch die Kommunikationsmöglichkeiten vor, wenn zwei von ihnen ihre Blicke ineinander versenken. Die Kraft jedes einzelnen Gehirns wird übermittelt. Bilder, Gefühle – alles in einem einzigen Augenblick . . .«

»Sie müssen ziemlich gescheit sein«, sagte Veg.

»Nein, vermutlich ist das Gegenteil der Fall. Sie . . .«

Beide starrten ihn verwundert an. Er versuchte es aufs neue.

»Versteht ihr nicht, jede Menge von der vielgerühmten Intelligenz des Menschen wird allein dafür benötigt, Informationen zu übermitteln und zu empfangen. Jeder von uns muß eine Mauer der Isolation überwinden. Wir haben keine direkten Kommunikationsmöglichkeiten und müssen deshalb komplexe verbale Kodierungen und symbolische Darstellungen beherrschen, nur um unsere Gedanken und Bedürfnisse bekanntzugeben. Bei solchen Kontakten aus zweiter Hand ist es kein Wunder, daß sich das Gehirn gewaltig anstrengen muß. Aber der Manta verfügt sozusagen über Telepathie: ein Blick, und schon besteht vollkommene Kommunikation. Er benötigt keine echte Intelligenz.«

»Natürlich«, sagte Veg zweifelnd.

Der graufarbene Manta fuhr herum, um den Blick eines der hin und her hüpfenden Mantas zu treffen, als ein seltsam heißer Windstoß über die Versammlung hinweghuschte. Dann setzte er sich in Bewegung, und die anderen taten es ihm nach.

»Da geht noch etwas vor sich«, sagte Aquilon nervös. »Ich glaube nicht, daß sie sich um uns kümmern. Jedenfalls wollen sie nicht mit uns reden.«

»Wenn wir nur eine geeignete Ausrüstung hier hätten«, sagte Cal enttäuscht. »Einen Fernsehsender vielleicht. Dann könnten wir einen unmittelbaren Kontakt herstellen. Wir könnten ihre Signale fotografieren und analysieren. Aber jetzt gibt es keinen Weg für uns, ihre Motive herauszufinden.«

Über dem Plateau teilten sich die grauen Nebel. Ein strahlendes Licht erschien, das schnell größer wurde. Die Mantas, die sich in der Ebene verteilt hatten, reagierten mit Energieausbrüchen, die den Boden zum Zittern brachten.

»Seht, wie sie sich bewegen!« rief Veg bewundernd.

Das Licht expandierte weiter, näherte sich ihnen in einem leuchtenden Bogen.

»Was ist das?« frage Aquilon und hielt sich an Vegs Arm fest. »Dieses Licht . . . wie ein Brennofen. Wo kommt es her?«

Sie merkte, was sie tat, und zog heftig ihre Hand zurück. Aber die Lichterscheinungen blieben davon unberührt. Die Mantas waren wie besessen, jagten wie verrückt gewordene Leuchtkäfer hin und her.

So weit Cal sehen konnte, erschienen weitere Blendfeuer über der Ebene. Wenn das, was er beobachte, typisch war, dann erstreckten sich die Leuchterscheinungen über viele Kilometer. Vulkanausbrüche?

Aber wo war der Lärm, das Beben der Erde? Dies war ein lautloses Leuchten, unregelmäßig flackernd, so als ob sich ein Vorhang vor einem Projektor bewegte.

Dann begriff er. »Die Sonne! Der Sturm hat die Sonne durchgelassen!«

Das näherkommende Licht traf einen der schwellenden Pilze, die die Ebene in der Nachbarschaft bevölkerten. Fast sofort fing das Gewächs an, sich hin und her zu bewegen und zu schrumpfen. Dann, als die Strahlung und die Hitze seine Haut durchdrangen, dehnten sich die in ihm schlummernden Gase aus. Die Haut des Pilzes warf große Blasen, und schließlich zerplatzte das ganze Gewächs.

»Daran habe ich nie gedacht«, sagte Aquilon fasziniert. »Nacre sieht das direkte Sonnenlicht nur äußerst selten. Das einheimische Leben ist nicht daran gewöhnt.«

»Wie ein Waldbrand«, stimmte Veg zu. »Alles, was erfaßt wird, geht zugrunde, und keiner weiß, wie er sich in Sicherheit bringen soll.«

Cal fiel ein, daß dies der Grund für die Kahlheit der oberen Ebene sein mochte. Bei solchen Ausbrüchen waren die höheren Lagen besonders empfindlich, und die Sonne verbrannte in gewissen Abständen alles Lebende. Waren die Mantas gekommen, um sie zu warnen? Stürme in den Grenzgebieten konnten immer noch genug Staub aufwirbeln, um die dort stehenden Pilze zu schützen.

In nächster Nähe öffnete sich der Himmel, und das schreckliche Licht strömte fast genau an der Stelle nach unten, wo sie sich aufhielten. Cal erkannte, daß das Gewicht der emporragenden Pflanzen zu groß für die atmosphärischen Bedingungen wurde und zu gelegentlichen Kollapsen führte, wie es auch manchmal bei Stürmen auf der Erde der Fall war. Hier, wo die Beschaffenheit des Geländes Luftströmungen hervorrief, konnte dieses Kollabieren so heftig werden, daß die Pflanzen von der Spitze bis zum Fuß aufrissen und ihren Standort der Sonne nackt auslieferten. Aber dies alles konnte kaum sehr lange dauern. Heranziehender Staub würde die Lücken schnell wieder füllen. Die Mantas mußten gewußt haben, was auf sie zukam. Sie hatten sich sehr töricht benommen, indem sie zu diesem Zeitpunkt hierhergekommen waren, egal, aus welchem Grund. Es sei denn, der Sturm übte auf sie eine besondere Faszination aus. Jetzt sprangen sie in Massen aus dem Bereich des gefährdeten Gebiets, um dem sengenden Lichtkegel zu entgehen.

»Seht doch!« rief Aquilon und deutete mit der Hand.

Ein Manta war in dem sonnenlichtüberfluteten Gebiet gefangen. Er hastete wild hin und her, unfähig Schutz zu finden.

Aquilon bewegte sich vorwärts. »Die Sonne tötet ihn. Er kann nichts sehen und kommt deshalb nicht weg!«

»Es gibt nichts, was wir tun können«, sagte Cal warnend. »Wir dürfen nicht eingreifen . . .«

»Wir dürfen ihn nicht sterben lassen!« rief sie.

Veg griff nach ihrem Arm, aber sie stieß seine Hand zur Seite, ohne ihn dabei auch nur anzusehen. Abermals griff er nach ihr, um sie zurückzuhalten, aber sie rannte leichtfüßig über die Ebene. Ohne zu zögern, stürmte sie in das Sonnenlicht, geradewegs auf den geblendeten Manta zu.

Innerhalb weniger Augenblicke hatte sie ihn erreicht. Die Kreatur wälzte sich auf den Boden, und Cal sah, wie der gefährliche Schwanz ziellos hin und her zuckte. Der Manta versuchte, sein Auge in den Schatten zu bringen, aber es gab keinen.

Aquilon blieb kurz stehen und blickte auf ihn hinunter. Cal kannte den Grund für ihr Zögern: Bisher hatte sie noch keinen lebenden Manta mit ihren Händen berührt. Dann riß sie sich ihre leichte Bluse vom Leib und warf sie über das gequälte Auge der Kreatur. Sie würde nur wenig Schutz bieten, aber die Idee war gut. Sie umschloß den kugelförmigen, zusammengekrümmten Körper mit beiden Armen und hob ihn hoch. Schwer beladen lief sie mühsam aus dem Licht. Der Schwanz schleifte auf dem Boden hinterher.

Veg rannte los, um ihr zu helfen, aber sie war bereits aus der Gefahrenzone und legte den Manta auf den Boden. Er war von mittlerer Größe und wog ungefähr fünfzig Pfund.

Der Sonnensturm war vorüber, so als sähe er keinen Sinn mehr darin, mit seinem Toben fortzufahren, weil das Opfer in Sicherheit war. Einzeln und in Gruppen kehrten die Mantas zurück.

Aquilon begann, die Bluse vom Kopf ihres Mantas abzuwickeln. »Ich habe gar nicht gewußt, daß sie so kaltblütig sind«, sagte sie. Der Kreis bildete sich erneut. Der größte Manta kam nach vorn, und Aquilon trat zur Seite. Er betrachtete die zitternde Kreatur auf dem Boden. Dann erhob er sich ohne Vorankündigung in die Luft. Der Körper des Geblendeten schüttelte sich, als die mächtige Scheibe darüber hinwegglitt und ihn mit kaum wahrnehmbaren Schlägen in Stücke hieb. Schnell war nichts weiter übrig als ein Haufen zerstückeltes Fleisch.

»Nein!« schrie Aquilon.

Sie wehrte sich, aber diesmal war Vegs Griff ganz fest. Wirkungslos schlug sie nach ihm, fiel ihm dann schluchzend in die Arme.

»Ich wollte ihm doch nur helfen! Denken die vielleicht, daß er durch meine Berührung ver . . .«

»Paß auf!« brüllte Veg.

Er schleuderte sie nach links und warf sich selbst nach rechts. Der große Manta kam, sein grausames Auge blitzend. Die Scheibe schien sich enorm auszudehnen. Veg streckte die Arme aus, so als ob er die Kreatur durch die Masse seines eigenen Körpers aufhalten und zum Stoppen bringen könne, aber der Manta drehte sich in der Luft und umkurvte ihn.

Aquilon blickte hoch . . . und schrie auf, als der Manta zuschlug. Viermal peitschte der Schwanz in ihr Gesicht, bevor sie die Hände zum Schutz hochreißen konnte. Dann war die Gestalt wieder weg, und sie stürzte zu Boden, die Knöchel gegen die Wangen gepreßt. Blut quoll zwischen den Fingern hervor.

Veg kniete sofort neben ihr nieder. Zutiefst betrübt blickte ihm Cal über die Schulter. Als Aquilon das Gesicht hob, sah er, daß sich ihre Tränen mit dem Blut vermischt hatten. Auf beiden Seiten wiesen Wangen und Kinn tiefe Schnitte auf, aber ihre Augen hatten nichts abbekommen, und es war auch keine Arterie getroffen worden.

Sein Blick fiel auf ihre nackten Schultern und den Rücken. Nachdem sie nur ganz kurz den Strahlen der Sonne Nacres ausgesetzt worden war, rötete sich die Haut bereits und bildete Blasen.

Cal zog sein eigenes Hemd aus. Er reichte es Veg, der es ohne Umstände entgegennahm und Aquilons Gesicht damit so gut säuberte, wie er nur konnte.

Die Schnitte waren sauber angesetzt worden, und der Blutfluß hörte schnell auf.

»Ich brauche ein neues«, stieß Veg hervor.

Da erkannte er erst, was er da in der Hand hielt.

»He!« Er blickte Cal verlegen an, packte dann den kurzen Ärmel seines eigenen Hemds und zerrte daran. Seine Muskeln spannten sich, als der widerstandsfähige Stoff zerriß. Er befeuchtete ihn mit der Zunge und wischte sorgfältig die restlichen Blutflecken weg.

»Ich kann das auch machen«, bot Cal an.

»Vielleicht solltest du das wirklich tun«, entgegnete Veg. »Ich habe noch etwas mit Bruder Manta zu erledigen!«

Dann griff er nach dem Gewehr und nahm es an sich. Sofort aktivierte er die Brennkammer.

»Nein, nicht!« rief Cal. »Du kannst den Manta nicht an unseren Maßstäben messen. Er könnte gedacht haben, daß Quilon für das Schicksal des Jungen verantwortlich war. Sie haben keine klare Vorstellung von der Sonne. Vielleicht verehren sie sie sogar als Verkörperung des Bösen. Sie könnten sogar glauben, daß *wir* das Licht mit uns gebracht haben . . .«

Veg beachtete ihn nicht. Er suchte nach dem großen Manta.

»Sie könnten sogar recht haben«, fuhr Cal verzweifelt fort. »Unsere Schiffe starten und landen und erschüttern die Atmosphäre, wenn wir Nachschub heranholen. Vergiß nicht, der Mensch *ist* ein Omnivore . . .«

Veg stand da, das Gewehr schußbereit, die Kammer erhitzt.

Cal wußte, daß die Waffe viel Unheil anrichten konnte, wenn ihr Dampf einen Hagel von Projektilen auf die stehenden Mantas abfeuerte. Die Mantas würden den Zweck der Waffe sehr schnell erkennen und den Angreifer vernichten. Eine gute Waffe in den Händen eines zornigen Mannes . . .

»Wenn *ich* mit dem Omnivoren leben kann, dann kann es auch der Manta«, sagte Veg. »Sie hat einen vor der Sonne gerettet, und der große Schweinehund killt ihn und geht auf sie los. Er hat versucht, sie zu blenden. Du hast es gesehen!«

»Aber sie *hat* den einen nicht vor der Sonne gerettet!«

Überrascht blickte Aquilon hoch.

»Dieser Manta ist durch das Licht geblendet worden«, sagte

Cal in der Hoffnung, Vegs Aufmerksamkeit abzulenken, bis er sich weit genug abgekühlt hatte, um sich darauf zu besinnen, daß er nichts vom Töten hielt. »Denk daran, daß ihre Augen viel empfindlicher sein müssen als die unsrigen und daß die Sonne für sie tödlich sein kann. Die ersten Sekunden können sein Sehvermögen so gründlich zerstört haben, als sei ihm ein glühendes Eisen ins Auge gerammt worden. Für ein so empfindsames Organ dürfte es keine Möglichkeit der Heilung geben.«

»Aber er lebte«, sagte Veg. »Sie hat ihm das Leben gerettet.«

Cal lehnte sich zurück und blickte ihn an. »Leben«, sagt er. »Du verehrst das Leben. Du denkst, alles ist in Ordnung, solange du nicht tötest, es sei denn vielleicht aus Rache. Du bist ein Narr.«

»Ich ... ich habe gedacht, ich würde ihm helfen«, sagte Aquilon und fuhr sich mit der Hand übers Gesicht, um die Wunden zu fühlen. Die Attacke des Mantas hatte nicht den Zweck gehabt, sie zu töten oder auch nur zu blenden.

Cal suchte ihren Blick und schüttelte den Kopf. »Du meinst es so gut, Quilon, aber du denkst mit deinen Gefühlen, nicht mit deinem Verstand. Verstehst du es denn nicht – der Manta *hat* außer seinem Sehorgan keinen anderen Wahrnehmungssinn. Ein Mensch hat Ohren und Augen und so viele andere Sinne, daß ihn der Verlust eines einzigen nicht wirklich verletzt. Er kann mit einem oder zwei behinderten Sinnen sehr gut weiterleben. Vor zwei Tagen hast du das Gehirn des Mantas seziert. Du weißt also, daß das Auge die einzige nennenswerte Wahrnehmungsverbindung ist. Dagegen sind unsere eigenen Augen schwächliche Lichter. Wenn es jedoch zerstört wird ...«

Er holte tief Luft. »Wenn es zerstört wird, wird *jeder* Kontakt des Mantas mit der Außenwelt abgeschnitten. In solch einem Fall ist es nur ein Akt der Gnade, das Leben so schnell wie möglich zu beenden. Ich weiß das, glaube es mir.«

»Okay«, sagte Veg etwas ruhiger. »Nur erzähle mir, warum er auf Quilon losgegangen ist. Wenn er so gnädig ist ...«

»Ich fürchte, er ist ein Tier«, sagte Cal traurig. »Er begreift nicht, daß ein Omnivore nicht notwendigerweise ein Feind sein muß. Und doch – er hätte sie ganz leicht töten können. Diese kleinen Schnitte werden ihr Gesicht nicht einmal dauerhaft verstümmeln. Sie sind sauber und präzise, wie bei einer Operation. Eine symbolische Bestrafung . . .«

»Das glaube ich nicht«, sagte Aquilon mit Mühe. Die Schnitte fingen wieder an zu bluten, und Cal tupfte sie hastig ab.

»Seht!« rief Veg, der die Hauptgruppe noch immer im Auge hatte. »Kleine Mantas!«

Die Menge teilte sich. Dort, geführt von einem Ausgewachsenen, waren acht kleine Mantas, die ersten Babys, die sie gesehen hatten. Ihre kleinen Sprünge waren unsicher, die Landungen ungelenk, und sie hatten noch nicht gelernt, ihre Körper in der Luft kontrolliert abzuflachen. Aber sie waren ohne jeden Zweifel Mantas.

»Sie *haben* verstanden«, sagte Cal.

Mit gekonnten leichten Schlägen seines peitschenartigen Schwanzes brachte der Erwachsene sie auf einen Weg, der genau zu Aquilon führte.

Cal erhob sich und trat zur Seite. Als sie vor ihr haltmachten, verließ sie der Erwachsene. Menschen und Mantas warteten gespannt.

Erstaunt blickte Aquilon auf die kleine Gruppe hinunter. Aus einer Höhe von zwanzig Zentimetern blickten acht klare, kleine Linsen zurück, erwartungsvoll blinzelnd. Ergriffen beugte sie sich vor und breitete die Arme aus, und die Babys hüpften vertrauensvoll in den Kreis.

»Sie sind für mich«, sagte sie voller Verwunderung.

»Zu jung, um vor dem Omnivoren Angst zu haben«, murmelte Cal. »Könnte eine menschliche Mutter jemals so viel Vertrauen zeigen? Diese acht werden unsere Lebensweise verstehen lernen. Jetzt können wir Nacre besiedeln. Und wir werden lernen, *sie* zu verstehen.«

»Für mich«, wiederholte Aquilon und umarmte die kleinen Körper.

»Nicht lächeln, Quilon«, warnte Veg, biß sich dann aber auf die Lippe.

Cal bemerkte es und fing an zu erkennen, was geschehen war. Denn Aquilon lächelte.

Ganz allmählich löste sich der seit so vielen Jahren unterdrückte Reflex, und die Winkel ihrer schön geschwungenen Lippen zogen sich nach oben. Ihr Gesicht leuchtete, strahlte einen emotionalen Glanz aus, der Menschen und Mantas gleichermaßen berührte und sich in den Augen aller widerspiegelte.

4 Wildnis

Aber der Liebreiz einer blühenden Blume ist ein vergänglich Ding, dachte Subble, als er das Wasser durchpflügte. Nacre hatte keinerlei Probleme gelöst, hatte ihre Namen nur auf noch schwereren Ketten eingegraben. Solange die Heimat eine hoffnungslos übervölkerte Erde war, würden die Schrecken in der einen oder anderen Form weiterexistieren.

Er zog einen Korb hinter sich her, der durch ein Seil an seine Hüfte gebunden war. Anderthalb Kilometer vor ihm erhob sich der vorgeschobene Keil einer halbtropischen Insel, die als Wildpark diente und nur von Vögeln, Nagetieren, Gliederfüßlern und Vertretern des Zeiten und Dritten Königreichs bewohnt wurde. Die Abenddämmerung war angebrochen. Die Insel hob sich gegen die untergehende Sonne ab, schwarze Palmen gegen rote Wolken. Ein paar Möwen flogen umher, und in dem schattigen Wasser unter ihm bewegte sich allerlei. Das war schon alles.

Er schwamm und genoß das Gefühl des kühlen Golfwassers, die Schläge der Brandung gegen seine Schultern und sein Gesicht. Entdeckungen und Gefahr lagen vor ihm, vielleicht sogar der Tod, aber der Tod war für ihn eine unpersönliche Angelegenheit. Er hatte eine Mission, und ihre Erfüllung war nahe, wie auch immer sie aussehen mochte.

Die Geschichte von Nacre ging ihm durch den Kopf. Was war es doch für ein Abenteuer für dieses so unterschiedliche Trio gewesen! Ein Vegetarier, ein normaler Omnivore und ein Karnivore lösten die Rätsel einer Welt, deren Fauna ihre eigene Sinnesart widerspiegelte. Aber die Lösung war nicht vollständig gewesen, denn nun waren die tödlichen Karnivoren auf der

Erde, und es gab eine Gefahr, die niemand so richtig verstanden hatte, die aber alle argwöhnten. Es ging nicht um die menschlichen Probleme des Mann-Frau-Dreiecks. Diese würden sich ganz von selbst lösen, wenn die Beteiligten wieder zusammentrafen. Es ging auch nicht um eine Bedrohung der Erde durch die Außerirdischen, denn die Mantas waren ausgesprochen ethische Kreaturen. Sie *konnten* die Menschen angreifen, würden es aber nicht tun. Subble war sich sicher, daß sie gekommen waren, um zu verstehen, nicht um zu erobern.

Doch *gab* es eine Gefahr, eine schreckliche Gefahr. Sein geschultes Wahrnehmungsvermögen spürte es nur allzu deutlich. Veg, Cal und Aquilon – sie alle strahlten eine Aura der Furcht aus, die mit dem Manta in Zusammenhang stand. Die Anwesenheit der Kreatur auf der Erde barg ein großes Mysterium. Die Zukunft der ganzen Erde mochte vom Erfolg seiner Mission abhängen. Und er konnte immer noch nicht erfassen, *wie*.

Am Abend tauchte die Insel unmittelbar vor ihm auf. Subble legte sich auf den Rücken und blickte empor zu den Bäumen und den kalten Sternen darüber. Er hatte den Planeten niemals verlassen, Agenten mußten für extraterristrische Aufgaben besonders geschult werden. Es würde wenig Zweck haben, dafür einen an die Erde gewöhnten Mann einzusetzen. Er verstand, daß der Durchschnittsmensch von schwer beschreibbaren Gefühlen ergriffen wurde, wenn er die Sterne betrachtete. Es war eine Art von zwanghafter Ehrfurcht, ein Sehnen, sie zu erreichen, und auch ein Gefühl von tiefer Verlassenheit. Subble spürte nichts außer einer leichten intellektuellen Neugier. Wahrscheinlich war er konditioniert worden, der Erde verhaftet zu sein. Es gab nur seine Mission, und die Sterne befanden sich ganz woanders.

Es hatte vorher andere Missionen gegeben, aber er erinnerte sich daran in keiner Weise. Möglich, daß er bei früheren Aufträgen schon große Abenteuer bestanden hatte und daß noch viel größere auf ihn warteten. Aber solche Spekulationen waren kaum den Aufwand wert, sich mit ihnen zu beschäftigen. Der Tod schreckte ihn ebensowenig wie die Beendigung seiner Mission. Mißerfolg war das einzige Schreckgespenst, aber er war kein Mann, dem so leicht ein Mißerfolg beschieden war.

Nein, es gab doch etwas, das er wirklich fürchtete. Manchmal, das wußte er, strandete ein Agent. Aus irgendeinem Grund konnte es ihm unmöglich sein, seinen Auftrag abzuschließen und sich zurückzumelden.

Gelegentlich gab es auch einen Unfall. Der Agent wurde während der Mission als verloren gemeldet. Seine Akte wurde vorzeitig geschlossen, während er tatsächlich überlebt hatte und sich verzweifelt um eine Beendigung bemühte.

Es konnte ihm widerfahren!

Durchaus möglich, daß der Agent SUB auf dieser Insel strandete, unfähig zurückzukehren oder einen Bericht zu übermitteln, aber doch lebend. Es konnte Monate oder sogar Jahre dauern, bis ihn ein Ersatzmann lokalisierte, und während der ganzen Zeit würde er ohne Mission sein.

Der Gedanke war entsetzlich. Sein Körper war nichts, sein Leben irrelevant. Schmerzen und Freuden waren nur Begleiterscheinungen der Existenz. Aber die Mission – sie ging über alles, und ohne sie verschwendete er sich selbst. Verschwendung war das einzige, was er nicht tolerieren konnte. Besser war ein sauberer Tod bei der Ausübung seiner Pflichten.

Seine Füße berührten im flachen Wasser den Sand, und er zog den Korb an den Strand. Eine Schar von winzigen, bräunlichen Flohkrebsen huschte ihm seitlich aus dem Weg, als er auftauchte. Sie verschwanden in ihren nassen Sandhöhlen.

Die Insel war still. Keine Frösche oder Grillen zirpten, und die Vögel ließen sich auch nicht vernehmen. Sie waren jedoch da. Als er seine Sinne anstrengte, bemerkte er sie überall, hörte er ihre verstohlenen Bewegungen und nahm er ihre flüchtigen tierischen Ausdünstungen wahr, die vom Geruch des Seegrases und des Moders überlagert wurden.

Es war ein ganz normaler Strand. Dem ebenen Sand schloß sich jenseits der Flutlinie eine Ansammlung von Muschelschalen an, kleine und große, rote und gelbe. Dahinter sprossen Gräser und Schlingpflanzen zwischen Treibholzresten und vertrockneten Palmwedeln in die Höhe.

Subble baute seine elektronischen Geräte auf und testete sie.

Cals Idee war gut gewesen: Duplikation von Frequenz und Stärke der Augenstrahlung des Mantas und Nachbildung der Kommunikationsmuster mit Hilfe des Oszilloskops. Cal hatte beschränkten Erfolg gehabt. Er dachte, er hätte den richtigen Kanal gefunden, hatte aber Schwierigkeiten gehabt, die Kooperation der Mantas zu erreichen. Subble glaubte, daß die Grundlagen stimmten. Nun lag es an den schnelleren Reaktionen eines geschulten Mannes: an seinen. Er würde es zuerst ohne das Halluzinogen versuchen. Er war nicht davon überzeugt, daß dieser Aspekt von Cals Verfahrensweise angebracht und sicher war. Es gab keine Garantie, daß ihn die Pilzdroge den Repräsentanten der Pilzwelt näher bringen würde. Viel eher würde sie ihm die Illusion einer Verbindung geben, was ganz gewiß nicht seine Mission war. Und wenn er wie ein Süchtiger den Überblick verlor und eine Überdosis inhalierte ...

Es war dunkel, als er alles abgeschlossen hatte. Als voll ausgebildeter Agent war Subble in der Nacht zu Hause. Er wußte, daß die Mantas auf der Erde weitgehend nachts aktiv waren. Nur in der Dämmerung eines Waldes oder eines geschlossenen Gebäudes konnten sie sich richtig entfalten. Ein bewölkter Tag mochte ihnen jedoch eine gewisse Bewegungsfreiheit verschaffen. In erster Linie war nicht das einzige Auge, sondern der Körper empfindlich. Das Sonnenlicht würde die zarte Haut verbrennen.

Subble war bereit.

Cal hatte gesagt, daß die Mantas ihn finden würden, wenn er da war. Falls sie es wollten! Sie waren jetzt halb erwachsen und kannten sich aus. Ihre Nahrung bestand aus Fischen und Nagetieren. Sie würden kommen. Und danach ...

Subble bereitete sich auf eine längere Wartezeit vor. Wenn sie in dieser Nacht nicht zu ihm kamen, würde er am nächsten Tag nach ihnen sehen.

Es gab keine Wartezeit.

Wie fliegende Untertassen tauchten sie über dem Strand auf. Ohne irgendwelche Manöver ließen sie sich in einem weit geschwungenen Kreis um ihn herum nieder, sechs einbeinige Buckel, die Schwänze um den Fuß geschlungen.

Das Spiel hatte begonnen.

Subble schätzte sie nacheinander ab. Aus dieser Nähe hatte

er sie noch nie gesehen. Abgesehen von der flüchtigen Begegnung in Vegs Wäldern und von Aquilons Porträt hatte er bisher nur die Beschreibung der drei Raumfahrer gehabt, um sich leiten zu lassen. Hier hatte er junge Individuen vor sich, kleiner als die, die dem Trio begegnet waren. Er schätzte ihr Gewicht auf vierundvierzig Pfund. Ihre Farbe war ein mattes Schwarz. Alle sechs zusammen würden nicht viel schwerer sein als er selbst, und in dieser – für sie – dünnen Luft würde ihr Flugvermögen eingeschränkt sein. Auch ihr Sehvermögen würde beeinträchtigt sein, weil es nicht genug atmosphärische Dichte gab, um ihre Signale zu reflektieren. Obwohl er ohne seine stärkste Waffe erschienen war, kam es ihm unwahrscheinlich vor, daß sie eine solche physische Drohung verkörperten, wie Cal es angedeutet hatte. Bei einem konzentrierten Angriff konnte es allerdings sehr kritisch aussehen.

Subble war nicht gekommen, um zu kämpfen. Er war darauf konditioniert, das physische Potential aller Menschen, Tiere und Maschinen, die er traf, einzuschätzen. Dies war ein automatischer Prozeß, der keinerlei Aggressivität beinhaltete. Es ging ihm um einen intellektuellen Kontakt, gleichgültig auf welcher Ebene.

Er stellte den Kommunikator an.

Ein Manta hüpfte nach vorne. Ein einziger Sprung, ein einziger Meter, und das Gruppenbild war wie zuvor, nur daß der Kreis an der einen Stelle unterbrochen war.

Er fragte sich, ob all dieses Drum und Dran erforderlich war. Bestimmt konnte die Kreatur die Nuancen im Erscheinungsbild eines Menschen besser deuten als jeder Mensch und jede irdische Maschine. Der Manta mochte über keinen Geruchssinn verfügen, tatsächlich aber konnte er die von allen Objekten abgesonderten winzigen Partikel, die von Menschen als Geruch interpretiert wurden, *sehen*. Sehen konnte mehrere der konventionellen Sinne ersetzen. Dies war das ultimative Sehen, viel potenter als alle menschlichen Wahrnehmungssinne zusammengenommen. Ein Sehen, das fast totale Information ermöglichte, da diese unmittelbar ins Gehirn geleitet wurde. Es handelte sich um das leistungsfähigste Kommunikationsinstrument, das jemals entworfen oder entwickelt worden war.

Aber nach Cals Theorie garantierte das noch lange keine Intelligenz, wie sie der Mensch verstand. Für den Menschen war Kommunikation eine Anstrengung. Der Manta jedoch konnte sein gesamtes Weltbild mit einem einzigen Augenblinzeln übermitteln. Nicht im wahrsten Sinnes des Wortes: Das Auge blinzelte nicht. Die äußere Linse schien kristallin zu sein und keine Flüssigkeit zu benötigen.

Cals Hoffnung war es gewesen, daß er eine fremde Zivilisation entdeckt hatte, aber jetzt war er sich dessen keineswegs mehr sicher. Es war Cal um totale Verständigung gegangen, aber er hatte vor der Tatsache resigniert, daß er sie aus Gründen, die ihm unklar waren, nicht von sich aus erreichen konnte. Soweit er konnte, hatte er Subble geholfen, war dabei aber voller Furcht vor den Konsequenzen gewesen.

Cal war kein Mann, der sich durch Phantome erschrecken ließ.

»Sag etwas, Bruder«, drängte Subble den Manta.

Der Schirm erwachte zum Leben. Sinnlose Muster huschten über seine Oberfläche, Wirbel und Linien in kaleidoskopartiger Verwirrung. Sinnlos für *ihn*, führte sich Subble vor Augen. Die Signale mochten klar und eindeutig sein, wenn er sie richtig interpretieren könnte. Cal war es gelungen, das Gerät auf Manta-Impulse einzustellen, aber die Feinabstimmung mußte noch vorgenommen werden. Dieser Schritt war vergleichbar mit Radiokontakten, bei denen man die Sprache nicht verstand.

»Kehren wir zur Zeichensprache zurück«, sagte er.

Er holte den Lichtschreiber hervor und ließ ihn über den separaten photoelektrischen Schirm gleiten. Gekritzelte Linien erschienen, die aussahen, als hätte er zufällige Kreidemuster auf eine Tafel gemalt.

Er integrierte den Schirm in die Hauptleitung und fing an zu zeichnen.

Tatsächlich bestand jetzt ein zweiseitiger Kontakt. Er konnte Muster schaffen, die, wenn auch sehr grob, auf der Manta-Frequenz abgestrahlt wurden, und der Schirm würde Impulse reflektieren, die vom anderen Ende kamen. Der Verstand beider konnte sich auf diesem Weg treffen – wenn der Manta es wollte.

»Paß auf.«

Subble zog eine Linie aus Licht und wartete.

Der Schirm konnte nur durch einen klaren, kontrollierten Impuls aktiviert werden, und dies lag erwiesenermaßen im Möglichkeitsbereich des Mantas – wenn er gewillt war, sich dieser Technik zu bedienen.

Das anfängliche Gewirr auf dem Schirm schwand dahin, was bewies, daß ihm der Manta folgen konnte. Mehr kam jedoch nicht.

Er setzte eine zweite Linie neben die erste.

»Komm schon, Peitschenschwanz«, sagte er. »Zeig, daß du ein Künstler bist.

Immer noch keine Antwort. Aber der Manta würde wohl nicht vor dem Gerät stehenbleiben, wenn er seinen Zweck nicht verstand.

Er hatte eine dritte und eine vierte Linie hinzugefügt, und schließlich passierte es: Eine fünfte erschien.

»Jetzt sind wir im Geschäft!«

Endlich beteiligte sich der Manta.

Subble löschte den Schirm und zeichnete einen Kreis. Und plötzlich wurde dieser Kreis ohne sein Zutun mit weiteren Kreisen ausgefüllt und dann wieder weggewischt. Einen eindeutigeren Ausdruck von Ungeduld konnte man sich kaum vorstellen.

Es trat jetzt wenigstens eine minimale Verständigung zutage – und eine phänomenale Manipulationsfähigkeit.

»Du kannst also Symbole malen«, hatte der Manta mehr oder weniger geantwortet. »Na und? Hör auf, meine Zeit zu verschwenden.«

Konnte es ganz einfach der Überdruß gewesen sein, der Cals Bemühungen behindert hatte? Der kleine Mann war ein bedächtiger Denker, der prüfte und noch einmal prüfte, bevor er einen neuen Schritt unternahm. Durchaus möglich, daß der sprunghafte Manta, von Cals Umständlichkeit angewidert, aufgegeben hatte.

»Ich bezweifle es«, sagte er laut. Es beruhigte ihn, diese einseitige verbale Konversation fortzuführen, während er neue Muster auf die Tafel malte. Dieses Tun war in etwa genauso einfältig wie der ›Racheakt‹, den einer der Mantas ausgeübt hatte, als er Aquilon auf Nacre ins Gesicht schlug. Aber die Wahrheit schien doch weitaus komplizierter zu sein. Wesentlicher Bestandteil einer einfachen Antwort war ihre Bequemlichkeit für einfache Gemüter. In dem gegenwärtigen Problem steckte mehr als Ungeduld. Und obwohl es ihm an Erfahrungen mit den Mantas mangelte, konnte er schon jetzt einen größeren Erfolg verbuchen, als Cal ihn erzielt hatte.

»Du *wolltest* also ganz einfach nicht mit Cal reden«, sagte er, während sich sein elektronischer Bleistift so schnell bewegte, wie seine Fähigkeiten es zuließen. »Warum nicht? Warum sprichst du mit einem Fremden, nicht aber mit deinem Freund? Ist das nicht ein bißchen launenhaft?«

Er zeichnete einen Mann, stilisiert und vereinfacht, aber erkennbar, wie er hoffte. Der Manta produzierte eine ähnliche Figur, scheinbar ohne jeden Zeitaufwand. Subble zeichnete einen fliegenden Manta, und auch dieser wurde reproduziert.

Erreichte er etwas? Bloße Nachahmung bewies lediglich, daß der Kanal geöffnet war. Es ging ihm um einen Gedankenaustausch auf der Basis der Vernunft, und davon konnte noch keine Rede sein.

Er zeichnete einen etwas größeren Mann und ihm gegenüber einen der Herbivoren von Nacre.

»Du kennst Veg, nicht wahr? Und das hier ist Aquilon, die euch hergebracht hat, euch aber nicht alle in ihrem Apartment zusammenpferchen wollte. Sie ist ein Omnivore wie dieses Nacre-Individuum, wenn du verstehst, was ich meine. Und dieses kleinere Männersymbol ist Cal, vergleichbar mit . . .« Er ließ die gegenüberliegende Stelle frei und wartete. Wenn Aquilons Technik richtig begriffen worden war . . .«

Die Manta-Gestalt erschien an der entsprechenden Stelle. Erfolg! Er hatte die Parallele verstanden.

Ein gepunktetes ›X‹ erschien, das den ganzen Schirm ausfüllte, das Bild jedoch nicht löschte. Dann erschien, ganz schnell neben der Frau das Symbol eines Standardmannes, während der Herbivore und der Kanivore verschwanden. Der Manta sagte ihm, daß er wußte, daß die meisten Menschen Omnivoren waren. Der Schirm füllte sich schnell mit menschlichen Gestalten. Aber warum das X?«

Sagte der Manta: »Ich verstehe, was du meinst, aber es ist nicht richtig?«

Dann wurde das Bild gelöscht und durch eine Gruppe von Nacre-Omnivoren abgelöst. Subbles Einschätzung der Manta-Intelligenz machte einen ruckartigen Sprung nach oben, als er beobachtete, was jetzt folgte.

Die Gestalten waren nicht länger Symbole, sondern lebten. Die Omnivoren zuckten und tobten, erschreckend wirklichkeitsgetreu, und jetzt nahmen sie auch Farbe an. Im Hintergrund entstand die Szenerie der Pilzlandschaft von Nacre. Die Größe der Omnivoren wuchs an, bis der Schirm mit dem Bild einer einzigen lebenden Kreatur ausgefüllt war, die wild umhersprang und die kleineren Pilze unter ihrem muskulösen Fuß achtlos zerstampfte.

Ein friedlicher Herbivore kam ins Blickfeld, so als ob sich eine Fernsehkamera auf ihn gerichtet hatte, und der Omnivore sprang ihn an, riß mit seinem zähnestarrenden Schwanz große, saftige Fleischstücke heraus und ließ sich auf den verstreuten Resten nieder, um zu fressen. Subble konnte sogar erkennen, wie die Verdauungssäfte über den Leichnam flossen und das Fleisch so auflösten, daß die Unterseite des Raubtiers die gallertartige Substanz in sich aufnehmen konnte.

Dann erschien ein einzelner Manta, viel kleiner als der Omnivore, aber auch viel schneller. Sie kämpften, und der Manta gewann und fing an, das Fleisch des Omnivoren zu verzehren.

Die Szene wechselte zur Erde: ein erkennbarer tropischer Dschungel. Subble wußte jetzt einen der Gründe zu schätzen, aus denen Cal seinen Pilzbericht in Szenen gegeben hatte. Er mußte geahnt haben, daß der Manta die Kamerامethode anwenden würde.

Ein gestreifter Tiger streifte gereizt umher. Ein Mann, gekleidet wie ein Jäger, erschien, ein schweres Gewehr in den Händen. Der Tiger sprang. Der Mann wirbelte herum, brachte das Gewehr in Anschlag und feuerte. Der Tiger fiel und stürzte zu Boden.

»Richtig«, sagte Subble. »Auf der Erde triumphiert der Omnivore über den Karnivoren – und über alle anderen Kreaturen. Solange ihm seine verläßliche Technologie zur Verfügung steht.«

Jetzt teilte sich das Bild: der siegreiche Manta auf der einen Seite, der Mann auf der anderen. Der Hintergrund verwandelte sich in Sand und Palmen: die Insel, auf der sie standen. Die Trennlinie zwischen ihnen verschwand. Mann und Manta gingen aufeinander zu.

Und der Schirm wurde leer.

Der Manta hüpfte aus dem Kreis, vorbei an seinen Kameraden, und suchte sich einen Platz im Zentrum des Strandes. Er wartete. Keiner der anderen machte Anstalten, sich des elektronischen Geräts zu bedienen.

»Aha«, rief Subble aus. »So also läuft der Hase. Ihr wollt auch mit mir nicht reden.«

Er stellte das Gerät ab. Es hatte keinen Zweck, die Batterie zu erschöpfen, bis diese Sache geklärt war. Der Manta hatte ohne jede Frage bewiesen, daß er kommunizieren *konnte*, wenn er wollte. Er war so weit gegangen, wie es ihm angebracht erschien, und den nächsten Schritt zu tun, lag an ihm.

Warum? Weil er den Omnivoren nicht respektierte? Das konnte Subble verstehen. Auch er würde einem Schwein kaum mit Respekt begegnen, solange dieses nicht zuerst Qualitäten offenbarte, die eine solche Aufmerksamkeit verdienten. Es sei denn, es befand sich in einer Position, in der es Respekt *verlangen* konnte, auf Grund eines überlegenen Intellekts oder physischer Stärke. Ein Schwein in einem schmutzigen Stall war eine Sache, ein großes Wildschwein in freier Wildbahn eine ganz andere. Starke Stoßzähne waren ein viel wirkungsvolleres Argument als zahmes Fleisch.

Was besaß der Mensch, um sich auszuzeichnen? Eine Technologie, die für das Weltbild des Mantas überflüssig war. Und die Waffen des Menschen waren nicht viel mehr als ein Wurmfortsatz der angeborenen Wildheit der Spezies.

Aber Aquilons mutige Tat auf Nacre hatte eine begrenzte Reaktion hervorgerufen. Dies war das erste Beispiel von omnivorischem Mitgefühl gewesen, das der Manta beobachten und verstehen konnte. Und er hatte auch entsprechend geantwortet. Die Saat war gelegt worden.

Wenn der Jäger vielleicht sah, wie der wilde Eber ein menschliches Kind verschonte, würde er sich veranlaßt sehen, sein Feuer zurückzuhalten. Aber deswegen würde er noch lange nicht daran denken, das Schwein in seine Familie aufzunehmen. Respekt mußte Schritt um Schritt verdient werden. Es sah so aus, als ob der Manta Aquilons Gefälligkeit erwidert hatte und einen Schritt weitergegangen war. Er hatte seine Repräsentanten zur Erde geschickt. Nun lag es an einem Abgesandten der Erde, sich selbst zu beweisen – Schritt für Schritt.

Und die Basis mußte auf dem Gebiet der Waffen gelegt werden. Die Wurzel des Respekts war fast immer physisch, egal wie groß die Versuchung auch sein mochte, es anders zu sehen. Mensch und Manta hatten ihre jeweilige Stellung eingenommen, weil sie die tödlichsten Kämpfer auf ihren Welten geworden waren. Die Rangordnung mußte festgelegt werden, bevor subtilere Verhandlungen beginnen konnten. Dies war die Essenz der natürlichen Auslese.

»Ihr wolltet also nicht mit Menschen kämpfen, die ein Handicap haben«, sagte er. »Ihr bestandet auf einem wirklich fähigen Individuum, so daß es keine Entschuldigung geben konnte.«

Das war der Grund, aus dem Cal keinen Erfolg gehabt hatte.

Der Manta wartete.

Subble blickte zu ihm hinüber. »Nun, du hast deinen Gegner!«

Mußte er seine zerstörerischen physischen Eigenschaften gegen ein halb erwachsenes Tier zur Geltung bringen? Er fing sich sofort. Er hatte gerade einen eindrucksvollen Beweis dafür bekommen, daß die Kreatur geistig rege und klug war, und doch betrachtete er sie in Gedanken als Tier. Akzeptanz war ein zweiseitiges Geschäft!

Aber es störte ihn noch immer. In rituellen Kämpfen spielte das Konzept des Fairplay eine große Rolle, und dies war offenbar auch in dem Manta hoch entwickelt. Sie hatten ihn nicht einfach angegriffen. Sie hatten zuerst eine Erklärung abgegeben und warteten nun auf seine Zustimmung. Schön – wenn sich ihm mehrere der Kreaturen entgegenstellen würden, konnte man vielleicht von Chancengleichheit sprechen. Aber nur einer hatte das Angebot gemacht.

Subbles Reflexe waren auf Geschwindigkeiten eingerichtet, von denen normale Menschen nur träumen konnten, und seine Waffen waren die besten, die die irdische Technologie liefern konnte.

Er war ein Supermann.

Keine Kreatur auf dem Planeten konnte es in bezug auf Stärke, Schnelligkeit, Ausdauer und allgemeine Beherrschung der Kampftechnik mit ihm aufnehmen, abgesehen von anderen Agenten. Auf der anderen Seite waren die Mantas an einen anderen Planeten gewöhnt, an eine dichtere Atmosphäre und ein härteres Klima. Sie würden zögern, ihre Kräfte in unvorteilhaftem Terrain einzusetzen, genauso wie es ein Agent seiner Sorte als schlechte Taktik ansehen würde, sich mit bloßen Händen einem Killerwal im Wasser gegenüberzustellen.

Vielleicht hatten sie die Situation nicht ganz richtig verstanden. Er würde sie klären.

»Wenn ihr eure Aufmerksamkeit mal der Vegetation im Inneren zuwenden würdet ...«, sagte er und machte eine entsprechende Handbewegung.

Keiner von ihnen änderte seine Position. Aber einer blickte sowieso schon in die angegebene Richtung.

Subbles Hände berührten den Gurt seiner Hose. Zwei Feuerlanzen erschienen und verschwanden. Zwei Palmwedel von getrennt stehenden Bäumen fielen auf den Boden, die verbrannten Stengel qualmend.

Kein Manta bewegte sich.

Aber Fernwaffen paßten nicht in das Weltbild der Mantas, obgleich sie offenbar einiges darüber wußten. Subble zog die mit Waffen ausgestattete Hose aus und legte sie neben seine Ausrüstung. Er entledigte sich seiner Spezialuhr, des Kampfrings, gewisser anderer Utensilien seiner Ausstattung. Ein nackter Mensch gegen einen nackten Manta, das paßte schon besser.

»Aber es ist noch immer nicht sportlich, Bruder«, sagte er. »Du wiegst ungefähr vierundvierzig Pfund, und hast keine Hände.«

Subble bewegte sich. In einer Zeitspanne, die ein normaler Mensch gebraucht hätte, um seine Augen richtig einzustellen, hatte er fünf Schritte, eine Drehung und einen Salto gemacht, ein klobiges Stück Treibholz hochgerissen und mit einem einzigen Handschlag zerschmettert. Der einzelne Manta wartete.

»Offenbar läßt du mir keine Wahl«, sagte Subble bedauernd. »Ich werde dich töten müssen, bevor es die anderen glauben.«

Er wußte, daß es in so einer Auseinandersetzung keine Gnade geben konnte, denn in einem Kampf war Gnade Schwäche.

Er ging auf das Zentrum des Strandes zu, knapp zwanzig Meter von dem ausgewählten Manta entfernt. Da sprangen die anderen nach außen weg und bezogen entfernte Positionen an jedem Ende der langen Linie: zwei hier, zwei dort, während der fünfte unter der verbrannten Palme inseleinwärts stehenblieb.

Subble legte eine Pause ein, machte sich mit der Neigung des Strandes vertraut und prüfte die Festigkeit des Sandes. Er war am besten beraten, wenn er den trockenen Teil mied, weil der Sand dort wie Puder war. Er brauchte Standfestigkeit noch mehr als der Manta. Dann ging er auf seinen Widersacher zu.

Er war sich unklar darüber, wie er ihn auf saubere Art und Weise töten sollte. Er konnte ihn schlecht erwürgen, weil er nicht auf irdische Weise atmete. Außerdem würde der Schwanz im Nahkampf sehr gefährlich sein. Er konnte ihn auch schlecht mit Schlägen auf die Nervenbahnen lähmen, da er nicht genug über sein Nervensystem wußte. Etwas verspätet führte er sich vor Augen, daß er tatsächlich viel weniger über den Manta wußte als der über ihn.

Angesichts seiner Unkenntnis war die beste Wahl wohl, den Kopf mit einer Serie von schnellen Schlägen zu zerschmettern. Das Auge war die offensichtlich verwundbarste Stelle, und er wollte den Manta nicht durch einen langsamen Tod oder durch eine Verstümmelung quälen.

Der Manta bewegte sich nicht, als er herankam. Aus sieben Metern wirkte er bedauernswert klein, ein harmloser schwarzer Buckel mit einem einzigen Auge.

War er einem Irrtum zum Opfer gefallen? Hatte er seine Absichten falsch gedeutet und einen Kampf bis zum Tod herausgelesen, obwohl ein viel friedlicherer Dialog vorgeschlagen worden war? Was für ein schrecklicher Fehler, wenn ...

Der Manta war in der Luft, sprang von ihm weg. Er mußte ihn erst einmal fangen – und eins konnte er *nicht*: schneller laufen. Selbst wenn er durch die Erdbedingungen gehandicapt und noch nicht ausgewachsen war, konnte er vermutlich mit einer Geschwindigkeit von sechzig Kilometern über den Sand hinweghuschen. Er würde ihn ermüden, ausmanövrieren oder in eine Falle locken müssen, wie es der Manta auch mit ihm machte.

»Das Rezept für einen Hasenbraten . . .« sagte er zu sich selbst. *Konnte* er ihn fangen, wenn er immer aus seiner Reichweite blieb?

Der Manta drehte sich in der Luft, eine Scheibe mit einem Durchmesser von vier Metern. Der Fuß tauchte während dieser Haltung in den Körper ein und machte ihn stromlinienförmig. Subble konnte die Strömungen auf der Oberfläche registrieren, als die Reaktion auf den Luftwiderstand erfolgte. Das Wesen war gleichzeitig Drachen und Gleiter, in der Luft genauso zu Hause wie auf dem Land.

Der Manta tauchte dem Boden entgegen. Und plötzlich kam er mit doppelter Geschwindigkeit als vorher auf ihn zu.

Subble warf sich nieder, schlang dabei eine Hand um den Nacken und die andere um das Rückgrat, während er das Gesicht in den Sand preßte. Der Manta glitt über ihn hinweg. Der Schwanz peitschte nach unten, als er sich auf die Seite drehte.

Er war sofort wieder auf den Füßen und wandte sich dem Manta zu, aber der hatte sich gut dreißig Meter entfernt am Strand niedergelassen. Er betrachtete seine Hand, mit der er seinen Nacken geschützt hatte, und sah einen langen, schmalen Schnitt, der unmittelbar unter dem Handgelenk anfing und zwanzig Zentimeter den Unterarm hinauflief.

Dann wußte er, gegen was er anzukämpfen hatte.

Die Wunde war nicht gefährlich. In wenigen Augenblicken hatte seine physische Kontrollfähigkeit sie fast blutlos geschlossen. Aber sie wies einen falschen Winkel auf. Der Schwanz des Mantas, der sich in gerader Linie mit seinem Körper vorwärts bewegte, hätte einen Schnitt quer über das Handgelenk machen müssen. Statt dessen hatte die Kreatur den Schnitt rechtwinklig zu ihrer Flugrichtung angesetzt.

Der Manta hatte nicht nur Zeit gefunden, sein Ziel sorgfältig auszuwählen, sondern hatte sich auch noch so weit unter Kontrolle gehabt, um den Schnitt in einer ungünstigen Position anzubringen.

Auf dem anderen Arm war ein ähnlicher Einschnitt.

Dieser Angriff hatte nur den Zweck gehabt, auf seine Fähigkeiten hinzuweisen, nicht den Gegner ernsthaft zu verletzen. Nun wußten sie beide, wo sie standen.

Es war vermutlich das erste Mal, daß Subble einen Widersacher ernsthaft unterschätzt hatte, denn sonst hätte er für diese Mission gar nicht mehr zur Verfügung gestanden. Er hatte in der Nacre-Episode Übertreibungen gesehen, denn die Beobachter waren durch andere Dinge an der Einnahme eines objektiven Blickwinkels gehindert worden. Und er hatte es auf seine eigene Überraschung zurückgeführt, als sich der Manta in Vegs Wald so schnell bewegte. Nun wußte er, daß diese begründeten Zugeständnisse an seine menschlichen Irrtümer falsch gewesen waren. In diesem Kampf ging es um sein Leben, und es war nicht möglich, den Ausgang vorauszusagen.

Der Schwanz war zu schnell für ihn. Nachdem er gesehen hatte, was er unter kontrollierten Umständen anrichten konnte, wußte er, daß er wie eine Peitsche die Schallgrenze durchbrechen konnte, wenn er mit aller Kraft zuschlug. Er hatte dagegen keine andere Verteidigung, als ihn zu vermeiden oder zu behindern. Er mußte den Manta außer Reichweite halten, oder der Schwanz würde ihn blenden oder ihm die Kehle durchschneiden.

Der Manta stieg auf, wurde mit zunehmender Geschwindigkeit ganz flach, und kam auf ihn zu.

Subble tauchte dem Rand des Wassers entgegen und nahm eine Handvoll Kiesel hoch. Er wirbelte herum und fing an, sie loszuschleudern, als die Scheibe herannahte. Sein Würfe waren schnell und genau. Der Manta wich ihnen leicht aus, indem er einen kleinen Schwenk machte und die Steine harmlos vorbeifliegen ließ. Aber er wurde langsamer.

Subble zielte auf das große Auge. Sollte der Manta sorglos werden und einen Treffer zulassen, würde er in ernsthafte Schwierigkeiten geraten. Er fing an, seine Schüsse paarweise loszulassen, und zwang den Manta dadurch zu doppelten Ausweichmanövern. Abrupt gab die Kreatur auf und drehte seitlich ab.

Der Manta berührte den Boden und katapultierte sich gleich wieder wild auf ihn zu. Aber dieses Mal war Subble nicht überrascht. Er sprang – hoch in die Luft, direkt dem Manta entgegen.

Dessen Geschwindigkeit war zu hoch, um seitlich auszubrechen, und Subbles Körper war viel zu groß, um ihm wie den Steinen auszuweichen. Eine Kollision würde den Mann begünstigen, denn sein Körper wog viermal soviel. Subble streckte die Arme aus, um ihn zu umschlingen, wohl wissend, daß der Manta in seiner ausgestreckten Form durch den Griff seiner Hände höchst verwundbar war. Bei so einem direkten Körperkontakt würde der peitschende Schwanz wenig effektiv sein.

Der Manta ging nach unten und glitt unter ihm durch, hinaus aufs Meer. Subble landete auf Händen und Füßen. Er sprang zur Seite und wirbelte herum, wieder mit Steinen bewaffnet, aber die Kreatur hatte nicht gewendet. Sie segelte über die tanzenden Wellen hinweg, wobei der stampfende Fuß kleine Wasserfontänen hochwirbelte.

Subble beobachtete es überrascht, obwohl dazu gar kein Grund vorlag. Cal hatte es schon erwähnt, und es war auch offensichtlich, daß der Fuß bei dieser Geschwindigkeit das Wasser als geeignetes Medium benutzen konnte, um sich abzustoßen. Es war einem Menschen möglich, auf den nackten Füßen Wasserski zu laufen, wenn er mit ausreichender Geschwindigkeit gezogen wurde, und die Fußfläche des Mantas war beim Kontakt viel größer als die eines Menschen. Aus diesem Grund hatten sie sich die Insel ausgesucht.

Aber wenn ein Manta wirklich ins Meer fiel, würde er nicht in der Lage sein, ausreichende Geschwindigkeit aufzunehmen, um sich wieder in die Luft zu schwingen. Es war nützlich, sich daran zu erinnern.

Er kam wieder, flach und tödlich wie ein fliegendes Messer. Subble konnte nicht darauf hoffen, ihm bis in alle Ewigkeit zu entkommen. Der Manta war zu schnell, sein Schwanz zu genau. Er konnte ihn auch nicht totlaufen, denn der Manta konnte auf dem Wasser wandeln. Wenn er müde wurde, brauchte er nur zu einer anderen Insel überzuwechseln, um sich in aller Ruhe zu erholen. Wenn Subble versuchte, hinterherzuschwimmen, würde er zum Gegenstand eines sofortigen Angriffs werden, denn im Wasser waren die Unterschiede in ihrer Manövrierfähigkeit am größten.

Der Manta gab ihm keine Zeit zum Nachdenken. Er erhob sich in einer Höhe von drei Metern über der Meeresoberfläche und segelte über die gekräuselten Wellen der herannahenden Flut, zu hoch für Subbles Abblockversuche, aber gerade richtig für seine Schwanzreichweite.

Subble ruckte zur Seite, und der Manta änderte die Richtung, um ihm den Weg abzuschneiden. Aber das Manöver in der Luft kostete ihn Geschwindigkeitsverlust, den er nicht ausgleichen konnte, ohne nach unten zu kommen. Subble rannte am Strand entlang. Seine Geschwindigkeit betrug fast fünfzig Stundenkilometer, eine Leistung, die kein normaler Athlet erreichen konnte.

Der Manta änderte den Kurs, um ihm zu folgen, berührte dabei den Boden. Er gewann an Tempo. Subble hörte ihn kommen, als sich die Entfernung zwischen ihnen rapide verringerte. Er konnte diese Geschwindigkeit nur ein paar Sekunden beibehalten, aber der Manta hatte dabei keinerlei Schwierigkeiten. Im nächsten Augenblick würde er heran sein, und der Schwanz würde herauszucken, um seine Kehle, das Auge oder vielleicht auch die Achillessehne über der Ferse treffen und ihn für den Todesstreich festnageln.

Bis auf drei Meter war er heran. Es war ganz ruhig, abgesehen von dem Stakkato des kräftigen Fußes und dem leichten Pfeifen der Luft. Subble berechnete seine Position auf Grund der Geräusche: einen guten halben Meter über dem Sand, zwei Meter hinter ihm. Er mußte ganz nahe herankommen, neben oder über ihn, um den Schwanz einsetzen zu können, es sei denn er war in der Lage, einen Überkopfschlag auszuführen.

Anderthalb Meter, einen ...

Und Subble stoppte. Er bremste mit aller Kraft, stemmte die Füße in den Sand und warf den Körper rückwärts. Seine Arme flogen über den Kopf, starr wie Eisenstangen, die Fäuste geballt.

Aber auch der Manta hatte aus der Erfahrung gelernt. Bei sechzig Kilometer in der Stunde konnte er nicht innerhalb eines Meters anhalten. Sein Fuß war für die Vorwärtsbewegung geschaffen, nicht zum Bremsen. Wieder nutzte Subble seinen weniger spezialisierten Körper zum Vorteil. Er konnte mehr Dinge verbringen als der Manta, obwohl er auf dessen Spezialgebieten nicht zu konkurrieren vermochte.

Der Manta konnte nicht zu Seite schwenken, und er konnte auch nicht die erforderlichen zwei Meter in die Höhe steigen, um ihm völlig auszuweichen, wenn er die Aerodynamik nicht durcheinanderbringen und die Kontrolle verlieren wollte. Er konnte nur weiter nach vorne, aber er hatte sich vorbereitet.

Er nahm die Kollision hin.

Der weiche Ball klatschte gegen Subbles Rücken und federte zurück.

Subble fuhr herum, griff nach dem Manta, aber der war schon hoch in der Luft, mehr als drei Meter, und nahm seine Flugform an – unverletzt. Damit war eine neue Eigenschaft festgestellt: Der Manta konnte sein Auge zeitweilig schützen, in dem er es in sein Fleisch einbettete. Warum hatte er das nicht bei dem Sonnensturm auf Nacre getan? Wahrscheinlich weil das Licht seine Haut verbrannt hatte, so daß er nicht wegspringen und sich erholen konnte.

Subble baute sich unter dem ausgebreiteten Manta auf, wohl wissend, daß dem Manta jetzt nicht die erforderliche Hebelkraft für einen Schwanzschlag zur Verfügung stand. Es war nicht die eigene kleine Masse des Mantas, die ihn hielt, sondern der Widerstand der Luft gegen seinen ausgebreiteten Körper. Derselbe Widerstand sorgte auch für die Triebkraft nach vorne. Der Fuß drückte in erster Linie nach *oben*, aber das Segel stemmte sich gegen die feste Luft und ließ den Körper viel schneller nach vorne schießen, als das sonst möglich gewesen wäre. Der Manta war eine Kreatur der Bewegung und konnte seinen Schirm nicht ohne Geschwindigkeit aufklappen. Jetzt stand er fast still. Er mußte für wenigstens einen Stoß nach unten kommen, wenn er sich entfernen wollte. In dieser Beziehung hatte er sich verkalkuliert.

Und Subble stand genau unter ihm.

»Komm zu Papa«, sagte er und streckte die Hände aus, um die vergeblich flatternde Gestalt zu umfangen. Aber er hielt sein Gesicht abgewandt. Der Manta konnte ihn immer noch blenden, da der Griff nach seinem Körper etwas von der erforderlichen Hebelkraft lieferte. Er mußte sich auf den Manta werfen, ihn in den Sand pressen und den Schwanz . . .

Ein Schmiedehammer traf seinen Kopf.

Subble stürzte nieder, betäubt von dem Schlag. Das flache Wasser und die hellen Muscheln unter der Oberfläche näherten sich seinem Gesicht, obwohl die Nacht dunkel war. Der Manta hatte ihm seinen Fuß auf den Kopf gehämmert und ihm fast den Hals gebrochen! Sein Gehirn war ernsthaft beeinträchtigt. Wenn er seinen Körper nicht sofort wieder unter Kontrolle bekam, würde er das Bewußtsein verlieren – und das Leben.

Und die Mission. Die phosphoreszierende Oberfläche schlug gegen sein Gesicht. Er zog die Knie an und stieß sich ins tiefere Wasser ab.

Wieder kam der Manta, gewillt, diesmal den Todesstreich anzubringen. Seine schwarze Gestalt glitt in kürzester Entfernung vorbei, nur als beweglicher Schatten erkennbar. Subble ortete ihn in erster Linie per Ohr. Er stellte fest, daß er für den Augenblick sein Sehvermögen im Infrarotbereich verloren hatte. Dieses war für Beschädigungen viel anfälliger, weil es künstlichen Ursprungs war. In dieser Situation war er im wahrsten Sinne des Wortes blind.

Eine sengende Klinge zuckte über seine Schultern und legte das Fleisch offen. Schmerzhaft, aber nicht kritisch. Doch das Ende war nahe, wenn er nicht innerhalb von Sekunden davonkam.

Subble tauchte. Der Ozean war hier nur einen guten Meter tief, aber das reichte. Der furchtbare Schwanz konnte ihn durch so viel Wasser nicht treffen. Er war sicher, solange er den Atem anhalten konnte.

Er konnte das Stampfen des Fußes auf der Oberfläche hören, als der Manta seine Kreise zog. Der Manta würde ihm die obere Hälfte seines Kopfes wegschlagen, sobald er über dem Wasser erschien, aber er würde ertrinken, falls er nicht in der nächsten Minute auftauchte. Er hatte auch im Wasser gute Hilfsmittel und konnte normalerweise ziemlich lange unten bleiben, aber er war unter wenig vorteilhaften Umständen ins Wasser gegangen. Wenn er den Manta nicht irgendwie täuschen konnte, um Zeit für einen Atemzug zu gewinnen ...

Die Gestalt blieb unmittelbar über ihm, als er fortfuhr, aufs Meer hinauszuschwimmen. Subble schoß zur Oberfläche hoch und schnappte nach Luft, bevor der Manta drehen konnte. Das Handicap des Mantas war es, daß er über dem Wasser nicht an einer Stelle verharren konnte. Er mußte sich bewegen, und das gestattete Subble zwischen den Schwimmstößen ein paar Sekunden. Wenn der Manta wendete, war er schon wieder unten.

Aber wie lange konnte er durchhalten? Er konnte seinen Widersacher nicht überwältigen, indem er sich vor ihm versteckte. Wenn er sich auf diese Weise bis zum Tagesanbruch hielt – würde sich die Kreatur wahrscheinlich in den Schatten einer anderen Insel zurückziehen. Dann würde die Nacht wiederkommen ...

Subble lauschte und interpretierte das Ausbleiben der lauten, klaren Töne, die das Wasser übermittelte, und die seltsamen Geräusche, die statt dessen zu ihm durchdrangen.

Der Manta jagte ihn – *unter der Oberfläche.*

Aber fast augenblicklich war er wieder aus dem Wasser heraus und setzte den Flug fort. Nun begriff Subble, was geschehen war: Der Manta war unter die Wasserlinie vorgestoßen, eine kurze, zeitlich begrenzte Aktion, die von der Anfangsgeschwindigkeit abhing. Eine Sekunde zu lang, und er würde gefangen sein, weil ihm der Schwung fehlte, wieder erfolgreich in die Luft zurückzukehren.

Warum war er so ein Risiko eingegangen? Wenn er ihn nicht von der Oberfläche aus lokalisieren konnte ...

Subble durchdachte es. Der Manta war von einer Wahrnehmung abhängig: Sicht. Notwendigerweise mußte ein Auge, das seine eigene Strahlung lieferte, den Energieausstoß scharf einschränken, wenn es seine Reserven nicht vorzeitig erschöpfen wollte. Selbst eine einfache Taschenlampe erschöpfte bald ihre Batterie. Menschliche Wesen, die externe Lichtquellen anwandten, verbrauchten fünfundzwanzig Prozent ihrer Körperenergien allein im Zusammenhang mit ihren Augen. Für die Selbstleuchter von Nacre würde das Verhältnis noch viel ungünstiger aussehen, wenn sie nicht beträchtlich effizienter waren.

Aber ein scharf gebündelter Strahl war buchstäblich ziemlich unbrauchbar, wenn es galt, ein bestimmtes Objekt im Raum zu orten. Selbst die Weitwinkelwahrnehmung eines irdischen Auges benötigte besondere Synapsen, um Bewegung ausmachen zu können. Eine Kröte zwischen den trockenen Blättern eines Waldbodens war unsichtbar, obwohl sie sich mitten im Blickfeld befand, es sei denn, sie bewegte sich. Periphere Sicht und Empfänglichkeit gegenüber Bewegungen waren lebensnotwendig für jede Kreatur, die sich selbst bewegte. Der Manta schien keins von beidem zu besitzen. Er ließ seinen fein gebündelten Strahl über alle Objekte gleiten und wußte mit Hilfe seines biologischen Radars, was sie waren und wie sie sich bewegten.

Subble durchbrach die Oberfläche und blickte sich um. Er befand sich jetzt im tiefen Wasser und hatte den ganzen Golf zu seiner Verfügung, um sich darin zu verbergen. In seinem Sichtfeld war es immer noch dunkel. Offenbar hatte er sein Infrarot auf Dauer verloren. Er konnte das allerdings in beträchtlichem Maße kompensieren, da dies die böseste seiner Verletzungen zu sein schien, abgesehen von dem Schnitt auf dem Rücken und den Kopfschmerzen, die er unterdrücken konnte. Er war imstande, den weißen Strand und die hohen Sterne zu sehen, nur das Schwarz in Schwarz des Mantas entging ihm optisch. Aber er konnte ihn in der Entfernung gut genug hören und das unverwechselbare pilzartige Aroma riechen.

Er hatte einiges Blut verloren, und sein Hals war steif. Dennoch befand er sich insgesamt in guter Verfassung.

»Hierher, Bruder«, rief er.

Und der Manta schnellte herum und kam auf ihn zu. Er hatte gehört!

Hastig tauchte Subble unter und suchte eine andere Position. Wie konnte eine Kreatur ohne Hörapparat auf Schallwellen reagieren? Cal hatte ihm eine Kopie von Aquilons Sektionsbildern gezeigt. Der Manta besaß keine Ohren, und seine Haut war nicht für sonische Vibrationen empfänglich. Er hatte nur sein Auge.

Oder er konnte tatsächlich Schallwellen *sehen* ...

Er durfte es nicht riskieren. Offensichtlich *konnte* der Manta ihn lokalisieren, wenn er Geräusche von sich gab. Und selbst wenn ihm das leise Plätschern des Kopfhebens im entfernten Wasser entging, würde er Geräusche in nächster Nähe ebensowenig übersehen wie die Dampfwölkchen seines Atems.

Er kam hoch. Da wechselte der Gegner den Kurs und schoß auf ihn los. Wieder einmal hatte er aus der Erfahrung gelernt. Er erkannte Subbles charakteristische Geräusche und beobachtete die sich ausbreitenden atmosphärischen Wellen, die seine Töne waren. Subble hatte seinen Hauptvorteil verschenkt.

Wieder blieb ihm nur die Wahl zwischen weiterem Rückzug und ... Tod.

Es war besser, den Feind auf dem Land zu stellen, wo eine Niederlage genauso wahrscheinlich war wie der Sieg. Wenn er den Manta nur besser verstehen könnte!

Und plötzlich tat er es. Die Sache, die Cal angedeutet hatte, ohne sie ausdrücken zu können, die Sache, die den Manta so unglaublich gefährlich für die Erde machte – die Teile des Puzzles fügten sich endlich zusammen.

Er holte tief Luft und kraulte mit kräftigen Stößen zu seinen Ausrüstungsgegenständen zurück. Er blieb so lange unten, wie es die geringer werdende Tiefe gestattete, tauchte dann mit angehaltenem Atem lautlos auf. Die Flut hatte ihren Höhepunkt erreicht. Der Korb wurde fast von den Wellen berührt, war aber noch nicht angetastet worden.

Daneben hockte ein dunkler Buckel. Der Manta hatte ihn erwartet! Aber er griff nicht an. Erleichtert erkannte er, daß es sich um einen der Beobachter handelte, einen am Kampf Unbeteiligten. Er würde ihn in Ruhe lassen.

Vorsichtig kniete er neben dem Korb nieder und holte die Lampe hervor. Er fand ein Streichholz und riß es an. Als es aufflammte, wirbelte der entfernte Manta herum. Er war sich des Geräuschs oder der Ausstrahlung von Hitze und Licht oder anderen Charakteristika des Feuers bewußt. Subble brachte die Flamme an die Tülle der Lampe heran und wünschte sich, daß sie schnell anging. Dann bewegte er sich dem Zentrum des Strands entgegen.

Der Manta verließ das Wasser und schoß über den schmalen Strand, wobei das Auge mit typischem Flackern auf ihn gerichtet war. Subble hielt eine Handvoll Steine und Muscheln bereit, aber der Manta wich der regelmäßig brennenden grünen Flamme aus. Wurde er ebenfalls durch das Halluzinogen beeinflußt? Oder argwöhnte er eine weitere ausgeklügelte Falle?

Subble inhalierte in dem Bewußtsein, daß er zuviel nahm. Aber er war begierig darauf, daß die Wirkung der Droge einsetzte.

Der Manta umkreiste ihn wachsam.

Cal hatte recht gehabt. Unter den gegebenen Umständen war dies der einzig vernünftige Weg zum Verstehen. Und er mußte die Kreatur verstehen, bevor er wagte, sie zu töten.

Der Alte war im Begriff zu sterben.

Mühsam machte er sich auf den Weg zum Platz des Hinscheidens. Er kletterte den schmalen Pfad empor, obwohl er kaum in der Lage war, seine brüchigen Aerosegel auszubreiten. In regelmäßigen Abständen rastete er, wobei sein massiger Körper müde zusammensackte und das Auge lethargisch vor sich hinstarrte. Die Jüngeren, Kräftigeren passierten ihn grüßend und zogen weiter, um ihm eine weitere Zurschaustellung seiner Inkompetenz zu ersparen. Der letzte Weg mußt allein zurückgelegt werden.

Schließlich erreichte der Alte das höchste Plateau und brach schmachvoll im ebenen Staub zusammen. Dies war das Ende, aber hinter dem glasigen Auge hatte sich das Leben erhalten.

Blind stellte sich der Alte auf seinen erschlafften Fuß. Sein Körper schwoll gewaltig an. Das erloschene Auge wölbte sich vor und explodierte. Der Körper platzte auseinander. Eine Wolke von rauchartigen Partikeln stieg in die Luft empor und durchdrang langsam die Atmosphäre.

Der Körper kollabierte, eine leere Hülle, in der kein Leben mehr war. Er wartete jetzt nur noch auf die periodische Vernichtung durch das Feuer aus dem Himmel. Kein Omnivore würde die Überbleibsel nach der Verbrennung antasten. Das Leben war nicht zerstört worden. Es war in Myriaden von mikroskopisch kleinen, frei schwebenden Sporen übergegangen. Der Alte hatte seine Gene der Welt zur Verfügung gestellt.

Die Sporen stiegen in die Höhe, zerstreuten sich, als sie über die Klippen trieben und von den zirkulierenden Winden erfaßt wurden. Sie zogen dahin, so viele, daß eine Ziffer gefolgt von sechsundzwanzig Nullen dabei herauskam. Ihre Bewegungen waren zufällig, im wahrsten Sinne des Wortes. Sie wurden geleitet von Luftwirbeln und Strömungen und von den sanften, statischen Abstoßkräften ihres eigenen gemeinsamen Lebens. Sie waren männlich und weiblich, sich selbst ergänzende Halbchromosome gleicher Anzahl, aber die Abstoßkräfte hinderten sie daran, sich miteinander zu vereinigen. Und so verbreiteten sie sich und verschmolzen mit dem unbelebten Staub und wanderten dorthin, wohin sie das Schicksal führte. Sie waren von ihrer Umgebung fast nicht zu unterscheiden.

Die Zeit verging. Um ein Vielfaches dezimiert zogen die Sporen weiter, ließen sich auf Klippen und Ebenen, auf Lebewesen und Vegetationen nieder, stiegen in den Himmel empor und versanken im Wasser. Pilze und grasende Herbivoren ernährten sich von ihnen. Einige starben und verrotteten, während andere den Gipfel erreichten und von der mörderischen Strahlung des höheren Sonnenlichts vernichtet wurden. Einige wurde begraben und eingekapselt, legten sich für unendliche Zeiten zum Schlaf nieder und warteten auf ihre Bestimmung, die niemals kam. Quadrillionen blieben übrig, über den ganzen Planeten verteilt. Dann Trillionen und schließlich nur noch Billionen.

Andere Sporen von anderen Uralten vermischten sich mit ihnen: Pilze, Schimmel, Lebewesen zahlloser Gattungen. Es gab jetzt keine Möglichkeit mehr, ihre immer geringer werdende Zahl zu schätzen, und nur noch selten trafen zwei Nachkommen des Alten aufeinander. Aber einige wenige von ihnen trafen auf gleiche Sporen, die von anderen Angehörigen der Spezies freigesetzt worden waren, und wenn es ihr Geschlecht möglich machte, verschmolzen sie miteinander. Die Vereinigung hatte stattgefunden, und aus den beiden Sporen wurde ein einziger Embryo.

Vielleicht nicht mehr als eine Million von den Sporen des Alten erreichten im Verlauf ihrer fruchtbaren Jahre dieses Stadium, und für fast alle bedeutete es die Vernichtung. Miteinander vereint, mußten sie wachsen – und dazu gab es wenig Gelegenheit. Wo sie landeten, bildeten sie ein Fadengeflecht und suchten nach Nahrung, aber es gab nur selten etwas, was sie gebrauchen konnten. Einige scheinbar ähnliche Embryos gediehen in organischem Staub und kämpften erbittert darum, aber die Nachkommen des Alten wurden hier dahingerafft. Andere fielen auf das Aas und ernährten sich von dem toten Fleisch, sie jedoch nicht.

Die Zeit lief ab. Die vereinten Sporen wuchsen ohne Nahrungsaufnahme, und ihre Energien verpufften im Nichts. Einige wurden die Beute von mikroskopischen Omnivoren. Einige fanden einen geeigneten Rastplatz, konnten aber nicht wachsen, weil sie durch innere Defekte, schädliche Strahlungen, rauhe Behandlung oder umweltmäßige Unverträglichkeit daran gehindert wurden. Einige wuchsen zu langsam und wurden von Konkurrenten um die Nahrung eliminiert. Und einige waren nicht lebensfähige Mutationen.

Einer überstand alle Widrigkeiten und etablierte sich: als Parasit auf dem Körper eines mächtigen Lebewesens. Dieser eine entwickelte das charakteristische Symbol, an Hand dessen er für sein ganzes weiteres Leben als Individuum identifiziert werden konnte: ein verschlungenes Netzwerk, das einen Kompromiß zwischen den Symbolen seiner unbekannten Eltern repräsentierte. Ein oberflächlicher Betrachter würde es als geometrischen Diamanten mit unbedeutenden strukturellen Abweichungen bezeichnen.

Diam hatte das erste Stadium intelligenten Lebens erreicht.

Der Wirtskörper tobte umher und kämpfte, und die Parasiten auf seiner Haut wurden zerschmettert, zerquetscht und weggefegt. Nur Diam überlebte lange genug, um seinerseits Mobilität entwickeln zu können, bevor der Wirtskörper seine eigene wilde Existenz im Kampf mit einem anderen seiner Art beendete.

Diam riß sich los und floh, ein springender Zwerg in Insektengröße, bevor sich der Körper des Omnivoren unter den Verdauungssäften seines Bezwingers auflöste. Bisher hatte nur der Zufall sein Überleben gesichert. Jetzt hatte er selbst die Kontrolle übernommen. Ob er weiterlebte oder starb, hing von seinen eigenen Fähigkeiten ab. Er lebte. Er schmarotzte auf den Omnivorenbabys, die sich ihrerseits von Staub und Leichnamen ernährten, und er wuchs.

Rechtzeitig traf er einen Erwachsenen seiner Gattung, einen voll ausgewachsenen Karnivoren. Der Manta nahm Diam in seine Obhut und half ihm bei seinem Lebensunterhalt. Andere wurden auf ähnliche Weise geborgen, bis eine Herde von Hüpfern der verschiedensten Eltern zusammen waren: Diam, Circe, Star, Pent, Hex, Lin und verwandte Symbole. Gegenwärtig sicher wurden sie fett und tolpatschig und lernten, miteinander zu kommunizieren und individuelle Muster zu erkennen.

Ihre wachsende Größe brachte Probleme mit sich, denn die Aerodynamik einer Kreatur, die nur ein paar Gramm wog, änderte sich, wenn sie während eines relativ kurzen Lebensabschnitts mehr als ein Pfund zunahm. Die Schwerkraft wurde zu einem bedeutsamen und unangenehmen Faktor. Eine tolpatschige Landung tat weh. Die außerordentliche Schnelligkeit des Wachstums ließ Diam und seine Pflegegeschwister ständig mit Balanceproblemen kämpfen, und die immer größer werdenden Komplikationen bei der Kommunikation beanspruchten ihre noch bescheidenen Fähigkeiten auf das äußerste. Es wurde so viel verlangt!

Dann, als sie nahe daran waren, alles zu meistern, bekamen sie einen widerwärtigen Befehl. Sie wurden zum Platz des Hinscheidens gebracht und dort in die Obhut eines blinden, fremden Omnivoren gegeben. Es war der Beginn eines Exils, von dem sie wußten, daß es für die meisten von ihnen lebenslange Trennung von ihresgleichen und unehrenhaften Tod bedeutete.

Der zweifüßige Omnivore stand über Pents zerschmetterten Körper gebeugt. Seine glatten, steinrunden Augäpfel bewegten sich hin und her. Das mit fünf Facetten versehene Symbol würde nie wieder sprechen. Auge und Gehirn waren von der wilden und plötzlich wissenden Gewalt des Fremden zerschmettert worden.

Es war gut so. Der Omnivore hatte sich selbst bewiesen. Er

hatte die schrecklichen Grenzen seiner Physis gesprengt und war einem zivilisierten Wesen auf einer Ebene gegenübergetreten. Während sich Pent in rauchende Sporenwolken auflöste, war es endlich erlaubt, mit ihm ohne Zurückhaltung zu sprechen. Die anderen Omnivoren waren harmlose Spieltiere gewesen, unfähig, den Kodex eines Kriegers zu verstehen, nicht würdig, am Wissen der Elite teilzuhaben. Dieser eine – dieser eine war ein Gleichgestellter.

Diam stellte sich vor das primitive künstliche Auge, das der Omnivore mitgebracht hatte. Es war unbequem, mit Hilfe eines solchen Mechanismus kommunizieren zu müssen. Aber genauso unangenehm war die Vorstellung von einem intelligenten Omnivore oder einer Welt, in der grüne Pflanzen auf dem Boden Fuß gefaßt und sich auf groteske Weise vermehrt hatten. Wenn der Fremde schnell genug lernte, konnte auf die Maschine bald verzichtet werden.

Der Kugeläugige gestikulierte plump mit seinem Vorderglied. Eine bildhafte Darstellung nahm Form an, so vereinfacht, daß man ihr kaum folgen konnte. Es gab doch bestimmt eine bessere Methode, diesen Job zu erledigen! Totales Verstehen würde äußerst mühsam werden, wenn jede Kommunikation durch dieses Hemmnis gefiltert werden mußte.

Der Omnivore schien das zu begreifen. Er saugte noch mehr von den Dämpfen ein, die dem brennenden Behälter entstiegen, und kehrte zurück, um es erneut zu versuchen.

Dann begann er zu lernen. Verhältnisse klärten sich, Symbole machten tanzende Verwandlungen durch, und die Kreatur wurde mehr und mehr empfänglich für Eingebungen. Ein wahrhaft mächtiger Intellekt kam zum Vorschein, ein in steigendem Maße . . . kranker allerdings.

»Wie Schimmelpilze!« projizierte er und zeichnete in zusammengefaßter Form die Lebensgeschichte des lokalen Beispiels auf.

Ein schleimiges, gallertartiges Plasmodium kroch unter die Blätter, die auf den Boden des Monsterpflanzenwalds gefallen waren. Es umschlang die organische Materie, die es entdeckte, und verzehrte sie behaglich. Dann, ins Licht hinauskriechend, wechselte die gelbliche Kreatur in einen unbelebten Status über und blühte. Bräunliche Ballen stiegen an schlanken, orangefarbenen Stengeln empor und öffneten sich, um die schwebenden Sporen freizusetzen. Diese sanken auf Wasser, keimten und brachten winzige Flagellen hervor, die es ihnen ermöglichten zu schwimmen. Zwei kamen zusammen und vereinigten sich. Sie fanden zurück ans Land und begründeten die ursprüngliche Schimmelformation.

»Ihr habt euch also tatsächlich aus dem Dritten Königreich entwickelt – aus den Pilzen!« stellte der Omnivore fest, als ob dies nicht offensichtlich und vernünftig war.

Die Parallele zu den primitiven Schimmelpilzen war ungenau, aber so eine Kreatur mochte durchaus der Vorfahr aller intelligenten Lebewesen auf Nacre gewesen sein. Erstaunlich war, daß es sich genauso auf der Erde abgespielt hatte. Hier hatten es die fungoiden Formen nicht geschafft, sich richtig weiterzuentwickeln. Dafür hatten die Pflanzen den Planeten überrannt. Und die Tiere, die weder aus Licht und Mineralien Nahrung schufen noch die Überreste auflösten, um den Kreislauf zu vervollständigen, hatten irgendwie die Vorherrschaft über alles gewonnen. Die Vorstellung, daß eine Lebensform keinen sinnvollen Zweck erfüllte und doch Intelligenz entwickelt hatte, war abstoßend. Aber nichtsdestoweniger war es eine Tatsache, die anerkannt werden mußte.

Diese Lebewesen behielten während ihres ganzen Lebens zwei unterschiedliche Geschlechter bei und gaben ihre Sporen lange vor ihrem Tod weiter. Sie ließen das Stadium des in der Atmosphäre Schwebens völlig aus und zogen es vor, ihre Embryos in ihrem lebenden Fleisch aufzubewahren.

Was für andere Monstrositäten mochten im Universum noch zu finden sein?

Circe, Symbol des Kreises, war für diese Episode ausersehen, aber Diam las sie zuerst:

»Die Mantas betrachteten *uns* als Schoßtiere?« fragte Aquilon verblüfft. »Nachdem wir sie aufgezogen und auf den weiten Weg zur Erde mitgenommen haben?«

»Nicht genau. Aber die Zurückhaltung, euch aus Gründen

der Gewohnheit oder des Instinkts zu töten, fiel ihnen sehr schwer.

Subble sah zu, wie sie in ihrem Apartment auf und ab ging.

»Von Anfang an betrachteten sie euch alle drei als Omnivoren. Sie waren sich sehr bald über eure Nahrung im klaren. Nicht auf Grund einer mysteriösen Aura, sondern ganz einfach, weil sie euch beobachtet hatten. Veg hatte keine Fleischreste zwischen seinen Zähnen, und sein Atem lieferte dafür den eindeutigen Beweis. Sie konnten die mikroskopisch kleinen Partikel in der Luft sehen, die wir als Geruch interpretieren. Aber die Spezies Homo sapiens *ist* omnivorisch, und das Bemühen einiger Individuen, davon abzuweichen, ist eine Seltsamkeit, abgesehen von der Seltsamkeit der ganzen Lebensform an sich. Sie konnten sich keinen Nacre-Omnivoren vorstellen, der friedfertig zusammen mit einer Herde von Herbivoren graste. Sie wunderten sich darüber eine lange Zeit und fragten sich, ob diese Inkonsequenz ein Charakteristikum des Königreichs war.«

Sie kam, setzte sich auf seinen Schoß und strich ihm mit der Hand über die Wange. »Warum hat dann der eine Manta Veg und mich daran gehindert, zusammenzukommen? Wenn er *wußte*, daß wir alle von derselben Art waren . . .«

Subble fand den Reißverschluß und zog daran. Ihre Bluse öffnete sich.

»Weil er die Regeln eures Spiels nicht ganz verstand. Von Natur aus wart ihr omnivorisch, aber eure Handlungsweise wich davon ab, nicht nur was eure Nahrung anging, sondern auch in bezug auf die Sorgen, die ihr euch umeinander machtet. Echte Omnivoren kooperieren niemals miteinander. Er wollte euch drei studieren und hielt es für möglich, daß Veg nur bei euch war, um zu gegebener Zeit euren Hunger zu stillen. Abgesehen von seiner natürlichen Abneigung gegen Kannibalismus – eine andere Eigenschaft der Omnivoren – wollte er euch als Gruppe beobachten und mußte daher auf Nummer Sicher gehen, bis er Klarheit hatte.«

»Da ist etwas, was du wissen solltest, bevor wir uns lieben«, murmelte sie.

»Ich weiß, daß du wunderschön bist«, sagte er.

Sie lächelte. Und durch diesen Ausdruck wurden ihre lieblichen Züge schlaff und auf groteske Weise unansehnlich. Der vibrierende Körper schien sich in sich selbst zurückzuziehen und wurde zu einer weichen Puppe.

Subble stieß sie von sich. »Das macht alles klar. Du bist davon geheilt worden. Ich habe dich schon vorher lächeln sehen.«

Er stand auf und marschierte auf die Lampe zu, die er jetzt auf dem Fußboden entdeckte.

»Ich stehe immer noch unter dem Einfluß des Halluzinogens. Verdammte Überdosis.«

Er langte hin, um sie auszulöschen, obwohl sie grell hochloderte.

Circe löschte den Rest.

Die verstümmelten Körper waren längst verzehrt worden. Die fremden Gebilde, die sich Knochen nannten, hatten sich verstreut, aber die alte Einzäunung schien noch immer die Nacht des Überfalls zu reflektieren, in der die außerplanetarische Kolonie ausgelöscht worden war. Zahllose Pilze wuchsen in den Ritzen der zerstörten Gebäude, Staub und Trümmer bedeckten die stillstehenden Maschinen. Die Beete der Erdenpflanzen waren nur noch in Umrissen zu erkennen. Die Pflanzen verrotteten, wo sie gestorben waren, als die Mechaniker, die die Sonnenlampen warteten, verschwanden.

Star bewegte sich weiter. Niemals zuvor hatten seine Leute eine ganze Bevölkerung abgeschlachtet. Es war unangenehm für ihn, die Szene in seinem eidetischen Gedächtnis nachzuspielen, das er durch seinen Älteren bekommen hatte, der dabeigewesen war. Er bedauerte die Aktion nicht, denn alles, was die Gruppe beschloß, war richtig, aber ihm mißfiel die Verschwendung. Ja, jene waren gefährliche Omnivoren gewesen, die, wie es ihre Natur entsprach, alles wahllos töten und dadurch den Präzedenzfall geschaffen hatten. Aber ihr Fleisch hatte sich als von ganz anderer Beschaffenheit erwiesen und war nur schwer zu verdauen gewesen. Die Beseitigung aller achtzehn Körper war eine schreckliche Anstrengung gewesen, aber der Manta war verpflichtet, das zu essen, was er tötete.

Mit ihrer Unfähigkeit zu kommunizieren, schienen die Fremden monströs gewesen zu sein, aber die weitere Entwicklung hatte die Frage aufgeworfen, ob es wirklich notwendig war, sie ganz von ihrem Unglück zu befreien. Vielleicht wäre es besser gewesen, sie vorher gründlicher zu studieren.

Dann war eine andere Gruppe aus dem feurigen Himmel herabgestiegen und hatte eine mächtigere Basis errichtet, die den Kontakt unterband, bis ein Trio isoliert wurde. Die Gelegenheit war gekommen – wenn die Individuen vor den Gefahren der Welt und ihrer eigenen rätselhaften Natur geschützt werden konnten. Der erste, der sie entdeckte, hatte sie wieder verloren, als sie in ihrer Maschine flohen. Der zweite war gestorben, als sie seine Absichten mißverstanden. Der dritte hatte in der Nacht den Kontakt hergestellt und sie zum Platz des Sterbens geleitet, wo sich die Gruppe versammeln konnte. Zum Teil waren sie zu diesem Zeitpunkt schon zahm.

Dann war der häßlichste Omnivore weniger erschreckend geworden. Star fand dies alles in den überlieferten Bildern, und es half ihm, das erstaunliche Bewußtsein des gegenwärtigen Omnivoren.

Diese Kreaturen waren nicht völlig wild.

Diam: »Berichten Sie!«

Subble stand vor dem Aufnahmegerät des Direktorpodiums und sprach zu dem Mann oder den Männern, die ihn kontrollierten – Männer, die er niemals gesehen hatte.

»Ich interviewte die drei Personen auf der Liste und stellte fest, daß das Problem sie nur indirekt betraf. Jede Person versah mich mit einem Teil der gemeinsamen Erfahrungen auf dem Planeten Nacre, aber das Gesamtbild blieb unvollständig. Der Schlüssel lag bei den Repräsentanten der dominierenden Spezies des Planeten, die von dem Trio als Schoßtiere importiert worden waren. Sie wurden bei der Quarantäne als unfruchtbar eingestuft und im Verhältnis eins, eins und sechs unter den drei Personen aufgeteilt, als diese sich wieder auf der Erde niederließen. Die Menschen fürchteten um die letztliche Sicherheit dieser fremden Karnivoren und versteckten sie an verschiedenen

Orten. Außerdem gab es persönliche Probleme, die eine zeitweilige Trennung befürworteten. Diese Umstände . . .«

»Wir wissen über diese Umstände Bescheid. Fahren Sie fort!«

Subble zeigte sich über diesen Beweis für eine Paralleluntersuchung nicht überrascht.

»Vollständiger Kontakt war nicht erreichbar, bis jemand von unserer Spezies sich den Respekt des Mantas verdiente, indem er sich ihm in einem ehrenhaften Kampf gegenüberstellte. Wie bei uns hat auch bei ihnen die physische Wertschätzung den Vorrang vor der intellektuellen Wertschätzung. Ich traf ihren Repräsentanten an einem Strand und . . .«

»Wir kennen die Einzelheiten. Fahren Sie fort!«

Dieses Mal zögerte er sichtlich. »Es war ein Unentschieden. Ich nahm schließlich abermals die Halluzinationsdroge, um zu meinem Opponenten eine engere Beziehung herzustellen, so daß . . .«

»Natürlich! Fahren Sie fort!«

»Nachdem ich ihn tötete, wurde mir klar, daß ihre fungoide Natur eine furchtbare Gefahr für . . .«

»Fahren Sie fort!«

»Weil die Erde jetzt selbst weitgehend abhängig von . . .«

»Fahren Sie fort!«

»In dem Augenblick, in dem einer stirbt . . .«

»Fahren Sie fort!«

Subble sprang auf das Podium und schlug den Schirm zur Seite. Ein einzelner Manta stand dort und starrte funkelnd in den Übersetzungsapparat.

Subble packte die Lampe und schleuderte sie gegen die Wand. Das Öl floß heraus. Die grüne Flamme griff hungrig um sich.

Diam entschwand aus dem Blickfeld. Dasselbe geschah mit dem Podium und dem Rest der Szene. Es gab nur noch das lodernde, lebende Feuer.

»Nächste Strophe«, rief Subble.

Fünf Mantas:

Subble stand auf dem Sand und beobachtete, wie sich Pent

bewegte. Er hatte die Droge genommen, bevor er den Manta tötete, was bedeutete, daß seit dem Zeitpunkt des Inhalierens alles zweifelhaft war, sogar das Töten selbst. Er konnte nichts davon trauen. Und er konnte nicht riskieren, die Lampe wieder anzuzünden.

Pent umkreiste ihn, griff aber nicht an. Warum hatte ihn die Kreatur nicht getötet, als er von Wunschvorstellungen benebelt dastand? Was hielt ihn jetzt zurück?

Hatte er Furcht vor dem mykotischen Halluzinogen? Hatte die Droge, die dem Bewußtsein eines Menschen falsche Bilder aufpfropfte, einen ähnlichen Effekt auf den Manta? Oder war das Resultat für ihn noch schwerwiegender?

Seine Hand schwebte über der Lampe, zögerte, sie auszudrücken.

Dann wurde es ihm klar: Er hatte zweimal versucht, die Flamme zu löschen – ohne Erfolg.

Er war lediglich in eine neue Sequenz übergewechselt. Welche Garantie hatte er, daß dies nicht ein anderer Alptraum war – und die Lampe eine Illusion?

Wie konnte er sie ausmachen, wenn der Akt des Löschens selbst ein Traum war?

Subble lächelte. Der Manta hatte nicht attackiert, weil er sein Spiel nicht verstand. Warum sollte er an Land bleiben, wo seine taktische Position erwiesenermaßen geschwächt war? Weil ihm etwas ganz Besonderes eingefallen war – deshalb?

Und vielleicht war das so. Er war nicht mehr derselbe Mann, der den Kampf begonnen hatte. Die Dinge, die er sah, waren jetzt ganz anders. Er betrachtete Pent aus einer neuen, bewundernden Perspektive und würde nicht so reagieren, wie er es vorher getan hatte. Die Information war auf halluzinatorischem Weg übermittelt worden, so als ob er zugehört hätte, wie der Manta den vierten Teil der Geschichte erzählte, in die er sich genauso eingelebt hatte wie in die Erzählungen der Menschen. Aber das bedeutete nicht, daß es null und nichtig war.

Im Gegenteil. Er mußte Pent getötet und sich den Kontakt verdient haben. Er hatte gelernt, die peripheren Signale zu interpretieren, ohne weiterhin von dem Empfänger abhängig zu sein. Die Droge hatte sein Bewußtsein für Eingebungen empfänglich gemacht, sogar für fremde Eingebungen. Als er sie in der Gegenwart des Mantas eingenommen hatte, hatte er das Weltbild des Manta nachgebildet und zum Teil genau das gesehen, was der Manta sah, etwas modifiziert durch sein Menschsein. Etwas . . .

Aber Pent umkreiste ihn noch immer – lebend. Er konnte sich die ganze Sache eingebildet haben, den fungoiden Ursprung der Mantas eingeschlossen. War er Sieger oder Besiegter?

Zweimal war die Vision von seinen Ambitionen dominiert worden. Und zweimal hatte er dies festgestellt und für Abhilfe gesorgt. Agenten waren nicht dazu da, Ambitionen zu entwickeln. Solche Visionen deuteten auf einen Persönlichkeitszusammenbruch hin, der ihn als Agenten unbrauchbar machte. Aquilons wundervoller Körper hatte ihn gereizt, und so hatte er sie in eine willfährige Situation versetzt, genauso wie er es vielleicht in seinem Unterbewußtsein getan hätte, wäre ihm ein solches überhaupt beschieden gewesen. Davor zurückschreckend hatte er dann einen Sprung nach vorne gemacht – der Beendigung seiner Mission entgegen. Und dieses Mal hatte er die Verzerrung schneller erkannt.

Die Droge beeinflußte sein Wahrnehmungsvermögen, indem sie jeden durchziehenden Gedanken verwirklichte, der genug Kraft besaß. Er hatte eine Überdosis genommen, aber diese beeinträchtigte sein Denkvermögen oder sein Gedächtnis nicht. Er hatte eine Welt von Halluisionen betreten, aber er konnte sie kontrollieren.

In diesem Augenblick glich er die Hal . . . *Ill*usion der Wirklichkeit an. Er konnte jetzt die Flamme erfolgreich löschen, mußte es jedoch nicht. Unter der Voraussetzung, daß seine Überlegungen stimmten. Andernfalls saß er sowieso in der Falle. Er machte einen Test.

Der Dschinn Myko erschien, grinsend.

»Setz deinen Turban auf«, sagte Subble.

Der Sklave gehorchte.

»Töte Pent.«

»Pent ist schon tot, Meister.«

»Nun, dann töte ihn abermals.«

»Mit Vergnügen!« Myko wurde riesig, schlang gewaltige, juwelengeschmückte Hände um Subbles Hals.

Die fünf sahen zu, wie er starb, unfähig, den Omnivoren vor sich selbst zu schützen. Der Kontakt hatte sich letzten Endes doch als Mißerfolg herausgestellt.

Cal wachte ruckartig auf. Der Traum verblich.

Seltsam, wie es zu einer fixen Idee geworden war: die simple Tatsache, daß er das Blut des Nacre-Omnivoren getrunken hatte. Er wußte jetzt, daß er an demselben Zwangssyndrom gelitten hatte wie Veg und Aquilon, nur daß die beiden nicht dieselbe intellektuelle Entschlossenheit besessen hatten, es bis zu einem so makabren Extrem zu bringen. Die simple Weigerung, Fleisch zu essen oder zu lächeln ... *Er* hatte sein ganzes Leben in einen Alptraum verwandelt, genauso wie der Mann, der glaubte, daß er jeden Tag ein Verbrechen begehen oder sterben müsse. Cal hatte es auf sich genommen, eine Handlung auszuführen, die er als am verwerflichsten betrachtete: den parasitären Verzehr des Bluts anderer Tiere.

Er öffnete die Augen und sah Star neben dem Fenster stehen. Kündigte sich etwas an?

Sie hatten ihn besiegt, denn es war ihm unmöglich gewesen, weder den Mann noch die Frau, die er liebte, seiner eigenen Morbidität zu opfern. Veg hätte sich wie ein treues Pferd bis zum Kollaps weitergeschleppt, indem er drei Kilometer schwerbepackt zurücklegte, während die anderen ohne Last blieben. Aquilon wäre bereit gewesen zu verbluten. Und dies, um die schwächliche Kreatur zu retten, die sie Freund nannten. Die beiden hatten seinen Todeswunsch überwunden, indem sie den Preis des Erfolgs verdreifachten. Es war besser, daß sie lebten, als daß er starb.

Und so hatte er den Anstoß bekommen, eine Änderung herbeizuführen, und hatte nach einem Vorwand gesucht. Er hatte das Blut des Omnivoren getrunken, wohl wissend, daß es sich um eine Nährflüssigkeit handelte, die keine Ähnlichkeit mit irdischem Blut aufwies. Wie konnte es auch Blut sein, da es doch vom Leichnam eines belebten Pilzes stammte? Und von diesem ermutigenden Schritt an, von diesem Zugeständnis an die Erfordernisse von Leben und Gesundheit an, hatte er sich stetig einer normaleren Diät entgegengetastet und viel von der Kraft zurückgewonnen, die im Laufe der Jahre dahingeschwunden war.

»Wachen Sie auf und ziehen Sie sich sofort an«, sagte die Stimme, und für einen Augenblick schien es so, als habe der Manta gesprochen. »Ich werde Sie tragen.«

Das war es, was Star beunruhigt hatte. Ein Mann *hatte* sich angekündigt.

»Subble«, sagte er. »Haben Sie . . .«

»Nein. Ich bin Sueve, dazu bestimmt, diesen Teil der Mission abzuschließen. Subble ist anderweitig beschäftigt.«

Cal zog sich eilig an.

Jetzt hörte er draußen die Bewegungen von Lastwagen, von menschlichen Aktivitäten.

»Was ist los?«

»Evakuierung.« Sueve nahm ihn hoch und schritt zur Tür.

»Aber meine Bücher, meine Aufzeichnungen . . .«

»Tut mir leid. Nur Sie selbst. Ihre Kleidung wird vernichtet, wenn Sie die Desinfektion betreten.«

»Was *geschieht*?«

Aber Sueve gab keine Antwort. Er lief jetzt, die Straße hinunter, die in ganzer Länge von den Strandgeschäften gesäumt wurde. Dabei wich er den langsam manövrierenden Armeefahrzeugen und den verwirrten, hin und her rennenden Leuten aus. Star hielt mit Leichtigkeit Schritt. Der Wind pfiff an Cals Ohren vorbei. Der Agent war erstaunlich stark und schnell.

Es herrschte frühe Morgendämmerung, noch zu dunkel für das Singen der Vögel. Das Grün, Weiß und Braun der Häuser aus Kunststoff und Holz waren nur graue Schatten.

Die Wahrheit ist ein grauer Schatten, dachte er und fragte sich, wer das zuerst gesagt hatte.

Ab und zu war der Golf sichtbar, das Wasser dunkel und still. Palmen und Nadelbäume beugten sich über die windige Straße. Die Leuchtreklamen der Läden, Motels und Restaurants glänzten angesichts der Abwesenheit ihrer Eigentümer und Kunden gespenstisch. Die Evakuierung war fast abgeschlossen.

Sie schritt mit einer Geschwindigkeit voran, die er nicht für möglich gehalten hätte. Die versiegelten Lastwagen fuhren davon. Die Fahrer trugen Masken, die vor Bakterien schützten. Aber es gab keine Sirenen, keine schrillen Radiodurchsagen, keine Lautsprecherwarnungen. Alles vollzog sich lautlos. Warum?

Sueve überquerte den mit Stacheldraht gespickten Zaun des Golfplatzes. Im Zentrum des aufgewühlten Grüns stand ein Schiff. Eine Booster-Rakete, die hier schrecklich fehl am Platz war.

Dann waren sie im Inneren. Sueve stellte die Instrumente ein und schnallte Cal auf einer Hochbeschleunigungscouch fest, während sich Star gegen das wappnete, was kam.

»Was geschieht mit all den anderen Leuten? Warum auch sie?«

»Sie werden für eine gewisse Zeit interniert.« Die Kontrolltafel klickte den Countdown herunter.

Und doch war er sich sicher, daß es keine Kriegserklärung gegeben hatte, keine Nachrichten von einem herannahenden Hurrikan oder einer anderen Naturkatastrophe. Dies war eine plötzliche, totale und geheime Evakuierung der Strände. Und da konnte er nur an einen Grund denken. An den, von dem er so schuldbewußt geträumt hatte.

»Was ist mit denjenigen, die sich weigern, zu gehen? Die nach Gründen fragen? Die sich verstecken oder nicht angetroffen werden?«

»Sie bleiben zurück.«

Die Rakete zündete, und die Beschleunigung schleuderte ihn zurück in den Schlaf.

Die Linie der Männer in Feuerwehranzügen durchkämmte den Wald. Sie trieben alles vor sich her, indem sie eine Giftchemikalie versprühten.

Wo sie vorbeikamen, verwelkte das grüne Blätterwerk, und tote Insekten und Kleintiere bedeckten den Boden.

»He!« schrie Hank Jones. »Das ist mein Land! Haut gefälligst ab!«

Als er sah, daß sie ihn gar nicht beachteten, griff er nach seiner Axt.

»Geh und hol Veg her«, brüllte er Job zu. »Er wird uns helfen. Sag ihm, es ist 'ne Invasion – sie arbeiten mit Senfgas.«

Job hastete davon, als die zweite Linie der Invasoren, maskiert und bewaffnet, Hank abführte. Job sprang über die Mauer und jagte den Pfad entlang, der zum Nachbargelände führte.

Aber Veg war das Hauptziel des Vormarschs. Er hatte an diesem frühen Morgen seine eigenen Probleme, als sich die Truppen zusammenzogen.

Hex, der die Bedeutung der Waffen, des Sprays und des schwebenden Helikopterrings kannte, ließ es zu, daß er zusammen mit Veg eingefangen wurde. Die Omnivoren hatten nur wenig Sinn für individuelle Moral. Hier war die beste Verteidigung gar keine Verteidigung.

Als der Flieger abhob, stieg hinter ihnen der zögernde Rauch brennenden Holzes aus dem sterbenden Wald in die Höhe.

Joe blickte von seiner Computerliste hoch, aber da war nichts in der Halle. Der Lärm kam aus den Düsen der Belüftungsanlage. Kein Zischen, nicht das übliche Klopfen einer beginnenden Störung, sondern ein subtiler Rhythmuswechsel, so als ob sich die Beschaffenheit der Luft geändert hatte. Ein feiner Nebel trat hervor.

Er langte nach dem Telefon. Er hatte keinen Chemikalienzusatz autorisiert, schon gar nicht auf einem so wahllosen Weg wie durch die Luft. Was gut für die Kaninchen war, mußte keineswegs zwangsläufig auch für die Hühner gut sein, und . . .

Er klappte über seiner Tabelle zusammen und ließ den Hörer fallen. Die Tiere in ihren Käfigen klappten ebenfalls zusammen. In wenigen Minuten waren sie alle tot.

Jetzt strömte brennbares Gas aus den Düsen und füllte die Kammern aus. Ein Funke, und es brannte heftig, aber nicht explosiv. In fast völliger Lautlosigkeit wurde alles verkohlt. Die Farm war längst zu einem Ofen geworfen, als irgend jemand feststellte, daß es einen kleinen Irrtum gegeben hatte. Der Mann hätte eigentlich vorher evakuiert werden müssen.

Allein Circe entkam. Sie kannte die Natur des Omnivoren

gut genug und war wachsam gewesen, als die verräterischen Schallwellen der ersten Vorbereitungsarbeiten kamen. Sie raste in den Aufzug, bevor die Absperrung abgeschlossen war. Sein Mechanismus wurde durch den gleichen Strang mit Strom versorgt wie die Luftdüsen, und als die Omnivoren ihre Fehlleistung erkannten, befand sich Circe außerhalb der Todeszone.

Aber auch Aquilons Apartment war eine Falle. Frau und Manta wurden gefangengenommen und in einer Druckkapsel versiegelt. Luft und Wasser, aber keine Freiheit. Die Kapsel wurde heimlich aus dem Gebäude gebracht, als das Sprengkommando in Schutzanzügen das Apartment schleifte, die Möbel und Bilder verbrannte und das gesamte übrige Inventar zerschmolz.

Die gesichtslosen Einheiten der Feuertrupps bewegten sich gnadenlos vorwärts, lenkten ihre Tanks gekonnt an den Stränden entlang, versprühten Benzin und entzündeten es durch Feuerstöße aus ihren Flammenwerfern.

Männer rannten schreiend aus ihren brennenden Häusern: Alle, die die Umsiedlung mit Absicht oder aus Versehen verpaßt hatten, die die Quarantänestation oder den Verlust ihrer teuren Heime und ihrer Wohnungseinrichtung gefürchtet hatten, die ganz einfach stur auf ihren Rechten beharrt hatten. Der Omnivore kümmerte sich nicht um ihre Rechte. Sie rannten, wurden von den Düsen der Tanks erfaßt, und ihre Kleider und ihre Haut schälten sich wie glühende Kohlen von ihren Körpern. Hinter ihnen kamen ihre Frauen und ihre Kinder, enthäutet schreiend. Einige versuchten die massigen Tanks anzugreifen, die ihre Häuser zermalmten – und wurden selbst unter den nicht ausweichenden Metallketten zermalmt. Einige sprangen in den Ozean und schwammen unter den schwebenden weißbrüstigen Seemöven, aber das brennende Öl verfolgte sie über das Wasser und verwandelte die graugrüne Tiefe in Orange und Schwarz.

Es war schnell, es war gnadenlos. Lin, Symbol der Linie, beobachtete den Omnivoren in Aktion. Was die Tanks nicht zerstörten, zerstörten die Bomber. Als die Sonne am Himmel erschien, waren die Strände in einer Länge von hundertfünfzig Kilometern eingeebnet. Wenn dort etwas überlebt hatte, war es übel dran.

Lin entfernte sich, gedrängt von der Zeit und dem stärker werdenden Licht.

Jenseits der Strände spannten sich Netze, die weit aufs Meer hinausreichten und alle Meereskreaturen, die an der Oberfläche lebten, einfingen, Schiffe patroullierten an der Grenze – Robotschiffe, gepanzert, unbemannt, tödliche Flüssigkeiten absondernd, um die niedrigsten Regionen zu erreichen. Automatische Waffen schossen alles ab, was sich von den Seiten näherte – Vogelschwärme, einen verirrten Piloten, sogar große Insekten. Auch hier war die Absperrung total.

Lin traf die anderen bei der Robotfähre, die sie schnell davontrug, aber er wußte, was hinter ihm geschah. Eine einzelne Rakete überquerte Land und Wasser und zielte auf eine isolierte Insel. Etwa dreißig Meter über dem schmalen Strandstreifen, wo Subble lag, verschwand sie.

Die Insel wurde zu einem Ball aus Weißglut, als Land und Wasser verdampften.

Wo sie gewesen war, wuchs ein monströser Pilz heran.

»Du meinst, *alles* existiert nicht mehr?« fragte Aquilon entsetzt. »Vegs Wald, die ganze Kellerfarm, sämtliche Golfstrände?«

»Es mußte sein«, sagte Cal.

Zusammen mit den sieben Mantas drängten sie sich in einer Orbitkapsel und warteten auf die Desinfektion: ein durch und durch unangenehmer Prozeß.

»Es gibt keinen anderen Weg, um *sicher* zu sein. Und selbst die zwei Stunden, die sie für die Evakuierung vor der ... Liquidierung einräumten, waren ein kalkuliertes Risiko.«

»Ich verstehe es nicht«, sagte Veg. »Warum haben sie uns so lange in Ruhe gelassen? Keine Quarantäne, kein Ärger ... Dann ganz plötzlich – päng!«

»Weil die Behörden einige Zeit brauchten, um sich der Gefahr bewußt zu werden. Sie argwöhnten, daß die Mantas möglicherweise in einen gefährlichen Status zurückfallen könnten, nehme ich an. Als es Subble herausfand und seinen Bericht abgab, mußten sie unverzüglich handeln. Wir können uns äußerst glücklich schätzen, daß sie beschlossen, unser Leben zu retten. Das überrascht mich in der Tat.«

»*Was* für eine Gefahr? Die Mantas haben keine Krankheiten, und sie wissen, daß sie keine Leute angreifen dürfen.«

Cal seufzte. »Es ist kompliziert, aber ich will es versuchen. Kurz gesagt, die Gefahr liegt in der Natur der Mantas und der anderen Kreaturen von Nacre. Sie stammen von einer Pilzwelt, wo sich Tiere unseres Typs niemals entwickelten. Die Mantas sind die fortgeschrittensten Repräsentanten des Dritten Königreichs. Sie haben sich tatsächlich aus parasitären Pilzen entwickelt, die unserem Schimmelpilz ähneln, während diejenigen, die wir Herbivoren nennen, ähnlich fortgeschrittene Saprophyten sind. Natürlich konnten sie keine echten Herbivoren sein, da es auf der Oberfläche des Planeten keine lebende Vegetation gibt, und ganz gewiß sind sie auch keine Pflanzen.«

»Daran habe ich nie gedacht«, rief Veg. »Keine Bäume, kein Gras, keine Blumen . . .«

»Dann sind sie nicht einmal richtige Tiere?« wollte Aquilon wissen.

»Nicht wie wir sie uns denken. Parallele Evolution hat die Nacre-Wesen auf einen Stand gebracht, der dem der höher entwickelten Erdtiere erstaunlich ähnlich ist, weshalb wir auch unseren Fehler begangen haben. Aber ihr Lebenszyklus bleibt mykotisch, das heißt, sie pflanzen sich durch Sporen fort. Und während einer bestimmten Periode sind sie unfähig, sich aus eigener Kraft fortzubewegen.«

»Aber so ist es auch bei den Erdpilzen«, sagte Aquilon.

»Genau. Und wie ich Subble schon erklärt habe, sind die Erdpilze außerordentlich wichtig für die Ökonomie der Erde. So wichtig, daß keine Einmischung in ihre Entwicklung und Nutzbarmachung toleriert werden kann. Wenn wir nur unsere Hefekulturen verlieren, würden Milliarden von Leuten sterben, bevor Alternativen entwickelt werden könnten. Und wenn der Kohlendioxyd-Zyklus unterbrochen würde . . .«

Veg schüttelte zweifelnd den Kopf, und auch Aquilon schien unsicher zu sein.

Cal vergaß immer wieder, daß die Abläufe der Chemie für sie nur wenig bedeuteten, obwohl sie zusammen auf Nacre gewesen waren. Aber es gab noch andere Aspekte.

»Könnt ihr euch vorstellen, was für ein Chaos in unserer Zivilisation entstehen würde, wenn eine Septillion superfortgeschrittener Pilzsporen in unserer Atmosphäre losgelassen wird und sich mit den bereits vorhandenen vermischt? Millionen von Mantas könnten den Planeten überrennen und nach Omnivoren – *Menschen* – suchen, um sich von ihnen zu ernähren. In der nächsten Generation könnte es schon mehr Mantas als Menschen auf der Welt geben.«

Sie blickten ihn an, versuchten, es sich bildlich vorzustellen.

»Oder die Sporen könnten erfolgreich mit den heimischen Sporen verschmelzen und Erde-Nacre-Bastarde produzieren, die sehr wohl alles andere Leben auf der Erde zur Seite drängen könnten. Die Mantas selbst legen sich Selbstbeschränkungen auf. Sie ernähren sich nur von Omnivoren, tierischen oder fungoiden, und sie haben die Intelligenz und die Moral, eine angemessene Balance zu bewahren. Die Menschen können mit ihnen leben, wenn vielleicht auch nicht als Herrn. Aber die Bastarde könnten . . .«

»Omnivoren sein«, hauchte Aquilon. »Bestien ohne Selbstkontrolle . . .«

»Schlimmer. Sie könnten auf der molekularen Ebene operieren und anfangen, unsere gemeinen Schimmel- und Hefekulturen zu verändern. Das würde unseren Nahrungsmittelnachschub treffen. Wir können so wirkungsvoll mit unseren Pilzen arbeiten, weil sie primitiv sind. Aber wir wissen jetzt, daß ihre Evolution zu Formen führen kann, die uns in vielen Beziehungen überlegen sind. Da die meisten Mutationen nicht gutartig sind, könnte alles Leben, wie wir es heute verstehen, in Gefahr geraten, während wilde, halbprimitive Arten um die Vorherrschaft kämpfen. Unsere Hefekulturen könnten anfangen, *uns* zu verzehren.«

»Aber ich dachte immer, verschiedene Spezies könnten sich nur miteinander vereinigen, wenn sie nahe verwandt sind«, sagte Aquilon. »Die Nacre-Sporen sollten von den unseren ziemlich verschieden sein.«

»Vielleicht, vielleicht auch nicht. Wir wissen so wenig über das Dritte Königreich, daß wir einfach nicht sicher sein können. Im Königreich der Tiere gibt es keine totale Konvergenz, aber Sporen sind so ziemlich die unempfindlichsten und anpassungsfähigsten Fortpflanzungsinstrumente, die existieren. Einige könnten bis zur Reife heranwachsen, ohne sich zu vereinigen, und andere Sporen verschlingen, denen sie begegnen. Fremde Enzyme in einem heimischen Räuber könnten Modifikationen verursachen. Es gibt so viele Milliarden von Sporen in unserer Atmosphäre, daß irgendeine Art von Mutation eher wahrscheinlich als möglich wäre. Die Gefahr ist theoretisch, aber so groß, daß jede Spur des fremden Lebens auf dem Planeten getilgt werden muß. Unsere Existenz könnte davon abhängen.«

Veg dachte darüber nach. Offensichtlich hatte er nur einen Teil der technischen Diskussion verstanden.

»Wir sind seit mehreren Monaten wieder auf der Erde, und ich habe nichts Neues auftauchen sehen. Warum jetzt die Eile?«

»Und warum haben sie uns und die Mantas lebend gefangen?« fügte Aquilon hinzu.

»Ich denke, sie haben es getan, weil sie die Mantas lebend haben mußten – oder total abgekapselt in totem Zustand. Das wäre ohne uns fast unmöglich gewesen. Wir sind die einzigen, die tatsächlich Verbindung zu den Mantas haben. Sie kommen mit uns, während man sie bei einer Jagd niemals lebend gefangen hätte.«

»Schon, aber . . .«

»Versteht doch, die Kreaturen von Nacre geben vor dem Tod keine Sporen ab. Wie ich es sehe, lösen sie sich am Ende ihres aktiven Lebens in Sporen auf, wenn alles seinen natürlichen Verlauf nimmt. Aber wenn sie den Tod voraussehen, können sie sich auf eine Notfortpflanzung einrichten. Im aktiven Stadium sind sie geschlechtslos. Die Sporen sind es, die sich vereinigen. Ein individueller Manta kann also eine vollständige Kollektion von Sporen freisetzen, und unsere sind darauf eingerichtet, obwohl sie noch nicht voll ausgewachsen sind. Wenn einige von ihnen jetzt sterben, werden ihre Körper schnell in Milliarden von Sporen zerfallen, und die Belagerung beginnt. Auf der Erde ist jeder von ihnen eine hüpfende Zeitbombe.«

Aquilon betrachtete die Mantas. »Verstehe«, sagte sie nüchtern. »Sie *wollen* nicht sterben. Aber wenn sie es tun, existiert die Spezies weiter.«

»Ja. Die einzig sichere Prozedur ist lebendige Gefangennahme und Deportation – und Sterilisation des Territoriums, das sie besetzt hatten, koste es, was es wolle. Jede Person, jedes Tier, jeder Windhauch könnte verheerende Sporen mit sich tragen. Alles, was die Sperrzone verläßt, muß desinfiziert werden, und diejenigen, die sich weigern zu gehen ...«

»Was ist mit *uns*?«

»Wir sind jetzt isoliert. Ich nehme an, wir werden ins Exil nach Nacre geschickt. Vielleicht lassen sie uns zurückkehren, wenn die Mantas dort gelandet sind.«

»Zur Erde?« bemerkte Veg bitter. »Nachdem sie mein Land zerstört haben? Da bleibe ich lieber auf Nacre.«

»Ich auch«, pflichtete ihm Aquilon bei. »Ich wußte nicht, wie ... bedrückend sich die Erde anfühlt, bis ich zurückkam. Ich ...« Sie blickte auf die Mantas. »Einer von ihnen fehlt! Was ist mit ihm geschehen?«

»Ich fürchte, Subble hat ihn getötet. Das dürfte es wohl gewesen sein, was allem voranging. Sie haben nur den Wald verbrannt und dein Zimmer gesäubert, aber die Insel der Mantas ...«

Sie blickten durch die Sichtscheibe und beobachteten die gewaltige Wolke unter ihnen. Die Station befand sich in einem Orbit, der oberhalb der Golfgegend verlief, aber trotzdem konnte die Wirkung wahrgenommen werden.

»Die Sporen waren schon in der Luft«, murmelte Aquilon.

»Warum sollte er so etwas getan haben?« fragte Veg. »Er schien mir ein ganz patenter Bursche gewesen zu sein.«

»Mir auch«, flüsterte Aquilon.

»Wir werden es vielleicht nie erfahren. Er war gegangen, um letzte Nacht die sechs Mantas auf der Insel zu treffen. Das ist alles, was ich weiß.«

»Und er kehrte nicht zurück ...«, sagte sie und starrte nach unten.

Diam, der die Verdichtungen und Verdünnungen der ausgestoßenen Gase registrierte, durch die sich diese Omnivoren verständigten, verstand. Genauso wie er schließlich die letzten Signale des stärkeren Omnivoren auf der Insel begriffen hatte. Subble hatte einen dominierenden Status erreicht, indem er Pent ehrenvoll gegenübergetreten war und ihn zerschmettert hatte. Aber obwohl totale Kommunikation erzielt worden war, litt er unter schweren Wahrnehmungsstörungen. Subbles Intellekt, einmal demaskiert, war furchtbar kraftvoll gewesen. Wäre der rituelle Konflikt auf geistiger statt auf physischer Ebene ausgetragen worden, hätte er sie alle zusammen gemeistert. Sie hatten sich abwechseln müssen, um alles aufnehmen zu können, obwohl sein Bewußtsein sprunghaft gewandert war und schließlich den Kontakt ganz verloren hatte, als er starb. Sie hatten ihm so viele Informationen entzogen, wie sie nur konnten. Und sie hatten versucht, ihm das zu geben, für was er gekommen war, aber zu dem Zeitpunkt, in dem sie die Situation erfaßt hatten, war es zu spät für ihn gewesen.

Ihre Gegenwart auf der Erde war bereits verwirkt. Pents Sporen würden keine neuen Mantas hervorbringen. Die Bedingungen stimmten nicht, und es gab keine passenden Sporen von anderen ihrer Art. Aber das Risiko von Mutationen bestand.

Sie waren gekommen, um zu verstehen, nicht um zu zerstören. Zerstörung war ein Wesenszug des Omnivoren, nicht des Mantas. Dies war eine Wildniswelt ohne echte Ordnung. Die Lebensformen waren viel stärker und zäher als die, die sie gekannt hatten. Aber Subble hatte Intelligenz erreicht, und seine Art verdiente ihre Chance.

Der Omnivore war wild, hatte allerdings auch einiges, was für ihn sprach. Diam hatte gewußt, was passieren würde, als er Subbles Gerät aktiviert und den kodierten Bericht durchgegeben hatte, den Subble gemacht haben würde, wenn sich sein Bewußtsein nicht durch eine Überdosis selbst zerstört hätte. Diam hatte den Bericht nur modifiziert, um seine Brüder und die drei ursprünglichen Kontaktpersonen zu schützen. Diesen Wunsch hatte er zum Schluß im Bewußtsein des Mannes gelesen. Der Omnivore hatte sein Bestes getan, und es war angebracht, daß sein Sieg und sein Opfer geehrt wurden.

Die drei geringeren Omnivoren hatten Probleme, die er nicht verstand. Ihr Bewußtsein, darüber wurde sich Diam jetzt klar, waren ebenfalls viel kraftvoller als sein eigenes, was aber durch ihre physischen und sensorischen Beschränkungen fast völlig wieder aufgehoben wurde. Aber es war besser, ihnen die Chance zu geben, mit ihren Problemen ins reine zu kommen, als sie der Gnade des korporativen Omnivoren auszuliefern. Keiner von ihnen würde dies überlebt haben.

ORN

1 Orn

Orn wachte erschöpft auf. Er fror und fühlte sich irgendwie klebrig. Seine Muskeln waren nicht voll leistungsfähig. Er konnte sich nicht erinnern, wie er hierhergekommen war, aber er wußte, daß er es sich nicht leisten konnte, seiner Verwirrung freien Raum zu lassen.

Irgend etwas stimmte nicht. Er hob den Kopf und öffnete mit einiger Anstrengung seine verklebten Augen. Zuerst tat ihm die Helligkeit weh, wurde dann aber zu einem glanzlosen Leuchten, als sich seine sensitiven Augen selbst schützten. Er befand sich in einer Höhle, und es herrschte Dämmerlicht: der Anfang oder das Ende eines Tages. Soviel begriff er, als er sich an den unbelebten Kreislauf erinnerte.

Er lag in verkrümmter Haltung auf kaltem Stein. Schwerfällig zog er vier klebrige, ungelenke Glieder unter dem Körper hervor, stellte sich dann mit größerer Zuversicht auf zwei.

Ja, im allmählich heller werdenden Licht nahm er den ebenen Boden und die natürlich gewellte Decke wahr, die hinter ihm in die Dunkelheit abfielen. In unmittelbarer Nähe befand sich ein großer Haufen von vertrockneten Halmen: ein Nest, in dem ein einzelnes monströses, längliches Ei und die klebrigen Bruchstücke eines anderen lagen.

Behutsam stieß Orn das Ei an. Kalt – hier würde nichts ausschlüpfen. Dahinter befanden sich Steine und Knochen und andere Überreste unbestimmten Ursprungs. Alles war tot.

Unsicher ging er dem Licht entgegen, wobei er den verstreuten Gliedmaßen, Exkrementen, Zähnen und den vertrockneten Blättern und Ästen auswich, die den Weg säumten. Die Anstrengung erwärmte seinen Körper, und er begann, sich besser zu fühlen. Aber während sich seine physische Verfassung besserte, schien sein Geist zurückzugleiten und die Orientierung zu verlieren. Seltsame Visionen durchzogen sein Bewußtsein, unglaubliche periphere Erinnerungen, die nicht seine eigenen sein konnten und die sich verflüchtigten, als er sich ihrer bewußt wurde.

Erinnerung ...

Sie begann weit, weit zurück in der Dämmerung, als es feuchter und wärmer gewesen war als heute. Er trieb dahin in einem nährenden Ozean und nahm alles, was er brauchte, durch seine poröse Haut auf. Er strebte dem Licht entgegen, hundert Millionen Jahre später, zuckte jedoch zurück, verbrannt und mit der Erkenntnis, daß es zu grausam war, um sich ihm zu nähern. Er mußte warten, mußte sich anpassen, und das war nicht einfach. Er blieb, wo er war, und verzehrte, was er konnte, und langsam, über einen Zeitraum von einer Milliarde Jahre, wuchs sein Körper. Aber irgendwie wurde sein Hunger um so stärker, je größer er wurde. Er konnte nicht genug Nahrung bekommen. Niemals genug ...

Die eigenartige Erinnerung verblaßte, als er um die Ecke bog und im helleren Licht vor dem Höhleneingang stehenblieb. Grünes Unterholz und das Grauweiß des Himmels lagen vor ihm. Es war Morgen: nicht die dunstige Dämmerung vor zwanzig Millionen Jahren, sondern ein eisiger, nüchterner Sonnenaufgang.

Der Leichnam eines mächtigen Vogels lag mit gespreizten Beinen vor dem Höhleneingang. Aufgerichtet wäre er groß genug gewesen, um die Decke zu berühren, er hatte einen dicken, leicht gebogenen Schnabel und scharfe hervorstehende Krallen. Der kräftige Hals war verdreht, so daß der Kopf starr zur Seite blickte. Getrocknetes Blut besudelte das Gefieder. Einstmals stolze Schwanzfedern lagen abgebrochen im Schmutz.

Ein verzweifelter Kampf hatte stattgefunden, und der Vogel hatte verloren. Aber der Sieger war nicht lange genug geblieben, um das Fleisch zu verzehren. Auch das war seltsam.

So schnell wie er alle Dinge seiner Umgebung identifizieren konnte, stellte er fest, daß der Vogel weiblich war. Orn stellte keine Mutmaßungen über die Bedeutung seines Erwachens neben dem verlassenen Nest dieser Kreatur an und fragte sich auch nicht, was sie vernichtet hatte. Statt dessen forschte er in seiner verwirrten Erinnerung ... und fand den Vogel darin.

Vor sechzig bis achtzig Millionen Jahren hatten die warmblütigen Vögel die Loslösung von ihrer Reptilienabstammung abgeschlossen, wobei sie ihre Körperwärme mit Hilfe des aus den Schuppen entstandenen Gefieders bewahrten. Sie lebten in hohen Nadelbäumen und felsigen Schluchten, wo es nachts kalt wurde und sie stetige Wärme brauchten, um lebensfähig bleiben zu können. Sie spreizten kraftvoll ihre vier Beine, um mehr Auftriebskraft zu gewinnen, und brachten sich beim geringsten Anzeichen von Gefahr durch Springen und Gleiten in Sicherheit.

Aber bald war eine Gattung der Vögel zu groß geworden, um durch die Luft entfliehen zu können, und während ihre leichteren Vettern immer höher in den Himmel emporstiegen, stemmte diese niedere Gattung ihre Hinterbeine fest auf die schreckliche Erde. Hier überlebten nur die Schnellfüßigen, die mit dem starken Schnabel und dem guten Gedächtnis. Manchmal mußten sie rennen, manchmal kämpfen, und sie hatten Erfolg. Sie konnten in kältere Gebiete vordringen als die Reptilien. Andere landgebundene Gattungen spalteten sich ab.

All dies wußte Orn. Der Anblick dieses urtümlichen Vogels hatte seiner Erinnerung den Anstoß gegeben. Er war für ihn keine Kreatur des Schreckens, sondern der Geschichte, die einen Weg von fünfzig Millionen Jahren zurückgelegt hatte, um so gewaltsam vor dieser Höhle zu sterben. Orn hatte kein Mitleid mit dem Vogel. Dies war die Natur des Lebens. Die Schwachen starben und wurden durch andere ersetzt.

Er ging um den Körper herum und blieb in der Sonne stehen. Eine mächtige Kiefer, ebenso uralt und auf ihre Weise genauso großartig wie der Vogel, ragte in der Nähe in die Höhe. Der Boden war mit hohen Farnen bedeckt, die ihre Wedel im leichten Wind schaukelten. Orn wußte, daß ähnliche Pflanzen die Landschaft für eine sehr lange Zeit beherrscht hatten.

Während die aufgehende Sonne den Frost aus dem Land vertrieb, kratzte er prüfend über den Boden. Im Vergleich zu den behornten Zehen des toten Vogels waren seine eigenen schwächlich. Unter den Blättern und Zweigen befand sich schwammiger Humus, der vor eigenem erwachenden Leben strotzte. Da waren Grillen und Schaben und Käfer, die eifrig mikroskopische Trümmerstücke davontrugen. Winzige Spinnentiere, jene flügellosen Gliederfüßer, die zersprangen, indem sie ihren gegabelten Schwanz gegen den Boden schnellten, hasteten in Deckung, weil sie die Sonne verabscheuten.

Orn bewegte sich weiter vorwärts. Haarige Säugetiere, die Angst vor ihm hatten, huschten aus dem Weg. Sie gehörten harmlosen Gattungen an. Er durchschritt ein flaches Tal, das gemächlich zu einer Wasserfläche hinabführte. Zarte Vegetation breitete sich am Rand des Wassers und auf seiner Oberfläche aus. Ein großer Teil davon trug Blüten. Dort wo ein Bächlein über nackten Stein strömte und sich zwischen runden, bemoosten Felsen hindurchwand, blinkten kleine Fische auf. Sie gehörten uralten und mannigfaltigen Gattungen an.

Orn erinnerte sich an seine ursprüngliche Heimat: das Wasser. Er erinnerte sich an die allmählich länger werdenden Aufenthalte auf dem Land, das nur von den dahinhuschenden Gliederfüßern bewohnt wurde, bis er den größten Teil seines Lebens darauf verbrachte und nicht mehr länger ein echter Fisch war. Er erinnerte sich daran, wie sich die Hülle um die weichen Eier verhärtete, bis sie in gewissem Maße den Gewalten von Sonne und Luft widerstehen konnte. Ein kleiner, aber wichtiger Schritt, denn er bedeutete, daß die See ihren letzten noch verbliebenen Griff verloren hatte. Ein vollständiger Lebenszyklus konnte sich vollziehen, ohne daß das Meer noch seinen Anteil daran hatte.

Am Ufer des Sees fand er den Körper des männlichen Vogels. Auch dieser Vogel war gewaltsam ums Leben gekommen, aber im Gegensatz zu seinem Partner hatte er seinen Gegner mitgenommen. Ein langes, mächtiges Reptil lag mit dem Bauch nach oben im Sand, den Schwanz im Wasser, die Augen zwei blutige Höhlen, die Eingeweide ein gähnendes Loch. Geronnenes Blut am Schnabel und an den Krallen des Vogels verrieten die Wildheit seines Angriffs. Aber die verstreuten Federn und das Blut auf seiner Brust zeigten an, daß die Zähne des Krokodils nicht nur nach der leeren Luft geschnappt hatten.

Hätte das Reptil das Wasser erreicht, bevor der Vogel angriff, würde es den Kampf leicht gewonnen haben. Aber das war nicht der Fall gewesen, vielleicht wegen der Wunden, die der weibliche Vogel geschlagen hatte. Nun waren alle drei Kämpfer Nahrung für die versammelten Fliegen.

Das Krokodil...

Als Orn es anblickte, verstand er den Weg, den es eingeschlagen hatte, seit seine Vorfahren sich in jüngerer Zeit als die Fische von seinen eigenen entfernt hatten. Seine Gattung war kletternd und von Ast zu Ast springend an Land auf den Bäumen geblieben, bevor sie auf den Boden zurückkehrte. Sie war zu einem Warmblüter und zu einem Allesfresser geworden, mit einem hochentwickelten Hirn. Aber das Krokodil war zum Teil ins Wasser zurückgegangen, wo es sich hinter seiner hornigen Haut versteckte und auf alles Jagd machte, was hineinfiel oder zu nahe herankam.

Dieses Mal hatte sich das Krokodil zu weit von seinem Jagdgebiet entfernt, vielleicht um die riesigen Eier in dem Höhlennest zu rauben, während der eine Vogel abwesend war.

Orn gab sich keine Mühe, sich weitere Details auszumalen. Er war geschwächt und verspürte selbst einen mörderischen Hunger. Die ererbten Erinnerungen schlossen schließlich die Lücke zwischen seiner Evolution und ihm selbst, und er begriff, daß es in seiner mißlichen Lage keine Hilfe von außerhalb geben würde. Er war ein Angehöriger der fortgeschrittenen Rasse, die die Landflächen dieser Welt betreten hatte, aber gegenwärtig stand ihm nicht mehr als sein generalisierter Körper und sein Wissen um die Entstehung der lebenden Wesen zur Verfügung, um sich selbst am Leben zu halten.

Er verschwendete keinen Gedanken daran, was passiert wäre, wenn das Krokodil die beiden Eier erreicht hätte, bevor die Eltern zurückkehrten. Die Wärme der Mutter war im kritischen Augenblick weggenommen worden und hatte das Küken gezwungen, zu handeln oder zu sterben. Er dachte nicht über die Zufälligkeiten des Schicksals nach und sann nicht auf Rache. Sein Verstand war mehr auf weitreichendes, umfassendes Rassengedächtnis als auf echte Gedankengänge ausgerichtet. Rassengedächtnis war sein Überlebensinstrument – ein Werkzeug, wie es keine andere Spezies in Anspruch nehmen konnte.

Orn schüttelte seine noch federlosen Flügel und näherte sich dem vor ihm aufgetürmten Fleisch. Fliegen schwärmten hoch, als sein Schnabel nach unten hackte. Er war hungrig, und es gab niemanden, der ihm Nahrung bringen würde.

2 Aquilon

Seit zwei Tagen befanden sie sich im Orbit: drei Menschen und sieben Mantas. Die Kapsel war winzig für zehn Insassen, die sanitären Einrichtungen waren unangenehm primitiv, und das Essen war eintönig. Aber die Mantas waren Kreaturen, die große Entfernungen zurücklegen oder stundenlang an einer Stelle ausharren konnten, ohne daß es ihnen etwas ausmachte. Und die menschlichen Wesen waren zwei Männer und eine Frau, von der man sagte, daß sie schön sei. Weil die Mantas einen fungoiden Metabolismus hatten, ergänzten ihre Körperprozesse die der menschlichen Wesen, indem sie bis zu einem bestimmten Maß die Luft regenerierten. Trotz dieses günstigen Umstands waren für die Sauerstofferneuerung noch immer Maschinen erforderlich.

Auf jeden Fall war es eng.

Als das Fährschiff kam, um die Kapsel zu verankern und sie in ihrer ganzen Größe zur Entgiftung zu schleppen, hatte das Trio schon über fast alle Inkonsequenzen gesprochen.

Die Mantas saßen sich im Kreis gegenüber, vielleicht auch in der Form eines siebenstrahligen Sterns oder eines Halbkreises, je nachdem aus welchem Blickwinkel man das Innere der Hülle betrachtete.

Jeder blickte für die Dauer von Sekunden in das Auge seines Gegenübers, wobei jederzeit drei Paare beteiligt waren, während ein Individuum ausgeschlossen blieb. Dann änderte sich das Muster, um neue Kombinationen einzugehen. Aquilon hatte keine Ahnung, was für Gedanken sie so schnell austauschten, aber mit Sicherheit führten sie eine längere Diskussion. Sie verfluchte ihre weibliche Neugier, machte aber keine Anstalten, einen der Mantas zu fragen.

Es gab einen Ruck, als die Kapsel von dem Fährschiff gepackt und abgebremst wurde. Die Drehbewegung, die für eine gewisse Schwerkraft gesorgt hatte, hörte auf, und sie alle mußten sich an die Haltegriffe klammern, um im freien Fall keine Saltos zu schlagen. Die Mantas besaßen keine Hände, aber jeder wog bei normalen Schwerkraftverhältnissen knapp fünfzig Pfund. Wie große Gummibälle prallten sie an die Wand und gegeneinander. Fast hätte Aquilon gelacht.

»Fertig machen zur Dekontamination«, sagte der Sprecher.

Veg, der automatisch die Führung übernahm, baute sich vor der Ausstiegsluke auf. Wie die Männer machte Aquilon das Ganze natürlich nicht zum ersten Mal mit, aber Vertrautheit brachte keine Gelassenheit mit sich.

Als sie Veg beobachtete, lächelte Aquilon unmerklich. Sie war eine hochgewachsene Frau, aber neben Veg wurde sie zum Zwerg. Durch ihre blonden Haare, die im freien Fall vor ihrem Gesicht hin und her wehten, blickte sie auf seinen breiten Rücken. Wer würde normalerweise von diesem rauhen Kraftpaket denken, daß er eine zwanghafte Leidenschaft für das Wohlergehen aller lebenden Wesen entwickelte? Und doch war es so.

Sie schaute dann den anderen Mann an. Oberflächlich gesehen war Cal das genaue Gegenteil von Veg. Er war so klein, daß er ihr kaum bis zur Schulter reichte, dünn und schwächlich. Aber sein Verstand war furchterregend scharf und konnte erschreckende Gedanken entwickeln. Und er hatte den Mut, der zu seinen seltsamen Überzeugungen paßte. Cal schien überhaupt keine Angst vor dem Tod zu haben. Ja, er schien ihn geradezu zu verehren.

Aquilon liebte beide Männer. Physisch neigte sie Veg zu, intellektuell Cal. Und doch war es Vegs intellektuelles Beispiel, dem sie jetzt folgte, denn sie hatte aufgehört, Fleisch, Fisch und Geflügel zu essen. Beide Männer glaubten, sie würden Aquilon brauchen, aber in Wirklichkeit, so schien es ihr jedenfalls, brauchten sie sich gegenseitig, während Aquilon im Wege stand. Sie waren schon gute Kameraden gewesen, bevor sie sich zu ihnen gesellt hatte, bessere als jetzt, obgleich keiner der beiden Männer über die subtilen, trügerischen Veränderungen sprach, zu denen es gekommen war. Konnte sie Vegs Körper und Cals Verstand widerstehen? War sie egoistisch genug, mit ihrer Weiblichkeit zwischen ihnen zu vermitteln und sich dabei die lebenserhaltende Beziehung, die sie zueinander hatten, zunutze zu machen?

Es war wohl besser, wenn sie vollkommen aus dem Leben der beiden trat.

Jetzt, dachte sie niedergeschlagen, jetzt während der Dekontamination. Gott sei Dank wurden die Geschlechter dabei getrennt, und sie brauchte nur die Versetzung zu irgendeinem anderen Planeten beantragen. Sie würde die beiden nie wiedersehen, nicht einmal zu einem liebevollen Abschied. Ihr würde das Herz dabei brechen, aber sie mußte es tun.

»Änderung«, sagte der Sprecher, und sie sprang schuldbewußt auf. Die Luke blieb verschlossen. »Ihre Einheit wird als Ganzes verschifft werden. Es findet keine Abfertigung statt.«

Veg blickte sich verblüfft um. »Das ist nicht die Standardprozedur«, sagte er.

Cal runzelte die Stirn. »Die Geschichte da unten hat uns vielleicht in eine ganz besondere Kategorie eingeordnet. Einer ihrer Agenten ist gestorben . . .«

»Subble«, sagte sie kurz und knapp, »Subble ist gestorben.«

Tatsächlich hatte sie den Mann nur vier Stunden lang erlebt. Aber ihr war so, als sei ein Liebhaber von ihr gegangen.

»Und das Problem, das die Mantas verkörpern, ist sehr kritisch. Sie haben vielleicht entschieden, das Stationspersonal nicht zu . . .«

»Aber was ist mit den Keimen von der *Erde?«* begehrte Aquilon auf. »Die Entgiftung ist zweiseitig. Wir wollen Nacre nicht infizieren, indem wir . . .«

Der Kommunikationsschirm leuchtete auf. Das Gesicht eines Mannes erschien, Insignien der Raumpolizei.

»Achtung, bitte.«

»Meint er uns?« fragte Aquilon, den Tonfall nachäffend. Sie haßte es, unpersönlich behandelt zu werden.

»Wenn sie Television haben, warum haben sie sich dann die ganze Zeit auf Sprechkontakt beschränkt?« wollte Veg wissen.

Cal lächelte. »Wir haben immer noch Sprechkontakt. Sie haben das Bild nur hinzugefügt. Das bedeutet, daß auf Film umgestellt wurde.«

»Wird auch Zeit – nach zwei Tagen«, sagte Veg, dem die Ironie entging.

Das Gesicht auf dem Schirm zog die Augenbrauen hoch. »Dies ist eine Liveübertragung. Ich wende mich an Sie drei in der Kapsel. Ich kann Sie hören.«

Veg klappte den Mund zu, unangenehm berührt, belauscht worden zu sein.

»Bitte antworten Sie, wenn ich Ihre Namen aufrufe«, sagte der Mann. »Vachel E. Smith.«

Schweigen trat ein. Aquilon registrierte Cals ähnliche Anstrengungen, nicht zu lächeln. Veg mochte seinen richtigen Namen nicht und hörte selten darauf.

»Vachel E. Smith?« wiederholte der Beamte ungeduldig.

»Und wie heißen *Sie*, Schwachkopf?« erkundigte sich Veg.

Aquilon stieß geräuschvoll die Luft aus und zog für einen kurzen Moment den Blick des Befragers auf sich. Sie fühlte sich aufgedreht wie ein Schulmädchen, das den nörgelnden Lehrer auf die Probe stellte.

»Deborah D. Hunt?« fragte der Mann.

Plötzlich verstand Aquilon Vegs Tick. Seit dem Zusammentreffen mit Veg und Cal hatte sie sich abgewöhnt, ihren richtigen Namen zu verwenden, und der abschätzige Spitzname, den man ihr während einer Kinderkrankheit gegeben hatte, war zum Ehrennamen geworden. Selbst ihre Gemälde zeichnete sie damit. Jetzt klang ihr richtiger Name fremd und anstößig, mehr wie eine Bezeichnung als eine Identifikation.

»Calvin B. Potter?«

»Anwesend«, sagte Cal, der auf alberne Gesten verzichtete. »Alle anwesend. Was wollen Sie von uns?«

»Warten Sie«, rief Aquilon boshaft. »Sie haben die anderen noch nicht überprüft.«

»Andere?« Der Beamte starrte sie an.

»Die Mantas. Auch sie sind Individuen . . .«

Veg fing an zu grinsen. »Ja! Jeder muß auf die Karteikarte. Rufen Sie sie auf!«

»Die Tiere qualifizieren sich kaum für . . .«

»Ich sollte Sie darauf aufmerksam machen«, sagte Cal in Richtung des Schirms, »daß die Mantas in gewissem Maße die menschliche Sprache verstehen, obgleich sie es vorziehen mögen, dies nicht zuzugeben. Tatsächlich sind sie in gewisser Weise zivilisierter als wir, aber ihre Definitionen weichen von den unseren ab.«

»*Das* ist der Grund, aus dem sie zivilisierter sind«, sagte Aquilon.

Der Beamte, der offensichtlich merkte, daß man ihn veralberte, behielt seine Fassung. »Ich habe hier keine Namen für die Pilze.«

»Es ist ganz einfach«, sagte Aquilon und hoffte, daß ihr Augenzwinkern nicht auffiel. »Jeder Manta wird durch ein charakteristisches Symbol repräsentiert, das einer Schneeflocke ähnelt, wobei eins dem anderen gleich ist. Wenn Sie ein Oszilloskop zur Hand haben, könnten Sie ihre Muster einspeichern . . .« Sie zögerte, denn sie wollte nicht eingestehen, daß sie diese Information erst kürzlich bekommen hatte. Cal hatte es schon lange geahnt, aber erst Subble hatte den Durchbruch geschafft und eine totale Kommunikation herbeigeführt, wenn es auch ewig ein Geheimnis bleiben würde, auf welchem Wege. Nun waren Subble und einer der Mantas tot, aber die anderen Mantas hatten durch ihre Reaktionen demonstriert, daß sie eine ganze Menge vom Vokabular und den Sitten der Menschen verstanden. Die Zeit in der Kapsel hatte die acht Namen und ein System zu begrenztem Dialog hervorgebracht.

»Wenn Sie mir die Namen geben, will ich sie der Liste hinzufügen«, sagte der Beamte.

»Nun, da ist zuerst das Symbol der Linie«, sagte Aquilon heiter. »Natürlich ist es nicht exakt eine Linie, aber für unser grobes menschliches Wahrnehmungsvermögen ist das die nächstliegende . . .«

»Den Namen, bitte.«

»Lin. Lin wie Linie.« Einer der Mantas sprang von einer Seite der Kapsel zur anderen und prallte gegen den Kommunikationsschirm. Eine dünne Linie lief über den Schirm. Der Beamte fuhr zurück. »Lin«, sagte er und schrieb es auf.

»Als nächstes haben wir das Symbol des Zirkels — Circe. Sie ist diejenige, die bei mir war und sich von den Ratten in der Kellerfarm ernährte. Natürlich sind die Mantas technisch gesehen alle Neutren. Nur ihre Sporen haben ein Geschlecht. Aber da sie bei mir war und *ich* weiblich bin . . .«

»Circe«, sagte der Beamte, ohne auf diesen besonderen Köder anzubeißen. »Die Zauberin.«

Ein zweiter Manta prallte vom Schirm zurück. Ein sauberer Kreis blieb hinter ihm zurück. Die ineinandergesetzten Symbole formten eine zweigeteilte Schleife.

»*Nicht* die Zauberin«, sagte Aquilon. »Der Zirkel, so wie Sie ihn da sehen.« Aber sie fragte sich, ob die Feststellung des Mannes nicht einiges für sich hatte.

»Dann das Dreieck, Tri«, fuhr sie fort.

Der dritte Manta fügte ein Dreieck hinzu, dessen drei Winkel ganz genau übereinstimmten.

Für einen Augenblick gestattete sich der Beamte, den Mund aufzusperren. Er konnte noch nicht glauben, daß die Mantas selbst für die geometrischen Figuren verantwortlich waren, die sich so akkurat darstellten.

»Tri«, sagte er.

»Und der Diamant, Diam.«

Das Parallelogramm wurde der Figur hinzugefügt.

Aquilon wurde ernst. »Unglücklicherweise ist das Pentagramm, Pent, nicht bei uns. Er ... starb. Wir wissen nicht genau, wie oder warum, aber wir glauben, daß Ihr Agent Subble etwas damit zu tun hat, der ebenfalls tot ist. Sie haben eine Rakete auf die Insel abgefeuert und einige Bürger umgebracht ...«

Ja, dachte sie. Die Sporen des toten Mantas waren in die Atmosphäre gedrungen und drohten, die ganze Erde zu verseuchen, indem sie nützliche Schimmel- und Pilzkulturen mutierten. Also war ein Feriengebiet in Florida bombardiert worden, um den Versuch zu unternehmen, diese Sporen zu vernichten.

Danach fühlte sie sich nicht mehr in der Stimmung, das Spiel fortzusetzen, so daß Veg weitermachte.

»Hex«, sagte er. »Er war mein Manta, im Wald. In dem Wald, den Sie niedergebrannt haben ...«

»Ich war dafür nicht verantwortlich«, sagte der Beamte entschieden. »Aber ich bin sicher, daß es gute Gründe für die Maßnahmen gab, die getroffen wurde.«

»Die Gründe von Omnivoren«, murmelte Aquilon. Der Omnivor, den sie meinte, war der Mensch, der brutalste bekannte Killer und der einzige, der die Missetaten seiner Brüder mit einer rationalen Begründung versah und so tat, als sei er nicht verantwortlich. »Und Star, also Stern«, fuhr Veg fort. »Einer der sechs, die bei Cal waren. Und Oct, der letzte.«

Der Schirm war nun dicht mit Linien überzogen, wobei alle geometrischen Figuren von dem Kreis umschlossen wurden, als seien sie mit Zirkel und Lineal konstruiert.

»Ich glaube, ich habe jetzt alle Namen«, sagte der Beamte. »Es ist meine Pflicht, Sie alle zehn darüber zu informieren, daß die Computer im Hauptquartier empfohlen haben, Sie mit einer neuen Mission zu betrauen. Sie werden nicht nach Nacre zurückkehren.«

Aquilon tauschte Blicke mit den beiden Männern, und auch die Mantas sahen sich an.

»Tatsächlich werden Sie keinen der registrierten Planeten aufsuchen, und es ist unwahrscheinlich, daß Sie jemals zur Erde zurückkehren. Dies soll nicht als Exil betrachtet werden, sondern vielmehr . . .«

Die Stimme fuhr fort, aber Aquilon hörte schreckerfüllt nicht mehr zu. Verbannung, nicht nur von der Erde, sondern auch von allen bekannten Kolonien! Das war also die Strafe für die Schwierigkeiten, die die Mantas durch ihre Gegenwart auf der Erde heraufbeschworen hatten. Sie hätte wissen sollen, daß die Mächtigen, die den Planeten regierten, nicht Ansiedlungen und Landschaften im Wert von mehreren Milliarden Dollar zerstörten und eine Anzahl von unschuldigen Menschen ausradierten, um dann die Sündenböcke mit einem bloßen Tadel davonkommen zu lassen. Das Trio hatte die Gesetze übertreten, indem es unerlaubte fremde Kreaturen auf die Erde importierte. Sie hatten niemandem schaden wollen, aber es war diesmal zu einem sehr großen Schaden gekommen.

». . . erste bewohnbare Alternativwelt, wie auf Grund von Erd-, Meeres- und Luftproben festgestellt«, sagte der Beamte.

Sie hatte etwas Wesentliches verpaßt!

»Aber es gibt mehrere Probleme. Erstens ist unsere Verbindung sehr brüchig. Wir können jede beliebige Materialmenge hinüberbefördern, aber nur wenn die Phase stimmt – und das ist sehr unregelmäßig. Zweitens können wir die Kontaktstelle nicht ändern, ohne eine völlige Unterbrechung zu riskieren, und es könnte ein Jahrhundert dauern, den Kontakt wiederherzustellen, wenn er jetzt verlorengeht.«

Das hörte sich nicht nach einer normalen Raumreise an.

»Und unglücklicherweise findet der Kontakt unterirdisch statt. Wir haben Bohrleute eingesetzt, um Verbindungswege zur Oberfläche zu schaffen, aber eine weitere Komplikation . . .«

Sie versuchte, aufmerksam zuzuhören, aber ihr Verstand weigerte sich.

Eine Alternativwelt! Das war Erforschung einer völlig anderen Art. Aber wenn es sich um eine andere Erde handelt, warum war es dann die ›erste bewohnbare‹? Dies ließ darauf schließen, daß es noch weitere gab, die sich nicht zur Inbesitznahme durch Menschen eigneten. Welche echte ›Erde‹ konnte ungeeignet sein, abgesehen von einer, die verwüstet war? Und selbst für eine andere Erde sollte die Dekontamination vorgenommen werden. Ein Virus, das auf der einen virulent war, sollte auch auf der anderen gedeihen, wenn man es einführte.

Nein, was sie da hörte, gefiel ihr gar nicht.

Cals stumme Berührung ließ ihre Aufmerksamkeit schlagartig zurückkehren. Er blickte sie nicht an, und sie hätte den Kontakt für zufällig gehalten, wenn ihr nicht klar gewesen wäre, daß nichts, was Cal tat, jemals zufällig war. Sie folgte seinem Blick.

Der Schirm zeigte eine Landkarte, einen Globus, der mit Längen- und Breitengraden versehen war wie die richtige Erde. Aber die Kontinente und großen Inseln sahen fremd aus. Es war offensichtlich eine andere Welt.

Cal berührte sie abermals. Dann verstand sie. Unauffällig holte sie Block und Pinsel hervor und zeichnete schnell die Umrisse der Karte auf. Cal würde einen guten Grund für seine subtile Anweisung haben, einen Grund, den er den Beamten nicht wissen lassen wollte.

Während der Dialog weiterging, machte sie die letzten Striche auf die Karte und legte den Block dann stumm zur Seite. Was für Geheimnisse hatte Cal in der scheinbar ganz alltäglichen Illustration gesehen? Sie barst jetzt fast vor weiblicher Neugier. Aber wie sollte sie es jemals erfahren, wenn sie sich jetzt von den beiden Männern trennte? Und außerdem, wie sollte sie Cal die Karte übermitteln?

»Ihre Aufgabe ist es, diese Alternativwelt zu betreten und eine grobe Übersicht über ihre Flora, Fauna und über ihre Bodenschätze zu erstellen. Sie werden von der Erde aus versorgt, aber es können Gefahren auftreten. Es wird erwartet, daß Sie Berichte . . .«

»Ja, wir kennen die Routine«, sagte Veg. »Wir haben es auf Nacre gemacht, erinnern Sie sich?«

Der Beamte nahm diese Unbotmäßigkeit hin. »Funkverbindung wird es am Transferpunkt geben – vermutlich innerhalb von zwei Monaten. Analog, aber nicht identisch mit Ihrer früheren . . .« Er machte eine Pause. »Man hat mich gerade darüber informiert, daß sich in den letzten paar Minuten ein ganz hervorragender Kontakt ergeben hat. Eine perfekte Phase, die aber nicht lange anhalten wird. Wir müßten vielleicht einen Monat bis zur nächsten warten, so daß wir jetzt sofort handeln müssen.« Wieder machte er eine Pause. »Die Luke öffnet sich gleich. Begeben Sie sich unverzüglich in die Transmissionskammer. Viel Glück.«

Abermals tauschten sie Blicke. Dies alles kam zu plötzlich. Selbst Veg war sich darüber im klaren. Es gab da etwas, was man ihnen nicht erzählt hatte.

Die Luke öffnete sich.

Bevor sich die Menschen rühren konnten, taten es die Mantas. Drei von ihnen kurvten um Veg herum und jagten durch die Öffnung. Sie nahmen ihre Flugform an, als sie in die mit Druck versehene Verbindungsröhre hineinstießen. Die Passage führte direkt zur Hauptstation. In Sekunden waren die drei außer Sicht.

»Was?« rief Veg aus.

Dann stieg er ihnen nach, fest entschlossen herauszufinden, was sie taten. Cal und Aquilon folgten. Die vier übrigen Mantas blieben in der Kapsel, bewegungslos.

Geschrei und Lärm wurden vor ihnen laut. Aquilon stieß sich ab und schwebte hinter den Männern her. Sie war überrascht, daß sich die Mantas im freien Fall so schnell hatten bewegen können, obwohl sie jetzt, als sie darüber nachdachte, erkannte, daß sie durch den Luftwiderstand stabilisiert wurden, nicht durch die Schwerkraft. Sie waren wie motorisierte Flugdrachen, ständig gegen den Wind kreuzend, nur daß sie die Bewegungen vornahmen und nicht der Wind.

In der eigentlichen Station gab es Schwerkraft. Ein Wachposten wälzte sich auf dem Boden und hielt seine Hand umklammert. Aquilon blieb automatisch stehen, um ihm zu helfen . . . und erkannte die saubere Wunde eines Manta-Angriffs. Der Schwanz das Mantas war eine tödliche Waffe, fähig, einen Fernsehschirm zu gravieren oder eine menschliche Hand vom Gelenk zu trennen. Sie sah die Betäubungswaffe auf dem Boden und erkannte, daß der Manta den Mann lediglich entwaffnet hatte. Wenige Leute konnten schießen, bevor ein angreifender Manta zuschlug.

Aber warum? Warum waren die drei Mantas losgejagt?

»Sie wollten uns in einen Hinterhalt locken«, sagte Veg wütend, während er den Wachposten im Auge behielt. »Kurzerhand umbringen . . .«

»Lächerlich« rief Cal. »Wenn das ihre Absicht gewesen wäre, hätte es zahllose Möglichkeiten gegeben, uns und die Mantas zu beseitigen, ohne uns jemals aus der Kapsel herauszulassen. Die drei Mantas haben das hier provoziert.«

»Warum hatte dieser Bastard dann seine Kanone in der Hand?« wollte Veg wissen. »Er wäre nie an sie herangekommen, wenn er gewartet hätte, bis er sie sah.«

Er hatte recht. Der Wachposten mußte schon mit der Waffe im Anschlag gewartet haben, denn sonst wäre er mit der Pistole noch im Holster niedergeschlagen worden. Oder er wäre gar nicht niedergeschlagen worden, weil ihn der Manta überhaupt nicht hätte entwaffnen müssen. Aber Cal hatte auch recht, denn es handelte sich um eine Betäubungs-, nicht um eine Tötungswaffe.

Tödliche Waffen waren in normalen Orbitstationen nicht erlaubt. Das Risiko für das Personal war zu groß, aber damit wurde nur ein kleiner Teil der Frage beantwortet. Der Wachposten konnte instruiert worden sein, für alle Fälle mit der Waffe in der Hand bereitzustehen. Dies ließ nicht zwangsläufig auf aggressive Absichten schließen. Aber er würde wohl versucht haben, von der Waffe Gebrauch zu machen, als er die Schreckensgestalt des Mantas auf sich zukommen sah.

Sie half dem Wachposten auf die Füße. »Sie gehen besser zur Krankenstation rüber. Ihre Hand liegt bis zum Knochen frei, und das da ist arterielles Blut. Beim nächsten Mal denken Sie dran: Richten Sie nie eine Waffe auf einen Manta. Sie wissen, was Pistolen sind, und ihre Reflexe sind schneller als Ihre.«

Betäubt ging der Mann davon.

Sie fragte sich, wie die Sache ausgegangen wäre, wenn es sich bei dem Mann um einen Agenten gehandelt hätte. Die Reflexe von Agenten waren superschnell. Und mit der Waffe schon in der Hand . . . Aber die Mantas waren offensichtlich auf Ärger vorbereitet gewesen. Konnte es eine derartige Auseinandersetzung zwischen Subble und Pent auf der ausgelöschten Insel gegeben haben? Hatte Subble gewonnen, um dann von den anderen getötet zu werden?

»Ich denke, wir gehen besser zur Kapsel zurück und warten«, sagte Cal. »Wir sind nicht in einen Hinterhalt geraten, aber man hat uns auch nicht die Wahrheit gesagt. Ich bin sicher, daß die Mantas einen guten Grund hatten, so loszustürmen. Beachtet, wie sauber alles über die Bühne ging – drei machten sich auf den Weg, vier blieben zurück.«

Eilig kehrten sie um. Die vier Mantas waren noch da, unbeweglich wie die Pilze, mit denen sie verwandt waren. Irgendwo in der Station setzte sich der Tumult fort. Der Schirm in der Kapsel leuchtete weiterhin, aber es zeigte sich kein Gesicht darauf.

Cal blickte die Mantas an. »In Ordnung, Kameraden, was habt ihr vor? Sind wir in akuter Gefahr?«

Einer der vier bewegte zweimal seinen Schwanz und ließ einen Doppelknall hören: das Signal für ›nein‹.

»Vielleicht sind sie Amok gelaufen«, rief Veg. »So lange eingesperrt . . .«

Drei Knalle: Fragezeichen.

»Amok«, erklärte Cal, der als erster das Problem erkannte. »Durchdrehen, unvernünftig handeln, überflüssigen Ärger machen. Eine Form von Wahnsinn.«

Wieder der Schwanz: nein.

»Stellen wir fest, mit wem wir reden«, schlug Aquilon vor. Sie fragte sich, wieviel Zeit ihnen noch blieb. »Und wer fehlt.«

Sie befand sich nicht im Blickfeld des antwortenden Mantas, aber das machte keinen Unterschied. Sie besaßen keine Ohren, und doch nahmen sie die menschliche Sprache und andere Laute ganz ausgezeichnet auf, indem sie die Verdichtungen und Verdünnungen der Atmosphäre beobachteten, die die Töne leitete. Es lief darauf hinaus, daß sie mit ihren Augen hören konnten.

Vier Knalle beantworteten ihre angedeutete Frage.

»Diam«, sagte sie, als sie den Kode erkannte. Das vierseitige Symbol, der Diamant.

Ein anderer Manta bewegte sich: zwei Knalle.

»Circe«, sagte sie. »Das zweiseitige Symbol, innen und außen. Ich bin froh, daß du noch hier bist.«

Es war eine alberne Gefühlsregung, aber sie bildete sich ein, ihren vormaligen Kompagnon von den anderen unterscheiden zu können. Und sie glaubte, daß Circe mehr Persönlichkeit besaß, mehr weibliche Attribute.

Ein dritter knallte: sechs.

»Hex«, sagte Veg. »Mein Kumpel. Ich wußte, daß du es warst.«

Und schließlich sieben. »Star.«

»Das bedeutet, Lin, Tri und Oct sind weg«, sagte Cal. »Aber wir wissen immer noch nicht, warum. Sie müssen einen Grund gehabt haben, genauso wie das Stationspersonal einen hatte. Ich denke, es ist wichtig für uns, diesen Grund herauszufinden. Ich wünschte, wir hätten ihnen das Morsealphabet beigebracht.«

»Die Mantas lernen nur das, was sie lernen wollen«, sagte Aquilon. »Wir können froh sein, daß sie überhaupt mit uns kommunizieren. Bisher haben sie das nie getan.«

»Achtung, bitte.« Der Beamte war wieder auf dem Schirm. »Es hat eine Störung gegeben.«

»Jetzt sagt er uns Bescheid«, murmelte Veg.

»Ihre Tiere haben das Stationspersonal angegriffen. Wir hatten gedacht, daß sie zahm sind.«

»Darum habt ihr sie auch mit der Waffe bedroht«, sagte Veg sarkastisch. »Sehr tapfer.«

»Wie können zivilisierte Individuen ›zahm‹ sein?« erkundigte sich Aquilon, als sie an der Reihe war. »Haben Sie zahme Männer, zahme Computer?«

Aber sie wunderte sich. Sie hatte gedacht, daß es zu einer Verständigung mit den Mantas gekommen war. Dieser Verstoß gegen die Sitten paßte jedoch nicht dazu. Warum hatten sie es getan?

»Was ist mit den dreien passiert?« fragte Cal mehr praktisch.

»Einer ist tot. Die Männer nagelten ihn mit Bajonetten in einer Ecke fest und stachen ihm ins Auge. Die anderen ...«

Aquilon zuckte zusammen, wohl wissend, wie schrecklich eine solche Wunde für einen Manta war. Das Auge verkörperte den wichtigsten Teil seines bewußten Wahrnehmungsvermögens. Ein blinder Manta war tatsächlich ein toter Manta. »Wie viele Männer sind tot?« fragte Cal leise.

»Keine Todesfälle. Unsere Männer sind gut trainiert für solche Schwierigkeiten. Mehrere geringfügige Verletzungen jedoch – hauptsächlich Schnittwunden an den Händen.«

Gott sei Dank, dachte Aquilon. Die Mantas waren nicht aufs Töten aus. Sie versuchten lediglich, eine Gefangennahme zu verhindern. Aber warum?

»Wir haben es eilig«, sagte der Beamte. »Normalerweise würde es zu schwerwiegenden Konsequenzen kommen, aber die Phase ist im Begriff, sich zu verschieben. Können Sie die verbliebenen Tiere unter Kontrolle halten?«

»Ja«, sagte Cal, bevor jemand anders antworten konnte.

Da begriff Aquilon. Das Stationspersonal dachte immer noch, daß die Mantas bloße Schoßtiere waren – gefährlich, wenn außer Kontrolle, aber grundsätzlich dem Willen des Menschen untertan. Die Demonstration der geometischen Fähigkeiten von seiten der Mantas sahen sie als Kunststückchen an, nicht als mehr. Wenn diese Leute, nach dem, was jetzt geschehen war, die Wahrheit erfuhren ...

Und sie war drauf und dran gewesen, damit herauszuplatzen! Sie könnte schuld am Tod aller Mantas gewesen sein!

Dies war ein weiterer Grund, um sich von der Gruppe zu trennen und einen eigenen einsamen Weg einzuschlagen. Sie würden ohne sie besser überleben.

Aber Veg drängelte sie vor sich her, und diesmal folgten ihnen die Mantas gehorsam nach. Sie hatten ihren Zug gemacht, wie auch immer dieser aussah.

Aquilon spürte eine unendliche Erleichterung.

3 Orn

Es war eine Insel, auf der er sich befand.

Durch seine Erkundigungsgänge hatte Orn längst festgestellt, daß es für ihn kein Entkommen gab, da er nicht fliegen konnte und nicht zu schwimmen wagte. Aber seine Erinnerungen informierten ihn darüber, daß dieses Stück Land, das er im Laufe eines einzigen Tages viele Male durchqueren konnte, nicht die Gesamtheit der Welt war. Er war imstande, bis zu einem gewissen Maß die jüngste Geschichte der Insel zu verstehen, denn es gab Spuren von vielen früheren Aufenthalten seiner Spezies, und sein Gedächtnis ließ ihn wissen, daß es hier schon seit mehreren Millionen Jahren Land gab.

Orns Vorfahren hatten den gesamten Kontinent durchmessen und seine sich verschiebenden Konfigurationen in ihr fünfzig Millionen Jahre umfassendes Gedächtnis aufgenommen. Orn sah Teile des Ganzen, wenn er die örtliche Landschaft betrachtete. Er war sich bewußt, daß diese Insel nur ein winziger Randstreifen der großen Landmasse war. Die Insel trieb am westlichen Perimeter des Kontinents dahin. Er wußte auch, daß sich der Kontinent selbst vorwärts bewegte und schon viele Male die ganze Breite der Insel zurückgelegt hatte. Gewaltige Umwälzungen hatten den ursprünglichen Kontinent gespalten. Obwohl wechselnde Felsbrücken die neuen Subkontinente miteinander verbanden, hatten die Kontinente eine ganze ökologische Bevölkerung isoliert. Der Zugang von neuen Tiergattungen aus fernen Regionen war zum Erliegen gekommen. Die Reichweite war verhältnismäßig beschränkt, und die wachsende Wildheit der Geographie hatte zum Niedergang gewisser eingesessener Kreaturen und zum plötzlichen Aufstieg von anderen beigetragen. Die großen Reptilien hatten die kühlen nördlichen Regionen und das gebirgige Terrain weitgehend aufgegeben, obwohl sie in den südlichen Sumpfgebieten noch immer die Vorherrschaft besaßen. Die winzigen Säugetiere hatten die verlassenen Gebiete überrannt, und die Vögel hatten sich prächtig entwickelt. Es war in der Natur zu einem neuen Gleichgewicht gekommen.

Orns Erinnerung verblaßte, wenn es um die jüngste Periode ging. Es bedurfte vieler Generationen, um das Rassengedächtnis fest zu verankern, so daß er am besten über die Situation vor fünf bis zwanzig Millionen Jahren informiert war. Was die davorliegenden Perioden anging, wurden seine Erinnerungen ziemlich allgemein. Spezielles Wissen gab es nur in bezug auf die eigene Art. Doch er erinnerte sich nicht mehr an die Eindrücke vom Schwimmen oder von der Eroberung des Landes.

Einige jüngere Bilder waren klar, andere verschwommen, und wieder andere waren so flüchtig, daß sie bedeutungslos wurden. Hätten seine Eltern noch gelebt, würden sie ihm die Besonderheiten der gegenwärtigen Existenz beigebracht haben. Erinnerungen waren weniger wichtig als Beispiele aus dem täglichen Leben. Niedere Kreaturen wie die Gliederfüßer verließen sich ausschließlich auf das Gedächtnis, aber das reichte für ihn nicht. Seine eigenen Erfahrungen wurden der Masse der Erinnerungen, die bereits in seinen Genen vorhanden waren, hinzugefügt und verstärkten einige Bilder kaum merklich, während andere, die nicht mehr zutreffend waren, abgeschwächt wurden. Seine Nachkommen würden den entsprechenden Nutzen davon haben.

Der westliche Teil dieses wandernden Subkontinents hatte sich während seiner Vorwärtsbewegung gekrümmt. Ein ausgedehnter, flacher Binnensee war verschwunden, als sich das Land statt dessen zu einer gewaltigen Bergkette verformt hatte. So war eine natürliche Barriere durch eine andere ersetzt worden, und die Kette stieg noch immer an, als Orns Gedächtnis aussetzte. Die Flora hatte sich hier sehr schnell verändert. Blühende Pflanzen hatten sich in den Bergen explosionsartig ausgebreitet und den älteren Spielarten die wärmeren Tieflandküsten überlassen.

Orn kannte die geologische Geschichte dieser Insel. Hier hatte er es mit einem vulkanischen Vorgang zu tun. Die Insel war als Überbleibsel von fortwährenden Lavaströmen aus dem Meer emporgestiegen. Aus einem einzigen Kegel waren drei geworden, die sich alle von der Ruhelosigkeit des wandernden Kontinents nährten wie Stürme von den Bewegungen großer Luftmassen. Zwei der Vulkankegel waren zur Ruhe gekommen, während der dritte und kleinste immer noch periodisch im Laufe der Jahrhunderte ausbrach. Orn hatte die Spuren seines früheren Ausbruchs gesehen. Aus seinem unterirdischen Glutofen war die Hitze gekommen, die die Insel jetzt so angenehm machte, Orns Erinnerungen ließen ihn wissen, daß die umliegende Landschaft im Winter unerfreulich kalt wurde – zu kalt für seine Gattung, um zu brüten.

Jetzt war Sommer, ein gutes Jahr nach seinem rauhen Erwachen in der Höhle. Orn war inzwischen mehr als halb so schwer wie seine Vogeleltern geworden, die er niemals gekannt hatte und deren verwesendes Fleisch ihn in den ersten schwierigen Tagen nach dem Ausschlüpfen am Leben gehalten hatte. Jetzt hatte sich sein Gefieder angenehm verdichtet, weiß um den Hals herum und auf der Brust hübsch grau. Seine Schwingen und der Schwanz waren kräftig. Er konnte den Hals so verdrehen, daß er jeden Körperteil erreichte, und sein Schnabel war eine respektable Waffe. Er war stark und flink und schlau geworden. Wäre es anders gewesen, hätte er überhaupt nicht heranwachsen können, nicht einmal in dieser geschützten Region.

Er war sich bewußt, daß die meisten Vögel seiner Gattung elterliche Fürsorge genossen hatten und vor der Wildheit des Klimas und der Raubtiere behütet wurden. Anfänglich hatte er gelitten. Aber er war sich auch bewußt, daß seine Eltern ihren Nistplatz wohlüberlegt ausgesucht hatten. Hier lebten nur wenige wirklich gefährliche Tiere. Das Krokodil, das die Tragödie heraufbeschworen hatte, war von einer anderen Insel herübergekommen. Gelegentlich hatte Orn ein anderes Krokodil vorbeischwimmen sehen, aber er hatte sich versteckt und war nicht bemerkt worden.

Einst hatten hier viele Paare genistet, waren viele Küken ausgeschlüpft. Jetzt war er allein. Irgendwie war seine Spezies im Lauf der Jahrtausende zusammen mit den Reptilien zugrunde gegangen. Oh, es gab Vögel auf der Insel, mehr Arten als jemals zuvor, aber keine seiner eigenen Spezies. Er machte sich keine Gedanken darüber, wieso dieselben Umstände, die eine Ausbreitung der Vögel begünstigt hatten, seine eigene Gattung entmutigt hatten.

Jetzt, da er in sein zweites Jahr hineinwuchs, wurde er sich eines dringlicheren Problems bewußt. Er konnte fühlen, wie der Boden sich wand, und er konnte die immer zahlreicher werdenden Gasschwaden sehen und riechen, die aus dem aktiven Kegel austraten.

Auch die anderen Wesen waren sich der Gefahr bewußt, blieben jedoch weitgehend hilflos. Fische trieben mit dem Bauch nach oben in den zu heiß gewordenen Teichen. Winziges, warmblütiges Kleingetier krabbelte am Tag ins Freie, aus seinen Höhlenbauen vertrieben. Vögel schwebten in den Lüften, zu ängstlich, um lange auf den gespenstisch zitternden Zweigen sitzen zu bleiben.

Die Vögel konnten wenigstens fliegen, Orn konnte es nicht. Er ging am Ufer, das dem Festland gegenüberlag, auf und ab und starrte zu dem Gebirge hinüber, das durch die Luft so nah und durch das Wasser so fern lag. Er war kein guter Schwimmer, und die See barg ihre eigenen Gefahren.

Aber selbst das Festland war unruhig. Dunkle Wolken trieben über die Berge hinweg, als andere große Vulkane ihrem Zorn freien Lauf ließen. Nicht nur die Insel bebte, sondern die ganze Region, und die Gezeiten waren ebenfalls in Aufruhr.

Er mußte sich von diesem Ort entfernen. In seinem halberwachsenen Stadium wäre er niemals freiwillig auf Reisen gegangen, aber das Überleben verlangte es. Er mußte das Wasser überqueren und das Ufer hinter sich zurücklassen. Aber wie?

Jede Entscheidung, die er getroffen hätte, war plötzlich irrelevant geworden. Die Krise überraschte ihn, als er noch am Wasser entlangwanderte.

Ein gewaltiges Beben erschütterte die Insel. Der Ozean fing an zu tanzen, und die Bäume zersplitterten und stürzten um.

Der Boden hob sich, sackte ab, hob sich abermals und schleuderte ihn heftig zur Seite. Als er vom Strand aus zurücktorkelte, öffneten sich im Boden große Spalten, die geräuschvoll Steine und Schlamm ausspuckten. Die See zog sich für einen Augenblick zurück, so als ob sie Angst bekommen hätte. Dann überspülte sie mit mächtigen Wellen den Strand und krachte gegen die Felsen. Das Wasser war braun, und dort, wo es abfloß, blieb eine Schicht von Schlamm und Steinen zurück.

Dann wurde es sehr ruhig, aber Orn wußte, daß die Insel dem Untergang geweiht war. Seine Vorfahren hatten dazu geneigt, ihr Nest an ähnlichen Orten zu bauen, und waren solchen Situationen schon ausgesetzt gewesen. Die Warnungen in seinem Gedächtnis waren überaus deutlich. Er mußte fliehen, denn es gab keine Erinnerungen an diejenigen, die es nicht getan hatten. Keiner von denen gehörte zu seinen Ahnen.

Diese Erinnerung bestimmte auch den Verlauf seiner Handlungen. Er rannte zu dem einzigen Fluß, der sich von dem ältesten und größten Berg hinunterwand. Es sollten auch Bäume dabei sein, schwimmende Stämme, vom Beben entwurzelt und von der Strömung mitgerissen. Er konnte vielleicht auf einen der Stämme klettern, um darauf zur See zu reiten.

Seine Hoffnung war vergebens. Der Fluß war durch Felsen blockiert worden und staute sich bereits, so daß bald ein kleiner See entstehen würde.

Wieder schüttelte sich der Boden, weniger heftig, aber länger anhaltend als beim letzten Mal. Bevor die Vibrationen aufhörten, war ein unterirdischer Knall zu hören.

Alarmiert blickte er zu dem gewaltigen älteren Berg empor. Seine Befürchtungen waren gerechtfertigt: Gelbliches Gas stieg aus seinem verwitterten Krater in die Höhe. Feuerspeiende Berge starben niemals wirklich.

Als er noch hinblickte, öffnete sich an der Seite des Bergkegels ein Schlund, und eine monströse Dampfwolke quoll hervor. Sie verdichtete sich, wurde vollkommen undurchsichtig, schwoll an und *rollte* den Abhang zum Fluß hinunter. Dahinter entstand eine Feuersbrunst: eine Spur von glühendem Gestein, die alles Leben auslöschte.

Die Wolke war riesig. Er konnte ihre Spitze auch dann noch

sehen, als sie mehrere Kilometer stromaufwärts in das Flußtal eintauchte. Er hörte das Zischen des verdampfenden Wassers und sah im nächsten Augenblick, wie die Wolke enorm anwuchs, als sie vom Wasserdampf aufgeblasen wurde.

Der Berg bebte erneut. Aus dem Schlund in seiner Seite ergoß sich ein goldfarbener Brei und quoll den rauchenden Kanal hinunter, den die Wolke hinterlassen hatte. Wo die Vegetation berührt wurde, brach Feuer aus. Wie das Gas vernichtete die Lava auf ihrem Weg alles bis auf den Boden selbst.

Orn wußte auch darüber Bescheid. Vielleicht würde das geschmolzene Gestein erstarren und vor Erreichen der See haltmachen, aber vermutlich würde noch mehr kommen und über die bereits abgekühlten Massen hinwegfließen, bis die ganze Insel darunter begraben und alles Leben erloschen war.

Feuer tobte jetzt durch den Wald und lud die Luft mit seinem Gestank auf. Leichtere Beben setzten sich fort. Winzige Tiere flohen aus dem Wald und irrten am Strand umher – dem Untergang geweiht.

In dem Bewußtsein, daß er es sich nicht erlauben konnte, noch länger zu warten, watete Orn ins Wasser. Es bestand die Möglichkeit, daß die Raubtiere des Ozeans durch die Erschütterungen erschreckt oder verwirrt und vielleicht sogar betäubt worden waren, so daß er hinüberschwimmen konnte und sich dabei nur mit dem Wasser selbst auseinandersetzen mußte. Es war eine Chance, aber er machte sich keine unrealistischen Hoffnungen.

Aus der Entfernung schien das Wasser ganz ruhig zu sein, aber das war eine Illusion. Die Oberfläche hatte sich in widerwärtigen Schaum verwandelt. Verborgene Objekte stießen gegen seine Füße und zerkratzten seine Beine. Die heftigen Strömungen unter dem Schaum erschwerten ihm die Balance. Er breitete seine Flügel aus, wobei er sie mit der schmutzigen Brühe besudelte, und hielt den Schnabel hoch erhoben. Aber umsonst. Bald wurde er von den Füßen geholt und in die trübe Flüssigkeit getaucht.

Er schwamm. Wasservögel hatten Füße mit Schwimmhäuten, aber seine eigenen waren mit Klauen versehen und vollkommen nutzlos für die Fortbewegung im Wasser. Alles war falsch für ihn. Seine Körperstruktur eignete sich nicht zum Schwimmen.

Über ihm hatten sich Sturmwolken gebildet, und der Wind peitschte heftig die Wasseroberfläche. Orn ritt auf den wachsenden Wellenbergen, auf und nieder, auf und nieder, verzweifelt bemüht, das Gleichgewicht und die Orientierung nicht zu verlieren.

Asche rieselte auf ihn herab. Nur sein ausgeprägter Richtungssinn half ihm, Kurs auf das unsichtbare Festland zu halten.

Dann stießen seine Füße gegen etwas Festes. Für einen Augenblick dachte er, daß er den Überweg schon geschafft hatte, aber er war eigentlich noch zu weit entfernt. Seit der Überquerung durch seine Vorfahren mußte eine Sandbank entstanden sein, denn in seinen Erinnerungen gab es keine Hinweise auf Untiefen.

Er stand, und der Ozean um ihn herum wich zurück, während die vom Wind mitgeschleppten Fragmente nach unten rieselten. Eine Landbrücke stieg aus den Wellen empor, überzogen von einem Belag aus Seetang.

Nein, dies war keine Sandbank. Statt dessen zog sich das Wasser zurück und legte den Grund des Ozeans frei.

Er konnte zur anderen Seite hinüberwandern, aber er begriff, daß seine Überlebenschancen noch weiter abgesunken waren. Zu den Erdbeben und Vulkanen war eine dritte Drohung gekommen.

Er stand auf einem uralten Korallenriff. Große Schwämme wuchsen aus den Spalten hervor, Quallen lagen hilflos ausgestreckt da. Die meisten Fische waren mit dem Wasser geflohen, aber einige wenige waren in muschelverkrusteten Höhlen gefangen. Krebse, deren Zangen plötzlich zu toten Gewichten geworden waren, krabbelten verzweifelt hin und her, und ein Seestern, der sich um eine Muschel geschlungen hatte, fand sich jetzt als Opfer der Umstände wieder.

Dies war eine Welt, mit der Orn nicht sehr vertraut war. Und trotz der Gefahr nahm er alles aufmerksam in sich auf. Es gab viele Meerespflanzen, die er selten gekostet hatte, nicht einmal in der Erinnerung. So viele exotische Lebensformen! Viele hatten sich kaum verändert, seit seine Vorfahren das Wasser verlassen hatten, andere hingegen waren ziemlich neu. Er wollte so viel wie möglich lernen, bevor er die Möglichkeit dazu für immer verlor.

Während er dies alles beobachtete, hatte er seinen Weg fortgesetzt und war dem Ufer näher gekommen. Trotz der Sinnlosigkeit begann er nun, seinen Reflexen nachzugeben. Hinter ihm kam das, womit er fest gerechnet hatte: eine gewaltige Wasserwoge, die sich zehnmal schneller fortbewegte, als er laufen konnte.

Die Woge würde ihn zerschmettern. Es gab keinen Weg, sich rechtzeitig aus ihrer Reichweite zu entfernen. Aber der blinde Überlebensinstinkt jagte bei diesem Anblick durch seinen Körper. Er schlug mit den Flügeln und streckte den Hals nach vorne. Alle Kraft in den Lauf legend, rannte er, ohne auf seine Füße Rücksicht zu nehmen, auf den gezackten Korallen entlang. Als die gigantische Woge über das flache Inselplateau hinwegging, hörte er sie. Höher und höher ragte sie auf.

Plötzlich war der Strand des Festlandes da, und er stolperte darüber hinweg. Er stürzte sich in das Unterholz. Es wurde dunkel. Der Schatten der Welle umfing ihn. Der Wind war plötzlich eisig und bewegte sich dem Wasser *entgegen.*

Immer noch rannte er, über Felsen, um Bäume herum, weg vom Strand. Er hatte erwartet, daß die aufgetürmte Wasserwand viel früher auf ihn stürzen würde, um alles zu beenden, aber das Verderben hing in der Luft.

Und er fiel . . .

Der Schlag kam so abrupt, daß er sich seiner erst bewußt wurde, als er hochgerissen und vorwärtsgeschleudert wurde, vollkommen vom Wasser gefangen und hilflos. Es war so, als würde er in einer reißenden Meeresströmung ertrinken, aber er wurde herumgewirbelt und sah eine Landschaft am Himmel, die zur Seite wegkippte.

Dann sank er durch immer nachgiebiger werdenden Schaum. Er schlug mit den Flügeln. Sein Hinterteil landete hart, und er hielt sich mit dem Schnabel an Blätterwerk fest. Er fürchtete, auf die See hinausgetragen zu werden. Aber er war bereits gelandet und bewegte sich nicht weiter vorwärts. Irgendwie hatte er die Druckwelle überlebt.

Das Wasser wich weiter zurück und beließ ihn auf einer grünen Insel. Er war benommen, aber unversehrt . . . und auf dem Festland. Er blickte sich um.

Er hockte auf dem kräftigen oberen Geäst einer Tanne, deren Spitze abgebrochen war.

4 Veg

Sie befanden sich in einer künstlichen Höhle. Massiver Fels war geschmolzen worden, um eine unregelmäßig geformte Kammer zu bilden, in deren Wand der Empfangspunkt lag. Unterhalb des Eingangs standen zerstreut Vorratskisten herum, die man ganz einfach unkontrolliert nach unten geworfen zu haben schien. Genauso wie es ihnen allen sieben ergangen war, dachte Veg. Es war eine wenig eindrucksvolle Art und Weise, eine Mission zu beginnen.

»Kein Empfangsgerät, da man dies hier ja wohl als Bewährungsdienst bezeichnen darf«, stellte Cal fest. Er schien sich schon alles im Kopf zurechtgelegt zu haben. »Der Effekt dürfte einer spritzenden Schlauchleitung ähneln: Sie kann auf das einwirken, was sich vor der Düse befindet, nicht jedoch auf das, was ein Stück weiter hinten liegt. Sie haben offenbar einen Hitzestrahl durchgeschickt und eine zylinderförmige Höhlung herausgeschmolzen. Dann die Vorräte, ohne Menschen dabei zu riskieren . . .«

Die Mantas schwärmten bereits aus. Einer hatte ein nach oben führendes Bohrloch entdeckt und blickte mit seinem Auge hinein. Ein anderer untersuchte eine dunkle, horizontale Nische.

»Aber wo ist das ganze Gestein geblieben?« fragte Aquilon. »Massiv oder geschmolzen, es kann nicht einfach verschwinden.«

»Nicht wenn sie den Fluß umdrehen und es durch die Öffnung saugen. Oder genauer gesagt, wenn sie es durch den eigenen Gasdruck hinaustreiben lassen. Eine knifflige Operation, aber durchführbar, wie es scheint.«

Veg folgte dem Manta (Hex, dessen war er sicher) über das Durcheinander der Vorräte. Der Strahl seiner Stablampe huschte hin und her. Eine meterhohe Röhre wand sich in die Dunkelheit.

»Sinnlos, herumzusitzen, bis uns die Luft knapp wird«, rief er zurück. Aquilon gesellte sich zu ihm. Sie waren mittendrin. Es hatte keinen Zweck zu zaudern. Ein neues Abenteuer wartete.

»Das dürfte der Wendelgang sein, der zur Oberfläche führt«, sagte Cal. »Der schmale senkrechte Schacht war wohl als Luftzufuhr gedacht, aber das hat natürlich nicht funktioniert. Ich kann mir vorstellen, daß sie ihn benutzt haben, die Beobachtungsrakete durchzuschießen. Dann haben sie zugelassen, daß sich die Öffnung wieder schloß. Es gibt noch jede Menge Arbeit, bevor wir diese Höhle verlassen können.«

Veg ging weiter. Er wußte, daß Cal vermutlich recht hatte, war aber nicht gewillt herumzutrödeln, solange der Tunnel unerforscht war. Er litt nicht unter Klaustrophobie, aber wenn möglich, zog er freies Gelände vor. Er hängte sich die Lampe um den Hals und bewegte sich auf Händen und Knien weiter. Er hörte, wie ihm Aquilon folgte.

Der Gang beschrieb eine ständige Kurve nach links. Er verlor bald die Orientierung. Zurück blieb nur die nebelhafte Empfindung, daß er mindestens einen vollständigen Kreis hinter sich gebracht hatte. Seine Knie waren aufgeschürft. Der Raum reichte nicht aus, um auf Händen und Füßen zu gehen. Aber mit Aquilon hinter ihm, die nicht über *ihre* Knie klagte, gab es für ihn kein Zögern. Hex war längst irgendwo weiter vorne verschwunden. Er hatte keine Schwierigkeiten in der engen Röhre gehabt.

Die Schleifen waren endlos. Der Beamte, Schwachkopf, hatte irgend etwas von einer Bohrung durch den Felsen erzählt, aber keinen Hinweis auf die Entfernung gegeben. Veg begann, sich eingeengt zu fühlen.

Schließlich erreichte er den Manta Hex, der vor einer Metallbarriere kauerte. Dies war ein Pflock, der den Tunnel fast völlig ausfüllte, eingebettet in ein gummiartiges Material, das sich eng gegen die kreisförmige Wand preßte. Im Zentrum des Pflocks befanden sich eine Scheibe und ein Kopf, die an ein Kombinationsschloß denken ließen. Das war alles.

»Was ist los, Höhlenforscher?« erkundigte sich Aquilon.

»Komme nicht an Hex vorbei«, sagte er und streckte sich so, daß sie Platz fand, sich neben ihn zu zwängen. Sie tat es mit einer geschmeidigen Bewegung.

»Das ist nicht Hex«, sagte sie. »Das ist Circe.«

Was für eine Frau sie doch war! Er hatte nicht gewußt, wie tief Aquilon ihn berührte, bis sie voneinander getrennt waren, nach Nacre. Auf Nacre, dem Heimatplaneten der Mantas, hatte er mit ihr herumgealbert, umgeben von Geheimnissen und Gefahren, und an nicht mehr als eine vorübergehende Neigung geglaubt. Aber wieder auf der Erde, wo sich das Trio trennte, um die heranwachsenden Mantas zu schützen ...

»Wach auf«, sagte sie und schnippte unter seiner Nase mit den Fingern. »Ich sagte, du hast den falschen Manta.«

»Du bist verrückt«, brummte er.

»Und du hast behauptet, du kennst deinen eigenen Manta!« Sie blickte sich um.

»Muß eine Luftschleuse sein.«

Ihr reizendes Gesicht mit dem wirren blonden Haar war dem seinen so nahe, daß ihr Atem seine Wange streichelte.

Als der Idiot, der er war, hatte er sich nicht vor Augen geführt, was er für sie empfand, bis ihm dieser Regierungsagent Subble das Eingeständnis nach seiner Niederlage in einem fairen Zweikampf abgerungen hatte ...

»Es muß einen Weg geben, sie zu öffnen«, fuhr sie fort, nichts von dem Gefühlsaufruhr in ihm ahnend. »Ist das ein Kombinationsschloß?«

»Vielleicht.«

»Laß mich es versuchen.«

Sie hob den rechten Arm, zwängte ihn zwischen ihnen durch und langte nach der Wählscheibe.

Eine Frau mit Verstand, ja. Aber keine von diesen verkrampften Intelligenzbestien. In früheren Jahren hatte er das andere Geschlecht mit einer gewissen Verachtung betrachtet, bis er in Aquilon gesehen hatte, was eine Frau sein konnte. Eine *totale* Frau. Sie hatte gesagt, daß sie kein Fleisch mehr aß ...

Aber natürlich besaß er wenig, was er einer wirklichen Frau anbieten konnte. Er wußte Intellekt zu würdigen, obwohl er selbst kein Intellektueller war.

Ein Klicken wurde hörbar, und Circe wich ein Stück zur Seite.

»Ich habe es«, rief Aquilon aus. »Es ist kein richtiges Kombinationsschloß, nur so eine Art Sicherheitssperre. In einem Moment habe ich sie auf.«

»Vorsichtig.«

Es war Cal, der hinter ihnen stand und sie beide überraschte. »Denkt daran, daß wir unter Wasser sind.«

»Stimmt, das hatte ich vergessen«, sagte Veg ernüchtert.

Er stellte sich einen salzigen Sturzbach vor, der hereinschoß, als sei der Tunnel ein Abflußrohr, und sie zwischen die Vorratskisten schleuderte wie eine Meute ertrunkener Ratten. Was würden sie ohne Cals angeborene Umsicht tun?

»Das dürfte der Bohrer sein«, sagte Cal, während er seine eigene Lampe zwischen sie hielt. Groteske Schatten verdunkelten den größten Teil des Lichtstrahls. »Vermutlich ist er wasserdicht, und wenn wir unsere Tauchanzüge anhaben, werden wir ihn natürlich als Ausstieg benutzen. Aber es dürfte klug sein zu überprüfen . . .«

»Der Bohrer?« fragte Aquilon.

»Meine Liebe, ich fürchte, du hast den Lektionen des Beamten nicht die gebührende Aufmerksamkeit geschenkt«, sagte Cal tadelnd.

Aquilon verfärbte sich leicht. Und da erkannte Veg es: Wenn sie sich wirklich für einen der beiden Männer interessierte, dann für Cal. Cal mit seinem Verstand war das Problem. Eine Frau ohne Verstand hielt nach einem starken oder schönen Mann Ausschau. Eine Frau *mit* Verstand hielt nach einem intelligenten Mann Ausschau. Die Art Frau, die Veg gefallen konnte, war auch die Art, die naturgemäß Cal bevorzugen würde. Cal war nur klein und schwächlich, wenn man ihn ansah, niemals, wenn man ihm zuhörte.

Der Bohrer war, wie Cal erklärte, ein traktorähnliches Gerät mit einem diamantenbesetzten Kopf, der sich in den Fels fraß und ihn pulverisierte. Staub und Trümmerstücke wurden zur

Beseitigung durch die Röhre zurückgeblasen. Im vorliegenden Fall hatte der Bohrer in dem Augenblick halt gemacht, in dem seine Nase ins Wasser vorstieß, so daß der Tunnel nicht überflutet werden konnte. Er konnte betreten werden, indem man das versiegelte Teil wieder öffnete, und auch durch das Hilfstor an der Seite. Die Wählscheibe an seiner Rückseite würde den Innendruck anzeigen, und ihre richtige Einstellung würde die Wasserpumpe in Betrieb setzen und das Innere wie gewünscht entleeren.

Letzten Endes mußte Veg zurückweichen, damit Cal an ihm, Aquilon und Circe vorbeikam, um die Kontrollen zu bedienen. Veg fühlte sich, als sei er degradiert worden, aber es war gut, daß wenigstens einer wußte, was er tat. Der Gedanke, daß all das Wasser hereinströmte . . .

»Klar«, verkündete Cal. Er ließ die Wählscheibe klicken. »Sollte sich jetzt öffnen . . .«

Es passierte nichts. Verwundert griff Cal an dem Knopf herum, aber es passierte noch immer nichts.

»Muß wohl klemmen«, sagte Veg. »Soll ich mal . . .«

»Es gibt keinen Griff«, machte Aquilon klar. »Nichts, woran man reißen kann, es sei denn, die Wählscheibe . . .«

Sie hatte recht. Veg erinnerte sich an die konturenlose Metallwand. Und offensichtlich war es unklug, zu kräftig an dem Drehknopf zu ziehen. Er malte sich aus, wie die feinen Drähte zerrissen und sich die Zuhaltungen verklemmten. Ein schöner Bericht, den man zur Erde zurückbringen konnte: Tut uns leid, die Tür war verschlossen.

Aber wenn die Verbindung zur Erde außerhalb der Phase lag, dann konnten sie für Wochen oder Monate in diesem Fuchsbau hocken. Wie groß waren ihre Sauerstoffvorräte?

»Ich fürchte, Veg hat recht«, sagte Cal. »Es ist verklemmt. Es sollte sich öffnen, tut es aber nicht.«

»Wir könnten es in ein paar Stunden noch einmal versuchen«, sagte Aquilon ohne große Begeisterung.

»Damit es noch mehr verrostet?« erkundigte sich Veg. Er legte eine große Hand um Aquilons schlanken Knöchel und zog sanft daran. »Kommt zurück, alle beide. Und Circe ebenfalls. Ich werde aufmachen!«

Die anderen ließen sich von der Barriere wegdrängen, und Veg kam nach vorne. Circe zog sich ein Stück zurück, so daß er eine ganze Sektion des Tunnels für sich allein hatte. Er verschaffte sich festen Halt, bog den Arm zurück und schmetterte seine Faust seitlich gegen die Platte neben der Wählscheibe.

So einfach war das. Das Metall gab nach. Gegenüber der Wählscheibe schwang ein halbkreisförmiges Segment herein.

Veg hatte die Runde gewonnen, der Weg war frei. Er wischte sich über die Augen und griff nach der Platte. Sie drehte sich um eine vertikale Säule, in deren Zentrum die Wählscheibe angebracht war. Auf beiden Seiten blieb eine etwa dreißig Zentimeter breite Öffnung. Von der Rückseite liefen Drähte in den Rumpf des Bohrers.

»Ich muß zugeben, daß du deine nützlichen Seiten hast«, sagte Cal, der herantrat. »Dies hier sollte jetzt herausgleiten . . .«

Der Innenraum des Bohrers war ungefähr zweieinhalb Meter lang. An der gegenüberliegenden Wand gab es eine Kontrolltafel. Dahinter, erklärte Cal, lag der Motor und dahinter wiederum der Bohrer selbst, der jetzt harmlos ins Wasser ragte. An den Seiten des Raums befanden sich die Einschnitte für die Raupengehäuse, die den vorhandenen Platz stark einschränkten.

»Wir müssen unsere Vorräte zu diesem Ort schleppen und dann durch die Schleuse transportieren«, sagte Cal. »Der Mann draußen wird einen Taucheranzug tragen müssen. Nach den Lotungen und den Fotografien der Rakete befinden wir uns nur sechzig Meter unter der Wasseroberfläche, so daß es nicht allzu schwierig werden dürfte. Immerhin, es ist vielleicht klug, nach oben zu klettern und sich umzusehen, bevor wir uns zu zweit vorwagen.«

»Klettern?« erkundigte sich Aquilon, die hinter dem Manta stand. »Meinst du nicht, nach oben *schwimmen?«*

»Solange wir nicht mehr über die örtlichen Strömungen wissen, dürfte Schwimmen zu riskant sein«, erklärte Cal. »Und außerdem sind die Anzüge beschwert. Wir schicken einen Ballon nach oben und klettern die Leiter hinauf, die ihn mit dem Bohrer verbindet. Wenn wir Land sichten, *gehen* wir dahin – über den Meeresboden.«

Aquilon schwieg, und Veg verstand den Grund dafür. Auf Nacre war Cal dem Tod nahe gewesen, und die beiden anderen hatten die Führung übernommen. Jetzt war Cal gesund, und es trat augenscheinlich zutage, daß er der natürliche Führer des Trios war.

Im Bohrer gab es eine Winde mit einem elektrischen Antrieb. Sie holten sie hervor und stellten sich auf wie auf einer Montagerampe. Cal verband das Seil in der richtigen Reihenfolge mit den Objekten, Aquilon bediente die Winde von einer Stelle unmittelbar unter dem Bohrer aus, und Veg war der Mann draußen. Das Seil war tatsächlich ein Doppelseil, das durch eine Öse in der Basis des Tunnels lief, so daß es nicht erforderlich war, es nach jedem Transport per Hand zu richten. Aber wegen der Enge und der Kurven des Gangs hatten sie sich entschlossen, gleichzeitig nur eine Ladung abzuwickeln. Ein Zerreißen oder Verklemmen würde sonst nur sehr schwer wieder in Ordnung zu bringen sein.

Der Taucheranzug war mehr wie ein Raumanzug, aber so gefertigt, daß er an den kritischen Stellen dem Druck widerstand. Er war ziemlich schwer. Veg zog ihn an, mußte sich dann im Inneren des Bohrers in eine unkomfortable Position quetschen und mit einem Stoß die Wandplatte schließen. Sie versiegelte sich, als Aquilon den Kontrollknopf bediente. Dann strömte das Wasser durch eine Öffnung im Fußboden. Es drang mit ziemlicher Kraft ein, schlug gegen ihn und sammelte sich unter ihm in einer Pfütze, so als ob er in einer vollaufenden Badewanne lag. Als das Wasser bis zu seiner Gesichtsmaske anstieg, begann er die Klaustrophobie zu empfinden, von der er geglaubt hatte, daß er nicht daran leiden würde. Er wußte, daß er in dem versiegelten Anzug nicht ertrinken konnte, aber die Vorstellung war übermächtig. Er konnte sich nicht bewegen, er konnte nicht entfliehen. Er mußte hier liegen und sich der Flüssigkeit ausliefern. Ein Leck ...

Als die Kammer ganz gefüllt war, verschwand der Effekt. Es war der Anblick des herankommenden Wasserspiegels, der ihn verursacht hatte, machte er sich klar. Nun schwamm er und fühlte sich wohl.

Er versuchte es am seitlichen Tor. Zuerst wollte es sich nicht öffnen, und er begriff, daß sich der Druck noch nicht ausgeglichen hatte. Eine kurze Weile später versuchte er es erneut, und jetzt gab es bereitwillig nach. Es schwang auf, eine Blase aus Metall, und er starrte in die Dunkelheit hinaus.

Er aktivierte das Helmlicht des Anzugs und blickte abermals hinaus. Der Strahl drang durch das trübe Wasser und verblaßte in einiger Entfernung. Wie auf dem nebligen Nacre, dachte er. Und genauso mußte es um die Sicht der Mantas bestellt sein: nur ein Lichttunnel im Dunkeln. Ein Manta konnte nichts sehen, was sich nicht unmittelbar in dem Feld vor seinem Auge befand. Aber er sah mit Sicherheit alles, was vor seinem Auge *war.* Sogar Schallwellen...

Er zwängte sich aus dem Bohrer. Der Hersteller hatte keinen Mann mit seinen Maßen im Sinn gehabt!

Schließlich stand er neben dem Bohrer. Der Anzug schien jetzt ganz leicht zu sein, und er war dankbar für die Gewichte, die ihn hielten. Er wußte, daß er ohne diesen Ballast durch die Auftriebskräfte der Luft, die ihn im Anzug umgab, hilflos zur Oberfläche getragen würde. Und ohne diesen Schild aus Luft würde es ihm andererseits in diesem Wasser ziemlich kalt werden.

Er sah sich um. Was die Position des Bohrers anging, hatte Cal recht gehabt. Seine glänzenden Klingen ragten ins Wasser hinaus und reflektierten den Strahl seines Helms in Form eines Lichtkranzes. Wie viele Diamanten hatte man gebraucht, um diese massive Schraube zu bestücken?

Jenseits des Bohrers befand sich der Grund des Ozeans. Er war überrascht, feststellen zu müssen, daß es hier nicht eben, sondern hügelig war. Irgendwie hatte er sich die Tiefe ähnlich wie die Oberfläche vorgestellt – glatt mit kleinen Wellen. Der Bohrer stand auf einem steil abfallenden Felsen. Wäre die Schräge auf der anderen Seite gewesen, hätte die Maschine vor dem Austritt einen beträchtlich längeren Weg bohren müssen. Er sah einige kleine Fische, konnte ihre Art aber nicht identifizieren. Mit Sicherheit gehörten sie nicht zu denen, die er kannte. Insgesamt fühlte er sich in der unvertrauten Szenerie nicht wohl.

Er war überrascht, als er aus dem Inneren des Bohrers ein

Klopfen hörte. Drei Schläge: ihr gemeinsamer Mensch-Manta-Kode für Frage. Aquilon wollte wissen, was er tat.

Er klopfte zur Bestätigung einmal zurück und stieß das Tor zu. Er hörte das Klicken, als es sich schloß. Die Pumpe trat in Aktion, und er sah, wie sich die seegrasähnlichen Gewächse bewegten, als das Wasser durch die Bodenöffnung ausgespuckt wurde.

Nach ein paar Minuten traten Blasen hervor, die Strömung hörte auf, und im Inneren des Apparats wurde ein allgemeines Poltern laut. Dann kamen laute Schläge, keine Signale. Aquilon hämmerte gegen die Platte, versuchte sie zu öffnen.

Ein plötzlicher geistiger Lichtblitz ließ ihn das Problem verstehen: Die Luft, die in die Kammer gepreßt wurde, um das Wasser hinauszutreiben, mußte unter hohem Druck stehen. Sobald das Wasser draußen war, blieb der Druck, denn er konnte nirgendwo hin. Und das Schott zum Tunnel war so konstruiert, daß es sich nur öffnete, wenn der Druck drinnen und draußen ausgeglichen war, um einem Leck vorzubeugen.

Es sollte eigentlich ein Ventil geben, um den überschüssigen Druck abzulassen, wenn das Wasser einmal draußen war. Wahrscheinlich war dieses Ventil verstopft. Er hatte die Platte mittels roher Gewalt geöffnet, aber Aquilon hatte nicht seine Kraft.

Ein großer, schlanker Fisch kam auf ihn zu. Veg blickte sich nach einer Waffe um, fand aber keine. In jedem Fall hatte er keine Ahnung, ob diese Kreatur gefährlich war. Was sollte er tun, wenn sie angriff?

Der Fisch griff nicht an. Er fuhr lediglich fort, ihn und den Bohrer wie aus Neugier zu beschnüffeln. Veg wünschte sich, daß er ihn identifizieren könnte, falls es ein Raubfisch war.

Ein dumpfer Schlag wurde hörbar, so daß das Metall unter seiner Hand bebte. Alarmiert zuckte seine Faust zurück. Was war passiert? Er versuchte, das Tor zu öffnen, aber es war fest verschlossen. Es gab nichts, was er tun konnte.

Dann schossen Blasen aus dem Rohr, und er wußte, daß alles in Ordnung war. Der Pumpzyklus hatte wieder begonnen.

Bald hörten die Blasen auf. Er versuchte sich wieder am Tor, und es öffnete sich. Er leuchtete mit der Lampe hinein. Er sah eine Gasflasche, eine zusammengerollte Nylonleiter und einen verpackten Ballon. Er nahm alles heraus und fragte sich, wie Aquilon das Druckproblem gelöst hatte. Er befestigte ein Ende der Leine an dem Bohrer, indem er sie unmittelbar unterhalb des Ausflußrohrs anband. Er führte das andere Ende durch eine große Öse an der Basis des Ballons und knotete es fest. Schließlich führte er die Düse des Tanks in den Ballon ein und schloß sie an. Er drehte den Hahn des Tanks auf.

Helium zischte kalt in den Ballon. Der Ball rollte sich auf, als wäre er ein Kinderspielzeug, blies sich zu einer meterlangen Zunge auf, wurde dann zu einem langen Flaschenkürbis und schließlich zu einer Wassermelone. Er fing an, den Tank an der Düse nach oben zu ziehen.

Hastig schlang Veg eine weitere Leiterschlaufe um den Bohrer und hielt sich daran fest. Der Ballon zog den Tank so hoch, wie er konnte – knapp vier Meter über den Bohrer.

Dummkopf!

Er hatte vergessen, daß das Ding nach oben steigen würde, sobald es aufgeblasen war, und keine Vorbereitungen getroffen. Als ob ein Heliumball, leicht genug, ein Luftschiff am Himmel zu halten, still unter Wasser sitzen bleiben würde . . .

Die Ausdehnung ließ nach, als der Ballon einen Durchmesser von einem knappen Meter erreicht hatte. Veg kletterte die Leiter hinauf, die jetzt ganz straff war, und band den Tank los, so daß er nach unten sank. Er sah zu, wie der Blasenstrom aus dem Rohr des Bohrers in Fußbreite an ihm vorbeifloß. Dann stieg er auf den Boden hinunter und kämpfte mit dem Teil der Leiter, den er am Bohrer befestigt hatte. Das Seil war zu stramm, um bewegt zu werden.

Unterdessen war der nächste Zyklus abgeschlossen. Er wandte sich von der Leiter ab und öffnete das Tor.

Ein Kopf schob sich hindurch, gefolgt von einem Körper, der selbst unter den groben Falten des Anzugs als weiblich zu erkennen war. Aquilon hatte sich zu ihm gesellt.

Mit Hilfe ihrer Helmlampe blickte sie sich um und war von der Szenerie genauso beeindruckt wie er. Dann sah sie die Leiter.

Sie hätte mit ihm sprechen können, indem sie ihren Helm

gegen den seinen hielt, aber zu seiner Erleichterung tat sie dies nicht. Seine Einfalt war offensichtlich. Er hätte nie gedacht, daß die Auftriebskraft eines so kleinen Ballons so groß sein würde.

Gemeinsam zerrten sie die Leiter über den Rumpf des Bohrers, um sie über das obere Ende zu streifen. Plötzlich hörte Aquilon auf und deutete auf den diamantbestückten Bohrkopf. Natürlich! Die Diamanten konnten das Seil durchtrennen oder so stark beschädigen, daß es unbrauchbar wurde.

Aquilon versuchte es mit einem anderen Trick. Sie packte das schlaffe Ende der Leiter zwischen der ersten und der zweiten Schlaufe und fing an, es unter den Bohrer zu zerren. Veg erkannte, was sie vorhatte, und half ihr. Der Gedanke war, das schlaffe Ende um den Bohrer herumzubringen, so daß die zweite Schlaufe im Endeffekt neben die erste zu liegen kam, so daß die dazwischenliegenden Leitersprossen zur Oberfläche emporsteigen konnten. Das Seil war sehr dünn, und es sah danach aus, daß es gut sechzig Meter lang war – mehr als genug.

Sie zerrten und zogen, und ganz abrupt raste das Seil in voller Länge durch. Der aufsteigende Ballon verschwand aus ihrem Sichtfeld. Veg führte sich vor Augen, daß sie beinahe einen weiteren schweren Fehler gemacht hätten: Wäre eine Hand erfaßt worden, als das Seil losging ...

Schnell verankerten sie das Seil wieder, so daß die Leiter fest und vertikal hing. Dann begann Veg zu klettern. Zu spät fiel ihm ein, daß er ohne Mühe nach oben gekommen wäre, wenn er sich an einer der aufsteigenden Sprossen festgehalten hätte. Nun hatte er die leichte, aber mühsame Aufgabe, Stufe um Stufe emporzusteigen.

Stufe um Stufe ...

Irgendwo zwischen sechzig und achtzig hörte er auf, die Sprossen zu zählen. Stieg er wirklich nach oben, oder bediente er nur eine Tretmühle im Nichts?

Schließlich war er oben. Der Ballon schwamm inmitten einer wabbeligen See. Weiße Wolken schmückten den blauen Himmel, der sich über dem Meer dehnte.

Veg blickte über die Wellen hinweg. Mit den Füßen stand er

auf der obersten Leitersprosse und hatte den Arm um den tanzenden Ballon geschlungen. Er sah ... weitere Wellen.

Er drehte den Kopf.

Hinter ihm, vielleicht anderthalb Kilometer entfernt, vielleicht auch viel weniger, war ein Berg.

Veg lächelte, ließ den Ballon los und sank dem Grund des Ozeans entgegen.

Mission erfüllt ...

5 Orn

Es war eine fremde Welt, die er durchstreifte. Die vertrauten Palmen und Nadelbäume waren selten. Ihren Platz hatten knospende und blühende, flachblättrige Bäume und Büsche eingenommen. Er kannte diese neueren Pflanzen, aber sie gediehen hier in unvergleichlicher Fülle und dominierten die Landschaft, statt gelegentliche Lücken auszufüllen, und das war für ihn schwer zu akzeptieren. Seine Reflexe waren darauf nicht eingestellt, seine Erwartungen wurden fortwährend getäuscht, und das regte ihn auf. Die mächtigen Tannen bildeten noch immer dichte Wälder, aber diese Wälder waren kleiner, als sie früher gewesen waren. Farne waren noch immer da, wurden jedoch in ihrem Wachstum behindert.

Orn stellte keine Spekulationen über die Bedeutung dieser Veränderungen an. Ihn interessierte das, was gewesen war und was jetzt existierte. Jedes Objekt, das er sah, erzählte seine ureigenste Geschichte aus der Sicht von zahllosen, aufmerksam beobachtenden Generationen seiner Vorfahren. Veränderung war tatsächlich unbequem für ihn, aber sein Status als Waise und der Druck unabwendbarer Ereignisse hatten ihn gezwungen, sich bereitwilliger anzupassen als seine Ahnen. Vielleicht hatte die Isolation sein Überleben gewährleistet, denn wenn er in üblicher Weise von treusorgenden Eltern trainiert worden wäre, hätte er möglicherweise nicht die Initiative ergriffen, von der Insel zu fliehen.

Er war vertraut mit dem Festland, wie es vor vielen Millionen Jahren existiert hatte, und hungerte jetzt nach Informationen. Auch physisch war Orn hungrig. Er war nicht spezialisiert, sondern ein Allesfresser. Blätter, Früchte, Säugetiere, Gliederfüßer – alles konnte seine Mahlzeit sein, vorausgesetzt, es war nicht giftig. Aber es mangelte ihm an Vorstellungskraft, gezielt nach spezieller Nahrung zu suchen. Er aß alles, was sich gerade anbot.

Er kratzte die vertrockneten, verrotteten Blätter unter seinen Füßen weg. Seine beiden Vorderzehen hatten lange, scharfe Krallen, während die Hinterzehen, die den größten Teil seines Gewichts trugen, stumpf und kräftig ausgebildet waren und mehr Hufen als Krallen ähnelten.

Ja, die kleinen Gliederfüßer waren da, genau wie auf der Insel. Das Land hatte sich verändert, die Erde jedoch nicht. Einige fliegende Vögel ernährten sich ausschließlich von den schmackhaften Insekten, und das konnte er auch, wenn er nur genug finden würde. Aber sie verschwanden bereits, während er sie noch ausgrub. Für seine Wanderungen brauchte er gehaltvollere Nahrung. Und er mußte wandern, denn er wußte, daß die Vulkane bald wieder aktiv werden würden.

Orns Schnabel war nicht dazu geschaffen, die schnell hin und her huschenden Kreaturen zu fangen, aber er scharrte abermals und ließ seine klebrige Zunge hervorschnellen, um einige aufzuspießen, bevor sie Deckung fanden. Sie waren köstlich, als sie in seinen Kropf wanderten, aber ein so spärliches Mahl machte seinen Hunger nur noch größer.

Er richtete sich auf und hielt Ausschau nach Beute, die ihn für viele Stunden sättigen konnte. Die Jagd war schwierig in diesem unvertrauten Territorium. Er lauschte.

Hoch über ihm ertönte der Schrei eines seiner primitiven Vettern, eines Flugvogels. Orn blickte nach oben und sah ihn auf der Suche nach fliegenden Insekten über die Bäume hinwegsegeln. Versuchsweise schlug er mit den Flügeln und wünschte sich für einen Augenblick, daß er auch fliegen könnte. Viele Hunderte von Arten lebten jetzt in der Luft. Seiner eigenen Art war das jedoch schon so lange nicht mehr möglich gewesen, daß er nur noch ganz verschwommene Erinnerungen an das Fliegen hatte.

Ein anderer, sanfterer Laut drang zu ihm herüber. Es war das Rieseln von Wasser über nackten Stein. Ein Strom!

Orn fand ihn sofort. Er stand nahe am Ufer und betrachtete die schmalen Kanäle, als die klare Flüssigkeit zwischen den Felsen hindurchfloß, tauchte dann seinen Schnabel hinein und trank. Im Gegensatz zu seinen Vettern war er in der Lage, das Wasser einzusaugen, ohne zum Schlucken den Kopf heben zu müssen. Aber er brauchte nicht die großen Mengen, die durch die kleinen Körper der Säuger rannen. *Sie* überlebten, indem sie ausreichend Flüssigkeit speicherten. *Er* überlebte, weil er leistungsfähig war.

Kleine Fische huschten vorbei. Der Gedanke, Kreaturen wie jene zu verzehren, von denen er abstammte, störte ihn nicht. Tatsächlich gefiel ihm der Gedanke sogar. Auf der Suche nach einem Teich mit größeren Fischen, die die Mühe lohnten, ging er stromaufwärts.

Ganz in der Nähe bewegte sich etwas. Orn drehte den Hals, um ein Auge darauf richten zu können, und erspähte den entschwindenden Schwanz einer Schlange. Diese Reptilienart hatte in jüngster Zeit die Beine abgelegt und sich in kriechende Kreaturen verwandelt. Auf der Insel hatte er schon einige wenige verzehrt, aber diese hier war fetter und länger. Er sprang auf die Schlange, hielt den Kopf mit einem Fuß fest und hackte mit dem Schnabel in ihren Hals.

Ihr Fleisch war kühl, saftig und köstlich. Er schlang es herunter und stillte seinen Hunger. Es gab Berge, wo er sich an Sümpfe erinnerte. Die Nächte im Binnenland waren kühl, die Tage heiß. In den Tagen, in denen er sich von den trügerischen Vulkanen entfernte, war Orn endlich in der Lage, seine Erwartungen abzulegen und das Vorgefundene zu akzeptieren. Seine innere Unruhe legte sich.

Überall waren Vögel. Sie kreuzten geschickt durch die Lüfte und schwammen in den kleinen, kühlen Teichen. Die Familien der Gliederfüßer waren auf phantastische Art und Weise allgegenwärtig. Und die kleinen, warmen, haarigen Säuger waren aus ihren Höhlen und Verstecken hervorgekommen und kühn ins Freie getreten. Sie hatten Wälder und Lichtungen überrannt.

Orn fand heraus, daß manche Säuger leichte Beute waren.

Die größten bedeuteten keine Gefahr für ihn, und die meisten waren so klein, daß er sie mit ein paar Bissen herunterschlucken konnte. Es war nicht so, daß sie keine Vorsicht walten ließen, aber die größeren schienen keinen Ärger von seiten eines Vogels zu erwarten. Dies gestattete es ihm, ziemlich nahe heranzukommen, bevor sie beunruhigt waren, und gewöhnlich verschaffte ihm ein schneller, genauer Krallenschlag eine angenehme Mahlzeit. Die Säuger lernten jedoch schnell, und er stellte fest, daß sie vor ihm viel mehr auf der Hut waren, nachdem er ein oder zwei Exemplare von einer bestimmten Gruppe erwischt hatte. Doch da er weiterwanderte, spielte das kaum eine Rolle. Nie zuvor hatte er besser gegessen.

Aber noch immer empfand er ein vages Unbehagen. Irgend etwas fehlte. Er konnte jedoch nicht sagen, um was es sich handelte. Er wußte, daß das Leben hier für ihn zu einfach war. Es sollte mehr Gefahr geben.

Nach und nach überwand er seine anfänglichen Schwierigkeiten, die neuen Tierformen als gegeben hinzunehmen. Wenn seine Vorfahren die Evolution dieser Kreaturen für tausendmal tausend Generationen beobachtet hätten, wäre das Bild sehr klar gewesen. Eine Million aufeinanderfolgende Leben, jedes Leben eine einzelne Momentaufnahme: Das Ganze ergab ein vollständiges Bild der Kreatur. Aber dieser eine Lichtblitz war zu kurz für ihn, um zur richtigen Assimilation zu kommen, auch wenn er in der Gegenwart aufgetreten war und aus vielen Stunden und Tagen bestand. Seine Vorfahren waren in jüngster Zeit jenseits der aufragenden Berge gefangen gewesen und hatten zu wenige Vorstöße über die sich verändernden Pässe und den wandernden Kontinent gemacht, um die erforderlichen Bilder von den sich schnell entwickelnden Tieren formen zu können.

Aber einige wenige Arten waren klar. Die vorsichtigen Beuteltiere waren kaum verändert. Mit den Pflanzenfressern sah es schon schwieriger aus, denn sie waren jetzt größer und vielfältiger. Einige hatte er schon auf der Insel kennengelernt, und das half ihm, sie einzuordnen. Auch die Insektenfresser hatten sich gewaltig aufgefächert. Sie ernährten sich von den zahllosen Insekten, die ihrerseits von den blühenden Pflanzen unterhalten wurden. Nun gab es viele bedeutende neue Arten, von denen nur noch wenige ihre ursprüngliche Natur behalten hatten, und diese Kreaturen waren größtenteils unsichtbar für ihn. Dies war gefährlich, wie er sich beinahe zu spät bewußt wurde.

Das Wesen ging auf ihn los, bevor er die Bedrohung erfaßte, genauso wie er auf die sorglosen kleinen Beutetiere losgegangen war. Es war ein Säuger, aber fast so massig wie er selbst und weitaus wilder, als es seinen Erwartungen entsprach. Vage ergründete er seinen Stammbaum: Eine Art der winzigen insektenfressenden Baumbewohner hatte ihren Spielraum erweitert, indem sie sich auch von Nüssen und Aas ernährte. Irgendwie waren diese unvoreingenommenen Zwerge von den Bäumen hinabgestiegen, um das Territorium der Reptilien zu übernehmen. Und nun wurden sie selbst groß und mutig.

Für einen Augenblick schien Orn zu erfassen, was ihn am meisten an diesem Land beunruhigt hatte, aber ihm blieb keine Zeit, sich darauf zu konzentrieren. Der Zwang, die gegenwärtige Kreatur einzuordnen, kam zu schnell. In seinem Bewußtsein gab es kein vollständiges Bild davon, und so wußte er nicht, wie er damit umgehen sollte. Schnelles Denken war nicht seine Stärke. Er war von den Reflexen abhängig, die durch die Erfahrungen von Jahrmillionen geprägt worden waren. Mit mehr Zeit konnte er sich auf diese Situation einstellen, aber das Tier griff *jetzt* an.

Die winzigen Klauen aus Orns Erinnerung waren zu großen Krallen geworden, eines Vogels würdig. Seine Zähne, obgleich klein, waren kräftig und scharf. Es bewegte sich mit der Geschmeidigkeit einer Schlange, und doch stützte es seinen Körper auf vier muskulöse Beine und war zu alarmierender Schnelligkeit fähig. Ein Killersäuger.

Er konterte, als es zuschlug. Er breitete die Flügel aus, kreischte, sprang zur Seite und stieß mit dem Schnabel nach vorne. Wäre der Gegner ein Reptil ähnlicher Größe gewesen, hätte er auf ein Auge gezielt. Immerhin veranlaßte seine Aktion das Tier zum Abdrehen, und während es langsamer wurde, sich wieder umwandte und erneut kam, hatte er eine kurze Ruhepause.

Betrachte es als eine neue Kreatur, entschied Orn. Einst war sie ein Insektenfresser gewesen, jetzt war sie Fleischfresser, ein Karnivore. Die Beine des Tieres waren elastisch, die Schnauze stumpf, und es gebrauchte sowohl die Füße als auch die Zähne zum Kampf. Es war so aufmerksam und schnell wie Orn selbst, nicht erstaunlich bei einem warmblütigen Säuger, aber erschreckend, wenn man seine groteske Größe betrachtete.

Wenn er es nur *sehen* könnte!

Aber seine überlieferten Erinnerungsbilder stimmten ganz einfach nicht mit der Gegenwart überein. Sie waren so anders, daß sie jetzt keine Bedeutung hatten.

Wäre ihm der Säuger vertraut gewesen, sollte er ihn im Kampf besiegt haben können. Schließlich war er Orn. Aber so wie die Lage war, würde er dessen Mahlzeit werden.

Das Tier sprang.

Mit uncharakteristischer Inspiration stellte Orn es sich als ein laufendes Reptil vor und reagierte entsprechend. Er riß einen Fuß hoch, breitete zur Balance die Flügel aus und schlug nach der empfindlichen Nase.

Der Schlag ging fehl, weil der Karnivore schneller als ein Reptil war und eine kürzere Schnauze hatte. Aber seine Kralle traf das Tier im Nacken und riß eine blutige Furche in seine beharrte Haut, was bei einem Reptil dessen Schuppen verhindert hätten.

Der Karnivore heulte auf und schnappte nach der Seite, aber Orn war schon aus seiner Reichweite. Wieder riß er den Fuß hoch, und diesmal erwischte er mit seinem Schlag das muskulöse Kinn. Fleisch wurde aus der Wange gerissen, als Orn die Kralle durchzog. Erneut schnappte das Reptil seitlich zu, dort wo sich die Verletzung befand. Aber Orn war darauf vorbereitet. Sein Schnabel stieß in den Augapfel hinein, durchbohrte das Gehirn und tötete das Tier.

Orn trat zurück und betrachtete den Karnivoren in dem Bewußtsein, daß er Glück gehabt hatte zu überleben. Hätte er sich nicht auf ein Erinnerungsbild besonnen, das ihn befähigte, *irgend etwas* wirkungsvoll zu bekämpfen, würde der Karnivore jetzt auf seinen Leichnam hinunterblicken.

Aber er verschwendete keine überflüssige Zeit. Er setzte die Arbeit des Sezierens fort und studierte jedes weiche Organ, bevor er es verzehrte. Als sein Kopf gefüllt war, hatte er ein viel besseres Wissen über diesen Säuger. Sollte er mit einem anderen kämpfen müssen, würde er besser vorbereitet sein. Aber er würde nicht freiwillig in einen solchen Kampf hineingehen – nicht gegen dieses mit Krallen und Zähnen versehene Monster! Es war besser, Karnivoren und alle größeren Säuger zu meiden.

Aber sie gaben eine vorzügliche Mahlzeit ab.

6 Cal

Mit abgeblendetem Licht lag Cal im Bohrloch, unmittelbar unter der Winde. Circe stand darüber. Er bezweifelte, daß die Mantas irgend etwas besaßen, das menschlichen Gefühlen ähnelte, und sie waren mit Sicherheit geschlechtslos. Aber es sah so aus, als ob Circe weiblich wäre und Aquilons Interessen im Auge behielt. Die anderen Mantas blieben unten. Sie beteiligten sich nicht an den menschlichen Aktivitäten und hockten neben den Vorräten wie eine Gruppe von Waldpilzen. Circe war die ganze Zeit über bei Aquilon gewesen und ließ sie als einzige niemals allein, und jetzt hatte dieser Manta sicher etwas von Aquilons Ausstrahlung übernommen.

Es war zu einfach, alle Mantas zu personifizieren. Sie waren in der Tat fremdartig. In Wirklichkeit war der Mensch in gewisser Weise mehr mit den Vögeln, den Schlangen oder Spinnen verwandt als mit diesen Intelligenzen des Dritten Königreichs auf Nacre. Auf jenem fernen Planeten hatte sich ein Protoplasmakeim, der dem Schimmel ähnlich war, zu komplexen, bewegungsfähigen Formen entwickelt, die das ganze Königreich der Tiere verdrängt hatten. Über die innere Chemie der Nacre-Wesen gab es weitgehend nur Mutmaßungen, da ihre Körperenergien durch das Brechen organischer Substanzen entstanden, nicht durch ihren Aufbau. Die Mantas waren die Krone der fungoiden Evolution, ungefähr in der gleichen Weise, in der der Mensch das Endprodukt der tierischen Evolution auf der Erde war – bis jetzt. Die erstaunlichste Tatsache war, wie sehr sich die beiden Arten auf den Gebieten ähnelten, die wirklich zählten. Der Mensch besaß zwei Augen, der Manta eins. Der Mensch war eine Omnivore, ein Allesfresser, der Manta ein Karnivore. Genau genommen waren alle Kreaturen auf Nacre bis zum Erscheinen der Menschen Herbivoren, Pflanzenfresser, gewesen, da es kein Königreich der Tiere gegeben hatte, das als Beute dienen konnte.

Aber dies waren unbedeutende Unterschiede. Eine übereinstimmende Evolution hatte beide Spezies zu einem Punkt geführt, in dem sie mehr miteinander gemein hatten als mit zahlreichen Vertretern ihrer eigenen Art. Es war so, als ob die Natur zielbewußt dafür gesorgt hatte, daß sie sich trafen und miteinander koexistierten.

Aber warum hatten jene drei Mantas ihren selbstmörderischen Befreiungsversuch unternommen? Sie mußten einen großen Teil der Erklärungen des Beamten verstanden und somit gewußt haben, daß ihnen kein Schaden zugefügt werden sollte, obwohl ihnen verwehrt wurde, nach Nacre zurückzukehren.

Nicht nach Nacre zurückkehren ...

Cal lag da, zornig über seine eigene Dummheit. Die Mantas mußten natürlich angesichts einer solchen Verbannung rebellieren! Selbst das menschliche Trio war auf der Erde nicht glücklich gewesen. Wie konnte man annehmen, daß es den Mantas dort besser gefallen würde? Der dünn bevölkerte Planet Nacre war der beste Platz für die Mantas. Sie mußten begierig auf die Chance gewartet haben, nach Hause gehen zu können, nachdem sie die Gewohnheiten des Menschen kennengelernt und eine Verständigungsmöglichkeit gefunden hatten. Als diese Erwartung, dieser Traum, dann so brüsk enttäuscht wurde ...

Aber nur drei waren losgestürmt.

»Circe«, sagte er.

Der Manta machte ein Knallgeräusch mit dem Schwanz. Es war merkwürdig, in der Dunkelheit zu sprechen und von ihr Antwort zu bekommen, da er wußte, daß sie mit ihrem Auge hörte. Aber die Dunkelheit bestand nur für seine Augen. Die Mantas sorgten im Ultraviolettbereich für ihre eigene Beleuchtung und waren somit von Außenquellen unabhängig. Circe konnte seine Sprache sehen.

»Wart ihr sieben euch darüber einig, daß drei von euch den Ausbruchsversuch unternehmen sollten?«

Drei Knalle: Frage.

Er hatte das Problem zu kompliziert formuliert. Er versuchte es erneut: »Lin, Tri, Okt – ihr wußtet?«

Ein Knall: ja.

Es war also geplant gewesen. Die Mantas hatten reichlich Gelegenheit gehabt, einen detaillierten Angriffsplan zu entwickeln, da die volle Leistungskraft jedes einzelnen Verstands durch das Auge übermittelt werden konnte. Ein Mensch mochte eine ganze Stunde brauchen, um eine winzige Nuance seiner Gefühle auszudrücken, und konnte damit immer noch erfolglos bleiben. Aber die Mantas konnten sich alles im Bruchteil einer Sekunde klarmachen. Sie waren nicht intelligenter als der Mensch, nur effizienter.

»Ihr habt sie . . . geschickt?« Er mußte sich ganz einfach ausdrücken. Vielleicht war das Mantavokabular noch beschränkt. Vielleicht dachten sie normalerweise nicht in Worten. Er mutmaßte, daß die Fähigkeit der Mantas auf dem Gebiet der Theorie erheblich geringer war als die des Menschen. Dieselbe Effizienz, die die Kommunikation begünstigte, wirkte hoher Intelligenz entgegen.

Circe hatte mit einem weiteren Knall geantwortet. Ja, drei waren ausgewählt worden, den Versuch zu unternehmen, während vier auf Nummer Sicher gingen.

Das gab Sinn, taktisch.

»Wer starb?«

Drei Knalle, gefolgt von acht. Also waren *zwei* gestorben, Tri und Oct. Cal fragte sich, woher Circe es wußte. Waren die Sporen der Dahingeschiedenen bereits durch die Station zirkuliert, bevor die anderen sie verlassen hatten?

Das war auch so eine Sache mit den Mantas. Sie pflanzten sich durch Sporen fort, und diese Sporen wurden erst im Tod freigesetzt. Sie waren mikroskopisch klein und konnten nur unter Schwierigkeiten aus der Luft herausgefiltert werden. Nun trieben zwei Partien durch die Station. Das bedeutete, daß individuelle weibliche und männliche Sporen mit ihrem Konterpart eine Vereinigung eingehen und mit einigem Glück neue Mantas hervorbringen konnten. Vorausgesetzt, sie fanden Omnivoren, auf denen sie schmarotzen konnten . . .

Es würde echten Ärger auf dieser Station geben!

Cal konnte allerdings kein Bedauern aufbringen. Seine Sympathie gehörte den Mantas. Aber es war wohl klug, in der nächsten Zeit nicht allzuviel Unterstützung zu erwarten. Zuerst würde das Personal sehr beschäftigt sein. Und später sehr wütend.

»Lin ist entkommen?«

Ja.

Lin würde also, wenn es die Umstände erlaubten, frei sein. Vielleicht würde er tatsächlich per Anhalter nach Nacre zurückkehren und der dortigen Manta-Gesellschaft Bericht erstatten. Das bedeutete vermutlich für die Erde noch mehr Ärger. Schließlich hatten die besuchenden Mantas den Planeten in seiner ganzen Wildheit erlebt, und es waren Mantas gestorben. Trotzdem konnte er die Hoffnung nicht verleugnen, daß Lin es schaffte. In vielen Beziehungen war die Manta-Gesellschaft bewunderungswürdiger als die der Erde.

Draußen wurde ein Poltern laut, das durch die Metallwände drang. Das äußere Tor hatte sich offenbar geschlossen. Aquilon kam zurück.

Er schaltete das Licht ein und beobachtete die Platte, obwohl er wußte, daß es noch ein paar Minuten dauern würde, bis der Pumpzyklus abgeschlossen war. Aquilon übte diese Wirkung auf ihn aus, veranlaßte ihn, sie so schnell wie möglich wiedersehen zu wollen. Sie war ein so reizendes Wesen, die erste Frau, die ihn jemals wie einen Mann behandelt hatte, und er liebte sie. Wenn sie auch nicht brillant war, so besaß sie doch Empfindsamkeit. Das zeigte sich in ihrer Kunst. Vielleicht war es mehr ihr Malen, das er liebte, als sie selbst.

Trotzdem gefiel es ihm, sie anzusehen.

Die Zählscheibe zeigte die Vollendung des Zyklus an. »Mach auf, Circe«, sagte er.

Der Manta sprang und federte von der Platte zurück. Der Aufprall des einen Fußes riß sie auf. Luft schoß in den Tunnel und verursachte eine Art Druckwelle, die aber keinerlei Schaden anrichtete. Sie würden sich um das defekte Druckausgleichsventil kümmern müssen. Dies war eine ziemlich lästige Methode, die Kammer zu öffnen. Aquilon kroch herein. Sie löste ihren Helm, als sie auf ihn zukam.

»Da ist Land«, sagte sie, während ihr schönes Gesicht aufleuchtete. »Veg ist hochgeklettert und hat es gesehen. Eine Insel, nehmen wir an – nicht weiter als anderthalb Kilometer entfernt.«

»Gut«, sagte er und fühlte eine gewaltige Erleichterung. Er hatte sich bis zu diesem Augenblick nicht klargemacht, wie wichtig dies für ihn war. Land, selbst eine Insel, bedeutete Unabhängigkeit von dem Tunnel und seinen Vorräten, zumindest in gewissem Rahmen. Sie konnten nicht mehr plötzlich durch ärgerliches Stationspersonal zurückgerufen oder mittels eines durch die Öffnung abgefeuerten Hitzestrahls ausgelöscht werden. Und die Mantas würden sicher sein.

Die Karte, die Aquilon auf seine Anweisung hin gezeichnet hatte, war nicht detailliert genug gewesen, um die Konfigurationen von Land und Wasser im Umkreis von hundertfünfzig Kilometern zu zeigen. Deshalb war alles fraglich gewesen. Wenn die Bedeutung dieser Karte den militärischen Organisatoren dieser Expedition zu früh dämmerte, würde es ebenfalls Ärger geben. Tatsächlich mußte man alles im Zusammenhang mit den Folgen des Manta-Angriffs in der Station sehen. Er, Veg, Aquilon und die vier Mantas waren in größter Gefahr – bis sie weit fort von hier waren.

Aquilon fuhr fort, ihren Anzug auszuziehen. Sie faltete ihn sorgsam zusammen und legte ihn neben die Winde. Ihr Coverall saß wie angegossen.

»Wir könnten eigentlich schon alles rausschaffen, was wir für den Augenblick brauchen«, sagte sie. »Ich würde den Tag gerne an Land verbringen.«

Wortlos kletterte er nach unten, um die nächste Kiste einzuhängen.

Es war eine Insel, über die ein stetiger Westwind hinwegwehte. Ein schmaler Strand voller Muscheln wich zum Landesinneren einem mächtigen Palmenhain. Eine Anzahl von braunen

Vögeln nistete in dem Gewirr und ernährte sich von den Insekten der Umgebung und dem Meeresleben am Strand. Cal beobachtete sie, war aber nicht in der Lage, ihre spezielle Gattung zu identifizieren. Sie besaßen Schnäbel und Federn und die Verhaltensweise von Vögeln, paßten aber zu keinem Typ, den er kannte. Die meisten waren keine besonders guten Flieger. Für ihre Größe waren sie zu schwer und mußten zu oft eine Ruhepause einlegen. Er fragte sich, wie sie die Insel erreicht hatten. Vom Sturm hergetrieben – und dann vielleicht nicht mehr imstande, wieder zu fliehen.

Die Insekten und Gliederfüßer andererseits waren ihm vertraut. Fliegen summten durch die Blätter und inspizierten die menschlichen Besucher hungrig. Einige erinnerten an Moskitos, andere an Wespen. Ein mausgrauer Schmetterling kam vorbei und flog weiter. Ein Käfer kletterte auf ein Stück Treibholz. In den Bäumen hatte Cal auch die Fäden von Spinnen entdeckt.

Krabben und Schnecken hielten das salzige Gelände besetzt, und Schwärme von kleinen Fischen kreuzten durch das flache Wasser. Sowohl die Luft als auch das Wasser waren warm und klar. Cal fühlte sich von der Brandung belebt, als er hineinwatete und sich bückte, um ein paar Muschelschalen aufzunehmen.

Nach kurzer Zeit hatte er etliche zusammengeklaubt. Er brachte sie an den Strand, ebnete ein Stück Sand und legte die Muscheln in mehreren Reihen aus. Einige waren flach, andere spiralförmig, einige stumpfgrau, andere reich verziert. Er drehte jede einzelne von ihnen um, studierte sie aufmerksam, und nach und nach stieg ungläubige Erregung in ihm auf. Erst die Andeutungen der Landkarte, nun diese Bestätigung . . .

Er dachte einen Augenblick nach, wobei sein Herz mit ungewohnter Heftigkeit schlug. Dann ging er zu dem Vorratslager hinüber, das sie in der Nähe des Unterholzes errichtet hatten, und holte seinen Sprechschreiber hervor. Er wählte eine Muschelschale aus und begann zu diktieren.

Cal legte die letzte Muschel zur Seite und sprach in seinen Schreiber:

»Art *Mollusca*, Klasse *Pelecypoda*, Ordnung *Taxodonta*, Subordnung *Arcacea*, Familie ... Vergiß es, das muß ich erst nachschlagen. Nennen wir es eine Arca, fünf Zentimeter Durchmesser, Zustand gut erhalten.«

Er lächelte innerlich und machte eine Pause, um seine Auslagen liebevoll zu betrachten: eine große Anzahl von eßbaren Muscheln. Sie stellten nur einen groben Leitfaden in diese Welt dar, denn die Pelecypoden als Klasse hatten sich früh aufgespalten und sich danach ziemlich konservativ weiterentwickelt. In vierhundert Millionen Jahren der Erdgeschichte hatte es von den meisten Arten nur unbedeutende Modifikationen gegeben.

Er ging ein paar Schritte weiter zur Auslage der Gastropoden. Hier gab es viel mehr Variationen, denn die Schalen waren spiralförmig, bucklig und unterschiedlich gewunden, und einige waren sehr hübsch. Aber auch sie hatten keine entscheidende Bedeutung.

Tatsächlich faszinierte ihn am meisten das, was fehlte. Es gab nur sehr wenige Cephalopoden. Er hatte lange gesucht, aber nur zwei Schalen zutage gefördert, beides Belemniten. Das war höchst bezeichnend, denn die Cephalopoden hatten die Meere der Erde für dreihundert Millionen Jahre beherrscht, bis sie nach einem drastischen Selektionsprozeß ausgestorben waren. Die Belemniten hatten ihren polypenähnlichen Vettern Platz gemacht, aber die geologische Periode, in der Belemniten in *Abwesenheit* der Ammoniten existiert hatten, war sehr begrenzt gewesen.

Die Geschichte, die seine sorgsam geordneten Muschelschalensammlung erzählte, war bemerkenswert. Ohne seine Referenztexte war er nicht über jedes Detail der wirbellosen Fossilien im Bilde, aber er war sich sicher, daß zufällige Übereinstimmungen nicht so weit gehen konnten. Die Fauna des seichten Gewässers entsprach der der Erde, Ordnung um Ordnung und vermutliche Spezies um Spezies. Nicht die zeitgenössische Erde, nein. Auch nicht die urzeitliche Erde. Aber definitiv die Erde.

Tatsächlich bestätigte das Zeugnis der Muschelschalen genau das, was er aufgrund von Aquilons Karte schon ungläubig vorhergesehen hatte. Die Behörden der Erde, nicht an eine palaeogeographische Betrachtungsweise gewöhnt, hatten offensichtlich ihre Bedeutsamkeit übersehen. Er blickte auf die Muscheln, die entweder auf eine geradezu lächerliche Übereinstimmung konvergierender Evolutionen hindeuteten, oder . . .

Oder sie standen auf einer Insel im Ozean einer Erde, die fünfundsechzig Millionen Jahre in der Vergangenheit lag. Nein, nicht *einer* Erde.

Der Erde.

Aquilon ging in einem einteiligen Badeanzug am Strand entlang. In der Sonne wirkte ihr Haar fast weiß und kontrastierte mit dem Schwarz des Badeanzugs, während ihre Haut schon jetzt eine bezaubernde Bräune aufwies.

»Ich muß reinkommen, bevor ich verbrenne«, sagte sie und kam zu ihm in den Schatten des Zelts. »Und ich mache wohl auch besser mit meinen Illustrationen weiter.« Sie holte ihren Pencil hervor und fing an, die aufgebauten Muscheln zu zeichnen.

Sollte er ihr sagen, was er entdeckt hatte? Nein, nicht sofort. Es würde sie nur unnötig beunruhigen. Zeitreise . . .

»Das ist die Erde, nicht wahr?« fragte sie ruhig, während sie zeichnete.

»Ja.« So weit also ging die weibliche Schauspielkunst. Würde er diese Frau jemals verstehen? »Woher hast du es gewußt?«

»Hauptsächlich durch dein Schweigen. Du hättest eigentlich etwas von Abweichungen und Parallelen erzählen müssen, denn dies ist allem Anschein nach eine sehr erdgleiche Welt. Wenn es eine echte Parallelwelt wäre, müßte sie zeitgenössisch sein. Und du wußtest schon etwas, als du mich veranlaßt hattest, die Karte zu zeichnen, aber du hast nie wieder darüber gesprochen. Als ich darüber nachdachte, bemerkte ich, daß die Karte eine gewisse Vertrautheit hatte, als handele es sich um eine grobe Verzerrung der heutigen Geographie. So könnte die Erde vor Millionen von Jahren ausgesehen haben. Und du wärst der erste gewesen, der es bemerkt. Aber du hast den Mund nicht aufgemacht und warst so verschlossen wie eine dieser Muscheln.«

»Du warst Lehrling bei einem Agenten, vermute ich.«

Sie gab keine Antwort. Der Agent Subble hatte Eindruck auf sie gemacht. Es war besser, das Thema zu wechseln.

»Weiß Veg Bescheid?« fragte er.

»Vielleicht. Wenn, dann kümmert es ihn allerdings nicht sonderlich. Welche Zeit ist es – Perm?«

»Zweihundert Millionen Jahre daneben, Quilon. Es ist das Paläozän.«

»Das Paläozän«, sagte sie nachdenklich und ordnete es ein. »Dämmerung des Zeitalters der Säugetiere. Ich denke, in der Permzeit wären wir wohl sicherer gewesen.«

»Oh, während dieser Epoche gibt es nur wenige gefährliche Landbewohner. Da die Reptilien dezimiert sind ...«

»Sicherer vor Paradoxa, meine ich.«

Konnten ihre Handlungen die Evolution des Menschen beeinflussen? Es schien unglaublich und doch ...

»Was sind das?« erkundigte sie sich, während sich ihr Pinsel wie von selbst bewegte. Form, Schattierung und Farbe wurden kunstvoll dargestellt. Ohne zu tropfen oder zu klecksen, floß die Farbe auf subtilen Druck ihrer Finger aus dem Pinsel.

Es war ein abrupter Themawechsel, aber Cal akzeptierte ihn mit Erleichterung.

»Phylum Mollusca. Oder wie Veg sagen würde – Weichtiere.«

»Du unterschätzt ihn, obgleich es manchmal schwierig ist, es nicht zu tun. Er nennt sie Muscheln und Schnecken.«

»Er hat recht. Die aufklappbaren Schalen sind Pelecypoden, allgemein bekannt als eßbare Muscheln. Die meisten anderen sind Gastropoden – griechisch *gaster,* was soviel wie Magen bedeutet, und *pous,* Fuß. Diese Armee marschiert tatsächlich auf ihrem Magen ...«

»Wie der Manta«, sagte sie.

Cal legte eine überraschte Pause ein. »Ja, tatsächlich. Wie seltsam, daß mir diese Ähnlichkeit noch nicht aufgefallen ist.«

»Aber die Mantas tragen ihre Häuser nicht auf dem Rücken.« Sie drehte eines der Gastropodengehäuse um, um es besser sehen und zeichnen zu können. »Ich habe die Anatomie der Vierfüßer studiert, aber langsam wünsche ich mir, daß ich mich mehr mit dem Meeresleben beschäftigt hätte. Diese Häuser sind wunderschön.«

»Alles, was du malst, ist wunderschön.«

Sie ignorierte die Bemerkung. »Wie sehen die lebenden Tiere aus?«

»Wie Schnecken. Wenn sie wachsen, vergrößern sie ihre Häusern und bilden die Spiralen, die du jetzt siehst. Weil das Ergebnis ein echtes Horn ist, kann man mit dem leeren Gehäuse Töne erzeugen, wenn man es richtig präpariert hat. Aus einem Ammoniten allerdings einen Laut herauszuholen, dürfte sehr schwierig sein.«

»Welche davon sind die Ammoniten?«

»Keine. Sie sind ausgestorben. Das ist einer der Gründe, aus denen ich auf das Paläozän und nicht auf die Kreidezeit gekommen bin.«

»Wie kannst du so sicher sein? Vielleicht hast du nur keine Ammoniten gefunden.«

Sie erwartete seine Erwiderung.

Er freute sich über ihr Lächeln. *Jeder* Dialog mit Aquilon war angenehm. »Meine Liebe, du forderst mich zu einem Vortrag über die Meerespaläontologie heraus . . .«

»Oh, lieber nicht.« Sie fuhr fort zu zeichnen und war schließlich fertig damit. »Wir sollten nicht hier auf der Insel bleiben.«

»Ich habe kaum mit der Katalogisierung angefangen . . .«

»Circe sagt, daß irgend etwas geschieht.«

Er blickte sie aufmerksam an und stellte fest, daß sie ernsthaft besorgt war und ihm nur zugehört hatte, um Zeit zum Ordnen ihrer eigenen Gedanken zu finden. Circe war ihr Manta, genauso wie Hex Vegs Manta war, und Neuigkeiten aus dieser Quelle mußten ernst genommen werden.

»Kannst du dich etwas klarer ausdrücken?«

»Uns fehlen die Begriffe, die Worte. Aber es ist irgend etwas Bedeutsames. Sie weiß nicht genau, ob es gefährlich ist, aber es könnte sein. Es hat etwas mit dem Wasser zu tun.«

»Sturm?«

»Ich glaube nicht. Und die Anzeichen würden wir selbst erkennen, oder?«

»Eigentlich ja. Wir haben ein brauchbares Arsenal an meteorologischen Instrumenten. Das Barometer zeigt keine Probleme an, und wir würden eine Vorauswarnung bekommen, falls ein Hurrikan naht. Zeit genug, um in das unterseeische Röhrensystem zurückzukehren, glaube ich. Könnte das Wasser irgendwie verseucht sein?«

»Das würden wir auch wissen, nicht wahr? Was soll hier schon eine Verseuchung hervorrufen?«

Er zuckte die Achseln. »Was in der Tat, außerhalb des menschlichen Maschinenzeitalters? Vielleicht sollte ich Circe selbst befragen.«

Er konnte ihr anmerken, daß dies genau das war, was sie im Sinn gehabt hatte. Aquilon steckte zwei Finger in den Mund und überraschte ihn mit einem durchdringenden Pfiff. Einen Moment später kam die Scheibenform eines Mantas um die Insel gekurvt und jagte mit fast fünfzig Kilometern pro Stunde über das Wasser.

Circe.

»Was habe ich da über das Wasser gehört?« fragte Cal, als die Kreatur vor ihm zum Stillstand kam.

Circe bewegte sich nicht und rührte auch nicht den Schwanz, aber Aquilon antwortete.

»Sie weiß nicht, was du meinst, Cal.«

»Irgend etwas ist mit dem Wasser nicht in Ordnung«, sagte er in der Form einer Feststellung.

Jetzt knallte Circe zweimal mit dem Schwanz: nein.

»Irgend etwas *wird* nicht in Ordnung sein.«

Drei Knalle: Frage.

»Das Wasser wird sich verändern.«

Ja. »Wärmer.«

Nein.

»Kälter.«

Nein.

»Höher.«

Ja.

Plötzlich fiel der Cent. »Eine Welle.«

Ja.

»Tsunami.«

Frage.

»Eine große Welle, die durch die Bewegungen des Landes verursacht wird. Sehr groß.«

Ja.

»Wann? Ein Tag?«
Nein.
»Früher?«
Ja.
»Zwölf Stunden?«
Nein.
»Wie viele Stunden?«
Sechs Schläge mit dem Schwanz.

Cal stand auf. »Hol Veg. Wir müssen in aller Eile diese Insel verlassen. Wir haben gerade noch genug Zeit, uns zu verschanzen.«

Circe war auf und davon, obwohl er sich an Aquilon gewandt hatte. Aber das war auch in Ordnung. Der Manta konnte die Neuigkeiten effizienter verbreiten. Aber als Veg benachrichtigt war, machte er unerwartete Schwierigkeiten.

»Nein. Ich möchte lieber hier an Ort und Stelle damit fertig werden. Ich will nicht in das Loch zurück.«

»Es wäre nur für einen Tag«, erklärte Cal, aber insgeheim teilte er die Bedenken des großen Mannes. Sie machten ihre Scherze über Vegs Schwerfälligkeit, aber im allgemeinen wußte er schon, was gespielt wurde. Und zum gegenwärtigen Zeitpunkt würde das Sporenproblem in der Orbitstation ganz akut sein, und das Personal mochte sich in denkbar schlechter Laune befinden. »Bis die Gefahr vorüber ist. Dann können wir unsere Arbeit hier wieder aufnehmen.«

»Nun, ich habe nachgedacht«, sagte Veg. »Hier draußen in der Sonne und der Brandung gibt's keine Probleme. Keine Leute, die dicht aufeinander hocken. Mir gefällt es. So sollte der Mensch leben. Da unten würden wir wieder zu Ölsardinen, eng zusammengepreßt. Das ist der Ärger auf der Erde. Zu viele Leute. Hier ist es gut, da ist es schlecht. Ich will nicht zurück. Überhaupt nicht. Nicht einmal für einen Tag.«

Wenn Veg ›über etwas nachdachte‹, konnte er sehr störrisch sein. Und die Ironie war, daß Cal ihm fast vollständig zustimmte. Es war möglich, daß sie im Tunnel in größerer Gefahr sein würden als auf der Insel, wenn auch aus unterschiedlichen Gründen. Aber sie konnten wenigstens in der Nähe des Bohrerausgangs bleiben.

»Laß mich erklären, was ein Tsunami ist«, sagte er langsam. Dies war auch für Aquilons Ohren bestimmt, denn jeder sollte wissen, welche Wahl sie hatten. »Ein Erdbeben oder ein Vulkanausbruch kann an Land gewaltige Zerstörungen hervorrufen, aber wenn sich das Geschehen im Meer oder in seiner Nähe abspielt, nimmt alles einen anderen Verlauf. Es entsteht eine Welle – eine Verschiebung der Wasserebene um mehrere Zentimeter oder auch Meter. Die Welle bewegt sich mit einer Geschwindigkeit, die vom Grad der Störung und der Wassertiefe bestimmt wird. Es handelt sich um einen Vorgang, der von ganz oben bis zum Grund reicht, nicht nur ein Kräuseln der Oberfläche, wie es der Wind hervorruft. Im tiefen Wasser kann die Geschwindigkeit tausend Kilometer pro Stunde betragen. Da die vertikale Verschiebung verhältnismäßig schmal ist, kann es sein, daß Schiffe auf dem Meer den Durchzug des Tsunami gar nicht mal bemerken, aber wenn dieser seichte Gebiete trifft, ist die ganze Wucht zu spüren. Die Vorwärtsbewegung wird in eine vertikale Verschiebung umgewandelt. Das Wasser kann sich zu einem Wall von mehr als dreißig Metern auftürmen und beim Aufprall ganze Hafenanlagen zerstören. Natürlich wissen wir nicht, wie schlimm es hier sein wird, aber das hier ist eine kleine Insel, auf der es kein richtiges Hochland gibt. Eine große Welle könnte die Insel vollständig überschwemmen. Auf der Erde pflegen solche Wellen Tausende zu töten und Schiffe kilometerweit landeinwärts zu tragen. Hier . . .«

»Lediglich drei Leute und vier Mantas«, sagte Aquilon. »Kaum der Mühe wert.«

Veg behielt seinen entschlossenen Ausdruck bei. »Du sagst, daß Schiffe damit fertig werden.«

»Schiffe im tiefen Wasser, ja. Nicht solche, die zu nahe am Ufer sind.«

»Wie wäre es mit einem Floß?«

»Ein Floß«, wiederholte Aquilon interessiert.

»Die Frage ist akademisch«, stellte Cal fest. »Wir besitzen kein Floß, es sei denn, du denkst an das ballonartige Rettungsboot. Ich möchte es nicht riskieren. Ein Loch . . .«

»Wie wäre es mit einem Floß aus Bohlen? Gutes, kräftiges Holz, Ruder, Kabine, Segel . . .«

Das war es also, was Veg gemacht hatte! Wenn man einem Mann, der im Freien zu arbeiten gewohnt war, nur Gelegenheit gab, seine Talente einzusetzen ... »Okay, Veg, zeig es uns.«

Das Floß schwamm in einer Bucht auf der anderen Seite der Insel. Es war ungefähr dreieinhalb Meter breit und sechs Meter lang und bestand aus starken, runden Palmenscheiten, die durch Nylonseile zusammengehalten wurden. In der Mitte befand sich eine quadratische Kabine mit einem Durchmesser von fast zwei Metern, von deren Zentrum sich ein drei Meter hoher Mast aus massivem Bambus erhob.

»Das Segel habe ich noch nicht gemacht«, erklärte Veg. »Aber es hat einen Kiel von fast zwei Metern, und die Kabine ist dicht. Ich nenne das Floß die *Nacre.«*

»Und du hoffst, damit einen Tsunami überstehen zu können?« Cal schüttelte den Kopf, obwohl er von der Leistung seines Freundes beeindruckt war.

»Warum nicht? Du sagst, daß Schiffe die Welle nicht mal bemerken. Die *Nacre* ist unsinkbar. Und irgendwann werden wir uns diese Welt näher ansehen müssen.«

»Erscheint mir vernünftig«, sagte Aquilon.

Cal versuchte, seine Einwände in Worte zu kleiden, erkannte jedoch, daß er längst überstimmt war. Oder kompensierte er seinen eigenen unvernünftigen Wunsch, sich weit von den Werken der zeitgenössischen Erde zu entfernen? Oder *wünschte* er sich tatsächlich, auf dieser Welt ein Gebiet zu erreichen, wo ihre Aktionen die Entwicklung der Primaten beeinflussen und dadurch die Menschheit völlig vom Globus entfernen konnten? Nein, das augenscheinliche Paradoxon machte diese Überlegung lächerlich.

»Ich hoffe, es gibt einen Überlebenden, der die Geschichte erzählen kann«, sagte er verdrießlich.

Es bedurfte vier Stunden angestrengter Gemeinschaftsarbeit, die Vorräte zu verladen und alles festzuzurren. Cal mußte zugeben, daß es nicht möglich gewesen wäre, alles rechtzeitig in den Unterseetunnel zu schaffen. Sie hätten einen schwerwiegenden Verlust an Vorräten hinnehmen müssen, es sei denn, die Welle erwies sich als unbedeutend. Vielleicht *war* dieses Floß, zerbrechlich wie es auch sein mochte, die beste Alternative. Allerdings blieben nur zwei Stunden Zeit, um tiefes Wasser zu erreichen. Und ohne Segel ...

Sie gingen an Bord und legten ab. Veg trieb das Gefährt mit einer Stange von der Insel weg, während Cal und Aquilon nach besten Kräften mit abgeschrägten Palmenhülsen paddelten. Die vier Mantas kreisten über dem Wasser.

Cal war froh, daß er wieder so weit zu Kräften gekommen war, um eine ganz brauchbare Rolle zu spielen. Vor sechs Monaten wäre er nicht einmal in der Lage gewesen, das primitive Ruder zu heben, geschweige denn es einzusetzen.

Cal fuhr fort zu rudern. Seine Arme waren müde, aber der Gedanke an die herannahende Welle veranlaßte ihn, weiterzuarbeiten. *Wie* hatten die Mantas Kenntnis vor dem Tsunami bekommen? Sie konnten keine Schockwelle im Wasser entdeckt haben. Aber er zweifelte nicht daran, daß sie recht hatten, denn sie machten keine Fehler dieser Art. Irgend etwas Bedeutsames würde mit dem Wasser passieren, und wenn es keine Welle war, dann nur deshalb, weil er Circes Botschaft falsch interpretiert hatte. Es mußte eine Vibration oder für große Landbewegungen typische Ausstrahlungen gegeben haben, die ihr eigentümliches Sehvermögen aufgenommen hatte, irgend etwas, das nicht nur Schwierigkeiten signalisierte, sondern den Mantas auch ermöglichte, den Zeitpunkt des Auftretens abzuschätzen.

Es gab immer noch viel über diese Pilze zu lernen.

Als sie aus der Untiefe heraus waren, übernahm Veg Cals Paddel, und Cal begab sich dankbar ans Ruder. Das Ruder war wenig mehr als ein zwischen zwei vorstehenden Balken festgebundenes Paddel und schien angesichts der allgemeinen Primitivität der *Nacre* fast nutzlos zu sein. Dennoch kamen sie der offenen See mühsam, aber stetig näher.

Sie waren kaum weit genug gekommen, als ihre Zeit ablief. Cal hatte sie mit Bedacht entgegengesetzt zu der Richtung steuern lassen, aus der Circe den Tsunami erwartete, so daß die Insel dazwischen lag. Er hoffte, daß sie dadurch dem Schlimmsten entgehen konnten, obwohl das Wasser immer noch zu flach war, um sicher zu sein.

Der Zeitpunkt kam ... und nichts passierte.

»Falscher Alarm«, bemerkte Aquilon mit einer Stimme, die

unsicher zu sein schien, ob sie ärgerlich oder erleichtert klingen sollte.

»Nicht unbedingt«, warnte Cal sie. »Die ersten Anzeichen eines typischen Tsunami sind harmlos. Ein leichtes Ansteigen des Wasserspiegels, gefolgt von einem tieferen Wellental. Aber die zweite und die dritte Woge offenbaren ihre ganze unheilvolle Kraft. Paddelt weiter.«

Aquilon blickte zweifelnd auf die friedliche Insel hinter ihnen. »Eigentlich dachte ich, daß es sich bei einer Flutwelle um eine hohe Wasserwand handelt, die ohne Warnung zuschlägt.«

»Das meinen wohl alle Landbewohner, die die Signale nicht zu deuten verstehen. Natürlich ist ›Flutwelle‹ eine falsche Bezeichnung. Das Phänomen hat nichts mit der Flut zu tun.«

Veg paddelte weiter.

Fünfzehn ruhige Minuten vergingen. Sie krochen weiter auf den Ozean hinaus.

»Bist du *sicher?«* fragte Aquilon.

»Natürlich bin ich mir nicht sicher«, antwortete Cal. »Durchaus möglich, daß wir nicht richtig verstanden haben, was uns Circe erzählen wollte. Weiterhin ist richtig, daß die meisten Tsunamis keine ernsthaften Angelegenheiten sind. Es hängt von ihrer Heftigkeit und der Entfernung zum Standort des Beobachters ab.«

»Das sagt er uns jetzt«, murmelte Veg.

»Immerhin war Circe beunruhigt, und ich nehme an, daß sie dazu einen guten Grund hatte. Wegen der Wassermassen, die betroffen sind, kann zwischen den Wellen eine Entfernung von mehr als hundertfünfzig Kilometern liegen. Ich würde die Gefahr erst als überstanden betrachten, wenn noch ein paar Stunden vergangen sind.«

Veg zuckte die Achsel und ruderte weiter.

»Die ruhigste Katastrophe, die ich jemals überlebt habe«, sagte er.

Die vier Mantas waren umhergestreift und dann zum Floß zurückgekehrt, um sich auszuruhen. Sie schienen diese Ruhepausen zu benötigen. Cal hatte bisher nie Gelegenheit gehabt, sie wie jetzt tagelang in Aktion zu sehen. Auf der Erde hatte er für sie eine einsame Insel gefunden, und danach hatte er sie nur gelegentlich gesehen. Es war niemals eine Laboranalyse ihres Metabolismus vorgenommen worden, aber er vermutete, daß er nicht auf der Basis eines ständigen Energieverbrauchs arbeitete, wie das bei den Tieren der Erde der Fall war. Zum einen waren die Mantas Kaltblüter. Nicht daß ihre Körperflüssigkeit dem Blut in chemischer Hinsicht in irgendeiner Weise ähnelte oder daß es tatsächlich kalt war, aber sie ließ eine grundsätzliche Erhaltung der Energie erahnen. Kälte behinderte sie. Das war vermutlich der Hauptgrund, aus dem es die Mehrheit von ihnen vorgezogen hatte, bei ihm in den Subtropen der Erde zu bleiben. Sie waren Saprophyten, die sich durch das Aufspalten organischer Materie ernährten. In welcher Weise beeinflußten Temperaturen ihre inneren Körperprozesse? Oder waren sie jetzt behindert, weil ihre Programmierung bei Eintreten des Todes die Sporenabgabe vorsah – ein Stadium, das vergleichbar war mit der Schwangerschaft bei Säugetieren? Die Mantas, die in seinem Beisein auf Nacre gestorben waren, hatten keine Sporen freigesetzt, weil der Tod unerwartet eingetreten war.

Jetzt ruhten sie. Müdigkeit, Langeweile oder weil sie sich auf kommende außergewöhnliche Anstrengungen vorbereiteten? Es schmerzte ihn, daß er so wenig Ahnung hatte.

Vierzig Minuten nach dem programmgemäßen Auftreten des Tsunami sah Veg etwas. Er hörte auf zu rudern und hielt Ausschau. Die anderen, die auf ihn aufmerksam wurden, taten dasselbe.

Es war so, als würde ein verwitterter Berg am Horizont hinter der Insel aufgehen. Das Wasser türmte sich grotesk auf, wobei das meiste durch das Blätterwerk der Insel verborgen wurde. Aber auch so war die Woge kaum beeindruckend. Der höchste Punkt konnte nicht mehr als zehn Meter über dem normalen Wasserspiegel liegen.

»Das hätten wir überstanden«, bemerkte Veg.

Cal blieb ganz ruhig. Er wußte, was kam, und mit seinem geistigen Auge verstärkte er die sichtbaren Anzeichen. Die Woge erhob sich in dem seichten Wasser, das zur Insel hinaufführte, auf demselben unterseeischen Gefälle, über das sie vom Tunnel aus gewandert waren. So wie es aussah, gab es ein ziemlich ausgedehntes, überspültes Riff, das den Weg der Tsunami-Druckwelle kreuzte.

In der Nähe der Insel wurde die rollende Dünung schließlich zu einem Wellenberg mit einer weißen Schaumkrone, der ein immer lauter werdendes Brüllen von sich gab. Das Wasser nahm die Form einer senkrechten Wand an und schlug auf die grüne Landschaft. Eine Wolke aus Schaum ging hoch, so als ob sich auf der Insel eine gewaltige Explosion ereignet hatte. Ein Regenbogen erschien am Himmel, eine Folge des Wassers, das hoch in die Atmosphäre gesprüht war.

»Das hätten wir überstanden«, wiederholte Aquilon Vegs Bemerkung ohne Hintergedanken.

Dann war die Sprühwelle über ihnen. Weißer Schaum umwogte das Floß, hob es bedenklich in die Höhe und veranlaßte die Bohlen, sich aneinander zu reiben. Trümmer von der Insel tanzten herum.

Der Wellengang legte sich, und sie konnten die Insel wieder sehen. Aus dieser Entfernung schien sie unverändert, aber Cal wußte, daß dort ein schreckliches Chaos entstanden war. Die Warnung der Mantas hatte ihre Berechtigung gehabt.

Bei diesem Gedanken wandte er sich um. Circe, Diam, Hex und Star standen auf dem Dach der Kabine und sahen unglücklich aus. Sie hätten Schwierigkeiten gehabt, über diese Welle zu laufen. Ihre sich verändernde Gestaltung und die blasige Oberfläche hätte sie leicht untergehen lassen können. Obgleich ein Manta auf dem Wasser *gehen* konnte, war er nicht imstande, darin zu schwimmen, abgesehen von einem kurzen Eintauchen bei höherer Geschwindigkeit. Wenn die Oberfläche flüssig war, mußte ein Manta sich schnell fortbewegen oder ganz stillstehen. Im vorliegenden Fall brauchten sie das Floß dringender als die Menschen.

Dennoch hätten sie dem Problem ganz einfach aus dem Weg gehen können, wenn sie über tiefes Wasser gewandert wären, wo der Seegang des Tsunami leicht war. Brachten sie der menschlichen Gruppe emotionale Loyalität entgegen? Immer wieder bemerkte Cal, was er alles über sie nicht wußte. Jetzt jedoch war dieser Planet seine Aufgabe, nicht die Mantas.

Zum fälligen Zeitpunkt stürzte die zweite Welle über die Insel her. Andere folgten in Abständen von etwa zwanzig Minuten, aber das Schlimmste war vorüber. Das Floß hatte die Gruppe gerettet.

»Ich glaube, es ist jetzt sicher genug, um zurückkehren zu können«, sagte Cal schließlich.

»Wieso?« fragte Veg.

Cal blickte ihn an, zerzaust, verschwitzt und stark, wie er war. »Willst du andeuten, daß das Floß besser als eine Landbasis ist?«

»Ich will andeuten, daß wir auf einer Insel nicht weit reisen können.«

»Reisen! Wenn wir erst mal aus dieser Region abgetrieben sind, sind wir für Monate nicht in der Lage, zurückzukehren.«

Veg nickte.

So stand sie also schon im Raum: die Entscheidung zu meutern, den Kontakt zu den Erdbehörden abzubrechen. Nicht vollständig, denn die Funkausrüstung konnte die Verbindung aufrechterhalten. Aber da sie unfähig sein würden, zurückzukehren, wenn man sie dazu aufforderte...

Veg wollte sich ganz einfach von einem verhaßten Einfluß befreien, und Cal verstand das nur zu gut. Dennoch konnte er den Abbruch der Mission nicht so selbstverständlich rechtfertigen. Sie waren hier nicht im Urlaub, und es bestand kein Zweifel, daß die Schwierigkeiten, die schon auf sie zukamen, beim geringsten Anlaß den Höhepunkt erreichen würde.

Und wenn dies die Erde im Paläozän war, kam noch hinzu, daß die Folgen ihrer Aktivitäten auf dem Festland erschreckend sein konnten. Wie sah es denn aus mit den Paradoxa von Zeitreisen? Bisher hatten sie noch nichts Bedeutsames getan, denn der Tsunami dürfte ihre Spuren auf der Insel ausgelöscht haben. Aber diese glücklichen Umstände würden nicht immer auftreten. Was würde geschehen, wenn eine ihrer Aktionen drohte, die Natur ihrer eigenen Realität zu verändern? Ein solches Paradoxon war im Prinzip unmöglich, aber die Situation mochte äußerst bedenklich werden.

»Ich finde, wir sollten uns ein bißchen umsehen, um Informationen zu sammeln«, sagte Aquilon. »Für einen ordentlichen

Bericht, meine ich. Wir sollten wenigstens eine Karte von den Kontinenten machen . . .«

»Eine Karte von den Kontinenten!« Cal wußte, daß sie das in bezug auf die Aspekte von Flora und Fauna meinte, da sie ja die Karte bereits besaßen, aber es war trotzdem nur ein Vorwand. »Dazu würde ein voll ausgerüstetes Forschungsteam mit einem kartographischen Satelliten mehrere Jahre brauchen. Und wir wissen bereits, was sie finden würden.«

»Das bringt mich auf den Gedanken«, sagte sie. »Die Karte. Woher hast du gewußt . . .«

»Ich würde tief in die Paläogeographie eindringen müssen, um es zu erklären. Es . . .«

»Faß es zusammen«, sagte Veg gereizt.

Er hielt sein Paddel in der Hand und schien es lieber wieder eintauchen zu wollen, anstatt zu reden. Aber Aquilon mußte das Thema jetzt angeschnitten haben, um sicher zu gehen, daß auch Veg Bescheid wußte.

Das Konzept der wandernden Kontinente zusammenfassen? Cal seufzte innerlich.

»Nun, die Kruste der Erde scheint für uns heute fest und dauerhaft zu sein, tatsächlich kocht sie jedoch und bewegt sich ständig. Wie die Oberfläche eines Topfs voll kochendem Haferschleim wirft sie in einigen Regionen Blasen auf, während sie sich an anderen Stellen abkühlt, verfestigt und in Falten nach unten absinkt. Teile dieses festeren, leichteren Materials schwimmen und sammeln sich über den Falten, bis durch diese Tätigkeit große Massen entstanden sind. Dies sind die Kontinente oder, genauer gesagt, der eine Kontinent, der sich vor Milliarden von Jahren geformt hat und dann auseinandergebrochen ist. Vor zweihundertfünfzig Millionen Jahren gab es zwei große Kontinente, zwei Hälften, die durch schmale Meere getrennt wurden: Laurasia im Norden und Gondwanaland im Süden. Sie zerbrachen in die gegenwärtigen Kontinente, und die Veränderungen gehen auch jetzt noch weiter. Eines Tages mögen die Amerikas ihre Reise über den Ozean abgeschlossen haben und sich der Hauptlandmasse von der anderen Seite . . .«

»Vorsicht«, sagte Veg. »Du theoretisierst.«

»Jetzt erinnere ich mich«, sagte Aquilon. »Sie haben das Driften der Kontinente durch Messungen des Magnetismus auf dem Grund der Ozeane verifiziert. Das Metall in den Felsen hatte sich bei der Abkühlung und Verfestigung auf die magnetischen Pole ausgerichtet, und so ergaben sich Anhaltspunkte, aus denen man ersehen konnte, wo es einst gewesen war.«

»Ungefähr so«, stimmte Cal zu, überrascht, daß sie den Zusammenhang begriffen hatte. »Es gab auch noch andere Methoden, um dieses Phänomen zu bestätigen. Computeranalysen zeigten, daß gewisse Kontinente wie Australien und die Antarktis exakt zusammenpaßten, obgleich sie durch über dreitausend Kilometer Wasser voneinander getrennt sind. Die unteren Schichten stimmten ebenfalls überein. Die Karte, die ich dich zeichnen ließ, deutete stark auf die Epoche des Paläozäns hin, denn die großen und bekannten Kontinente hatten sich erst jüngst von der Hauptlandmasse abgespalten und waren noch relativ nahe beieinander geblieben.«

»Also wo sind wir nun . . . auf der Erde?« fragte Veg.

»Unsere Insel hier liegt ein Stück von der Küste entfernt, die man Kalifornien nennen wird. In unserer Zeit hat das westliche Amerika einen der pazifischen Risse überschritten und dadurch den San-Andreas-Graben entwickelt, eine Quelle ständiger Erdbeben. Dies hier ist eine aktive Gegend gewesen, und ohne Zweifel stammt der Tsumani aus . . .«

»Wir können hier nicht ewig sitzen bleiben und reden«, murrte Veg. »Vielleicht kommt noch eine Welle.«

»Und wir sollten wirklich einen Blick auf Kalifornien werfen«, sagte Aquilon. »Die Westwinde sollten uns geradewegs hinbringen, und ich könnte einige der Tiere zeichnen.«

Cal erkannte, daß sie einen Hintergedanken hatte. Sie verstand etwas nicht richtig, bevor sie es nicht gezeichnet hatte, und sie war fasziniert von dem Gedanken, die Pfade der Vergangenheit zu beschreiten. Um Paradoxa machte sie sich keine Gedanken.

»Wir treten nicht als isolierte Gruppe auf«, sagte Cal. »Es könnten sich Konsequenzen ergeben . . .«

»Vielleicht sollten wir abstimmen«, schlug Veg vor.

Cal kannte das Ergebnis schon jetzt. Den anderen fehlten die Voraussetzungen, um den gewaltigen Informationswert einer einzelnen Insel richtig würdigen oder die Wechselhaftigkeit eines scheinbar stetigen Westwinds abschätzen zu können. Es würde viel sicherer sein, hier zu bleiben. Aber es *gab* die Angelegenheit mit den Sporen in der Station. Und er konnte die beiden nicht überstimmen.

»Vier von sieben ist die Mehrheit?« erkundigte sich Cal.

Veg und Aquilon tauschten Blicke. Daran hatten sie nicht gedacht. Wenn das Abstimmen über Schlüsselentscheidungen als Präzedenzfall angesehen werden sollte, dann mußte auch Einigkeit darüber herrschen, daß die Mantas als unabhängige Individuen daran teilnahmen.

»Manta-Stimmrecht«, murmelte Aquilon.

Im Verlauf einer schwierigen Diskussion wurde den Mantas das Konzept des Abstimmens und seine Folgen beigebracht: Jeder gab seine Stimme ab, und die Mehrheit hatte sich dem Willen der Mehrheit zu beugen. Cal fragte sich, ob die fungoiden Kreaturen dies wirklich verstanden. Hätte man sie nicht vorher als eine Einheit betrachten sollen – eine Stimme für ihre ganze Gruppe? Jetzt war es zu spät.

Cal rief die Namen in alphabetischer Reihenfolge auf. Jeder Wähler, der mit dem Floß weiterreisen wollte, sollte zum Bug gehen, jeder, der auf der Insel bleiben wollte, zum Heck.

»Quilon.«

Sie ging zum Bug, und es stand eins zu null für das Floß.

»Cal.«

Nachdem er seinen Namen genannt hatte, ging er zum hinteren Teil. Die Wahrheit war, daß er sehr wohl auf Forschungsfahrt gehen und dem Einfluß der Erde entrinnen wollte, aber ihm lag nichts daran, die anderen zu beunruhigen, indem er seine Gründe nannte.

»Circe.«

Das war der Test: In welche Richtung würden die Mantas springen?

Circe hüpfte zu Aquilon hinüber. Zwei zu eins.

»Diam.«

Dies konnte die Entscheidung sein, denn Veg wollte sicherlich auf Fahrt gehen, und so wäre die Mehrheit bereits gegeben gewesen.

Diam sprang in die Luft, wobei er das Floß mit der Wucht seines Abstoßens erschütterte, und kam neben Cal wieder herunter.

Zwei zu drei. Und sie gaben ihre Stimme *nicht* als Block ab!

»Hex.«

Das war Vegs Kompagnon. Aber wenn Circe sich aus persönlichen Gründen zu Aquilon gestellt hatte, konnte Hex nicht dasselbe tun, weil sich Veg formell noch nicht entschieden hatte.

Hex ging zu der Gruppe am Bug, und es stand drei zu zwei. Über das Ergebnis gab es keinen Zweifel mehr, aber die Abstimmung mußte noch offiziell abgeschlossen werden.

»Star.«

Genau wie Diam war Star immer bei Cal gewesen. Es war eine Frage akademischer Neugier, ob er eine entsprechende Wahl treffen würde.

Star tat es. Drei zu drei.

»Veg.«

Und natürlich ging Veg nach vorne. Die Frage war entschieden, aber, was viel bedeutsamer erschien, die Mantas hatten als Individuen abgestimmt.

Die Siebenergruppe würde auf Fahrt gehen, und Cal war froh darüber.

7 Orn

Die Zeit war lang, aber das bedeutete nichts, denn er wanderte nur und wuchs dabei. Er überquerte Berge und Ebenen und Sümpfe, in östlicher Richtung. Obgleich er an jedem Tag bis an die Grenze seiner Leistungsfähigkeit lief und nur halt machte, um Nahrung aufzunehmen, ging der Sommer zu Ende, bevor er den neuen Ozean erreichte, der durch das Auseinanderklaffen des Landes entstanden war.

Stärker werdende Kälte trieb ihn nach Süden. Viele Dinge hatten sich geändert, und ein Großteil der Landschaft unterschied sich wesentlich von der aus seinen Erinnerungen, aber das war der Lauf der Welt. Sie änderte sich fortwährend, genauso, wie sich die Wellen auf dem Meer änderten.

Die Sänger waren überall. Kleine Arten huschten aufgeregt durch die Grasgebiete und gruben nach Larven und Knollen. Andere starrten ihn mit großen Augen von Bäumen aus an. Im allgemeinen waren sie scheu, aber zahlreich. Er verzehrte sie regelmäßig. Dann und wann erlegte er ein Dino, gehörnt, aber plump und nicht sehr intelligent.

Es gab ebenfalls eine Vielzahl von Schlangen, Eidechsen und kleinen Amphibien, die sich von den unzähligen Gliederfüßern ernährten. Auch Orn tat dies, indem er Ameisenhügel aufriß. Nie in seiner Erinnerung hatte es so regelmäßige Mahlzeiten gegeben!

Vögel überschwemmten die Bäume. Sie hatten sich in so viele Arten aufgespalten wie nie und waren jetzt hervorragende Flieger. Einige Gattungen schwammen auf den Teichen und Flüssen, andere liefen über den Boden wie er, aber keine von ihnen war näher mit ihm verwandt. Seine Gattung hatte schon viel länger und in gefährlicheren Zeiten an Land gelebt. Deshalb war er größer und schneller als diese Neulinge. Viele der anderen wären niemals in der Lage gewesen, den Angriff eines heranstürmenden Reptils zu überleben.

Der Winter versprach viel strenger zu werden als der vorangegangene auf der Insel. Orn ging weiter nach Süden, aber die Kälte verfolgte ihn. Es gab keinen Ort, an dem er sich auf Dauer niederlassen konnte. Er konnte dem Frost nur für kurze Zeit widerstehen. Sein Gefieder war nicht dicht genug, um ihn gegen einen längeren Frost zu schützen, obwohl zahlreiche kleinere Vögel den Winter recht gut überstanden. Langsam wurde er des unentwegten Wanderns müde.

Er erkannte den Nistimpuls in sich nicht, denn dazu hätte es des Anblicks eines geschlechtsreifen weiblichen Exemplars seiner Spezies bedurft. Es war nicht nur die Jahreszeit, die ihn beunruhigte.

Schließlich wurde sein Marsch nach Süden durch Berge blockiert. Sie waren vulkanisch und mußten deshalb mit Respekt und Furcht betrachtet werden. Er trottete nach Westen und suchte nach einem Weg um sie herum, wurde aber einen

Tag später durch einen großen Ozean gestoppt. Er hatte den Kontinent wieder durchquert und die Küstenlinie dort geschnitten, wo sich die Landmasse verengte. Er mußte entweder aufgeben oder weiter in diese Region vordringen. Die Nächte im Binnenland waren viel zu kalt für sein Wohlbefinden geworden.

Die Bergkette setzte sich im Meer fort, wobei die einzelnen Gipfel zu Inseln und schließlich zu Riffen wurden. Diese Inseln würden warm sein, das wußte er. Aber Orn hatte wenig Neigung, sein Domizil abermals an einer so unsicheren Örtlichkeit aufzuschlagen. Einen schlafenden Vulkan oder eine Insel konnte er ertragen, aber nicht die Kombination von beidem. Die Falle war zu tückisch.

So blieb also nur der Landweg. Er hatte keine Erinnerung an das Territorium, das vor ihm lag. Die Gestalt dieser Landschaft hatte sich in den letzten paar Millionen Jahren zu rasch und zu drastisch verändert. Der Vulkanwall war mit Sicherheit neu, und wenn irgendein unternehmungslustiger Vorfahre ihn überwunden hatte, dann hatte dieser Vogel nicht zu denen gehört, deren Linie er entstammte.

Einige Berge von der Küste entfernt fand er einen vielversprechenden Weg. Es war eine Art Paß – ein Spalt zwischen zwei niedrigeren Bergen, überwuchert mit Farnkraut und einer zähen neuen Grassorte.

Die Berge waren tot. Die Seiten des Einschnitts waren verwittert und mit Gesträuch überwuchert. Orn jagte einen Abhang hinauf und streckte einen jungen Säuger nieder, der sich in diese unwirtliche Region verirrt hatte. Es war weitaus mehr Fleisch vorhanden, als er auf einmal verzehren konnte, aber er mußte die Vergeudung diesmal hinnehmen, weil er seine Kräfte für den bevorstehenden Aufstieg zu schonen hatte. Eine anstrengende, mühselige Suche nach kleinerem Beutegetier hätte ihn zu diesem Zeitpunkt zu sehr geschwächt, obwohl er normalerweise nicht mehr tötete, als sein Hunger erforderte. Die Luft war kalt, als er aß, und die Wärme des Fleisches verflüchtigte sich schnell.

Am Morgen hatte er die Spalte hinter sich gelassen und überquerte nun die abschüssige Seite des kleineren Berges. Er versteifte seine Federn gegen den eisigen Wind, der in dieser Höhe wehte. Dann hatte er den Paß überwunden. Auf der anderen Seite war es wärmer – zu warm: Er roch den Rauch eines aktiven Vulkans.

Es gab keine Möglichkeit, ihm zu entgehen. Die Kälte dieser Höhen zwang ihn, die niedrigsten Täler aufzusuchen, und aus der großen Mulde vor ihm erhob sich der lebendige Krater. Feuer umtanzten seinen Gipfel und wurden von den darüber hängenden Wolken reflektiert. Als Orn näher kam, zitterte der Boden unheilvoll.

Auf dem südlichen Abhang erwischte ihn der Vulkan. Monströse Gase wirbelten aus seinem grausamen Schlund und bildeten eine Wolke, die aus sich selbst heraus leuchtete. Als es Nacht wurde, trieb diese Wolke nach Süden – hinter Orn her. Als sie näher kam, ergoß sich Regen aus ihr: ein Strom von weißglühenden Tropfen, die sich massig auf dem Boden sammelten.

Orn flüchtete davor in dem Bewußtsein, daß die kleinste Berührung dieses wilden Sturms Vernichtung bedeutete. Er entkam, aber der Rückzug war ihm abgeschnitten. Er konnte nicht ahnen, was sich vor ihm befand, aber er wußte, daß hinter ihm der Tod lag.

Erschöpft ließ er sich schließlich auf einem schroffen Felsbrocken nieder und schlief unruhig inmitten der dahintreibenden Gase des Vulkans. In der gesamten düsteren Gegend lebte nichts außer ihm.

Am nächsten Tag erreichte er eine Quelle mit kochendem Wasser. Wo es in eine Senke lief und sich ausreichend abkühlte, wusch er sich den Ruß aus den Federn und fühlte sich wieder sauber. Die Gliederfüßer kehrten zurück. Er scharrte nach Larven und hatte eine kleine Mahlzeit.

Danach gab es mehr ebenen Boden, und er kam gut voran, obwohl der außergewöhnlich rauhe Untergrund seine Füße aufscheuerte. Die Felsen waren warm, was nicht allein von der Sonne kam, und es gab viele heiße Teiche. Er wusch sich vorsichtig und trank das intensiv riechende Wasser mit einigen Bedenken, fand aber keine Fische. Er ging dem kochenden Schlamm, den dampfenden Erdspalten und vor allem den aktiven Kratern aus dem Weg.

Es war eine schreckliche Landschaft, schroff aus der Ferne, kahl und tot aus der Nähe. Er sehnte sich nach ihrem Ende und fürchtete, daß es kein Ende gab. Ohne seine Erinnerungen, die ihn leiten konnten, fühlte er sich verwundbar.

Allmählich wurde das Land zur Wüste, und obwohl Orn sehr gut vorankam, blieb er für zwei Tage ohne Nahrung. Er schleppte sich weiter. Es gab keine andere Möglichkeit.

Obgleich der Abend Erlösung von der Hitze brachte, war dies nur ein schwacher Trost. Die Kälte war schneidend, und er mußte sich vor ihr schützen, indem er sich halb in den Staub eingrub. Jetzt hatte er keine Möglichkeiten mehr, seine Federn richtig zu säubern oder den schrecklichen Durst zu vertreiben. So wie ihm das Land die Feuchtigkeit aus dem Körper saugte, fühlte er sich fast wie ein Säuger. Aber kein Säuger hätte so weit wandern können.

Am zweiten Morgen blieb er eine Zeitlang steif liegen und wartete darauf, daß die Sonne ein bißchen Energie in seinem Körper freisetzte. Unter den zerzausten Federn war sein Fleisch ausgetrocknet, aber er wußte, daß es am Tag noch mehr austrocknen würde. War es bequemer, sich zur letzten Anstrengung aufzuraffen oder einfach liegenzubleiben und dem Tod friedlich entgegenzublicken?

Über der Wüste sah er, wie das Sonnenlicht die aufsteigenden Nebel berührte und ihnen einen Glanz verlieh, als die Strahlen gebrochen wurden. Dies war am ganzen Tag der einzige Moment, in dem die Öde Schönheit offenbarte.

Dann informierte ihn sein Gedächtnis darüber, was Nebel bedeuteten. Taumelnd kam Orn auf die Füße, schlug vor lauter Eifer mit den Flügeln und taumelte vorwärts. Er war schwach, seine Füße waren wund, seine Muskeln schmerzten, aber er kam weiter.

Wo er den Nebel gesehen hatte, war eine Spalte im Boden. In dieser Vertiefung befand sich eine ähnliche Rille wie die, der er in dieses Ödland gefolgt war. Und am Boden dieser Einkerbung floß ein kleines Rinnsal Wasser.

Orn grub mit seinen Krallen eine Höhlung in den Sand und bettete seinen Kopf darin. Er lag da, und das Wasser tröpfelte auf seine Zunge.

Er blieb den ganzen Tag, und am Abend war er nicht mehr durstig. Er folgte dem Kanal, zu hungrig, um jetzt zu schlafen. Dann tauchte die erste verkümmerte Vegetation auf. Er grub sie im Dunkeln aus und verschlang sie in der Hoffnung, daß sich nahrhafte Larven darin verbargen. Er hatte sich noch nicht genug erholt, um es am Geruch festzustellen. Dann entspannte er sich.

Der folgende Tag war besser. Die Spalte, zuerst nur so breit wie ein paar Flügelspannen, erweiterte sich zu einem gewundenen Canyon, dessen schattige Seiten von Kriechgewächsen bedeckt waren. Es war heiß, aber nicht annähernd so schlimm wie in der brennenden Wüste. Das spärliche Wasser war durch Zuflüsse aus anderen Rinnen verstärkt worden und hatte sich in einen plätschernden Bach verwandelt. Orn wanderte langsam und gewann seine Kraft zurück.

Schließlich hatte sich genug Wasser gesammelt, und er badete mit Genuß. Jetzt konnte er wieder die Federn aufplustern und sich besser gegen die Kälte schützen.

Am zweiten Tag erkletterte er die Wand des Canyons, steckte seinen Kopf über den Rand und . . . sah einen rauchenden Berg. Er war also noch nicht aus dem Vulkangürtel heraus.

Der Canyon weitete sich, und schließlich füllte das Wasser ihn ganz aus und wurde salzig. Er war wieder am Meer.

Aber es gab einen Unterschied. Er hatte den ersten größeren Berggürtel passiert und wärmeres Gebiet erreicht. Er konnte gegebenenfalls innerhalb des geschützten Canyons nahe am Wasser in einer Furche ein Winternest bauen und sich von Fischen ernähren.

Dann entdeckte er den unterirdischen Fluß.

Er trat aus der Wand hervor, ein beachtlicher Tunnel, aus dem warmes Wasser floß. Orn stemmte sich gegen die sanfte Strömung und betrat die Höhle. Licht fiel durch natürliche Öffnungen in der Decke, und er sah steinerne Säulen, die er als typisch für solche Orte erkannte. Seine Vorfahren hatten öfter in Höhlen gewohnt. Dies war besser, viel besser. Er konnte hier bequem überwintern und brauchte nur zur Jagd nach draußen zu gehen.

Es sei denn, andere Tiere hatten den gleichen Gedanken gehabt.

Orn schnüffelte in die sich langsam bewegende Luft hinein. Er entdeckte den scharfen Geruch eines großen Reptils.

Er fand das Reptil, halb vom Wasser überspült. Es war ein Para, fünfmal so lang wie Orn und um ein Vielfaches massiger. Seine vier Füße besaßen Häute, und sein Schwanz war lang und kraftvoll. Es gab keinen Panzer an seinem Körper. Es war mit einem löffelähnlichen Schnabel ausgerüstet, von dem Orn sich erinnerte, daß er zum Eintauchen in den weichen Schlamm von seichten Teichen benutzt wurde.

Aber das Para war tot, und sein Fleisch verweste.

Dies war eine Kreatur der alten Art. Orn kannte solche Reptilien nur aus seinen Erinnerungen, aber sie waren ihm viel vertrauter als die kleinen Säuger. Paras gehörten zu den Reptilien, die für einen großen Teil seiner Erinnerungen die Welt beherrscht hatten, aber bis zu diesem Augenblick völlig von ihr verschwunden gewesen zu sein schienen.

Irgend etwas hatte das Para getötet. Dabei sah das Reptil gesund aus und wies keine Verletzungen auf.

Wenn dieses hervorragend ausgerüstete Tier in der Höhle umgekommen war, die für es weitaus besser geschaffen war als für Orn, wie konnte Orn dann erwarten, darin zu überleben?

Es war besser, sich den Gefahren entgegenzustemmen, die er kannte, als sich dem düsteren und tödlichen Geheimnis dieses Ortes auszusetzen. Er würde seine Reise fortsetzen müssen.

8 Aquilon

Sie segelten nach Osten.

Die Takelage der *Nacre* war primitiv – eine durch Palmwedel verstärkte Gummileinwand, die von einem halben Dutzend quergesteckter Bambushölzer gehalten wurde und vage an die Aufbauten einer chinesischen Dschunke erinnerte. Es war nichts Besseres vorhanden gewesen. Sie hätten Wochen gebraucht, um aus natürlichen Materialien ein geeignetes Segel herzustellen.

Wenn Veg langsame Fahrt wollte, zog er an einem Stützseil, und das Segel fiel zu einem Durcheinander von Stöcken zusammen. Wenn er volle Fahrt wünschte, zerrte er alles wieder hoch, wobei er seine ganze Kraft einsetzen mußte.

Immerhin funktionierte es. Wenn die Brise steif war, machten sie nach Aquilons Schätzung glatte fünf Knoten. Normalerweise waren es eher zwei. So legten sie am Tag ungefähr achtzig bis hundertsechzig Kilometer zurück. Eine respektable Leistung!

Die Seeluft war mild, der Tag klar. Aber die fortwährend rollenden Wellen hoben das Floß hoch, kippten es, ließen es nach unten fallen und hoben es wieder hoch. Sehr bald fühlte sich Aquilon mehr als unwohl. Sie war sich sicher, daß die Männer ähnliche Beschwerden hatten. Sie hatte Mitleid mit Cal, der tapfer an einem Seil hing, das sie um einen Pfahl geknotet hatten. Er lief nicht nur ständig Gefahr, über Bord gespült zu werden, er sah auch sehr krank aus. Veg klagte nicht, hatte aber den ganzen Tag nichts gegessen. Aquilon selbst hatte sich ganz einfach ins Wasser übergeben und fühlte sich für eine Weile besser, bis sie von einem üblen Schluckauf geplagt wurde. Sie fragte sich, ob die Mantas, die im Schatten der Kabine hockten, ähnliche Schwierigkeiten hatten.

Sie versuchte sich abzulenken, indem sie die Sicht genoß. Die bewegte See war keine große Hilfe, aber sie fand heraus, daß sie unter Wasser blicken konnte, wenn sie ihre Tauchermaske aufsetzte und den Kopf eintauchte.

Die auf den ersten Blick so trostlose See war tatsächlich voll von Leben. Aquilon war ein wenig mit Fischen vertraut, denn sie hatte sie oftmals gezeichnet und auch eine Anzahl von Sezierungen für anatomische Illustrationen vorgenommen. Die Arten hier waren nicht identisch mit denen, die sie kannte, aber sie entsprachen einem vergleichbaren Muster. Ein Schwarm von Heringen zog unmittelbar unter dem Floß vorbei, gefolgt von einem Hai, den sie nicht richtig sehen konnte. Ein meterlanger Thunfisch kreuzte, und plötzlich durchbrachen mehrere fliegende Fische die Oberfläche und jagten über das Wasser, wobei ihre Flossen gespreizt waren wie die Flügel von Insekten. Eine halbe Stunde später entdeckte sie mehrere Dorsche, dann einige

Hechte und schließlich einen großen, einsamen Schwertfisch, der gute zweieinhalb Meter lang war.

Endlich hob sie den Kopf wieder, legte die Maske ab und stellte fest, daß sie ihre Seekrankheit langsam unter Kontrolle bekam. Es war später Nachmittag. Die beiden Männer wirkten abgestumpft durch die Monotonie des Wellengangs. Die vier Mantas befanden sich noch an derselben Stelle. Natürlich würden sie im direkten Sonnenlicht keine Exkursionen unternehmen. Das Licht war zu grell für ihre Augen.

»Tennis, irgend jemand?« erkundigte sie sich mit spöttischer Heiterkeit.

»Oder vielleicht Abendessen?«

Aber niemand antwortete, und sie selbst war auch nicht hungrig. Sie hatten für mehrere Tage Verpflegung an Bord, so daß es nicht nötig war, auf die Jagd zu gehen. Noch nicht.

Sie grübelte darüber nach, denn sie fühlte sich schon wieder schlechter. Angenommen, die Karte stimmte nicht, und Kalifornien lag nicht im Umkreis von fünfhundert oder sechshundert Kilometern? Angenommen, sie mußten zwei Wochen auf dem Floß bleiben? Bis dahin würden der Proviant und das Wasser aufgebraucht sein. Wenn sie überleben wollten, mußten sie fischen, das Fleisch verzehren und aus den Fischkörpern die Flüssigkeit herausholen, um sie zu trinken. Sie alle kannten die Technik, und die erforderlichen Gerätschaften befanden sich in der Erste-Hilfe-Ausrüstung des Rettungsbootes. Aber Veg rührte selbst keinen Fisch an und würde sich vielleicht weigern, welchen für die anderen zu fangen. Sie konnte es ihrerseits tun; aber sie war sich nicht sicher, ob sie wirklich zu einer omnivorischen Nahrungsaufnahme zurückkehren würde. Würde sie eine andere lebende, empfindende Kreatur töten, um ihre eigenen Bedürfnisse zu befriedigen? Sie wußte es nicht, aber das Gefühl, daß sie es tun *mochte,* rief Übelkeit hervor.

Sie wechselten sich beim Schlafen ab – immer nur einer. Nicht aus einem Drang zur Privatsphäre heraus, sondern um zu gewährleisten, daß immer zwei den möglichen Gefahren des Meeres wachsam gegenüberstanden. Ihre gemeinsame Seekrankheit war verantwortlich für den Pessimismus über den Ausgang der Reise, glaubte sie.

Sie lag allein in der Kabine und lauschte dem Klatschen der Wellen gegen die Bohlen, während sie versuchte, das eindringende Salzwasser zu ignorieren. Menschliche Wesen waren anpassungsfähig. Deshalb überlebten sie.

Überleben. Wie vergnügt hatte sie sich für diese Fahrt ausgesprochen! Cal hatte wenigstens vorausgesehen, was auf sie zukam. Man setzte sich über sein Urteil nur auf eigene Gefahr hinweg. Nun war es zu spät, den Kurs zu ändern. Die Kraft des Windes, der sie vorantrieb, würde es nicht erlauben. Mit diesem plumpen Vehikel konnten sie die Brisen nicht richtig nutzen. Und selbst wenn sie es könnten, würde es zweimal so lange dauern, zu ihrer Insel zurückzukehren.

Aber sie war todmüde und mußte schlafen. Die Mantas schienen sich auf dem Kabinendach ganz wohl zu fühlen – warum konnte sie es hier nicht auch? Langsam sank sie in einen tiefen Traum.

Sie fand sich ... Nein, nicht in ihrem Apartment auf der Erde. Sie mochte die Erde nicht. Es gab keine angenehmen Erinnerungen, die sie daran banden. Der Weltraum bedeutete ihr mehr, Nacre bedeutete ihr mehr und auch die Kameradschaft dieser beiden Männer.

Sie stand da und unterhielt sich mit Cal, der größer und stärker als in Wirklichkeit war. Gleichzeitig zeichnete sie die Muschelschalen seiner Sammlung. Da waren die Fossilien von Ammoniten, die im geologischen Sinn erst gestern ausgestorben waren – das hieß, ausgestorben vor kaum zehn Millionen Jahren. Und ihr Bild wuchs, als sie die Farben auftrug. Es schwoll an und wurde real, und dann ging sie hinein oder vielmehr schwamm hinein, denn es war eine lebendige Ozeanwelt. Überall um sie herum schwammen Cephalopoden mit spiralförmigen, geraden oder unbestimmten Gehäusen. Die meisten waren klein, einige aber auch groß, faustgroß und sogar kopfgroß. Ihre Tentakel streckten sich hungrig nach draußen, jeweils fünfzig oder hundert zuzüglich der beiden größeren Fühler.

Es war ein Wunderland aus strahlenden lebenden Korallen und Schwämmen und Quallen und Krebsen und waldartigem

Seegras, in dem auch zahllose ›Knochenfische‹ überall herumkreisten. Aber die Cephalopoden beherrschten die Szenerie – kleine Tintenfische, die in Schwärmen vorbeischossen und bei dieser Geschwindigkeit kaum von den Fischen zu unterscheiden waren. Es gab auch die Verwandten der Cephalopoden: die Belemniten, die Nautiloiden und die Ammoniten. Die Mollusken schwammen jedoch nicht in der Art der Wirbeltiere. Sie alle bewegten sich mit Hilfe desselben Rückstoßprinzips und benutzten ihre flossenähnlichen Glieder nur zum Navigieren. Die Belemniten waren zigarrenförmige Schalen, die vollkommen von Fleisch umschlossen waren, fast wie kleine Rochen mit zusammengeschweißtem Rückgrat.

Aquilon betrachtete einen Ammoniten mit einem Durchmesser von fast fünfzig Zentimetern und nach draußen ragenden Tentakeln, die fast so lang waren wie ihre Hand. Die Kreatur war eindrucksvoll in derselben Art und Weise wie eine monströse Spinne. Sie winkte mit der Hand, und der Ammonit zuckte in sein Gehäuse zurück und zog die Haube über den Kopf. Sie lachte, erzeugte Blasen im Wasser und wartete darauf, daß der Cephalopode wieder zum Vorschein kam. Fast wie ein Einsiedlerkrebs, dachte sie, nur daß dies ein Einsiedleroktopus war, der sein eigenes Gehäuse baute.

»Bring mich zu deinem Führer«, sagte sie, als die Augen wieder erschienen. Der Ammonit nickte mit seinem ganzen Körper und schoß mit wehenden Tentakeln davon. Sie folgte, nicht wirklich überrascht.

Sie schwammen durch Korallenbuchten, vorbei an algenbedeckten Steinen und Seemoos, das an grünes, wehendes Haar erinnerte, und dann und wann ankerte strohbrauner Seetang auf dem Boden. Purpur, grün oder orangefarben, kräftig oder zart – die Seichtwasserpflanzen schmückten das Riff. Seesterne drängten sich um vasenartige Schwämme, und wunderschöne, aber gefährliche Seeanemonen saßen auf Steinen oder den Rücken von Krebsen. Grüngezackte Seeigel sprenkelten den Sand auf dem Grund (wo es Sand gab), und grüne Hummer gestikulierten mit ihren schrecklichen Zangen. Sie mußte zur Seite schwimmen, um einem gigantischen, uralten Hufeisenkrebs auszuweichen. Und die Muscheln – sie waren überall!

Es verlangte sie danach, haltzumachen und mit dem Malen anzufangen, aber dann würde sie ihren Lotsen verlieren, denn der schnell vorwärtsschießende Molluske gab ihr keine Zeit zum Verweilen.

Dann, ganz abrupt, stand sie vor ihm: einem spiralförmigen Ammonitengehäuse mit einem Durchmesser von fast zwei Metern. Ihr Lotse war verschwunden, um seine Sicherheit vielleicht genauso besorgt wie sie um die ihre.

Die gewaltige Haube öffnete sich, ein Tor, das fast so groß war wie sie in ihrer gegenwärtigen Position. Gelbe Tentakel schlängelten sich hervor und tasteten ihr entgegen. Sie hatte jetzt Angst, aber sie blieb so standhaft stehen, wie es ihre Balance erlaubte. Ein Auge von der Größe einer kleinen Untertasse fixierte sie.

»Ja?« fragte der König der Ammoniten. Es stiegen keine Blasen nach oben, denn er war kein Luftatmer.

Sie wollte nicht zugeben, daß sein Sprechen sie überraschte, und stellte deshalb eine belanglose Frage: »Sind Ihre Suturen kanneliert?«

Hundert Tentakel formten ein Stirnrunzeln. »Sind sie kanneliert . . . was?«

Sie errötete. »Sind sie kanneliert, Eure Majestät?«

Das Stirnrunzeln wich einem neutralen Ausdruck. »Zuckermuschel«, sagte König Ammon, »meine Suturen sind königlich kanneliert, jede in der Form einer handwerklich perfekten Krone. Möchtest du sie von der Innenseite bewundern?« Seine purpurnen Tentakel streckten sich ihr entgegen, jeder einen Meter lang, und sein Maul klappte auf.

»Nein«, sagte sie und wich schnell ein Stück zurück.

»Man sagt niemals«, bemerkte Ammon langsam, »nein zum König.« Einige seiner roten Tentakel ringelten sich um einen Vorsprung des Korallenriffs, so als wollten sie es mit einem Ruck in ganzer Größe nach vorne reißen.

»Ich meinte . . .« Sie suchte nach dem richtigen Vokabular. »Majestät, ich meinte, daß ich nicht im Traum eine Erklärung des Königs bezweifeln würde und daß es beleidigend wäre, eine nähere Inspektion vorzunehmen, Majestät.«

Während Ammon nachdachte, entspannten sich die Tentakel. »So ist das also.« Irgendwie hatte sie den Eindruck, daß der König enttäuscht war. Jetzt war er grün.

»Was ich fragen wollte...« sagte sie untertänig. »Warum brauchen Sie ein so komplexes Modell, wenn es niemand bewundern kann ... von der Außenseite?«

»Ich kann es sehr wohl von der Innenseite bewundern – und meine Meinung ist das einzige, was zählt. Und ich habe Hunger.«

»Hunger?«

Sie verstand den Zusammenhang nicht, es sei denn, daß dies ein Hinweis sein sollte, Distanz zu gewinnen. Aber der König konnte sich mit Sicherheit schneller durch das Wasser bewegen als sie.

»Mich deucht, du verstehst die Wege des Ammoniten nicht«, stellte der König fest. »Ihr Wirbeltiere seid stark, aber plump. Ihr habt nur vier oder fünf Extremitäten mit einer oder zwei Farben, und eure Schale ist unscheinbar.«

»Wir tun unser Bestes, um mit unseren Handicaps zu leben«, sagte sie.

»Zugegeben, für eine niedrige Spezies bist du ganz ansehnlich«, räumte Ammon großmütig ein. »Es obliegt mir, dich zu belehren. Merke auf: Unsere primitiven Vorfahren, die Nautiloiden, hatten ganz einfache Septa, kaum mehr als elende Scheiben, und deshalb waren ihre Statuen nicht gewunden. Sie jagten auf ihre Weise und schlangen alles herunter, was sie fangen konnten, und hatten zweifellos ihr kümmerliches Auskommen. Aber wir Ammoniten lernten das Geheimnis der Spezialisierung. Indem sie die Größe des Abstands zwischen dem Torso und dem äußersten Septum variierten, waren die frühen Ammoniten in der Lage, ihr spezifisches Gewicht zu verändern. Größere Lufttasche (tatsächlich ein einzigartiges Gas, aber du würdest die geheime Formel nicht verstehen), und sie stiegen nach oben, kleinere Lufttasche, und sie sanken. Begreifst du?«

»Oh, ja«, sagte sie. »Das würde beim Schwimmen große Vorteile bringen, da ihr euch ohne Anstrengung auf jeder Ebene halten könntet.«

»Hm.« König Ammon schien nicht ganz zufrieden zu sein. »Ungefähr so. Mit einem falschen Septum ist jedenfalls nicht viel auszurichten. Ein gewundenes Septum jedoch, das mit der

Struktur der Körperoberfläche übereinstimmt, ist eine viel effektivere Basis zur Anpassung an das Volumen des Gasbehälters. Dadurch besitzen wir Ammoniten eine überlegene Tiefenkontrolle, die es uns unter anderem ermöglicht, auch die Nahrung effektiver aufzunehmen.«

»Wie raffiniert«, rief Aquilon. »Jetzt verstehe ich, wie Sie so groß geworden sind. Aber was essen Sie?«

»Zilch natürlich. Was sonst würde eine intelligente Spezies wohl verzehren?«

»Ich glaube, wir Wirbeltiere sind nicht so weit fortgeschritten. Ich weiß nicht einmal, was Zilch ist.«

Ammons Tentakel zuckten und wurden aufgrund dieses erstaunlichen Eingeständnisses von Ignoranz regenbogenfarben, aber er verzichtete großzügig auf entsprechende Bemerkungen. »Nennen wir es eine Art ozeanischen Pilz. Es gibt eine ganze Reihe von Variationen, und natürlich spezialisiert sich jede Ammonitengattung auf eine ganz bestimmte. Ich zum Beispiel gebe mich mit nichts weniger als mit königlichem Zilch zufrieden. Keine andere Kreatur darf sich daran vergreifen.«

»Auf Grund eines königlichen Erlasses?« Sie hätte nie gedacht, daß Ammoniten so penibel waren.

»Keinesfalls, obwohl es ein interessanter Gedanke ist. Keine geringere Kreatur besitzt die physische Fähigkeit, einen königlichen Zilch zu fangen, geschweige denn zu assimilieren. Es ist erforderlich, ihn in seinem Versteck aufzuspüren und seine Fluchtbewegungen genau nachzumachen, sonst ist alles verloren. Ein Fehler, und der Zilch frißt *dich.*«

Oh!

»Darum sind Ihre Windungen also so wichtig. Ihre Jagd bringt Gefahren mit sich.«

»Ja. Ich kann, neben anderen Leistungen, mit einer Genauigkeit von zwei Millimetern, plus oder minus fünfzehn Prozent, navigieren, während ich mit dreiundsiebzig Tentakeln den Zilch umklammere.« Graue Fangarme wedelten stolz. »Und ich bin selten von einem getroffen worden.«

Für Aquilon fing das an, sich wie Angeberei anzuhören. Aber sie war dem König viel zu nah, um direkten Widerspruch riskieren zu können. Vielleicht entwickelte er doch noch Appetit auf zweibeinige Wirbeltiere à la blonde. »Ich bin erstaunt, daß Sie das alles so gut koordinieren können.«

»Dein Erstaunen ist vollkommen berechtigt, meine Liebe. Du mit deinen fünf oder sechs Anhängseln kannst das Ausmaß des Unterfangens kaum ermessen. Jedes Glied muß speziell kontrolliert werden. Das Nervensystem, das man dazu ... Du weißt, was ein Gehirn ist?«

»Ich glaube schon.«

»Hm. Nun, ich habe ein sehr großes Gehirn. Tatsächlich spiegeln die Windungen meiner Septa lediglich die Oberflächenstruktur meiner Gehirnlappen wider, die natürlich besonders geschützt tief in meinem Gehäuse untergebracht sind. Es ist mein hochentwickeltes Gehirn, das mich von allen anderen Spezies abhebt. Nichts Vergleichbares existiert irgendwo, hat niemals existiert und wird auch niemals existieren. Deshalb bin ich der König.«

Aquilon suchte nach irgendeinem passenden Kommentar. Plötzlich färbte sich Ammon orange und stieg majestätisch im Wasser auf. Wegen seiner Größe hatte sie vermutet, daß er bodengebunden war, aber er bewegte sich genau mit jener Körperkontrolle, die er für sich in Anspruch genommen hatte, geschmeidig und kraftvoll. »Da ist einer!«

Sie blickte sich gespannt um. »Ein ... was?«

»Ein königlicher Zilch. Meine Mahlzeit!«

Und der König schoß davon.

Jetzt sah sie seine Beute, eine flache, graue Gestalt.

»Nein«, schrie sie in plötzlichem Entsetzen. »Das ist Circe!«

Aber die Jagd war bereits im Gange. Der riesige Cephalopode verfolgte den fliehenden Manta. Sie wußte, wie hilflos die Mantas im Wasser waren, und konnte sich nur einen Ausgang dieser Hetzjagd vorstellen.

»Nein«, schrie sie abermals voller Verzweiflung, aber aus ihrem Mund stiegen nur Blasen empor, die ihren schweigenden Protest mit sich trugen.

Sie erwachte mit dem Mund voller Seewasser. Ihr Körper war durchweicht und zitterte, und sie fühlte sich noch immer krank. Sie kletterte hinaus in die frostige Brise.

Es war vier Uhr morgens, und ihre Wache begann.

Veg hatte die Schlafperiode von vier bis acht, und sie beneidete ihn nicht um seinen Aufenthalt in der durchnäßten Kabine. Die Mantas blieben klugerweise auf dem Dach. Eine matte Phosphoreszenz ließ die Umrisse der rollenden Wellen hervortreten, und der Wind wehte unentwegt. Jetzt, da sie voll erwacht war und aufrecht stand, empfand sie die frostige nächtliche Brise als erfrischend.

Es gab nicht viel zu tun. Veg hatte das Ruder festgezurrt und die Segelfläche auf ein Viertel begrenzt. Die *Nacre* lag ruhig. Sie mußten lediglich wachsam bleiben und sofort handeln, wenn etwas Unvorhergesehenes passierte. Sie erwartete jedoch nicht, mehr als die üblichen Wellen zu sehen.

»Cal«, meldete sie sich.

»Ja, Quilon«, sagte er sofort.

Er klang nicht müde, obwohl er kaum eine bessere Ruhepause gehabt haben konnte als sie, während er in der Kabine gewesen war. Dies war eine rauhe Nachtwache für ihn. Die Tatsache, daß er das alles überhaupt aushalten konnte, sprach für einen beträchtlichen Kräftezuwachs seit Nacre.

»Die Ammoniten . . . könnten sie intelligent gewesen sein?«

Als sie dies sagte, fürchtete sie, daß er lachen würde. Aber er schwieg für eine Weile und dachte darüber nach. Sie wartete und spürte dabei die feuchte Luft in ihrem Haar und die Vibrationen der Bohlen unter ihren Füßen. Nein, Cal war keiner, der über törichte Fragen lachte. Er sah immer den größeren Rahmen, den Hintergrund einer Feststellung.

»Höchst unwahrscheinlich, wenn du das in irgendeiner fortgeschrittenen Hinsicht meinst. Sie besaßen weder die Größe noch den Metabolismus, um ein ausgedehntes Gehirngewebe ernähren zu können. Wasser ist ein schlechtes Medium für intellektuelle Aktivitäten. Es . . .«

»Ich meine . . . die großen. So groß wie wir.«

»Am menschlichen Standard gemessen waren die meisten Ammoniten sehr klein. Aber ja, im späten Mesozän entwickelten einige eine beachtliche Größe. Ich glaube, der größte hatte ein Gehäuse von etwa zwei Metern Durchmesser. Jedoch . . .«

»Das ist er!«

Er blickte sie in der Dunkelheit an. Sie konnte das auf Grund seiner veränderten Stimme feststellen. »Tatsächlich wissen wir sehr wenig über ihre Biologie und ihre Lebensgewohnheiten. Die Weichteile sind normalerweise nicht in Fossilien enthalten, und selbst wenn dem so wäre, gäbe es Zweifel über Dinge wie Farbe und Natur. Aber immer noch, es gibt erhebliche Einwände gegen deine Theorie.«

»Eigentlich nicht«, sagte sie lächelnd. Sie lächelte gerne, selbst wenn es niemand sehen konnte. Es war eine Gabe, die sie nicht immer besessen hatte. »Versuchen wir es so: Könnten sie sich ausschließlich von einer Art schwimmender Pilze ernährt haben und ausgestorben sein, als diese verschwanden?«

»Man müßte zuerst das abrupte Aussterben der Pilze erklären«, stellte er klar. »Vielleicht sind sie nach Nacre emigriert...«

Aber dies war eine weitere Sackgasse. In ihrem Traum war alles sehr überzeugend gewesen, aber jetzt fehlte die Überzeugungskraft. Das Geheimnis blieb jedoch und ärgerte sie: Warum war eine so überaus erfolgreiche Subklasse wie die *Ammonoidea*, während der Kreidezeit unangefochtene Herrscher in der See, so plötzlich ausgestorben? Überlebt allein von ihren viel primitiveren Verwandten, den perlenartigen Nautili...

»Was, wenn ich in eine so persönliche Sache eindringen darf, hat dir den Status der Cephalopoden in den Sinn gebracht? Ich hatte gedacht, daß diese für dich nicht allzu interessant sind.«

»Du hast mir diese Schalen gezeigt und erklärt und... Ich hatte einen Traum, eine alberne, vom Wasser inspirierte Vision... Wenn du es hören willst...«

»Oh, ich habe enormen Respekt vor Träumen«, sagte er zu ihrer Überraschung. »Ihr Hauptzweck ist es, die angesammelten Erfahrungen der vorangegangenen paar Stunden zu sortieren, zuzuordnen und abzulegen. Ohne sie würden wir alle sehr schnell zu Psychopathen werden, besonders auf der sogenannten zeitgenössischen Erde. Sich den Bedingungen hier im Paläozän anzupassen, ist schwierig. Aber hast du gemerkt, wieviel weniger anstrengend es intellektuell ist als das bloße Existieren auf der Erde? Es kann also nicht überraschen, daß deine Träume den Wechsel reflektieren. Sie reichen hinaus in das

Grenzenlose, da dein Verstand auf diese Befreiung reagiert.«

Das Seltsame war, daß er recht hatte. Sie hatte nach Nacre zurückkehren wollen wegen der Erholung von den Spannungen zu Hause, aber diese Welt hier erfüllte den Zweck genausogut. Sie war lieber zerschlagen, seekrank und voller Angst um ihr Leben *hier* als sicher und bequem *dort*.

Aber sie wußte, daß nicht nur die Freiheit von der Erde verantwortlich war. Cal, Veg, die Mantas – sie liebte sie alle, und sie alle liebten sie. Die Erde besaß nichts, um dies ausgleichen zu können.

Sie berichtete Cal detailliert über den farbenprächtigen König Ammon, und sie lachten beide. Und es war gut, und ihre Seekrankheit legte sich.

Um acht, als das Tageslicht über dem Wasser erschien, kam Veg, um Cal abzulösen.

»Haben Schnecken falsche Zähne?« fragte er erschöpft. »Ich hatte da diesen Traum . . .«

Das direkte Sonnenlicht scheuchte die Mantas zurück in die Kabine. Die Strahlen der Sonne waren zu hart für sie. Auf der Insel hatte es Schatten und gelegentliche Wolkendecken gegeben. Davon abgesehen zogen sie die Nacht vor. Sie waren nicht von Natur aus Nachtbewohner, denn der Mittag auf Nacre brachte dichten Nebel, und die Strahlen der Sonne berührten ihre Haut niemals. Diese vier waren gegenüber dem harten Licht widerstandsfähiger als ihre Verwandten auf Nacre, weil sie auf der Erde aufgewachsen waren, aber die Umwelt konnte ihr Erbgut nur in gewissem Rahmen modifizieren. Sie konnten das Sonnenlicht hier überleben, aber sie fühlten sich nicht wohl dabei. Und wenn sie ihm zu lange ausgesetzt wurden . . .

Der Tag schritt voran, wobei der Wind nur für Augenblicke aufhörte. Während solcher Pausen schlug ihr Herz kleinmütig, denn Aquilon sah schon die Konsequenzen eines verlängerten Aufenthalts mitten auf dem Ozean auf sich zukommen. Was hatten sie davon, wenn es im Umkreis von hundertfünfzig Kilometern Land gab, das sie nur durch *Rudern* erreichen konnten? Und sollte sich der Wind drehen . . .

Zur Dämmerung beobachteten sie müde und windzerzaust die Mantas, die aus der Kabine kamen und über das Wasser glitten. Sie sprangen, und ihre flachen Körper stemmten sich gegen die Luft wie ein Drachen oder ein Flugzeugflügel. Sie saßen entweder still oder bewegten sich mit Geschwindigkeiten von fünfzig bis hundertfünfzig Kilometern in der Stunde. Sie konnten nicht *gehen.* Sie waren wunderschön.

Und sie waren hungrig. Das Floß umkreisend schlugen sie nach Fischen, die an die Oberfläche kamen. Sie hörte den Peitschenknall ihrer Schwänze auf dem Wasser und sah das spritzende Blut. Cal brachte einen langstieligen Haken, von dem Aquilon nicht gewußt hatte, daß er sich an Bord befand, und holte die Leichname herein. Er breitete sie auf dem Deck aus, und nacheinander kamen die Mantas, um sie zu verzehren. Circe zuerst. Aquilon sah zu, wie sie mit ihrem tödlichen Schwanz den Fisch in kleine Stücke hackte und sich dann auf die blutige Masse setzte. Cal hatte einen Teil des Segels über die Bohlen gelegt, so daß die Flüssigkeit bei diesem Prozeß nicht verlorenging.

Veg sah nicht zu und Aquilon bald auch nicht mehr. Sie alle begriffen die Notwendigkeit, die Mantas zu ernähren, und wußten, daß die Mantas nichts anderes als rohes Fleisch zu sich nehmen konnten und nichts anderes anrühren würden als das Fleisch omnivorischer Kreaturen, aber diese Unmittelbarkeit war abstoßend.

Aquilon nannte sich selbst eine Heuchlerin. Vielleicht weil sie wußte, daß sie selbst Angehörige einer omnivoren Spezies war, die alles verzehrte und mutwillig tötete. Welche Brutalität auch immer in der Existenz der Mantas lag, sie wurde in der des Menschen verdoppelt. Was konnte sie, deren Vorfahren seit Millionen von Jahren Fleischfresser gewesen waren, erreichen, wenn sie sich entschloß, kein Fleisch mehr zu essen, nachdem sie es ein Leben lang getan hatten? Es würde Jahre dauern, bis das befleckte Protoplasma aus ihrem Körper ausgestoßen war. Und die Erinnerung würde sie niemals loswerden. Wie jedoch konnte sie töten, jetzt, da sie das innewohnende Böse des Vorgangs erkannte?

Nach fünf Tagen entdeckten sie Land.

»Land olé!« rief Veg glücklich aus.

»Das heißt ›Land ahoi‹«, berichtigte Aquilon ihn. »Einen tollen Seemann gibst du ab.«

Die *Nacre* dümpelte plump an der Küste entlang und suchte einen geeigneten Landeplatz. Aquilon konnte sich nicht sicher sein, ob es das Festland war oder bloß eine große Insel, aber es eignete sich offensichtlich zur Nahrungssuche und zum Lagern. Kein Rauch.

»Es gibt keine wirklich eindrucksvollen Landtiere während der Paläozän-Epoche«, bemerkte Cal, wie um sie zu beruhigen.

»Gut für Paläo«, sagte Veg.

»Paläo?«

»Hier. Oder willst du diese Welt lieber Epoche nennen?«

Cal widersprach nicht. Veg neigte dazu, die Dinge einfach zu sehen, und seine Namen paßten. In Zukunft würde dieser Planet Paläo heißen.

Bald öffnete sich eine ruhige Bucht, und Veg steuerte das Fahrzeug so sauber in die Einfahrt, daß Aquilon wußte, es war pures Glück. Sie hielt Ausschau nach einem geeigneten Strand und fragte sich, ob das die Bucht von San Francisco war. Palmen kamen in Sicht und Nadelbäume und dichte Laubbäume. Vögel huschten durch die Zweige und gaben rauhe Töne von sich. Insekten schwärmten umher. Blumen vieler Arten schwankten im Wind.

»Seht dort – Pilze!« rief sie, als sie einen riesigen Bovist entdeckte.

Für einen Augenblick dachte sie wieder an Nacre, den Planeten der Pilze. Aber in Wirklichkeit war Paläo besser, denn hier konnte die Sonne scheinen. Tatsächlich wurde sie sich langsam bewußt, daß Nacre kaum mehr als eine Flucht vor der Erde für sie repräsentiert hatte. Abgesehen von den Mantas hatte es dort eigentlich nichts gegeben, was für sich einnehmen konnte. Und es war nicht der *Planet* Erde, der sie verbitterte, sondern die menschliche Kultur, die ihn vergiftete. Ja, ja, Paläo war besser.

Das Floß trieb nahe heran. Der Grund der Bucht war jetzt ganz klar. Kleine Fische glitten friedlich darüber hinweg. Der Geruch von Wald und Erde drang auf sie ein, als sich der durch das Land abgeschnittene Wind legte, die Erde-Lehm-Humus-*Reinheit* erfüllte sie mit Sehnsucht.

Veg berührte ihren Arm, und sie blickte ruckartig hoch.

Nah am Ufer standen zwei haarige Tiere. Sie waren vierbeinig, untersetzt und bezahnt und hatten lange Schwänze und stumpfe, mehrhufige Füße. Kleine Stoßzähne ragten von ihrem Maul, und ihre Augen waren winzig. Insgesamt erinnerten sie an Flußpferde, nur daß sie viel zu klein waren. Die höchste Stelle des Rückens befand sich nicht einmal einen Meter über dem Boden.

»Amblypoden«, bemerkte Cal ohne Überraschung. »*Coryphodon,* vermutlich. Typische Fauna des Paläozäns.«

»Ja, typisch«, murmelte Veg. »Du hast sie nie gesehen, aber du weißt alles über sie.«

Cal lächelte. »Bloß eine Frage anständig gemachter paläotologischer Hausaufgaben. Ich weiß wirklich nicht allzuviel, aber ich bin mit den großen Gattungen vertraut. Die Amblypoden sind nicht schwierig zu identifizieren. Eine der späteren Formen, *Uintatherium,* hatte die Masse eines Elefanten mit drei Hörnerpaaren auf . . .«

»Du glaubst, daß einige davon in der Nähe sind?«

»Natürlich nicht. *Uintatherium* war Eozän. Er könnte ebensowenig in einer Landschaft des Paläozäns auftauchen wie ein Dinosaurier.«

Vegs Blicke glitten über den Wald hinweg. »Ich würde wirklich lachen, wenn ein Dinosaurier seinen Kopf über den Berg steckt, während du das sagst. Du bist dir deiner Sache so sicher.«

Cal lächelte abermals. »Wenn das passiert, hast du wirklich allen Grund zu deiner Heiterkeit. Die Schaltiere, die ich auf der Insel studiert habe, waren eindeutig.«

Veg schüttelte den Kopf und lenkte das Floß zum Ufer. Die Amblypoden, aufgeschreckt durch die Störung, trotteten davon und waren bald im Wald verschwunden.

Flüssig glitt die *Nacre* heran und verkleinerte die Lücke zum Land auf sieben Meter, fünf, drei . . .

Und kam ruckartig zum Halten, wobei Veg und Aquilon ins Wasser fielen.

»Hoppla, auf Grund gelaufen«, sagte Veg einfältig. »Habe nicht aufgepaßt.«

»Habe nicht aufgepaßt«, rief sie und bespritzte ihn heftig mit einer Handvoll Wasser. Die See ging ihr hier bis zur Hüfte, und sie watete vergnügt ans Ufer.

Veg ging inzwischen zurück, um ein Seil zu nehmen und das Fahrzeug per Hand heranzuholen. Cal, der immer auf seine Schritte achtete, war an Ort und Stelle geblieben und half beim Aufwickeln des Seils. Bald hatten sie das Floß lose an einem Mangrovenstamm festgemacht.

Aquilon wanderte landeinwärts, für den Augenblick zufrieden, bloß den Anblick und die Gerüche dieser herrlich primitiven Welt in sich aufnehmen zu können. Farne wuchsen üppig auf dem Boden, und sie erkannte diverse Arten von Büschen und Bäumen; Sykamoren, Stechpalmen, Dattelpflaumen, Weiden, Pappeln, Magnolien. Moose sprossen verschwenderisch, und überall gab es Pilze. Aber zu ihrer Überraschung sah sie kein Gras. Immerhin, auf der Insel hatte es Bambus gegeben, und Bambus war eine Grasart.

Irgend etwas startete von dem Gesträuch ihr gegenüber, und sie sprang alarmiert zurück. Es war ein brauner Strich, der durch die Luft segelte, weg von ihr. Sie erhaschte einen Blick auf ausgestreckte Glieder, eine längliche Gestalt. Dann war es verschwunden. Sie hörte das Rascheln, als es auf einem anderen Busch niederging. Es war kein Vogel.

»Planetetherium«, sagte Cal hinter ihr. »Primitiver Insektenfresser, eins der ersten Säugetiere. Ein Gleiter.«

»Ja . . .« sagte sie und erinnerte sich dunkel an ihre Studien. Sie hatte für ihre Ignoranz gegenüber den Säugetieren wirklich keine Entschuldigung, aber die Zeit und andere Gedanken hatten ihre Kenntnisse verblassen lassen. Cal mit seinem erschreckenden Intellekt schien niemals etwas zu vergessen.

»Vielleicht solltest du dich umziehen«, schlug Cal vor. »Bevor es dir unbequem wird.«

Sie blickten an sich hinunter. Die Kleidung klebte ihr am Körper, und sie wußte, daß das Salz scheuern würde, wenn die Flüssigkeit verflogen war. Cal hatte recht – wie immer.

Doch die Luft war angenehm, und trotz des Schattens der

Bäume kam keine Kälte auf. Sie wünschte sich, ganz einfach ihre Kleider ablegen und nymphengleich durch die Sträucher und Farne gleiten zu können, frei von allen Belastungen.

»Warum nicht?« fragte sie rhetorisch.

Sie fing an sich auszuziehen und reichte ihre nassen Kleider Stück um Stück an Cal weiter. Er gab keinen Kommentar und wandte den Blick nicht ab.

Und so rannte sie nymphengleich durch die Sträucher und Farne. Es war in jeder Beziehung so herrlich, wie sie es sich vorgestellt hatte, abgesehen davon, daß sich ein Dorn in ihren Fuß bohrte. Sie hatte die Beschränkungen der Zivilisation zusammen mit ihren Kleidern abgeworfen und war wieder eins mit sich.

Die *Nacre* war dicht ans Ufer geschoben worden: Vegs Muskeln hatten sich bewährt. Ihre trockene Kleidung befand sich an Bord, aber sie zögerte, sie zu holen. Würde es nicht besser sein, wenn sie *alle* . . .

Nein. Es bestanden bereits kaum unterdrückte sexuelle Spannungen zwischen ihnen. Es wäre eine verbrecherische Dummheit, etwas zu tun, was sie unnötig vergrößern würde.

Müde betrat sie das Floß und zog sich an.

Sie verbrachten die Nacht auf dem Floß, das ein Stück vom Ufer entfernt ankerte. Wenn es auch keine gefährlichen Spezies geben mochte, so zogen sie es doch vor, sich langsam zu akklimatisieren.

Am Morgen versammelten sich die Insekten und Vögel in großen Mengen am Ufer. Mehrere große graue Seevögel schwammen um das Floß herum und tauchten nach Fischen. Aquilon stand an Deck und malte sie, beeindruckt von ihrer Furchtlosigkeit. Gab es im Wasser keine Räuber von Bedeutung? Oder war das Floß so ungewöhnlich, daß es als Werk der Natur angesehen wurde? Oder wußten sie instinktiv, wer eine Drohung verkörperte und wer nicht?

Veg brachte die *Nacre* wieder ans Ufer und machte sie fest. Diesmal gab es keinen vorzeitigen Ruck. Sie fragte sich, ob er den Grund überprüft hatte, um einen geeigneten Kanal für den Kiel zu finden, oder ob er selbst einen gegraben hatte.

Gemeinsam wagten sie sich mehrere Kilometer ins Landesinnere vor. Hier gab es Eichen, Buchen und Nußbäume, in denen eichhörnchenähnliche Kreaturen herumsprangen. Gelegentliche Grasbüschel sprossen im bergigen Land, wo die dicht stehenden Bäume es erlaubten. Es *war* also vorhanden, hatte sich aber noch nicht richtig durchgesetzt. Rattenartige Kreaturen flitzten weg, als die Gruppe herankam.

»Gab es echte Nagetiere im Paläozän?« erkundigte sich Aquilon.

»Nicht der Rede wert«, sagte Cal. »Dies waren vermutlich Ahnen der Primaten.«

»Primaten!« Sie war erschüttert.

»Bevor sich die echten Nagetiere entwickelten, nahmen die primitiven Primaten diese Nische ein. Wie die meisten Säugetiere stiegen sie von den Bäumen herab und suchten die offenen Felder auf. Aber wie du sehen kannst, gab es nicht genug Gras. Bis zum Miozän besetzte es eine unbedeutende ökologische Nische. Erst dann entstanden die weiten, trockenen Ebenen, und die Primaten hatten sich nicht klar entschieden. Deshalb wurden sie von den echten Nagetieren wieder auf die Bäume zurückgetrieben, diesmal auf Dauer. Die Primaten waren nie sehr erfolgreich.«

»Mit Ausnahme des Menschen . . .«

»Eine unbedeutende Ausnahme, paläontologisch. Der Mensch schwankte zufällig zwischen Feld und Wald hin und her und blieb dabei mehr generalisiert als die meisten seiner Zeitgenossen. Wäre er nicht schlau und schicksalsbegünstigt gewesen, hätte er nicht überlebt.«

»Verstehe.« Sie war sich nicht sicher, wie ernst er das meinte.

»Sehr oft ist es die weniger spezialisierte Kreatur, die sich durchsetzt«, fuhr er fort. »Die Bedingungen ändern sich, und die Spezies, die sich voll an eine bestimmte Umwelt angepaßt hat, muß sich ebenfalls sehr schnell umstellen oder vergehen. Oft kann sie sich nicht anpassen. Aber die generalisierten Spezies können nach beiden Seiten springen. Obwohl sie selten dominieren, können sie so diejenigen überdauern, die es tun. Dies erklärt vermutlich den marginalen Erfolg des primitiven Nautilus, während der dominierende Ammonit verschwand.«

In dieser Weise hatte sie nie darüber nachgedacht. Der Mensch als eine Spezies, die unspezialisiert war, Glück gehabt hatte, aber auch schlau und raffiniert war, in den Vordergrund getreten aufgrund zufälliger Umstände . . .

Ein großer Laufvogel mit gelben Schwanzfedern erschien und sprang ein sorgloses Säugetier an, das einer Beutelratte ähnelte. Der Vogel, einen guten halben Meter groß, kam ziemlich dicht an ihnen vorbei, bevor er außer Sicht geriet. Aquilon fragte sich, ob diese Ratte einer ihrer Vorfahren gewesen sein könnte, schalt sich dann selbst: Tot konnte sie nicht allzu viele Nachkommen gehabt haben. In jedem Fall wäre es töricht, sich einzumischen. *Jede* Änderung der Lebensmuster hier könnte die ihrer eigenen Zeit beeinflussen.

»Die Vögel waren anfänglich beträchtlich vielversprechender«, sagte Cal. »Tatsächlich haben sie während des ganzen Känozoikums und bis in die Gegenwart die Erde dominiert.«

»Was die Zahl der Spezies angeht«, sagte sie. »So verstehe ich es. Aber glücklicherweise ist Mannigfaltigkeit nicht alles.«

»Glücklicherweise?«

»Es gefällt dir nicht, daß sich der Mensch durchsetzt?«

»Ich glaube, ohne ihn wäre es auf der Welt friedlicher zugegangen. Es ist nicht gut, wenn eine einzelne Gattung Amok läuft.«

Sie sah, daß er es so meinte. Sie dachte an die gegenwärtige Erde und verstand seinen Standpunkt. Paläo war sauber, unverdorben. Es war besser, wenn es so blieb, vom Paradoxon nicht zu sprechen.

In den nächsten paar Tagen schwärmten sie weiter aus. Sie begegneten mehr Amplypoden und sowohl hunde- als auch katzenartigen Karnivoren. Die Verfolger, erklärte Cal, besaßen lange Schnauzen, um sie während des Laufens vorstrecken zu können, die Verstecker und Anspringer hingegen hatten kurze Schnauzen, dafür aber scharfe Krallen zum Festhalten und Zuschlagen. Die physischen Eigenschaften derer, die später Hunde, Katzen und Bären werden sollten, waren nicht zufällig. Eine andere Linie waren die gewichtigen *Dinocerata,* Vorfahren des Monsters *Uintatherium* aus der späteren Epoche. Aber alle diese Säugetiere waren stupide, verglichen mit denen, die sich entwickeln würden. Keins von ihnen würde wohl auf der Erde fünfzig Millionen Jahre später überlebt haben. Aquilon malte sie alle, und Cal machte viele Notizen auf seinem Sprechschreiber. Sie lernte es, das monotone Gemurmel seiner Beschreibungen zu überhören.

Dies war ein warmes Paradies, aber sie wurde unruhig. Es gab wirklich nichts zu *tun*. Es war hübsch gewesen, von einem Leben ohne Verantwortung, Gefahr und Unbequemlichkeit zu träumen, aber in der Wirklichkeit verlor es schnell seinen Glanz. Es war Spätsommer, und eine Anzahl von Bäumen trug kleine Früchte. Und es gab Beeren und Knollen. Nahrung war kein ernsthaftes Problem.

»Fängt an, kalt zu werden«, stellte Veg fest. »Der Herbst kommt.«

Natürlich hatte er recht. Sie kannten ihren genauen Aufenthaltsort nicht, aber die Zahl der Bäume, von denen die Blätter abfielen, sagte einiges über die Jahreszeit aus. Es mochte im Winter überhaupt keinen Schnee, vielleicht aber auch mehr als einen Meter davon geben, aber es konnte kalt genug werden, die Laubbäume zu entblättern. Sie würden sich auf das Schlimmste vorbereiten müssen oder . . .

»Laßt uns nach Süden gehen«, rief sie. »In die Tropen, wo es das ganze Jahr warm ist. Erforschen. Reisen. Kartographieren.«

»Du klingst, als ob wir hier ewig bleiben«, stellte Cal fest.

Die Art und Weise, in der er das sagte, hatte etwas Komisches an sich. *Er hat vor etwas Angst,* dachte sie, und das machte sie unruhig. War es, daß ein langfristiger Aufenthalt sie dazu zwingen würde, sich dem Naturzustand anzunähern – Kinder kriegen und Häuser bauen? Oder daß solches Tun das Gleichgewicht der Natur stören und auf Grund des Paradox-Effekts den Status quo auf der Erde gefährden würde? Sie neigte dazu, dies zu ignorieren. Irgendwie bezweifelte sie, daß das, was sie *hier* taten, Einfluß auf die Erde *dort* haben würde, was auch immer die Theorie sagte. Und wenn es geschah – nun, auch gut . . .

»Tatsächlich haben wir schon mehr als genug Daten zur

Hand, um einen Bericht über Paläo zu verfassen«, fuhr Cal fort.

Sie spürte, wie sich die Haut an ihren Unterarmen zusammenzog – eine nervöse Reaktion, zu der es früher öfter gekommen war als jetzt. Sie hatte die ihnen übertragene Mission vergessen oder versuchte, sie zu vergessen. Die Wahrheit war, daß sie die Aussicht auf eine Rückkehr zur Erde oder zu irgendeiner anderen Mission, die auf sie warten mochte, mit einem Unbehagen betrachtete, das an Alarmstimmung grenzte. Sie liebte Paläo, obwohl sie sich davon vor einem Augenblick noch gelangweilt gefühlt hatte. Sie liebte seine Wildheit, und sie würde sich lieber mit ihren Problemen auseinandersetzen als mit denen der Gesellschaft auf der Erde.

Aber sie hatten keinen Vorwand, noch länger zu zögern. Der Beginn des Winters brauchte sie nicht zu kümmern, wenn sie zur Station zurückkehrten und ihren Bericht abgeben wollten. Ihre Funkausrüstung befand sich in gutem Zustand.

Sie war sich jetzt jedoch sicher, daß Cal gar nicht zurückgehen wollte. Er begriff etwas, das sie nicht begriff, etwas, das ihn mit tiefer Sorge erfüllte, das er aber für sich behalten wollte. Er würde sich wohl überreden lassen, nach Süden zu gehen – irgendwohin, nur nicht zurück –, wenn sie ihm einen überzeugenden Vorwand gab.

Dennoch wollte sie ihre wahren Gefühle noch nicht offenbaren. Wie sah Veg die Dinge?

»Wir könnten nicht gegen den Wind segeln«, sagte Veg. »Vermutlich würden wir sinken, wenn wir den ganzen Weg kreuzen, und das dauert bei klarem Wetter einen ganzen Monat. Außerdem würden wir unterwegs Hunger kriegen.«

Sie spürte eine Anwandlung von besonderer Zuneigung zu dem großen, einfachen Mann, der in seiner Art so naiv, in seinen Handlungen aber so praktisch war. Ohne gewaltige Vorbereitungen *konnten* sie nicht zurückkehren.

»Ich dachte natürlich an einen Bericht per Funk«, sagte Cal unbeirrt. »Wir können nicht umkehren, bis sich die Winde mit dem Jahreszeitenwechsel drehen, obgleich das jetzt jeden Tag passieren kann.« Das beruhigte sie nicht sonderlich, obgleich sie nicht sicher war, warum nicht. Cal schien auf Zeit zu spielen.

»Ich dachte, dein Bericht kommt ganz am Schluß«, sagte Veg.

»Nicht unbedingt. Wir sollten den Zustand dieser Welt bestimmen und einen Bericht für die nächste Phasen-Verbindung zur Erde vorbereiten. Wir haben diese Aufgabe erfüllt. Dies ist definitiv das Paläozän. Die gesamte Fauna und Flora paßt. Es gibt Millionen Beweise dafür, daß eine zufällige Übereinstimmung ausgeschlossen ist. Dies kann kein fremder Planet sein.«

»Was ist mit der Geographie?«

»Das habe ich schon erklärt. Aquilons Karte scheint exakt zu sein, und sie ist . . .«

»Wir könnten vielleicht an der Küste entlangsegeln und es herausfinden«, sagte Veg. »Uns vergewissern, daß es keinen Kontinent gibt, der da nicht hingehört.«

Plump, dachte sie. Nach diesem Köder würde Cal niemals schnappen.

Cal lächelte kläglich. »Mit anderen Worten, du stimmst wieder mit Quilon.«

Wollte er überstimmt werden? Was ging in seinem Kopf vor?

Veg bekam den tieferen Sinn nicht mit und zuckte die Achseln. »Dadurch kriegen wir die Zeit rum, und vielleicht lernen wir etwas Neues für deinen Bericht. Besser als hier herumzusitzen und auf den Wind zu warten.«

»Das ist ein einleuchtender Grund für einen Forscher wie mich«, sagte Cal. »Ihr wißt, daß ich nicht gerne voreilige Schlüsse ziehe, und so lange die Möglichkeit besteht, etwas Bedeutsames zu entdecken . . .« Er seufzte. »In Ordnung. Ich weiß, was die Mantas denken. Sie alle wollen für unbegrenzte Zeit hier bleiben. Eine volle Abstimmung würde also nichts ändern. Wir lassen ein oder zwei Funkgeräte hier geschützt zurück und markieren den Platz. Wenn mit dem Floß irgendwas passiert, bin ich auf diese Weise immer noch in der Lage, meinen Bericht abzugeben.«

Aquilon lächelte unbehaglich. Cal hatte fast zu bereitwillig nachgegeben.

Sie segelten am Tag, kreuzten an der Küste entlang und schafften etwa dreißig Kilometer pro Tag, bevor sie abends einen Hafen anliefen. Es war gut, wieder unterwegs zu sein.

Ein Monat verging wie der Hauch des Windes, und es war gut. Allmählich kamen sie um die Kurve des Kontinents herum und segelten nun nach Süd-Südwest, meistens vor dem wechselnden Wind. Sie hatten vielleicht zwölf- bis dreizehnhundert Kilometer zurückgelegt und lediglich festgestellt, daß die Landschaft des Paläozäns bemerkenswert einförmig war, obgleich sich Aquilon vor Augen führte, daß dies so sein konnte, weil ihre Fahrt nach Süden mit dem kommenden Herbst Schritt hielt.

Die Mantas blieben die ersten paar Tage auf dem Floß, zogen es dann vor, an Land zu reisen. Sie pflegten am Morgen zu verschwinden und am Abend im neuen Lager wieder aufzutauchen. Manchmal kamen nur einer oder zwei zurück, während die anderen tagelang irgendwo anders herumstreiften. Ja, ihnen gefiel Paläo!

Es war Circe, die die Ruhe brach, indem sie kurz vor der Dämmerung Aquilon eine Neuigkeit überbrachte.

»Berge? Hohe?« erkundigte sich Aquilon, die die Antworten des Mantas jetzt so schnell deuten konnte, als handele es sich um einen Dialog zwischen Menschen. »Außergewöhnlich? Schneebedeckt? Und . . .«

Aufgeregt sprach sie zu den anderen: »Es scheint, daß dreihundert Kilometer südlich von uns extrem hohe Berge liegen. Sechstausend Meter hoch oder mehr. Eine Anzahl von ihnen sind aktive Vulkane. Die Mantas kommen wegen der Kälte an Land nicht über sie hinweg und trauen auch der Wasserroute nicht.«

»Wie kann ein aktiver Vulkan Schnee auf dem Gipfel haben?« wollte Veg wissen. »Er ist heiß, nicht wahr? Sonst würde der Schnee ihn löschen.«

»Dummkopf! Vulkane stehen nicht unter Feuer«, wies sie ihn zurecht. »Sie können während eines Schneesturms ausbrechen oder unter Wasser, wie es viele tun.«

Aber sie war erregt. Endlich waren sie auf etwas Untypisches gestoßen, auf etwas, das die Karte oder Cals Kenntnisse von der Geographie des Paläozäns nicht auswies.

9 Orn

Die Berge waren hoch, und eisige Winde peitschten durch den Paß. Die Kette war neu. Orns Erinnerungen an die Landschaft dieses tropischen Teils des Subkontinents zeigten eine flache Ebene an, die gelegentlich von Ausläufern des Ozeans überflutet war. Die Naturkräfte hatten in ungewöhnlicher Weise dafür gesorgt, daß es zu dieser Gebirgsbildung gekommen war. Dennoch war es möglich, daß seine geistige Landkarte nicht stimmte, denn dieses Gebiet lag ganz an ihrem Rand. Keiner seiner Vorfahren war weit über diese Örtlichkeit hinausgekommen, weil die See sie gestoppt hatte. Die Bergkette und alles, was dahinter liegen mochte, mußte in den letzten paar Millionen Jahren vollständig aus dem Ozean aufgetaucht sein.

Orn wäre umgekehrt und hätte eine andere Route gesucht. Aber es war ein langer, schwieriger Aufstieg gewesen, das Wild war rar, und er hatte Hunger. Beute mochte ganz nahe sein. Mit Sicherheit befand sie sich nicht hinter ihm.

Als Orn den Kamm überschritt, änderte sich das Wetter. Die kalte trockene Luft wurde zu kalter feuchter Luft, die sich stetig erwärmte, je tiefer er kam. Der stechende Schnee wurde Eisnebel, dann Regen.

Er legte die Flügel an, um sie so gut wie möglich vor dem Regen zu schützen, und ging weiter. Die Vegetation nahm zu. Aber die Farne und Palmetten trugen keine Früchte. Es wurde warm. Orn erkannte die Art der Erde unter seinen Füßen – vulkanischen Ursprungs. Das machte ihn wachsam. Er wußte, wie gefährlich Vulkane waren.

Er stieß auf einen kleinen Bach und folgte ihm schnell abwärts. Die Dämmerung nahte. Gerade als es fast zu dunkel war, um nach Sicht zu jagen, fand er einen flachen Teich mit fetten, trägen Fischen – Teleos. Er sprang mit beiden Füßen hinein und packte zwei, bevor sie aufgeschreckt waren.

Er aß und verbrachte die Nacht in einem dichten Magnolienstrauch.

Die Gefahren der Bergkette waren überwunden.

Am klaren Morgen blickte Orn über die Landschaft. Der Fluß verschwand in einem Vegetationsgewirr am Fuße des Abhangs. Ein Stück dahinter lag das Ufer eines großen flachen Sees. Viele dicht bewachsene Inseln sprenkelten ihn, und einige seiner Bereiche waren nicht mehr als nasser Sumpf. Weiter in der Ferne, jenseits des Wasser, erhob sich eine weitere Bergkette.

Das Tal war heiß. Dampffontänen stiegen aus der Bucht empor, die den aktiven Vulkanen am nächsten lag, und über einem großen Gebiet des Sees hingen dichte Nebel.

Das Tal war eben. Nichts ragte über die Bäume hinaus, und der überwiegende Teil bestand aus offenem Wasser. Insgesamt gesehen wirkte es vertraut: Dies war die Landschaft vor zwanzig Millionen Jahren.

Er folgte dem Fluß abwärts. Binsen und Schachtelhalme wuchsen an den Rändern seiner flachen Stellen, und blättrige Pflanzen umsäumten ihn überall. Grasbüschel gab es oben auf der Bergseite, die aber in den Niederungen verschwanden, weil sie sich hier nicht durchsetzen konnten. Orn vermißte das Gras nicht. Es war zäh und geschmacklos, und seine Samen waren zu klein für seinen Appetit.

Als das Land eben wurde, verlor Orn den Überblick über das Tal. Der Fluß stürzte sich in eine große Ansammlung von Bäumen. Einige gehörten zu der Laubbaum-Kategorie, die den Kontinent im Norden übernommen hatte, aber die meisten waren vertraute Tannen und Kiefern.

Wild war reichlich vorhanden. Kleine Säuger linsten aus den Zweigen der größeren Laubbäume, und der Boden quoll vor Eidechsen über. Fliegende Insekten summten an allen Orten.

Er verließ den Fluß und erreichte kurz darauf ein buschiges Plateau mit kurzen, klobigen Cycas und gestrüppartigen Angios. Moos bedeckte die gelegentlichen Felsen. Eine mächtige, niedrige Gestalt erhob sich vor ihm. Orn stolperte fast darüber, bevor er sie bemerkte. Er war sorglos geworden in diesem Revier harmloser Tiere. Er hatte keinen größeren Säuger gerochen und sich deshalb entspannt. Törichterweise.

Es war ein Reptil. Es war nicht so groß wie Orn, aber das lag daran, daß sich der ganze Körper des Tiers über den Boden erstreckte. Sein Kopf war niedrig und mit Schuppen gepanzert.

Seitlich stachen vier zahnartige Hörner hervor. Ähnliche Schuppen bedeckten die ganze Länge des Körpers und machten den Rücken zu einem breiten, undurchdringlichen Kasten.

Orn erinnerte sich sofort. Dies war ein Anky, einer aus der Linie der großen Reptilien. Es war viermal so lang wie Orn und unproportional schwer und kräftig, aber keine aggressive Drohung für ihn. Sein massiver Panzer war defensiv, und er war ein Herbivore.

Dies war das zweite riesige Landreptil, auf das er hier traf. Das erste hatte er in der Höhle gesehen, auf mysteriöse Weise ums Leben gekommen, aber dieses hier war gesund. Orns Reflexe erwachten zum Leben, und er blickte sich aufmerksam und etwas verstohlen um.

Der Anky bemerkte ihn und bog seinen Schwanz. Orn sprang zurück. Ein einziger Hieb dieser Keule konnte ihn vernichten, wenn er sorglos genug war, in ihre Reichweite zu geraten. Der Anky war harmlos, aber es mußten Vorsichtsmaßnahmen ergriffen werden. Er konnte töten, ohne es zu wollen.

Der Anky machte einen langsamen Schritt vorwärts, wobei die Muskeln in seinen kurzen, dicken Beinen die Schuppen hervortreten ließen. Auf seine stumpfe Art war er neugierig. Orn hätte mit Leichtigkeit davonlaufen können, zog es aber vor, das nicht zu tun. Geleitet von Erinnerungen, die zum ersten Mal so funktionierten, wie sie sollten, blieb er stehen. Der Anky zögerte, verlor dann das Interesse und nahm einen weiteren Bissen Blätter vom nächsten Strauch. Was sich nicht bewegte und nicht nach Bedrohung roch, existierte für ihn nicht als Gefahr. Der Anky hatte ihn vergessen.

Orn ging weiter, das Reptil schrak abermals auf. Diesmal kümmerte er sich nicht darum. Er hatte die Verläßlichkeit seiner Erinnerungen bestätigt gefunden und würde ihnen in diesem Tal vertrauen.

Die Sonne stand mittlerweile hoch am Himmel. Die Nebel hatten sich geklärt, und das Gesträuch verwandelte sich in ein Feld aus niedrigen Farnen.

Eine Herde von großen Tieren, die friedlich grasten, kam in Sicht. Orn erkannte auch sie: Tricers. Am nächsten war ein großer Bulle, länger als der Anky, aber größer als Orn und mit einem monströsen Schild am Hinterkopf ausgestattet. Drei schwere Hörner sprossen aus der Region von Nase und Augen, und mächtige Muskeln bewegten sich, als er den Kopf drehte. Dies war ein Tier, mit dem sich keine vernünftige Kreatur anlegte.

Er näherte sich vorsichtig, aber sie nahmen keine Notiz von ihm. Sie waren größer als die, die seine Vorfahren gekannt hatten, doch auch sie bedeuteten für ihn keine Gefahr, wenn sie nicht gestört wurden. Er ging um die Herde von fünfzig oder mehr Tieren herum und schritt auf den See zu.

Ein Kopf erschien über dem Blätterwerk. Orn sprang und breitete seine Flügel in einem Reflex aus. Er erkannte auch dieses Reptil, und jetzt war er in Schwierigkeiten. Dies war ein Struth.

Der Struth hatte etwa Orns Größe und war ihm auf den ersten Blick sehr ähnlich. Er stand auf langen, schlanken Hinterbeinen, und sein kleiner Kopf thronte auf einem sehnigen Nacken. Er war omnivorisch, griff aber keine großen Beutetiere an. Seine Nahrung bestand aus Gliederfüßern, Vögeln, Säugern und allem, was sich sonst anbot wie etwa Eiern und Früchten.

Damit hörten die Gemeinsamkeiten auf, denn der Struth besaß statt der Flügel kleine Vorderglieder, anstelle von Orns Federbüschel einen starken, fleischigen Schwanz, eine gesprenkelte glatte Haut und einen viel häßlicheren Schnabel.

Aber die Ähnlichkeiten zu Orn waren groß genug, um ein Problem heraufzubeschwören, denn die beiden bewohnten in beträchtlichem Maße eine ökologische Nische. Sie waren direkte Konkurrenten.

Orn war bisher nie einem Struth begegnet, aber er kannte ihn aus seinen Erinnerungen sehr gut. Das Reptil erkannte den Rivalen instinktiv.

Trotz der vergleichbaren Größe war der Struth beträchtlich schwerer als Orn, denn er hatte dort Fett und Muskeln, wo Orn Flaum und Federn hatte. Der Struth war frisch, während Orn noch von dem anstrengenden Marsch durch die Einöde und über die Berge mitgenommen war. In der Kälte der Nacht hätte Orn trotzdem mit ihm gekämpft, denn sein warmer Körper wurde bei sinkenden Temperaturen nicht lethargisch. Seine Reaktionen würden dann schneller sein, seine Schläge sicherer, seine Wahrnehmungen genauer.

Aber dies war die Hitze des Tages. Unter diesen Umständen wäre es töricht gewesen, jetzt gegen ihn zu kämpfen.

Der Struth war sich seiner Vorteile bewußt. Er griff an. Orn kämpfte, wenn er es für angebracht hielt, und ging Schwierigkeiten zu anderen Zeiten aus dem Weg.

Er flüchtete.

Der Struth hatte seinen Rivalen vertrieben, war jedoch nicht intelligent genug, es zu erkennen. Die einmal begonnene Jagd mußte fortgesetzt werden, bis sie zwangsläufig irgendwie ein Ende fand.

Orn war ein guter Läufer, aber auf dem etwas sumpfigen Untergrund kamen seine Krallen nicht so gut zurecht. Er war mit einem guten Vorsprung gestartet, aber das Reptil holte auf.

Orn wich zur Seite aus. Der Struth verkürzte den Winkel und verringerte den Abstand zwischen ihnen schnell. Nur fünf Körperlängen trennten sie jetzt noch.

Es wäre sinnlos, das Wasser anzusteuern und hineinzuwaten. Der Untergrund wurde schmutzig und behinderte ihn noch mehr. Nasser Sand und haftender Schlamm umschlossen seine Füße. Der Vorsprung betrug nur noch drei Körperlängen.

Orn rannte weiter, noch nicht erschöpft, aber aufs äußerste angestrengt. Bald würde er haltmachen und kämpfen müssen. Und wenn er nicht viel Glück hatte, würde der Kampf genauso ausgehen wie die Jagd. Er konnte das Reptil verletzen, aber er durfte nicht erwarten, es besiegen zu können.

Ein einzelner Tricerbulle graste zwischen den Cycas am Rand der sumpfigen Bucht. Orn erkannte, daß er sich in seiner Hast selbst in die Falle gelockt hatte: Vor ihm und auf der einen Seite lag der Sumpf, den er nicht unvorbereitet zu betreten wagte, selbst wenn er die Zeit dazu gehabt hätte, und auf der anderen Seite befand sich der massige, gehörnte Herbivore. Er konnte nirgendwo hin.

Außer . . . Er tat es, als er den Struth eine Länge hinter sich hörte. Er stürmte auf den Bullen los, als sei es seine Absicht, sich auf den schrecklichen Hörnern selbst aufzuspießen.

Der Tricer blickte hoch, riesig und stupide. Eine grüne Ranke baumelte aus seiner Schnauze. Seine winzigen Augen wurden durch die beiden tückischen Hörner überschattet. Ja, eine höchst gefährliche Kreatur, aber von langsamer Entschlußkraft. Sein Sehvermögen war nicht gut, so daß er einen potentiellen Gegner vor allem an der Größe und durch den Geruch ausmachte. Und er fürchtete keine Vögel, vorausgesetzt, er erkannte sie rechtzeitig.

Orn rannte weiter auf ihn zu, mit den Flügeln schlagend und kreischend. Er passierte den Kopf des Tricers im Abstand einer Flügelbreite, und der Bulle stand bloß da und bemühte sich, zu einem Entschluß zu kommen.

Der Struth hingegen wagte das Kunststück nicht. Er war ein Jäger und deshalb nicht vollkommen beschränkt. Obgleich zu klein, um eine Gefahr für den Bullen zu sein, war er doch zu groß, um von der Herde toleriert zu werden. Orn sah die jungen Tricer in der Nähe ihrer Mutter. Tatsächlich bewachten wenige Reptilien ihre Eier oder schützten ihre Jungen, aber jene Jungen, die bei der Herde blieben, pflegten eher zu überleben als jene, die sich frei bewegten. Nein, Räuber waren hier nicht willkommen.

Aber in seinem Jagdfieber wich der Struth nicht rechtzeitig aus. Er näherte sich dem Bullen wenige Momente nach Orn. Gerade Zeit genug für das Monster, zu einem Entschluß zu kommen. Der Tricer schnaufte, bereit anzugreifen.

Schon begriff der Struth, was geschah. Die Verzögerung lag in der Ausführung, nicht im Erkennen. Jetzt hielt er an und wich zurück, während der Bulle folgte. Schließlich rannte der Struth den Weg zurück, den er gekommen war. Der Tricer verfolgte ihn noch ein paar Schritte, stoppte dann und nahm das Grasen wieder auf. Die Episode war vorüber, und Orn war in Sicherheit. Gut so. Er hatte keinen echten Streit mit dem Struth gehabt und war glücklich, dessen territoriale Ansprüche achten zu können. Sein einziges Ziel war es gewesen, sich zu schützen.

Unbelästigt wanderte er durch die Herde. Das war gut, denn so konnte er sich erholen, aber ein längeres Verweilen war unmöglich.

Doch wo sollte er jetzt hin? Er verließ die Herde und hielt auf die Bergkette zu, die das Tal säumte. Dort konnte er wenigstens Insekten und Fische finden, um seinen Hunger zu stillen. Mit der Rückkehr der alten Welt waren auch die alten Gefahren zurückgekehrt. Er hatte sich daran gewöhnt, nachts ruhig zu schlafen, und bevor er seine richtigen Reflexe nicht wiederbesaß, wagte er nicht unter den Reptilien zu schlafen.

Orn kehrte zu der Vulkanerde zurück, weil sie ihm jetzt vertraut war. Vertrautheit bedeutete Leben für ihn. Es ging Gefahr von der erhitzten Erde und dem grollenden Berg aus, aber dieses bekannte Risiko stand unbekannten Risiken gegenüber.

Er begegnete keinen weiteren großen Reptilien, obwohl seine Augen und seine empfindliche Nase zahlreiche Spuren entdeckten. Es gab viele von ihnen, meistens junge, und die verbargen sich vor ihm. Das Tal war in Wirklichkeit nicht dichter bevölkert als die umliegenden Gebiete jenseits des Ödlands. Es schien nur so, weil seine Bewohner größer waren.

Orn speiste wieder Fisch und spritzte das klare Wasser über seine Federn, um sie zu erfrischen. Er begann die Suche nach einem geeigneten Platz für die Nacht. Er zog es vor, nicht unmittelbar auf dem Boden zu lagern, aber das Erklettern eines Baums war hier, wo die Bäume verkrüppelt und selten waren, unpraktisch. Vielleicht ein Dornendickicht . . .

Orn betrieb die Suche sehr gewissenhaft. Er hielt Ausschau nach einem Schlafplatz, auf den er sich während seines Aufenthalts in diesem Tal verlassen konnte.

Die Sonne tauchte der anderen Seite entgegen und ließ die Silhouette der Berge hervortreten. Die Wolken wurden rosafarben. Der Boden wurde wieder warm. Es war so, als würde die ganze Gegend von heißen Röhren durchzogen. Orn wurde nervös, erinnerte sich wieder daran, was in solchem Terrain passieren konnte. Aber er spürte, daß am Wasser eine gewisse Sicherheit gegeben war.

Also folgte er einem Nebenlauf des Flusses hinauf. Er konnte, wenn es nötig wurde, diese Nacht in den kälteren Höhenlagen verbringen.

Als die Sonne die fernen Berge berührte, stieß er auf einen Wasserfall. Der Bach floß über einen Felsenvorsprung und bildete einen Teich und darunter einen weiteren, wobei er zwischen den beiden wie ein Vorhang nach unten sprühte. Der Fall überschritt Orns Körpergröße geringfügig, aber die Kraft des Wassers war nicht sehr stark.

Hinter so einem Wasservorhang würde sich eine Aushöhlung befinden, wo das weniger dauerhafte Gestein im Laufe der Jahrtausende weggewaschen worden war. Das war immer so im Lebenszyklus eines Flusses. Manchmal war darunter Platz genug für einen großen Vogel.

Orn stieß den Schnabel in den Wasserfall. Das kalte Wasser teilte sich, und sein Kopf drang hindurch. Es gab Platz, aber nicht die richtige Bodenhaftung.

Dann aktivierte etwas sein gesamtes Wahrnehmungsvermögen und beschwor ein Feuerwerk von Bildern herauf, die in einzigartiger Verwirrung übereinanderstürzten. Orn ließ den Kopf zurückzucken und stand zitternd im schäumenden Wasser, während er es mit krampfhaft flatternden Flügeln zu begreifen versuchte.

Das, was er unbewußt gesucht hatte ... die namenlose Mission ... das Ziel seiner Wanderungen ...

Erregung! Denn er hatte die Spuren eines früheren Bewohners gesehen. Die Kratzspuren der Kralle, den Abdruck des Schnabels ...

Die unmißverständliche Spur eines anderen Vogels seiner Spezies, eines anderen ›Orn‹ – in seinem Alter und weiblich.

10 Veg

Es war eine wahrhaft ehrfurchtgebietende Gebirgskette: Vulkankegel, die so dicht nebeneinander standen, daß sie eine scheinbar massive Wand bildeten, die sich bis ins Meer erstreckte.

»Ich verstehe das nicht«, lamentierte Cal. »Dies sollte ungefähr die Gegend sein, in der Kalifornien aufhört oder aufhören wird – auf unserem Globus. Diese Formation, um es euphemistisch zu sagen, ist atypisch.«

Veg steuerte die *Nacre* in tiefes Wasser. Er begriff, warum sich die Mantas nicht mit dieser Region abgegeben hatten: Es war pures Ödland.

Den Bergen schlossen sich viele weitere aktive Kegel an. Ein fast undurchdringlicher Nebel aus Gas und Asche verhüllte den Großteil des Ufers. Danach kam Wüste, von gezackten Erdspalten durchzogen. Sie legten mit dem Floß nur an, um die trostlose Landschaft unter seltsam übelriechenden Wolken zu betrachten.

An einer Stelle drehte sich der Wind und trieb die *Nacre* weit aufs Meer hinaus, bevor er sie zurückmanövrieren konnte. Der Gestank war abstoßend. Sie mußten sich die Hemden über den Kopf ziehen, um die stechenden Partikel von Augen und Lungen fernzuhalten. Die vier Mantas drängten sich in der Kabine zusammen und fühlten sich nicht wohler, obwohl sie natürlich nicht zu atmen brauchten.

Nach Tagen und Nächten tauchte eine weitere Gebirgskette auf. Sie erstreckte sich weiter nach draußen und wurde zu mächtigen Riffen mit Spitzen, die sich durch die Wasseroberfläche bohrten.

Zweimal hing die *Nacre* fest und zwang sie, auszusteigen. Bis zu den Hüften im Sand mußten sie das Floß freikämpfen. Aber es gab ein paar Fische hier, auch Korallen und Krebse und Muscheln. Sie mußten im Wasser zu Vegs Mißfallen Schuhe tragen, denn die Fische hatten Zähne, die Krebse Schalen und die Korallen waren scharfkantig.

»Aber wo es Leben gibt, da gibt es auch Hoffnung«, sagte Aquilon.

Schließlich entdeckten sie tiefes Wasser, hatten das Floß aber buchstäblich über eine letzte Sandbank zu tragen. Das Palmholz hatte sich mit Wasser vollgesogen, und das machte es noch schlimmer. Veg mußte untertauchen und den Kiel entfernen, aber auch so blieb das Floß an jedem Riff hängen. Er stemmte seine Füße gegen den felsartigen Korallenboden und zerrte an dem Frontseil, während Cal und Aquilon an den Paddeln arbeiteten.

Das Floß löste sich von dem unterseeischen Hindernis, und Veg taumelte vorwärts ins tiefe Wasser.

Für einen Augenblick öffnete er unter Wasser die Augen. Es war hier ganz klar. Ein riesiger Fisch kam auf ihn zu. Er ähnelte einem Schwertfisch, aber er hatte eine Flosse auf dem Rücken, und seine Augen waren so groß wie ein menschlicher Kopf. Die Kreatur war gut sieben Meter lang, schlank, schnell und stark.

Der Fisch durchbrach die Wasseroberfläche und sprang in die Luft. Dunst stieg aus einem Atemloch über den Augen empor.

»Das ist kein Delphin«, rief Aquilon erstaunt.

Cal stand mit offenem Mund da. Veg hatte den kleinen Mann noch nie so überrascht gesehen.

Die Kreatur verschwand so schnell, wie sie gekommen war. Veg fühlte sich weich in die Knien. Dieses tellergroße Auge!

»Habe noch nie einen solchen Fisch gesehen«, sagte er unsicher.

»Fisch?« Cal erwachte aus seiner Erstarrung.

»Hast du ihn nicht gesehen? Mit dem Rachen und den . . .«

»Das war *Ichthyosaurus!*« sagte Cal, als sei es ungeheuer bedeutsam.

Langsam begann Aquilon zu reagieren. »Das Reptil?«

»Das Reptil.«

Veg stellte fest, daß es da etwas gab, das ihm entging, aber er wartete, bis die *Nacre* wieder beladen war und sie wieder unterwegs waren.

Die tückischen Riffe umschlossen ein ziemlich flaches Meeresbecken von etwa fünfzig Kilometern Durchmesser. Zwei große Inseln, die voneinander durch einen anderthalb Kilometer breiten Kanal getrennt wurden, befanden sich darin. Sie waren gebirgig. Auf beiden ragten häßliche schwarze Kegel in den Himmel, von denen der eine gelbbraunen Rauch ausstieß.

»Scylla und Charybdis«, murmelte Aquilon. »Laßt uns drumherum fahren.«

Veg steuerte gehorsam nördlich, um Scylla an der Westküste zu passieren, und nahm dabei Kurs aufs Land. Der wieder angebrachte Kiel war nicht sonderlich stabil, aber das Wetter in dieser Bucht war mild, und er hatte keine Schwierigkeiten. Ungefähr fünf Kilometer trennten die Insel vom Land, und auf beiden Seiten gab es kleine weiße Strände, denen sich Dschungelgewirr anschloß. Nahe am Wasser standen hohe Baumfarne, aber landeinwärts, an den Berghängen, konnte Veg das satte Grün von Kiefern und Tannen erkennen. Es war leicht dunstig, und er mußte in regelmäßigen Abständen niesen.

»Viel Blütenstaub in der Luft«, erklärte Cal.

»Da wir gerade beim Thema sind«, sagte Veg. »Was stimmt nicht mit dem Fisch, der ein Reptil ist?«

Aquilon blickte Cal an. »Er hat soeben die Wette mit den Dinosauriern gewonnen, aber er weiß es noch nicht!«

»Habe ich?« fragte Veg. »Alles, was ich gesehen habe, war ein großäugiger Fisch, dunkelgrau mit hellgrauem Bauch und einer Schnauze, die mich fast gerammt hätte. Und ihr . . . .«

Cal sah ernst aus. »Nichtsdestoweniger zwingt uns seine Gegenwart zu einem beträchtlichen Umdenken.«

»Der komischste Dino, den ich je gesehen habe. Wie lange, sagst du, sind sie schon tot?«

Aquilon streckte die Hand aus, um sein verfilztes Haar zu zerzausen. »Ausgestorben ist das Wort, nicht tot. Und es ist siebzig Millionen Jahre her. Die Dinosaurier starben am Ende des Kretazän aus.«

»Also sind sie hier seit fünf Millionen Jahren verschwunden. Wir haben noch keinen gesehen, und vielleicht werden wir auch keinen sehen, wenn wir nicht ins Bordelzän zurückgehen.«

»Kretazän«, sagte Cal, der den weit hergeholten Scherz nicht mitbekommen hatte. »Der Name kommt von dem lateinischen Wort *Creta,* was Kreide bedeutet. Also die Kreidezeit. Kreidefelsen wie die weißen Klippen von Dover . . .«

»Die Dinosaurier waren also voll von Kreide«, sagte Veg und fragte sich, wie weit er das Spiel noch treiben sollte. »Sie brauchten sie in ihren großen Knochen, nehme ich an.«

»Ich fürchte, das stimmt nicht so ganz. Die Kreide kommt von den Skeletten von Milliarden einzelliger Tiere, den Foraminiferen, die in flachen Meeren lebten. Aber tierische Kreidelager sind kaum mehr als eine Episode in der siebzig Millionen langen Geschichte der Kreidezeit.«

Veg blieb ernst. »Auf der Erde vielleicht. Aber dies ist nicht die Erde.«

»Aber sie *ist* es«, murmelte Aquilon. »Die Erde des Paläozäns. Dämmerung des Zeitalters der Säugetiere.«

»Wenn es also Dinosaurier gibt, dann würde dies hier Kreta und nicht Paläo sein. Was ist nun mit diesem berühmten Fisch?«

»Cal hat es gerade erklärt«, sagte Aquilon. »Es ist kein Fisch. Es ist ein *Ichthyosaurus* – ein schwimmendes Reptil. Seine Vorfahren lebten an Land, und es atmet Luft.«

»Genau wie ein Krokodil. Was beweist das?«

Cal übernahm. »*Ichthyosaurus* ist ein Angehöriger der Klasse *Reptilia*, Ordnung *Ichthyosauria* – die schwimmenden Reptile. Man sieht ihn nicht als einen Dinosaurier an. Die Dinosaurier sind tatsächlich eine gelungene Mischung von zwei Ordnungen der Reptile, den *Saurischia* und den *Ornithischia*, also volkstümlich Eidechsen und Vögel. Sie waren in erster Linie Land- und Sumpfbewohner.«

»Irgendwie bist du meiner Frage ausgewichen. Icky ist kein Saurier, so wie ich mir das dachte. Gut. Jetzt sag mir also, warum du dieses Fischreptil für so bedeutsam hältst. Was hat es mit den Dinosauriern zu tun?«

»Jetzt hat er dich«, sagte Aquilon zu Cal.

»Die Kreidezeit war der Zenit der reptilischen Ausbreitung. Nahezu alle Arten florierten zu dieser Zeit – und nahezu alle starben vor dem Paläozän aus. Der *Ichthyosaurus* ging schon vor einer Anzahl der landbewohnenden Arten dahin, also . . .«

»Wenn also Icky noch hier ist, dann sind es auch die Dinos«, sagte Veg. »Jetzt begreife ich den Zusammenhang. Es *ist* so, als würde ein Dinosaurier seinen Kopf über den Berg strecken.«

»Natürlich muß daraus nicht zwangsläufig folgen . . .«

»Oh, nein. Ich bin froh, daß es folgt. Geschieht dir recht!«

»Aber versteh doch, dies *ist* das Paläozän«, sagte Cal. »Die Meeresfauna und alles, was wir an Land beobachtet haben – die Evolution der anderen Spezies ist samt und sonders eindeutig. Dinosaurier haben hier keinen Platz, überhaupt keinen Platz, es sei denn . . .«

»Es sei denn?« Sowohl Aquilon als auch Veg waren neugierig.

»Es sei denn, es gibt eine Enklave. Ein isoliertes Überbleibsel der Kreidezeitfauna – zum Aussterben verdammt, aber ihre Zeit um ein paar Millionen Jahre überlebend. Jene Meeresreptilien, die sich von Fischen oder Belemniten ernähren, mögen überdauern wie dieser spezielle *Ichthyosaurus*, dem wir begegnet sind, aber nicht jene, die sich auf Ammoniten spezialisiert haben. Warum es allerdings keine Fossilien geben soll . . .«

»Runter!« flüsterte Veg scharf.

Sie gehorchten augenblicklich. Schweigend folgten sie seinem Blick.

Sie waren dabei gewesen, die Insel Scylla zu umrunden, wobei Veg das Floß mit der Stange vorwärts bewegte. In dem Schweigen blickte einer der Mantas um die schattige Seite der Kabine herum: Hex, der auch etwas zu sehen bekam.

Es war ein gewaltiger schlangenartiger Hals, der zuerst so aussah, als sei er kurz unterhalb des Kopfes abgetrennt worden. Die Säule ragte fünf Meter weit aus dem Wasser und war kaum mehr als dreißig Meter von dem Floß entfernt. Der Hals war glatt und rund und lief leicht spitz zu, und als Veg ihn näher betrachtete, stellte er fest, daß er in einem Kopf endete, der kaum größer war als der Hals selbst. Trotz des kleinen Aussehens des Kopfes schätzte er, daß der Kiefer mehr als einen halben Meter lang war. Diese Kreatur konnte einen Mann mit drei kurzen Bissen längs verspeisen.

Als sie noch hinblickten, wandte sich der winzige Kopf dem Land zu, um einen Bissen schwimmenden Blattwerks aufzunehmen. Die Zähne waren Haken, die mehr klammerten als schnitten oder kauten. Die Kreatur hatte sie entweder nicht bemerkt oder betrachtete sie als nicht bemerkenswert.

Veg stakte die *Nacre* rückwärts. Langsam kamen sie um Scyllas Biegung herum und gerieten aus der Sicht des Monsters, als dieses den Kopf hochschob, um zu schlucken.

»Das ist die größte Schlange, von der ich je gehört habe«, verkündete Veg.

»Keine Schlange könnte den Kopf so hochheben«, sagte Aquilon offensichtlich erschüttert. »Es sei denn, sie wäre mehr als sechzig Meter lang. Ich nehme an, es ist ein anderes schwimmendes Reptil. Es gab eins mit einem langen Hals, nicht wahr, Cal?«

Cal lächelte mit leicht obskurer Zufriedenheit. »Ja, das stimmt, Quilon. Irgendein Plesiosaurus-Typ. Aber so eine Kreatur könnte kaum so still im Wasser stehen und würde keine

Wasserkresse verzehren. Dies ist ein Reptil ganz anderer Art – ein echter Saurier. Wir haben nur einen kleinen Teil davon gesehen.«

Aquilon versteifte sich. »Natürlich! Die Donnerechse – *Brontosaurus!*«

»Nein, nicht ganz. Der Kopf paßt nicht. Die Nasenlöcher des Brontosaurus befanden sich auf dem Scheitelpunkt, und ich bezweifle, daß viele von ihnen den Jura überlebt haben. Das dürfte sein späterer Vetter sein, der größte von ihnen allen: *Brachiosaurus.*«

»Brach«, sagte Veg und hielt sich an dem Namen fest. »Hört sich wie ein Fantasy-Held an.« Aquilon schüttelte den Kopf, weil sie die Anspielung nicht verstand.

»*Brachiosaurus.* Das bedeutete ›Arm-Bein‹, weil seine Arme länger sind als seine Beine, sozusagen. Bei *Brontosaurus* war es umgekehrt. Seine Hüften waren höher als seine Schultern.«

»Ich dachte immer, Bronto wäre der größte Dinosaurier«, sagte Aquilon.

»Bronto wog etwa fünfunddreißig Tonnen. Brach dürfte fünfzig Tonnen erreicht haben.«

»Oh!«

»Ziemlich harmlos, abgesehen von Unfällen. Die Sauropoden waren Pflanzenfresser und wurden nicht wild, wenn man sie nicht reizte. Aber ihre Größe . . .«

»Vegetarier«, sagte Veg. »Gute Jungs. Schließen wir ihre Bekanntschaft.«

»Mit einem fünfzig Tonnen schweren Reptil?«

Aber Aquilon zuckte die Achseln. Wie Veg schien sie sich in gewissem Maße an Gefahren gewöhnt zu haben. Und Paläo war bisher so sicher, wie es Nacre gewesen war.

Sie näherten sich wieder, vorsichtig. Kopf und Hals waren noch zu sehen und erinnerten an einen Kran.

»Harmlos, hast du gesagt«, murmelte Veg.

»Denke daran, daß die Sauropoden nicht sehr intelligent sind, wie Quilon schon bemerkte«, sagte Cal. »Und wie *du* erwähntest, sind große Vegetarier . . .«

». . . gute Jungs, die allerdings manchmal lästige kleine Karnivoren zufällig zerquetschen«, sagte Veg lächelnd.

»In diesem Zeitalter waren die Reptilien nicht zwangsläufig klein. Aber wie ich schon erklärte, mag diese Kreatur eine Länge von mehr als fünfundzwanzig Metern haben, und es dauert einige Zeit, bis die Nervenimpulse von einem Ende bis zum anderen ...«

»Ja, das begreife ich.« Sie flüsterte jetzt, eingeschüchtert durch die Gegenwart des Giganten. »Wenn Brach also denken sollte, daß wir Nahrung sind, dauert es noch eine ganze Weile, bis er sich entschließt, etwas zu unternehmen.«

Aquilon war jetzt eifrig dabei, ein Porträt der Fleischsäule zu malen. »Für den Fall, daß er seine Meinung ändert und sich entschließt, *keinen* Bissen von uns zu nehmen, könnten wir aus demselben Grund schon halb seine Gurgel runtergerutscht sein, bevor er aufhört zu schlucken.«

Cal lächelte. »Tatsächlich könnte er frühzeitig genug aufhören zuzubeißen, da sein Gehirn den Augen und Kiefern am nächsten ist. Aber größere Bewegungen ...«

Sie waren jetzt ziemlich nahe an den Kopf herangekommen. Veg blickte in die Kabine, um festzustellen, wie die Mantas das Ganze aufnahmen, und entdeckte, daß nur noch zwei da waren. Die anderen hatten sich offensichtlich während der allgemeinen Aufregung davongemacht und nutzten vielleicht die Vorteile des bewölkten Himmels. Aber er hatte jetzt keine Zeit, dem auf den Grund zu gehen. Brach war zu wichtig.

Noch näher heran – ein eindrucksvoller Anblick. Das Maul fraß Blätter und Stengel. Brach war entweder sehr alt oder sehr häßlich. Aber das schlammige Wasser verbarg immer noch den Rest des Reptilienkörpers.

»Ich habe mal gehört«, sagte Aquilon, »daß Dinosaurier bei der Entdeckung einer Klippe vor ihnen ihre Beine erst zum Stillstand bringen konnten, als sie schon heruntergestürzt waren.«

»Wie so viele Gerüchte stimmt auch dieses nicht«, sagte Cal. »Ich nehme an, daß eine Kreatur von der Größe des *Brachiosaurus* in einer solchen Situation aufgrund seiner Masse in vollem Galopp über die Klippe hinwegsetzen würde. Fünfzig Tonnen machen nicht vor einem Fliegendreck halt. Aber Brach wäre nie in eine solche Lage geraten.«

»Warum nicht?« Veg ertappte sich bei dieser Frage, obwohl

er kaum interessiert war. Sie redeten zu viel. Aber das Monster fraß weiter.

»Brach würde niemals so unbedarft durch die Gegend laufen. Im ausgewachsenen Zustand ist er viel zu schwer, um sich an Land bewegen zu können. Er muß im Wasser oder wenigstens doch im Sumpf bleiben, damit sein Körper Auftrieb bekommt.«

»Verstehe«, sagte Aquilon.

»Mehr noch als Bront ist Brach tieferem Wasser angepaßt«, fuhr Cal fort. »Betrachte die Lage der Nasenlöcher und die Stellung des Kopfes. Aber seine Reichweite ist auf das seichte Küstenwasser begrenzt. Seine Gegenwart hier ist ein Zeichen dafür, daß die flachen Sümpfe weniger ausgedehnt sind, als sie waren. Und das haben wir natürlich ja schon unmittelbar gesehen. Evolution ist niemals zufällig.«

»Vielleicht sollten wir weiterfahren«, sagte Aquilon leise.

»Aber alles, was wir gesehen haben, ist der Kopf«, protestierte Veg spöttisch.

»Das ist alles, was man normalerweise beobachtet«, sagte Cal. »Geben wir uns besser damit zufrieden.«

Veg war gewillt, sich überzeugen zu lassen. Er stakte das Floß in tieferes Wasser, dann griffen er und Aquilon nach den Paddeln. Sie passierten den Kopf in einer Entfernung von rund fünfzehn Metern. Veg schätzte, daß Brach in einer Wassertiefe von sieben Metern stand, und das sagte viel über seine Größe aus.

Sein Paddel traf irgend etwas.

»Ein Hindernis«, sagte er. »Baumstamm unter der Oberfläche vielleicht. Weichen wir aus, bevor wir . . .«

Zu spät. Das Floß kollidierte mit dem Gegenstand. Veg spürte, wie der Kiel abgerissen wurde.

»Riff?« fragte Aquilon und strich das Haar zurück, das ihr ins Gesicht gefallen war.

Veg stocherte mit der Stange.

»Das Wasser ist tief hier. Ich finde keinen Grund.«

Er stocherte weiter vorne, um das Hindernis ausfindig zu machen.

»Weg hier – schnell!« stieß Cal hervor.

Sie hatten auf Nacre lange genug zusammengearbeitet, um hier auf Paläo fast intuitiv zu wissen, wann ihr Leben in Gefahr war.

Als sich das Floß wieder vorwärts bewegte, erklärte Cal: »Das war kein Baumstamm oder Riff. Das war der Schwanz.«

Aquilon blickte auf das aufgewühlte Wasser hinter ihnen. »Der Schwanz . . . des Dinosauriers?«

Die Spitze tauchte plötzlich aus dem Wasser auf und erzeugte Wellen.

Veg starrte zu dem Kopf hinüber. »Er frißt noch immer. Das kann nicht derselbe . . .«

Dann hob sich der Kopf und drehte sich ihnen zu, während der Schwanz wütend das Wasser peitschte.

». . . diese langsame Reaktionszeit«, murmelte Aquilon.

»Paddelt weiter«, sagte Cal drängend. »Er ist jetzt auf uns aufmerksam geworden. Wenn er zu der Überzeugung kommt, daß wir Feinde sind . . .«

»Harmlos, sagtest du«, wiederholte Veg leicht ironisch. »Oh, ich bin ziemlich sicher, daß er nicht angreifen wird. Sein natürlicher Instinkt sollte Flucht vor Gefahr sein, aber . . .«

»Wir *haben* seinen Schwanz verletzt«, sagte Aquilon.

Sie konnten es jetzt alle sehen, als sich der Schwanz über die Wellen erhob. Wäßriges Blut strömte daraus hervor.

»Tut weh, wette ich«, stimmte Veg ihr zu. Eine solche Wunde wäre für eine kleinere Kreatur tödlich gewesen. Sie war einen guten Meter lang und mehrere Zentimeter tief.

Dann begann das Wasser zu brodeln. Brach war zu einem Entschluß gekommen.

»Weg!« rief Cal.

»Er läuft!«

Die beiden Mantas kamen aus der Kabine heraus, obwohl immer noch direktes Sonnenlicht vorhanden war. Sie segelten über die Wasseroberfläche. Veg wußte, daß sie dies nicht lange tun konnten. Die Sonne würde sie schrecklich verbrennen und ihre Augen verletzen.

Aber der Dinosaurier kam auf die *Nacre* zu!

Der kleine und doch so massige Kopf pendelte hin und her, während er dicht über dem Wasser dahinglitt, und der Hals zog eine weiße Schaumwelle hinter sich her. Der Schwanz zog sich zurück.

»Lenkt ihn ab!« rief Cal. »Greift nicht an! Treibt ihn!«

Er redete zu den beiden Mantas, die das Boot umkreisten.

»Blufft ihn! Drängt ihn zur Seite!«

Hex und Circe (Veg war sicher, daß er sie erkannte) schienen zu begreifen. Abwechselnd schossen sie auf den Kopf hinunter, wobei ihre Körper in der Schräglage wie Drachen aussahen. Der Kopf reagierte ziemlich schnell, zuckte vor ihnen zurück, kam aber weiter auf das Boot zu.

Der *Brachiosaurus* erreichte das Trio, aber der Kopf verfehlte sie um sieben Meter, wobei die Augen nicht einmal auf sie gerichtet waren. Wasser wallte zur Seite, und das Floß geriet ins Wanken, als die gewaltige Körpermasse folgte.

Der Körper verfehlte sie nur um drei Meter, und das auch nur, weil das Floß mit der Strömung zur Seite gerissen wurde.

Dann war das Monster vorbei, und sie balancierten erleichtert auf der Woge. In diesem Augenblick der Unaufmerksamkeit schlug der Schwanz zu. Es war nicht der schneidende Peitschenhieb der Mantas, aber seine blinde Wucht war genauso vernichtend.

Der Schwanz hob sich unter dem hinteren Ende der *Nacre* aus dem Wasser und kippte sie um.

Aquilon sprang seitlich weg und tauchte ins Wasser ein, bevor das Floß umstürzte. Veg schlang seinen Arm um Cal, hob ihn hoch, als sich die *Nacre* aufbäumte, und warf sich nach links. Das Floß versank im Wasser, dann schoß es wieder hoch und schien auf die andere Seite geworfen zu werden.

Die Wellen legten sich. Der Dinosaurier war verschwunden, das Floß umgekippt, aber stabil, und schon hockten die beiden Mantas darauf. Aquilon winkte und zeigte an, daß mit ihr alles in Ordnung war. Und glücklicherweise schob sich eine Wolke vor die Sonne und verschaffte den Mantas Erleichterung.

Veg hob Cal hoch und hoffte, daß der Mann nicht zuviel Wasser geschluckt hatte. Aber seine Sorge war grundlos. Cal lächelte. Veg vergaß immer wieder, daß sich sein Freund seit Nacre beträchtlich erholt hatte.

Veg ließ ihn los, und gemeinsam schwammen sie zum Floß

zurück. Dort gesellte sich Aquilon zu ihnen. Sie blickten sich über den zerschmetterten Kiel und die beiden Mantas hinweg an.

»Kommt euch das bekannt vor?« erkundigte sich Aquilon mit gespielter Heiterkeit.

Veg wußte, was sie meinte. Damals auf Nacre, gleichzeitig einen Tag und ein Jahrzehnt her, hatten sie das Abenteuer begonnen, durch das sie zu einem Trio geworden waren. Der Anfang war das Wrack eines Traktors gewesen – und das Wissen, daß ihr Rückweg zur menschlichen Basis ein schrecklicher werden würde. Sie hatten ihr Blut geteilt, im wahrsten Sinne des Wortes.

Er hielt sich an einer Kante des Floßes fest und betrachtete die Trümmer. Ein Kerosintank schwamm in der Nähe, aber es war nichts von der Lampe zu sehen, die dazugehörte. Dahinter befand sich ein Bastkorb, allerdings ohne die Nahrung, die er enthalten hatte. Der größte Teil ihrer Ausrüstung war am Floß angebunden gewesen. Es würde eine mühsame Arbeit werden, alles wieder zu lösen und in Sicherheit zu bringen, aber es ließ sich machen. Ihr Funkgerät aber hatte sich aus seiner Verankerung gelöst und lag jetzt mit Sicherheit auf dem Grund der See. Ihre Verbindung mit der Zivilisation existierte nicht mehr.

Ja, es war wie in den alten Zeiten, und er war nicht traurig darüber. Sie konnten hier für immer verschollen bleiben, und er würde zufrieden sein. Ein Freund wie Cal, eine Frau wie Aquilon . . . und natürlich die Mantas.

Wenigstens die Paddel waren noch da. Eins war zerbrochen, konnte aber repariert oder ersetzt werden. Palmwedel gab es reichlich. Die kräftige Bambusstange war unbeschädigt.

Es wäre sinnlos gewesen, das Floß hier aufrichten zu wollen. Sie würden es an Land schleppen müssen und dann sehen, was sie retten konnten.

Hex und Circe hoben ab und kurvten über das Wasser. Sofort kamen sie zurück.

»Oh, oh«, sagte Veg. »Schwierigkeiten?«

Zwei Knalle, fast gleichzeitig. Beide Mantas pflichteten ihm bei. Sie redeten selten so zusammen.

»Räuber!« rief Cal. »Ich hätte daran denken sollen. Diese Wunde . . .«

Er meinte das Blut, das immer noch das umliegende Wasser verfärbte. Veg wußte, daß Cal das Wort immer noch ungerne aussprach: Blut. Natürlich würde der Geruch die bösartigen Kreaturen des Meers anlocken. Brach mußte ziemlich viel Blut verloren haben . . .

»Haie!« rief Aquilon.

Und schon waren die drei menschlichen Wesen aus dem Wasser heraus und auf dem umgekippten Floß. Es war kein Fehler. Haie tauchten auf. Veg schlug mit dem unbeschädigten Paddel nach ihnen, und sie zogen sich zurück, aber nicht weit.

Cals Gesicht war verkniffen. »Die Haie kommen hier nicht rauf«, sagte er.

»Aber die Reptilien – wenn es *Kronosaurus* in diesen Wassern gibt.«

»Wer?« Aquilon hielt das zerbrochene Paddel in der Hand.

»*Kronosaurus* – ein kurzhalsiger Plesiosaurier. Sechzehn Meter lang, Kiefer vier Meter lang, die Größe eines kleinen Wals . . .

»Ich verstehe die Botschaft«, unterbrach Veg.

Angestachelt von dieser Vision dachte er daran, sein eigenes Paddel auf seiner Seite des Floßes einzusetzen, so daß die *Nacre* näher an die Stange herankam, um die sich Aquilon bemühte. Aber sie holte sie schon ein und kümmerte sich um das Kerosin.

Sie besprachen sich hastig und beschlossen eine Landung an der nächstgelegenen Stelle.

Veg und Aquilon fingen an zu paddeln.

»Harmlos, sagtest du«, murmelte Veg. Seine Stimmung hob sich, als sie das rosafarbene Wasser verließen. »Würde bei Gefahr fliehen, sagtest du.« Aber er lächelte.

»Er *ist* geflohen, wenn du Brach meinst«, erwiderte Cal. »Aber er ist in tieferes Wasser geflohen. Die meisten seiner Feinde sind Landbewohner.«

Die Haie, die offenbar erkannt hatten, daß sie keinen Vorteil haben würden, wenn sie das Floß verfolgten, verschwanden. Aber keiner an Bord wollte schwimmen, bis sie an Land gekommen waren.

Farnbäume ragten über das Wasser. Ein seltsamer Nadelbaum mit eigenartig gerollten Nadeln wuchs vor ihnen in die

Höhe. Veg sah kein Gras, keine Blumen. Wasserpflanzen drängten sich zusammen.

»Landschaft der Kreidezeit«, murmelte Cal. »Erstaunlich.« Aber er klang mehr ehrfürchtig als überrascht.

Glücklicherweise waren keine Räuber in Sicht. Bis zu den Waden im Schlamm hoben Veg und Aquilon das beladene Floß an. Aber es war viel zu schwer, um so umgedreht werden zu können. Sie würden es halten müssen, während Cal Stöcke darunterlegte. In diesem morastigen Terrain gab es keine Felsen, die als Stütze dienen konnten.

»Quilon, du hältst es gerade, während ich ziehe«, sagte Veg.

Sie versuchten es, aber die *Nacre* hob sich nur ein paar Zentimeter, weil seine Füße im Morast wegrutschten.

»Zwecklos«, grunzte er. »Wir werden es auseinandernehmen und richtig herum wieder zusammensetzen müssen. Genausogut können wir hier unser Lager aufschlagen.«

Die Aussicht machte ihn nicht unglücklich. Das Segeln, wurde er sich klar, war nicht seine Sache. Wandern und Campen waren besser. Es erinnerte Veg an ihre andere gemeinsame Wanderung, auf dem Planeten Nacre. Irgend etwas hatte damals angefangen. Mehr und mehr beschäftigte sich sein Bewußtsein damit.

Sein Blick traf Aquilons über das Floß hinweg. Auch sie wurde sich dessen bewußt. Durch die Rückkehr zur Erde war das, was sich entwickelt hatte, abgeschnitten worden. Aus irgendeinem Grunde hatte sie es so gewollt. Aber jetzt ... jetzt konnte es zu diesem Anfang eine Mitte und ein Ende geben.

Nein, es machte ihm nichts aus, für ein paar Tage oder Wochen oder noch länger gestrandet zu sein. Gefahren und Anstrengungen machten ihm auch nichts aus. Mit Aquilon hier in diesem uralten Waldland ...

»Vermutlich hätte Brach hier nicht gefressen, wenn es nicht ziemlich sicher wäre«, stellte Cal fest. »Ein großer Landkarnivore könnte Brachs Kopf abbeißen. Reptilien sterben sehr langsam. Wenn ich unsere Begegnung mit dem Monster auch nicht unbedingt als Glücksfall bezeichnen würde, so hat sie doch auch ihre positiven Aspekte. Wir können nicht sagen, was wir weiter drinnen angetroffen hätten.«

»Trotzdem sollten wir nicht gleich hier unser Lager aufschlagen«, sagte Aquilon und blickte angeekelt auf den Morast, der ihre Füße bedeckte. »Das Schlafen in einer überschwemmten Kabine war schon schlimm genug, aber das . . .«

Das Ganze hatte etwas Lächerliches an sich, und Veg lachte.

Aquilon wollte ihn mit einem bösen Blick durchbohren, sah dann aber auf ihre verschmierten Knöchel und lachte ebenfalls.

Die beiden übrigen Mantas, Diam und Star, waren zu irgendeinem Zeitpunkt wieder zu ihnen gestoßen. Veg glaubte, daß sie dieses Territorium nicht nur aus Spaß und guter Laune erkundet hatten.

Die Nacht verbrachten sie unter einem großen Baum, dessen kräftige Äste und kleine Zweige ihm das Aussehen eines steifarmigen Oktopus verliehen. Jeder Zweig hatte ein gespaltenes, fächerförmiges Blatt, ganz anders als das verästelte Grün gewöhnliche Bäume. Es war ein Ginkgo, und Cal schien ihn für etwas ganz Besonderes zu halten, obwohl er behauptete, daß es ihn auch auf der zeitgenössischen Erde gab.

Sie befanden sich in einer aus Cycasstämmen, Palmwedeln und Farnblättern improvisierten Hütte. Cal hatte ihn entworfen und dabei mehr praktische Fähigkeiten offenbart, als Veg von ihm erwartet hätte. Veg hatte die grobe Arbeit verrichtet und das Holz herbeigeholt. Aquilon hatte Fasern geflochten, um das Dach abzudichten.

Die übrige Arbeit war mühsamer gewesen als das Entwerfen und Bauen des Hauses. Veg mußte die Nylonschnüre der *Nacre* lösen und die Bohlen so weit voneinander trennen, daß er an die Gerätschaften in der zerstörten Kabine herankam. Dann mußte er die Vorräte zum Camp schaffen, wo Aquilon und Cal den Bau innen und außen mit Farnwedeln verkleideten.

Veg hielt scharf Ausschau nach Lebensformen aller Art, obwohl Hex bei ihm war und einen guten Leibwächter abgab. Er wußte nicht viel über Dinosaurier, nur daß sie groß und gefährlich waren – selbst die herbivorischen, wie das zerstörte Floß bewies. Brach würde allerdings nicht an Land herumwandern, wenn Cal recht hatte – und natürlich hatte er recht. Aber andere Kreaturen mochten überall sein. Brach wäre nicht so schnell ins tiefe Wasser geflohen, wenn es an Land nichts gegeben hätte, was er fürchtete.

Eine Kreatur, die einen Dinosaurier von fünfzig Tonnen schrecken konnte, konnte von einem Zwei-Zentner-Mann kaum ignoriert werden. Vögel zwitscherten in den Baumfarnen und jagten nach Käfern. Kleines Getier huschte durch das Unterholz. Fische schwammen im Wasser. Es gab viel Leben, aber nichts Furchterregendes – bis jetzt.

Er hob die letzte der Kisten, die sie mitnehmen wollten, wuchtete sie auf die Schulter und trottete durch den Matsch. Ja, sie alle mußten hier wachsam sein, stets auf der Hut vor unbekannten Bedrohungen. Aber die Luft war feucht und warm, die beißenden Insekten waren noch nicht auf ihn aufmerksam geworden, und er fühlte sich wundervoll frei. Vielleicht würde er morgen zwischen den Zähnen irgendeines Monsters sterben, dessen Namen er nicht einmal richtig aussprechen konnte. Aber er würde sterben wie ein Mann.

Hex eilte voraus, als sie aus dem Sumpf herauskamen und festen Boden unter den Füßen hatten. Es war Dämmerung, schon zu trübe für ihn, um klar zu sehen, aber er liebte die Herausforderung. Der Manta flog zu einer Seite und machte halt neben einem Baum. Auf was starrte der Manta da?

Er kam heran und starrte ebenfalls. War das eine . . . Es war.

Veg hockte sich neben dem Manta nieder. Mit der einen Hand hielt er die Kiste hoch, während er mit der anderen störendes Blattwerk zur Seite schob.

Im hart gewordenen Schlamm befand sich der Abdruck eines zweibeinigen Dinosauriers oder eines sehr großen Vogels.

Die Kreatur war irgendwo in der Nähe ihres Camps. Veg war froh, daß die Mantas in dieser Nacht Wache halten würden.

11 Orn

Die Spur war nicht frisch. Aber es bestand kein Zweifel; ein weibliches Exemplar seiner Spezies hatte hier ihren Schlafplatz gehabt.

War sie in dem Tal geblieben? Lebte sie noch? Konnte er sie finden? Sein Bewußtsein erfaßte die Tatsache, daß sie existierte, und seine Drüsen reagierten und bestimmten. Der Paarungstrieb hatte ihn in seiner Gewalt und ließ sich nicht länger unterdrücken.

Orn verbrachte die Nacht unter dem Wasserfall. Es war unbequem und ermüdend, aber die Entdeckung der Spur einer seiner eigenen Art hinderte ihn daran, die Höhle zu verlassen. Er mußte der Spur folgen. Wenn es ein anderes männliches Exemplar gab ... Nein, es gab keins. Die Spur war die eines Vogels, der noch nicht gebrütet hatte. Dergleichen war eine Besonderheit seiner Linie.

Am Morgen erkundete er das benachbarte Terrain. Es mußte Zeichen geben, die auf ihren Weg hindeuteten. Er würde sie entdecken, wie flüchtig sie auch sein mochten.

Es war nicht einfach, aber er war darauf programmiert. Er wäre gar nicht in der Lage gewesen, eine so alte Spur überhaupt wahrzunehmen, wenn sie von einer anderen Kreatur gestammt hätte. Aber alle Erinnerungen richteten sich auf dieses eine Unterfangen.

Nach zwei Tagen lokalisierte er frischere Spuren und einen Tag darauf den Schlafplatz, den sie für einige Zeit benutzt hatte. Er befand sich in der Aushöhlung eines verrotteten Flachblattbaums. Nase und Auge sagten, daß sie gegangen war, als ein räuberisches Reptil die Region durchstreift hatte. Sie hatte ein paar Federn verloren, aber nicht ihr Leben. Sie war in die Berge geflüchtet.

Dann wurde die Suche außerordentlich schwierig, denn sie war über erhitzte Felsen gerannt, um der Verfolgung zu entgehen. Aber Orn blieb hartnäckig, und nach einiger Zeit fand er die Spur dort wieder, wo sie ins Tal hinabgestiegen war.

Ihre Abdrücke und ihr Geruch vermischten sich mit denen

anderer Tiere, so als ob sie sich unter eine Tricerherde gedrängt hatte. Tage alt nur noch, stimulierte ihre Spur ihn ungemein. Sie war allein und geschlechtsreif und nicht viel älter als er. Sie wollte einen Partner, hatte aber keinen gefunden.

Aber er fand sie nicht.

Sie fand ihn.

Sie war auf seine eigene Spur gestoßen, während sie herumstreifte. In weniger als einem Tag hatte sie zu ihm aufgeschlossen.

Orn blickte, sich ihrer Gegenwart plötzlich bewußt, von dem gerade geschlüpften Brach hoch, den er verzehrte. Über den Weideplatz starrten sie einander an. Sein Schnabel war beschmiert mit dem Blut des jungen Reptils, seine Nase umnebelt von den frischen Gerüchen des aufgerissenen Leichnams, und in diesem köstlichen und romantischen Augenblick sah er den Vogel, der sein Partner werden würde.

Ornette: Um die Breite einer trockenen Schwanzfeder war sie kleiner als er. Ihr Schnabel war schlank. Ihre Augen waren groß und rund. Ihre weißen Nackenfedern waren glatt und glänzend und gingen sanft in den grauen Brustteil über. Ihre Flügel waren gepflegt und schön. Aufgrund der ungewöhnlichen Länge ihrer Schwungfedern sahen sie größer aus, als sie tatsächlich waren. Sie gab einen weiblichen Duft von sich, der den Mann gleichzeitig erregte und verrückt machte. Sie war wunderschön und ganz und gar begehrenswert.

Dann lief sie vor ihm davon. Und er rannte mit aller Kraft hinter ihr her. Sie verschwand in hohem Gesträuch und ließ ihn hinter sich zurück. Aber dies war eine Jagd, die er mit Gewißheit gewinnen würde, denn seine Sehnen waren kräftiger, seine männliche Ausdauer größer.

Sie flüchtete in den Sumpf und drang in das Territorium des Struth ein. Das mochte Ärger bedeuten, aber es gab nichts, was Orn dagegen tun konnte. Wenn er einen Bogen schlug, um ihr den Weg abzuschneiden, würde sich nur der Abstand vergrößern, denn im Augenblick war sie noch so geschwind wie er.

Sie jagte um eine gigantische Tanne herum. Dann hielt sie sich seitlich, bevor sie auf den Struth stieß. Sie wußte Bescheid! Zu seiner Erleichterung rannte sie nach Norden, ein Gebiet, das er noch nicht erkundet hatte. Ihre Geschwindigkeit verringerte sich, als der Boden morastig wurde, aber so erging es auch ihm. Auf diese Weise würde es noch lange dauern, bis er sie einholte.

Eine ganze Zeitlang rannte sie nach Norden, wandte sich dann nach Westen, den Bergen entgegen. Bald begannen sie zu klettern und ließen das dunstige Tal unter sich zurück. Fliegende Vögel machten ihnen hastig den Weg frei, und grasende junge Reptilien huschten davon. Ein verwundeter erwachsener Tricer, der so weit gekommen war, um zu sterben, blickte überrascht auf. An immer blattreicher werdenden Bäumen liefen sie vorbei, in deren Zweigen Säuger herumturnten, und hinauf auf die Höhen voller Gras, wo Insekten im Sonnenlicht umherschwirrten, aber Ornette verlangsamte ihren Lauf nicht und rannte weiter aufwärts, bis die Luft kühl wurde. Und weiter, bis der Schnee anfing. Aber Orn spürte die Kälte nicht. Langsam verkürzte er den Abstand zu ihr.

Schließlich rannte sie nach Norden, die weiße Grenze entlang, während sich die Sonne der Bergkrone entgegenneigte. Dann wieder abwärts ins Tal, hinein in das dichteste Grün, wobei sie die Flügel spreizte, um bei dem steilen Abstieg die Balance zu bewahren. Der Vorsprung wurde wieder größer, weil sie ihre größeren Federn einsetzte, aber in der Ebene, wo die Reptilien hausten, holte er wieder auf. Und wieder aufwärts, fast bis zum Schnee, und immer noch holte Orn auf, obwohl er noch nie so lange ohne Ruhepause gelaufen war.

Ornette machte halt, schwer atmend. Orn, kaum zwei Flügelspannen hinter ihr, hielt ebenfalls an. Die Jagd hatte aufzuhören, wenn die Sonne sank, um an Ort und Stelle fortgesetzt zu werden, wenn sie wieder aufging. Die Nacht diente der Nahrungsaufnahme und Ruhe und... Werbung. Tausende von Generationen vor ihnen hatten dieses Verhalten festgelegt.

Unter ihnen entwickelte sich der Sumpf aus einem hier verhältnismäßig kleinen Nebenarm des Flusses, in dem es Fische gab und Säuger in benachbarten Erdhöhlen und Insekten, die herausgekratzt werden konnten. Sie jagten unabhängig voneinander und nährten sich unabhängig voneinander. Dann, als die Dunkelheit über ihnen hereinbrach, begannen sie den Tanz.

Ornette entfernte sich über die Ebene von ihm. Orn stand da, den Schnabel erhoben, wartend. Eine Zeit der Ruhe herrschte.

Dann trat Orn nach vorne, spreizte seine Flügel und hielt sie ausgebreitet, um den sanften Abendwind einzufangen. Er stieß einen durchdringenden, lusterfüllten Ruf aus. Sie antwortete, spröde – dann Schweigen.

Orn bewegte sich auf sie und sie sich auf ihn zu; beide beobachteten, lauschten, schnupperten nach dem anderen. Langsam näherten sie sich einander, bis er das Weiß ihrer gespreizten Flügel sah.

In Sicht des anderen stolzierten sie, er in der männlichen Gangart, sie in der weiblichen. Sie näherten sich einander, umkreisten sich, zogen sich zurück, die Flügel immer gespreizt. Dann stand Orn ihr gegenüber und schloß die Flügel; und sie führte ihren Tanz vor.

Flügel offen; Flügel geschlossen; sie leuchtete, leuchtete nicht, ein diffuser Leuchtkäfer; ihre Füße stampften im verschlungenen Versmaß der Werbung, jetzt gleichmäßig, jetzt unregelmäßig, immer unwiderstehlich.

Dann endete ihr Tanz. Orn war an der Reihe. Er spreizte sich, begann den Schlag der Füße, schloß die Flügel, wirbelte herum, sprang, spreizte sich, und der Instinkt ließ ihn unaufhaltsam fortfahren. Ein schneller, wilder Tanz, der kundtat, was männliche Ausdrucksweise bei jeder Spezies kundtat, aber künstlerisch und nicht ohne sanfte Untertöne. Endlich ein beschleunigter Schlag, Füße und Flügel gemeinsam, emporsteigend, als ob er abheben wolle – und Schweigen.

Der Tanz war vorüber. Es war eine gute Leistung gewesen, die sich einer guten Jagd angeschlossen hatte – aber es war besser, die Dinge bis zum Morgen warten zu lassen. Er machte sich auf den Weg zu dem Schlafplatz, den er während des Umherstreifens ausgewählt hatte. Ornette, wie es das Ritual verlangte, tat dasselbe.

Eine schnelle Mahlzeit bei Tagesanbruch. Dann, als sich die Sonne über den östlichen Paß drängte, begann die Jagd erneut. Sie war wieder frisch und mit dem Terrain besser vertraut, und er verlor an Boden. Die nördliche Bergkette empor, über einen niedrigen, verborgenen Paß, der in ein anderes üppiges Tal führte – aber sie kehrte in ihr eigenes zurück, südwärts. Sogar bis zum Rand des Sumpfes rannte sie, vorbei an Dornenbüschen, Moos und Pilzen. An einer Stelle kreuzte sie die Spur eines riesigen Räuberreptils und suchte schnell ein anderes Gebiet auf. Es war nicht angebracht, Schwierigkeiten bei diesem romantischen Anlaß auf sich zu nehmen.

Wieder empor zu den Schneefeldern, über einen heißen Flußlauf, der sich durch das Eis schmolz, abwärts ... und vor Mittag holte Orn wieder auf. Sie war müde; ihre Flügel glänzten nicht länger glatt, ihr Schnabel war nicht länger erhoben. Sie waren jetzt in der Nähe der südöstlichen Ecke des Tals.

Orn schloß bis auf eine Flügelspanne auf, ohne sich noch anstrengen zu müssen. Sie war so erschöpft, daß er die Geschwindigkeit leicht halten konnte; die Zeit seiner Wanderung hatte ihn an dergleichen gewöhnt, und er hatte seine Kräfte während der Tage im Tal zurückgewonnen. Und ... er war ein Mann. Aber der Augenblick, sie zu fangen, war noch nicht gekommen.

Sich ihrer Niederlage bewußt, stolperte Ornette. Verzweifelt watete sie in das seichte Wasser der Bucht, auf eine nahe Insel zu, aber sie war so müde, daß sie umkehren mußte.

Orn wartete auf sie. Als sie langsam ans Ufer kletterte, sprang er sie an und schob seinen Schnabel unter das weiche Untergefieder ihres Halses, biß aber nicht zu. Sie leistete kaum Widerstand; sie war erobert worden. Sie ließ sich auf den Boden sinken, seiner Gnade ausgeliefert.

Orn schüttelte sie einmal und gab sie frei. Er trottete zu einem nahen Moosbett. Er nahm einen Schnabelvoll und brachte ihn ihr als Gegengabe. Sie schnuppert schwach daran und akzeptierte.

Mit diesen ersten Symbolen der Unterwerfung und des Nests, das sie bauen und teilen würden, war ihr Werbungsritual beendet. Bald würden sie sich paaren, sich niederlassen und ihre Erinnerungen in ihrem Sprößling vereinigen.

Ein anderer Morgen – der erste ihres neuen Lebens. Sie durchforschten die Nachbarschaft und beschlossen, zu der Insel hinüberzugehen, die Ornette vorher nicht hatte erreichen können. Die Insel war dicht mit Föhren bewachsen und schien einen geeigneten Schutzhafen vor den meisten Karnivoren zu bieten. Die großen Landjäger würden Schwierigkeiten haben, zu ihr herüberzukommen, während sich die Seebewohner kaum unter solche Bäume wagen würden, selbst wenn sie in der Lage waren, das Wasser zu verlassen.

Die beiden wateten hinein und paddelten mit ihren Flügeln; betraten das Wasser, während die Kälte in der Luft zurückblieb. Der See selbst war warm, und sie würden Räubern gegenüber verwundbar sein. Aber die Reptilien an der Oberfläche oder am Ufer würden noch träge und deshalb weniger gefährlich sein als üblich. Wenn sich solche Kreaturen in der Nähe aufhielten, war der Morgen die beste Zeit. Sie kamen schnell und sicher hinüber – aber dies war kein Wagnis, das sie so bald wieder auf sich nehmen würden.

Der Inselboden war schwammig, aber nicht sumpfig. Obgleich die Insel klein war, so war sie doch nicht flach. Die Bäume stiegen in der Mitte einen Hügel hinauf. Einst war dieser kleine Berg ein Vulkan gewesen. Nichts von dieser Tätigkeit war jetzt noch übrig, sonst wäre Orn nicht geblieben.

Dann entdeckten sie den idealen Nistplatz; eine moosige Halbinsel, abgeschirmt innerhalb einer nördlichen kleinen Bucht. Sie war vor den heftigeren Wellen des Ozeans geschützt und vor dem offenen Gelände der Hauptinsel. Der Zugang zu dem Platz war schmal, so daß ein einzelner Vogel sie verteidigen konnte, und die Bucht selbst war tief genug, um ein Durchwaten nicht angebracht erscheinen zu lassen. Auch war die Mündung des Einschnitts mit gezackten Felsen gespickt. Die Erde war reich an Larven, kleine Fische wimmelten in der Bucht und Muscheln im groben Sand darunter.

Ornette war befriedigt, aber Orn war vorsichtig. Die Erfahrung seiner Ahnen sagte ihm, daß scheinbar ideale Örtlichkeiten mehr als eine Spezies reizten. Und er war sich unmittelbar des Schicksals seiner Eltern bewußt, die auf einer anderen scheinbar idealen Insel genistet hatten.

Ornette hatte wenige solcher Bedenken. Verteidigung des Nests war nicht ihre erste Verantwortlichkeit. Sie kratzte die Erde an mehreren Stellen auf und flatterte, um seine Aufmerksamkeit auf sich zu ziehen. Dieser Ort? Dieser? Oder näher am Wasser?

Unfähig, ihre Begeisterung zu unterdrücken, stimmte Orn einer Örtlichkeit neben der Bucht zu. Dieser Platz befand sich auf einem breiten, erhöhten Stein, den er sowohl vor der Flut als auch vor Eier aufsaugenden Reptilien und landgebundenen Insekten sicher wähnte. Eine Flügelspanne breit und halb so hoch, war er groß genug für ein ordentliches Nest. Die Eier würden dort genauso sicher sein wie sonst irgendwo im Freien, und natürlich würden sie niemals ohne Aufsicht gelassen werden.

Den ganzen Nachmittag arbeiteten sie am Nest, suchten zwischen den Kiefern nach Nadeln und Zapfen und holten Moos für eine weiche Verkleidung. Ornette verwob die langen Stengel von Uferpflanzen zu einem großen kreisförmigen Muster und füllte die Zwischenräume mit Lehm aus, den Orn aus dem Wasser herausschaufelte. Als die Sonne die strahlende Krone des Bergwalls berührte, erschienen Gestalten am Himmel. Es waren die riesenhaften gleitenden Formen der Ptera, der größten unter den fliegenden Reptilien.

Die Gestalten kamen, getragen von den Aufwinden in der Atmosphäre, und näherten sich stetig der Insel. Orn stand in der Mitte der Halbinsel neben dem kräftigsten Baum und bereitete sich auf die Konfrontation vor, die kommen mußte. Ptera verstanden sich im allgemeinen mit echten Vögeln nicht allzugut.

Drei kamen in Spiralen auf ihn zu. Ihre Flügel waren monströs; viermal Orns eigene Spanne. Ihre Köpfe waren groß, mit langen, zahnlosen Schnäbeln und Knochenkämmen. Ihre Körper hatten weder Haare noch Federn, wohl aber Schuppen so zart wie Geburtsflaum und kaum schützender.

Orn erinnerte sich weiter. Die Ptera hatten winzige Beine, die mit dem rückwärtigen Teil der Schwingen verbunden waren. Der Schwanz war zu klein, um von Nutzen zu sein. Die Vorderglieder, die die Flügel spannten, hatten die vielfache Größe der Hinterglieder.

Orn gab seine Kampfhaltung auf. Die drei kreisten über ihm, entschieden dann offenbar, daß er keine Bedrohung war, und stießen auf eine der Kiefern hinab, die sich über das Wasser beugte. Jeder glitt auf einen Ast im oberen Teil des Stamms.

Dann falteten sich die Flügel zusammen, und ließen sich an ihren Hinterbeinen herunter, drei plötzlich kleinere Körper, in gefaltetes Leder eingehüllt.

Das Geheimnis des Reptilienbewohners hatte sich gelüftet. Die drei Ptera zusammen würden nicht mehr wiegen als Orn allein, denn trotz ihrer monströsen Flügelspannen waren sie körperlose Wesen. Und wenn sie hier sicher nächtigten, dann konnte er es auch.

Ornette schaufelte unbekümmert kleine Fische aus dem Wasser. Sie hatte es von vornherein gewußt.

Sie aßen zusammen und schliefen in dieser Nacht neben dem halberrichteten Nest, jeder den Kopf unter den Flügeln des anderen gesteckt. Es regnete, so daß sie gezwungen waren, sich aufzuraffen, um das Nest mit ihren ausgebreiteten Flügeln zu schützen; aber es war eine gute Nacht.

Die Ptera waren keine Frühaufsteher. Lange nachdem die Vögel sich ihre Morgennahrung gesucht hatten, hingen die drei Reptilien noch von ihren Zweigen.

Das Nest härtete sich. Für den Moment hatten die Vögel nichts zu tun, so daß sie die Halbinsel gründlich erforschten, nach den besten Fischgründen und den üppigsten Kolonien eßbarer Insekten suchten – und die Reptilien beobachteten.

Die drei begannen sich angeregter zu bewegen, als das Sonnenlicht sie erwärmte. Ihre Köpfe rotierten, und die kleinen Klauen spannten sich. Eins nach dem anderen ließen sich die Reptilien fallen. Das erste stürzte fast bis aufs Wasser, schoß dann gefährlich nah an die Oberfläche heran. Seine Schwingen streckten sich so dünn aus, daß das Sonnenlicht sie durchsichtig machte. Der Ptera schlug unbeholfen mit den Flügeln, und Orn spürte einen Anflug von Sehnsucht. Einst war seine Art geflogen.

Das Reptil fand eine günstige Luftströmung und kämpfte sich in eine sichere Höhe empor. Der zweite Ptera fiel, folgte einem ähnlichen Kurs. Aber der dritte tat es nicht. Der Wind hatte sich gedreht. Besorgt manövrierte der Ptera von Seite zu Seite, blieb jedoch zu niedrig. Die Spitze eines Flügels berührte in der Schräglage eine Welle und riß die Kreatur herum. Vorsichtig kreiste der Ptera, kam dem Wasser näher und näher, berührte die See aber doch nicht. Er kam in Richtung der Insel, in Richtung von Orns Nest.

Alarmiert rannte Orn los, um ihren Besitz zu schützen. Aber der Ptera versuchte lediglich, Land zu erreichen, bevor er abstürzte. Er schaffte es nicht. Mit einem elenden Klatschen schlug er auf dem Wasser auf, so nahe dem Nest, daß Orn schnell seine Flügel ausbreitete.

Mit einiger Mühe hatte der Ptera das seichte Wasser erreicht und war in der Lage, sich bis ans Ufer zu retten. Schwer mitgenommen kletterte er an Land und blieb für den Augenblick liegen, Orn beobachtend.

Die Kreatur war völlig erschöpft, unterkühlt und hilflos; sie würde leicht zu töten sein. Sie hatte sich beinahe selbst getötet, als sie über die steinige Barriere der kleinen Bucht gehüpft war. Aber Orn attakierte nicht. Es war sowieso nur wenig gutes Fleisch an ihm, und im Augenblick hatte er keinen Hunger. Wäre so eine Kreatur neben ihm abgestürzt, als er sich durch die Wüste kämpfte, hätte die Sache anders ausgesehen.

Nach einer Weile riß sich der Ptera von der Uferbank hoch und schleppte sich auf nassen gefalteten Flügeln und schwachen Beinen dahin. Er war unfähig zu stehen oder zu gehen, aber er konnte kriechen. Er schien überrascht zu sein, daß kein Angriff erfolgt war, hielt sich aber nicht damit auf, über die Sache nachzusinnen. Tatsächlich war sich Orn nicht sicher, ob er das Richtige getan hatte; es war gegen seine Natur.

Der Ptera krabbelte unbeholfen zu seinem Baum, hakte dann seine Flügelklauen in die Borke. Mühevoll kletterte er hinauf. Erst als er seinen Ast erreichte, legte er wieder eine Pause ein, ließ sich auf das Holz fallen, wobei sein schwerer Kopf müde nach unten hing. Schließlich nahm er seine Schlafstellung ein, schlief jedoch nicht. Er breitete die Flügel aus, so daß die Sonne sie traf, wärmte und völlig trocknete. Dann ließ er sich abermals fallen.

Diesmal schloß er das Manöver erfolgreich ab und entschwand stolz in den Himmel.

An diesem Tag beobachteten sie, wie sich die Ptera ernährten, indem sie sich bis dicht über die Wellen absinken ließen und kleine Fische in ihre langen Schnäbel schaufelten. Weil sie dies mit hoher Geschwindigkeit und immer gegen den Wind taten, konnten sie das Wasser berühren und wieder an Höhe gewinnen, ohne untergetaucht und gefangen zu werden.

Orn kümmerte sich kaum um das Leben und Schicksal irgendeines bestimmten Reptils, aber in gewisser Weise hatte sein Akt der Gnade seine Beziehung zu Ornette noch bedeutsamer gemacht. Gemeinsam sammelten sie die letzten Hilfsmittel, die sie benötigten. Den ganzen Tag schien die Sonne ohne Unterlaß, und am späten Nachmittag entschieden sie, daß der Lehm fest genug war.

In dieser Nacht nahmen sie ihr Nest zum ersten Mal in Besitz. Und Ornette bot sich dar, und sie paarten sich endlich, während die drei Pteras schweigend an ihren Ästen hingen.

12 Aquilon

Sie hatte schon vorher in allernächster Nähe zu diesen beiden Männern geschlafen, sowohl auf dem Planeten Nacre als auch auf dem Floß *Nacre*. Sie kannte sie gut und liebte sie beide. Aber jetzt spürte sie ein wachsendes Unbehagen. Damals, als sie die Erde in der Quarantänekapsel umliefen, hatte sie sich fast entschieden, sie zu verlassen. Die Ereignisse hatten das verhindert.

Sie blickte auf das Dach des Anbaus. Ja, sie fühlte sich genötigt – aber zu *was*?

Eine Wahl zu treffen.

Aquilon war eine Frau. Sie war lange aus ihrer Jungmädchenzeit heraus. Aber sie hatte das Bedürfnis nach dem physischen Mann nicht gespürt – bis dieser Agent Subble sie in ihrem engen Apartment irgendwie erregt und zurückgewiesen hatte. Sie hätte vorher nie für möglich gehalten, daß ihr das ein Mann antun könnte, und es war ein Schock für sie gewesen. Als sie noch kein Lächeln gehabt hatte, das sie der Welt zeigen konnte, war sie dem gesellschaftlichen Leben natürlich aus dem Weg gegangen; aber dieses neue Lächeln hatte den Anschein gehabt, ihr die ganze Welt zu eröffnen; Subble hatte diese Euphorie beseitigt.

Sie hatte ihn nicht geliebt in diesen wenigen Stunden, in denen sie zusammen gewesen waren, aber sie hatte seine Männlichkeit gespürt. Er hatte ihr vor Augen geführt, daß die Liebe, die sie angeblich zu Cal und Veg empfand, eine intellektuelle Angelegenheit war, die keine physische Substanz besaß. Sie hatte sich tatsächlich niemals vorgestellt, eine sexuelle Beziehung zu einem der beiden zu unterhalten.

Subble war ein Agent gewesen. Er konnte sich mit unwiderstehlicher Schnelligkeit, Kraft und Genauigkeit bewegen und auch eine schwierige Pose unendlich lange beibehalten, ohne schwach zu werden. Er konnte über Philosophie reden, und er konnte ohne Gewissensbisse töten. Er war ansehnlich, aber erbarmungslos selbst bei seinen Freundlichkeiten.

Subble war gestorben. Natürlich gab es Hunderte, vielleicht Tausende von Agenten, buchstäblich identisch mit ihm oder computerisiert. Aber *der* Subble war für immer gegangen; die große Ähnlichkeit anderer Agenten war ohne Belang.

Das warf sie zurück in das Trio, was war deshalb zu tun?

Sie schlief ohne Antwort ein. Ihre Träume jedoch drehten sich nicht um Liebe; sie drehten sich um *Brachiosaurus*.

Die Erkundungen der nächsten Woche verbannten jeden Zweifel. Dies war eine vollkommene Kreidezeitenklave in der Paläozän-Welt. Das ganze Spektrum des Goldenen Zeitalters der Reptilien war vorhanden – eine unübersehbare Menge kleinerer Formen, weitgehend Säugetiere, und eine geringe Anzahl von größeren, dominierenden Reptilien. Hier gab es tatsächlich Dinosaurier.

Fünfzehn Kilometer uferaufwärts, nordwestlich von ihrem Lager wurde die ozeanische Bucht zum Delta eines nach Süden laufenden Flusses. Er war offensichtlich, daß die Bergkette einst eine Bucht mit einer Breite von etwa sechzig und einer Länge von neunzig Kilometern eingeschlossen hatte, aber diese Bucht war fast ganz mit dem fruchtbaren Schlamm und dem Treibgut des Flusses ausgefüllt worden, um einen gewaltigen Sumpf zu bilden. In der Mitte lag ein See, dessen Rand bis zu den Ausläufern der Berge anstieg. Er war überall tropisch warm. Die Nächte sanken bis zu einer Temperatur von knapp zwanzig Grad ab, die Tage stiegen bis zu dreißig Grad an.

Unmittelbar in der Sonne war es natürlich viel heißer. Mittags bewegte sich kaum ein Reptil. Sie verbargen sich alle in irgendeinem Schatten. Aquilon hatte vergessen, wie gern Reptilien sich ausruhten.

Die ihnen am nächsten gelegene Ecke des Deltas war der Tummelplatz mehrerer Familien von Schnabeltiersauriern. Cal bestand darauf, die richtigen Klassifizierungsbezeichnungen zu benutzen – die ›Familie‹ rangierte unter ›Ordnung‹ und über ›Gattung‹ –, und natürlich kannten die Reptilien keine Familien im gesellschaftlichen Sinn. Aber sie taten sich zu kleineren oder größeren Gruppen zusammen, mit Ausnahme der Karnivoren.

Im Sumpf weidete auch ein einsamer *Brachiosaurus*, vielleicht derselbe, dessen Bekanntschaft sie bei ihrer Ankunft gemacht hatte. Er verzehrte alles, was in Reichweite seines Halses wuchs, und einmal sah sie, daß er einen Felsbrocken verschluckte.

Gelegentlich verschwand der Saurier vollkommen, und sie nahm an, daß er unterhalb der Oberfläche ein Nickerchen machte. Er war ein Luftatmer, konnte aber vermutlich den Atem für eine lange Zeit anhalten, so wie es ein Wal tat – oder tun würde, in einigen zehn Millionen Jahren in der Zukunft.

Jenseits der Bucht nahe den östlichen Bergen gab es noch mehr Schnabeltiere. Aquilon nahm sich vor, zu gegebener Zeit einen eingehenderen Blick auf sie zu werfen. Und in den steppenartigen Bereichen zwischen Schlamm und Berg, wo Farnbäume und Zykas besonders üppig wuchsen, gab es Herden von *Triceratops* und verstreute *Ankylosaurus*, beides gepanzerte Reptilien von beträchtlicher Masse. Wahrhaftig, es war ein Paradies der Paläontologie.

Und Cal, der Paläontologe, wurde immer deprimierter. Cal hatte eine pessimistische Sicht vom Leben, aber es gab immer gute Gründe für seine Ansichten. Wenn er nur erklären würde, was ihn störte!

In der Zwischenzeit zeichnete Aquilon eine Landkarte und trug alle bisher beobachteten und vermuteten Details ein. Sie hielt die vulkanischen Berge fest, Scylla und Charybdis und ihren Lagerplatz. Sie zog eine gepunktete Linie ihrer Route. Vielleicht als Ergänzung zu Cals Bericht.

Sie fanden einen besseren Platz knapp vierzig Kilometer nördlich und errichteten ein zweites, dauerhafteres Lager neben einem kleinen Flüßchen. Sie brachte ihre Karte entsprechend auf den neuesten Stand. Es gab in der Nähe einen hübschen Wasserfall und hügeliges Gelände, das vor den in der Steppe lebenden gepanzerten Dinosauriern sicher zu sein schien. Die Luft war hier kühler. Es gefiel ihr sehr gut. Veg, unermüdlich auf Erkundungsgängen, sagte, daß es am oberen Ende des Flusses einen verschneiten Paß durch die Bergkette und einige heiße Bodenstellen gab: Selbst die schweigenden Vulkane waren weit davon entfernt, erloschen zu sein.

Es lauerten Gefahren hier; es gab wilde Raubtiere, größer als alle, die es vorher oder nachher auf der Erde gab, obgleich sie bisher nur ihre Spuren gesehen hatte. Aber gegen Gefahr war per se nichts einzuwenden, solange man nicht übermütig wurde. Dies war ein Besuch in der Geschichte. Der Erde so ähnlich . . .

Der Erde *ähnlich*? Es *war* die Erde, laut Cal, obwohl er während des letzten Monats über diesen Punkt nicht mehr gesprochen hatte. Sie vergaß das immer. Vielleicht deshalb, weil sie von Paläo als einer eigenständigen Welt dachte; oder vielleicht konnte sie sich einfach nicht die Überlegung zu eigen machen, daß irgend etwas, was sie hier tun mochte, ihre Welt verändern konnte, vielleicht sogar die menschliche Rasse eliminierte und sie ebenfalls auslöschte. Dann konnte sie *nicht* hierher kommen, weil sie nicht existierte, und so würde es letzten Endes doch zu keiner Veränderung kommen . . .

Nein, es gab keinen Sinn, und dies war Paläo, und sie weigerte sich, von der Furcht vor einem Paradox beherrscht zu werden.

Und es gab andere Probleme. Die Insekten waren grausam, nachdem sie sich auf die Neuankömmlinge eingeschossen hatten, und alle drei Menschen und auch die Mantas hatten

Schwellungen von nächtlichen Bissen. Jemand hatte einen Teil der Nacht Wache zu stehen, weil sie sich darüber verständigt hatten, daß es nicht fair war, den Mantas die ganze Arbeit zu überlassen. Das bedeutete, daß einer der drei im allgemeinen zu wenig Schlaf hatte und gereizt war. Es war überraschend, wie schnell ein lästiges Jucken und eine nicht ausreichende Ruhepause zu persönlichen Unfreundlichkeiten ausarten konnten. Und das Essen ...

Ihre Nägel waren wund vom Scharren nach eßbaren Knollen in der Erde. Veg aß überhaupt kein Fleisch, und sie hatte es in den letzten paar Monaten auch unterlassen, aber mittlerweile war der Gedanke an gerösteten Fisch verlockend. Das üppige Grün des Wasserufers war zäh und holzig und im Inneren sandig, selbst wenn es gründlich gekocht wurde. Cal aß Fisch, kochte auch ohne Bedenken fette Eidechsen und hatte keine Probleme.

Auf der Erde hatte Aquilon die Art und Weise abgestoßen, auf die Tiere in grausamer Gefangenschaft für die Schlachtung aufgezogen wurden, aber hier waren die Tiere wild und frei und in der Lage, auf sich selbst zu achten, und es war die natürliche Ordnung, daß die schwachen oder langsamen oder dummen zur Nahrung für die starken und schnellen und schlauen wurden.

Veg zerhackte ausgewählte Hartholzschößlinge und entrindete sie. Er hatte eine Reihe in der Sonne ausgelegt, alle etwa einen Meter achtzig lang und zweieinhalb bis fünf Zentimeter im Durchmesser, je nach Ende. Er benutzte sein kräftiges Pfadfindermesser, statt den Versuch zu unternehmen, die schlanken Bäume mit der Axt zu fällen, und seine großen Armmuskeln spannten sich ansehnlich, als er arbeitete.

Ja, dachte sie, er war ein starker Mann. Kaum einer von der Sorte, die sie als Vegetarier ansehen würde, die das Töten haßte. Ein kräftiger, seltsamer Mann, trotz all seiner Einfachheit.

»Was machst du da?« fragte sie schließlich.

»Knüppel«, grunzte er.

»Knüppel? Sind das keine Waffen?«

»Ja. Wir haben unser Dampfgewehr verloren, und es gibt

hier Tiere, die sich nicht einmal dadurch stören lassen würden. Wir müssen irgendwas haben. Knüppel sind defensiv, aber wirkungsvoll.«

Sie hielt ihre Stimme gedämpft. »Du meinst gegen einen Dinosaurier?«

»Ich denke, du könntest ihm den Knüppel in die Kehle rammen oder vielleicht seine Kiefer daran hindern, zuzuschnappen, oder ihm einfach eins auf die Nase geben. Viel besser als die bloßen Hände.«

Sie musterte die schlanken Stöcke zweifelnd. »Ich würde mich nicht danach drängen, es bei den *Triceratops* auszuprobieren. Mit einem einzigen Biß würde er . . .«

»Keiner verlangt es von dir«, rief er.

Beleidigt ging sie weg. Sie ärgerte sich über sich selbst, weil sie emotional reagiert hatte, aber sie war auch wütend über ihn. Er hätte nicht zu schreien brauchen.

Sie fand Cal weiter hügelabwärts, nördlich des Lagers, wo er einen kleinen, zahmen Dinosaurier beobachtete. Sie hatte schon eine ganze Anzahl dieser harmlosen, fast freundlichen kleinen Reptilien in der Gegend gesehen, denn sie weideten üblicherweise in Herden von einem Dutzend oder noch mehr. Dieses Exemplar hier war ungefähr anderthalb Meter groß. Die Kreatur nagte an Farnkraut, und obwohl sie aufblickte, als sie herankam, kehrte sie zu ihrer Mahlzeit zurück. Wäre sie ein Räuber gewesen, hätte sie sofort angegriffen oder sich zurückgezogen.

Sie blieb schließlich hinter Cal stehen, wohl wissend, daß der Laut ihrer Stimme das Tier aufschrecken würde. Sie öffnete ihren Zeichenblock und malte das Porträt des Dinosauriers; diese Gelegenheit durfte sie sich nicht entgehen lassen. Glücklicherweise war ihr Papier vom Floß gerettet worden, obgleich sich jede Seite am Rand verfärbt hatte.

Als sie fertig war, reichte ihr Cal ein Blatt mit seinen Notizen. Normalerweise verwendete er den Sprechschreiber, aber diesmal hatte er es mit der Hand gemacht, um das Schweigen zu bewahren. Sie blickte auf die krakelige Schrift: ›TROODON, ›knochenköpfiger‹ Ornithischier. Massiver Knochenschädel, kleines Gehirn.‹

Massiver *Knochen*? Dieser Schädel, von dem sie gedacht hatte, daß er ein massives Gehirn enthielt... Was für eine Platzverschwendung!

Es gab noch mehr, aber sie blickte hoch, um einen der Mantas herankommen zu sehen. Der kleine Dinosaurier war alarmiert und hüpfte davon wie ein riesiges Kaninchen.

»Warum die ganzen Knochen?« erkundigte sie sich. »Verlangsamen sie seine Bewegung nicht gerade, wenn Gefahr im Verzug ist?«

»Das hat die Paläontologen schon seit geraumer Zeit gestört«, gab Cal zu. »Ich würde Troodon sehr gerne in einer kritischen Situation erleben und mir Notizen machen. Gegenwärtig kann ich nur Vermutungen anstellen. Ein großer Karnosaurier würde normalerweise in einen Kopf dieser Größe hineinbeißen, die beste Methode, die Kreatur schnell zu töten. Der Körper würde noch ein bißchen herumzappeln, aber der Räuber wäre in der Lage, ihn niederzuhalten und den Rumpf in Ruhe zu verzehren.«

Der Manta war angekommen und hatte Position eingenommen.

»Was ist los, Circe?« fragte Aquilon, wohl wissend, daß es einen guten Grund für eine derartige Unterbrechung geben mußte. Mehr und mehr hielten sich die Mantas abseits. Einer erschien immer zur Nachtwache, und ganz sicher versteckten sie sich nicht; aber sie schienen ihre eigene Gesellschaft vorzuziehen. Die Kommunikation war ausreichend; sie konnte Circe jetzt sehr gut verstehen.

EIGENARTIG – WICHTIG, signalisierte der Manta mit jener Kombination von Gesten und Schwanzschlägen, die sie nach und nach als ihren Kode herausgearbeitet hatten.

»Gefährlich?« Sie erinnerte sich, welche guten Dienste Circes Warnung beim ersten Mal geleistet hatte, als der Tsunami kam.

NEIN. Aber der Verneinung mangelte es an Überzeugungskraft; sie ließ mehr Wahrscheinlichkeit als Sicherheit erkennen. DIES. Und Circe peitschte viermal mit ihrem Schwanz den Boden und hinterließ eine Markierung wie eine Fußspur.

»Der Vogel!« rief Cal aus. »Der Vogel, der diese mächtigen Spuren gemacht hat, die wir bei Lager Eins sahen!«

JA. ZWEI, gab Circe an.

»Was ist hier im Land der Giganten so besonders an einem großen Vogel?« fragte Aquilon Cal.

»Es könnte der substantielle Beweis dafür sein, daß dies eine separate Welt ist.«

»Separat? Oh, du meinst... *abgeschlossen*?«

»*Alternativ*. Eine Welt parallel zu unserer eigenen in jedem wesentlichen Detail, aber unterschiedlich. Dieses Konzept gibt sicherlich mehr Sinn als das einer temporalen Verschiebung.«

»Temporal...? Zeitreise? Veränderung der Vergangenheit? Paradox?« Als ob sie sich nicht schon selbst Gedanken darüber gemacht hätte!

»Ungefähr in dieser Richtung. Die Ähnlichkeit Paläos mit der Erde ist viel zu groß, um zufällig zu sein. Die Größe, die Schwerkraft, die Atmosphäre, jede übereinstimmende Spezies – aber das haben wir schon diskutiert. Ich benutze die irdische Nomenklatur, weil sie paßt, aber ich kann es ganz einfach nicht einer Zeitreise zuschreiben. Es muß eine andere Erklärung geben, und der Alternativweltrahmen könnte passend gemacht werden.«

»Wieder da, wo wir angefangen haben«, murmelte sie. »Aber auf der Erde gab es im Paläozän keine Dinosaurier.«

»Wir können uns dessen nicht sicher sein, Quilon. Dies ist eine Enklave, ziemlich scharf vom Rest des Kontinents abgetrennt. Es könnte sie auf der Erde gegeben haben, so vollkommen zerstört, daß keine Fossilien als Beweis zurückgeblieben sind – oder lediglich so tief begraben, daß wir sie bisher nicht entdeckt haben. Besonders diese Gegend hier könnte Opfer einer Erdverschiebung gewesen sein. Ich werde das bestimmt überprüfen, wenn...« Er machte eine Pause, und sie wußte, daß er an ihre Verbannung dachte. Sie konnten sobald nicht zur Erde zurückkehren, selbst wenn sie es wollten. »Es *könnte* passiert sein, und ich glaube fast, daß es auch so war. Die San-Andreas-Falte unserer Zeit ist die Fortsetzung einer pazifischen Meeresspalte. Der Kontinent hat sich darübergeschoben und gewaltige Teile einer unterseeischen Landschaft begraben. Es gibt hier nichts, das grundsätzlich unvereinbar mit dem wäre, was wir von unserer eigenen Welt wissen.«

»Ich bin nicht sicher, daß ich all dem folgen kann«, sagte sie und fragte sich, wen von ihnen er eigentlich so angestrengt überzeugen wollte und warum die Angelegenheit plötzlich so wichtig war. »Aber ich schließe daraus, daß Paläo entweder die Erde ist oder auch nicht.« Er lächelte für einen Augenblick. »Dies *könnte* die Erde sein – abgesehen von jenem Vogelpaar, über das Circe berichtet. Alles andere paßt, mit Ausnahme der Chronologie einiger Reptilien wie etwa des Pteranodons. Sie sollten ausgestorben sein, bevor . . .«

»Aber ein großer Vogel paßt *nicht*? Ich würde meinen, daß zwei Vögel leichter zu erklären sein sollten als eine ganze Enklave mit anachronistischen Dinosauriern.«

»Falsch. Die Enklave ist lediglich eine übriggebliebene Tasche, eine kurze, im geologischen Sinne, Fortsetzung. Der Vogel – einer dieser Art, so früh – hätte sich im Laufe von Millionen von Jahren entwickeln müssen und wäre weit verbreitet gewesen. Es müßte Fossilien gegeben haben, andere Beweise seiner Gegenwart.«

»Cal, das hört sich für mich sehr dünn an. Es gibt so viele riesige Lücken bei den Fossilienfunden . . .«

»Quilon, wenn dies die Erde *ist*, stehen wir vor einem Paradox. Paradoxa können in der Praxis nicht existieren; die Natur wird sie irgendwie lösen, und uns könnte die Art und Weise dieser Lösung gar nicht gefallen. Aber wenn dies nicht die Erde ist, sind die zwangsläufigen Folgerungen gleichermaßen mißlich. Es ist notwendig, Bescheid zu wissen.«

»Aber es ist lächerlich zu behaupten, daß ein Vogel – ich meine, *zwei* Vögel –, die wir noch nicht einmal gesehen haben . . .« Sie unterbrach sich. Sie hatte gerade einen Streit mit Veg gehabt, und nun provozierte sie einen mit Cal. Er hatte offenbar mehr als einen Vogel im Sinn; dieser Vogel war nur ein Vorwand, um das zu verbergen, was er sich zu diskutieren weigerte.

Es war ihre Sache, die Dinge zu glätten, statt sie aufzubauschen.

»Gehen wir nachsehen«, sagte sie.

Cal nickte.

Sie gesellten sich wieder zu Veg, der in besserer Stimmung zu sein schien.

»Wie weit?« war alles, was Veg fragte.

Circe erklärte: dreißig Kilometer über das Wasser.

Sie benutzten lieber das Floß, als den gefährlichen Marsch um den See und durch den unerforschten Sumpf zu unternehmen. Sie kehrten ins Lager Eins zurück, machten die *Nacre* los und ruderten so weit, wie es der verbleibende Tag gestattete.

Es war gut, wieder auf dem Wasser zu sein, dachte Aquilon, als sie eingezwängt zwischen den beiden Männern in der Kabine lag.

Am nächsten Tag landeten sie die *Nacre* am südlichen Ufer der kleinen Insel, die Circe bezeichnet hatte, und setzten ihren Weg über Land fort. Sie waren leise und vorsichtig, um die Vögel nicht zu erschrecken. Jeder von ihnen hatte einen von Vegs Knüppeln bei sich.

Die Insel war nicht mehr als der seit langem erodierte Gipfel eines uralten Vulkans, der mit Föhren und Kiefern bewachsen und von tiefem Wasser umgeben war. Nichts deutete auf große Reptilien hin, obgleich es einige Spuren von Schnabeltieren gab. Die kleine Gruppe überquerte das Land ohne Vorkommnisse bis zur Nordseite und entdeckte eine kleine Halbinsel.

Ein anderthalb Meter großer Vogel stand an der Landzunge der Halbinsel Wache. Veg marschierte auf ihn zu, stieß seinen Knüppel nach vorne.

»Buh«, sagte er.

Der Vogel kreischte nicht und flatterte auch nicht davon, wie Veg offenbar erwartet hatte. Er spreizte seine Flügel, die für seine Größe ziemlich klein waren, und schlug mit seinem großen, gekrümmten Schnabel nach dem Stecken. Als Veg zurückwich, hob der Vogel ein kräftiges Bein hoch in die Luft.

»Vorsicht, Veg« rief Cal gedämpft. »Er ist ein Räuber – ein Killer. Sieh dir diesen Schnabel an, diese Krallen, diese Muskeln. Er könnte einen Menschen mit einem einzigen Hieb dieses Fußes zum Krüppel machen.«

Er ließ den Knüppel vorschnellen und traf den Vogel mitten auf seinen langen Hals. Der Vogel wich schmerzerfüllt einen Schritt zurück.

Aquilon blickte an ihm vorbei und erspähte den zweiten Vogel, der auf einem Felsen am Wasser kauerte. Die Tatsache, daß der Vogel an Ort und Stelle blieb, bedeutete, daß er Eier zu schützen und zu wärmen hatte.

Die Menschen waren Eindringlinge in einen Nistplatz. Störenfriede. Aber Veg hatte das auch erkannt. Verlegen zog er sich zurück.

»Tut mir leid, Freund« sagte er. »Wußte nicht, daß dies dein Zuhause ist. Dachte, du wolltest mir nur in die Quere kommen. Tut mir leid.«

Beim Zurückgehen trat Veg neben den schmalen Steg und stürzte, als sein Fuß Wasser berührte. Der Knüppel flog in die Luft, als er mit wedelnden Armen hineinfiel. Es gab ein gewaltiges Klatschen.

Der männliche Vogel starrte auf die Szene, bewegte sich aber nicht. Als Veg heraustorkelte und Aquilon ihm half, beugte er sich vor, um forschend nach dem zurückgelassenen Knüppel zu picken. Die drei Menschen zogen sich zurück. Aquilon hatte gerade noch genug Zeit, ein Porträt des Vogels zu zeichnen.

Sie kampierten wieder auf dem Floß, das südlich von der Insel ankerte. Sie verzehrten ihr Abendessen, ohne sich dabei zu unterhalten, und legten sich gemeinsam in der Kabine nieder, als es dunkel wurde.

»Dieser Vogel ist intelligent«, sagte Cal. »Ich hatte das schon aufgrund seiner Jagdgewohnheiten vermutet. Habt ihr beobachtet, wie er reagiert? Er studierte uns genauso aufmerksam, wie wir ihn studierten.«

»Ich wünschte, du hättest mir gesagt, daß dies der Vogel war, den wir suchten«, beschwerte sich Veg. »Da stand ich also und versuchte, ihn wegzujagen – ich dachte, du wolltest irgendeinen Giganten!«

»Woher wußtest du, wie er jagt?« wollte Aquilon von Cal wissen.

»Ich folgte natürlich seinen Spuren. Ich verlor sie im Marschland. Aber ich erfuhr genug, um zu der Überzeugung zu kommen, daß er der Klasse *Aves* ungefähr genauso ähnelt, wie der

Mensch der Klasse *Mammalia*. Das war bedeutsam. Also bat ich die Mantas, auf ihn zu achten. Nun, da ich ihn gesehen habe, bin ich mir fast sicher. Keine solche Kreatur trat auf der Erde in den Perioden des Mesozoikums oder sogar des Känozoikums auf. Dies ist die Erde – aber eine Parallelerde, nicht unsere eigene. Sehr ähnlich, aber mit gewissen definitiven Unterschieden in der Entwicklung. Und es gibt eine Verschiebung in der Zeit, so daß diese Welt ungefähr siebzig Millionen Jahre hinter unserer eigenen hinterherläuft. Vielleicht gibt es eine unendliche Anzahl von Parallelwelten, jede um einen Augenblick in der Zeit verschoben anstatt physikalisch entfernt. Unsere Verbindung kam zufällig zu dieser speziellen Alternativwelt, Paläo, zustande – eine absolut willkürliche Wahl. Wir hätten ebenso auf einer Welt landen können, die ein einziges Jahr entfernt ist oder fünf Milliarden Jahre.«

»Oder auf einer, die vor uns liegt, nicht hinter uns«, murmelte Aquilon.

»Es könnte möglich sein, die ganze Geschichte unserer eigenen Erde zu verfolgen, indem man ganz einfach die aufeinanderfolgenden Alternativwelten beobachtet, wenn der Schlüssel zu ihrer kontrollierten Entdeckung einmal perfektioniert ist. Aber in der Zwischenzeit haben wir die Freiheit, diese spezielle Welt zu unserem Vorteil zu manipulieren, da wir jetzt wissen, daß kein Paradox im Spiel ist.«

Diese Ausdrucksweise hatte etwas an sich, das Aquilon nicht gefiel. »Ich weiß nicht, was du meinst, aber es hört sich nicht gut an«, sagte Veg. »Was willst du mit Paläo anstellen?«

»Nun, natürlich der menschlichen Kolonisation öffnen. Palöo ist ideal für die Überbevölkerung der Erde. Gleiche Schwerkraft, gutes Klima, erstklassige Atmosphäre, unberührte Rohstoffquellen, weniger Feinde – abgesehen von gewissen Reptilien dieser einen Enklave.«

»Kolonisation?« Aquilon gefiel dieses Wort keinen Deut besser als Veg. »Dies ist eine unabhängige Welt. Wer sind wir, daß wir sie nach unserem Belieben übernehmen?«

»Wir sind Menschen. Wir müssen die Bedürfnisse der Menschen berücksichtigen. Etwas anderes zu tun, wäre unrealistisch.«

»Laß mich das mal klarstellen«, sagte Veg in seiner gespielt einfältigen Art. »Du sagst, wir sollen einen Bericht abgeben, der besagt, daß Paläo okay ist, Leute hereinzulassen, ihn zu besiedeln und ihn genau wie die Erde zu machen. Und wenn ein paar Vögel oder Echsen in die Quere kommen, ist das ihr Pech?«

»Nun, für die Fauna sollten Vorkehrungen getroffen werden. Ich würde kein Genozid gutheißen, schon gar nicht in einem so schönen paläontologischen Laboratorium wie diesem. Aber abgesehen davon ist deine Zusammenfassung grundsätzlich zutreffend. Dies ist ein Wildnisgebiet. Es wäre ein Verbrechen gegen unsere Spezies, es brachliegen zu lassen.«

»Aber der Vogel«, protestierte Aquilon, deren Herz so heftig schlug. »Du sagst, er ist intelligent. Das bedeutet, Paläo ist im technischen Sinn bewohnt ...«

»Intelligent für *Aves*: Vögel. Das kann nicht an die menschliche Fähigkeit heranreichen. Aber ja, es ist am wichtigsten, daß dieser ... dieser *Ornisapiens* bewahrt und studiert wird. Er ...«

»Orn«, sagte Veg. »In einem Zoo.«

»Nein!« rief Aquilon. »Das ist nicht das, was ich meinte. Das würde ihn umbringen. Wir sollten ihm *helfen*, nicht ...«

»Oder ihn wenigstens in Ruhe lassen«, sagte Veg. »Er ist ein anständiger Vogel; er hat mich nicht angesprungen, als er die Chance dazu hatte, noch dazu, nachdem ich ihn mit dem Knüppel geschlagen hatte. Wir brauchen ihn nicht einzusperren *oder* ihm zu helfen, sondern ihn bloß lassen. Sie alle lassen. Das ist der Weg.«

»Wir scheinen«, bemerkte Cal, »eine Vielzahl verschiedener Meinungen zu haben. Veg hat das Gefühl, daß wir uns nicht zum Richter über die Spezies von Paläo aufschwingen dürfen, weder um ihnen beizustehen, noch um sie auszurotten.«

»Das ist es, was ich fühle«, stimmte Veg zu.

»Quilon hat das Gefühl, daß der Vogel Beistand verdient, wegen seiner offensichtlich einzigartigen Entwicklung als eine Kreatur, die sich von irdischen Gattungen unterscheidet. Offenbar ist Orn hier nicht alltäglich und könnte in Gefahr sein, auszusterben.«

»Ja«, stimmte Aquilon zu. Cal war der gefährlichste von allen Widersachern: einer, der sich Mühe gab, die Position seines Gegners zu verstehen.

»Während *ich* das Gefühl habe, daß die Bedürfnisse unserer eigenen Spezies Vorrang haben müssen. Es ist ein Dekret der Natur, daß die Stärksten überleben, und wenn der Mensch diese Welt von einem winzigen Brückenkopf im Pazifik aus kontrollieren *kann*, dann verdient er es und ist dazu aufgerufen. Die Tatsache, daß die Tiere hier denen aus unserer eigenen Vergangenheit ähneln, ist ohne Belang; unsere Spezies braucht Raum, um sich auszudehnen.«

Aquilon spürte, wie sie sich erregte. »Nehmen wir an, eine andere Spezies – vielleicht eine fortgeschrittene Version von Orn – hätte genauso über unsere eigene Erde gedacht«, meinte sie. »Nehmen wir an, sie wären gekommen, als wir noch affenartige Primaten waren, und hätten eine überlegene Technologie angewandt, um uns zu vertreiben.«

»Wir hätten es verdient. Wir sind *jetzt noch* affenartige Primaten.«

»Vielleicht sollten wir abstimmen«, sagte Veg.

»Kein Problem«, sagte Cal. »Seid ihr bereit, Mantas?«

Vom Dach kam ein Tappen – die Berührung eines Mantaschwanzes auf dem Holz. Aquilon war verblüfft, obgleich sie es nicht hätte sein sollen. Sie waren vermutlich nach Eintritt der Dunkelheit gekommen, hatten die ausströmenden Schallwellen beobachtet und auf diese Weise die ganze Unterhaltung mitbekommen. Cal war sich der Zuhörer sicherlich bewußt gewesen und schien Vertrauen in das Ergebnis zu setzen. Wieso?

Veg war ebenfalls still, rang vermutlich mit ähnlichen Sorgen. Wie, fragte sie sich hastig, würden die Mantas diese Frage sehen? Sie sahen die Dinge unter den Bedingungen ihres eigenen Nacre-Lebens – Karnivore, Omnivore und Herbivore. Vegs Vegetarismus war der ursprüngliche Schlüssel zum Kontakt mit diesen Kreaturen gewesen, da sie ihn theoretisch als schutzbedürftig vor dem Omnivoren der Gruppe angesehen hatten: vor ihr. So simpel war es nicht, hatte Cal behauptet, aber als Analogie reichte es aus. Natürlich war sie vom Typ des Omnivoren zum Typ des Herbivoren übergewechselt, während sich Cal vom Karnivoren zum Omnivoren gewandelt hatte; offenbar kannten die Mantas die Verhaltensweisen der Menschen mittlerweile gut genug, um diese Veränderung zu akzeptieren. Alle Menschen waren echte Omnivoren.

»Was fressen Vögel?« erkundigte sich Veg.

Es war eine einfältige Frage, und keiner antwortete. Veg wußte, was Vögel fraßen. Komisch, wurde ihr jetzt bewußt, daß er Orn so brüsk behandelt hatte. Vielleicht identifizierte er sich nur mit kleinen Vögeln. Als Spezies waren die Vögel natürlich omnivorisch.

Omnivorisch.

Die Frage war keineswegs einfältig gewesen. Plötzlich wußte sie, wie die Manta-Abstimmung aussehen würde. »Nein«, sagte sie und versuchte, das Beben in ihrer Brust zu kontrollieren. »Nicht abstimmen.«

»Warum nicht?« fragte Cal sie. Er wußte um seinen Vorteil und verfolgte ihn trotz seiner milden Worte rücksichtslos. Körperlich war er klein, geistig jedoch ein Gigant – und das galt sowohl für Disziplin als auch für Intelligenz.

»Es ist zu wichtig«, sagte sie und in dem Bewußtsein, daß sie nicht gegen ihn ankommen konnte und daß Veg sogar noch wirkungsloser sein würde als sie. Cal hatte den Verstand und die Stimmen. »Zuerst ging es nur darum, wohin wir als Gruppe gehen sollten, keine wirklich kritische Entscheidung. Diesmal geht es um das Schicksal einer ganzen Welt. *Unserer* Welt oder einer, die ihr sehr gleicht. Das ist nicht Sache der Mantas.« Sie sah den Haken in der Falle und bemühte sich, ihm zu entgehen. »Kolonisation würde Paläo zerstören, das weißt du. Sie würden entscheiden, daß die Dinosaurier eine Bedrohung für die Touristen, für die Navigation oder für sonst irgendwas sind, und sie ausrotten. Also können wir eine solche Frage nicht unter uns entscheiden.«

»Ich hatte eigentlich nicht vorgeschlagen, daß wir dies tun sollten«, erwiderte Cal ruhig. »Wir haben lediglich einen ehrlichen Bericht für die Behörden der Erde zu verfassen und *sie* entscheiden zu lassen.«

»Aber sie sind Omnivoren«, rief sie. Die Omnivoren des Planeten Nacre waren absolut barbarisch, wirklich ohne Eigenschaften, die für sie sprachen – aus ihrer Sicht. Dies stand im Gegensatz zu den harmlosen Herbivoren und den tödlichen, aber disziplinierten Karnivoren. Der Ausdruck ›Omnivore‹ war für sie etwas geworden, das alles Verabscheuungswürdige im Leben repräsentierte. Der Mensch *war* ein Omnivore und hatte seine Sinnesverwandtschaft mit der Nacre-Brut bereits demonstriert. Jene erbarmungslose Aktion auf der Erde selbst, die dazu gedient hatte, potentiell gefährliche Pilzsporen auszumerzen . . .

»Das ist auch Orn«, sagte Cal.

»Das ist nicht das, was ich meinte«, rief sie aus, wütend, weil sie in die Verteidigung gedrängt war.

»Du bist emotionell statt rational.«

»Ich bin eine Frau!«

Lastendes Schweigen kam auf.

Cal hatte sich in dem Augenblick gegen Paläo entschieden, in dem er sich davon überzeugt hatte, daß es sicher war, dies zu tun. Die Mantas würde es nicht kümmern. Die Behörden der Erde würden sich nur für die Ausbeutung der natürlichen Rohstoffquellen interessieren. Sie würden es unbedingt vorziehen, eine weitere Welt zu verwüsten, anstatt das Mißmanagement der ersten abzustellen. Es gab niemanden, an den sie sich wenden konnte.

»Ich kann mich daran nicht beteiligen«, sagte sie schließlich. Sie ließ sich auf Hände und Knie nieder und kroch aus der Kabine.

Sie stand im sanften Nachtwind an Bord des Floßes und blickte über das mondbeschienene Wasser zu der Insel hinüber. Große fliegende Insekten schwebten über ihrem Kopf und versuchten, sich auf ihr niederzulassen.

Sie blickte über das schwarze Wasser hinweg. Sie würde schwimmen müssen. Das würde sie wenigstens abkühlen! Die Reptilien schienen im allgemeinen nachts nicht aktiv zu sein, und ihre Größe hielt ihre Zahl gering. Dennoch zögerte sie, auf eine traurige Weise verwirrt.

Plötzlich stand Veg neben ihr. »Besser deinen Weg als seinen«, sagte er.

Sie verspürte eine erstickende Welle der Dankbarkeit ihm

gegenüber. Sie hatte ihre Entscheidung allein getroffen, ohne etwas von der seinen zu ahnen.

»Wir werden schwimmen müssen«, sagte er. »Du wolltest zu den Vögeln, nicht wahr?«

Sie berührte seinen Arm, da sie in Hörweite Cals nicht sprechen und auch nicht gestikulieren wollte, weil sie wußte, daß die Mantas aufpaßten. Cal war physisch das schwächste Mitglied der Gruppe, und das Floß erforderte Muskelkraft, um bewegt zu werden. Muskelkraft konnten die Mantas nicht zur Verfügung stellen. Indem sie ihn verließen, setzten sie ihn aus.

»Ich werde am Morgen nachsehen«, sagte Veg. »Wir werden es regeln.«

Erleichtert folgte sie ihm.

13 Orn

Eine ganze Weile nach der Dämmerung hob Orn beunruhigt den Kopf. Über die normalen Geräusche der Nacht hinaus nahm er eine Erscheinung wahr, und einen Augenblick später hatte er sie eingeordnet: die ungelenke Annäherung der monströsen Säuger.

Etwas, das wirklich fremd oder unerklärlich oder gar nicht in seinen Erinnerungen vorhanden war, machte ihn besorgt, weil er nicht wußte, wie er damit umgehen sollte. Säuger an sich waren vertraut; sie waren überall, weitaus zahlreicher als die Reptilien selbst hier im Herzen dieser Enklave. Aber nirgendwo erreichten sie Orns Größe oder die irgendeines größeren Reptils, abgesehen vielleicht von ihren größten und dümmsten Herbivoren. Er hatte sich der veränderten Situation in der Welt angepaßt und gelernt, mit den neuen Kreaturen zurechtzukommen, bevor er in diesem mehr vertrauten Tal seßhaft geworden war. Aber so plötzlich mit zweibeinigen Säugern konfrontiert zu werden, die größer waren als er selbst!

Dieser Schock hatte ihn beinahe das Leben gekostet. Völlig verwirrt durch diese erschreckende Lücke in seinem Gedächtnis hatte er dagestanden und versucht, die Lebensgeschichte der Spezies zu ergründen, um wissen zu können, wie er mit ihm umgehen mußte. Größe war nur ein Merkmal unter vielen; diese Säuger waren *anders*. Ihre zahllosen Eigenartigkeiten hatten sie für ihn anfänglich nahezu unsichtbar gemacht. Nur seine bisherige Praxis, sich unvertraute Kreaturen unter den Bedingungen von vertrauten vorzustellen, hatte es ihm überhaupt ermöglicht, ihre Natur zu begreifen.

Unterdessen hatte sich eine der Kreaturen angenähert und Fühlung aufgenommen. Orn, besorgt um Ornette und ihre beiden kostbaren Eier, hatte handeln müssen, um die Zudringlichkeit zurückzuweisen.

Der Säuger hatte ihn mit einem unbelebten Objekt geschlagen, eine weitere Erstaunlichkeit. Orn hatte sich nie vor Augen geführt, daß so etwas möglich war. Unbelebte Dinge konnten für den Bau eines Nests verwendet werden, aber niemals für die Arbeit von Klaue oder Schnabel. Was konnte das bedeuten?

Und der letzte glückliche Umstand: Der Säuger hatte es, nachdem er durch seine Zauberei verwundbar geworden war, versäumt, ihn zu töten. Statt dessen war die Kreatur ins Wasser eingetaucht und hatte sich zurückgezogen – und die anderen mit ihr. Wenn sie gekommen waren, um zu kämpfen und Nahrung aufzunehmen, gab dies keinen Sinn.

Er erinnerte sich daran, wie er am ersten Tag den Ptera verschont hatte. Ohne Hunger war es möglich, auf einen leichten Sieg zu verzichten. Aber das gab keinen verständlichen Hinweis auf die Verhaltensweise der großen Säuger.

Orn sträubte unruhig seine Federn. Er war nicht dazu ausgerüstet, solche Dinge auszudenken; sein Gedächtnis machte ein solches Bemühen normalerweise überflüssig. Aber jetzt kam dieser große Säuger wieder, in der Nacht. Orn mußte darauf reagieren und sich und ihr Nest wirkungsvoller schützen, als er es vorher getan hatte. Kein Vorfahr hatte diesem Problem gegenübergestanden.

Wenigstens dieser Angriff war charakteristisch. Säuger waren in der Lage, sich nachts genausogut zu bewegen wie tagsüber, und eine Anzahl von ihnen zog den Schutz der Nacht zum Jagen vor. Tatsächlich würden viele von ihnen nicht lange überleben, denn am Tag waren viele leere Mägen und scharfe Zähne unterwegs, und Säuger waren schmackhafte Bissen. Nur indem sie sich in Gebieten aufhielten, die für die Reptilien zu kalt waren, und sich nachts ernährten, waren die Säuger gediehen.

Aber diese Säuger waren so plump! Wenn diese Kreaturen – nur zwei kamen diesmal – auf der Jagd waren, würden sie so laut ihr Wild niemals überwältigen. Wenn sie glaubten, sie würden sich verbergen, dann waren sie katastrophal ungeschickt. Lag es daran, daß sie dumm waren, weil sie für ihren Typ so groß waren, wie der Sumpfbewohner Brach, dessen zahllose Junge so leichte Beute waren?

Ja, sie kamen hierher. Orn erhob sich vom Nest, und Ornette rückte herüber, um die Eier zu bedecken. Einer von ihnen hatte die Eier jederzeit zu wärmen und zu schützen, und Ornette jagte zur Zeit überhaupt nicht. Dreimal hatten sie sich vereinigt, und zwei der Eier befanden sich im Brutstadium. Das letzte war diese Nacht fällig, und jede Störung würde schädlich sein. Er hatte das Nest vor jeder Bedrohung zu beschützen.

Er schritt zur Landzunge hinüber und wartete auf die beiden schwerfällig herankommenden Säuger. Mann und Frau, beide grotesk in ihrer riesenhaften Ungeschicklichkeit. Was ihr Vorhaben war, konnte er nicht wissen. Er würde den ersten Säuger sofort töten und für den zweiten bereit sein.

Sie kamen an. Orn wartete, unmittelbar hinter der schmalsten Stelle der Landzunge, so daß sie sich einzeln nähern mußten. Vielleicht waren sie letzten Endes doch Eierdiebe, die sich auf brutale Kraft statt auf Heimlichkeit verließen. Er zuckte mit den Klauen eines Fußes auf der Erde, bereit, ihn zu heben und wild zuzuschlagen. Die Eier durften nicht in Gefahr geraten!

»Er ist da.«

»Veg, der denkt, du bist hinter seinen Eiern her. Komm nicht an ihn heran.« Das war die Frau: Ihr Tonfall hörte sich an, als würde sie ihren Partner vor der kommenden Auseinandersetzung warnen.

Der Mann machte im hellen Mondlicht etwa vier Flügelspannen von Orn entfernt halt. Er hatte ein langes Stück Baum in seinen Pfoten – dasselbe Objekt, das Orn schon einmal überrascht hatte.

Aber der Säuger traf keine Vorbereitungen zum Kampf. Er stand eine endlose Zeit da, während die Frau mit einem Zweig über etwas strich. Orn verstand weder das Handeln der Frau noch das Nichthandeln des Mannes.

»Ich habe sein Portrait gemalt; wir lassen ihn besser allein.« Wieder Geräusche von der Frau, als sie ihren Zweig verbarg und das flache Ding unter ein Vorderglied klemmte.

Als ob diese sinnlose Folge von weiblichen Kreischtönen ein Signal wäre, ließ der Mann sein Stück borkenlosen Baumes fallen und machte einen Schritt nach vorne.

»Veg!«

Dieser Alarmschrei war nicht mißzuverstehen. Sie begriff endlich, daß der Mann kurz vor einer Auseinandersetzung stand, die wahrscheinlich mit seiner Vernichtung endete. Orn würde ihn nicht in die Nähe des Nests lassen.

Immer noch kam der Säuger näher, mit großen, langsamen Schritten, zwischen denen er jeweils eine Pause einlegte. Er war nur noch zwei Flügelspannen entfernt, völlig unbewaffnet und verwundbar: Orn konnte diesen Raum mit einem Sprung überbrücken, das große Säugerherz durchbohren und sich dann wieder zu der Landzunge zurückziehen. Aber er hielt sich zurück, schlau genug, nicht zu attackieren, solange er den Sinn der Aktion des Säugers nicht erfaßte.

Ein weiterer Schritt, und dann wurde er sich der Anspannung des Säugers bewußt. Er hatte Angst, war aber dennoch entschlossen, wenn auch nicht mordlustig. Wollte er sterben? Sicherlich wollte er nicht kämpfen!

Dann reimte sich alles zusammen. Diese riesigen, ungelenken, stolpernden Geschöpfe – sie wußten nicht, *wie* sie kämpfen mußten. Sie konnten mit Baumstücken zuschlagen, waren aber nicht in der Lage, einen gewonnenen Vorteil zu nutzen. Beide würden bald Opfer eines räuberischen Reptils werden, wenn sie nicht irgendwo einen Zufluchtsort fanden. Deshalb waren sie auf diese isolierte Insel gekommen und hatten Orns Schutz gesucht.

Normalerweise hätte Orn ihn trotzdem getötet oder ihn wenigstens so ausreichend verwundet, ihn zu vertreiben. Aber gerade das Nest machte ihn auch abgeneigt, ohne Erfordernis zu töten.

Der Säuger kam weiterhin. Orn mußte ihn entweder töten oder vorbeilassen und dadurch seinen Schutz auf das fremde Paar auszudehnen.

Orn trat zur Seite.

Dann kam die Frau herüber, und die beiden Säuger vereinigten ihre Gliedmaßen und gingen zum gegenüberliegenden Ufer der Halbinsel. Orn ging rückwärts zum Nest zurück, begierig darauf, bei Ornette zu sein, aber auch genötigt, die Säuger im Auge zu behalten, damit sie keine feindliche Handlung begingen.

Schließlich erreichte er das Nest und blieb daneben für einige Zeit stehen; er lauschte zu den Säugern hinüber, während einer seiner Flügel Ornette berührte. Die Kreaturen befanden sich hinter den dicht stehenden Kiefern, scharrten mit ihren weichen Gliedern auf dem Boden herum und stießen ihre häßlichen, langgezogenen Rufe aus, kamen aber nie näher an ihn heran.

Endlich ließen sie sich nieder. »Ich wünschte, es gäbe eine andere Lösung.« Die Frau gab sonderbare Laute von sich. »Ich hasse es, ihn auf diese Weise zu verlassen.«

»Er hat ein großes Wissen.« Der Mann antwortete beruhigend. Die Säuger verwandten langgezogene, modulierte Tonreihen statt einfacher, abgestimmter Schreie. Abgesehen von der Schwerfälligkeit der Methode erfüllte es seinen Zweck.

»Er wird sich hüten, den Versuch zu unternehmen, irgendwo anders hinzugehen. Die Mantas werden ihn beschützen.«

»Ja.«

»Ich wünschte, wir könnten trocken werden.« Frau. »Ich weiß, es ist nicht wirklich kalt, aber mich fröstelt.«

»Ich habe eine Regenhaut bei mir.« Mann. »Gibt ein passables Bettuch, wenn das hilft, es ist wasserdicht.«

»Du bist umsichtig, Veg. Aber die nasse Kleidung klebt mir auf der Haut, und die Regenhaut würde das Verdunsten nicht verhindern. Ich werde meine Sachen ausziehen müssen.«

Sie taten irgend etwas. Orn hörte das Rascheln von etwas, was er nicht identifizieren konnte. Interessiert stand er leise auf und bewegte sich zu einer Stelle, von der aus er das Lager der Säuger überblicken konnte.

Es war in Ordnung. Sie breiteten lediglich ihr Schlafpolster aus.

»Veg . . .«

»Schon okay. Die Haut ist trocken. Ich hatte sie unter Verschluß. Habe auch ein trockenes T-Shirt für dich.«

»Veg, manchmal bist du nicht sehr schlau.«

»Ich weiß. Ich hätte vor dem Tauchen an trockene Kleider denken sollen. Morgen früh gehe ich zurück und hole welche. Du machst dich jetzt fertig, und ich gehe ein bißchen spazieren und . . .«

»Veg, wenn wir getrennt schlafen, werden wir *beide* frieren.«

»Ich weiß, aber es hat keinen Sinn, mit meinen triefenden Lumpen wieder alles naß zu machen. Du bist besser dran.«

Orn wurde sich klar darüber, daß sie sich irgendwie uneinig waren. Die Frau wollte irgend etwas, aber der Mann verstand es nicht.

»Veg, erinnerst du dich, daß ich darüber sprach, eine Wahl zu treffen?«

»Ja, Quilon. Damals, als wir uns auf der Erde trennten. Solche Dinge vergesse ich nie.«

»Ich habe sie getroffen.«

Die Säuger schwiegen für kurze Zeit, aber Orn war sich einer andauernden Spannung zwischen ihnen bewußt. Er krümmte seine Krallen, bereit einzugreifen, falls die Kreaturen den Versuch unternahmen, einen nächtlichen Überfall auf das Nest zu unternehmen.

Dann legte der Mann seine weichen Säugerglieder an sein eigenes Fell und riß es auseinander. Es fiel von seinem Körper ab. Die Frau stand auf und tat dasselbe. Orn war verblüfft: Er hätte seine Federn niemals auf diese Weise ablegen oder den Schmerz aushalten können.

Orn lauschte noch eine Weile länger. Dann begriff er die Bedeutung ihrer Handlungen. *Sie nisteten!*

Erleichtert kehrte er zu seinem eigenen Nest zurück. Endlich verstand er alle Gründe dieses Paars. Sie hatten einen sicheren Platz gesucht, an dem sie sich während der Paarung und der Niederkunft aufhalten konnten.

Die großen Säuger waren nicht so dumm, wie er vermutet hatte, lediglich seltsam.

In dieser Nacht, während sich die Säuger schwerfällig umarmten, gebar Ornette ihr letztes Ei.

Auf der Halbinsel herrschten Friede und Freude.

Die Säuger erwachten am Morgen, blieben aber noch eine Weile in ihrem Bündel und warteten darauf, daß die Sonne die Kälte vertrieb. Als sich die Ptera zu rühren begannen, wickelten sich die Säuger aus und stiegen wieder in ihr häßliches Fell. Sie aßen und tranken große Mengen von Wasser aus einem seltsamen Behälter.

»Sieh dir die Pteranodonten an!« Die Frau machte wieder ihre aufgeregten Geräusche. Orn gewöhnte sich langsam daran.

Dann überquerte ein Trach das Wasser vom Festland aus und tummelte sich auf der Insel. Dieses Reptil ernährte sich hauptsächlich von den Nadeln und Zapfen der Kiefern. Obgleich es groß war, und einen flachen, geschmeidigen und muskulösen Schwanz besaß, war es harmlos, sofern es nicht gereizt wurde.

Orn stand neben dem Nest und ließ das Reptil grasen. Darum war die Insellage so vorteilhaft: Die meisten großen Reptilien, die sie erreichen und an Land klettern konnten, fraßen weder Fleisch noch Eier. Wie dieser gutmütige Trach.

Die Säuger beobachteten ihn ebenfalls, aber mit größerer Vorsicht. Ihre Ausrufe ließen erkennen, daß sie diese Nähe zu dem Trach nicht gewohnt waren. Bald entspannten sie sich jedoch und verfolgten die ungezwungenen Bewegungen des Reptils.

»Ich sehe besser nach Cal.« Und mit dieser Äußerung machte sich der Mann davon. Die Frau blieb, um den Trach weiter zu beobachten.

Ornette erhob sich aus dem Nest, und Orn bedeckte die drei lebenden Eier, während sie ihre Beine und Flügel ausschüttelte und sich am Rand des Wasser säuberte. Sie hatte eine schwere Nacht gehabt und fühlte sich in der Gegenwart der Säuger und des Trachs nicht ganz wohl, verließ sich aber auf sein Urteil.

Orn beobachtete die Säugerin nachdenklich. Die meisten Säuger legten natürlich keine Eier; sie gebaren lebend wie das Meeresreptil Ichthy. Nachdem das Paarungsritual der Nacht gerade vorüber war, begann dieser Prozeß sicher schon in der Frau. Würden die beiden Säuger bis zu seiner Beendigung auf der Insel bleiben? Vielleicht würden die Säugerjungen mit Orns eigenen in angemessener Nachbarschaft aufwachsen. Aber seine Spezies hatte niemals das Gebiet mit Struths oder Tyranns oder Kroks irgendeines Alters geteilt. Tatsächlich würde Orn jedes Ei, das er von diesen Kreaturen fand, zerschmettern und verzehren.

14 Cal

Es tat Cal weh, diese Trennung; er konnte es nicht leugnen. Es war fast zufällig über die Gruppe hereingebrochen, aber er hatte gewußt, daß es sich zusammenbraute, und es hatte ihn in wachsendem Maß beunruhigt. Sie hatten sich glücklich schätzen können, daß es nicht auf Nacre passiert war. Veg glaubte an das Leben, wenn auch auf naive Weise; Cal glaubte an den Tod. Aquilon lag in der Mitte, unentschlossen, tendierte aber zum Leben.

Die vier Mantas verstanden genug davon, wie sie durch ihre Aktionen in der Orbitalstation demonstriert hatten. Ihre Sicht von den Bestrebungen des Menschen waren leidenschaftslos, wie es ihre Sicht vom gesamten Königreich der Tiere war, weil sie ihm nicht angehörten. Sie blieben bei ihm, weil sie wußten, daß seine Annäherung an das Problem von Paläo realistisch und nicht emotionell war. Wäre es anders gewesen ...

Er seufzte. Wäre es anders gewesen, hätte er die ganze Erde ins Fegefeuer geschickt, aus purer Liebe zu Aquilon. Er handelte so, wie er mußte, aber das änderte nichts an seiner Liebe zu ihr.

Indessen hatte er eine Aufgabe zu erfüllen. Paläo war für die Kolonisation durch die Erde geeignet, und kein Bericht, den er erstellte, konnte dies verbergen. Tatsächlich war es lebenswichtig, daß er den Sachverhalt ganz klar darlegte, obwohl das diese wundervolle Welt opfern würde.

Cal begutachtete das Floß im Morgenlicht. Er würde Vorkehrungen treffen müssen, um selbst über die Bucht zu segeln und zum Lager Zwei zu marschieren. Dann eine längere Seereise zurück zu ihrem Paläozän-Lager, wo sich das einzige noch funktionstüchtige Funkgerät befand. Danach würde es nur noch eine Sache des Wartens sein. Die Erde würde entscheiden.

Es war keine einfache Reise, die er im Sinn hatte. Veg hätte es schaffen können, aber Cal war meilenweit davon entfernt! Dennoch, er würde den Versuch unternehmen. Wenn er scheiterte, würde der Bericht nicht gemacht werden, und vielleicht würden Veg und Aquilon ihren Willen haben. Wenn er scheiterte, verdiente er zu scheitern.

Seine Körperkraft war nicht groß, aber sie hatte sich gegenüber früher gesteigert. Er konnte das Segel aufziehen und das Ruder bedienen, vorausgesetzt, die Winde waren günstig und nicht zu heftig. Wie er das Riff bewältigen sollte, wußte er nicht; vielleicht konnte er bei Ebbe eine Passage durch die Felsen ausfindig machen und diesem Kurs dann bei Flut folgen.

»Ahoi!«

Es war Veg, der ihn von der Insel aus anrief. Cal winkte.

»Wie geht es dir?« rief Veg. Dann, ohne eine Antwort abzuwarten, sprang der große Mann ins Wasser und schwamm dem Floß entgegen.

»Ich gehe zurück zum Paläozän-Lager«, sagte Cal, als Veg an Bord kletterte.

»Du schaffst es nicht allein. Warum sprichst du nicht noch mal mit Quilon? Wir sollten uns nicht auf diese Weise trennen.«

»Drei sind, wie das Sprichwort sagt, eine Menge.«

Veg verbarg seine Verlegenheit, indem er zu dem zusammengeschnürten Vorratsstapel hinüberging. Der größte Teil der Ausrüstung war in Lager Zwei zurückgeblieben, aber sie hatten für mehrere Tage vorgesorgt.

»Sie braucht ein paar neue Kleider, einverstanden?«

»Gerne. Nimm auch etwas Brot mit. Sie hat es schließlich gemacht. Ich werde die *Nacre* bald auslaufen lassen.« Es hatte keine offizielle Aufteilung der Besitztümer gegeben, aber stillschweigend war klar: Veg hatte die Frau, Cal das Floß. Und die Mantas.

»Du wirst sie umbringen.«

Cal zuckte die Achseln. »Der Tod ist kein Schreckgespenst für mich.«

»Warte.« Veg beschäftigte sich mit dem Segel, zog es hoch und befestigte es sicher. »Wenn du in Schwierigkeiten gerätst, schick einen Manta.«

Sie schüttelten sich verlegen die Hände und trennten sich. Schon zerrte die *Nacre* am Anker.

Der Wind war angenehm und sanft, der Himmel bewölkt. Die Mantas segelten über das Wasser und betäubten Fische mit ihren Schwänzen. Cal holte sie mit dem Netz ein und stapelte sie an Bord des Floßes auf, so daß die Mantas bequem ihre Nahrung aufnehmen konnten.

Es war interessant, daß die See hier vollkommen paläozänisch war. Keine Ammoniten, keine Mollusken. Würde Aquilon von der zweischaligen Muschel geträumt haben, wenn er sie als ein weiteres typisches Meereslebewesen der Kreidezeit geschildert hätte? Lediglich die Reptilien hatten sich in der See behauptet, als Teil der Enklave. Was sagte dies über die Beziehungen zwischen Land- und Seearten aus? Es mußte ein andauerndes Verbindungsglied zwischen den Reptilien des Landes, des Meeres und der Luft geben, so daß sie fast gleichzeitig ausstarben . . .

Die Insel lag anderthalb Kilometer achtern, als das Beben kam. Das Wasser begann zu brodeln. Die Mantas suchten hastig das Floß auf und kamen an Bord.

Ein Beben – nicht länger als fünfzehn Sekunden, nicht wirklich schwer. Cal reagierte darauf nicht mit unvernünftigem Schrecken. Vielleicht bedeutete diese kleine Erschütterung nichts – aber sie konnte das Vorspiel zu einem viel heftigerem Ansturm sein.

Veg und Aquilon befanden sich auf der Insel, gestrandet, bis sie ein zweites Floß bauen konnten. Sicherlich würden sie nicht den Versuch unternehmen, während der Hitze des Tages zum Festland hinüberzuschwimmen. Aber natürlich gab es keine Sicherheit vor einem Erdbeben. Sie waren auf der Insel genauso sicher wie anderswo.

Er konnte zurückkehren, aber das würde ihr Dilemma nicht lösen. Die Argumente waren ausgetauscht, die Standpunkte bezogen worden. Am besten war es, so fortzufahren, wie er es geplant hatte.

In der Ferne, in der Enge zwischen den Inseln, die Aquilon Scylla und Charybdis getauft hatte, nahm er Bewegungen wahr. Die Tiere hier waren in der Tat durch das Beben aufgeschreckt worden; sie versuchten zu fliehen oder anzugreifen. Cal beschloß, sich von ihnen fernzuhalten. Die meisten waren viel kleiner als *Brachiosaurus*, aber viele waren auch räuberischer, und selbst ein herbivorischer Dinosaurier war gefährlich, wenn er in Zorn geriet.

Gewaltige Pteranodonten segelten in den Himmel. Als er sie beobachtete, änderten die geflügelten Reptilien ihren Kurs. Der Wind hatte sich gedreht, als sei er durch das Beben beeinflußt worden.

Das bedeutete Ärger auch für ihn. Er war bisher unter einem guten Stern gereist, aber jede Änderung des Windes würde Nachteile für ihn bringen. Er löste das Segel und begann es einzuholen.

Das Segel flatterte heftig, als es fast im rechten Winkel getroffen wurde, und das Floß fing an, sich zu wenden. Cal wußte, wie er das Segel stellen und das Ruder einsetzen mußte, um gegen den Wind zu kreuzen, aber er wußte auch, daß er nicht genug Kraft für ein solches Manöver besaß.

Er wendete die *Nacre* um fünfundvierzig Grad und nahm Kurs nach Nordwesten statt nach Westen. Das würde ihn zu früh an Land bringen, schien aber der sicherste Weg zu sein.

Die Mantas hockten auf dem Kabinendach, unfähig zu helfen oder Ratschläge zu erteilen.

Viel zu schnell näherte sich die *Nacre* dem Ufer. Es war eine sumpfige Gegend, wo Schnabeltiere umherstreiften, aber gegenwärtig ließen sich keine blicken. Sie waren dem Menschen nicht feindlich, würden aber auf ein heranstürmendes Floß unvorhersehbar reagiert haben.

Dann war der Zeitpunkt gekommen, das Segel einzuholen, aber die Leine war immer noch gespannt. Die *Nacre* trieb unaufhaltsam auf das Ufer zu.

Die Mantas tauchten seitlich weg. Cal tat es ihnen gleich.

Auf Händen und Füßen landete er im Schlamm. Die Wassertiefe betrug hier knapp einen Meter. Die *Nacre* pflügte durch das Wasser, dann schlug sie mit einem lauten Knirschen auf dem Ufer auf. Das verklemmte Seil entspannte sich, und das Segel fiel geräuschvoll aufs Deck.

Cal watete heran. Er würde die *Nacre* verlassen und darauf hoffen müssen, daß sie für einen oder zwei Tage sicher liegenblieb, bis er zurückkehren konnte. Wenigstens war er auf der richtigen Seite des Flusses.

Er lud sich ein kleines Bündel auf, in dem er gebackene Fische für einen Tag mitnahm, da er darauf hoffte, in Lager Zwei Vorräte aufzunehmen. Er wäre töricht, sich auf diesem leichtesten Stück seiner Reise vorzeitig zu erschöpfen.

Zur Sicherheit nahm er auch noch seinen Knüppel an sich.

Es war früher Nachmittag, und er wußte, daß er vor der Dunkelheit die dreißig Kilometer nicht schaffen konnte. Er würde seine Kräfte einteilen und den Weg etappenweise zurücklegen müssen. Zeit war so entscheidend wie Überleben.

Er zog den ganzen Nachmittag durch den Morast und legte öfter Pausen ein, als er eigentlich mußte. Die Mantas blieben bei ihm, obwohl sie wohl allein glücklicher gewesen wären; augenscheinlich sorgten sie sich um seine Sicherheit. Als die Dämmerung anbrach, hatte er höheres Gelände erreicht. Er warf sich nieder, ohne sich um eine ordentliche Schlafunterlage zu kümmern.

Veg hätte diese Entfernung binnen einer Stunde zurücklegen können, das wußte er. Aber für Cal war es ein Sieg, denn ein Jahr zuvor hätte er kein Zehntel der Strecke geschafft. Er war zäher, als er es in den letzten zehn Jahren gewesen war, und empfand einen ganz persönlichen Stolz.

Cal aß einen gesalzenen Fisch zum Frühstück und zog wieder los. Seine Beine waren steif, aber er fühlte sich stärker denn je. Dies war das erste Mal seit vielen Jahren, daß er allein unterwegs war, und die Feststellung, wie gut es ging, erfreute ihn.

Es gab mehr Laubbäume, als er zuerst vermutet hatte. Er fand heraus, daß ein gutes Drittel der Bäume Buche, Birke, Ahorn, Esche und Ulme waren. Obwohl die typische Flora der

Kreidezeit vorherrschte, verschob sich das Gleichgewicht allmählich zugunsten dieser neueren Arten. Das Land schritt, wie der Ozean, unaufhaltsam in die Periode des Känozoikums. Nur die Reptilien lebten noch fort.

Um die Mittagszeit hatte er sich dem Lager bis auf acht Kilometer genähert. Der ausgeklügelte, entfernungsmessende Kompaß ließ ihn das wissen, denn er war auf Lager Zwei eingestellt. Er machte halt, um den letzten Fisch zu essen und ein paar Schluck Wasser aus einem kleinen, vom Regen gebildeten Teich zu trinken, und auch die Mantas schwärmten aus, um ihre Mahlzeit zu erlegen. Über die Ernährung machte er sich keine Sorgen; falls es erforderlich wurde, würden die Mantas gerne für ihn töten. Er würde die Nacht in dem Lager verbringen und dann versuchen, den Rückweg in einem weiteren Tag zu schaffen. Vielleicht konnte er ein Schleppnetz bauen und eine größere Last auf einmal transportieren. Er fühlte sich besser gerüstet, mit den Dingen fertig zu werden, als je zuvor.

Hex kam heran, mit dem Schwanz knallend. Ärger!

Ein räuberischer Dinosaurier hatte seine Spur aufgenommen und verfolgte ihn. Die Mantas hatten versucht, ihn abzulenken, aber er blieb beharrlich auf der einen Fährte. Deswegen waren sie so wachsam gewesen. Ein großer, verdeutlichte Hex: *Tyrannosaurus Rex*, König der Dinosaurier.

Natürlich konnte die Kreatur gestoppt werden. Die Mantas konnten sie stören und vermutlich blenden. *Tyrannosaurus* war viel größer als der Omnivore von Nacre, aber für den schnellen Manta nicht gefährlicher. Vier gegen einen . . .

»Greift ihn nicht an«, sagte Cal.

Hex verstand nicht.

»Wenn ich zum Funkgerät komme und meinen Bericht absende, werden meine Leute kommen und das biologische System vernichten, das jetzt besteht. Nicht auf einmal, aber im Laufe der Jahre, bis die einzigen noch übriggebliebenen Dinosaurier eingesperrt im Zoo sitzen; und dasselbe gilt für den überwiegenden Teil der paläozänischen Fauna. Neuzeitliche Säugetiere werden eingeführt werden, um aggressiv mit den weniger entwickelten einheimischen zu konkurrieren, die Bäume werden gefällt werden, um Nutzholz und Papier daraus zu machen, und die Felsen werden wegen wertvoller Mineralien abgebaut werden. Also kämpft *Tyrannosaurus* für seine Welt, obwohl er es nicht auf diese Weise sieht. Wenn das Reptil mich besiegt, wird der Bericht nicht gemacht, und der Mensch wird nicht hierherkommen – wenigstens nicht ganz so früh. Wenn ich dem Reptil entkomme, werde ich, nach den unerbittlichen Gesetzen der Natur, das Recht erworben haben, ihn von Paläo zu verdrängen. Es ist ein Wettkampf zwischen uns, und der Preis ist diese Welt.«

Er hatte eine Erklärung abgegeben, die in ihrer Ganzheit zu verstehen wohl kaum von den Mantas erwartet werden konnte, aber es schien besser zu sein, die Dinge nicht zu verwirren, indem er den Versuch unternahm, ein schwieriges Konzept zu vereinfachen. Die Mantas sollten begreifen, daß er ihr Eingreifen zu seinen Gunsten nicht wollte und daß er Gründe dafür hatte, die für seine Denkungsweise ausreichten. Das sollte genügen.

Die anderen Mantas kamen heran, und ein Dialog von Auge zu Auge schloß sich an. Würden sie es hinnehmen?

»Laßt mich Tyrann allein gegenübertreten«, wiederholte er. »Ihr beobachtet, schaltet euch aber nicht ein. Säugetier gegen Reptil, die ausgewählten Champions, einer gegen den anderen.«

Hex knallte einmal. Ja, sie akzeptierten es. Die Mantas verstanden das Ritual eines Zweikampfs.

Die vier breiteten sich seitlich aus und verschwanden zwischen den Zykas. Cal war allein.

Aber nicht für lange. Anderthalb Kilometer hinter ihm kam der Gigant.

Cal wartete an Ort und Stelle. Er wollte seinem Widersacher von Angesicht zu Angesicht gegenüberstehen. Es würde nicht gut für ihn sein, sich davonzustehlen, selbst wenn das Reptil dadurch in die Irre geführt würde. Er mußte Tyrann entgegentreten, mußte das Geschöpf wissen lassen, wer es herausforderte. Dann konnte er sich auf die Flucht begeben, wenn genug in ihm steckte, um sie zu bewerkstelligen. Tyrannosaurus kam heran. Jeder Schritt brachte das Land zum Zittern; keinen gewaltigeren Karnivoren hatte es je auf der Erde gegeben.

Die schlanken Farnbäume schwankten zur Seite. Ein entsetzter Vogel flog hoch. Dann kam er ganz ins Blickfeld: scheinbar nichts als Zähne und Beine, so hoch, daß ein Mann unter seinen Schenkeln und seinem Schwanz hindurchgehen konnte, ohne sich bücken zu müssen. Ein Gebrüll, wie es niemals aus der Kehle eines Säugetiers kommen sollte, erschütterte die Luft, und die kleinen, grausamen Augen starrten nach unten.

Tyrann war zur Stelle.

15 Aquilon

»Er segelt mit der *Nacre*«, sagte Veg, als er wieder erschien. »Zurück zum Funkgerät und die Botschaft abschicken.« Er warf den Vorratssack auf den Boden, den er vom Floß mitgebracht hatte.

Aquilon war entsetzt. »Das schafft er doch nicht allein!«

Er zuckte die Achseln. »Wir können ihn nicht daran hindern, es zu versuchen.«

Er wußte, daß die Mantas eine hervorragende Leibwache verkörperten, aber es gab Dinge, vor denen sie Cal nicht schützen konnten. Dennoch hatte Veg recht. Wenn Cal darauf bestand, eine selbstmörderische Reise zu wagen, dann war das seine Sache. Wenigstens solange der Bruch zwischen ihnen fortbestand.

Wenn es nur um etwas anderes als um das Schicksal einer Welt gegangen wäre! Um der Einigkeit willen hätte sie bei jeder geringfügigeren Angelegenheit gerne gemeinsame Sache gemacht. Aber Cals Bericht an die Erde würde Paläos Befürwortung verdammen, und dabei konnte sie nicht mitmachen.

Aquilon fühlte sich bei beiden Ergebnissen schuldig: bei Cals Erfolg oder bei seinem Scheitern. Sie wußte, er würde seine Meinung nicht ändern. Wenn er lebte, würde Paläo sterben.

Jetzt fühlte sie sich auch wegen ihrer Liebesnacht mit Veg unwohl. Sie hatte ihre Wahl getroffen – aber sie hatte es aus der Bequemlichkeit des Augenblicks heraus getan.

Die Orn-Vögel gingen ihrem Geschäft nach; zuerst saß der

eine auf dem Nest, dann der andere. Es gab natürlich Eier. Sie hatte sie nicht gesehen, aber nichts sonst würde diese Fürsorge erklären.

Der erste Tag verlief wunderschön. Sie beobachtete den *Trachydon*, den großen, entenschnabeligen Saurier, der zwischen den Kiefern Nahrung suchte. Im Wasser war er recht beweglich. Wenn er an Land stand, war er fast fünf Meter groß und ähnelte einem übergroßen Känguruh.

Trachydon verbrachte den größten Teil seiner Zeit kauend. Er erinnerte Aquilon an eine Schlange. Die schiere Größe beunruhigte sie zuerst, aber wenn man mit ihm vertraut war, wirkte Trach tatsächlich ziemlich liebenswert. Er schien fast für sie zu posieren, verhielt sich ruhig, und sie malte viele Porträts.

Nachts kehrten die Pteranodonten zu ihren Ästen zurück, um zu schlafen, ein weiteres eindrucksvolles Schauspiel. Bevor sie nach Paläo kam, hatte sie sich alle Dinosaurier irgendwie als rasende Monster oder stumpfsinnige Giganten vorgestellt. Dieser Tag auf der Insel, das Beobachten von Trachydon und Pteranodon in ihrem Alltagsleben, beseitigte dieses Vorurteil für immer. An diesem ersten Tag sah sie auch, wie das Floß vor dem Wind segelte, auf das Festland zusteuerte, und schließlich dort vor Anker ging. Sie wußte, warum: der Wind hatte sich nach dem Beben gedreht, und Cal war nicht in der Lage gewesen, direkt zum Lager Eins zurückzusegeln. Wenigstens hatte er es sicher bis zum Ufer geschafft.

In der zweiten Nacht schliefen sie und Veg unter der Regenhaut, liebten sich jedoch nicht.

Zwei Nächte und ein Tag auf einer Insel, die dem Paradies sehr nahe kam – aber die Anspannung war grausam. Was machte Cal? Er war so klein, so schwach; er mochte erschöpft im Sumpf liegen ...

Nein. Die Mantas würden zurückkommen und berichten. Es mußte ihm gutgehen.

Dennoch ...

»Es kommt einer«, rief Veg und blickte von dem neuen Floß auf, das er baute.

Sie lief an seine Seite, um Ausschau zu halten. Ein einsamer Manta schnellte über dem Wasser der Insel entgegen. Circe!

Die Geschichte war schnell erzählt: Ein Tyrannosaurier war hinter Cal her. Er hatte den Mantas verboten, ihm zu helfen. Circe verließ sie wieder.

»Der verrückte Dummkopf!« rief Veg.

Wenn Circes Botschaft stimmte, *wollte* Cal gegen den Dinosaurier kämpfen.

»Ich weiß, wie er denkt«, sagte Veg. »Er will beweisen, daß er es alleine kann. Aber er kann es nicht.«

»Du meinst, beweisen, daß er physisch stärker als ein Dinosaurier ist? Das hört sich nicht an wie . . .«

»Daß er durchkommen und diese Botschaft absenden kann, egal wie. Daß wir ihn verlassen haben, hat ihn nicht aufgehalten. Tyrann wird ihn nicht aufhalten. Das gibt ihm das Recht, glaubt er.«

Plötzlich begriff sie. Die Säugetiere gegen die Reptilien, jede Seite durch ihr fortgeschrittenes Stadium vertreten, ein Individuum, das dem anderen auf dem Feld der Ehre gegenübertritt. Der entscheidende Zweikampf. Der Karnosaurier besaß Größe und Kraft, der Mensch besaß Gehirn. Wenn Cal gewann, würde er seine Botschaft absenden und die Zerstörung als gerechtfertigt ansehen; wenn er verlor . . . Nun, das war auch ein Resultat, und er hatte den Weg gewählt, um es zu bekommen.

»Ich gehe da rüber«, sagte Veg.

»Veg . . .«

»Ich werde zum Festland schwimmen und am Ufer entlanglaufen müssen. Den Fluß überqueren, wo er schmaler ist, näher bei Lager Zwei. Hoffentlich finde ich seine Spur, oder vielleicht wird sie mir ein Manta zeigen. Ich könnte es noch rechtzeitig schaffen, ihn da rauszuholen.«

»Veg, ich glaube, wir sollten es ihn auf seine Weise machen lassen. So will er es.«

»Er wird sterben!«

Sie zögerte. »Vielleicht – ist das am besten.«

Veg versteifte sich. Dann, so plötzlich, daß sie zuerst gar nicht begriff, was passiert war, schlug er sie. Sein Arm kam mit großem Schwung, traf sie seitlich am Kopf und ließ sie zu Boden taumeln.

Als sie sich wieder aufrichtete, war er im Wasser, schon auf dem Weg. Sie mußte für ein paar Augenblicke das Bewußtsein verloren haben, denn sie hatte ihn nicht hineingehen sehen.

Ihre Hand hob sich, um die schmerzende, anschwellende Seite ihres Gesichts behutsam zu berühren. Sein Handgelenk hatte ihren Backenknochen getroffen. Veg hatte sich nicht einmal Zeit genommen, um nachzusehen, ob sie verletzt war. So nachdrücklich war sie darauf hingewiesen worden, wem seine Loyalität zuerst galt.

Hatte sie sich Sorgen gemacht, zwischen diese beiden Männer zu treten? Sie hätte wissen sollen, daß diese Gefahr nicht bestand!

Aber noch immer kam es ihr so vor, daß Cal nicht nur Mut hatte, sondern auch recht. Sie konnte die Entscheidung hinnehmen, die auf diese Weise fiel. Veg, so lange er Cal auch kannte und so loyal er ihm gegenüber auch war, verstand es nicht. Nichts würde gelöst sein, wenn er ›rechtzeitig‹ zur Stelle war.

Sie drehte sich um und stellte fest, daß Orn – ja, das war ein Name, der paßte – hinter ihr stand. Er war ganz nahe und plötzlich ziemlich beeindruckend, mit zahllosen kleinen Narben an den Beinen und einigen Federn, die noch nicht vollkommen nachgewachsen waren. Während sie gedankenvoll dastand, hätte er sie leicht niederschlagen können, aber sie spürte keine Feindseligkeit in ihm.

Zögernd griff sie nach ihm, erfüllt von einem überwältigenden Bedürfnis nach Kameradschaft irgendeiner Art. Sie war jetzt allein, auf einer fremden Welt und ohne echte Hoffnung, die beiden Männer wiederzusehen. Cals Mission war selbstmörderisch – aber Vegs ebenfalls. Es mochte sein, daß die einzige Gesellschaft, die sie von nun an haben würde, die der großen Vögel war.

Orn öffnete seinen mächtigen Schnabel und umfing ihre Hand damit – und biß nicht zu. Sie spürte die messerscharfe Kante seines Kiefers. Aber die Berührung war symbolisch.

Dann gab Orn ihre Hand frei und kehrte zu seinem Nest zurück. Sie war zutiefst dankbar für die Geste.

Nach einer Weile machte sie sich auf und suchte auf dem Hauptteil der Insel nach eßbaren Wurzeln, da ihre Vorräte nicht unendlich lange reichen würden. Sie fand eine einzelne Bananenstaude, aber die Frucht war nicht reif. Es war Nachmittag, und sie wußte nichts von den beiden Männern. Sie hätte erwartet, daß Circe bei ihr blieb, aber der Manta war in einer anderen Angelegenheit unterwegs. Die gute Beziehung, die sie zu dem Geschöpf von Nacre gehabt zu haben glaubte, schwand dahin . . .

Ein zweites Beben kam. Der Boden wurde nicht erschüttert, er tanzte. Es war so, als ob sich die Erde verflüssigt hätte und Aquilon auf den Wellen ritt. Nur mit Schwierigkeiten konnte sie sich auf den Beinen halten.

Sie hatte eine plötzliche und häßliche Vorahnung von dem, was ein derartiges Beben einem Nest auf einem Felsen und den zerbrechlichen Eiern in diesem Nest antun würde. Schnell rannte sie zur Halbinsel zurück.

Das Nest befand sich im Aufruhr. Beide Vögel standen neben dem Felsen und flatterten mit ihren verkümmerten Flügeln. Das Schlimmste war geschehen.

Sie erhoben keine Einwände, als sie herantrat, zu aufgeregt, ihre Wachsamkeit zu bewahren. Das Nest war beschädigt, aber weitgehend intakt. Die Eier aber waren durch das Beben zerschmettert worden. Die Vögel schienen durch das Unglück wie betäubt zu sein. Sie stellte sich anstelle der zertrümmerten Eier die verstümmelten Leichname menschlicher Babys vor und glaubte, die Gefühle der Orns verstehen zu können.

Aber eine Schale sah aus, als sei sie intakt. Aquilon berührte sie zögernd mit einem Finger und fand sie warm und fest. Das Ei war etwas länger als zwanzig Zentimeter. Sie legte beide Hände darum und hob das Objekt hoch, sorgsam darauf bedacht, es nicht fallen zu lasen.

Beide Vögel waren still, beobachteten sie hilflos. »Dieses hier ist in Ordnung«, sagte sie.

Irgendwo aus ihren Kehlen drang ein ungläubiges Gurren, in dem Hoffnung aufkeimte.

Sie trug das Ei zu einer trockenen Mulde und legte es nieder. »Haltet es warm«, sagte sie. »Ihr könnt ein anderes Nest bauen.« Sie trat zurück.

Nach einem Weilchen kam das Weibchen herüber und begutachtete es. Dann ließ es sich darauf nieder.

Aber eine Krise war nur vorübergegangen, um zu einer weiteren zu führen. Der Geruch der zerbrochenen Eier hatte einen Räuber angezogen. Im Wasser geschmeidig und sehr lang, kam er – ein riesiges, krokodilartiges Reptil. Gut sieben Meter von der Schnauze bis zum Schwanz, wuchtete es sich aus dem Wasser auf das felsige Ufer der kleinen Bucht und kroch über Land dem Nest entgegen.

Orn griff es an, laut kreischend und mit seinen Flügeln schlagend, aber das gepanzerte Reptil schnappte nur nach ihm und setzte seinen Weg fort.

Würde es sich mit dem Nest begnügen? Es mußte vom Hauptsumpf herübergeschwommen sein, denn bisher hatte sie in der Nähe der Insel eine solche Kreatur nicht gesehen. Auch das Schnabeltier wäre kaum so gelassen geblieben, wenn es diesen Räuber gewittert hätte. Vielleicht hatte das Beben ihn aus seinem gewohnten Revier vertrieben.

Aquilon griff nach ihrem Knüppel. Sie hielt ihn an einem Ende und rannte auf das Krokodilwesen los, als trüge sie eine Lanze. Das vordere Ende traf den Nacken der Kreatur. Der lange Kopf schwang mit klaffenden Kiefern herum. Aquilon schwang den Stock wie eine Keule und traf die Schnauze. Unverletzt, aber wütend griff das Reptil sie an.

Instinktiv stieß sie ihm den Knüppel in den Rachen. Zu ihrem Entsetzen verschwand der Stock vollkommen im Maul der Kreatur und die zuschnappenden Kiefer verfehlten ihre Hände nur knapp.

Sie stolperte zurück.

Das Krokodilwesen schüttelte den Kopf hin und her, gepeinigt durch den Stock in seiner Kehle. Voller Panik stürzte es sich ins Wasser. Es schwamm zu der felsigen Mündung der Bucht und entfernte sich.

Aquilon setzte sich hin und stellte fest, daß sie verzweifelt nach Atem rang. Sie hatte gesiegt! Ihr omnivorisches Erbe war ihr zu Hilfe gekommen, und sie hatte den Räuber vertrieben.

Auf Kosten der einzigen Waffe, die sie besaß. Nun, sie konnte sich eine neue machen.

Die Dämmerung brach an – wo war der Tag geblieben! – und mit ihr kamen die Pteranodonten. Aquilon stand auf, immer noch zu angespannt, um zu essen, und machte sich auf den Weg zur anderen Seite der Halbinsel.

Orn verstellte ihr den Weg. Sie starrte ihn verblüfft an, versuchte dann, um ihn herumzugehen. Wieder trieb er sie zurück, indem er die Flügel spreizte. Sie waren größer, als sie gedacht hätte; ihre Gesamtspanne betrug ungefähr anderthalb Meter.

Aquilon drehte sich um und ging auf das provisorische Nest zu, das mit Moosstücken ausgelegt war, die Ornette im Umkreis gefunden hatte. Orn folgte ihr. Sie ließ sich auf Hände und Knie neben Ornette nieder, zog Arme und Beine an und legte sich neben den großen Vogel. Orn breitete einen Flügel aus, um ihren Körper zu bedecken. Er war wie ein dickes, warmes Bettuch – und er gab ihr ein Gefühl der Sicherheit.

Bequem und sicher zwischen den beiden großen, warmen Körpern schlief sie ein.

16 Cal

Es war Verstand gegen Materie, der Verstand des Menschen gegen die Masse des Reptils. Einer würde sich in diesem Kampf als überlegen erweisen, und ihm würde diese Welt gehören.

Tyrannosaurus rex – der tyrannische Echsenkönig – stürzte auf ihn los. Und doch hatte Cal in diesem Augenblick eine flüchtige Vision von Aquilon. Sie würde seinen Kampf verstanden haben, wenn sie davon gewußt hätte, und vielleicht würde sie auch zugestimmt haben.

Aber Veg hätte nicht mitgemacht. Der große Mann tendierte dazu, die Nuancen der Moral zwischen den Spezies zu übersehen und stützte sich auf einen simplifizierten Kodex. *Du sollst nicht töten,* außer in Notwehr. Und wer konnte sagen, was eine zweifelsfreie Notsituation war? Der Folgesatz war: *Du sollst nicht das Fleisch eines Angehörigen des Dritten Königreichs essen.* Dabei vergaß er, daß der Mensch ein natürliches Raubtier war, der einen großen Teil seines Fortschritts seiner Nahrung verdankte. Wie also konnte ein solcher Kodex die zahllosen Probleme der Spezies beseitigen oder gar verbessern? Wie auch immer . . .

All dies waren Gedankenbruchstücke, als Tyrann auf ihn losraste. Die Echse war nun noch gut dreißig Meter entfernt: zweimal ihre eigene Körperlänge, fünfmal ihre Höhe.

Nein, Veg hätte es nicht verstanden. Es mußte also so geschehen: Ein Kampf ohne Zeugen, abgesehen von den außerirdischen Mantas. Wenn er verlor, würden seine Freunde davon ausgehen, daß er eine selbstmörderische Torheit begangen hatte. Wenn er gewann, Glück. Aber *er* verstand, und darauf kam es an.

Es war Zeit die Herausforderung anzunehmen.

Cal wartete, bis Tyrann innerhalb einer Körperlänge Entfernung war. Dann sprang Cal zur Seite.

Tyrann stieß die Nase in den Schlamm und kam zu einem brüllenden Halt. Er hob seinen Kopf und blickte mit bösen Augen umher. Er brauchte einen Augenblick, um zu begreifen, was passiert war, aber keinen langen Augenblick. Er war von einer scheinbar erstarrten Kreatur genarrt worden, aber jetzt hatte er sie als einen schnellfüßigen Säuger erkannt und würde dessen Flinkheit nicht noch mal unterschätzen.

Inzwischen hatte Cal die nächste große Palme erreicht. Der Räuber schnüffelte in die Luft und orientierte sich in Richtung von Cals Baum. Auch dies war eine Waffe: die gutentwickelte Nase des Reptils. Glücklicherweise für Cal war der Geruchssinn kein guter Führer, wenn es darum ging, eine sich schnell bewegende Kreatur zu finden. Cal durfte nicht hoffen, sich für längere Zeit verstecken zu können, aber jetzt konnte er den Karnosaurier zwingen, von seinen weniger effektiven Sinnen Gebrauch machen zu müssen.

Tyrann griff den Baum an. Es erschien lächerlich, sich bei diesen zwanzigtausend Pfund Raubtier Schwächen und bei seinen eigenen hundert Pfund Stärken vorzustellen. Aber genau dies war die These, die er beweisen wollte.

Tyrann kannte sich mit Bäumen aus. Der Dinosaurier drehte sich und schlug mit seinem Schwanz gegen den Stamm. Der Baum zitterte. Eine speerartige Samenschote fuhr in den Boden neben seinem Kopf. Das Ding war fast einen Meter lang und sehr spitz. Cal sprang von dem Baum weg, als er merkte, wie gefährlich seine Deckung war.

Und stoppte, denn er erkannte, daß genau dies die Absicht Tyranns gewesen war.

Der Schwanz peitschte um den Baum herum und traf ihn an der Hüfte, als er versuchte, wieder hinter der Palme in Deckung zu gehen. Der Stoß reichte aus, Cal wieder aus der Deckung zu schleudern. Sein Knüppel flog davon. Jetzt besaß er nicht einmal mehr eine symbolische Waffe.

Und natürlich war Tyrann bereit. Er griff an.

Cal tauchte unter dem Dinosaurier hindurch und entging den klaffenden Kiefern abermals durch den Überraschungseffekt seiner Bewegung. Tyrann hatte erwartet, daß er von ihm fliehen würde. Cal sprang schwer atmend wieder auf den Baum zu.

Er war dankbar dafür, daß er nicht versucht hatte, auf die Palme zu klettern. Er wäre für den Schwanz des Sauriers ein willkommenes Ziel gewesen.

Tyrann wandte sich wieder um, beobachtete Cal mit einem Auge. Der Schwanz hob sich, schlug zu.

Diesmal wartete Cal nicht auf ihn. Mit offenen Augen sprintete er von dem Stamm weg. Als der Schwanz traf, warf er sich auf den Boden und ließ die Spitze über sich hinwegjagen. Sofort war er wieder auf den Füßen und rannte mit schmerzenden Beinen und Lungen zur nächsten Palme.

Tyrann ließ ein Gebrüll los, das sich anhörte, als würde man Kies auf ein Metalldach schütten. Er folgte.

Cal machte bei dem Baum nicht halt. Er umlief ihn und steuerte auf ein kleines Waldstück zu, das über hundert Meter von ihm entfernt lag.

Der Dinosaurier wurde durch die Bäume aufgehalten, weil er mehr Raum brauchte, um sie zu umkurven, kam aber trotzdem schneller voran. Seine Füße erschütterten den Boden in einem seltsam gleichmäßigen Rhythmus.

Cals Herz pumpte schwer, und seine ganze Brust stand in Flammen. Er erkannte, daß er es nicht bis zu den Kiefern und Rottannen schaffen würde. Eigentlich sollte Tyrann inzwischen auch schon ermüden. Cal tauchte hinter eine Eiche und lehnte sich dagegen, zu müde, um mehr zu tun, als Tyrann zu beobachten.

Aber jetzt stand ihm das Glück zur Seite. Das Reptil preschte an dem Baum vorbei. Dann, seinen Irrtum erkennend, sann er nach. Der Geruch des Säugetiers war hinter ihm stärker als vor ihm, und das gab für das Reptil im Augenblick keinen Sinn.

Cal glitt um den Baum herum. Er war sich bewußt, daß die mehr zufällige Ruhepause sein Leben gerettet hatte. Aber er wußte nur zu gut, daß der Kampf noch nicht vorüber war.

Tyrann faßte sich wieder und näherte sich dem Baum. Diesmal wartete er, um zu sehen, in welche Richtung Cal davonlaufen würde. Er begriff nicht, daß der Mann kaum noch Energie hatte, um überhaupt zu laufen. Ja, der Dinosaurier lernte durch Erfahrungen, aber in diesem Fall nicht schnell genug. Er sprang nach vorne, wenn Abwarten am besten war, und er wartete ab, wenn der direkte Weg ihm den Sieg einbringen würde.

In Wahrheit wäre Tyrann besser beraten gewesen, die Jagd auf Cal aufzugeben und sich statt dessen um einige sorglose, im Hügelland lebende Baby-*Brachiosaurus* zu bemühen. Diese Jungen gingen nicht ins Wasser, bis es ihr Körpergewicht erforderlich machte. Die erwachsenen weiblichen Brachs machten jährliche Pilgergänge landaufwärts, um ihre Eier zu legen, und auch diese wären eine mühelose Ernte für Tyrann gewesen. Aber dieser Dinosaurier hatte sich Cal als Beute ausgesucht und wollte nicht aufgeben. Cal respektierte dies. Er hatte es mit einem würdigen Gegner zu tun.

Als Tyrann zu der Überzeugung kam, daß sich sein Opfer nicht entfernen würde, hätte sich Cal erholt. Seltsamerweise fühlte er sich stärker denn je, so als sei er gestählt worden, als hätten die Anstrengungen ihn mit Energie ausgestattet, anstatt sie zu verbrauchen.

Tyrann stürmte auf den Baum los, aber diesmal drehte er sich nicht, um mit dem Schwanz zu drohen. Er schob seinen Kopf an dem schrägen Baumstamm vorbei und machte halt.

Cal huschte um den Baum herum, aber stoppte, als er sah, daß ein gigantisches Bein neben dem Stamm niederging, während sich der alptraumhafte Schädel von der gegenüberliegenden Seite herabsenkte.

Speichel tropfte aus dem Rachen des Monsters. Der Gestank des Reptils war ekelerregend. Cal starrte in das nahe Auge, das kaum einen Meter entfernt war und aus dieser Entfernung riesig wirkte. Hätte er doch jetzt den verlorenen Knüppel! Er könnte ihn brauchen, um ihn in das Auge zu stoßen!

Er blickte nach unten und suchte nach einer Waffe, aber dort lagen nur Lehm und Eicheln.

»Buh!« brüllte Cal voller Verzweiflung.

Der Dinosaurier sprang verwirrt zurück.

Cal war auf und davon und lief erneut zu dem Tannengehölz hinüber. Tyrann fing sich augenblicklich wieder, aber zu spät. Die Beute hatte eine weitere Runde gewonnen.

Die Tannen waren nicht groß, standen aber dicht beieinander. Cal konnte wieder zu Atem kommen. Aber es war wieder nur eine kurze Erholungspause. Tyrann konnte diese schmalen Stämme wie ein Bulldozer zur Seite befördern. Der Dinosaurier fing an wütend zu werden.

Da entdeckte Cal eine Herde von *Triceratops*, die im Schatten der Bäume faulenzte. Wenn es ihm gelang, die eine Spezies gegen die andere auszuspielen . . .

Cal rannte auf die Herde zu. Ein Bulle witterte ihn und blickte auf. Dann entdeckten die Tricer den Karnosaurier hinter ihm. Wieso die Herde sie nicht früher bemerkt hatte, wußte Cal nicht zu sagen. Vielleicht hatten sie die Nähe Tyranns doch gespürt, hatten aber gewußt, daß er eine andere Beute jagte und deshalb keine unmittelbare Gefahr für die Herde bedeutete.

Indem Cal auf die Herde zurannte, lockte er Tyrann zu nahe heran. Der Bulle gab ein eigenartiges Zischen von sich, und plötzlich entstand überall Bewegung. Die ausgewachsenen Tricers drängten ihre Jungen zu einer Stelle neben der größten Palme, drehten sich dann um und formten einen Ring. Mit ihren ausgestreckten gepanzerten Schädeln bildeten sie eine formidable Phalanx, die geradezu militärisch ausgerichtet war.

Cal war eingeschüchtert. Aber er hatte keine Wahl Er rannte auf den Abwehrkreis der Kolosse zu. Der Bulle in seiner direkten Nähe ließ wieder sein Zischen hören und löste sich aus der Gruppe. Sonnenlicht glänzte auf seinen Hörnern.

Notgedrungen mußte Cal haltmachen. Dann benutzte er denselben Trick wie bei Tyrann und sprang zur Seite.

Fast acht Tonnen von gepanzertem Fleisch wuchteten vorbei.

Der Tricer war nicht so groß wie Tyrann, jedoch massiger gebaut.

Nun stand Tricer Tyrann gegenüber – eine Situation, die keiner von beiden gewollt hatte. Tyrann versuchte den Bullen zu umgehen, um an Cal heranzukommen, aber Tricer wollte keine Annäherung an die Herde erlauben. Für ihn war der kleine Säuger kein Ärgernis, der Karnosaurier jedoch eine Bedrohung.

Und so gerieten sie in einen unfreiwilligen Kampf, diese beiden Giganten des Reptilienzeitalters. Der eine wollte seine Jagd nicht aufgeben, der andere den Weg nicht freigeben.

Tyrann, zur Weißglut gereizt durch die Beharrlichkeit des Bullen, brüllte. Tricer wartete bloß, die drei tückischen Hörner auf den Gegner gerichtet. Tyrann machte eine seitliche Bewegung, auf der Suche nach einem verwundbaren Punkt zwischen Hörner und Schild. Tricer wirbelte herum und erwischte ihn am Schenkel.

Tyrann brüllte und biß in den entblößten Rumpf Tricers. Ein heftiger Kampf entspann sich. Beide Kämpfer waren blutbefleckt, aber noch keiner ernsthaft verletzt.

Dann kam ein zweiter Bulle heraus, und Tyrann wich hastig zurück. Aber der Bulle war hinter Cal her. Offenbar waren die Herbivoren zu der Ansicht gelangt, daß er ihnen zuviel Ärger bereitete, um geduldet zu werden. Oder sie hatten begriffen, daß Tyrann sie nicht verlassen würde, bevor es der Säuger tat.

Cal entdeckte eine kleine Wasserbucht und steuerte darauf zu, doch Tyrann stürmte in seine Richtung. Cal warf sich einen kurzen Abhang hinunter und in das Wasser hinein.

Es war seicht. Er war über und über mit Schlamm bedeckt, wußte aber, daß ein halber Meter Wasser Tyrann kaum lange aufhalten konnte. Vermutlich jagte der Karnosaurier auch Wasserreptile bis zu einer Tiefe von drei Metern. Cal hatte einen taktischen Fehler gemacht.

Tyrann sank bis zu seinen großen Knien ein. In grotesker Zeitlupe schwankten Mann und Reptil durch den Sumpf. Und wieder holte der Verfolger auf.

Cal hielt nach tieferem Wasser Ausschau und hoffte, Tyrann aus seiner sicheren Tiefe hinauslocken zu können. Er war sich sicher, daß der Dinosaurier nicht schwimmen konnte. Beide riskierten die Angriffe schwimmender Räuber, aber dann würde Tyrann das bevorzugte Ziel sein.

Aber es stellte sich heraus, daß es sich nur um einen schmalen Sumpfstreifen handelte.

Cal hörte Tyrann hinter sich keuchen. Wenigstens mußte sich der Karnosaurier jetzt genauso anstrengen wie der Mensch. Die Kreatur mußte viel mehr Masse mit sich herumschleppen, und gegenwärtig mußten seine Energieerfordernisse phänomenal sein.

Cal kreuzte zur gegenüberliegenden Bank hinüber und kroch an Land. Er gewann einen Vorsprung, als er wieder festen Boden unter den Füßen hatte. Einer Inspiration folgend, rannte er nicht vom Wasser weg, sondern am Ufer entlang und brachte den Dinosaurier in Versuchung, ihn unmittelbar zu verfolgen. Für Tyrann war der direkte Weg der schnellste und sicherste, wie das Terrain auch beschaffen sein mochte. So watete er hinter Cal her, statt erst festen Boden zu gewinnen. Cals Vorsprung vergrößerte sich drastisch.

Tyrann war schon fast außer Sicht, als sich das Gelände wieder veränderte. Cal war hügelabwärts gelaufen, dem Hauptsumpf entgegen. Bald würde er keinen festen Boden mehr haben und wieder waten oder schwimmen müssen.

Cal drehte sich um und rannte geradewegs den Weg zurück, den er gekommen war, wobei er sich duckte, um Tyranns Blick zu entgehen. Es funktionierte. Zu dem Zeitpunkt, an dem Tyrann merkte, was geschehen war, hatte er einen Vorsprung von achthundert Metern. Die brauchte er auch, um die Ebene überqueren und neue Deckung finden zu können. Tyrann kam wieder in Sicht und holte auf. Die Ausdauer des Reptils war erstaunlich. Die Hetzjagd dauerte schon ein paar Stunden und war noch längst nicht vorbei.

Tyrann war kein so schneller Läufer wie *Struthiomimus*, der Straußensaurier, oder ein so behender Jäger wie selbst die primitiven Karnivoren unter den Säugetieren. Er war weitgehend aufs Land beschränkt, was bedeutete, daß er selten *Brachiosaurus* verzehren konnte. Vermutlich ernährte er sich des öfteren von Aas, indem er verwesende Leichname aufspürte und dann andere Räuber vertrieb.

Cal wandte sich den Berg hinauf. Die Unabwägbarkeit der Hetzjagd hatten ihn Lager Zwei verpassen lassen. Er stieg die Bergflanke jenseits davon hinauf. Das Klima änderte sich schnell. Dies konnte ihm zum Vorteil gereichen, weil er eine temperaturunabhängige Kreatur war, Tyrann jedoch nicht. Ein Reptil in der Kälte war ein hilfloses Reptil.

Aber Tyrann war wieder auf dreißig Meter herangekommen. Cal mußte um Felsen und Bäume herumkurven, um nicht überrannt zu werden. Der Teufel sollte die mächtigen Schritte des Dinosauriers holen!

Cal stürzte. Zuerst dachte er, daß ihn die Erschöpfung niedergestreckt hatte. Dann aber begriff er, daß ihn der Berg zu Boden geschleudert hatte. Die Erde bebte heftig, und Tyrann brüllte wütend und überrascht auf. Es war ein Erdbeben – viel stärker als die Erschütterung, die er gestern auf dem Floß beobachtet hatte.

Cal war klein, leicht und hatte Glück. Auf Tyrann traf das nicht zu. Der Dinosaurier wurde umgeworfen und rollte gut hundert Meter den Berg hinunter und krachte in ein Gehölz.

Cal brauchte die Erholung. Als die Erde ruhig war, setzte er sich nieder und wartete darauf, daß Tyrann die Jagd wieder aufnahm.

Der Dinosaurier erhob sich mühsam und nahm den Aufstieg wieder auf, allerdings schien er allmählich doch zu ermüden. Cal konnte seinen Vorsprung halten, ohne sich zu verausgaben.

So ging es also weiter, langsamer. Die Luft wurde kühler. Trotz der Anstrengungen spürte Cal es. Und doch blieb Tyrann hinter ihm, verletzt und erschöpft, aber anscheinend von den Temperaturen nicht berührt.

Natürlich!

Der Dinosaurier besaß eine beträchtliche Masse, die sich nur langsam abkühlte. Und seine gigantischen Muskeln würden sehr viel Hitze erzeugen, so daß er es noch länger aushalten konnte.

Es sei denn, Cal konnte ihn mit einem Trick für mehrere Stunden festhalten . . .

Allerdings würde er mittlerweile selbst in die wärmeren Regionen zurückkehren müssen. Er war jetzt ziemlich müde, doch wenn er sich in irgendeinem Versteck ausruhte, würde ihn die Kälte erwischen.

Wie nur konnte er die Kälte überwinden? Wenn er nur warme Kleidung hätte! Dann könnte er bis zum Schnee hinaufsteigen, während der Dinosaurier langsam vor der Natur kapitulieren mußte. Die Gattung der Säugetiere *war* überlegen.

Cal stolperte und richtete sich mit Schwierigkeiten wieder auf. Tyrann war kaum noch zwanzig Meter hinter ihm, aber Cal hatte sich an diese Distanz schon gewöhnt. Der erste, der sich jetzt eine Blöße gab, würde das Spiel verlieren.

Plötzlich spürte er Wärme.

Der Boden war naß. Und in dieser Feuchtigkeit war Hitze, so als sei er in die Abflußrinne einer im Freien stehenden Badewanne getreten. Aber die Lufttemperatur lag nahe am Gefrierpunkt. Was war das – eine Halluzination, die durch den Verfall seiner körperlichen Verfassung hervorgerufen wurde? Fing er an, sich einzubilden, daß er in ein üppiges, warmes Paradies einging, in einen tropischen Garten in der Nähe der Schneegrenze, während in Wirklichkeit seine Füße erfroren und die Zähne des Karnosauriers seinem Leben ein gewaltsames Ende setzten?

Tyrann kam wieder näher, und Cal bewegte sich bergaufwärts. Dann legte der Dinosaurier eine Pause ein, um den Grund argwöhnisch zu beschnüffeln. Keine Halluzination.

Fünfhundert Meter höher war es wärmer als je zuvor. Sie befanden sich in einem Hochtal. Nicht weit entfernt konnte Cal hellen Schnee ausmachen, der auch im Dämmerlicht noch glänzte. Aber in dieser Senke fing es an, angenehm zu werden. Üppige Farne sprossen und Pilze und Moos.

Ganz von selbst kam Cal die Erleuchtung. Vulkanismus! Dies war der Abfluß einer heißen Quelle. Die Senke verdankte ihre Wärme derselben Kraft, die dieses ganze Tal mit Hitze versorgte.

Die Vegetation ging zurück, als die Temperatur anstieg, und er wußte, daß er sich dem Ausfluß des Wassers näherte. Wenn es sich um eine brodelnde Quelle handelte, war er in Schwierigkeiten. Aber wenn . . .

Er erreichte das obere Ende der Senke ganz abrupt. Das Wasser trat aus einer Höhle, wie er gehofft hatte.

Schwitzend sprang Cal hinein. Der Fluß war zu heiß, um darin waten zu können, aber am Rand gab es Bewegungsfreiheit. Die Öffnung war groß genug für Tyrann. Aber sie bedeutete trotzdem den Sieg des Säugers.

Cal bewegte sich weiter vorwärts, nicht in der Lage, im Inneren etwas erkennen zu können. Tyranns Umrisse hoben sich gegen das matte Licht der Höhlenöffnung ab, aber Cal wußte, daß ihm der Dinosaurier nicht folgen würde.

Cal würde gewinnen. Während Kälte für die großen Reptilien unangenehm war, war Hitze noch gefährlicher. Ein Reptil erreichte seine höchste Leistungsfähigkeit bei Körpertemperaturen von fünfunddreißig bis achtunddreißig Grad, was ungefähr auch für Vögel und Säugetiere galt. Darüber jedoch würde ein Reptil schneller als ein Säugetier nachlassen. Cal konnte für eine vernünftige Zeitspanne in einer Umgebung von fünfundvierzig Grad und mehr überleben. Ein Reptil jedoch würde buchstäblich kochen.

Wenn Tyrann in diese Höhle hereinkam und für einige Zeit blieb, würde er sterben. Dinosaurier konnten nicht schwitzen.

Cal hörte ein seltsames Geräusch und blickte nach draußen. Tyrann hatte sich vor der Höhle hingehockt und leckte seine Wunden. Das Erdbeben hatte ihn wirklich schwer mitgenommen!

Cal fand eine bequeme Felsenplatte und streckte sich lang aus.

17 Orn

»*Tyrannosaurus rex* jagte in vollem Galopp hinter Cal her. Die furchtbaren Zähne verfehlten seinen zerbrechlichen Körper nur um wenige Zentimeter, während die Füße auf ihn zukamen wie eine Lawine. Und die zerlumpte, puppenartige Gestalt wurde in die Luft gewirbelt. Eine gigantische Zehenklaue traf die Stelle, wo der zerschundene Körper gelandet war, und stampfte ihn in den Boden. Die Kiefer schlossen sich, rissen einen Arm ab. Cals winziger Kopf hing lose an seinem gebrochenen Hals, und die toten Augen starrten mich nicht anklagend, sondern verständnisvoll an, und ich schrie und erwachte.«

Orn sah, daß die Säugerin Sorgen hatte. Sie hatte ruhelos geschlafen und war sehr aufgeregt.

»Wie nahe ist dieser Traum der Realität gekommen? Wie groß ist meine Schuld? Cal wäre niemals in diese Lage geraten, wenn ich die Sache nicht hochgespielt hätte. Wenn er tot ist, dann bin ich schuld daran.«

Orn stand auf und spreizte seine Federn. Es schien nichts zu geben, was er für sie tun konnte.

»Und Veg . . . auch von ihm habe ich geträumt. Es war keine Liebe, sondern Sex . . . und nicht schön. Ich habe versucht, ihre Freundschaft zu zerstören, und nun sind sie beide gegangen. Ich hätte niemals mit ihnen nach Paläo kommen sollen.«

Ornette schlief noch, aufgeplustert über dem einzigen Ei. Es war das jüngste und schönste der drei. Orn hatte die Lage des Nests ausgesucht, und er hatte sich geirrt. Er fühlte deutlich, daß er nicht auf diese Insel hätte kommen dürfen.

»Aber es würde keinen Sinn geben, wenn ich ihnen nachjage. Alles, was ich jetzt tun kann, ist hoffen. Hoffen, daß die beiden Männer, die ich liebe, noch leben. Und daß diese fremde, aber wunderschöne Welt ebenfalls leben kann.«

Orn gedachte das letzte Ei besonders sorgfältig zu bewachen. Der Paarungszyklus war vorüber. Vor der nächsten Periode würde es keine neuen Eier geben.

»Ich weiß, was dich stört, Orn. Dieses Ei befindet sich an einer heiklen Stelle. Ich werde es für dich tragen, wenn wir einen besseren Platz finden. So kann ich wenigstens *irgend jemandem* helfen. Vielleicht ist das Schlimmste vorüber . . .«

Die Sonne stieg auf. Bald würde sie die hängenden Pteras berühren und zum Leben erwecken.

Die Säugerin stand auf und ging zur Hauptinsel hinüber. Orn blickte sich um. Mehrere Kiefern waren während des Bebens umgestürzt, und die Gestalt der Halbinsel hatte sich geändert. Jetzt gab es eine zweite Landbrücke, die sie mit der Insel verband. Noch so ein Beben wie beim letzten Mal, und es mochte überhaupt keine Halbinsel mehr geben!

Die Säugerin kehrte zurück und fing an, nach eßbaren Wurzeln zu suchen. Sie fand Nüsse von zwei verschiedenen Flachblattbäumen. Orn hatte inzwischen ein paar fette Fische aus der Bucht geangelt und sie mit Schnabel und Kralle zerteilt. Die besten Stücke bot er zuerst Ornette an. Ob die Säugerin ebenfalls Fisch aß, wußte er nicht so genau.

»Ich glaube, das Festland ist besser für das Ei«, fing sie wieder mit ihren Geräuschen an. »Dort läuft es geringere Gefahr, unterzugehen.«

Sie versuchte, ihm etwas verständlich zu machen, aber er hatte keine Ahnung, was es war. Er konnte die wachsende Spannung in den Felsen spüren. Seine Erinnerungen sagten ihm, daß sich Veränderungen, die normalerweise Millionen von Jahren benötigten, in einem einzigen Augenblick vollziehen konnten, wenn der Boden unruhig wurde.

»Ich suche den besten Platz, Orn. Und du kannst mich Quilon nennen. Kurzform von Aquilon, dem Nordwestwind. Quilon.«

Sie tippte ihren eigenen Körper bei der Wiederholung eines ganz bestimmten Tons an, so als ob sie ihre Spezies damit bezeichnen wolle. Natürlich waren solche Töne bedeutungslos, aber er würde sie sich jetzt als die große Säugerin Quilon denken.

Sie ging wieder, auf der Suche nach irgend etwas. Er beobachtete sie nachdenklich, als sie sich zurückzog. Gestern hatte er seine Fürsorge auf diese Quilon, die von ihrem Partner verlassen worden war ausgedehnt. Dann hatte sich die Erde bewegt, zwei seiner Küken hingeschlachtet und das dritte in Gefahr gebracht, und die Quilon hatte ihm geholfen, das letzte Ei zu retten.

Normalerweise waren Säuger in der Nähe von Eiern nicht vertrauenswürdig, aber diese Umstände waren etwas besonderes. Diese Säugerin war fremdartig und plump, aber auch mutig und fürsorglich.

Das Ei mußte verlegt werden. Es war hier nicht sicher. Eine Bewegung des Bodens konnte es in die See rollen, wo die durchdringende Kälte des Wasser es schnell auslöschen würde. Aber er konnte es nicht verlegen. Nur die Quilon konnte das tun. Glücklicherweise war sie warm. Dies war ein Merkmal, das die

Säuger sogar noch vor den Vögeln entwickelt hatten. Sie konnte das Ei berühren, ohne es zu verletzen.

Dann fühlte er es: Die Erde fing an, aufzubrechen. Er rannte zu Ornette und dem Ei, aber er konnte nichts weiter tun, als sich neben sie zu setzen und zu versuchen, das Ei mit seinem Körper zu schützen.

Die Quilon rannte hinter ihm her. Sie nahm das Ei hoch, als Ornette nervös zur Seite sprang, und hielt es eingebettet in ihren fast haarlosen Vordergliedern. Dann brach das Land auseinander. Orn wurde ins Wasser geschleudert. Ornette stürzte in die entgegengesetzte Richtung. Nur die Quilon blieb aufrecht stehen, sich über das Ei beugend, um es zu schützen.

Die Bewegung änderte sich. Das Land, auf dem sie kauerten, glitt abwärts, weg von der Insel, wurde selbst zur Insel. Das Wasser umspülte sie. Die Erschütterungen setzten sich fort. Die Kiefern standen jetzt im Wasser und fielen, als sich das Land langsam neigte.

Es gab nichts in seinen Erinnerungen, das dieses besondere Geschehen erklären konnte, und er erkannte, daß Ornette genauso fassungslos war wie er. Die Quilon stand mit dem Ei da und blickte sich um. Es gab nichts, was sie tun konnten.

Die letzte der Kiefern stürzte ins Wasser. Orn dachte daran, sie zu benutzen, um damit in Sicherheit zu schwimmen, machte sich aber klar, daß die Quilon dies nicht tun konnte, während sie das Ei hielt. Ohne das Ei und ohne die in ihm schlummernde Erfahrung all seiner Vorfahren und die Ornettes war eine Flucht bedeutungslos.

Schließlich hörte die Bewegung auf. Ihre neue Insel war von der größeren getrennt, und sie stand auf ihrem höchsten Punkt.

Die Quilon ließ sich nieder. Sie beugte sich vor und hielt das Ei mit ihrem Körper und ihren Vordergliedern warm. Ornette beobachtete sie, forderte sie jedoch nicht heraus. Es war am sichersten dort, wo es war. Das ganze Geschehen hatte Ornette verwirrt.

Wie sollten sie hier wieder wegkommen?. Dies war kein geeigneter Nestplatz, aber selbst die kurze Entfernung bis zum größten Teil der Insel war gefährlich für das Ei. Es sei denn, die neue Bucht war seicht! . . .

»Wir könnten ein weiteres Floß bauen. Vielleicht ist das, mit dem Veg schon angefangen hatte, in der Nähe.«

Die Quilon fing wieder mit ihren Geräuschen an. Orn trat ins Wasser und prüfte die Tiefe. Der Untergrund war tückisch. Es *war* zu tief und viel zu riskant für die ungelenke Säugerin. Sie würden wenigstens so lange hierbleiben müssen, bis das Küken ausschlüpfte.

Er schnupperte: Reptilien! Ein Elas!

Die Quilon gab einen Schrei von sich: »Ein Plesiosaurier!«

Orn hatte wenige unmittelbare Erinnerungen an diese Kreatur, weil ihr Operationsgebiet sich kaum mit dem seiner eigenen Spezies überlappte. Er war sich der allmählichen Entwicklung der Elas aus landgebundenen Formen bewußt. Sie hatten gekämpft, um mit den großen Amphibien Schritt halten zu können, und waren schließlich ganz ins Wasser zurückgekehrt. Der Elas war vor allem ein Fischfresser, aber er würde auch Aas oder Landkreaturen verzehren, wenn sie vorhanden waren. Orn würde nicht gerne in der Nähe eines Elas schwimmen, hatte aber keine besondere Furcht vor ihm, wenn er an Land stand.

Das Reptil kam näher, den winzigen Kopf hoch erhoben. Er roch sie. Und er war hungrig.

»Das Beben hat ihn aufgeschreckt. Er ist außer sich. Er hat es auf uns abgesehen!«

Es wäre Orn lieber gewesen, wenn sich die Quilon nicht gerade diesen Augenblick ausgesucht hätte, um ihre sinnlosen Geräusche zu machen. Jetzt war sich der Elas sicher, daß es hier eine Mahlzeit gab. Sie würden ihn im Kampf vertreiben müssen.

Der Kopf schwebte über der Insel. Das wachsame Reptilienauge richtete sich auf Orn.

Er sprang zur Seite, als der Elas zuschlug. Wie eine herabfallende Kokosnuß kam der Kopf mit aufgerissenem Rachen nach unten. Die Wucht des Angriffs riß den Körper ein Stück aus dem Wasser, und die Kiefer schnappten eine Schnabellänge von Orns Schwanzfedern entfernt zu.

So weit hatten ihn seine Erinnerungen gewarnt: Der Elas ernährte sich, indem er hinter einem Fisch herschwamm und plötzlich seinen Schädel nach vorne schleuderte, um die Beute zu packen, bevor sie entkommen konnte.

Orn wirbelte herum und schlug nach dem ungeschützten Nacken der Kreatur. Er trieb seine Krallen in das glänzende Fleisch und suchte mit dem Schnabel nach einer lebenswichtigen Stelle. Aber er wußte nicht, wo die entscheidenden Sehnen lagen.

Elas stieß einen hohen, quietschenden Schrei aus und zog seinen Hals zurück. Der Kopf fuhr herum, um Orn von der Seite zu packen. Hilflos wurde Orn in die Luft gehoben, mit baumelnden Beinen.

Ornette sprang ihm zu Hilfe. Sie zielte mit ihrem Schnabel nach dem Auge des Reptils, aber der Elas wandte sich blitzschnell in ihre Richtung und traf sie mit weit aufgerissenem Rachen. Sie kreischte ein einziges Mal mitleiderregend auf, als sich die spitzen Zähne um ihren Flügel und ihre Brust schlossen. Dann wurde sie nach oben getragen.

Orn stürzte ins Wasser, eine Flügelspanne von der Vorderflosse des Reptils entfernt. Abermals versuchte er anzugreifen, aber der Elas schwamm bereits mit der baumelnden Ornette davon.

Eine Verfolgung war sinnlos. Orn konnte den Elas weder packen noch verletzen, und Ornette war bereits tot.

Orn kletterte zurück auf die Insel, blutverschmiert und niedergeschlagen. Ornette war gestorben, weil sie ihn verteidigen wollte. Nun war er wieder allein.

Bis auf das Ei! Das Wichtigste war gerettet worden. Die Quilon wärmte es noch immer. Sie hatte sich während des Kampfes nicht bewegt, und das war richtig so gewesen. Ornette würde den Elas nicht angegriffen haben, wäre das Ei nicht ohne ihren Schutz gewesen. Nichts ging über dieses Ei.

18 Veg

Veg erlangte das Bewußtsein unter Schmerzen wieder. Er lag an einem rauhen Strand, mit dem Gesicht an einem nassen Felsen, und ihm war heiß. Er wußte nicht, wo er war. Sein Schädel brummte, und er war völlig durchnäßt.

Vorsichtig setzte er sich aufrecht und wartete darauf, daß das Schwindelgefühl vorüberging. Seine Kleidung war zerrissen und sein Hals von Insektenbissen angeschwollen. Er wünschte, daß er einiges von dem schlammigen Wasser auskotzen könnte, das er geschluckt haben mußte – aber dann würde er sich vermutlich hungrig fühlen.

Widerstrebend kehrten seine Kräfte zurück und mit ihnen einige verschwommene Erinnerungen. Er hatte gegen einen Regierungsagenten gekämpft – nein, das war vor einer Ewigkeit auf der Erde gewesen, und der Mann hatte sich am Ende als ganz anständig herausgestellt. Veg war festgenommen und zusammen mit Cal und Quilon und den sieben Mantas in den Orbit gebracht worden. Dann – hierher nach Paläo, mit vier Mantas, und eine Reise über den Ozean. Und ein Zusammenstoß mit Brach, der Riesenechse. Und ein Vogel und . . .

Er hatte sich mit Aquilon geliebt! Quilon!

Und nun war er hier, allein auf einen Felsen geworfen. Kein Freund, kein Manta, keine Frau, kein Vogel.

Warum hatte er es getan? Nach all der Zeit, auf drei Welten – warum hatte er sie genommen? Es war nichts Physisches zwischen ihnen gewesen, nur ein Versprechen. Nun gab es dieses Versprechen nicht mehr.

Dann erinnerte er sich an den Rest des Ganzen. Cal – sie hatten mit Cal gebrochen! Die Tyrannenechse war hinter seinem Freund her, während Veg mit Aquilon herumgemacht hatte. Zu spät hatte er sich an die Loyalität seinem Freund gegenüber erinnert und versucht, zu ihm zu gelangen. Unterwegs hatte es ein weiteres Beben gegeben, das ihn ins Wasser schleuderte.

Er hatte Glück gehabt, daß er nicht ertrunken war. Die Wellen waren schlimm genug gewesen, und auf dem Weg hätte ihn irgendeins der großen Seetiere verschlingen können.

Er blickte über die Wasseroberfläche hinweg. Die Flut kam. Ihm blieb vielleicht noch eine weitere Stunde, bis seine Insel völlig verschwand.

Nun, es war besser, weiterzumachen. Vielleicht war Cal tot, und Aquilon ebenfalls. Aber vielleicht wartete sie gerade darauf, daß er sie fand.

Er wandte sich dem Festland zu. Er kraulte mit kräftigen Zügen dem Ufer entgegen. Irgend etwas bewegte sich im Wasser. Eine Schnauze durchbrach die Oberfläche – ein mächtiger Schnabel. Veg sah ihn auf sich zukommen.

Ein schwimmender Tricer?

Es war eine riesige Meeresschildkröte. Veg kümmerte sich normalerweise wenig um Schildkröten, aber diese hier gehörte kaum der Art an, an die er gewöhnt war. Sie war zweimal so lang wie er, mit einer starken Lederhaut anstatt eines echten Schilds, und ihr Maul war erschreckend. Dies war das Tier, das von Cal als *Archelon* oder Arky bezeichnet worden war, als sie es vom Floß aus beobachtet hatten.

Arky glitt heran. Veg begriff, daß es töricht gewesen war, Arkys Fähigkeiten nach denen seiner Vettern zu beurteilen, die er an Land beobachtet hatte. Dies war eine mächtige Kreatur, fähig, ihn auszulöschen. Er packte sein winziges Messer.

Die Schildkröte schnupperte nach ihm. Dann entschied sie, daß er nicht eßbar war, und drehte ab. Er fühlte sich schwindelig vor Erleichterung – ein Gefühl, das ihm fremd war. Offensichtlich war er noch nicht so gut erholt, wie er gedacht hatte.

Arky hob seinen Kopf über das Wasser. Veg folgte seinem Blick – und sah die Scheibe eines Mantas, der ebenfalls auf ihn zukam. Das war ungeheuer beruhigend. Jetzt konnte er wieder Kontakt aufnehmen und die anderen finden.

Vorausgesetzt, daß sie noch lebten.

Hex war vor einer Seekreatur zur Stelle, die auf Veg zuschwamm. Die Schildkröte schwebte unmittelbar unter der Oberfläche. Es war ein Monasaurier – das tückischste Reptil des Meeres. Der Kopf war schmal, die Nase spitz, aber die Kiefer waren mit scharfen, nach hinten gekrümmten Zähnen gespickt. Es war so, als ob sich die schlimmsten Züge von Krokodil, Schildkröte und Hai vereinigt und verstärkt hatten – und Veg war von echter Furcht erfüllt.

Plötzlich schien Hex' Schutz kaum ausreichend zu sein. Mosa war zu groß, zu bedrohlich – und der größte Teil seines Körpers wurde durch das Wasser geschützt.

Mosa umkreiste sowohl ihn als auch die Schildkröte, so als ob er überlegte, wen er zuerst attackieren sollte.

Das Ufer war viel zu weit entfernt; Veg konnte es nicht mehr schaffen. Hex hielt sich über dem Wasser, zog innerhalb der Kreise des Monasauriers seinen eigenen. Das Reptil war sich des Mantas bewußt, aber nicht sonderlich an ihm interessiert. Vermutlich hielt er Hex für einen Pterodaktylus, der auf Vegs Überreste wartete.

Veg war sich ziemlich sicher, daß sich Mosa für ihn entscheiden würde. Dann, gestärkt durch den Leckerbissen, konnte Mosa es in aller Ruhe mit der Schildkröte aufnehmen.

Mosa entschied sich. Geschmeidig kurvte er auf Veg zu.

Hex schlug ihm das entblößte Auge aus.

Das Reptil schien nicht sofort zu begreifen, was geschehen war. Mit zuschnappenden Zähnen setzte es seinen Angriff fort.

Veg fing an, zu dem Felsen hinüberzuschwimmen. Mosa wurde auf die Bewegung aufmerksam und kam wieder auf ihn zu, die Kiefer aufgerissen. Zufällig oder absichtlich befand sich sein gesundes Auge unter Wasser, sicher vor Hex' Peitschenschlag.

Veg hatte einen Einfall. Er warf sich auf die große Schildkröte, denn er erinnerte sich an etwas, was Cal einmal gesagt hatte – daß Tiere durch mehr als zwei Objekte verwirrt wurden; sie konnten nicht zählen. Arky war ebenfalls verwirrt; er konnte sich nicht auf Veg konzentrieren, während die gefährliche Echse so dicht hinter ihm war. Auch durch den Manta war er beunruhigt.

Veg wich dem Maul aus und berührte die glatte Hülle. Sie mochte nicht *aussehen* wie der Schild einer Schildkröte, aber sie erschien steinhart. Es gab nicht viel, an das er sich klammern konnte. Mosa machte einen Ausfall, und Arky vergaß Veg, als er sich der größeren Bedrohung entgegenstemmte. Hex fuhr fort, an der Oberfläche zu patrouillieren.

Mosa kreiste umher. Er hatte nicht die Absicht, die Jagd aufzugeben; tatsächlich mochte der Geschmack seines eigenen Bluts ihn zu irgendwelchen berserkerhaften Anstrengungen stimulieren. Sogar völlig blind (Hex mochte das andere Auge noch erwischen) konnte er Veg wittern und erledigen.

Plötzlich erschien eine Gruppe von Haien auf der Szene, schlanke, glatte Geschosse. Augenblicklich bildete Mosa, der Verwundete, den Mittelpunkt der Aufmerksamkeit.

Mosa kämpfte um sein Leben. Die Haie waren zwar viel kleiner als er, aber sie waren weit in der Überzahl und sie waren rasend vor Blutgier. Bald hatten sie große, klaffende Wunden in Mosas Haut gerissen.

Arky nutzte die Gelegenheit, um in sicheres Territorium wegzutauchen. Seine mächtigen Flossen pflügten durch das Wasser. Veg konnte sich nicht mehr auf dem Panzer halten und blieb zurück.

Veg strebte dem Felsen entgegen. Zwei Haie lösten sich von der Hauptstreitmacht, und kreuzten hinter ihm her. Aber Hex schlitzte ihre hochstehenden Flossen auf. Mit Mühe brachte Veg sich in Sicherheit. Der Manta ließ sich auf dem höchsten Punkt des Felsens nieder. Hex schien bei ihm bleiben zu wollen. Veg mußte plötzlich an seinen Gefährten denken. Wo war Cal jetzt? Der Manta Circe hatte gesagt, daß die Tyrannenechse hinter ihm her war. Das bedeutete den sicheren Tod für den kleinen Mann. Aber vielleicht hatte Cal einen Weg gefunden, um ...

Unmöglich. Was konnte ein Mann gegen Tyrann ausrichten? Cal war mit Sicherheit nicht mehr am Leben.

Veg machte sich klar, daß er bloß Hex zu fragen brauchte. Der Manta würde bestimmt Bescheid wissen. Ein Knall des Schwanzes würde ihm sagen, daß Cal lebte; zwei Knalle ...

Er würgte an der Frage. Sie wollte nicht herauskommen. Er hatte Angst vor der Antwort.

Das Wasser stand ihm bis zu den Knien. Schon umkreiste ein kleiner Hai den Felsen.

Sollte er sterben, ohne Bescheid zu wissen?

Veg blickte über das Wasser hinweg, auf das wilde Tal, die schneebedeckten Berge, die Inseln, die in die See hineinreichten, und den ebenen Horizont. Er blickte hinüber, ohne etwas zu erwarten. Und sah ein Schiff.

19 Cal

Tyrann blockierte die Öffnung. Der Karnosaurier schlief, seinen Körper am Flußbett ausgestreckt, um jede Spur von Wärme darin einzufangen.

Cal stand unmittelbar am Eingang der Höhle, wo eine erfrischende, kühle Luftzirkulation herrschte, und bedachte die Situation. Es war möglich, daß sich Tyrann verstellte und darauf wartete, daß die Beute herauskam, aber Cal bezweifelte, daß das Reptil zu solcher Finesse fähig war.

Dennoch zögerte er und blickte auf das große, hingestreckte Reptil hinunter. Er hatte keine Angst vor Tyrann, denn er verstand die Bedürfnisse und Motive der Kreatur. Es waren dieselben wie seine eigenen: Überleben. Tyrann erreichte seine Ziele durch Größe, Kraft und Entschlossenheit. Cal benutzte seine Intelligenz – und Entschlossenheit. Die Tatsache, daß er gewonnen hatte, bedeutete keine moralische Überlegenheit seiner Sache. Es bedeutete ganz einfach, daß er eine größere Fähigkeit zum Überleben demonstriert hatte.

Wenn er die Streitkräfte der Erde herbeirief, würde er eine fortgeschrittene Welt auf eine primitive loslassen. Dies würde kein fairer Wettstreit sein. Sehr bald würden die Dinosaurier wieder ausgestorben und Paläo genauso wie die Erde sein: übervölkert mit neurotischen Menschen und seiner natürlichen Schätze beraubt. Veg und Aquilon hatten recht. Seine Gedankengebäude der Alternativwelten war theoretisch. Jede Welt war ein Fall für sich, und der Zweck heiligte nicht die Mittel.

Während er Tyrann betrachtete, wußte Cal, daß er ein Heuchler war. Die Wahrheit war, daß er erwartet hatte, zu verlieren und dadurch diese Welt noch ein Weilchen länger zu bewahren. Er konnte den Sieg nicht akzeptieren und hatte es auch nie vorgehabt. Tyrann war ein zu nobles Tier, um zum Vorteil des Menschen willkürlich ausgerottet zu werden. Sollte der Dinosaurier sein eigenes Schicksal finden. Sollte der König der Reptilien heute regieren, selbst wenn sein Aussterben morgen unausweichlich war.

Aber Tyrann würde heute sterben, wenn er vor der Höhle liegen blieb. Er hatte sich während der Nacht abgekühlt, da der mächtige Muskelapparat seines Körpers in Erstarrung gefallen war. Tyrann konnte sich selbst in den Hungertod hineinschlafen.

Cal trat aus der Höhle und spürte die Kälte augenblicklich. Er trat an einer Stelle gegen den meterlangen Rachen der Kreatur. »Wach auf, Faulpelz!« brüllte er.

Ein Auge klappte auf, aber Tyrann rührte sich nicht. Diese heimtückische Kälte, die in seinem Fleisch saß, lähmte ihn. Cal löste einen Felsbrocken aus dem Geröll und warf ihn an den Kopf des Sauriers.

Tyrann regte sich. Cal blieb nur so lange stehen, bis er sich vergewissert hatte, daß das Reptil wieder auf seiner Spur war. Dann stürmte er bergabwärts. Er machte sich keine Sorgen darüber – noch nicht! –, eingeholt zu werden. Es sollte wenigstens noch eine Stunde dauern, bis Tyrann wirklich erwacht war. Bis dahin würden sie, vielleicht, schon gut in dem warmen Tal sein.

Es ging viel schneller voran. Innerhalb von zehn Minuten befanden sie sich außerhalb des Schneegebiets. Wenig später machte er eine Entdeckung.

»Veg!« rief er. Aber es war nicht Veg.

Der Mann nickte kurz, die Hände an seinem Dampfgewehr. »Dr. Potter, nehme ich an.«

Dann kam schweratmend Tyrann in Sicht.

Fast wie nebenbei legte der Fremde seine Waffe an und feuerte. Ein Zischen, als der Dampf die Granate ausstieß und sich auflöste. Als sich Cal umdrehte, sah er, wie Tyrann stürzte.

»Gerade noch rechtzeitig für Sie«, bemerkte der Mann, »wo sind Ihre Begleiter?«

Tyrann war tot. Der große Körper zuckte und zitterte noch, aber der Kopf war durch die Explosion abgerissen worden. Es war ein grausamer Tod für den Karnosaurier, und ein unnötiger.

Cal erkannte den Fremden: ein irdischer Regierungsagent. Es gab viele von ihnen, die sich alle irgendwie ähnelten. Dieser Agent war dunkelhaarig und hatte kräftige Züge – aber der Körper war der eines Supermannes, und der Verstand war, wie

Cal wußte, eingeschränkt, aber sehr scharf. Dieser Mann würde in der Lage sein, die ganze Bibel und Shakespeare zu zitieren. Er würde jedoch keine wirklich individuelle Persönlichkeit besitzen. Seine Vergangenheit war eine präparierte Erinnerung, seine Gegenwart eine spezielle Mission und seine Zukunft ohne Belang. Die Frage war, warum er hier war?

»Kommen Sie mit mir«, sagte der Mann sanft.

Cal leistete keinen Widerstand. Er wußte, daß der Agent ihn in einer einzigen Sekunde töten konnte.

»Ich bin Taler«, sagte der Agent, als sie nach Süden gingen.

Also gehörte er der Generation nach Subble an. Jede Generation (im technischen, nicht im biologischen Sinn) war einheitlich. Ein gegebenes Individuum würde auf eine gegebene Situation auf eine Weise reagieren, die der seiner Pseudobrüder ähnlich war.

Aber warum hatte man überhaupt einen Agenten losgeschickt? Dies sollte eigentlich eine zivile Mission gewesen sein.

Cal plagte seinen Verstand mit rhetorischen Fragen. Warum ein Agent? Weil die Zivilisten nicht länger benötigt wurden. Die Erde hatte ihre Entscheidung, was die Disposition von Paläo anging, bereits gefällt.

Sie erreichten Talers Lager. Ein Zelt aus glänzendem Gewebe war im Wald aufgeschlagen worden. Im Inneren des Zeltes saß ein weiterer Agent und bediente ein Funkgerät. Ja, sie hielten Kontakt.

»Taner«, sagte Taler, als er seinen Kollegen vorstellte.

Taner sprach in das Mikrofon. »Calvin Potter in Gewahrsam genommen. Fungi flüchtig.«

In Gewahrsam genommen? Er war nicht gerettet – er war gefangengenommen worden. Und sie suchten die Mantas.

Warum? Hier war eine Welt, die in Besitz genommen werden konnte – vorausgesetzt, die Mantas nahmen sie nicht vorher in Besitz. Zwei von ihnen konnten, indem sie Selbstmord begingen, ihre Sporen freisetzen und den Planeten mit eben der Population überziehen, die die Regierung der Erde verabscheute: fortgeschrittene fungiode Lebewesen.

Taler wandte sich ihm zu. »Ich stelle fest, daß Sie unsere Zielsetzung begreifen, Dr. Potter.«

Oh! Er hatte für den Augenblick die unheimliche Fähigkeit dieser Männer vergessen. Indem sie seine Reaktionen auf Reize registrierten, konnten sie buchstäblich seine Gedanken lesen.

»Genau«, sage Taler. »Nun wird es einfacher für uns alle sein, wenn Sie sich zur Kooperation entschließen. Wo sind die anderen Mitglieder Ihrer Gruppe?«

Sie würden Veg und Aquilon ohnehin schnell genug dingfest machen. Vorausgesetzt, die beiden hatten das Beben überlebt.

»Ich habe sie zusammen auf einer kleinen Insel in der östlichen Bucht zurückgelassen.«

»Und die Fungi?«

Das war eine andere Sache. »Ich sagte Ihnen, daß sie verschwinden sollen.«

»Sie sind ein kluger Mann, Dr. Potter.«

Cal lächelte grimmig. »Der gesunde Menschenverstand legte nahe, daß dort, wo es zwei so hochtrainierte Agenten wie Sie gab, auch noch andere sein könnten. Da ich die Mantas bat, meine Auseinandersetzung mit dem Karnosaurier zu beobachten, sich aber nicht einzumischen, bin ich mir ziemlich sicher, daß ich unter Ihrer Beobachtung stand. Und da es nicht von Vorteil für diese Kreaturen zu sein scheint, wenn sie von Ihnen eingefangen werden, war es nur natürlich für mich, meine Empfindungen auszudrücken.«

»Nun müssen wir sie mit härteren Mitteln zur Strecke bringen«, sagte Taler ohne Bösartigkeit.

Cal wußte, daß der Agent meinte, was er sagte.

»Was ist mit den anderen?«

»Wir lasen Vachel Smith auf einem Felsen im Ozean auf, und ein Fungus kam freiwillig mit ihm. Sie sind in guter Verfassung an Bord des Schiffes untergebracht. Taner wird sich gleich um das Mädchen und ihren Begleiter kümmern. Ich stelle fest, Sie wußten nicht, daß sich Ihre Partner getrennt hatten.«

»Ich hatte auch nicht gewußt, daß irgendein Manta wieder zu ihnen gestoßen war. Nun, wenigstens werde ich in der Zelle Gesellschaft haben.«

20 Orn

Die Insel war noch dunkel, als Orn die schlafende Quilon mit einem sanften Stoß seines Schnabels aufweckte. Irgend etwas stimmte nicht. Derselbe Schrecken hatte ihn bei der ersten Begegnung mit den großen Säugern ergriffen.

Nervös erwachte sie und berührte mit ihren Vordergliedern sein Gefieder, als sie, um sich zu vergewissern, nach dem warmen Ei tastete. Er kannte diese Geste. Sie bedeutete Besorgnis um das Ei, Furcht, daß ihm eine Gefahr drohte.

»Circe!« rief sie. »Du bist zurückgekommen!«

Sie sah es! Und sie hatte keine Furcht davor. Ihre Reaktionen, ihre Geräusche ließen Erleichterung und Willkommen erkennen, keine Besorgnis.

»Veg . . . Cal, sind sie in Sicherheit? Wo sind sie?«

Sie versuchte, Kontakt aufzunehmen. Sie war freundlich zu dieser Unkreatur. Dann konnte es keine Bedrohung sein.

Gestützt auf diese Erkenntnis konzentrierte sich Orn auf die Stelle, von der die meiste Beunruhigung ausging. Wenn die Quilon dort etwas wahrnehmen konnte, dann sollte er es auch können. Seine Augen waren besser als ihre. Und seine Nase auch.

Alles, was er fand, war ein unvertrautes Pilzgewächs: einen mächtigen Fliegenpilz. Er war nicht da gewesen, als sie mit dem Elas gekämpft hatten. Aber es war die Natur dieser Dinge, sehr schnell zu wachsen.

»Sie sind in Sicherheit!«

Die Quilon war glücklich. Es gefiel ihr zu sehen, wie sich der Fliegenpilz bewegte.

»Ist das Wasser jetzt frei?«

Orn war mehr und mehr in der Lage, ihre Eigenarten zu verstehen und ihre Absichten zu erkennen. Aber er wußte nie präzise, was sie wollte.

Der Fliegenpilz verschwand.

Erstaunt verließ Orn das Ei für einen Augenblick und untersuchte den Boden, wo das Ding gewachsen war. Es sah so aus, als sei es vom Wind in die Höhe gehoben worden, nur daß gar kein Wind da war. Sicher hatte die Quilon das Phänomen beobachtet. Pflanzen bewegten sich niemals aus eigenem Antrieb!

»Circe überprüft die Gegend. Wir müssen diesen Felsen verlassen, Orn. Das können wir aber nicht, solange die Reptilien in der Nähe sind. Ich glaube, ich komme mit dem Ei zurecht, wenn das Wasser nicht zu tief ist und wir nicht angegriffen werden. Circe kann uns führen . . .«

Der Fliegenpilz erschien wieder, herangeweht wie ein Farnwedel vom Wind. Jetzt, wo Orn wußte, wonach er zu suchen hatte, sah er ihn ganz deutlich. Seine Eigenschaften widersprachen allem, was ihm seine Erinenrungen sagten. Aber nach und nach war er imstande zu akzeptieren, daß sich dieser Fungus irgendwie völlig isoliert von seinen Ahnen entwickelt hatte. Vielleicht war es ausschließlich in diesem Tal passiert, das nie einer seiner eigenen Art besucht hatte. So war die absolute Fremdartigkeit des Pilzes, die sich ihm zuerst nur als vager Schrecken vermittelt hatte, gar nicht so unheimlich. Eine Kreatur, deren Metabolismus dem einer Pflanze ähnelte, die aber so aktiv war wie ein Tier. Eine Kreatur ohne Flügel, die flog.

Das Ding hatte sich wieder in den Boden gepflanzt, und die Quilon machte ihre Geräusche in seine Richtung. Vielleicht hatten sich die beiden seltsamen Spezies, Säuger und Fungus, gemeinsam entwickelt und konnten sich miteinander verständigen. Eine solche Verbindung würde nicht bemerkenswerter sein als all das, was er in dieser veränderten Welt schon beobachtet hatte.

Die Quilon sah ihn an. »Circe sagt, daß es da jetzt eine tiefe und tückische Spalte zwischen uns und der Hauptinsel gibt. Der Seeboden muß sich dort geöffnet haben, und wir kommen nicht hinüber, es sei denn wir schwimmen. Aber ich kann nicht schwimmen, wenn ich das Ei halte. Ich meine, ich könnte es versuchen, aber das kalte Wasser würde den Embryo töten. Doch Circe sagt, daß die Bucht zwischen uns und dem Festland seicht ist. Sie kann uns den besten Überweg zeigen, so daß wir waten können. Und sie sagt, es gibt gerade keine Reptilien in der Gegend und auch keine Haie. Bei der Hauptinsel gibt es ein schlafendes Schnabeltier, aber das stört uns nicht. Die Flut kommt allerdings. Wenn wir gehen wollen, müssen wir es sofort tun.«

Orn ignorierte ihr Geschnatter. Es war Dämmerung, die beste Zeit zum Jagen, weil die meisten Reptile träge waren. Er würde auch für die Säugerin Nahrung beschaffen müssen, da sie das Ei zu wärmen hatte. Er hatte beobachtet, daß sie keinen Fisch verzehrte, sondern Beeren und Larven von der Insel zu sich nahm. Er konnte jetzt hinüberschwimmen und ein paar Wurzeln für sie ausfindig machen, um anschließend selbst zu essen.

Der Fliegenpilz flog wieder über die See hinweg. Die Quilon stand auf, nahm das Ei und *ging in das Wasser hinein*.

Orn kreischte und flatterte hinter ihr her, entsetzt über ihre Torheit. Die kühle See würde das Leben in dem Ei töten. Aber sie machte nur Geräusche in seine Richtung und weigerte sich, zurückzukommen.

Er war hilflos. Jede Maßnahme, die er gegen die Quilon ergriff, würde mit Sicherheit das Ei untertauchen, also genau das gefährden, was er schützen wollte. Er konnte es nicht selbst zurücktragen. Er mußte darauf warten, daß sie es tat. Er begriff, daß sie nichts Böses tun wollte, aber sie schien die Gefahr nicht zu erfassen.

Sie stieg vorsichtig von dem Felsen hinunter. Das Wasser reichte ihr bis zur Hüfte. Während sie mit dem einen Vorderglied das Ei gegen ihre Brust drückte, balancierte sie mit dem anderen.

Orn begann zu schwimmen. Die Quilon setzte den Weg zum Festland fest. Sie versuchte nicht einmal, die Insel zu erreichen!

Das Wasser reichte ihr bald bis zum Kopf. Das Ei lag unsicher auf ihrer Schulter gebettet, eingewickelt in die blonde Mähne. Beide Vorderglieder waren erhoben, um es abzuschirmen. Orn schwamm näher heran, obwohl er nichts tun konnte.

Die Quilon stoppte. »Zu tief. Ich finde keinen Grund mehr. Wenn ich die Arme senke, wird sich das Ei aus dem Gleichgewicht bringen . . .«

Sie arbeitete sich rückwärts, bis ihre Mähne ganz vom Wasser befreit war. Sie hielt das Ei vor sich und wärmte es. Dann kam der Fliegenpilz näher, stieß sich von der Oberfläche ab und kurvte in eine leicht geänderte Richtung davon. Sie folgte ihm.

Wieder ging sie so tief hinein, wie sie konnte. Und wieder gab sie ihre enttäuschten Geräusche von sich und zog sich zurück. Der Fliegenpilz kreiste und schien unfähig zu sein, einen neuen Weg zu weisen. Würde sie dieses gefährliche Unternehmen aufgeben und sein Ei auf der Insel in Sicherheit bringen?

Sicherheit?

Selbst das Festland mit seinen herumstreifenden Reptilien war sicherer als der schrecklich entblößte Felsbrocken, auf dem sie gestrandet waren. Wenn es wenigstens möglich gewesen wäre, das Ei zur Hauptinsel zu bringen . . .

Dann erkannte Orn, was die Quilon und ihr geheimnisvoller Gefährte zu erreichen versuchten. Seichtes Wasser, das zum Festland führte.

Er erkundete den Boden mit Schnabel und Auge.

Vor der Quilon fiel der Kamm ab, stieg dann wieder auf eine Ebene an. Wenn sie dieses tiefe Stück überqueren konnte, würde sie einen langen Weg bis zum Festland zurücklegen können. Vielleicht nur vier ihrer Körperlängen trennten sie von der Untiefe.

Dies war nicht die Art Denken, für die Orns Verstand geschaffen war. Es gab Probleme, die das Gedächtnis nicht lösen konnte: Wie konnte die Säugerin die Lücke überwinden, ohne dabei das Ei unterzutauchen.

Wenn es Treibholz gegeben hätte, wären seine Erinnerungen ausreichend gewesen. Seine Vorfahren hatten gelegentlich Baumstämme benutzt, um von einer Insel zur anderen überzusetzen. Aber es gab hier keinen Baumstamm. Das einzige, was schwamm, war Orn selbst.

Orn paddelte heran und gab der Quilon einen leichten Stoß. Als sie so unschlüssig dastand, hatte sie eine unglückliche Schönheit an sich, und er fragte sich, bis zu welchem Maß Säuger echte Gefühle besaßen.

Aber jetzt war keine Zeit für solche nichtigen Betrachtungen. Orn stieß sie abermals an und versuchte, ihr etwas verständlich zu machen. Das Ei konnte gerettet werden, wenn ihr Säugergehirn die Möglichkeit dazu erfaßte.

Für einen Augenblick bewegte sie sich nicht. Dann legte sie langsam eins ihrer Vorderglieder um seinen Rücken und lehnte sich auf seinen Körper, so daß er ins Wasser sank. Sie war erstaunlich schwer, aber er spreizte leicht die Flügel und trat mit den Füßen. Lange konnte er das nicht durchstehen.

Sie bewegte das Ei, bis es auf seinem Rücken ruhte. Dann stieß sie sich langsam ab. Orn kämpfte verzweifelt um die Balance. Es war schwierig. Er drohte, unabänderlich zur Seite wegzukippen . . .

Dann fingen die Beine der Quilon an, Wasser zu treten und sie beide langsam vorwärtszutreiben. Er steuerte, und sie hielt das Ei auf seinem Rücken. Eine einzige Welle würde sie umwerfen.

Der Fliegenpilz kreiste über ihnen. Orn sah zu ihm hinüber . . . und entdeckte in der Ferne hinter ihm die Andeutung einer Bewegung. Irgend etwas näherte sich! Wenn sich jetzt ein räuberisches Reptil an sie heranmachte . . .

Es war der Elas, der schon Ornette verschleppt hatte. Er war schon wieder hungrig, und ihre Bewegungen im seichten Wasser hatten ihn an seinem Ruheplatz aufgescheucht. Hier in seinem Jagdgebiet hatten sie nicht die geringste Chance zu entkommen.

Der Fliegenpilz steuerte auf den Elas zu. Orn sah, wie sich der Fungus einem Ptera gleich in die Luft erhob und über den erhobenen Schädel des Elas hinwegglitt. Nichts geschah, aber der Elas stieß einen furchtbaren Schmerzensschrei aus.

Dann zog er sich zurück, und der Geruch von Blut erreichte Orn. War eine alte Wunde wieder aufgebrochen, als er sich gestreckt hatte, um den Fliegenpilz zu fangen? Oder war er bloß durch die Fremdartigkeit des Fungus erschreckt worden, während das Blut aus der Wunde stammte, die ihm Orn am Hals zugefügt hatte?

Orn war zufrieden, daß sie wieder in Sicherheit waren. Doch allmählich wurde er müde. Doch dann hatten sie es geschafft. Sie erreichten unversehrt das Land.

Eine doppelte Belastung hatte auf ihm geruht – das Gewicht der Quilon und des Eis auf seinem Rücken.

Schließlich legten sie sich auf den angenehmen Strand, das Ei gewärmt zwischen ihnen. Der Fliegenpilz rastete ebenfalls ganz in der Nähe, ein Klumpen mit einem einzigen seltsamen Auge.

Die Quilon hatte recht gehabt. Der Marsch zum Festland war das beste gewesen. Das Küken im Ei lebte noch, er konnte seine lebendige Gegenwart fühlen. Nun hatten sie eine Chance – und das Ei auch. Das Festland war zum Nisten keineswegs ideal, aber die Insel hatte sich in eine Todesfalle verwandelt.

Orn blickte sich um. Er kannte das Terrain, denn hier hatte er Ornette verfolgt. Nicht weit vom Ufer entfernt erhoben sich die Schneeberge mit ihren Höhlen, Erdspalten und heißen Wassern. Irgendwo in der Nähe der Schneegrenze mochte ein geeigneter Nistplatz sein.

Er erhob sich und ging voraus. Die Quilon folgte. Sie preßte das Ei dicht gegen ihren feuchten Körper und umschloß es mit ihren Vordergliedern, so daß es der Luft so wenig wie möglich ausgesetzt war. Tatsächlich lag die Hitze des Tages jetzt über ihnen. Der Fungus verschwand im Unterholz. Orn sah ihn nur noch gelegentlich.

Zwischen Ufer und Berg lag eine flache Ebene, ein Ausläufer des großen Terrains, auf dem die Tricer weideten. Obwohl er sie selbst nicht fürchtete, war er sich nicht sicher, wie sie auf die große Säugerin reagieren würden. Vielleicht beachteten sie sie nicht, aber wenn sie es doch taten, war das Ei wieder in Gefahr. Er beschloß, der örtlichen Herde aus dem Weg zu gehen.

Dann roch er etwas anderes. Es war ein anderer großer Säuger aus der Spezies der Quilon – ein männliches Exemplar.

Orn wußte nicht, ob das gut oder schlecht war. Der Säuger hatte die Säugerin verlassen, und vielleicht bedeutete diese Rückkehr eine Versöhnung. Aber es konnte auch Ärger geben.

Bald kam das männliche Exemplar heran. Es war nicht der ursprüngliche Partner.

Es entstand lautes Geplapper, als sich die beiden Säuger anschrien. Der Fliegenpilz hatte sich beim ersten Anzeichen von dem Besucher davongemacht. Orn roch ihn in der Nähe, konnte ihn jedoch nicht sehen.

Der sinnlose Dialog setzte sich fort. Orn registrierte die Reihenfolge der Reaktionen auf seiten der Säugerin: Überraschung, Verstehen, Zorn, Furcht. Sie mochte den Fremden nicht, hatte aber Angst vor dem, was geschehen mochte, wenn sie davonlief. Sie argwöhnte bei dem männlichen Exemplar böse Absichten. Ihre Sorge galt allerdings nicht nur sich selbst, sondern auch ...

Dem Ei!

Orn griff bereits an, als er sich darüber klar wurde. Seine Flügel flatterten. Sein Schnabel zielte nach vorne. Mit dem Kopf zuerst warf er sich auf diesen fremden männlichen Quilon.

Die Kreatur blickte ihn nicht an, aber ein Lichtblitz löste sich von ihr. Eine schreckliche Hitze traf Orn, versengte die Federn des einen Flügels und durchdrang seinen ganzen Körper. Die Wunde war tödlich. Er wußte es, als er den Angriff fortsetzte.

Die Säugerin schlug den Eindringling mit ihrem freien Glied, aber er fing sie ab. Auch dies nahm Orn wahr, als die Schmerzen des Todes durch seinen Körper jagte. Das männliche Exemplar würde sie beide töten und das Ei zerschmettern. Diese Gewißheit hielt Orn aufrecht. Nur wenn er den feindlichen Säuger zu Boden brachte, konnte er dem Ei eine Chance geben.

Seine Eltern waren getötet worden, als sie das Nest und die Eier gegen ein räuberisches Krokodil verteidigt hatten. Orn würde bei der Verteidigung seines Eis gegen einen räuberischen Säuger sterben. So mußte es sein.

Aber er wußte auch, daß es *nicht* so sein würde. Er hatte sich diese Säuger als langsam und plump vorgestellt. Törichterweise war er von den beiden ausgegangen, die in Frieden gekommen waren, um sich zu paaren. Dieser andere Säuger war schnell. Er würde den Sieg davontragen.

Aber er kämpfte weiter, wobei seine Beine irgendwie den Schwung des Körpers unterstützten. Er konnte den Säuger wenigstens treffen, vielleicht sogar verwunden ...

Dann tauchte ein Schatten auf.

Das eine Glied des männlichen Quilon war damit beschäftigt, das weibliche Exemplar festzuhalten. Das andere hatte er erhoben, um Orn abzuwehren. Seine kräftigen Hinterglieder waren gegen die Erde gestemmt. Er konnte in diesem Augenblick nur den Kopf frei bewegen. Der Kopf fuhr herum.

Der Schatten war vorbei.

Quer über den Kopf des Säugers zog sich ein breiter Schnitt, dort, wo die Augen gewesen waren.

Der Schatten kehrte zurück. Orn erkannte ihn jetzt. Es war der fliegende Fungus, der sich mit schwindelerregender Schnelligkeit bewegte.

Wieder löste sich eine Feuerlanze von dem Säuger und versengte Gehölz und Bäume, nicht aber den Fliegenpilz. Ein zweiter Schnitt entstand an der Kehle des Säugers. Blut strömte heraus.

Als Orn den Säuger mit letzter Kraft attackierte, wußte er, daß sie beide starben. Nur Quilon und der Fungus und das Ei hatten die gewalttätige Auseinandersetzung überlebt.

»Circe!«

Orn und der Säuger brachen zusammen. Er hatte keine Kontrolle mehr über seinen Körper, aber er konnte die Geräusche der Säugerin hören.

»Circe! Wir haben einen Agenten getötet! Es können noch andere in der Gegend sein, und sie werden uns alle vernichten. Sie sind gekommen, um Paläo zu übernehmen. Wir müssen die Spuren beseitigen. Schnell!«

Der Fliegenpilz kam zur Ruhe. An seinem Schwanz war Blut.

»Die Tricer! Kannst du sie in Stampede versetzen?«

Der Fungus verschwand.

Dann beugte sie sich über Orn und berührte seine Nackenfedern. Sie hielt das Ei noch immer.

»Orn, du . . . lebst!«

Er hatte nicht gewußt, daß der Tod so langsam sein würde. Er war hilflos, aber er verspürte jetzt keine Schmerzen mehr.

»Nein, du kannst diese Verbrennungen nicht überleben. Es tut mir leid, Orn. Ich . . . ich wollte nicht, daß es so endet. Ich werde dein Ei retten. Ich werde es bewahren, bis . . .«

Ihre Pfote steichelte seine Nackenfedern. »Die Tricer kommen. Ich gehe, Orn. Mit deinem Ei! Die Kolosse werden alles niederwalzen, so daß niemand etwas merkt. Wie er starb, meine ich. Du warst ein tapferer Kerl, und ich liebe dich. Du hast den Agenten abgelenkt, so daß Circe . . . Du hast dein Leben für uns geopfert, und das werde ich nie vergessen. Nie! Leb wohl, Orn.«

Der Boden bebte. Tricers – in Stampede! Orn versuchte, sich zu bewegen, konnte es aber nicht, bevor er sich erinnerte, daß die Bemühungen sinnlos waren. Die schweren Hufe stampften auf den Boden wie gigantische Regentropfen. Sie kamen! Die ganze Herde strömte über das Plateau. Hinter ihnen würde nichts als ein ausgetretener Pfad zurückbleiben.

Orn war zufrieden.

21 Veg

Veg stand an Deck und sah zu, als sie Cal brachten. Hex stand neben ihm in seinem Schatten, so unbeweglich, wie es nur ein Manta konnte.

Das Schiff ankerte in der Mündungsnähe des großen Sumpfs. Es war ein Militärboot, chemisch angetrieben, aber fähig, fünfzig Knoten zu erreichen. Veg nahm an, daß die Agenten es Stück für Stück diesseits des Transporttunnels zusammengesetzt hatten, da es unmöglich gewesen sein mußte, das ganze Schiff als eine Einheit durchzuschicken. Eine große Aufgabe, die Geschick und Zeit erforderte, obwohl die Agenten natürlich darauf programmiert waren. Sie mußten mit der Arbeit schon begonnen haben, als das Trio die Segel der *Nacre* setzte. Er brauchte Cal nicht zu erklären, was das über die Bedeutung ihrer Mission aussagte. Sie waren nichts weiter als ein Testfall gewesen, menschliche Versuchskaninchen oder Opferlämmer.

Das winzige Beiboot machte an dem Schiff fest. Ein Ladebaum hievte Cal und einen seiner Häscher an Bord. Einen Augenblick später waren die beiden Freunde wieder vereint.

»Es gibt da einen Energieschirm oder so etwas«, warnte Veg ihn, als das Beiboot nach Osten davonfuhr.

Er spürte noch immer das Unbehagen ihrer letzten Begegnung. Wie konnten die Dinge noch einmal so sein wie früher – nach . . . Aquilon?

Cal nickte. Er wußte alles über solche Dinge. Wenn einer von ihnen Anstalten machen sollte, über Bord zu springen, würde der unsichtbare Schirm eine automatische Waffenbatterie auslösen, die sie auf der Stelle in Stücke riß. Ihre Überreste würden in Sekundenschnelle gesammelt und eingekapselt werden, so daß die Atmosphäre nicht durch ihre Leichname verseucht werden konnte. Diese Maßnahme zielte vor allem auf Hex, denn sein Tod würde eine Wolke aktiver Sporen freisetzen. Die Erde hatte ihre Lektion in dieser Beziehung gelernt.

»Quilon?« wollte Cal wissen.

»Es hat nicht geklappt«, sagte Veg. »Ich habe sie auf der Insel zurückgelassen, als ich hörte . . .«

»Hex hat also geplaudert«, murmelte Cal und lächelte kurz.

»Ja, Circe ebenfalls.« Die Spannung war gebrochen. Cal verstand. »Wie ist es ausgegangen?«

»Taler hat ihn erschossen.«

»Oh.«

Das war zu einfach. Es bedeutet, daß Cal nicht darüber reden wollte, genausowenig wie Veg über sein eigenes Abenteuer. Und wenn das Cals Absicht gewesen wäre, hätte er mittlerweile etwas von den anderen Mantas gesagt. Irgend etwas ging vor sich.

Mittschiffs stand eine Frau und hantierte an einem Funkgerät herum. Sie war groß, schlank und blond – durchaus schön, aber ganz anders als Aquilon. Veg hatte sie mit geheimer Bewunderung beobachtet und sich gefragt, was sie bei dieser Mission tat.

»Taner meldet, daß die Insel evakuiert ist«, sagte die Frau. »Er begibt sich zum Festland.«

Cal blickte zu ihr hinüber. »Die Erde hat ihre Leute außerordentlich gut unter Kontrolle«, bemerkte er. »Bisher habe ich drei Agenten gesehen und Anzeichen von mindestens zwei weiteren entdeckt. Sie erstatten bei jeder Gelegenheit Bericht.«

»Und eine Puppe an Bord haben sie auch.«

»Das sollte dich nicht interessieren«, sagte Cal. »Das ist eine Agentin.«

Veg war schockiert. »Die Kleine? Ein Supermensch?«

Sie blickte in ihre Richtung und lächelte. »Tamme, wenn's beliebt.«

Veg rief sich die Dinge ins Gedächtnis zurück, zu denen der

Agent Subble auf der Erde fähig gewesen war. Abermals betrachtete er das Mädchen. Er schüttelte den Kopf. Sie würde nicht lange unter freien Holzfällern bestehen können.

Tamme beobachtete ihn. »Ich *würde*, glauben Sie mir«, murmelte sie.

Der Teufel sollte ihre Fähigkeiten holen, Gedanken zu lesen.

Sie lachte.

Cal blickte gedankenvoll drein, gab aber keinen Kommentar ab.

»Kontakt«, sagte Tamme. »Vogel und Frau. Fungus verborgen.« Sie machte eine Pause, runzelte die Stirn. »Taner tot.«

Talers Kopf erschien in der Luke. Veg dachte wenigstens, daß es Taler war. Sie waren sich alle so ähnlich, daß man sie kaum unterscheiden konnte, wenn man sie nicht zusammen sah. »Der Bericht war also korrekt. Der Fungus kann bei Gelegenheit einen Agenten ausschalten.«

»*Sie* muß ihre Hand dabei im Spiel gehabt haben«, sagte Tamme. »Wir hätten keinen Mann auf dieses Kind ansetzen sollen.«

»Du mußt zugeben, daß wir nicht oft die Möglichkeit haben, mit attraktiven femininen Typen zusammenzukommen«, erwiderte Taler.

Sie schleuderte etwas nach seinem Kopf. Die Bewegung war so schnell und kontrolliert.

Taler bewegte sich simultan und fing den Gegenstand vor seinem Gesicht aus der Luft. Er hielt es hoch: Es war ein winziges Stilett.

Sie spielten nur, aber sie waren tödlich. Der plötzliche Tod ihres Kameraden schien für sie nicht mehr zu sein als eine mißlungene Taktik. Es sei denn, diese ganze kleine Episode war bloß eine Schau, um die Gefangenen zu beeindrucken.

Taler kam zu ihnen. »Es sieht so aus, als ob es bei der Ergreifung von Miss Hunt einige Schwierigkeiten gibt. Wir sind ebenfalls an den drei fehlenden Fungi interessiert. Ist die anwesende Kreatur in der Lage, die anderen zu kontaktieren, wenn sie freigelassen wird? Sie brauchen nicht zu antworten.« Das brauchten sie wirklich nicht! Veg war mit dieser Verhörmethode vertraut. Der Agent stellte bloß eine Frage und leitete die Antwort aus den Körperreaktionen des Zuhörers ab. Ein normaler Mensch hatte keine Möglichkeit, sich dagegen zu wehren.

Aber warum waren die Agenten so begierig darauf, sie und die Mantas zu ergreifen? Sie konnten den Planeten erkunden und ihren Bericht abgeben, ohne sich auf ihre Vorgänger zu beziehen.

Nun, Cal würde es wissen. Veg würde nur dem Beispiel seines Freundes folgen.

»Wenn Sie nicht mit uns zusammenarbeiten«, sagte Taler sanft, »werden wir eine Suchaktion vornehmen müssen. Das könnte auch den Tod von Miss Hunt bedeuten.«

Cal sagte nichts, aber Vegs Blut pulsierte wütend. Aquilon ... tot?

»Interessant«, bemerkte Taler. »Dr. Potter ist noch mehr in Miss Hunt verliebt als Mr. Smith. Aber Dr. Potter weigert sich, sich dadurch beeinflußen zu lassen. Da eine Drohung dieser Art somit keinen Effekt haben würde, will ich keine aussprechen. Ich möchte bloß darauf hinweisen, daß Miss Hunt Risiken ausgesetzt ist, solange sie sich nicht in unserem Gewahrsam befindet.«

Taler wandte sich jetzt ausschließlich an Cal. »Wir werden mit einem humanen Nervengas beginnen. Dieser spezielle Stoff soll alle Säugetiere beim Kontakt bewußtlos machen. Reptilien und Amphibien werden in geringerem Maße betroffen sein. Pflanzen werden in den folgenden Tagen einen Teil ihrers Blätterwerks verlieren und einige wenige werden eingehen. Repräsentanten des Dritten Königreichs ...«

»Geblendet«, sagte Cal.

Taler gab Tamme ein Zeichen. »Öffne die Barrikade.«

Irgend etwas klickte. »Du solltest es Hex erklären«, sagte Cal zu Veg. »Er ist dein Manta.«

»Ich bin mir selbst nicht sicher, was vorgeht. Du willst, daß Hex Quilon holt?«

»Diese Gentlemen«, sagte Cal, »möchten sehr gerne alle vier Mantas hier auf dem Schiff haben – lebend, denn wenn zwei von ihnen auf Paläo sterben sollten, könnten sich ihre Sporen verbreiten, eine Verbindung mit einander eingehen und viele tausend Mantas produzieren, die diesen Planeten übernehmen.«

»Das wäre nicht so schlecht. Mantas sind nicht destruktiv.«

»Diese Gentlemen möchten Paläo allerdings lieber für eine menschliche Kolonisation reservieren.«

Veg lächelte freudlos. »Oh. Sie würden Schwierigkeiten haben, mit all den Mantas.«

Dann fiel ihm etwas ein. »Ich will keine Kolonisation durch die Erde. Und Quilon will es auch nicht. Das hatten wir schon einmal.«

»Ich bin inzwischen einer Meinung mit euch«, sagte Cal. »Paläo sollte im gegenwärtigen Zustand bewahrt werden. Aber jetzt haben die Agenten die Kontrolle übernommen.«

»Ihr Freund ist sehr clever«, sagte Taler und sah Veg an. »Er hat mich schon einmal überlistet, und ich bin kein einfältiger und leichtgläubiger Mensch. Nun plant er, uns abermals reinzulegen. Ich muß Sie deshalb ersuchen, daß Sie sich ohne weitere Unterhaltung mit Dr. Potter an Ihren Manta wenden.«

Taler war höflich. Er konnte sich Freundlichkeit erlauben. Veg wußte, daß er sehr wohl fähig war, sein Verlangen auch gewaltsam durchzusetzen.

»Instruieren Sie Ihren Manta«, sagte Taler.

Was konnte Veg anderes tun, als der Anweisung Folge zu leisten?

»Hex«, sagte er, und der Manta drehte sich auf seinem Fuß, um ihn anzusehen. »Diese Männer wollen . . . Weißt du, was Nervengas ist?«

Zwei Knalle des Schwanzes.

Veg wandte sich an Taler. »Ich muß erklären . . .«

»Nervengas ist eine Substanz, die in der Luft freigesetzt werden kann«, sagte Taler. »Wenn keine außerordentlichen atmosphärischen Bedingungen herrschen, wird es innerhalb einer Stunde das ganze Tal ausfüllen. Es wird alle mit Augen ausgestatteten Pilze blenden, ohne sie zu töten, und der Schaden wird sich vermutlich nicht wieder beheben lassen.«

»Verstehst du das?« fragte Veg den Manta.

Zu seiner Überraschung knallte Hex einmal.

»Sie werden dieses Gas freisetzen, wenn du nicht gehst und Quilon und den anderen Mantas Bescheid sagst, daß sie hierherkommen sollen, um . . . sich zu ergeben. Wir können sie nicht aufhalten.«

Ein Knall.

»Ich würde also sagen, daß du . . .«

Irgend etwas knisterte. Veg sah, wie Cal auf das Deck fiel.

»Bleiben Sie, wo Sie sind«, schnappte Taler. Er blickte den Manta an, der sich nicht bewegt hatte. Sein Befehl war genauso für Hex bestimmt wie für Veg. »Ihr Freund wollte gerade ungeeignete Informationen an Sie und den Manta übermitteln. Ich mußte ihn augenblicklich betäuben. Er wird sich in wenigen Minuten erholen und keinen Schaden davontragen. Instruieren Sie Ihren Manta.«

»Sie machen keinen Spaß«, sagte Veg wütend, aber hilflos zu Hex. »Ich tue es nicht gerne, aber ich muß dich auffordern, Circe, Diam und Star herzubringen – und Quilon natürlich auch. Sie werden uns sonst alle umbringen.«

»Sehr gut«, sagte Taler. »Die Kreatur wird im Visier unserer Kanone bleiben, bis sie außer Sicht ist. Wir sind ausgerüstet, die Überbleibsel in Sekundenschnelle einzukapseln. Der Manta hat eine Stunde Zeit, bevor wir das Gas freisetzen – mehr nicht.«

»Eine Stunde, Hex«, wiederholte Veg dumpf. »Also beeile dich. Ich . . .« Er wendete sich wieder dem Agenten zu. »Sie versprechen, keinem von ihnen oder uns etwas anzutun?«

»Wenn Sie kooperieren. Wir sind interessiert daran, unsere Mission zu vollenden. Niemand wird Sie für irgend etwas verantwortlich machen. Sie haben mein Wort darauf.«

Noch einmal erinnerte sich Veg an Subble. Der Mann hatte sein Wort die ganze Zeit über gehalten, obwohl er dazu nicht verpflichtet gewesen war. Er mußte Taler insoweit trauen.

»Es ist alles für uns in Ordnung, wenn du es in einer Stunde schaffst«, sagte er zu Hex. »Sag ihnen das. Nun geh.« Hex sprang in die Luft und war unterwegs, eine Scheibe, die über das Wasser glitt. Er bewegte sich mit etwa hundertfünfzig Kilometern pro Stunde und war binnen einer Minute in dem Blätterwerk verschwunden, das den Sumpf säumte.

Veg hob Cal auf die Füße, als sich Taler zurückzog. Wie angekündigt, kam der kleine Mann in wenigen Minuten wieder zu sich, obwohl er einen Kratzer am Kopf hatte, wo er aufs Deck geschlagen war. Veg erregte sich über diese Verletzung, wußte aber, daß Protest sinnlos war.

»Tut mir leid«, murmelte Veg. »Ich konnte nicht rauskriegen, was du wolltest, und der Bastard wollte mir keine Zeit zum Nachdenken geben, und weil er meine Gedanken sowieso lesen konnte, mußte ich Hex losschicken.«

Cal hielt für einen Augenblick seine Hand fest. »Es ist in Ordnung.«

»Ich habe es versaut. Ich bin nicht schlau genug.«

»Ganz im Gegenteil. Es war wichtig, daß ich aus dem Weg war, so daß *ich* es nicht versauen konnte. Sie hatten mich schon in Verdacht. *Dich* hielten sie für sicher.«

»Ich *bin* sicher«, sagte Veg. »Wütend wie der Teufel, aber sicher. Und ich kann nicht mal einen von ihnen zusammenschlagen. Ich habe das bei Subble versucht und bin aufs Kreuz gefallen.«

»Jetzt gibt Hex also Quilon und den anderen Mantas das Ultimatum bekannt. Was, glaubst du, werden sie tun?«

»Was *können* sie tun? Es hat keinen Sinn, die Freisetzung dieses Gases zu provozieren.«

Cal lächelte nur.

Eine halbe Stunde verging, bis ein Manta zurückkehrte, allein. Er glitt heran, während die Kanone auf ihn gerichtet war, und landete sauber an Deck.

Es war Circe.

Taler kam sofort heraus. »Dies ist nicht derselbe Fungus«, sagte er.

»Es ist Circe, Quilons Manta«, erklärte Veg.

»Miss Hunt ist bereit, abgeholt zu werden?«

»Nehme ich an. Das Schwimmen ist hier nicht so empfehlenswert.«

Taler schwang sich geschmeidig über die Reling und ließ sich in ein zweites Beiboot hinab. Einen Augenblick später jagte er in die Richtung, aus der Circe gekommen war. Veg fragte sich, wieso er sich des Wegs so sicher war, begriff dann, daß das scharfe Wahrnehmungsvermögen des Agenten die Lokalisierung leichtmachen würde. Es war ihre Kooperation, die Taler wollte, sonst nichts. Ihre Zustimmung würde die übrigen Mantas zurückbringen.

Tamme war an Deck. Ihre effiziente und doch feminine Verhaltensweise war beunruhigend.

Fünfzehn Minuten später wurde Aquilon an Bord gebracht, zusammen mit Hex. Sie hielt etwas in den Armen, was eins von Orns Eiern sein mußte. Veg hatte keine Ahnung, wie sie daran gekommen war. An ihrer Wange befand sich eine Schwellung, die er nicht gerne sah, weil er argwöhnte, daß sie von ihm stammte. Aber das war noch die kleinste Veränderung an ihr. Sie war nicht dieselbe Frau, die er gekannt und geliebt hatte.

»Es ist lange her«, sagte Aquilon. »Vier Nächte und drei Erdbeben, seit wir drei zuletzt zusammen waren . . .«

»Drei Nächte, zwei Erdbeben«, sagte Cal.

»Du muß sehr beschäftigt gewesen sein, es nicht zu merken. *Vier . . .*«

»Jetzt fangt ihr zwei nicht schon wieder an zu streiten«, schaltete sich Veg schnell ein. »Es können zehn Tage und neuen Erdbeben gewesen sein, wenn ich mich erinnere, und was für einen Unterschied macht das schon?«

Sie lächelte und wurde wieder das Mädchen, das er gekannt hatte. Sie trug ihm nichts nach.

Trotzdem standen sie etwas unbehaglich da. Plötzlich wurde Veg sich bewußt, daß die Stunde vergangen war. Und Cals zwei Mantas, Diam und Star, waren nicht zurückgekommen.

»Setzt das Gas frei«, sagte Taler.

Tamme, die sich nicht nur mit dem Funkgerät zu beschäftigen schien, öffnete eine Kiste und holte mehrere versiegelte Kanister hervor. Frost glänzte auf ihnen. Sie waren eisgekühlt.

»Das ist jetzt sinnlos«, sagte Cal. »Die zwei Mantas sind bereits tot.«

Taler studierte ihn. »Sie spielen ein gefährliches Spiel, Sir.«

Cal nickte. »Es geht um eine Welt.«

»Was ist passiert?« wollte Veg wissen. »Ich dachte, sie kommen zurück.«

Tamme sprach in ihr Mikrofon. »Verhandlungen sind gescheitert. Zwei Fungi haben ihre Sporen freigesetzt. Zu spät für die Gefangennahme. Wir verfahren gemäß Alternative.« Sie stellte die Kanister in ihren Behälter zurück.

Aquilon berührte Vegs Hand auf ihre ganz eigene Art. »Sie wußten, was eine Invasion durch die irdischen Omnivoren bedeutet. Deshalb . . . starben sie, und Hex zerstückelte sie und verbreitete die Sporen, während Circe hier zum Schiff zurückkehrte, um zu berichten. Inzwischen sind die Sporen überall im Tal. Sie können nicht ausgerottet werden.«

»Aber ich sagte Hex . . .«

Taler unterbrach ihn, anscheinend ohne Groll. »Dr. Potter war sich bewußt, daß Miss Hunt nicht auf diesen Wunsch eingehen und seine wahre Bedeutung richtig interpretieren würde. Wäre Dr. Potter bei Bewußtsein gewesen, als uns der Manta verließ, würde ich seine Siegesgefühle wahrgenommen und seinen Plan durchkreuzt haben. So wie es war, stellte ich bei ihm nichts anderes fest als einen allgemeinen Aufruhr der Gefühle. Mein Selbstvertrauen ließ mich versäumen, ihn später zu überprüfen. Und Miss Hunts verwirrte Verfassung schrieb ich der Sorge ihm ihr Wohlergehen in unseren Händen nach ihrer Beteiligung am Tod Taners zu. Deshalb befragte ich sie nicht und glaubte, daß die übrigen Mantas unabhängig von ihr auf dem Weg waren.« Er lächelte mit gutmütiger Reue. »Nie zuvor bin ich von einem normalen Menschen so leicht überlistet worden.«

Vegs Verstand drehte sich. So viele komplexe Faktoren wirkten aufeinander ein. Dies war eine Art Wettstreit, der ihm fremd war. »Warum sind Circe und Quilon denn zurückgekommen?«

»Zwei Sporengruppen waren ausreichend«, sagte Aquilon. »Sinnlos, daß wir alle sterben.«

»Aber wir sind nicht auf den Handel eingegangen«, sagte Veg. »Wir haben nicht alle Mantas hergebracht. Die Agenten brauchen uns also nicht freizulassen. Vielleicht bringen sie uns jetzt alle um.«

»Spielt es eine Rolle?« fragte Aquilon dumpf und blickte auf das Ei in ihren Händen.

»Rache wäre sinnlos«, sagte Taler. »Mr. Smith' Handel war in gutem Glauben abgeschlossen worden. Er dachte nicht daran, daß die anderen ihn nicht einhalten würden. Wir Agenten sind realistisch und bringen kleine Gegenbeschuldigungen vor. Sonst hätten wir Sie längst für die Schäden verantwortlich gemacht, die die drei Fungi in der Orbitalstation angerichtet haben. Aber wir haben es statt dessen vorgezogen, aus den Erfahrungen zu lernen, und sind Ihnen deshalb so schnell wie möglich gefolgt.«

»Wollen Sie sagen, daß Sie eigentlich gar nicht vorgehabt hatten, hierherzukommen?« erkundigte sich Veg und fragte sich, was für ein schwerer Fehler der Angriff der Mantas in der Station gewesen war.

»Ursprünglich sollte die Expedition aus Normalen bestehen – Extraterrestriologen, Geologen, Paläontologen. Als uns das Potential Ihrer Fungi klar wurde, kam diese militärische Einheit zum Einsatz.«

Taler blickte zum Festland hinüber, als ob er nach irgend etwas Ausschau hielt. »Sie haben bewiesen, daß Sie als Gruppe viel zu wertvoll sind, um verschwendet zu werden. Zukünftige Agenten werden darauf programmiert sein, Fehler der Art, wie wir sie hier gemacht haben, zu vermeiden, und Sie werden wie vereinbart einen neuen Auftrag bekommen.«

Veg schüttelte zweifelnd den Kopf. »Sie wollen also nach dem ganzen Theater doch die Hände von Paläo lassen?«

»Unter keinen Umständen. Unser alternatives Programm, den Planeten für die Menschheit zu sichern, läuft bereits. Schauen Sie.«

Sie blickten über das Wasser hinweg. Rauch stieg aus dem Tal empor – eine Wand davon an der Westseite, in der Nähe des ursprünglichen Lagers der drei. Der Wind trieb die Rauchschwaden nach Osten.«

»Sie verbrennen die Enklave!« rief Aquilon voller Schrecken.

»Wie Sie selbst feststellen, können die Sporen nicht mehr eingefangen werden. Es ist deshalb nötig, sie und die Umgebung, in der sie gedeihen können, zu zerstören. Dies tun wir.«

»Aber die Dinosaurier! Sie können nirgendwo hin!«

»Sie sind ein Teil dieser Umgebung«, sagte Taler. »Dies wird ihr Aussterben beschleunigen, ja.«

Zutiefst betroffen starrte sie auf den Rauch.

»Auf diese Weise können Sie nicht alle Sporen erwischen«, sagte Veg. »Einige werden hoch in der Luft treiben, wo es kühl bleibt. Einige werden im Wasser . . .« Er schwieg und fragte sich, ob er schon zuviel gesagt hatte.

»Einige Sporen werden unweigerlich überleben«, pflichtete Taler ihm bei. »Aber der Punkt ist, daß sie zum Heranreifen Wirtskörper benötigen. Indem wir ihnen diese vorenthalten, machen wir es ihnen unmöglich, sich hier zu entwickeln. Einige werden über die Berge hinaustreiben, aber wie Sie sahen, ist die Landschaft dort öde, und ihre Anzahl wird sich entscheidend verringern. Der Ozean ist ebenfalls kein geeigneter Aufenthaltsort, da die Fungi Landbewohner sind.«

»Das ganze Tal!« sagte Aquilon. »Das kann es doch nicht wert sein!«

»Vielleicht hätten Sie sich das früher überlegen sollen. Wir waren auf diese Möglichkeit vorbereitet, aber es ist nicht unsere Absicht gewesen, diese Enklave zu zerstören. Sie haben uns dazu gezwungen.«

»Ich habe das nicht gewußt!« Aber es hörte sich für Veg nicht ganz überzeugend an. Sie hätte sich ganz bestimmt denken können, daß sich der Omnivore nicht so leicht aufhalten lassen würde.

»Dr. Potter wußte es.«

Er hat recht, dachte Veg. Cal hat die Konsequenzen seines Plans mit Sicherheit vorausgesehen. Hatte er Paläo letzten Endes doch verraten und alle, die wie Veg, Aquilon und die Mantas den Planeten retten wollten, zu Dummköpfen gestempelt? Veg sah ihn nicht an.

»Einige werden entfliehen«, sagte Cal. Er klang müde. »Die Sporen können viele Jahre überleben, und ihnen steht ein ganzer Planet zur Verfügung, um sich zu verstecken. In so kurzer Zeit wie einem Jahr werden einige weit genug gereift sein, um neue Sporen bilden zu können, und es wird keine Möglichkeit geben, diese zweite Generation der Mantas zu kontrollieren. Es wird billiger sein, Paläo zu evakuieren als den Planeten effektiv zu überwachen. Ihre Vorgesetzten werden dies zu gegebener Zeit erkennen und entsprechend handeln. Um der ganzen Welt willen mußte dieses Tal geopfert werden.«

»Sie spielen mit Völkermord«, sagte Taler. Er wandte sich an Veg und Aquilon. »Wenn ich ein Freund dieses Mannes wäre, hätte ich Angst.«

Veg beobachtete den emporsteigenden Rauch. Er wußte, daß Cal dies alles vorausgesehen und vermutlich auch geplant hatte, und er begriff.

22 Quartett

Aquilon stand da und hielt Orns Ei: eine knapp fünfundzwanzig Zentimeter große Schale, die alles enthielt, was von einem tapferen Vogelpaar übriggeblieben war. Sie hatte ein weiches Tuch darum gewickelt, konnte sich aber nicht damit zufriedengeben, daß es so warm genug war, Sie drehte es ständig, um eine neue Stelle gegen ihren Körper zu pressen, so daß keine Seite abkühlte.

Rauch hüllte das Dinosauriertal ein. Bald würde die Enklave ein Meer aus glühender Asche sein – nur weil sie versucht hatte, den erbarmungslosen Agenten zu bekämpfen. Sie war jetzt eine Mörderin; nur ihretwegen hatten Orn und Circe diesen Agenten Taner angegriffen, der Subble so ähnlich war. Fast hätte sie, als sie ihn zum ersten Mal sah, kapituliert. Aber dann war sie sich klar darüber geworden, was seine Anwesenheit bedeutete . . .

Cal glaubte, daß es die Sache wert war. Aber sein analytisches Hirn war manchmal erschreckend.

Alles hatte sich falsch entwickelt. Die Liebesnacht mit Veg war ein Fehlschlag gewesen; sie wußte jetzt, daß sie ihn nicht liebte. Nicht auf diese Weise. Sie hatte Orn geliebt, auf eine gewisse Art – nur um ihn sterben zu sehen. So ein nobler Geist! Nun gab es nur noch das Ei.

Flammen zeigten sich im Westen und leckten nach den Zykas. Offensichtlich handelte es sich nicht um eine natürliche Feuersbrunst; sie nährte sich zu bereitwillig von grünem Holz. Feuerzungen schlängelten sich über das Wasser und schickten

Dampfwolken in die Höhe. Nein, dies war das Resultat einer Brandstiftung des Menschen, des Omnivoren. Wie sein Herr zerstörte es alles Lebende, das es berührte.

Ihr Verstand ließ den Verdacht aufkommen, daß Cal recht hatte. Die Erde war von Anfang an bereit gewesen, auf Paläo einzurücken, und ihre Handlungen hatten wenig Einfluß auf diese Entscheidung gehabt. Nur wenn sie einen zwingenden Grund zur Vorsicht geliefert hätten, wäre diese Okkupation vereitelt worden. Krebserzeugende Vegetation, giftige Atmosphäre, superintelligente, nichtmenschliche Gegner – eins davon könnte es geschafft haben. Aber Dinosaurier? Sie waren lediglich eine vorübergehende Kuriosität, ein paläontologisches Phänomen.

Veg und Cal neben ihr hatten Ferngläser, und beide benutzten sie schweigend. Sie war mit dem Ei beschäftigt; ihr nacktes Fleisch umarmte es, gab ihm Wärme, bezog eine Art subtilen Trosts von ihm. Ihr würde nicht geholfen werden, Paläo würde nicht gerettet werden. Sie brauchte kein Fernglas. Sie sah das orangefarbene Flackern in der Ferne, den schmutzigen Rauch, und das war schon zuviel. Die Lager, die sie errichtet hatten, das Floß, Orns Körper . . . alles in Brand gesetzt auf Geheiß des Omnivoren.

Sie drehte sich um, blickte auf Charybdis im Süden – und sah den Rauch auch dort.

Das Wasser kräuselte sich. Kreaturen schwammen vorbei, auf der Flucht vor der Hitze, obgleich es sicherlich keinen Ort gab, wohin sie gehen konnten. Fische, Reptilien, die auftauchen mußten, um Luft zu holen. *Ichthyosaurus* mit dem monströsen Auge? Nein, dies war ein Paddler, *Elasmosaurus*. Vielleicht derselbe, den sie und Orn bekämpft hatten.

Er passierte das Schiff, hastig, voller Furcht, bedauernswert. Feuer hüllte ihn ein. Das Reptil wand sich im Wasser, und der Geruch seines versengten Fleischs wurde zu ihr herübergetragen. Sie braucht sich nicht umzudrehen, um den Agenten mit der Waffe zu sehen. Das dürfte Tamme sein, ein Omnivore in weiblicher Form. Natürlich würden diese Schlächter keinem großen Reptil das Entkommen gestatten, denn es könnte ja einem Manta als Wirtskörper dienen.

Sie preßte das Ei an sich. Wie konnte sie über ihre eigene Spezies zu Gericht sitzen? Sie selbst hatte getötet, eine sinnlose Geste, wie sich später herausgestellt hatte. Sie war ebenfalls ein Omnivore.

Veg stellte das Fernglas auf das Randgebiet des Tals ein. Das Feuer verbrannte den Boden, selbst das Wasser. Die Linsen holten jedes Detail auf Armeslänge heran.

Erstaunlich, wie schnell und gleichmäßig die Feuer ausgebrochen waren. Sie mußten Brandgranaten abgefeuert haben und sie immer noch abfeuern.

Veg hatte eine derartige Vernichtungsaktion schon einmal gesehen. Sie hatten seinen eigenen Wald verbrannt, und zwar aus demselben Grund: um den Manta zu erwischen. Der Omnivore war erbarmungslos.

Er warf einen Seitenblick auf Aquilon. Sie stand neben ihm, wild und schön, und hielt das Ei, das sie gerettet hatte. Ein Tuch bedeckte es und ihre Schultern . . .

Ruckartig kehrte er zu seinem Glas zurück. Er erinnerte sich an seine Nacht mit Aquilon, deren Freude so schnell verblichen war. Es war so, als ob er mehr als eine bloße Frau erwartet hatte.

Er erkannte, daß er eine Traum-Aquilon wollte, nicht die Quilon aus Fleisch und Blut. Aber der Traum war besudelt worden.

Die Reptilien stürzten sich ins Wasser, versuchten dem Feuer zu entgehen; Tricers, Knochenschädel, Struths und Ankys. Unter ihnen, dessen war er sich sicher, befanden sich auch viele kleine Säugetiere. Und Vögel und Insekten.

Veg sah ein großes Schnabeltier durch den Rauch stürmen und ins Meer eintauchen. Für einen Augenblick nur zeigte sich der Kamm über der Oberfläche, dann kam der Dinosaurier hoch, bäumte sich dem Himmel entgegen – und eine Flammenzunge schoß aus seinen Nasenlöchern. Ein wahrhaftiger Drache für den Augenblick, kam er in äußerster Agonie ums Leben.

Cal beobachtete die Zerstörung der Reptilienenklave mit großen Gewissensnöten. Sicherlich war das Aussterben der meisten großen Reptilienarten hier unausweichlich, unabhängig von den Aktionen des Menschen. Man konnte diesen natürlichen Prozeß ebensowenig aufhalten, wie man das Wandern der Kontinente rückgängig machten konnte. Aber die Dinosaurier hatten das Recht, zu ihrer Zeit und auf ihre Weise zu sterben, statt den Vorteilen des Menschen geopfert zu werden.

Jetzt kamen die Karnivoren, die es nicht gewohnt waren, vor irgend etwas zu fliehen, in Sicht. *Struthiomimus*, vogelartige Räuber; mehrere junge Tyrannosaurier; dann ein wahrer Gigant . . .

Er stellte seine Gläser neu ein. Das war kein Karnosaurier! Es war ein zweibeiniger Herbivore. *Iquanodon!* Aber von was für einer Größe! Fast zwanzig Meter von Nase bis Schwanzspitze, wie am Entfernungsmesser des Feldstechers abzulesen war. Größer als ein ausgewachsener Tyrann.

Wenn ein Zweibeiner dieser Größe – der größte, den es je auf der Erde gab – im Tal verborgen gewesen war, welche anderen Wesen hatten sich noch versteckt?

Dennoch mußte es sein. Er hatte beabsichtigt, die Mantasporen freizusetzen, bevor die Gesandtschaft von der Erde eintraf, wohl wissend, daß sie eintreffen *würde*. Aber er hatte falsch beurteilt, wie *bald*. Er hatte mit Veg und Aquilon debattiert und alles festgehalten, so daß man wissen würde, daß er vorgehabt hatte, die Erde zu rufen. Und er *hatte* es so vorgehabt – aber er hatte gedacht, daß die Leute von der Erde zu spät ankommen würden. Sie würden festgestellt haben, daß Veg und Aquilon unschuldig waren. Daß die Mantas mit *ihm* gezogen waren – und anscheinend ohne sein Wissen und gegen seinen Willen gehandelt hatten. Gehandelt hatten, um Paläo für das Dritte Königreich in Besitz zu nehmen, für den Manta. Cal selbst wäre verschwunden gewesen, vermutlich tot, denn der Plan gestattete nicht, daß er durch die Agenten verhört wurde. So wäre die Invasion der Erde vereitelt worden, und die anderen beiden wären entweder abermals deportiert oder einfach auf Paläo belassen worden, ohne jedoch bestraft zu werden.

Aber in seiner Eitelkeit hatte er gezögert und danach getrachtet, sein Recht, eine solche Entscheidung für eine Welt zu treffen, unter Beweis zu stellen. Und dadurch hatte er seine *Chance* vertan. Und deshalb war er gefangengenommen worden und hatte das Spiel auf eine Weise spielen müssen, die es teuer für jedermann machte.

Dennoch änderte es nichts. Das Zeitalter der Reptilien war hier beendet, ob der Mensch kam oder nicht. Und der Kampf ging um Paläo, nicht um die Klasse der Säugetiere oder die Klasse der Reptilien, auch nicht um das Königreich der Tiere oder der Pilze.

Nein, die Schlacht ging nicht einmal um diese Welt. Er könnte den Mantas längst Anweisungen gegeben haben, bevor die Enklave entdeckt worden war. Die Enklave bedeutete nichts, Paläo bedeutete nichts – nicht mehr als ein geeignetes Schlachtfeld. Es würde eine Million Enklaven geben, eine Milliarde Paläos und Billionen, Trillionen und Quadrillionen von *anderen Alternativwelten*. Das war es, was die Bestätigung des Parallelwelt-Systems bedeutete. Er hatte gewußt, trotz seiner früheren Worte an Aquilon, daß es nicht das Paradox der Zeitreise sein konnte. Paläo mußte eine in einer unendlichen Serie von Parallelen sein, bei der sich jede von ihrem Nachbarn um nicht mehr als ein Materieatom, um eine Mikrosekunde in der Zeit unterschied. Die beiden liegen zusammen, wobei Raum und Zeit sich in einem stehenden, wenn auch unbekannten Verhältnis verschoben. Keine Alternativwelt konnte der Erde *ganz genau* entsprechen; keine zwei Alternativen konnten miteinander präzise in Einklang sein, denn das wäre ein Paradox der Identität. Aber sie konnten sich nahe kommen, *mußten* sich nahe kommen – und Paläo und Erde waren sich nahe, selbst wenn vom Standpunkt des Menschen aus fünfundsechzig Millionen Jahre nicht nahe waren.

Früher oder später würden sich diese Parallelübergänge schneiden, und Erde würde auf Erde stoßen. Eine Dekade vielleicht oder eine Minute – und es würde zu einem einzigartigen Krieg kommen.

Besser, daß diese Erde diesen Paläo schändete, aufgehalten durch den Manta. Besser, daß er die Lektion, die er auf diese Weise lernte, jetzt lernte. Koexistenz mußte erlernt werden, und die schwierigste Koexistenz war die mit sich selbst. Die Erde mochte mit einer fremden Welt zurechtkommen, aber nicht mit einer anderen Erde.

Erinnerung. Sie begann weit, weit zurück im Dämmerlicht, nasser und wärmer als vieles von dem, was folgte. Er trieb dahin in einem nahrhaften Medium und absorbierte, was er brauchte, durch sein schwammiges Äußeres. Er langte nach dem Licht, hundert Millionen Jahre später, brauchte es . . . stieß aber gegen die umhüllende Schale und wurde zurückgehalten. Er mußte warten, sich anpassen, wachsen . . .

Da war Wärme, aber auch Kälte. Er bewegte sich ruhelos, versuchte, Behaglichkeit zu erreichen, seinen ganzen schwebenden Körper in den warmen Teil seiner Umgebung zu bringen. Und er erinnerte sich auch daran: Irgendwo vor einer Milliarde Jahre hatte er sich zwischen gefrierender Dunkelheit und brennendem Licht abgemüht und seinen zwanghaften Hunger gestillt, indem er zu einem Saugnapf geworden war, zu einem Zylinder, zu einem Klumpen mit einem inneren Darm, indem er Finnen und Flossen hervorgebracht hatte und sprunghaft der Beute nachgeschwommen war. Er bildete Augen heran und Kiemen und ein Skelett und Zähne und Lungen und Beine.

Ornet erinnerte sich.

Postskript: Calvin Potter

Die Kreidezeitenklave einer Welt, die ansonsten repräsentativ für die paläozänische Epoche der Erde ist, fängt eine der bemerkenswerteren Episoden in der Geschichte unseres Planeten ein. Länger als zweihundert Millionen Jahre beherrschten die Reptilien Land, Luft und die Oberfläche des Meeres; dann verschwanden sie bis auf einige wenige Arten abrupt und machten die Welt frei für die primitiven Säugetiere und Vögel.

Eine beträchtliche Anzahl von Theorien ist im Lauf der Jahre hervorgebracht worden, um diese ›Zeit des großen Sterbens‹ zu erklären, aber keine davon ist vollkommen zufriedenstellend gewesen. Es ist beispielsweise vorgeschlagen worden, daß ›rassisches Altern‹ verantwortlich war: die Vorstellung, daß Spezies, wie Individuen, allmählich altern und sterben. Kein Beweismittel untermauert diese Theorie, und sie erklärt auch nicht das Überleben und die augenblickliche Lebenskraft von Reptilien wie etwa den Schildkröten und Krokodilen. Eine andere Theorie war die pandemische Krankheit: Vielleicht rottete eine Seuche die meisten Reptilien aus, ohne Säugetiere, Vögel oder Amphibien zu berühren. Davon abgesehen, daß eine Krankheit ganz einfach nicht auf diese Weise wirkt – sie kann eine weitverbreitete und vielfältige Population dezimieren, aber selten ausrotten –, spricht die allmähliche Verringerung von zahlreichen Spezies in der späten Kreidezeit dagegen. Warum sollte sie zu einer bestimmten Zeit nur eine Spezies und dann später viele andere gleichzeitig befallen? Auch verschiedene Arten von Katastrophen sind ins Spiel gebracht worden – Sonnenausbrüche, weltweite Überflutungen usw. –, aber wiederum sind die Selektionskriterien eines solchen Geschehnisses nicht erklärt und in den relevanten Sedimentablagerungen findet sich darauf kein Hinweis. Die Felsen zeigen eine geordnete Kontinuität von der Kreide zum Tertiär, wo die großen Reptilien verschwinden und später die kleinen Säugetiere auftreten. Der Übergang konnte nicht heftig gewesen sein.

Neuere Theorien sind differenzierter gewesen. Wurde die Temperatur zu kalt für die meisten Reptilien, so daß sie allmählich träge und unfähig zur Nahrungsaufnahme wurden? Dies würde das Überleben der warmblütigen Säugetiere und Vögel erklären. Aber es wäre eine beträchtliche Abkühlung erforderlich gewesen, und eine solche gab es zu jener Zeit nicht, wie am Pflanzenleben ersichtlich ist.

Es gab in der Kreideperiode einen grundlegenden Wechsel bei der Vegetation. Die Angiospermen – blütentragende Pflanzen – würden plötzlich dominierend. Fanden die herbivorischen Dinosaurier die neue Vegetation, insbesondere die Gräser, zu zäh zum Kauen und Verdauen? Aber zu dieser Pflanzenrevolution kam es vor dem Aussterben der Dinosaurier, und viele der größten Reptilien gediehen für Millionen von Jahren unter den Blüten.

Konnten die Säugetiere in einen harten Kampf mit den Reptilien eingetreten sein, um sie auszurotten? Das erscheint absurd, denn die Dinosaurier hielten die Säugetiere für hundert Millionen Jahre mit Leichtigkeit in Schach. Man braucht sich nur eine Schar von Mäusen bei dem Versuch vorzustellen, *Tyrannosaurus* zu Fall zu bringen. Allerdings könnten Säugetiere Reptilieneier gefressen haben – aber wiederum ist es seltsam, daß sie so lange gewartet haben sollen, um dann so absolut wirkungsvoll zu sein. Das schwimmende Reptil *Ichthyosaurus* gebar lebend, sollte also überlebt haben. Und warum blieben die an Land gelegten Eier der Schildkröte und des Krokodils verschont?

Nein – um den Niedergang der großen Reptilien zu verstehen, muß man zuerst den geologischen Zyklus erfassen, dem sie angehörten. Keine Lebensform existiert isoliert, und Evolutionen und Aussterben sind niemals zufällig. Bestimmte Verhältnisse fördern den Aufstieg der Reptilien-Ordnungen, während sie die Amphibien und Säugetiere behinderten. Die spätere Umkehrung dieser Verhältnisse setzte die Reptilien zugunsten der Säugetiere und Vögel zurück. Die Dinosaurier waren durch ihre ureigene Natur zur Vergänglichkeit verurteilt.

Die Oberfläche der Erde ist immer in Bewegung gewesen. Ein Merkmal davon wird ›Kontinentalverschiebung‹ genannt. Die Kontinente verdanken nicht nur ihre Positionen, sondern auch ihre eigentliche Substanz den konvektiven Strömungen des Erdmantels. Diese Turbulenz brachte die Schlacke nach oben und führte zu schwimmenden Massen, die sich zusammenballten. Obgleich normalerweise voneinander getrennt, kamen an einem Punkt mehrere zusammen, um die Segmente des Superkontinents Laurasia/Gondwanaland zu formen.

Zu einer derartigen Situation ist es in der Vergangenheit mehr als einmal gekommen. Sie wird gekennzeichnet durch einen speziellen Komplex von Phänomenen: Absenkung von Bergen, Intrusion von großen, seichten Buchten oder Landseen, Abnahme von Erdbeben und vulkanischer Aktivität und außerordentlich gleichmäßiges Klima.

Wenn die Temperatur von Land, Wasser und Atmosphäre in Höhe des Meeresspiegels nur zwischen −6 und −12 Grad variiert, Tag und Nacht, Jahreszeit für Jahreszeit, Jahrhundert für Jahrhundert, dann ist Warmblütigkeit irrelevant für das Überleben. Tatsächlich mag sie sogar leicht nachteilig sein, da sie höhere Anforderungen an den Stoffwechsel stellt. Die Säugetiere vervollkommneten diese Temperaturregelung durch die Entwicklung einer haarigen Außenhülle, eines Schwitzmechanismus, verbesserter Zähne, Gliedmaßen und Körperhaltung, des Lebendgebärens und komplizierter innerer Regulierungsmechanismen. Und während sich die Säugetiere durch die zig Millionen Jahre kämpften, die notwendig waren, um all dies zu erreichen, wurden die Reptilien ganz einfach groß und wild.

So entwickelte sich das Zeitalter der Reptilien, das sich von der Periode des Perm durch Trias, Jura und Kreidezeit zog: zweihundertundzwanzig Millionen Jahre. Die Reptilien waren nicht so kompliziert wie die Vögel und Säugetiere, aber sie beherrschten den Weltkontinent.

Aber schließlich begann diese gewaltige Landmasse zu zerbrechen, als die konvektiven Strömungen ein neues Muster bildeten. Von Norden nach Süden, von Osten nach Westen wurde der Kontinent zerrissen. Die Amerikas wurden von Europa und Afrika weggestoßen; die Antarktis löste sich von beiden und von Australien. Eine Spalte auf dem Land verbreiterte sich zu einem Abgrund, zu einer Bucht und schließlich zu einem Meer: dem Atlantischen Ozean. Dies war kein Geschehnis, das über Nacht eintrat; es dauerte Millionen von Jahren. Obwohl es viele schwere Erdbeben gab, die mit dem Emporschleudern von Materie aus diesem Riß und anderen Rissen in der Welt in Verbindung standen, bedeuteten sie für das Leben auf dem Land keine unmittelbare Bedrohung. Die Abtrennung der Amerikas wurde kurz vor Ende der Kreidezeit abgeschlossen; die anderen Kontinente lösten sich zu anderen Zeiten voneinander.

Der Vulkanismus wurde wieder angeregt, was sich auf die Atmosphäre auswirkte. Und die Bewegung der Landstücke brachte Spannungen hervor, die zu einer neuen Orogenese führten: zu mächtigen Gebirgsketten wie den Rocky Mountains und den Anden, die die Wetterverhältnisse änderte und Ebenen im Binnenland austrockneten. Die physikalische Umgestaltung der Welt brachte zwangsläufig einen Klimawechsel mit sich, der sich wiederum auf das Leben auswirkte.

Die Pflanzen reagierten heftig. Arten, die unbedeutend gewesen waren, hatten plötzlich einen Vorteil: die Angiospermen oder blütentragenden Pflanzen, die ihre Fortpflanzung nicht dem Zufall überließen. Die verstärkten Winde, Berge, Ozeane und Wüsten arbeiteten gegen wahllose Befruchtung. Die älteren Gymnospermen starben nicht aus, aber sie nahmen in der neuen Ökologie eine Nebenrolle ein.

Notwendigerweise wirkten sich diese Veränderungen bei der Vegetation auf die Tiere aus. Die Arthropoden – hauptsächlich die Insekten – verbreiteten sich aufgrund des Angebots von Blüten erstaunlich. Die Insektivoren – vor allem Säugetiere und Vögel zusammen mit den reptilischen Eidechsen und den amphibischen Fröschen – vermehrten sich daraufhin stark, denn dieser Nahrungsvorrat schien unerschöpflich zu sein.

Die großen Reptilien waren nur indirekt betroffen. Sie waren keine Insektivoren, und auch die fliegenden hatten sich darauf eingestellt, Fische zu erbeuten, keine Fliegen. Reptilische Herbivoren paßten sich dem neuen Blattwerk an oder überlebten von den weniger zahlreichen Pflanzen der alten Art. Die Verschiedenartigkeit, nicht aber die Lebenskraft ihrer Spezies nahm ab, während die Karnosaurier weitgehend so fortfuhren wie bisher. Aber ihre Jungen begannen von dem sprießenden anderen Leben eingeengt zu werden. Ausgewachsene Säugetiere und Vögel fingen an, von ihrer normalen Nahrung abzugehen und frisch geschlüpfte Reptilien zur Beute zu nehmen. Dies war mehr ein Ärgernis als ein Unglück, denn selbst frisch ausgeschlüpfte Reptilien konnten es gut und gerne mit den meisten anderen Spezies aufnehmen, aber es kündigte die neue Ordnung an. Die veränderte Geographie war viel entscheidender. Das Verschwinden der ausgedehnten kontinentalen Seen und Sümpfe begrenzte die Reichweite der massigen Sauropoden in den seichten Gebieten. Unfreundliche Windverhältnisse suchten die Pterodactyli heim.

Das Klima war eine andere Sache. Die Durchschnittstemperatur änderte sich nur leicht, sie nahm ab. Das sogenannte gemäßigte Klima entwickelte sich: Die gleichförmigen Jahreszeiten wandelten sich zu heißen Sommern und kalten Wintern. Ein einziger Sommertag mochte zwischen 10 und 40 Grad schwanken. Ein Wintertag konnte bei 10 Grad beginnen und um dreißig Grad fallen. Die Biologie der Reptilien war ganz einfach nicht darauf eingerichtet, mit solchen Extremen fertig zu werden. Eine Hitzewelle im Sommer konnte eine gewaltige Anzahl auslöschen; eine längere Frostperiode im Winter tat dasselbe. Dies, mehr als alles andere, trieb die Reptilien in die Tropen und schränkte ihr Territorium drastisch ein.

Und hier kam der unmittelbarste Aspekt des kontinentalen Auseinanderbrechen ins Spiel. Die einzelnen Landmassen waren nämlich nicht benachbart. Sie waren jetzt durch tiefes Wasser voneinander getrennt. *Die Reptilien konnten nicht weit genug auswandern.* Nordamerika zum Beispiele trieb zu weit nach Norden, um eine tropische Zone zu haben, und war für einige Zeit vollständig von Südamerika getrennt. Gestrandet wurden die Reptilien voll den Verheerungen von Geographie und Klima ausgesetzt und starben. Einige wenige überlebten eine Zeitlang in lokalen Enklaven, aber eine solche Existenz war nicht dauerhaft. Unausweichlich wurden die Reptilien dort vernichtet, entweder in wenigen hundert Jahren oder in einigen Millionen.

Die Meeresreptilien hatten ihre eigenen Probleme. Die an seichtes Wasser gebundenen, die ihre Eier an Land legten, kamen mit den anderen um, denn es gab keine seichten Wasser mehr. Diejenigen, die dem tiefem Wasser völlig angepaßt waren, wie etwa *Ichthyosaurus* hatten die Haie als Gegner erfahren und, was noch mißlicher war, eine Einschränkung ihrer Nahrung. Im Wasser war es nämlich zu einer früheren Revolution gekommen: Die Teleosten, die sogenannten Knochenfische, waren aufgetreten. Diese hatten stärkere Skelette als die früheren Arten. Zum ersten Mal waren Vertebraten imstande, mit den wirbellosen Ammoniten zu konkurrieren. Als das kontinentale Auseinanderbrechen einsetzte, waren die Ammoniten verloren. Jene schwimmenden Reptilien, die ausschließlich Ammoniten als Beute nahmen, folgten ihnen in die Vergessenheit.

So wurde das Leben in der Welt durch das Auseinanderbrechen des Hauptkontinents umgewandelt. Es war nicht so, daß die Vögel die fliegenden Reptilien vertrieben, daß die Teleosten und Haie die Ammoniten und gewisse Korallentiere und schwimmenden Reptilien vertrieben, daß die Angiospermen die Gymnospermen vertrieben, und ganz gewiß vertrieben die Säugetiere nicht die Landreptilien. Aber die Verhältnisse jeder Heimstatt veränderte sich entscheidend und verschoben das Gleichgewicht zugunsten von neuen Spezies.

Aber was ist mit den wenigen überlebenden Reptilien? Das waren jene, die ausgerüstet *waren*, das neue Regime zu ertragen. Die Krokodile und Schildkröten waren in der Lage, entweder an Land oder in der Tiefsee auf Nahrungssuche zu gehen, so daß weder die Haie noch extreme Temperaturen sie völlig eliminieren konnten. Sie waren imstande, aus einem unfreundlichen Kontinent in einen freundlichen auszuwandern. Die Schnabeltiere hätten es ihnen gleich tun können, da sie starke Schwimmer und schnelle Läufer an Land waren, aber sie mußten sich an Land ernähren und konnten deshalb nicht für Wochen hintereinander im Wasser bleiben. Die Schlangen und Eidechsen waren klein genug, um auf dem Boden und im Boden und auf Bäumen zu leben; für sie verkörperten die Arthropoden und kleinen Säugetiere eine Bereicherung ihrer Nahrung, und tiefe Erdlöcher schützten sie vor winterlicher Kälte und sommerlicher Hitze. Sie überlebten größtenteils, weil sie klein genug waren, sich einen solchen Schutz zunutze zu machen.

Ist es zu anderen Untergängen gekommen, als die Kontinente neue Konfigurationen bildeten? Gewiß, eine ganze Menge, obgleich wenige so eindrucksvoll wie dieser waren. Es wird sicherlich weitere geben. Wenn sich das Land bewegt, muß das Leben folgen. Das wahre Mysterium ist nicht das große Sterben, sondern die Frage, warum dieser natürliche Verlauf der Dinge so lange ein Mysterium blieb . . .

OX

1 Trio

Es hatte einen glänzenden schwarzen Überzug, ein massives Raupenlaufwerk, ein wirbelndes Schraubenblatt – und es war schnell. Es war offensichtlich eine Maschine, aber kaum eine, die dem Menschen diente.

Veg feuerte mit seinem Blaster auf sie. Die Ladung sollte das Metall erhitzt und einen großen Brocken herausgerissen haben. Aber die polierte Außenhaut sprühte lediglich Funken und glühte für einen Augenblick auf. Das Ding drehte sich mit erschreckender Beweglichkeit und kam wieder auf ihn zu, das tückische Schraubenblatt voran.

Veg machte einen Satz rückwärts, packte das lange Brecheisen und rammte ein Ende in das Schraubenblatt.

Die Eisenstange ruckte in seinen Händen, als das Schraubenblatt damit in Berührung kam. Weitere Funken sprühten. Das Blatt schnitt Teile davon ab, immer fünf Zentimeter auf einmal: HACK! HACK! HACK! HACK! Aus knapp zwei Metern wurden anderthalb, dann einer, als die Maschine das Metall verzehrte.

Zu diesem Zeitpunkt begriff Veg, daß er einen Kampf um sein Leben führte. Er war beim Austritt aus dem Transfer auf die Maschine gestoßen, welche die aufgestapelten Vorräte verschlang, und hatte gedacht, daß es sich um ein gepanzertes Tier oder ein ferngesteuertes Gerät handelte.

Er versuchte es mit dem Gewehr. Dampf füllte die Kammer. Kugeln pfiffen in rascher Folge heraus. Sie prallten von der Maschine ab und kamen als Querschläger von den Felsbrocken an beiden Seiten zurück. Er setzte eine letzte Kugel mitten in die Augenlinse, aber nicht einmal die verursachte erkennbaren Schaden. Immerhin, er hatte den Vormarsch der Maschine aufgehalten.

Irgend etwas mußte sie verletzen!

Das Gewehr war leergeschossen. Veg packte ein Explosionsgeschoß und rammte es in Feuerposition, als sich die Maschine wieder in Bewegung setzte. Er zielte auf das Laufwerk und drückte ab.

Sand wirbelte hoch und verdeckte für einen Moment das Ziel. Die Maschine wälzte sich, aber einen Augenblick später kletterte sie aus dem Loch, das die Explosion verursacht hatte, und tauchte unbeschädigt wieder auf.

»Bist ein zäher Bursche!« sagte Veg bewundernd. Er war ein Mann, der einen guten Kampf liebte, wenn er ihn rechtfertigen konnte. Er schleuderte das Gewehr nach dem Feind.

Die Waffe flog auseinander, als das wirbelnde Schraubenblatt herumschwang, um sie abzufangen. Ein großes Teilstück sprang seitlich weg. Die Maschine drehte sich, um ihm nachzujagen, hackte das Stück an Ort und Stelle klein und schaufelte es in einen unten angebrachten Trichter. Sehr ausgeklügelt . . .

Veg grinste einen Augenblick lang. Wunderbare Technik, aber das dumme Ding wußte nicht, daß das Gewehr nicht länger gefährlich war! Es hatte die Waffe anstelle des Mannes bekämpft.

Dann sah er nüchterner. Die Maschine *kämpfte* nicht gegen das Gewehr, sie *verzehrte* es! Sie fraß Metall.

Er hatte keinen Krieg gegen dieses Ding ausgetragen. Er hatte es gefüttert. Kein Wunder, daß die Maschine angehalten hatte. Solange er bereit war, ihr gutes Metall per Hand zu verabreichen, warum sollte sie sich da selbst bemühen?

Das brachte ihn jedoch auf eine Idee. Wenn Metall die Maschine ernährte, würden Nahrungsmittel sie dann verletzen?

Veg riß einen Packen der Proviantvorräte auf. Es handelte sich um Brot, Gemüse und – er hielt angeekelt inne – Fleisch. Er zerrte ein plastikumwickeltes Steak hervor und schleuderte es auf die Maschine. Das Schraubenblatt hob sich, um das Paket zu fangen. Stücke von Fleisch, Knochen und Plastik flogen in die Luft.

Diesmal beobachtete er die schaufelartige Öffnung, den Trichter, der hinter dem Schraubenblatt in Aktion trat. Die verschiedenen Arbeitsprozesse der Maschine waren gut aufeinander abgestimmt. Der größte Teil des frisch zerschnittenen

Fleischs und der Knochen wanderte unmittelbar in diesen Trichter, genau wie es mit dem Metall geschehen war. Veg hielt den Atem an, ein weiteres Steak in der Hand. Würden bei der Maschine plötzlich Störungen auftreten?

Keine Rede davon. Eine klare Flüssigkeit tröpfelte auf den Boden: die überflüssigen Fleischsäfte, die offenbar für den Metabolismus des Dings nicht gebraucht wurden. Die Maschine assimilierte das organische Material genauso schnell, wie das anorganische vorher.

»Man braucht mehr Verstand, als ich habe, um mit diesem Metallbaby fertig zu werden«, murmelte Veg. Veg hatte großen Respekt vor der Intelligenz seines Freundes Cal und wünschte sich, daß er in diesem Moment hier wäre. Cal hätte vermutlich einen Blick auf die Maschine geworfen und einen auf der Hand liegenden Vorschlag gemacht, und das Ding wäre erledigt gewesen. Die beiden Männer hatten sich vor Jahren im Weltraum kennengelernt. Veg war Vegetarier, und zwar ein ziemlich militanter. Da er aber auch ein ungemein kräftiger Mann war, hatten sich die spöttischen Bemerkungen schnell gelegt. Kaninchenfutter erzeugte nicht zwangsläufig Kaninchen.

Bis das Wort von einem Mann umlief, der ein purer Karnivore war, nichts als Fleisch aß: der kleine, schwache Calvin Potter. Aufgrund einer wilden Episode in seiner Vergangenheit war es ihm unmöglich geworden, irgendwelche Nahrung mit der Ausnahme von menschlichem Blut zu verzehren. Und er war ein Genie, mit dem verglichen alle anderen Leute, Vegetarier inbegriffen, dumm *waren*.

Wenn man Veg der Lächerlichkeit preisgegeben hatte, so war das wenig im Vergleich zu dem, was Cal erduldete. Veg nahm den unglücklichen kleinen Cal unter seine Fittiche, und sehr bald dachte niemand mehr etwas über ihn, das auch nur im entferntesten spaßig war.

Es gab leider keine Möglichkeit, Cal herbeizurufen. Veg hatte sich als erster auf diese Alternativwelt gebeamt, um die Dinge für seine Begleiter vorzubereiten und mögliche Gefahren auszukundschaften. Aquilon sollte in einer Stunde folgen, Cal eine weitere Stunde danach, zusammen mit den Mantas. Alles sauber und ordentlich.

Lediglich etwa zweihundertundfünfzig Pfund konnten auf einmal durchgeschickt werden, und die Geräte mußten sich nach jeder Benutzung erst abkühlen. Deshalb zogen sich die Dinge in die Länge. Das behaupteten die Agenten jedenfalls. Veg glaubte Taler, dem männlichen Agenten, nicht. Tamme, die Frau, war offenkundig nicht vertrauenswürdiger, aber bei einer Frau spielte das wirklich keine Rolle.

Er zog sich wieder zurück. Ja, er war auf die Gefahr gestoßen. Genauer gesagt, sie war auf ihn gestoßen. Eine belebte Kreissäge mit omnivorischem Appetit. Wenn ihm nicht ziemlich bald etwas einfiel, würde sie ihn *und* die Vorräte auffressen und sich nach Aquilon auf die Lauer legen . . .

Das versetzte ihn in Zorn. Der Gedanke, daß die reizende Frau von der Maschine verspeist wurde . . .

Veg war immer in der Lage gewesen, sich Frauen zu nehmen und wieder zu verlassen, und da er groß, muskulös und gutaussehend war, hatte er sich eine ganze Reihe genommen. Bis Aquilon, das Mädchen, das niemals lächelte, in sein Leben trat. Sie war eine Künstlerin, deren Gemälde fast so wundervoll waren wie sie selbst. Veg hatte nicht gewußt, was die wahre Liebe war, aber Aquilon zu kennen bedeutete wirklich, sie zu lieben, obwohl sie sich niemals darum bemüht hatte.

»Ich werde dich hier wegbringen, und wenn es mich umbringt!« schrie Veg. Er nahm den Nahrungsmittelsack auf die Schulter und fing an zu laufen. »Komm, Hündchen!« rief er und warf eine Packung Rosinen hinter sich. »Das Essen ist angerichtet – du brauchst es dir nur zu holen!«

Die Maschine brachte ihr Schraubenblatt in Stellung, um die Rosinen aufzufangen.

Veg führte sie in die Wüste, weg von den Vorräten. Seine Taktik bewährte sich – aber was würde geschehen, wenn ihm die Nahrungsmittel ausgingen?

Aquilon stand ergrimmt vor dem Chaos. Die Vorräte waren verwüstet worden, Fleisch- und Metallstücke lagen im Sand verstreut und Veg war nirgendwo in Sicht. Was war passiert?

Sie wiegte das Ei in den Armen und hielt es warm. Es war ein großes Ei, wie ein kleiner Rugbyball. Es war alles, was von zwei feinen Vögeln geblieben war, die sie gekannt und geliebt hatte. Sie waren gestorben, als sie das Ei und sie beschützt hatten. Es gab keine andere Möglichkeit, die Schuld zurückzuzahlen, als ihr Vertrauen zu rechtfertigen und das Ei so lange zu bewahren, bis es schlüpfte.

Sie verspürte ein plötzliches Bedürfnis zu malen. Sie malte immer, wenn sie aufgeregt war; es beruhigte sie auf wundersame Art und Weise. Sie hatte die phänomenale Pilzlandschaft des Planeten Nacre gemalt, wo sie und die beiden Männer ihr erstes großes Abenteuer gemeinsam erlebt hatten. Sie hatte den barbarischen Omnivoren jener Welt gemalt – und in ihm das bloße Spiegelbild des schlimmsten Omnivoren von allen, des Menschen selbst, gesehen. Sie hatte Dinosaurier gemalt – aber wie konnte sie die tobenden Monster malen, die die Seelen menschlicher Wesen waren, sie selbst eingeschlossen?

Dann sah sie die Spuren. Vegs Fußtritte führten weg vom Lager, zum Teil durch etwas verwischt, was er hinter sich hergeschleppt haben mußte. Er sollte in der Nähe geblieben sein, um das Lager vor möglichen Gefahren zu schützen, statt in der Landschaft herumzuspazieren. Nicht, daß es viel Landschaft zu sehen gab. Sand und Felsbrocken . . .

Aber was für eine Erklärung ab es für die Zerstörung der Vorräte? Irgend jemand oder irgend etwas war wie ein Vandale über sie hergefallen. Die Schnitte waren eigentümlich, beinahe wie die Male einer wildgewordenen Motorsäge. Seltsam.

Sie war besorgt. Wenn irgend etwas angegriffen hätte, würde Veg gekämpft haben. Das war der Omnivore in ihm. Wenn er gewonnen hatte, warum war er nicht hier? Wenn er verloren hatte, warum führten seine Fußspuren weg? Veg war stur. Er wäre im Kampf gestorben; er wäre niemals davongelaufen.

Sie hatte einmal gedacht, daß sie Veg liebte und hatte versucht, ein Vegetarier wie er zu sein. Aber irgendwie hatte es nicht funktioniert. Ihr lag jedoch noch immer sehr viel an ihm, und seine unerklärliche Abwesenheit beunruhigte sie.

Sie betrachtete die Spuren. Konnte er verloren haben – und gefangengenommen worden sein? Wenn ihn jemand mit einer

Kanone bedrohte, wäre nicht einmal Veg so töricht gewesen, Widerstand zu leisten.

Aber wo waren die Spuren seines Kontrahenten? Es gab nur die raupenartigen Male des Dings, das er hinter sich her geschleppt hatte.

Nein, sie sah es noch immer nicht richtig. Erstens würde es hier niemanden geben, um Veg mit einer Kanone oder einer anderen Waffe zu bedrohen. Dies war eine unbewohnte, wilde Wüste auf einer unerforschten Alternativwelt. Sie waren die ersten menschlichen Wesen, die ihren Fuß darauf setzten. Zweitens verzweigten sich die Abdrücke an verschiedenen Stellen; manchmal waren sie mehrere Meter voneinander getrennt. Wenn Veg irgend etwas geschleift oder geschleppt hätte, wären die Male immer nahe seinen eigenen Abdrücken gewesen.

Sie bückte sich, um die anderen Spuren sorgfältiger zu untersuchen. Sie berührte den plattgedrückten Sand mit einem Finger. Hier hatte ein erhebliches Gewicht gewirkt – eine Tonne oder mehr, wenn man die Breite der Spur und den Eindruck im Sand berücksichtigte. Wie Reifenspuren, nur breiter, aber es gab nur eine Bahn anstelle von zwei parallel verlaufenden Bahnen. Was für eine Art Fahrzeug hatte das bewirkt?

Das Naheliegende war, den Spuren zu folgen und den Dingen auf den Grund zu gehen. Aber sie sollte den Lagerplatz nicht verlassen, bevor Cal und die Mantas durch die Öffnung gekommen waren. Mit Ausnahme der Felsbrocken gab es hier keine echte Deckung. Sobald sie nahe genug heran war, um es zu sehen, würde *es* sie sehen. Und wenn es Veg veranlaßt hatte, sich davonzumachen, dann hatte sie schon gar keine Möglichkeit, es zu bekämpfen.

Sie würde also hierbleiben. Wenn sie Glück hatte, würde nichts passieren, bis Cal eintraf. Wenn sie noch mehr Glück hatte, würde Veg unbeschadet zurückkehren.

Sie drehte sich um und ließ das helle Sonnenlicht auf das Ei fallen, um es zu wärmen. In dem Ei befand sich Ornet, der Embryo eines Vogels, der eine Art Rassenerinnerung besaß: vielleicht ein besseres Überlebensinstrument als die Intelligenz des Menschen. Wenn nur der richtige Wohnplatz und ein Partner für den Vogel gefunden werden könnten. Vielleicht könnte man einen von Paläo holen, der ersten Alternativerde, und das Paar würde hier in irgendeiner Wüstenoase . . .

Wüstenoase . . . dies war die Erde oder vielmehr eine Alternative davon.

Der Schatten eines menschlichen Wesens fiel auf den Sand vor ihr und riß sie aus ihrer Träumerei. Aquilon erstarrte, bevor sie hochblickte. Es war zu früh für Cals Erscheinen, und Veg hätte nicht unbemerkt an sie herankommen können. Wer . . . denn? Sie sah hin – und gab einen erstickten Laut der Verblüffung von sich.

Ein wunderschönes blondes Mädchen stand vor ihr. Sirene in mehr als nur einer Beziehung: Sie war nackt.

»Wer sind Sie?« wollte Aquilon wissen.

»Sinnlos, das jetzt alles zu erklären«, sagte die Nymphe, »gib mir bitte das Ei.«

Aquilon trat unwillkürlich zurück.

»Nein!«

»Du mußt. Du kannst es nicht länger bewahren. Nicht hier in der Wüste mit den furchtbaren Maschinen. Ich habe einen neuen Garten Eden gefunden, ein Paradies für Vögel. Wenn es dort schlüpft . . .«

»Niemand außer mir kann . . .« Aquilon unterbrach sich, als ihr klar wurde, wovor ihr Bewußtsein schon vorher zurückgeschreckt war. »Du bist *ich!*«

»Und du bist ich, ziemlich genau getroffen«, sagte die Blondine. »Du kannst mir also vertrauen. Du . . .«

»Aber du bist . . . du hast mehr . . .«

Die Augen der Frau senkten sich für einen Augenblick auf ihren eigenen Busen, Aquilons Blick folgend. »Ich trug ein Kind, darum. Ich verlor meins, du wirst deins behalten. Aber du kannst das Ei nicht behalten.«

Aquilon wich zurück. »Ein Baby? Ich . . .«

»Du bist in Gefahr. Du kannst dich selbst retten, nicht aber das Ei. Es ist wenig Zeit, und es ist zu kompliziert, es jetzt zu erklären. Gib es mir.« Sie streckte die Hand aus.

»Nein!«

Aquilon wich wieder zurück, das Ei an sich gepreßt. Wie hatte sich ihr Double hier manifestiert? *Konnte* sie ihr trauen –

oder war es eine verrückte Art von Falle? Zu wissen, daß das Ei wirklich sicher war...

»Gib es mir!« schrie die Blondine und stürzte sich auf sie.

Aquilon stieß sie weg, aber die Wucht des Angriffs der Frau trieb sie zurück.

Das Ei, zwischen ihnen gefangen, zerbrach.

Der große Embryo darin stürzte blind zu Boden und starb.

Cal blickte sich um. Die Vorräte waren verwüstet worden. Veg war verschwunden, und Aquilon lag in der Nähe eines Sandhaufens auf der Erde. Er eilte zu ihr.

Sie war nicht tot. Sie schluchzte. Sie hob ein sandbeschmiertes Gesicht zu ihm empor, als er ihr seine Hand auf die Schulter legte. In einer Hand hielt sie ein Bruchstück einer zerbrochenen Eierschale.

Cal begriff, daß das kostbare Ei zerschmettert worden war. Er fühlte tiefes Bedauern. Das Ei hatte ihr viel bedeutet.

Aber wo war Veg? Hatte Veg irgend etwas mit der Zerstörung des Eis zu tun gehabt? Nein, unmöglich!

Er ließ sie in Frieden. Sie mußte sich auf ihre eigene Weise erholen. Es gab keinen wirklichen Trost, den er spenden konnte – das Ei war unwiderruflich verloren. Er analysierte. Veg war irgendwohin in die Wüste gegangen und nicht zurückgekehrt. Aquilon hatte anscheinend mit jemandem gekämpft. Und irgendeine Art von Fahrzeug war gekommen und gegangen und hatte die Vorräte beschädigt.

Hatten die Agenten noch andere Teams geschickt? Andere Leute mit maschineller Ausrüstung? Zu welchem Zweck? Wenn es zwei oder mehr Teams gab, sollten sie über die Gegenwart der anderen informiert worden sein, so daß sie sich treffen konnten. Sicherlich sollten sie sich nicht gegenseitig überfallen. Und Taler, der Anführer der Agenten, hatte keinen Grund gehabt, in dieser Beziehung zu lügen. Immerhin, die menschlichen Androiden, die die Agenten verkörperten, waren klug, stark und rücksichtslos bei der Durchführung der ihnen übertragenen Missionen.

»Hex! Circe!« rief Cal und wandte sich den Kreaturen zu, die bewegungslos in der Nähe der Öffnung saßen, die funkelnden Augen fest auf ihn gerichtet. »Findet Veg. Vorsichtig – Gefahr.«

Die beiden Mantas sprangen in die Luft. Sie segelten über die Wüste wie zwei tieffliegende Drachen, schnell und lautlos.

Aquilon erhob sich. »Cal!« rief sie verzweifelt.

Er ging zu ihr hinüber und wünschte sich mit einem Teil seines Verstands, daß sie zu jener Sorte Frauen gehörte, die einem Mann in die Arme sank, wenn sie Trost brauchte. Doch solange sie lebte, würde sie voll einsatzbereit sein. Das war vermutlich der Grund, aus dem er sie liebte. Ihre Schönheit war zweitrangig. »Was ist passiert?« fragte er sanft.

»Eine Frau kam und zerbrach das Ei«, sagte sie. »Und sie war ich.«

»*Du?* . . .

»Ich. Meine Doppelgängerin. Ich schlug sie . . .«

Irgend etwas klickte in seinem Verstand. »Das alternierende System!« rief er aus. »Ich hätte es wissen sollen!«

»Was?«

»Wir haben es jetzt mit Wechselwirkungen zu tun. Es muß eine unendliche Zahl von Alternativerden geben. Wenn wir einmal anfangen, diese Grenzen zu überschreiten, laufen wir Gefahr, uns selbst zu begegnen. Wie es dir passiert ist . . .«

»Oh!« sagte sie begreifend. »Dann war sie tatsächlich ich: Nur daß sie ein Kind gehabt hatte. Aber warum war sie hier – und wo ist sie hingegangen?«

»Wir können es noch nicht wissen. Hat sie irgend etwas gesagt?«

»Nur, daß ich überleben könnte, nicht aber das Ei. Sie wollte es in irgendein Eden mitnehmen . . .«

»Sie muß deine Zukunft gekannt haben. Vielleicht stammte sie aus einem etwas weiter fortgeschrittenen System. In einem Jahr könnte sie ihr Kind gehabt und ihr Ei verloren haben, so daß sie aus Erfahrung wußte . . .«

»Nein – es war ihr *Kind*, das sie verloren hat.« Aquilon schüttelte verwirrt den Kopf. »Sie sagte, ich würde meines behalten. Aber ich bin nicht schwanger.«

»Es gibt andere Alternativwelten«, machte er klar. »Eine zahllose Zahl von Aquilons werden Kinder gehabt haben, und zahllose andere werden welche bekommen. Sie könnte dich verwechselt haben. Sie hat es gut gemeint.«

»Und ich habe gegen sie gekämpft«, sagte Aquilon. »Das hätte ich nicht tun sollen . . .«

»Wie konntest du es wissen? Und du warst im Recht, dein Ei zu behalten, egal was sie wußte. Du hast schon früher für das Ei gekämpft, um es vor Dinosauriern zu schützen.«

»Aber jetzt hat es keiner von uns.« Sie weinte, als sie ging . . .

»Sie wollte das Ei retten – und hat es statt dessen zerstört«, sagte Cal. »Sie fühlte sich so, wie du dich fühlen würdest.«

Aquilon blickte ihn an, ihr tränenüberströmtes Gesicht noch immer voller Sand – und reizend. »Dann ist sie verzweifelt. Ich hätte es ihr geben sollen.«

»Nein. Jede Welt muß für sich selbst sorgen. Wir haben gegen die Erde gekämpft, um sie daran zu hindern, Paläo zu plündern. Wir müssen gleichfalls kämpfen, um andere Alternativwelten daran zu hindern, *uns* zu plündern. Aber wir müssen begreifen, daß sie uns sehr ähnlich sind . . .«

»Omnivoren!« sagte sie bitter.

»Aber es gibt auch einen positiven Aspekt. Orns Ei ist in dieser Alternativwelt verlorengegangen, aber es muß viele Welten geben, wo es gerettet wurde. In einigen hast du es behalten, in anderen hat es die andere Aquilon an sich genommen. Und das Küken ist nicht tot – dort.«

»Ornet«, sagte sie. »Nachkomme von Orn und Ornette . . .«

Er lächelte. Sie war dabei, es zu überwinden. »Oder unter irgendeinem anderen Namen . . . Jetzt müssen wir herausfinden, was mit Veg passiert ist.«

Ihre Blicke folgten den Spuren im Sand. »Glaubst du, daß er . . .«

»Ich habe die Mantas hinter ihm hergeschickt. Irgendwie wissen sie Bescheid. Sie hätten sich nicht auf den Weg gemacht, wenn er tot wäre.«

»Ja, natürlich«, murmelte sie.

Sie räumten die Vorräte zusammen. Ein Blaster und Gewehr fehlten – und auch eins der langen Stemmeisen, was darauf hindeutete, daß Veg sie mitgenommen hatte.

»Aber wir wissen bereits, daß wir einer fremdartigen Situation gegenüberstehen«, warnte Cal sie. »Herkömmliche Waffen könnten nutzlos sein.«

»Maschine!« sagte sie plötzlich.

Cal blickte fragend hoch. »Wir haben hier keine Maschinen.«

»Mein Doppelgänger ...« Sie sagte irgend etwas über Maschinen hier in der Wüste. »›Furchtbare Maschinen.‹ Eine Gefahr ...«

Cal betrachtete abermals die Raupenspuren. »Eine Maschine«, murmelte er nachdenklich. »Eine Maschine, die Veg folgt ...«

»Komm, beeilen wir uns«, rief sie. »Und laß uns Waffen mitnehmen!«

Wachsam brachen sie auf, um Vegs Spuren zu folgen. Cal fühlte sich unbehaglich. Wenn menschliche Wesen aus einer anderen Alternativwelt auftauchen konnten, dann konnten es auch schwere Gerätschaften. Angenommen, eine Art Panzer war losgeschickt worden, um Besucher dieser Welt zur Strecke zu bringen? Sie könnten geradewegs in einen Krieg zwischen alternativen Welten spaziert sein ...

Aquilon blieb abrupt stehen und rieb sich die Augen.

»Cal!« flüsterte sie.

Cal blickte auf. Zuerst sah er nichts; dann wurde er sich eines Funkelns in der Luft vor ihnen bewußt. Schwache Lichter blinkten.

»Ein Schwarm von Leuchtkäfern?« fragte Aquilon. »Laß mich es malen.«

Sie war niemals ohne Pinsel und Block, und jetzt, da es kein Ei mehr zu halten gab, konnte sie wieder malen.

»Leuchtkäfer, ohne Pflanzen, um die Insekten zu ernähren?« fragte Cal. »Wir haben hier noch kein einheimisches Leben gesehen.«

»Es muß Leben geben«, erwiderte sie, während sie malte. »Andernfalls würde es keine atembare Atmosphäre geben. Pflanzen geben Sauerstoff ab.«

»Ja, natürlich ...«, stimmte er zu und beobachtete den Schwarm. »Trotzdem haben wir es hier mit etwas Eigenartigem zu tun.«

Das Funkenmuster wurde intensiver. Jetzt ähnelte es einer

kleinen Galaxis blitzender Sterne, wobei sich die einzelnen Lichter so schnell veränderten, daß sich das Auge nicht an ihnen festhalten konnte. Aber Aquilons geschultes Wahrnehmungsvermögen fing das Künstlerische des Funkenmusters ein. Farbe floß aus ihrem Pinsel und brachte das Bild zum Strahlen.

Die Blitze waren nicht zufällig. Sie bewegten sich in gekräuselten Wellen. Diese Wellen wanden und dehnten sich wie lebende Wesen. Aber nicht wie Reihen von Leuchtkäfern.

»Wunderschön«, hauchte Aquilon. Ja, jetzt wurde sie durch ihre eigene Schönheit illuminiert. Sie war das, was sie wahrnahm.

Plötzlich bewegte sich der Schwarm auf sie zu. Die Lichter wurden hell und scharf. Die Konturen dehnten sich gewaltig aus.

»Faszinierend«, sagte Cal, der in der Wolke dreidimensionale Muster erkannte, geometrische Verhältnisse, die sich in blendenden Anordnungen immer wieder neu aufbauten. Dies war keine zufällige Folge von Blinksignalen...

Aquilon griff nach seinem Arm. »Es sieht uns!« rief sie plötzlich alarmiert. »Lauf!«

Es war bereits zu spät. Der leuchtende Schwarm war über ihnen.

2 OX

• • •
• • •
•

Überleben!

OX assimilierte die Direktive. Es gebe nur diesen Imperativ. Er war seinem Wesen inhärent, machte ihn zu dem, was er war. Er *war*, was er war: die Notwendigkeit zu überleben.

Er wandte seine Aufmerksamkeit dem Externen zu.

Desorientierung. Qual. Nichtüberleben.

OX zog sich zusammen, halbierte sein Volumen. Was war geschehen?

Das Überleben diktierte ihm, daß er trotz des Schmerzes des Externen zu erkunden hatte. OX wurde sich klar darüber, daß Qualen zwar in Beziehung zu Nichtüberleben stand, gewisse Formen der Qual jedoch notwendig sein mochten, *um* zu überleben. Urteilsvermögen wurde gebraucht. Er modifizierte sein Leistungsvermögen, um es diesem Konzept anzupassen, und wurde dadurch intelligenter.

Die Basis, auf der er ruhte, das Netzwerk von Punkten, verging. Er war seine Umwelt; er okkupierte viele kleine Elemente, entzog ihnen Energie und machte ein intelligentes Muster aus ihnen. Diese Energie war begrenzt. Er mußte sich weiterbewegen und ihr gestatten, sich periodisch zu regenerieren. Lediglich an einer Stelle zu bleiben, würde diese Gruppe von Elementen erschöpfen: Nichtüberleben.

Je stärker sich OX ausdehnte, desto mehr Punkte umfaßte er und desto mehr Energie verzehrte er. Indem er sich innerhalb eines optimalen Volumens zusammenzog, konservierte er Überlebensressourcen. Aber er durfte auch nicht zu klein werden, denn das schränkte seine Fähigkeiten ein und führte zu Funktionsuntüchtigkeit.

OX stabilisierte sich. Aber seine minimale Funktionsgröße war immer noch zu groß für das Gelände, um endlos aufrechterhalten zu werden. Er konnte bei maximaler Größe kurz, bei minimaler Größe länger existieren – aber das Ende war Nichtüberleben.

Überleben! Er mußte weitersuchen.

Er suchte. Nichterfolg verschwendete Ressourcen und führte zu Unbequemlichkeit. Und selbst in seiner Pein gab es eine spezielle Irritation. Gewisse Schaltungen funktionierten nicht richtig. Er prüfte.

Alles war in Ordnung.

Er wandte sich wieder dem größeren Problem des Überlebens zu – und die Störung begann beharrlich aufs neue.

OX konzentrierte sich auf das Ärgernis. Noch immer gab es keine wahrnehmbare Funktionsuntüchtigkeit. Sie manifestierte sich nicht, wenn er nach ihr suchte, nur wenn er anderweitig beschäftigt war.

OX baute einen Nachforscher auf, der die Störung beheben sollte.

OX kehrte zu seiner größeren Aufgabe zurück – und die Irritation manifestierte sich. Er konzentrierte sich, sprungbereit sozusagen, auf das, was er gefangen hatte.

Nichts.

Paradox. Der Nachforscher richtete sich auf jede Funktionsstörung aus. Er war ein modifiziertes Feedback, einfach und sicher. Und doch gab es eine Funktionsstörung – der Nachforscher hatte versagt.

OX litt an Desorientierung. Er disziplinierte sich selbst, simplifizierte seine Schaltungen. Kein Paradox. Wenn der Nachforscher es nicht eingefangen hätte, gäbe es keine Funktionsstörung. Aber da *war* etwas. Was?

OX konzentrierte sich. Er verbesserte sein Wahrnehmungsvermögen. Nach und nach kam er dahinter. Es war nicht *seine* Funktionsstörung, sondern eine Störung, die von einer externen Quelle ausging. Deshalb hatte der Nachforscher nichts vorweisen können.

Irgend etwas verdunkelte einige seiner Elemente. Es löschte sie nicht aus, dämpfte sie aber so, daß er sich des Energieverlustes bewußt war. Wenn er Untersuchungen anstellte, schob er diese speziellen Elemente weg, und der Effekt legte sich. Er konnte es nur durch diese Dämpfung wahrnehmen, während seine Schaltungen in Funktion waren.

Handelte es sich um eine Schwäche der Elemente selbst? Wenn dem so wäre, würde sein Überleben noch begrenzter sein als ursprünglich vorhergesehen – und er befand sich bereits in einer Situation des Nichtüberlebens.

OX warf ein Netz von Nachforschern aus, um die exakte Konfiguration der Dämpfung zu bestimmen. Bald hatte er sie: Es gab in Wirklichkeit drei Zentren, die dicht beieinander lagen. Eine stabile, beständige Schadstelle. Keine unmittelbare Bedrohung des Überlebens.

Dann bewegte sich eine der Schadstellen.

OX fibrillierte. *Qual!* Wie konnte sich eine Schadstelle bewegen und Form annehmen? Stabile oder wiederkehrende Form, die sich bewegte, war ein Attribut von Intelligenz, von Mustern. Schadstellen waren das *Fehlen* von Mustern.

Modifikation.

Vielleicht konnte eine Schadstelle leicht ins Gleiten kommen, in Bewegung gesetzt durch irgendeinen unbekannten Zwang. Nicht intelligent. Alle Schadstellenflecken würden denselben Effekt durchmachen.

Ein weiterer Flecken bewegte sich – in entgegengesetzter Richtung. Dann bewegten sich beide gemeinsam – und auseinander.

Desorientierung.

3 Tamme

•
• •
• • •

Tamme trat durch die Öffnung. Sie hatte den drei Erforschern nichts von ihrem Mitkommen erzählt und erwartete nicht, daß sie erfreut sein würden. Aber nach dem Desaster auf Paläo, der Dinosaurierwelt, gingen die Agenten keine Risiken ein. Diesen Leuten konnte man nicht trauen. Alleingelassen würden sie irgend etwas anderes ausbrüten, um die Interessen der Erde zu verraten.

Das Lager war verlassen. Tamme sah auf einen Blick, daß Waffen und Nahrungsmittel entfernt worden waren: mehr als in den drei Stunden normalerweise verbraucht werden konnten, seit die erste Person durchgeschickt worden war. Sie hatten jetzt schon etwas vor!

Aber es war eigenartig. Zu viele Fußspuren führten weg. Veg, Cal, Aquilon – und eine barfüßige Person? Dazu etwas auf einem Raupenlaufwerk. Und die zwei Mantas.

Raupe? Wo hatten sie die her?

Antwort: Es gab nichts, wo sie die Raupe herhaben konnten. Tamme selbst hatte die ganzen Vorräte im voraus durchgeschickt und anhand einer Liste mehrmals detailliert überprüft. Dies war der erste menschliche Durchbruch auf diese neue Welt. Sensoren hatten von atembarer Luft berichtet, von pflanzlichem Leben, amphibischen Tieren, Fischen – alles ziemlich weit entfernt von dieser Wüste, in der die Öffnung tatsächlich herausgekommen war.

Und was hatte es mit der Maschine auf sich?

Maschinen entstanden nicht aus sich selbst. Irgend etwas mußte sie bauen. Etwas, das fortgeschrittener war als die Maschinen selbst. Ergo gab es auf dieser Welt etwas mehr, als die Sensoren angezeigt hatten. Entweder eine fortgeschrittene menschliche Kultur – oder eine fremde. In jedem Fall eine potentielle Bedrohung der Erde.

Aber Fenster zu neuen Welten waren schwer zu finden. Der erste derartige Durchbruch war erst vor wenigen Monaten erfolgt, und Mutter Erde hatte aus verständlichen Gründen keine hochrangigen Wissenschaftler in Gefahr bringen wollen. Deshalb hatte man Freiwillige benutzt – drei Raumforscher, die Schwierigkeiten mit den Behörden bekommen hatten und darum leicht überredet werden konnten. Kanonenfutter.

Ein ungewöhnliches Trio, in der Tat. Vachel Smith, ein riesiger Vegetarier mit dem Spitznamen Veg. Deborah Hunt, genannt Aquilon – nach dem kalten Nordwind, da sie selten lächelte. Und Calvin Potter, ein kleiner, physisch schwacher Mann mit einem faszinierend komplexen Verstand.

Es war ein Fehler gewesen, diese Gruppe auf einer Welt jenseits der Öffnung sich selbst zu überlassen, und die Behörden hatten das auch schnell erkannt. Inzwischen hatte sich das Trio jedoch statt umzukommen zum nächsten Kontinent durchgeschlagen und sich mit der örtlichen Fauna eingelassen, die sich als reptilisch herausstellte. Sie herauszuholen war sehr unangenehm gewesen.

Drei Agenten der TA-Serie hatten es jedoch zuwege gebracht: Taner (jetzt tot), Taler und sie selbst, Tamme. Aber als sie sich mit ihren Gefangenen zur Rückkehr zur Erde vorbereiteten, hatte sich eine weitere Schwierigkeit entwickelt. Ihr tragbarer Rückkehr-Generator hatte nicht die Erde, sondern eine dritte Welt erreicht.

Sie hatten gewußt, daß Risiken auftreten würden. Die Öffnungen waren experimentell und unberechenbar. Obwohl Paläo bisher die einzige Alternativwelt war, die von der Erde aus erreicht werden konnte, hatte sich ein einziger Versuch auf Paläo auf so unerwartete und heikle Weise ausgezahlt. Vielleicht war Paläo ein besserer Ausgangspunkt.

Die ursprüngliche Erde/Paläo-Öffnung blieb bestehen. Sie war erweitert worden, so daß massive Ausrüstungsgegenstände durchgeschickt werden konnten, und die drei Agenten hatten ihr eigenes vorfabriziertes Schiff gebaut, um damit die Flüchtlinge zu verfolgen. Ein vierter Agent war zurückgeblieben, um die Originalöffnung zu bewachen, die sich unter dem Ozean in der Nähe einer kleinen Pazifikinsel befand, anderthalbtausend Kilometer von der Westküste des paläozänischen Amerika entfernt.

Es war einfacher erschienen, den Transfer unmittelbar von diesem Ort aus vorzunehmen, anstatt die mühevolle Rückreise mit den Gefangenen anzutreten. Die Örtlichkeiten schienen für die Öffnungen kaum einen Unterschied zu machen. Sie konnten an einem beliebigen Punkt beginnen und überall enden – üblicherweise im Vakuum des interplanetaren Raums. Sie hatten Taol per Funk um Erlaubnis gebeten, und der Agent hatte sich mit den Erdbehörden zwecks Zustimmung in Verbindung gesetzt. Wenn die zusätzliche Öffnung erfolgreich arbeitete, würde es die Ausbeutung Paläos erheblich erleichtern.

Dann, mit der überraschenden Entwicklung, neue Befehle: Überprüfen Sie die Welt mit Sensoren und erforschen Sie sie persönlich, falls nötig – aber HALTEN SIE DIESE VERBINDUNG AUFRECHT! Die Erde, überbevölkert und mit Ressourcen, die im Begriff waren, sich zu erschöpfen, brauchte eine lebensfähige Alternative zum teuren Handelsverkehr der Weltraumfahrt. Dies konnte sie sein. Daher Begnadigung der Gefangenen. Sie waren frei – um eine weitere gefährliche Erforschungsaufgabe zu erfüllen. Man hatte ihnen jedoch nichts von den Maschinen erzählt. Diesmal würde sie ein Agent begleiten. Nur um sie vor Schaden zu bewahren.

Agenten waren entwickelt worden, um mit Notfällen dieser Art fertig zu werden. Ein Agent war kein Mensch im eigentlichen Sinn. Er war ein Androide auf einem menschlichen Chassis. Tamme hatte über die Instruktionen für diese Mission hinaus keine Vergangenheit. Alles, was sie wußte, stammte aus dem gemeinsamen Informationspool, den sie mit jedem Agenten des TA-Typs teilte. Und der deckte sich weitgehend mit dem Pool der SU vor ihrer Serie und den der TE danach. Aber es war ein guter Pool, und alle Agenten waren übermenschlich, sowohl physisch als auch geistig. Sie konnte mit diesem Trio von Menschen fertig werden.

Sie unterbrach sich in ihren Betrachtungen. Das mußte eingeschränkt werden. Sie konnte physisch mit ihnen fertig werden, weil ihre Stärke, ihre Reflexe und ihr Training ihnen gegenüber beträchtlich überlegen waren. Und das galt auch für die Emotionen, denn ihre Gefühle waren diszipliniert. Die Frau Aquilon hatte jedoch ihre Stärken, und der Mann Calvin besaß einen unheimlichen Verstand, der seine Fähigkeit, dem Verstand und dem Wahrnehmungsvermögen eines Agenten Paroli zu bieten, bereits demonstriert hatte. Zufällige Veränderungen in der »normalen« Bevölkerung hatten eine abnormale Intelligenz geschaffen. Zu dumm, daß es die Behörden nicht rechtzeitig erkannt hatten.

Steckte Cal hinter dem seltsamen Verschwinden des Trios? Hatte er ihre oder Talers Anwesenheit vorausgesehen und irgendeine Falle errichtet? Möglich, aber unwahrscheinlich. Bevor er durchgeschickt wurde, hatte es in seinem Bewußtsein keine Spur davon gegeben. Er *könnte* so etwas getan haben, *hatte* es aber vermutlich nicht.

Was letzten Endes bedeutete, daß die naheliegendste Mutmaßung die wahrscheinlichste war. Die drei Erforscher mußten bereits auf eine der fortgeschrittenen Maschinen dieser Welt gestoßen sein, und diese hatte sie weggebracht – irgendwohin.

So war das Kanonenfutter also verfüttert worden. Das erklärte alles, abgesehen von dem der zusätzlichen Spur. Die nackten Füße wanderten durch den Sand und stoppten, als ob die Person an dieser Stelle weggetragen worden war. Aber durch was? Eine Flugmaschine?

Tamme hatte ihren Reserve-Öffnungsprojektor bei sich, so daß sie unabhängig von der Stabilität der bestehenden Verbindung zu Taler auf Paläo zurückkehren konnte. Für einen Augenblick war sie versucht, sofort zurückzugehen. Diese Situation war unheimlich. Was lächerlich war, denn sie hatte keine Angst vor Isolation oder Tod.

In Ordnung: Sie hatte es mit einer Maschine zu tun. Einer ziemlich guten, wenn es ihr so leichtgefallen war, die drei Menschen und ihre Mantas schon zu töten oder gefangenzunehmen. Am besten war es, es unverzüglich mit ihr aufzunehmen. Und zwar mit äußerster Vorsicht. Zu schade, daß sie Taler nicht per Funk durch die Öffnung erreichen konnte!

Zuerst verschaffte sie sich einen Überblick über die nähere Umgebung. Sie rannte, beobachtete, lauschte. Es gab nichts, was in der Nachbarschaft lauerte. Sie beendete ihren Rundgang und folgte dann der ausgeprägten Spur aus Fußstapfen, Raupenspuren und Manta-Malen.

Aber bald verzweigten sich die Spuren. Veg, Raupe und Mantas gingen weiter geradeaus, aber Cal und Aquilon wandten sich seitwärts – und machten halt. Ihre Abdrücke verschwanden genauso, wie es die barfüßigen getan hatten. Zwei weitere Leute waren auf unerklärliche Weise nicht mehr da.

Noch eine Flugmaschine? Warum hatten die anderen dann keine Notiz davon genommen? Wenn sie alle Gefangene waren, warum hatten dann nicht alle den Weg dorthin eingeschlagen, wo man sie hinbrachte?

Tamme heftete sich wieder an die Spur, nachdem sie abermals einen prüfenden Rundgang gemacht hatte. Sie besaß ein gutes Wahrnehmungsvermögen, hätte es gemerkt, wenn sich irgend etwas in der Nähe verbarg. Das war nicht der Fall.

Einige Kilometer weiter trennten sich die Mantas. Der eine bewegte sich nach links, der andere nach rechts. Ein Einkreisungsmanöver? Aber was wurde eingekreist, wenn sie bereits gefangen waren?

Tamme hatte eine Entscheidung zu treffen: einem der Mantas folgen oder auf der Hauptspur bleiben. Leichte Entscheidung: So schnell sie auch war, so konnte sie es mit einem Manta doch nicht aufnehmen. Die Fungi konnten es über Sand oder Wasser auf hundertundfünfzig Stundenkilometer bringen. Veg jedoch konnte sie einholen, solange er zu Fuß war.

Aber die Maschine war ein unbekannter Widersacher. Sie wollte nicht gerne den Hinterhalt eines solchen Geräts riskieren. So folgte sie der Spur mit dem Auge und hielt sich dabei ein ganzes Stück seitlich, auf der Hut vor allem, was sie entdecken mochte.

Vegs Spuren verliefen nicht in gerader Linie. Mal wandten sie sich nach rechts, mal nach links, dann nach hinten – aber die Eindrücke seiner Fersen ließen erkennen, daß er rückwärts ging und die Richtung seiner Fortbewegung nicht änderte. Offenbar wandte er der Maschine das Gesicht zu, blieb aber aus ihrer Reichweite.

Warum?

Die Spur beschrieb eine leichte Linkskurve, so als ob die beiden in großem Bogen zum Basislager zurückkehrten. Nicht unbedingt ein Beweis der Gefangenschaft.

Ein Manta tauchte auf. Er wirkte wunderschön in seinem Flug. Tamme war bewaffnet, schoß jedoch nicht. Diese Kreaturen verstanden es auf phänomenale Art und Weise, auszuweichen. So war es ziemlich unwahrscheinlich, daß sie den Manta treffen würde, und zudem wollte sie ihn auch nicht unnötig herausfordern.

Er kam vor ihr zur Ruhe; das eine riesige Auge glühte. Die Mantas, das wußte sie, sandten mit diesem Auge einen Allzweckstrahl ab. Mit seiner Hilfe sahen und kommunizierten sie. Versuchte er, ihr etwas zu sagen?

»Welcher bist du?« fragte Tamme. Sie konnten die Verdichtungen und Verdünnungen der Luft, durch die Töne entstanden, wirklich sehen. So konnten sie im Endeffekt hören, obwohl sie über keine auditive Vorrichtung verfügten. Alle ihre Hauptsinne waren in einem einzigen verbunden – aber was das für ein Sinn war!

Das Geschöpf sprang hoch und knallte mit seinem Schwanz wie mit einer Peitsche. Sechs Schläge.

»Hex«, sagte sie. »Vegs Freund. Weißt du, wo er ist?«

Ein Schlag, was JA bedeutete.

Letzten Endes war die Kommunikation nicht schwierig. Bald hatte sie in Erfahrung gebracht, daß Veg bei guter Gesundheit war und daß der Manta sie zu ihm führen würde.

Veg ruhte sich aus, als sie herankam. Er lehnte sich gegen einen Felsen und kaute auf einem Stück dunklem Brot herum.

»Wo ist die Maschine?« fragte Tamme, als ob es sich um eine Routineangelegenheit handelte.

»Sie war schließlich satt und verlor ihren Appetit«, sagte er. »Deshalb zog sie ab. Gut für mich. Mir war fast die Nahrung ausgegangen.«

»Sie haben sie *gefüttert*?«

»Sie war fest entschlossen zu fressen. Besser, sie mit etwas zu füttern, was wir entbehren konnten, als sie ihre eigene Wahl treffen zu lassen. Wie lebenswichtige Ausrüstungsgegenstände – oder Menschen. Das Ding frißt sowohl Fleisch als auch Metall! Aber als ich anfing, es mit Steinen und Sand zu füttern, machte es, daß es wegkam. Nicht allzu clever.«

Die Maschine hatte ihn also angegriffen – und er hatte sie schließlich abgewehrt, indem er ihr das vorwarf, was die Wüste anzubieten hatte. Veg mochte kein Genie sein, aber er verfügte über einen gesunden Menschenverstand!

Veg betrachtete sie aufmerksamer. »Was, zur Hölle, tun *Sie* hier?«

»Wir trauen Ihnen nicht.«

»Das paßt.« Er war nicht einmal sehr überrascht. Sie konnte seine aufrechte, oberflächliche Reaktion von der leichten Anspannung seiner Muskeln ablesen. Tatsächlich war seine Neugier erregt, denn er fand sie sexuell anziehend.

Tamme war daran gewöhnt. Sie *war* sexuell anziehend, man hatte sie ausgestattet, so zu sein. Üblicherweise ignorierte sie ihre Wirkung auf Männer, manchmal nutzte sie sie auch aus. Es kam auf die Situation an. Wenn eine Mission durch Sex einfacher zu erfüllen war als auf einem anderen Weg, warum nicht?

Aber im Augenblick lautete ihre Aufgabe, ein Auge auf die Aktivitäten dieser Leute zu halten. Veg war der einfachste von ihnen. Seine Motive waren eindeutig und es lag nicht in seiner Natur zu lügen.

»Nehmen Sie etwas Brot«, sagte Veg und bot ihr ein abgebrochenes Stück an.

»Danke.«

Es war gutes Brot. Der Proviant der Agenten war immer nahrhaft, weil ihre Körper die richtige Wartung verlangten, um effizient zu sein.

»Wissen Sie, ich habe schon einen von euch Agenten getroffen«, sagte Veg. »Hieß Subble. Sie kennen ihn?«

»Ja und nein. Ich bin mit der SU-Klasse vertraut, aber ich habe diese spezielle Einheit nie getroffen.«

»Einheit?«

»Alle Agenten eines Typs sind austauschbar. Sie würden dieselben Erfahrungen mit jedem SU gemacht haben, und sie wären denen mit einem SO, TA oder TE sehr ähnlich gewesen.«

Sein Körper spannte sich in plötzlichem Ärger. Amüsiert las Tamme die Zeichen. Normale wollten immer glauben, daß jede Person einzigartig war, selbst jene, die maßgeschneidert waren, *nicht* einzigartig zu sein. Wenn sie nur wüßten! Tamme würde niemals eines ihrer programmierten Attribute aufgeben – es sei denn, jeder Agent ihrer Klasse gab sie ab. Sie fühlte sich nur in der Gesellschaft ihrer eigenen Art richtig wohl, und selbst andere Agentenserien brachten sie dazu, sich leicht unbehaglich zu fühlen.

»Anständiger Bursche, auf seine Weise. Ich nehme an, er hat alles berichtet, was wir sagten.«

»Nein. Subble starb, ohne einen Bericht abzugeben.«

»Zu schade«, sagte Veg mit gemischten Gefühlen. Abermals analysierte Tamme ihn. Es tat ihm leid, daß Subble gestorben war, aber er war auch erleichtert, daß es keinen Bericht gegeben hatte. Offenbar war ihr Gespräch persönlich geworden.

»Agenten treten den Leuten nicht unnötig feindlich entgegen«, sagte sie. »Unsere Aufgabe ist es, Tatsachen festzustellen und entsprechende Maßnahmen zu treffen. Wir sind alle gleich, so daß die Art und Weise unserer Reaktionen vorherbestimmt werden kann und unsere Berichte nur geringfügiger Korrekturen wegen Subjektivität oder menschlicher Voreingenommenheit bedürfen. So ist es einfacher für den Computer.«

»Das sagte er auch.«

»Natürlich. Es ist das, was wir alle sagen.«

Wieder diese vorhersehbare Verärgerung. Veg blickte sie an. »Aber ihr seid *nicht* gleich. Er ... er *verstand*.«

»Versuchen Sie es irgendwann mal bei mir.«

Er blickte sie wieder an, intensiver, weil er eine Einladung heraushörte. Er hatte offensichtlich eine traumatische Erfahrung mit dem Mädchen Aquilon hinter sich und litt noch unter den Nachwirkungen. Nun stand er einer anderen reizvollen blonden Frau gegenüber, und obwohl er verstandesmäßig wußte, daß sie eine pflichtergebene und unpersönliche Regierungsagentin war, sah er gefühlsmäßig kaum mehr als ihre äußere Erscheinung. Aus diesem Grunde *waren* Agentinnen reizvoll – wenn sie diesen Eindruck auch nach Belieben verwischen konnten. Normale besaßen eine außerordentliche Fähigkeit, sich selbst zu betrügen.

Der andere Mann, Calvin Potter, war eine viel größere Herausforderung. Die zweckdienlichste Methode war es jedoch, sich die Kooperation des geeignetsten Individuums zu sichern, und das war Veg. Cal würde sich keine Illusionen machen.

»Wir *sind* gleich«, wiederholte Tamme und lächelte. »Ich kann alles tun, was Ihr SU tun könnte. Vielleicht sogar noch ein bißchen besser, weil ich zu einer späteren Serie gehöre.«

»Aber Sie sind kein Mann!«

Sie hob eine helle Augenbraue. »Und?«

»Wenn Sie also jemand verprügeln würde . . .«

»Nur zu«, sagte sie und schob das Kinn vor. Sie mußte sich zurückhalten, um die Plumpheit seines Versuchs nicht zu belächeln.

Er bewegte sich ganz plötzlich, hatte dabei vor, seine Faust kurz vor dem Ziel zu stoppen. Er war in der Tat ein starker Mann, doch sie fing seinen Arm ab und lenkte ihn zur Seite. Seine Faust ging hinter ihrem Kopf vorbei, und der Schwung riß ihn herum. Plötzlich war sie in seiner Armbeuge, und ihre Köpfe befanden sich dicht beieinander.

Sie küßte ihn ganz leicht auf die Lippen. »Die Zeit wird kommen, großer Mann«, murmelte sie. »Aber zuerst müssen wir ihre verlorengegangenen Freunde finden.«

Diese Erinnerung elektrisierte ihn – und die Überlegung, daß er mit einer Fremden herumtändelte, während seine beiden engsten Freunde vermißt wurden.

Natürlich war Veg keinesfalls so schuldig, wie er sich in diesem Augenblick fühlte. Tamme hatte diese Begegnung mit Bedacht herbeigeführt. Er hatte niemals ernstlich geglaubt, daß sie sich mit ihm einlassen würde – und er hatte nicht gewußt, daß Cal und Aquilon verschwunden waren. Das Auftauchen der Mantas hatten den Anschein erweckt, daß alles in bester Ordnung war. Der Gedanke, Hex oder Circe eingehender zu befragen, war ihm nicht gekommen, und die Mantas hatten, wie bei ihnen üblich, nichts davon gesagt oder angedeutet, daß etwas nicht stimmte.

Er war davon ausgegangen, daß sich Cal und Aquilon im Lager aufhielten, völlig sicher, weil er die tückische Maschine weggelockt hatte.

»Sie sind nicht im Lager?« Panik schwang in Vegs Stimme.

»Nein. Ihre Spuren folgen den Ihren und verschwinden dann.«

»Stimmt das, Hex?« fragte er den Manta. Sein Mißtrauen gegenüber den Agenten war so tiefverwurzelt, daß er sich des unterschwelligen Affronts nicht einmal bewußt wurde. Warum sollte er ihre Worte für bare Münze nehmen?

Hex knallte einmal mit dem Schwanz. Bestätigung. Tamme fragte sich, ob die Kreaturen menschliche Lügen genauso leicht lesen konnten, wie es die Agenten konnten.

»Vielleicht hat Circe sie gefunden«, sagte Veg.

Hex knallte zweimal.

»Ich meine, Sie sollten sich mal die Spuren ansehen«, sagte Tamme. »Hier geht etwas Seltsames vor sich, und wir könnten in Gefahr sein.«

»Warten Sie«, sagte Veg. »Die Mantas sind mit Cal durchgekommen, richtig? Sie *müssen* Bescheid wissen.« Aber noch während er sprach, erkannte er, daß Hex nicht im Bilde war.

Tamme zuckte die Achseln. »Ich vermute, daß Cal Sie vermißt hatte und die Mantas losschickte, um *Sie* zu finden. Während sie unterwegs waren, wurde *er* von irgend etwas überrascht.« Sie nahm wahr, daß er erschrak. »Soviel ich weiß, ist er nicht tot. Er ist lediglich verschwunden. Die Spuren führen in den Sand hinaus und hören auf. Ich habe den Verdacht, daß er durch eine Maschine weggebracht wurde.«

»Eine Flugmaschine?« Veg grübelte darüber nach. »Könnte

sein. Ich habe sie nicht gesehen – diese Bodenmaschine war hartnäckig genug. Aber wenn ...«

»Ich glaube nicht, daß sie aufgefressen wurden«, sagte Tamme. »Im Sand findet sich kein Blut, kein Anzeichen eines Kampfes. Die Abdrücke lassen erkennen, daß sie da standen, aber weder rannten noch kämpften.«

»Vielleicht«, sagte Veg, ein wenig erleichtert. »Hex – irgendeine Idee?«

Drei Knalle.

»Er weiß nichts«, sagte Veg. »Circe muß wohl nach ihnen Ausschau halten. Vielleicht sollten wir einfach zum Lager zurückkehren und warten ...«

Tamme streckte die Hand aus, packte seinen Arm und riß ihn mit einer Kraft zur Seite, die er bei ihr nicht vermutet hätte. Sie lagen hinter einem Felsen auf dem Boden ausgestreckt. Wortlos deutete sie mit der Hand.

Irgend etwas schwebte in der Luft, gut dreißig Meter entfernt. Ein Netz aus schimmernden Punkten, wie strahlende Staubpartikel im Sonnenlicht. Es war so, als würden unmittelbar hier in der Atmosphäre des Planeten winzige Sterne geboren. Sie hatte von dergleichen noch nie gehört; nichts in ihrer Programmierung kam dem nahe.

Hex sprang hoch, orientierte sich in Richtung des Schwarms. Er schoß darauf zu.

»Paß auf, Hex!« schrie Veg.

Aber Tamme erkannte eine Schwäche in dem Manta. Um kampfbereit zu sein, mußte sich die Kreatur in der Luft befinden. Tatsächlich schritt der Manta sehr schnell über den Boden. Er mußte sein großes Auge unmittelbar auf das Objekt richten, um es überhaupt sehen zu können. Deshalb *mußte* der Manta geradewegs auf den Schwarm losgehen – oder ihn ignorieren. Vermutlich würde die Kreatur kurz vor dem Funkengebilde seitlich ausweichen.

Aber plötzlich dehnte sich das Lichtmuster abrupt aus und verdoppelte seine Größe. Der äußere Rand erstreckte sich über den sich bewegenden Körper des Mantas hinaus.

Und Hex verschwand – ebenso der Lichtschwarm. Die Wüste war wieder lichtlos.

»Was, zur Hölle, *war* das?« rief Veg.

»Das, was Ihre Freunde geholt hat«, sagte Tamme kurz und knapp. »Ein Energiefresser – oder ein Materialtransmitter.«

»Es hat Hex ...«

»Ich glaube, wir sollten besser von hier verschwinden.«

Sie standen auf und rannten den Weg zurück, den sie gekommen waren.

»Circe!« rief Veg. »Da ist irgend etwas hinter uns – du solltest ihm nicht zu nahe kommen! Es hat Hex geholt!«

»Herrje«, sagte Tamme.

Veg blickte sich sorgenvoll um. Das Muster war wieder da, bewegte sich schnell auf sie zu. Circe ließ sich neben ihnen nieder, der Erscheinung zugewandt.

»Wir können nicht schnell genug laufen«, sagte Tamme. »Wir werden kämpfen müssen.«

Sie wandte sich dem Schwarm zu, versuchte ihn zu analysieren, um eine Schwäche zu erkennen, obwohl sie nicht wußte, wonach sie suchte. Das Ding wirbelte umher und pulsierte wie eine riesige fliegende Amöbe, wobei es flüchtige Pseudopodien ausstreckte, die nicht zurückgezogen wurden, sondern verschwanden. Funken, die erloschen, wenn sie von der Hauptmasse weggeschleudert wurden?

»Gott ...« sagte Veg.

»Oder der Teufel«, sagte sie und feuerte mit einem ihrer Hüftblaster.

Die Energie strömte durch das Zentrum der strahlenden Wolke. Lichtpunkte glühten in der ganzen Schußbahn auf, aber der Schwarm brach nicht zusammen.

»Es ist ein Geist!« sagte Veg. »Einen Geist kann man nicht verbrennen.«

Er war mehr verblüfft als furchtsam. Angst lag ganz einfach nicht in seiner Natur. Er war weggelaufen wie jemand, der vor einem umstürzenden Baum zurückwich, ohne dabei von Panikgefühlen übermannt zu sein.

Tamme zog eine andere Waffe hervor. Ein Flüssigkeitsstrahl schoß heraus.

»Feuerlöscher«, sagte sie.

Auch der Feuerlöscher erzielte keinerlei Wirkung. Jetzt war

der Schwarm über ihnen. Nadelkopfgroße Lichter umgaben sie und erweckten den Anschein, als würden sie im Zentrum eines Sternennebels stehen. Circe sprang hoch, mit ausgebreitetem Mantel, aber es gab nichts, wonach sie schlagen konnte, und für die Flucht war es zu spät.

Dann geschah etwas Seltsames.

4 Intelligenz

Erstes Problem: Überleben in einer Nichtüberlebenssituation.

Zweites Problem: Existenz einer mobilen Schadstelle, nur durch ihren vorübergehenden Dämpfungseffekt auf die Elemente bemerkbar.

Jedes Problem schien für sich selbst unlösbar zu sein. Aber zusammen genommen gab es eine Möglichkeit. Die Existenz mobiler Nichtmustereinheiten implizierte, daß eine Nichtmusternatur des Überlebens möglich war. Die Natur der Schadstelle mußte verstanden werden, dann würde sich daraus vielleicht das Überleben ergeben.

OX' Originalschaltungen hatten Schwierigkeiten, diese Folgerung zu akzeptieren, deshalb modifizierte er sie. Die nagende Qual, die durch diese Modifikationen hervorgerufen wurde, diente als Warnung, daß er einen Nichtüberlebenskurs verfolgte. Aber spielte das eine Rolle, wenn alle sich anbietenden Wege zum Nichtüberleben führten?

Er wandte seine volle Aufmerksamkeit den Schadstellen zu. Zuerst registrierte er die vollständigen Umrisse jeder Schadstelle, um eine genaue Vorstellung von ihrer Form zu bekommen. Eine war im Grunde stationär. Eine andere bewegte sich in zwei Dimensionen langsam von Örtlichkeit zu Örtlichkeit und behielt dabei ihre Form bei. Die dritte war die interessanteste, weil sie sich schnell in drei Dimensionen bewegte und bei der Bewegung ihre Form veränderte.

Dies war die Art und Weise, auf die eine intelligente Einheit funktionierte.

Und doch war es eine Schadstelle. Ein reines Muster der Elementdämpfung.

Muster. Ein Schadstellenmuster war immer noch ein Muster, und ein Muster war der fundamentale Hinweis auf Intelligenz. Also waren Nichtintelligenzen intelligent. Ein weiteres Paradoxon, das auf einen Fehler in Wahrnehmung oder Ratio hinwies.

Möglichkeit: Die Schadstelle war keine Schadstelle, sondern das Faksimile einer Schadstelle. Als ob ein Muster vorhanden war, dessen Vorhandensein die Aktivitäten der Elemente jedoch unterdrückte, statt sie zu fördern. Eine entgegengesetzte Einheit.

Irrtum. Eine solche Einheit müßte doch eine Leere zurücklassen, wo die Elemente unterdrückt wurden: wie beim Fehlen von Elementen.

OX nahm keine solchen Leerstellen wahr. Wenn er gegebene Elemente aktivierte, dann sollte die Gegenwart eines entgegengesetzten Musters dies wenigstens hinfällig machen, so daß die Elemente unberührt erscheinen würden. Statt dessen wurden sie aktiviert – aber nicht so stark, wie es sich gehörte. Der Effekt war mehr wie ein Schirm, den Energiefluß dämpfend, aber nicht auslöschend. Eine Schadstelle, kein Muster.

OX durchlebte eine weitere Periode der Desorientierung. Mit dem Paradoxon zu kämpfen, erforderte Energie, und er hatte bereits einen Mangel an für das Überleben notwendigen Reserven.

Rechtzeitig kehrte er zu dem Problem zurück – er mußte es. Es schien, daß die letztendliche Natur der Flecken unbegreiflich war. Aber ihre wahrnehmbaren Eigenschaften konnten festgehalten und eingeordnet werden, so daß sie vielleicht zu irgendeiner Erklärung führten. Es war immer noch das beste, was er tun konnte, um das Überleben zu sichern. Wo ein Pseudomuster überleben konnte, mochte es auch ein echtes Muster schaffen.

OX entwickelte eine modifizierte Nachforschschaltung, die

es ihm ermöglichte, die Flecken als einfache Muster, nicht als Musterlücken wahrzunehmen. Der Effekt war erstaunlich: Plötzlich bekam die scheinbare Zufälligkeit einen Sinn. Anstatt als Geister manifestierten sich diese jetzt als lebensfähige, wenn auch eigenartige Einheiten. Der begreifbarste Flecken war der, der seine Umrisse veränderte. Zeitweilig war er stationär. Wenn er sich bewegte, wechselte er seine Form – wie es eine Mustereinheit normalerweise tat. Aber selbst hier gab es ein Mysterium: Der Flecken veränderte sich nicht nach den fundamentalen Regeln von Mustern. Deshalb konnte er nicht stabil sein. Und doch war er es; er formte sich immer wieder zu einer ähnlichen Konfiguration.

OX' Desorientierung entstand aufs neue. Mit einer abermaligen Anstrengung modifizierte er sein rationales Grundlagenfeedback, so daß er Verwirrung und Paradoxon betrachten konnte, ohne darunter zu leiden.

Dann konzentrierte er sich auf die beobachtbaren Phänomene. Möglich oder nicht, der Flecken bewegte sich auf seine ureigenste Weise und war stabil.

Ein anderer Flecken bewegte sich, veränderte seine Umrisse jedoch nicht wesentlich. Er schien zu zirkulieren, so als wolle er seine Elemente nicht erschöpfen, was Sinn ergab. Aber er wanderte nur in diesen zwei Dimensionen.

Der dritte Flecken bewegte sich nicht.

Eine weitere Unwahrscheinlichkeit: Elemente brauchten Ruhezeit, um sich wieder aufzuladen, oder sie wurden inoperativ.

Natürlich mochte ein Muster, daß Elemente dämpfte, sie nicht auf dieselbe Art und Weise erschöpfen.

Konnte OX selbst dieses Stadium erreichen? Wenn er in der Lage wäre, Musteraktivität mit Musterdämpfung abzuwechseln, mochte er unendlich lange überleben.

Überleben!

Eine derartige Aussicht war die Verschwendung seiner letzten Energiereserven wert.

OX wußte nicht, wie eine solche Umkehrung erreicht werden konnte. Die Fleckenmuster *wußten* es, denn sie *hatten* sie erreicht. Er würde von ihnen lernen müssen.

Es wurde nun zu einem Problem der Kommunikation. Beim Umgang mit einer Einheit seiner eigenen Art würde OX einen Erkundungsvortex ausgesandt haben, der mit dem Vortex des anderen zusammentraf. Aber diese Fleckeneinheiten befanden sich innerhalb seiner Eigensphäre und waren jenseits davon nicht wahrnehmbar.

Er versuchte es mit einem internen Vortex, indem er ein Submuster in seiner eigenen Wesenheit, in unmittelbarer Nähe des mobilsten Fleckens schuf. Es erfolgte keine Reaktion.

Er versuchte es mit einem von selbst vergehenden Ableger – einer weiteren Konstruktion, die er entwickelte, als die Notwendigkeit dazu entstand. Der mobile Flecken ignorierte ihn. War der Flecken letzten Endes doch unintelligent – oder lediglich unfähig, die Aktivierung der Elemente wahrzunehmen?

Er versuchte es mit anderen Varianten. Der mobile Flecken nahm keine Notiz davon.

OX war pragmatisch. Wenn die eine Sache nicht funktionierte, würde er es mit einer anderen versuchen, bis er entweder etwas fand, was funktionierte, oder bis alle Alternativen aufgebraucht waren. Seine Elemente verblichen langsam. Wenn er keine Lösung fand – Nichtüberleben.

In der Mitte der fünfzehnten Ablegervariation bemerkte OX eine Reaktion. Nicht bei dem seine Form verändernden Flecken, auf den der Ausleger gerichtet war, sondern bei dem formstabilen mobilen Flecken. Er hatte sich bewegt und stoppte abrupt.

Das Aufhören von Bewegungen bedeutete nicht notwendigerweise eine Bewußtwerdung. Es konnte den Tod anzeigen. Aber OX wiederholte die Konfiguration und richtete sie diesmal auf den zweiten Flecken.

Der Flecken bewegte sich auf den Ableger zu. Erkenntnis – oder Zufälligkeit?

OX wiederholte die Figur, etwas seitlich von der ersten. Der Flecken bewegte sich auf den zweiten Ableger zu.

OX versuchte es mit einer ähnlichen Konfiguration, diesmal mit einer, die einen Bogen beschrieb, bevor sie verging. Der Flecken folgte ihr und stoppte, als die Figur verschwunden war.

OX fing an, unter einer Desorientierung zu leiden, die so etwas wie Erregung sehr nahe kam – und das trotz einer vorangegangenen Modifizierung, die diesen Selbstauflösungseffekt in ihm abschwächen sollte. Er versuchte es mit einer weiteren Variante: einer, die sich in drei Dimensionen bewegte. Der Flecken folgte ihr nicht.

Aber eine Wiederholung der zweidimensionalen Figur rief eine neuerliche Reaktion hervor. Dieser Flecken hatte sich immer in zwei Dimensionen bewegt. Er schien unfähig, etwas in drei wahrzunehmen. Aber innerhalb dieses begrenzten Rahmens handelte er intelligent.

OX versuchte es mit einem zweidimensionalen Ableger in einer Endlosschleife. Der Flecken folgte ihm durch einen ganzen Kreislauf, stoppte dann.

Warum?

Dann beschrieb der Flecken neben dem Ableger einen eigenen Kreis. Er folgte nicht länger, er duplizierte!

OX ließ den Ableger vergehen. Der Flecken machte halt. Es gab jetzt keinen Zweifel mehr: Der Flecken war sich des Ablegers bewußt.

Der Flecken bewegte sich in einer Ellipse. OX sandte einen neuen Ableger aus, um die Figur zu duplizieren.

Der Flecken bewegte sich in einem Dreieck. OX machte ein ähnliches dreieckiges Submuster.

Der Flecken machte halt.

OX versuchte es mit einem Quadrat.

Der Flecken duplizierte es. *Und der seine Form ändernde Flecken tat es ebenfalls.*

OX brachte seine bedrohliche Desorientierung unter Kontrolle. Die Kommunikation war hergestellt worden – nicht mit einem Flecken, sondern mit zweien.

Überleben!

5 Stadt

• • •
•   •
• • •

Es war wie eine Stadt, wie ein Dschungel und wie eine Fabrik, alles zusammengewürfelt, um einen surrealistischen Effekt zu erzielen. Veg schüttelte den Kopf, unfähig, sich auf den ersten Blick ein verständliches Gesamtbild zu machen.

Er stand auf einer Metallrampe neben einem eichenähnlichen Baum mit gewaltigen Ästen, von der aus man auf einen Wasserkanal hinunterblicken konnte, der in einer irrgartenartigen Ansammlung sich überkreuzender, von unten beleuchteter Stangen verschwand.

»Eine weitere Alternativwelt, nehme ich an«, sagte Tamme neben ihm. »Ich habe den Verdacht, daß wir die anderen hier finden werden. Warum lassen wir Ihre Mantas sich nicht etwas umsehen?«

Jetzt sah Veg sie neben Hex und Circe stehen. »Sicher, seht euch um«, sagte er vage. Er hatte sich noch immer nicht darauf eingestellt, sich lebendig und wohlbehalten wiederzufinden.

Die Mantas bewegten sich. Hex stieg in die Höhe und segelte über die purpurne Kuppel eines moscheeartigen Gebäudes, dessen Inneres aus sich drehenden Spiegeln bestand, während Circe unter einigen hölzernen Stalaktiten herumkreuzte, die zu einem riesigen umgedrehten Fliegenpilz mit Wurzeln aus farbigen Fäden herauswuchsen.

Veg hockte sich hin, um eine Blume zu untersuchen. Sie hatte einen Durchmesser von knapp zehn Zentimetern, saß auf einem Metallstengel und wandte sich ihm zu. Er tippte sie mit dem Finger an.

Scharfe gelbe Blütenblätter schlossen sich augenblicklich um seinen Finger und schnitten in die Haut.

»He!« schrie er und riß sich los. Die Haut an dem Finger war aufgerissen und brannte, als sei Säure in die Wunden gegossen worden.

Er hob seinen Fuß und ließ ihn nach unten krachen. Die

Blume wich aus, aber er erwischte den Stengel und zerquetschte ihn. Dann tat es ihm leid.

»Verdammt«, sagte er. »Das hätte ich nicht tun sollen. Sie wollte sich nur verteidigen.«

»Besser nicht mit Dingen herumspielen, die wir nicht verstehen«, warnte Tamme.

»Ich verstehe nichts von all dem hier, aber ich stecke mitten drin«, gab Veg zurück.

»Ich glaube, das war ein Radargerät – mit einer Selbstschutzschaltung«, sagte sie.

»Keine Blume«, sagte er erleichtert. »Es macht mir nichts aus, eine Maschine zu zertrümmern.«

Hinter ihnen ertönte ein summendes Geräusch. Veg wirbelte herum. »Da haben wir eine *richtige* Maschine vor uns!«, rief er.

»Klettern!« gab Tamme Anweisung. Sie wies den Weg, indem sie ein Spalier von Orgelpfeifen hochkraxelte, um einen erhöht liegenden Fußweg zu erreichen. Veg folgte ihrem Beispiel mit größter Eile.

Die Maschine bewegte sich schnell die Rampe entlang. Sie war anders als die, gegen die er in der Wüste gekämpft hatte. Statt des Raupenlaufwerks besaß sie Räder, und an der Stelle des wirbelnden Schraubenblatts hatte sie eine Sammlung von Spinnenbeinen.

Sie machte bei der zerstörten Blume halt. Ihre Beine verschlangen sich zu einem Knäuel. So schnell, daß Veg den Einzelheiten nicht folgen konnte, hatte sie die Pflanze aufgerichtet, justiert und wieder an Ort und Stelle gesetzt.

Dann summte die Maschine die Rampe hinunter.

»Kaum zu glauben!« rief Veg aus.

»Wenn wir noch mehr Schäden anrichten, könnten wir einer Zerstörermaschine begegnen. Und wenn dies hier ihre Welt ist, werden wir in Schwierigkeiten sein.«

»Gut, sehen wir uns um – vorsichtig.« Er schritt den erhöhten Weg entlang. Der Weg führte in einem brückenartigen Bogen über einen Wald aus blinkenden Lichtern. Es handelte sich um Glühbirnen, nicht um die schillernden Funken, die die Gruppe hergebracht hatten. Was ihn wieder daran erinnerte: »Was *brachte* uns her?«

Tamme schüttelte den Kopf auf die ihr eigene anmutige Weise. »Irgendein Kraftfeld vielleicht. Und ich habe den Verdacht, daß wir hier nur auf dem Weg wieder rauskommen, auf dem wir gekommen sind. Wir befinden uns in der Gewalt der Maschinen.«

Er stoppte an einer Quelle, die als aufsteigender Lichtstrahl zu beginnen schien, dann in fallendes Wasser überging und sich schließlich zu einem Laufband aus gewebtem Material verhärtete. Durch seine Erfahrung mit der Blume sehr vorsichtig geworden, berührte er das Band. Es war fest und doch nachgiebig, wie ein Teppich. »Das Ding ist ein Webstuhl!«

Überrascht sah Tamme hin. »Keine irdische Technologie«, sagte sie. »Sehr hübsch. Das Licht kommt durch dieses Prisma, zerlegt sich in die Farben, aus denen es zusammengesetzt ist, die dann flüssig werden und hinabstürzen – um in eine Form des Gewebes gegossen zu werden, bevor sie sich verfestigen. Toller Webstuhl!«

»Ich wußte nicht, daß Licht verflüssigt und verfestigt werden kann«, bemerkte Veg. Seine Blicke folgten dem Band weiter abwärts, wo es langsam von einer riesenhaften Rolle aufgenommen wurde.

»Ich auch nicht«, gab sie zu. »Es scheint, daß wir es mit einer raffinierteren Wissenschaft zu tun haben als unserer eigenen.«

»Irgendwie gefällt es mir«, sagte er. »Es erinnert mich an etwas, das Quilon malen könnte. Tatsächlich ist diese ganze Stadt gar nicht so übel.«

Aber es war offensichtlich, daß Tamme nicht so angetan davon war. Zweifellos würde sie einen Bericht verfassen, wenn sie zur Erde zurückkehrte. Würden die Agenten kommen und alles niederbrennen, wie sie es auf Paläo gemacht hatten?

Hex kam zurück.

»Hallo, Freund«, sagte Veg. »Hast du sie gefunden?«

Ein Knall: Ja.

Cal und Aquilon waren bereits auf dem Weg.

»Veg!« rief Aquilon, als ob sich zwischen ihnen nichts geändert hätte. Sie war absolut wundervoll.

Einen Augenblick später hatten sie sich alle um den sonderbaren Webstuhl versammelt.

»Wir sind seit einer Stunde hier«, sagte Cal. »Dieser Ort ist phänomenal.« Dann blickte er Tamme an, und Veg erinnerte sich daran, daß Cal nichts von ihrem Durchkommen gewußt hatte.

»Wo sind Ihre Freunde?«

»Zwei Alternativwelten weit weg, nehme ich an«, sagte Tamme.

»Sie haben Strohhalme gezogen, und Sie haben verloren.«

»Genau.«

»Sie ist nicht übel, wenn man sie näher kennenlernt«, sagte Veg, der sich der Spannung zwischen den beiden bewußt war.

»Wenn man sie näher kennenlernt . . .« murmelte Aquilon, und er wußte, daß sie an Subble dachte.

»Mir ist klar, daß Sie von meiner Anwesenheit nicht alle begeistert sind«, sagte Tamme. »Aber ich meine, wir sind hier in etwas verwickelt worden, das unsere privaten Gegensätze hinfällig macht. Durchaus möglich, daß wir die Erde niemals wiedersehen.«

»Wollen Sie das denn?« erkundigte sich Cal. Er meinte es nicht im Spaß.

»Gibt es hier irgendwo etwas zu essen?« fragte Veg. »Unsere Vorräte sind jetzt ziemlich knapp.«

»Es gibt Fruchtpflanzen«, sagte Aquilon. »Wir wissen allerdings nicht, ob sie eßbar sind.«

»Ich kann es vermutlich sagen«, meinte Tamme.

»Seht ihr – wir haben Glück, daß sie bei uns ist!« sagte Veg.

Doch weder Cal noch Aquilon reagierten, und er wußte, daß sie noch immer gegen Tamme waren. Sie waren nicht gewillt, ihr eine Chance zu geben. Und vielleicht hatten sie recht. Die Agenten hatten die Dinosaurier-Enklave ohne Skrupel zerstört. Er verspürte ein gewisses Schuldgefühl, wenn er irgendeinen Agenten verteidigte . . . obwohl Subble wirklich den Anschein erweckt hatte, anders zu sein.

Sein Wissen, daß Tamme seine Empfindungen lesen konnte, wenn sie in ihm aufkamen, war auch wenig hilfreich.

»Irgendeinen Hinweis darauf, welchen Zweck die Maschinen damit verfolgten, daß sie uns hierher gebracht haben?« fragte Tamme.

Cal zuckte die Achseln.

»Ich bezweifele, daß irgendeine Maschine dafür verantwortlich war. Wir scheinen es mit etwas höher entwickelten Wesenheiten zu tun zu haben. Wer auch immer diese Stadt erbaute . . .«

»Es gibt da eine Art von Amphitheater«, sagte Aquilon. »Mit einer Bühne. Das könnte der richtige Ort sein, um Kontakt aufzunehmen – wenn sie das wollen.«

»Es gibt wenig Sinn, uns aufzubringen und dann zu vergessen«, murmelte Veg.

»Diese Wesenheiten könnten die Dinge unter anderen Gesichtspunkten sehen, als wir das tun«, sagte Cal lächelnd.

Sie untersuchten die Fruchtpflanzen, und Tamme erklärte, daß sie vermutlich eßbar waren. Anscheinend verfügte sie über so verfeinerte Sinne, daß sie Gift entdecken konnte, bevor es ihrem Körpersystem Schaden zuzufügen vermochte.

Das Amphitheater war wundervoll. Lichtdurchlässige Säulengänge umrahmten die erhöhte Bühne, die über einem grünen Nebel schwebte. Veg rollte eine Frucht in den Nebel, und die Frucht kam auf der anderen Seite wieder heraus, ohne auf ein Hindernis gestoßen zu sein: keine Substanz dort!

»Magnetisch vielleicht«, sagte Cal. »Ich gebe zu, daß ich beeindruckt bin.«

»Aber wo sind die Menschen, die all dies geschaffen haben?« wollte Veg wissen.

»Warum nimmst du an, daß es *Menschen* geschaffen haben?«

»Es ist für Menschen gemacht. Die Durchgänge sind genau richtig, die Sitze passen zu uns, die Bühne ist leicht zu überblicken und die Frucht ist gut. Es würde nicht so sein, wenn es für Nichtmenschen bestimmt wäre.«

Cal nickte. »Eine ausgezeichnete Antwort.«

»Was ist mit den Maschinen?« fragte Aquilon. »Sie bewegen sich überall umher und pflegen es.«

»Genau das ist es«, sagte Veg. »Sie *pflegen es, benutzen* es nicht. Sie sind Diener, keine Herren.«

»Diesen Überlegungen kann ich nichts hinzufügen«, sagte Cal.

Veg empfand diese Worte unaufrichtig. Warum sollte Cal den

Versuch unternehmen, ihm zu schmeicheln? Um ihn davon abzuhalten, mit Tamme gemeinsame Sache zu machen?

»Aber wenn es Menschen gebaut haben . . .«, begann Aquilon.

»Wo *sind* sie dann?« unterbrach sie Veg. »Das ist das, was ich gleich beim ersten Mal wissen wollte.«

»Verschiedene Möglichkeiten«, sagte Cal gedankenvoll. »Dies alles könnte vor Jahrhunderten oder Jahrtausenden errichtet und dann verlassen worden sein. Die Maschinen könnten dazu bestimmt gewesen sein, es zu warten, und niemand hat sie jemals abgestellt.«

»Wer verläßt denn eine blühende Stadt?« fragte Veg. »Ich meine, die ganze Bevölkerung?«

»So etwas passierte in Catal Huyuk im antiken Anatolien. Das war tausend Jahre lang eine blühende neolithische Stadt. Dann zogen die Menschen fort und erbauten Halicar, dreihundert Kilometer weiter westlich.«

»Warum?«

»Wir wissen es nicht. Ich vermute, daß das Wild ausblieb, und zweifellos hatte auch das Klima etwas damit zu tun.«

»Das gefällt mir nicht«, sagte Veg. »*Diese* Erbauer mußten nicht jagen, um zu überleben. Wenn *ihnen* etwas zugestoßen ist, dann kann es ganz bestimmt auch *uns* zustoßen.«

»Andererseits könnten sie jetzt auch hier sein und schlafen – oder uns beobachten.«

»Das gefällt mir auch nicht«, sagte Veg.

»Oder vielleicht handelt es sich um eine Gefängnisstadt, erbaut für die Verwahrung von Feinden oder Unerwünschten bis zum Urteilsspruch.«

»Das wird ja immer sonderbarer«, sagte Veg und schnitt eine Grimasse. »Versuch *du* es, Quilon.«

Aquilon lächelte. »Wie wäre es mit einem Urlaubsort für Ehrengäste?«

»Das reicht schon«, sagte er. »Es gefällt mir.«

»Wie auch immer«, schloß Cal, »was uns hergebracht hat, kann uns auch wieder entfernen – und *wird* es tun, wenn es ihm beliebt. Wir wären gut beraten, wenn wir uns geziemend aufführen.«

»Trennung nach Geschlechtern?« fragte Aquilon boshaft.

»Er meint, daß wir nichts zerstören sollen«, sagte Veg.

»Ihr versteht das, Mantas?« fragte Aquilon. »Wir wollen keinen Ärger haben.«

Die beiden Fungi stimmten mit symbolischen Schlägen ihrer Schwänze zu.

»Jetzt sollten wir eine Ruhepause einlegen«, sagte Tamme.

Ruhepause! Veg wußte, daß Tamme sie nicht halb so nötig hatte wie die anderen. Die Agenten waren zäh, furchterregend zäh. Und auf ihre Weise faszinierend.

Cal nickte zustimmend. Er würde am müdesten sein. Er war viel stärker, als er es vor seinem ersten Zusammentreffen mit Veg im Weltraum gewesen war, aber seine körperlichen Reserven waren noch immer gering.

»Die Mantas werden Wache stehen«, sagte Cal.

Tamme ließ sich nichts anmerken, aber irgendwie wußte Veg, daß sie verärgert war. Sie mußte vorgehabt haben, die Gegend allein zu erkunden, während die anderen schliefen. Vielleicht kannte sie einen geheimen Weg, auf dem sie Kontakt mit den Agenten auf Paläo aufnehmen konnte. Das jedoch konnte sie vor den Mantas nicht verbergen!

Dann blickte ihn Tamme direkt an, und Veg wußte, daß sie wußte, was er dachte. Verlegen stellte er seine Mutmaßungen ein. Und Tamme lächelte leicht. Schlange! dachte er, und ihr Lächeln verstärkte sich.

Sie fanden im Saal geeignete Plätze. Die Bänke waren überraschend bequem. Aber es gab ein unangenehmes Problem.

»Das Klo«, sagte Aquilon, «Es *muß* eins geben!«

»Nicht unbedingt«, erwiderte Cal. »Ihre Sitten mögen sich von den unseren unterscheiden.«

»Wenn sie aßen, dann saßen sie auch«, sagte Veg bestimmt.

»Sie könnten Maschinen entworfen haben, die es für sie taten.«

Veg hatte die Vision von einer Maschine, die einen Menschen aufschnitt, um die Exkremente zu entfernen. »Bah! Ich würde nicht einmal eine Maschine anweisen, meine . . .«

»Eine Variante der Dialyse«, fuhr Cal fort. »Ich bin viele Male dialysiert worden. Dabei wird ganz einfach das Blut durch ein Filtersystem gepumpt und wieder in den Körper zurückgeführt. Völlig schmerzlos mit modernen Methoden. Es kann durchgeführt werden, wenn das Subjekt schläft.«

»Ich will nicht, daß mein Blut durch eine Maschine gepumpt wird!« protestierte Veg. »Jetzt werde ich aus Furcht vor einer Vampirmaschine, die sich heimlich an mich ranschleicht und mich fix und fertig macht, nicht mehr einschlafen können.«

»Die Dialyse könnte nur einen Teil davon übernehmen«, murmelte Aquilon.

»Oh, der Darm kann ebenfalls entlastet werden«, versicherte Cal ihr.

Veg hatte wenig Vergnügen an dieser Diskussion. »Warum halten wir nicht ein Örtchen dafür frei, wenigstens so lange, bis wir ein richtiges Häuschen finden? Übrigens, ich kann ein richtiges Häuschen *bauen*.«

»Ich werde mich nach Baumaterial umsehen«, bot Tamme an.

»Ich werde dabei helfen«, sagte Aquilon. »Circe?«

»Das ist sehr freundlich von Ihnen«, sagte Tamme.

Veg fragte sich, ob sie es wirklich meinte. Wenn sie sich allein umsehen würde, könnte die Agentin die Stadt im weiten Umkreis erforschen und vielleicht ihren Bericht an Taler durchgeben. Jetzt konnte sie das nicht – selbst wenn sie sich so schnell vorwärtsbewegte, daß Aquilon nicht in der Lage war, ihr zu folgen, würde sie der Manta doch im Auge behalten. Kluges Mädchen, Aquilon!

Dann blickte er Tamme an, um zu überprüfen, ob sie wieder seine Reaktionen las. Aber zu seiner Erleichterung beobachtete sie ihn diesmal nicht.

Seine Blicke folgten, als die beiden Frauen gingen. Wie ähnlich sie sich mit ihrem blonden Haar und ihren wohlgestalteten Körpern waren – und doch wie *un*ähnlich! Würden sie miteinander reden? Was würden sie sagen? Plötzlich war er fürchterlich neugierig. Vielleicht konnte er später etwas durch Circe herauskriegen.

»Ich glaube, du brauchst keine Warnung«, sagte Cal ruhig, während er an der Hängebühne herumschnüffelte. »Erinnere dich immer daran, daß dieses Mädchen eine Agentin ist – mit allem, was das bedeutet.«

Veg erinnerte sich. Agenten waren das, was Aquilon den Omnivoren nannte: der rücksichtsloseste und verschwendungssüchtigste Killer von allen. Er wußte es, und wie er es wußte! Und doch – Tamme war ein verdammt hübsches Mädchen.

»Wir hatten einmal eine Meinungsverschiedenheit«, sagte Cal. »Ich hoffe, dazu wird es nie wieder kommen.«

Veg und Aquilon hatten sich gegen die Abgabe eines Berichts über die Alternativwelt Paläo ausgesprochen, um sie vor der Ausbeutung durch den Menschen zu schützen. Cal hatte geglaubt, daß sie ihrer eigenen Welt und ihrer eigenen Spezies Loyalität schuldeten. Ihre unterschiedlichen Standpunkte waren unvereinbar erschienen, und so hatten sie sich getrennt: Cal auf der einen, Veg und Aquilon auf der anderen Seite. Doch es war ein Fehler gewesen, denn Cal hatte am Ende seine Meinung gewechselt, während die anderen beiden nur festgestellt hatten, daß sie nicht füreinander bestimmt waren. Nicht auf diese Weise, nicht als Liebespaar, nicht gegen Cal.

Diesmal gab es keinen Streit. Sie waren alle drei gegen die omnivorische Regierung der Erde. Die Agenten waren unbestechliche Repräsentanten dieser Regierung. Veg wußte, daß seine Interessen im Ernstfall bei Cal und Aquilon lagen, nicht bei Tamme.

Aber es hatte mit Aquilon nicht geklappt, und Tamme war ein hübsches Mädchen . . .

»Es ist möglich, das Körperliche vom Geistigen zu trennen«, sagte Cal.

»Ich werde daran arbeiten«, stimmte Veg zu.

Sie bauten das Häuschen und auch eine kleine menschliche Unterkunft aus dem Lichtstoff von dem Webstuhl. Es schien lächerlich, ein solches Zelt in dem überkuppelten Auditorium aufzuschlagen – aber die Stadt war fremd, während das Schutzdach menschlich erschien.

Die Mantas fanden irgendwo Fleisch, während die Menschen das Obst aßen. Überleben war kein Problem. Veg vermutete, daß es in der Stadt Ratten gab: Omnivoren, die die Mantas jagen konnten. Kein Zufall vielleicht.

Aber als sie die Stadt durchstreiften, entdeckten sie, daß kein Fluchtweg existierte. Die Stadt wurde von einem gähnenden

Abgrund begrenzt, dessen Boden sie weder sehen noch ausloten konnten. Sie waren in der Tat in einem Gefängnis.

»Aber man hat uns nicht ohne Grund hierher gebracht«, beharrte Cal. »Sie studieren uns vielleicht. So wie wir eine Bakterienkultur studieren mögen.«

»Um so den Krankheitsherd zu isolieren«, fügte Aquilon hinzu.

»Wir sind kein Krankheitsherd!« sagte Veg.

Cal zuckte die Achseln. »Das mag Ansichtssache sein.«

Veg dachte wieder an den Omnivoren, der von den Fliegen bis zu den Dinosauriern alles vernichtete, und fragte: »Was passiert mit der Kultur – wenn sie wissen, was sie ist?«

»Es ist wohl besser, wenn wir das nicht wissen«, sagte Aquilon leicht gepreßt.

Tamme gab keinen Kommentar ab, aber Veg wußte, daß ihre Gedanken arbeiteten. Sie war nicht gewillt, still sitzen zu bleiben, bis die Kultur vernichtet würde.

»Das ist klar!« sagte Tamme. Wieder einmal hatte er vergessen, auf seine Gedanken aufzupassen. Er wußte, daß sie nicht wirklich Gedanken lesen konnte, aber der Effekt war oft sehr ähnlich.

»Ich habe den Verdacht, daß diejenigen, die uns gefangennahmen, nicht die Erbauer dieser Stadt sind«, sagte Cal. »Sonst hätten sie es nicht nötig, uns auf diese Weise zu studieren. Eher wohl war die Stadt hier, und wir waren da – so brachte man uns im Vertrauen darauf, daß wir zueinanderpassen, zusammen.«

»Das könnte der Test sein«, sagte Tamme. »Wenn wir zusammenpassen, gibt es eine Art Verwandtschaft zwischen uns und der Stadt, und sie erfahren dadurch etwas über uns. Wenn wir schnell gestorben wären, hätten sie gewußt, daß es keine Verwandtschaft gab.«

»Eins zu null«, sagte Aquilon. »Mit gefällt es hier beinahe. Oder es würde mir gefallen, wenn ich mir nur über die Zukunft im klaren wäre.«

»Wenn meine Mutmaßung zutrifft«, fuhr Cal fort, »haben wir es mit zwei Mysterien zu tun. Mit dem Ursprung dieser Stadt – und der Natur der Funkenwolke. Und diese Mysterien mögen sich auch selbst gegenüber Mysterien sein, wenn ihr versteht, was ich meine.«

»Ja, ich verstehe es«, sagte Veg.

»Stadt, Funken, und wir – und keiner von uns kennt die anderen beiden richtig.«

»Wenn drei Seiten beteiligt sind«, sagte Aquilon nachdenklich, »könnten wir im Kampf eine Chance haben.«

»Wenn wir nur wüßten, wie wir kämpfen sollen!« sagte Veg.

Es wurde innerhalb des Auditoriums und draußen wieder Nacht. Sie aßen und ließen sich nieder.

Dann sah Veg etwas. »Die Funkenwolke!« rief er aus. »Sie ist zurück!«

Sie schimmerte auf der Bühne, Myriaden von kleinen Lichtwellen, Muster über Muster. Sie hatten sie bei Tageslicht gesehen, nachts war sie etwas vollkommen anderes: phänomenal und wunderschön.

»Eine lebende Galaxis!« hauchte Aquilon. »Unmöglich zu malen.«

»Energievortex«, sagte Cal, der sie unter anderen Gesichtspunkten studierte. »Kontrolliert, komplex . . .«

»Sie bleibt auf der Bühne«, sagte Cal. »Ist nicht hinter uns her.«

»*Noch*«, warf Tamme kurz ein.

»Wenn wir nur mit ihr *reden* könnten!« sagte Aquilon.

»Wie kommunizierst du mit einem von Alternativwelt zu Alternativwelt springenden Energievortex?« wollte Tamme wissen. »Selbst wenn es ein Gehirn hätte, wäre da immer noch das Problem der Übersetzung. Viel eher ist es einfach ein Kraftfeld, das von irgendeiner fernen Maschine gespeist wird.«

»Auch dann könnte Kommunikation möglich sein«, sagte Cal. »Wenn wir Radio, Telefon oder Fernsehen benutzen, kommunizieren wir tatsächlich miteinander. Was zählt, ist, wer oder was die Maschine oder die Kraft kontrolliert.«

»Übersetzung – das ist der Schlüssel!« sagte Aquilon, Tammes Bemerkung aufgreifend. »Circe – übermittele ihr dein Kennzeichen.«

Der Manta neben ihr bewegte sich nicht. Sein Auge glühte, dem Vortex zugewandt.

Nach einer Weile zuckte Aquilon enttäuscht die Achseln. »Keine Verbindung«, sagte sie. »Ihre Energien scheinen eine unterschiedliche Bandbreite zu haben.«

»Es ist möglich, daß wir die bloße Randerscheinung eines natürlichen Effekts sehen«, sagte Cal. »Ein Riß zwischen Alternativwelten, ein Spalt im Boden, durch den wir auf eine andere Ebene gefallen sind. Keine Intelligenz dabei.«

Plötzlich veränderte sich der Vortex. Farbwirbel wurden weggeschleudert, während sich innerhalb der Hauptmasse Flächen aus wachsenden Punkten formten. Linien aus flackernden Farben schossen durch diese Flächen.

»Ein Bild!« rief Aquilon aus.

»Muß sich um moderne Kunst handeln«, schnaubte Veg.

»Nein, da ist wirklich ein Bild«, sagte Aquilon. »Du mußt es nur richtig betrachten. Die Flächen sind wie Ausschnitte. Die Linien zeigen die Umrisse. Jede Fläche ist ein anderer Blick. Betrachte sie alle auf einmal, integriere sie ...«

»Ich sehe es!« rief Tamme. »Eine Holographie!«

Dann nahm Cal es wahr. »Ein Stilleben!«

Veg schüttelte verwirrt den Kopf. »Alles, was ich sehe, sind Flächen und Gekritzel.«

»*Versuche* es!« drängte Aquilon ihn.

Oh, sie war reizend in ihrer Ernsthaftigkeit. Es kostete ihn keine Anstrengung, *das* festzustellen.

»Laß dein Bewußtsein wandern, sieh dir die Formen hinter den Formen an. Wenn du es einmal gepackt hast, wirst du es nie wieder verlieren.«

Aber Veg konnte es nicht packen, ebensowenig wie er *sie* hatte packen können, damals, als er dachte, daß er sie im Griff hatte. Er sah die Kurven und Flächen, aber kein begreifbares Bild.

»Es liegt alles in deiner Betrachtungsweise«, erklärte Cal. »Wenn du ...« Er unterbrach sich, starrte in den Vortex. »Verblüffend!«

Veg blickte wieder hin, aber alles, was er sah, war eine Verschiebung von unverständlichen geometrischen Mustern, aus denen Funken wie Feuerwerkskörper herausflogen.

»Das ist Orn!« rief Aquilon. »Nein, es ist ein Küken ...«

»Der Schlüpfling«, sagte Cal. »Ornet. Aber wie . . .?«

»Und ein Mantababy!« fuhr sie fort. »Wo *sind* sie?«

»Auf Paläo vielleicht«, sagte Veg verärgert. »Was für eine Art Spiel führt ihr Leute hier eigentlich vor?«

»Kein Spiel«, versicherte Tamme ihm. »Wir *sehen* sie.«

»Aquilon!« rief Cal. »Sieh doch! Hinter diesem undeutlichen Funken. Kann das ein . . .«

»Es *ist*!« rief sie. »*Das ist ein menschliches Baby!*« Sie schüttelte den Kopf, aber ihre Blicke blieben wie gebannt an dem Bild hängen. «Mein Gott!«

Veg strengte sich abermals an, konnte aber nichts ausmachen. Er wurde zornig.

»Dein Gott!« sagte Cal. »Ich erinnere mich an die Zeit, als du diesen Ausdruck altmodisch fandest.«

Aquilon wandte ihre Blicke für einen Augenblick von der Bühne ab, um Cal anzusehen, und Veg spürte die Eindringlichkeit dabei, obwohl er selbst nicht daran teilhatte. Sie wandte sich mit Macht Cal zu, und das war in Ordnung. Daß Veg sie liebte, bedeutete nicht, daß er eifersüchtig auf seinen Freund war.

»Ich malte«, sagte sie. »In jener ersten Nacht auf dem Berg . . . Und du sagtest, daß du mich liebst, und ich weinte.« Ihre Blicke kehrten zur Bühne zurück. »Jetzt habe ich mir deine Eigenheiten angewöhnt.«

Veg richtete seinen Blick geradewegs auf das undefinierbare Bildnis. Die menschlichen Beziehungen des Trios waren ebenso unklar wie dieses angebliche Bild. Er hatte nicht gewußt, daß sich Cal und Aquilon so nahe waren. Er war von vornherein ein Störenfried gewesen.

Plötzlich versteiften sich alle drei, wie von einer gemeinsamen Vision betroffen. Sie hätten niemals eine so übereinstimmende Reaktion zeigen können – es sei denn, es gab für sie wirklich einen gemeinsamen Stimulus.

»Was, zur Hölle, ist es?« wollte er wissen.

»Eine Maschine!« rief Aquilon. »Dieses wirbelnde Schraubenblatt . . .«

»*Wo?*« schrie Veg und blickte sich nervös um. Aber da war keine Maschine. Aquilon starrte noch immer in den Vortex.

»Das muß es sein, was Veg bekämpft hat«, sagte Tamme. »Sehen Sie sich das Laufwerk an, die Art und Weise, in der sie sich bewegt . . . Kein Wunder, daß er solche Mühe damit hatte. Das Ding ist tückisch!«

»Sicher war es tückisch«, stimmte Veg zu. »Aber ich sehe es nicht.«

»Wißt ihr, das ist eine kleine Maschine«, sagte Cal. »Eine Miniatur, nur dreißig Zentimeter hoch.«

»Sie sind *alle* Babys!« sagte Tamme. »Aber die anderen sind keine Gegner für diese Maschine. Das ist ein Killer der dritten Generation.«

»Bewerft sie mit Sand!« sagte Veg.

Für einen Moment glaubte er, daß er die kleine Maschine durch die Tiefen der Funken brummen sah. Aber das wirbelnde Schraubenblatt wurde in ein Windrad geschleudert, und er verlor es. Er hatte ganz einfach nicht das richtige Auge für diese Schau.

»Sie *können* keinen Sand werfen«, sagte Aquilon atemlos.

»Ornet und der Mantling besitzen keine Hände, und das Baby kann noch nicht mal aufrecht sitzen.«

»Sie dürften von Verteidigungstechniken kaum schon etwas verstehen«, fügte Cal hinzu.

»Nun, sie können davonlaufen, oder?« wollte Veg wissen. »Sollen sie sich doch abwechseln, die Maschine wegzulocken.«

»Sie versuchen es«, sagte Tamme. »Aber es . . .«

Dann versteiften sich alle drei wieder. »Nein . . .« rief Cal.

Aquilon schrie. Es war kein Anstandsgeräusch, wie man es bei einem Spiel macht. Es war ein Schrei aus vollster Kehle, erfüllt von schierem Entsetzen.

Veg hatte genug. Er stürmte zur Bühne, sprang auf die Plattform und stürzte sich in das Zentrum des funkelnden Mahlstroms, mit den Armen wedelnd und brüllend. Wenn nichts anderes, dann konnte er wenigstens die hypnotischen Bilder stören, die das Bewußtsein der anderen gefangengenommen hatten.

Er spürte ein Kribbeln, ähnlich seiner Erfahrung beim letzten Mal. Dann verging es. Gestikulierend blieb er auf der Bühne zurück, allein. Die Funkenwolke war verschwunden.

6 Gefüge

Die Dinge entwickelten sich schnell. Die beiden Schadstellenflecken waren intelligenter. Sie reagierten bereitwillig auf geometrische Submuster und entwarfen ihre eigenen. Sie besaßen individuelle Bezeichnungen, anhand derer sie identifiziert werden konnten und die sie durch ihre Reaktionen zu erkennen gaben. Der seine Form verändernde war Dec, ein zehneckiges Symbol. Der andere mobile war Ornet, Erscheinungsform einer langen Reihe sich entwickelnder Kreaturen oder vielleicht einer Serie sich verschiebender Identitätsaspekte. Der dritte reagierte nicht auf die gleiche Weise, aber Ornet identifizierte ihn als Baby oder das Junge einer anderen Spezies. Jede Einheit war tatsächlich ziemlich unterschiedlich, wenn man die Gruppe erst einmal verstand.

Die Schadstellen hatten eine Notwendigkeit, genauso wie OX. Er begriff das Konzept, ohne das Spezifische zu identifizieren. Letztlich war der gemeinsame Imperativ das ÜBERLEBEN. OX benötigte mehr Volumen, die Flecken benötigten etwas anderes.

Wenn die Flecken zugänglich waren, gaben sie perfekte geometrische Figuren ab. Wenn sie gequält wurden, gaben sie imperfekte Figuren ab. Mit OX war es genauso. Deshalb führten sie ein weitreichendes Figurenspiel vor: Ich tue *dies* – gefällt/mißfällt es dir? Ist es näher oder weiter von deiner Art und Weise des Überlebens entfernt? Du tust *das* – es gefällt/mißfällt mir, da es einen Aspekt meines Überlebens berührt.

Wenn genug Zeit gewesen wäre, hätten sie eine effiziente Kommunikationsmethode ausarbeiten können. Aber es war keine Zeit. OX' Elemente verblichen – er mußte *jetzt* Antworten haben. Er mußte wissen, was die Flecken benötigten und ob sie hatten, was *er* benötigte.

Anstatt mühsam Symbole auszutauschen, überblickte er den gesamten Bereich der Stätten, die ihm zur Verfügung standen.

In einigen wenigen waren die Flecken aktiver. Sie machten ausgezeichnete Figuren. In anderen waren die Elemente stärker, besser für ihn. Geleitet von diesem Wissen, richtete OX seine Reaktionen auf unmittelbare Entwicklungen nach den günstigsten Stätten aus.

Aber irgendwie verblichen diese Stätten, als er sich ihnen näherte. Die Flecken stellten ihre Kooperation ein.

OX überblickte das Gefügesystem abermals und analysierte es im Kontext mit dieser Veränderung. Irgendwie hatte der Umstand der Orientierung auf seine Notwendigkeiten diese Notwendigkeiten unnahbar gemacht.

Er versuchte es mit einer Orientierung auf die Stätten, die für die Flecken am günstigsten waren – und da verbesserten sich seine eigenen.

Verwirrung. Sein Überleben und das der Flecken waren verbunden – aber der Mechanismus war unklar.

Durch Emperimentieren und Modifikation der Schaltungen klärte er es. Die Flecken benötigten eine spezielle Lokalität, physisch und in bezug auf das Gefüge – jenen Teil des Gefügesystems, wo es bestimmte stationäre Flecken gab. Als sie sich dieser Region näherten, taten sie etwas, was die Stärke seiner Elemente vergrößerte.

Dies war eine alternative Lösung seines Problems! Er benötigte kein größeres Volumen, wenn sich seine vorhandenen Elemente schneller wieder aufluden. Die Nähe der Flecken verstärkte, ein einigen Fällen, diese Aufladung. OX stellte seine Reaktionen auf weitere Aufladungsverstärkung ein, ohne dabei die Notwendigkeiten der Flecken zu vernachlässigen.

Plötzlich reagierten die Flecken. Verblüffenderweise blühten die Elemente auf, indem sie sich in einem so starken Verhältnis aufluden, daß sein ganzes Überlebensproblem hinfällig wurde.

In der Retrospektive kam das Verstehen. Die Elemente waren keine individuellen Einheiten. Sie waren die Energieendpunkte größerer Submuster. Diese Systeme waren physisch, wie der Boden. Die Flecken waren physisch. Sie kümmerten sich um die Notwendigkeiten der Energiepflanzen und verbesserten dadurch OX' Situation.

Der Dialog verbesserte sich ebenfalls. OX erfuhr, daß eine der wichtigsten Notwendigkeiten von Flecken und Energiepflanzen Flüssigkeit war – eine bestimmte Art flüssiger Materie. In der Gegenwart dieser Flüssigkeit blühten Flecken zahlreicher Arten auf. Einige waren mobile Flecken von halbintelligenter oder nichtintelligenter Natur, anders als die drei, die er kannte. Andere waren stationär und nichtintelligent – und unter diesen gab es gleichfalls eine Anzahl von Subgattungen. Einige lieferten Nahrung für die intelligenten Flecken und wurden deshalb durch die Zuführung von Flüssigkeit und verbesserte Zugangsmöglichkeiten zu bestimmten Formen vorhandener Energie gepflegt. Andere, nicht von unmittelbarem Interesse für die Intelligenten, produzierten Knoten aufbereiteter Energie, die in benachbarte Alternativwelten projiziert wurde. Dies waren die Elemente!

Die physische Unterstützung, die die Flecken ihren eigenen Pflanzen gewährten, half auch den Elementpflanzen. Sie wurden widerstandsfähiger, und deshalb waren die Elemente stärker. So also, indem er den Flecken half, half sich OX in dieser scheinbar abwegigen Wechselbeziehung selbst. Nicht allen beliebigen Flecken, denn die halbintelligenten kümmerten sich überhaupt nicht um die Pflanzen und würden sich auch nicht um OX' Präferenzen sorgen. Aber die intelligenten Flecken, die die Interaktion zwischen ihnen begriffen, kümmerten sich um die Energiepflanzen jetzt genauso wie um ihre eigenen. Es war weitgehend Ornet, dem intelligentesten Flecken, zu verdanken, daß dieses gegenseitige Verstehen zustandekam.

Das Überleben schien gesichert.

Dann kam die Maschine.

OX erkannte sie augenblicklich, obgleich er keinerlei Erfahrung mit dieser Art von Interaktion hatte. Alarmschaltungen waren in seiner Struktur integriert, und die Gegenwart der Maschine aktivierte sie. Hier war der tödlichste Feind des Musters.

In gewissen Beziehungen war die Maschine wie ein Flecken, denn einige ihrer Aspekte waren physisch. Aber in anderen

Beziehungen war sie eine Art von Muster – oder Antimuster. Sie besaß die Fähigkeit, zwischen den Gefügen zu wandern, wie OX es tat. Normalerweise würde er lediglich ihren Musteraspekt bemerkt haben, aber sein notwendiges Studium der Flecken hatte ihn mit einer weitreichenderer Perspektive ausgestattet, und er begriff jetzt viel mehr von ihrer Natur. Plötzlich hatten die Flecken sein Überleben auf eine ganz andere Weise verbessert, denn als er die Maschine als Doppelebenen-Einheit betrachtete, erkannte er sie sowohl als begreifbarer als auch als furchterregender.

Sie konnte OX nicht unmittelbar berühren, aber sie war tödlich. Sie zerstörte seine Elemente, indem sie ihre Energievorräte verringerte und die Elementpflanzen physisch aus ihren Verankerungen riß, wodurch Lücken im Netz zurückblieben. Solche Lücken konnten eine Mustereinheit zerstören, wenn sie unerwartet darauf traf.

Die Maschine war gleichfalls eine direkte Bedrohung der Flecken und daher, in anderer Beziehung, auch eine Bedrohung von OX' eigenem Überleben. Er konnte ihr ausweichen und sein Muster zu unbeschädigten Elementen überwechseln lassen – aber die Flecken hatten eine solche Rückzugsmöglichkeit nicht. Sie konnten nicht durch die Wahrscheinlichkeitsgefüge springen.

Die Flecken waren sich dessen bewußt. Sie waren rasend mobil und setzten sich mit der Maschine auseinander. Ornet lenkte sie ab, indem er sich erratisch bewegte, während sich Dec auf sie stürzte und mit einer scharfen Extremität nach ihr schlug. Aber die Maschine war durch eine solche Attacke nicht verwundbar. Einen Augenblick später entdeckte sie weniger flüchtige Beute. Sie wandte sich Bab zu.

Bab unternahm kein Ausweichmanöver. Er blieb liegen, wo er war, während das Angriffsinstrument der Maschine nach unten zuckte.

Die Schneiden fügten sich zusammen. Dünngeschnittene Sektionen des physischen Körpers flossen heraus, als die Aktion ihren Fortgang nahm. Die festen und flüssigen Teile wurden von der Maschine aufgenommen, und Bab existierte nicht mehr.

Danach entfernte sich die Maschine. Sie war klein, und ihre augenblickliche Überlebensnotwendigkeit – ihr Hunger – war durch die Materie von Bab befriedigt worden. Die Krise war vorbei.

Aber Dec und Ornet waren anderer Ansicht. Sie machten eine negative Reaktion durch. Sie wurden durch den Verlust ihres Gefährten gequält, als ob er auf irgendeine Weise zu ihrem eigenen Überleben in Beziehung stand. Es war eine Sache, die sie OX nicht direkt vermitteln konnten, aber er verstand ihre Notwendigkeit, wenn auch nicht die rationale Grundlage. Von Anfang an hatten sie viel Aufmerksamkeit darauf verwandt, Bab behilflich zu sein, und sie wünschten ihn nicht tot.

Demgemäß überblickte OX die Alternativen. Es gab eine Anzahl, in denen einer der anderen Flecken von der Maschine verzehrt worden war, aber OX folgerte, daß diese nicht passend waren. Er lokalisierte jene, in denen alle drei Flecken intakt überlebten.

Ein Alternativgefüge *kennen* und in dieses *eintreten* waren zwei verschiedene Dinge. OX hatte schon frühere Ereignisse in Richtung günstiger Alternativen dirigiert – aber jetzt mußte er durch die vierte Dimension der Wahrscheinlichkeit wandern, eine von vielen isolieren und die Flecken dabei mitnehmen – obwohl die Optionen durch die Gewalt der Ereignisse stark eingeschränkt worden waren. Er konnte die Flecken leicht in ein Gefüge versetzen, wo sie keinen unmittelbaren Angriff durch die Maschine erleiden würden. Es war jedoch viel schwieriger, dies zu tun, nachdem das Ereignis tatsächlich schon stattgefunden hatte.

Er versuchte es. Der Energieverbrauch war kolossal und verminderte seine Elemente in einem ruinösen Verhältnis. Wenn er einmal angefangen hatte, *mußte* er zu einem erfolgreichen Abschluß kommen, denn nur in der richtigen Alternative würden die Elemente für die Aufrechterhaltung seines Musters ausreichend aufgeladen bleiben. Mißerfolg bedeutete Nichtüberleben.

Die Flecken konnten so lange befördert werden, wie sie innerhalb der Grenzen seiner belebten Form blieben. Er konnte sie nicht physisch von einem Ort zum anderen befördern, aber er konnte sie von einer Realitätsversion in eine andere transferieren. Er hatte diese Fähigkeit in seinen fundamentalen Schaltungen, genauso wie das Wissen von den Maschinen. Er wußte, was zu tun war – wenn er sich selbst richtig lenken konnte. Schadstellenflecken zu bewegen war weitaus schwieriger, als lediglich sich selbst zu bewegen.

Das Gefügesystem riß auf. OX fillibrierte. Das Gefüge veränderte sich. OX löste sich, aufgrund der komplexen Anstrengung desorientiert. Für eine ganze Weile konnte er nicht erkennen, ob er Erfolg gehabt oder versagt hatte.

. . . rstehen zustande kam.

Das Überleben schien gesichert.

Dann kam die Maschine.

OX erkannte sie augenblicklich, obgleich er keinerlei Erfahrung mit dieser Art von Interaktion hatte. Das Eindringen der Maschine aktivierte seine Alarmschaltungen. Hier war des Musters tödlichste Bedrohung!

OX handelte. Er formte einen Lockableger, entworfen, um die Aufmerksamkeit der Maschine auf sich zu ziehen. Er ähnelte idealer Beute, denn er stellte Merkmale zur Schau, auf die das Wahrnehmungsvermögen der Maschine ansprach: das Glänzen von poliertem Edelmetall, die Bewegung einer scheinbaren Schadstelle, das Funkeln der Randerscheinung einer echten Mustereinheit. Die Maschine war nicht intelligent oder erfahren genug, um die List zu durchschauen. Sie folgte dem Ableger.

Der Ableger entfernte sich auf einem simulierten Fluchtweg, während die Maschine energisch mit ihren Schneiden auf ihn losging. Der Ableger würde in passender Entfernung von der Lokalität der Flecken verpuffen, und zu diesem Zeitpunkt würde die Maschine sie längst vergessen haben. Die Bedrohung war abgewendet worden, und alle Flecken waren sicher.

7 Wald

Agenten waren diszipliniert. Sie hatten ihre Emotionen voll unter Kontrolle. Selbst bewußtseinsverändernde Drogen konnten diese nicht beeinträchtigen, es sei denn, ihre Wirkungen setzten die Funktionen des Gehirns völlig außer Kraft. Das Unterbewußtsein eines Agenten war mit dem bewußten Teil integriert, so daß es keine unterdrückten Leidenschaften gab.

Aber die brutale Hinmetzelung eines menschlichen Kleinkinds hatte sie erschüttert. Beobachten zu müssen, wie ein Baby lebendig zerschnitten und in den Rachen einer Maschine befördert wurde . . .

Dann hatte Veg das Bild zerstört, und es war nicht wiedergekehrt. Und das war vielleicht auch gut so.

Eine andere Sache beunruhigte Tamme: das Gefühl, daß das Bild nicht gestellt, sondern echt war. Wie bei einem Fernsehbild: die Wiedergabe von Ereignissen, die tatsächlich irgendwo stattfanden. Wenn dem so war, handelte es sich nicht um eine Drohung, um die Gefangenen gefügig zu machen, sondern um die Übermittlung lebensnotwendiger Informationen.

Vielleicht erwartete die Kontrolleinheit von ihnen, daß sie die Neuigkeiten wie Schwämme aufsaugten. Vermutlich würden weitere kommen. Aber sie war nicht gewillt, auf fremde Launen zu warten. Es war Zeit zu handeln.

Aber bevor sie handeln konnte, mußte sie Nachforschungen anstellen und wieder mit Taler in Verbindung treten. Das bedeutete, daß sie Cal und die Mantas laufenlassen mußte.

Aber sie konnte es sich nicht erlauben, das Trio sich selbst zu überlassen. Wenn sie sie jetzt allein ließ, mochten sie irgendeinen unangenehmen Schaden anrichten, so wie sie es auf Paläo getan hatten. Die Antwort, geradewegs aus dem Lehrbuch: eine Geisel nehmen.

Es gab keine Frage, welche. Cal war zu clever, um unmittelbar kontrolliert zu werden – wenn er überhaupt kontrolliert werden konnte. Er hatte den Agenten auf Paläo eine Lektion erteilt! Aquilon war eine Frau und damit kompliziert. Die Mantas standen gar nicht zur Debatte. Es mußte also Veg sein: männlich und nicht allzu intelligent.

In der Zwischenzeit erholten sich die anderen von ihrem Schock.

»Was hat das zu bedeuten?« fragte Aquilon und beschattete ihre Augen dabei mit einer Hand.

»Es bedeutet, daß sie uns treffen können – physisch und psychisch«, sagte Cal langsam. »Wann immer sie wollen. Wir könnten noch eine ganze Reihe von häßlichen Visionen vor uns haben. Aber was sie uns damit zu sagen versuchen, das ist unklar.«

Tamme wandte sich an den nächsten Manta. »Hast du es gesehen?« wollte sie wissen.

»Circe hat die Vision nicht gesehen«, antwortete Aquilon. »Ihre Augen sind anders. Sie können Gesamteindrücke nicht so aufnehmen, wie wir das tun. Sie haben keine Vorstellung von Perspektive oder von Kunst.«

Tamme wußte dies. Bevor sie durch die Öffnung von der Erde nach Paläo getreten war, hatte sie das vorhandene Material über die fungoiden Wesen studiert. Sie wußte, daß sie raffiniert und gefährlich waren. Ein Manta war aus der Gefangenschaft ausgebrochen und hatte sich auf einem Raumschiff verborgen, das in die Raumregion mit dem Planeten Nacre, der Heimatwelt der Mantas, fliegen sollte. Trotz anstrengender Suche war er niemals getötet oder wieder eingefangen worden, und so hatten sie Nacre mit einer Sperre belegen müssen, um weitere Mantas daran zu hindern, in den Weltraum zu gelangen.

Das Manta-Auge war eine organische Kathode, die einen kontrollierten Lichtstrahl aussandte und seine Reflexionen von umgebenden Objekten aufnahm. Das Radarauge war für diese Art des Sehens unübertroffen und arbeitete sowohl in der Dunkelheit wie auch bei Licht. Aber es hatte auch seine Nachteile, wie von Aquilon beschrieben. Wenn die Mantas das Wolkenbild allerdings gesehen hätten, wäre das höchst bezeichnend gewesen.

Cal verstand. »Wir sehen auf die eine Methode, der Manta auf eine andere. Ein Vergleich der beiden könnte zu bezeichnenden neuen Erkenntnissen über die Natur der Kraft geführt haben, die uns hierher gebracht und uns diese Szene gezeigt hat.« Er schüttelte den Kopf. »Aber wir haben klargestellt, daß die Mantas in der Wolke lediglich Energieblitze sehen, die extrem schnell aufleuchten und erlöschen. Sie können die Quelle dieser Blitze nicht wahrnehmen und sind nicht dazu ausgerüstet, irgendwelche Bilder zu erkennen.«

»Laßt es uns überschlafen«, sagte Veg rauh.

»Das Baby ... irgend etwas damit ...«, sagte Aquilon.

»Was tut eigentlich ein *Baby* allein in einer Alternativwelt?« wollte Veg wissen. »Was auch immer ihr gesehen habt, es war nicht real.«

Tamme vertrat eine andere Ansicht. »Ein kleiner Manta, ein kleiner flugunfähiger Vogel und ein kleines menschliches Wesen – es gibt da ein Muster. Und sie sahen sehr real aus. Ich war in der Lage, die Körpersignale des Babys zu lesen. Es war durstig. Ich würde sagen, daß es real war. Oder wenigstens war es eine Projektion, die von einem realen Modell stammte.«

»Komisch, daß es ausgerechnet in einem Nest liegen mußte«, bemerkte Cal.

»Ich habe es irgendwie erkannt«, sagte Aquilon. »Ich weiß nicht, wer es war, aber es war *jemand*. Vielleicht einer von uns, zu der Zeit ...«

Cal war überraschter, als er eigentlich sein sollte. Tamme hätte ihm deswegen gerne ein paar Fragen gestellt, aber jetzt war nicht die passende Gelegenheit. Warum sollte eine Mutmaßung über seine Kindheit eine Reaktion in ihm hervorrufen? Aber Aquilon hatte recht: Es *gab* eine gewisse Ähnlichkeit mit Cal – und mit Aquilon selbst. Hatte die fremde Intelligenz irgendwie Zugang zu den menschlichen Erinnerungen gehabt und daraus einen Säugling entworfen?

Sie ließen sich nieder. Das Trio teilte ohne Verlegenheit das Innere des Zelts. Tamme schlief abseits. Sie war nicht eingeladen worden, und die drei wollten sie nicht, aber sie akzeptierten ihre Gegenwart als einen der Begleitumstände dieser Mission.

Tammes Schlaf war nie tief, und sie träumte nicht auf die Weise, wie es die Normalen taten. Ein großer Teil des menschlichen Schlafs war ein Filtern und Versinnbildlichen der Tagesgeschehnisse. Ohne dieses Sortieren und Ablegen würde das Bewußtsein bald zum Chaos degenerieren. Aber Agenten wurden regelmäßig neu programmiert und brauchten deshalb keine Katalogisierung des Langzeitgedächtnisses. Sie sank vielmehr in ein tranceartiges Stadium, während dessen sich ihr Körper entspannte und ihr Verstand die Entwicklungen im Hinblick auf ihre Relevanz für die Mission überprüfte und ordnete. Es kostete sie eine Stunde. Auch dabei waren Agenten sehr effizient.

Die anderen schliefen, Cal tief, Aquilon leicht, während Veg eine REM-Phase durchmachte. Die beiden Mantas hatten sich entfernt.

Tamme stand auf und legte Bluse, Rock und Schuhe ab. Ihre Finger arbeiteten flink, trennten Säume auf und preßten den Stoff in neuer Form wieder zusammen. Das war ein Trick, den männliche Agenten nicht anwenden konnten!

Als die Oberbekleidung fertig war, legte sie BH, Slip und Unterhemd ab und gab auch ihnen eine neue Form. Dann staffierte sie sich in neuem, kunstvollen Format aus, ließ ihr Haar herunter und entspannte sich.

Wie erwartet, Vegs REM-Phase ging in einen Wachzustand über. Er trat aus dem Zelt hervor. Tamme setzte sich aufrecht, als er an ihr vorbeiging. Er machte halt, genau wie sie gewußt hatte. Er konnte sie in der Dunkelheit kaum sehen, aber er war sich ihres Aufenthaltsorts sehr wohl bewußt.

»Bin nur auf dem Weg zum . . .«, murmelte er.

»Kommt vor«, sagte sie, ganz nahe.

Hoffnung, Ablehnung und Argwohn durchliefen ihn. Sie nahm die unfreiwilligen Signale seines Körpers auf: erhöhte Schweißabsonderung, schnellerer Puls, Zusammenziehen der Muskeln, Gerüche von vorübergehender Anspannung. Sie konnte ihn natürlich sehen – aber auch ihre Ohren und ihre Nase hätten ausgereicht. Normale waren so einfach zu lesen.

Veg ging weiter, und Tamme ging mit ihm und berührte ihn.

Ihre Kleider gaben ein leises Rascheln von sich, was eine neue Bewußtheit in ihm auslöste. Er nahm den Grund für seine erhöhte Aufmerksamkeit nicht bewußt wahr, aber die Wirkung war immens. Und in seiner gegenwärtigen Gemütsverfassung, getrennt von Aquilon, war er für Tammes kalkulierte Attacke viel verwundbarer, als er es normalerweise gewesen wäre.

Außerhalb des Auditoriums gab es eine Lichtblume, deren Neonblüten auf vielen Wellenlängen Illumination verbreiteten. Jetzt konnte Veg sie sehen – und es war ein neuerlicher Schlag für ihn.

»Sie haben sich verändert!«

»Sie sehen mich bloß in einem anderen Licht«, murmelte sie und drehte sich.

»Tolles Licht!« rief er.

Normalerweise zögerte er nicht, sich für den Charme von Frauen empfänglich zu zeigen. Aber er hatte seit einiger Zeit keine Begegnungen mit anderen Frauen gehabt. Seine Erfahrung mit Aquilon und das Wissen, sich in Gesellschaft einer Agentin zu befinden, veranlaßten ihn, sich zurückzuhalten.

Sie wandte sich ab und ging als erste den Pfad entlang. Hier war der Weg wie ein Tunnel unter wirbelnden Nebeln. Lichtdurchlässige Figuren tauchten auf. Es gab so viele Wunder in dieser Stadt – wenn es nur möglich wäre, Kontakt mit der Erde herzustellen, so daß alles studiert werden konnte!

Sie hatten das Toilettenhäuschen über dem Schwarzen Loch errichtet: einen opaken Brunnen von fünf Metern Breite. Cal hatte gemutmaßt, daß er einst ein Aufzugsschacht gewesen war. Nun diente er als Sanitäreinrichtung.

Während Veg drinnen war, holte Tamme die Miniaturteile ihres Projektors hervor. Er würde eine kugelförmige Öffnung von zwei Metern Durchmesser projizieren, die fünfzehn Sekunden lang bestehen würde. Danach würde sich das Gerät abschalten, um seine kleine Kraftzelle zu schonen. Die Zelle lud sich selbst wieder auf, allerdings langsam.

Ein Problem war, daß sie den Öffnungsprojektor nicht mitnehmen konnte. Sie mußte durch die Kugel steigen, während sie existierte.

Es wäre eine Katastrophe, wenn er abgeschaltet würde, während sie auf halbem Weg in dem Feld war. Ein Teil von ihr würde in der anderen Welt sein, der Rest hier – und beide würden tot sein. Zu dumm, daß Menschen nicht die Regenerierungskräfte von Regenwürmern besaßen: Man schnitt einen in der Mitte durch und schuf zwei neue Individuen!

Tatsächlich waren die Öffnungen zweiseitig. Es handelte sich in Wirklichkeit um Tunnel zwischen Alternativwelten, die man in beiden Richtungen durchschreiten konnte. Die Schwierigkeit war, daß das Gerät nicht von der anderen Seite aus aktiviert werden konnte. Zweifellos würden die Techniker im Laufe der Zeit eine Lösung für dieses Problem entwickeln.

Sie erwartete keine Schwierigkeiten, ging jedoch kein unnötiges Risiko ein. Sie schrieb eine kurze Botschaft an die Adresse Calvin Potters und befestigte sie an dem Generator.

Veg kam heraus. Es hatte nur ein paar Minuten gedauert, aber die Agentin hatte äußerst schnell gearbeitet. Alles war an Ort und Stelle.

»Was ist das?« fragte er.

»Ein Öffnungsgenerator«, sagte sie, während sie an ihn herantrat.

»Sie meinen, Sie hatten so einen die ganze Zeit bei sich?« fragte er. »Wir hätten jederzeit zurückgehen können?«

»Ja und nein«, sagte sie. »Ich hätte ihn jederzeit benutzen können – aber es ist ein Risiko. Unsere Öffnungstechnologie steht noch am Anfang. Wir scheinen eine Bestimmungszuverlässigkeit von weniger als fünfzig Prozent zu haben.«

»Sie werden zu technisch für mich«, sagte Veg und musterte wieder ihren Körper.

»Wir hatten unseren Paläo-Projektor auf die Erde eingestellt«, sagte sie. »Statt dessen schuf er eine Öffnung in die Maschinenwüste. Dieser hier besitzt eine Zusatzvorrichtung. Er sollte uns dahin zurückbringen, wo der andere ist. Aber vielleicht tut er es trotzdem nicht.«

»Uns?« fragte er. »Sie können hingehen, wohin Sie wollen. Ich bleibe bei meinen Freunden.«

Sie konnte ihn niederschlagen. Aber sie wollte seine Kooperation für den Notfall, und außerdem war es immer besser, die Dinge positiv zu gestalten.

»Ich dachte nur, daß es so privater sein würde«, sagte sie. »Was wollen Sie von mir?«

Zeit für eine Halbwahrheit. »Diese Generatoren sind zweiseitig – aber es ist besser, einen Operateur zu haben. Wenn ich *drüben* bin ...«, sie deutete auf das potentielle Feld des Projektors, »... kann ich ihn von *hier* aus nicht wieder einschalten. Und wenn er sich nicht zum richtigen Ort hin öffnet, könnte ich gestrandet sein. Das könnte einigen von Ihnen gefallen, aber ...«

»Hm«, sagte er und musterte sie abermals. »Wir sind alle schwache Menschen, die Dingen gegenüberstehen, die sie nicht verstehen. Wir müssen zusammenhalten.«

»Stimmt. Also ...«

»Sie wollen also, daß ich zuerst rübergehe? Nein, danke! Ich habe das schon mal gemacht und bin fast von einer Maschine aufgefressen worden.«

»Nein, ich werde gehen«, sagte sie.

Er entspannte sich. Sein Argwohn kämpfte mit dem Wunsch, ihr zu glauben. Sie wußte, daß Cal ihn gewarnt hatte, sich nicht mit einer Agentin einzulassen.

»Dann wollen Sie also, daß ich ihn in einer Stunde wieder anstelle, um Sie zurückzuholen?«

»Ja.« Sie holte tief Luft. »Natürlich ...«

»Nicht sehr privat, wenn ich *hier* bin und Sie *da*«, stellte er fest.

»Nun, der Projektor *kann* so eingestellt werden, daß er nach einer gewissen Zeit auf Automatik geht. Ein simpler Uhrwecker. Und das Limit liegt nicht notwendigerweise bei einer Stunde. Es handelt sich um eine Kombination zwischen Belastungszeit-Parameter und Sicherheitsfaktor. Wir könnten eine Ladung von fünfhundert Pfund durchschicken – doppelt soviel wie normal –, aber dann müßten wir vier Stunden bis zur Rückkehr warten. Die Zeit multipliziert sich mit dem Quadrat der Masse, müssen Sie wissen. Für den Dauergebrauch sind zweihundertfünfzig Pfund pro Stunde am effektivsten.«

»Verstehe«, sagte Veg. »Wir könnten also beide durchgehen. Zusammen würden wir nicht mehr wiegen als dreihundertundfünfzig ...«

»Dreihundertundsechzig.«

»Mal langsam. Ich habe zweihundert. Und Sie können nicht mehr als hundertdreißig . . .«

»Sie wiegen zweihundertundfünf – in der Wildnis haben Sie zugenommen. Und ich habe einhundertundfünfzig, einschließlich meiner Ausstattung.«

»Das sieht man Ihnen nicht an!«

»Heben Sie mich.«

Er legte seine großen Hände unter ihre Ellbogen und hob sie mit Leichtigkeit. »Vielleicht stimmt es«, sagte er. »Aber Sie haben bestimmt kein Fett an sich.«

»Agenten sind stabiler, als sie aussehen. Unsere Knochen sind durch Metall verstärkt. Aber Sie haben recht: Kein Fett dabei.«

»Ich weiß, daß Sie zäh sind. Trotzdem dürfte es wohl sicherer sein, wenn wir beide gehen, für den Fall, daß es am anderen Ende Ärger gibt.«

Wenn es wirklich Ärger gäbe, wäre sie allein besser dran. Aber darum ging es nicht. »Ja. Aber dann würde es einen langen, ununterbrochenen Aufenthalt geben – und niemand könnte uns erreichen.« Sie atmete wieder ein.

Veg brauchte nicht lange, um die sich bietenden Möglichkeiten zu erkennen. Zwei, vielleicht drei völlig ungestörte private Stunden mit dieser verführerischen Frau! »Sicherheit zuerst!« sagte er. »Gehen wir und sehen wir uns um!«

Er hatte nach dem Köder geschnappt. Und sie hatte wirklich nicht zu lügen brauchen. Bei einem Routinedurchgang *war* es sicherer zu zweit, und die Beschränkungen des Generators waren genau so, wie sie sie beschrieben hatte. »In Ordnung«, sagte sie. »Sie sind bewaffnet?«

Sie wußte, daß er es war. Sie wollte lediglich seine Wachsamkeit wecken.

Er nickte. »Ich habe immer ein Messer bei mir. Meine andere Ausrüstung habe ich an diese Maschine in der Wüste verloren.«

»Wenn es irgendeine Bedrohung aus größerer Entfernung geben sollte, werde ich sie abwehren.«

Er starrte einmal mehr auf ihre halbentblößten Brüste. «Ja – wie Taler!«

Sie lachte auf, ganz ehrlich diesmal, weil sie wie er wußte, daß es zwischen Agenten keine Eifersucht gab. Sie stellte den Öffnungswecker auf drei Stunden ein, wobei sie eine angemessene Spanne für das Wiederaufladen berücksichtigte, und aktivierte den Projektor.

Als sich die Kugel heranbildete, zog sie ihn mit sich durch die Öffnung.

Es verging keine Zeit; nur das eigenartige Zerren des Transfers war zu spüren. Sie kamen in einer ganz anderen Welt heraus. Wo bisher surrealistische Gebäude gewesen waren, gab es jetzt Bäume.

Nicht die Wüstenwelt. Sie hatte es befürchtet.

»Weder Paläo noch die Erde«, sagte Veg.

Tamme blickte sich wachsam um. »Woher wollen Sie das wissen? Dies ist ein Wald – und es gibt Wälder auf beiden Welten.«

»Dies ist der Wald des Uranfangs«, sagte er.

»Evangeline«, sagte Tamme.

»Wer?«

»Longfellows Gedicht, aus dem Sie zitiert haben. *Evangeline, A Tale of Acadie,* 1847.«

»Oh. Ihr Agenten habt zu viele von diesen Androidenmuskeln in euren Gehirnen.« Er schnitt eine Grimasse. »Ich wollte sagen, daß dieser Wald noch nie vom Menschen berührt wurde. Es ist also nicht die Erde – *unsere* Erde. Und es ist ein Gebiet mit hohem Niederschlag, also ist es nicht die Wüstenwelt. – Sehen Sie sich die große Fichte da drüben an.«

»Die Öffnung führt nicht zwangsläufig zur selben geographischen Stelle auf der Alternativwelt«, erinnerte sie ihn. Jede Alternativwelt scheint sich zeitlich von den anderen zu unterscheiden, und so könnte sie sich auch räumlich unterscheiden, weil sich der Globus bewegt. Beispielsweise haben wir hier jetzt Tag statt Nacht, so daß wir irgendwo anders auf dem Globus sein müssen. In Teilen der Welt, die Sie Wüstenwelt nennen, gab es Vegetation.«

»Das sagte ich ja. Aber keine solchen Bäume. Die Maschinen

dort fraßen auch Holz. Sie hätten in diese Bäume hier längst reingesägt – das haben sie jedoch nicht getan.«

Er hatte recht. Ihre Sinne nahmen eine leicht andere chemische Zusammensetzung der Atmosphäre dieser Welt wahr. Obwohl es töricht wäre, eine ganze Welt anhand eines kleinen Bruchteils davon zu beurteilen, *handelte* es sich um eine neue Alternativwelt. Die Veränderungen waren nicht groß, aber bezeichnend.

»Ich bin nicht überrascht«, gab sie zu. »Mein Öffnungsprojektor ist auf Paläo eingestellt – aber wir sind nicht von der Wüstenwelt aus gestartet. Diese Funkenwolke hatte uns in eine unbestimmte Alternativwelt versetzt. Wir sind also nicht mehr phasengleich.

»Ja. Als ob man den falschen Bus genommen hätte.«

»Es könnte eine lange, beschwerliche Suche nach Hause werden.«

»*Ihr* Zuhause vielleicht. Ich würde Paläo wählen. Oder Nacre.«

»Nacre ist nicht Teil der Erdalternativen. Sie müßten also . . .«

»Aber wir können doch zu der Stadtwelt zurückkehren, richtig? Wir sind nicht von dort abgeschnitten?«

»Ja, in knapp drei Stunden. Damit sind wir phasengleich. Aber wir werden genau an dieser Stelle stehen müssen, sonst verfehlen wir sie.«

»Nun, wir sollten keine Zeit vergeuden!« rief er. »Hier ist es wundervoll. Der schönste Nadelwald, den ich je gesehen habe.«

Sie lachte. »Wirklich tolle Bäume! Aber wie können Sie wissen, daß dies hier *nicht* Paläo ist?«

Sie wußte, daß dies hier nicht Paläo war, war jedoch an seiner Begründung interessiert.

»Dies sind neuzeitliche Fichten. Sehen Sie doch, die Nadeln sind anders. Bäume entwickeln sich, genau wie Tiere. Diese Weißfichte da – sie ist anders als die irdische Weißfichte, kleine Unterschiede . . .«

Sie hob die Hände in spielerischer Aufgabe. Er machte ihr nichts vor. In diesem Augenblick interessierte ihn der Wald mehr, als sie das tat, und er wußte mehr als sie über dieses

Gebiet der Botanik. Agenten verfügten über eine hervorragende Allgemeinbildung, aber sie konnten nicht auf jedem Gebiet Experten sein.

Veg bewegte sich zwischen den Bäumen umher, klopfte die Stämme ab, untersuchte die Nadeln. Er war in seinem Element!

Es gab, so schien es, reichlich unberührte Welten, die der Ausbreitung des Menschen zur Verfügung standen. Das Problem der irdischen Bevölkerung und ihrer Ressourcen würde gelöst sein – sobald sie zurückkehrte.

Sie würde umkehren, eine Neuausrichtung vornehmen und eine Übersicht über die Alternativwelten beginnen müssen. Es würde zu mühsam sein, jedesmal selbst hinüberzugehen. Sie würden einen Erkundungssensor entwerfen, der wegen seiner geringen Masse beim Durchgang nur wenig Energie benötigte. Indem sie ihn wie einen Tennisball durch die Öffnung hin und her springen ließ, konnte sie binnen einer Stunde ein ganzes Dutzend von Welten überprüfen, wobei die einzige Zeitverzögerung die Neueinstellung des Projektors nach jedem Versuch sein würde.

Letzten Endes würde sie Veg doch nicht brauchen. Nicht bevor sie vertrautes Territorium lokalisiert hatte.

Drei Stunden. Sie konnte schlafen, denn sie verfügte über ein perfektes Zeitgefühl und würde aufwachen, wenn die Rückkehröffnung fällig war. Aber zuerst würde sie eine Erkundung dieses Ortes vornehmen, denn es mochte sich herausstellen, daß sie von allen, die man bisher entdeckt hatte, für die Ausbeutung am geeignetsten war. Erdähnlich, neuzeitlich keine Dinosaurier.

Tamme hob die Hände, packte einen abgestorbenen Ast der Fichte und zog sich hoch. Der Stamm hatte am Boden einen Durchmesser von rund zwei Metern, und die Spitze war nicht zu sehen. Sie kletterte schnell und wand sich zwischen den Ästen hindurch.

Der Stamm verdünnte sich an der Spitze beunruhigend und schwankte im Wind. In einer Höhe von etwa sechzig Metern machte sie halt und hielt Ausschau. Es gab eine Anzahl von hohen Bäumen, von denen einige bis zu fünfundsiebzig Metern hochragten. Die Weißfichte war, wenn sie Gelegenheit hatte, zu wachsen, einer der höchsten Bäume, vergleichbar mit der Douglasfichte und jungen Mammutbäumen. Veg würde alles darüber wissen! Jetzt jedoch behinderten diese hohen Bäume ihr Blickfeld, so daß alles, was sie sehen konnte, noch mehr Wald war. Sie hatte ihre Zeit verschwendet. Kein Zweifel, daß ihr Veg auch das hätte sagen können.

Sie stieg nach unten, um ihn dort wartend vorzufinden.

»Wenig sinnvolles Klettern«, bemerkte er. »Das ist Pfadfinderromantik – nutzlos in einem richtigen Wald. Alles, was man sehen kann, sind ...«

»Weitere Bäume«, vervollständigte sie an seiner Stelle.

»Ich habe vom Boden aus mehr sehen können.«

»Danke.«

»Habe auch noch was anderes gefunden.«

Jetzt las sie seine Körperzeichen: Er war erregt, und nicht nur durch den Nahblick auf ihre Schenkel, als sie vom Baum geklettert kam.

Er wußte, daß sie das, was er zu berichten hatte, stark berühren würde.

Tamme zögerte, versuchte festzustellen, was es war, bevor er es ihr sagte.

»Sie können es nicht sagen, was?« meinte er befriedigt. »Also, kommen Sie mit.«

Er führte sie zu einer kleinen Waldschneise, einer Lichtung, die durch einen umgestürzten Riesenbaum entstanden und noch nicht wieder zugewachsen war. Der mächtige Stamm, zweieinhalb Meter dick, lag verrottend auf dem Boden. Und nahe bei seinem geborstenen Stumpf ...

»Ein Öffnungsprojektor!« rief sie verblüfft.

»Dachte mir, daß Sie überrascht sein würden. Schätze, wir waren doch nicht die ersten hier.«

Tammes Gedanken rasten. Es gab keine Möglichkeit, wie ein solches Gerät hierhin gekommen sein könnte – es sei denn, als Relikt eines menschlichen Besuchs. Eines *Agenten*besuchs, denn es handelte sich um ein Agentenmodell.

»Ein Alternativwelt-Agent ist hier vorbeigekommen«, sagte sie. »Und nicht vor langer Zeit. Innerhalb der letzten fünf Tage.«

»Weil das Gestrüpp noch nicht darübergewachsen ist«, sagte Veg. »Das meinte ich auch. Es kann nicht Ihrer sein, nicht wahr?«

»Nein.« Die Schlußfolgerungen waren atemberaubend. Wenn ein Alternativwelt-Agent hergekommen war, war die Erde nicht allein. Es konnte Millionen von hochentwickelten menschlichen Gesellschaften geben, die das Geheimnis des Öffnungsreisens kannten und um nicht ausgebeutete Welten miteinander wetteiferten. Was würde sie tun, wenn sie einem dieser fremden Agenten begegnete, der genauso hervorragend ausgebildet und *seiner* Welt genauso ergeben war, wie sie der Erde?

Durch pures Glück hatte sie von dem anderen Agenten zuerst erfahren. Bevor *er* etwas von *ihr* erfuhr.

Dies war wohl *die* Mission ihres Lebens – und der Kampf um das Überleben der Erde.

Sie stand jetzt vor der Wahl: Zu der surrealistischen Stadt zurückzukehren und in der Hoffnung, dabei den Weg nach Hause zu finden, mit der Überprüfung der Alternativwelten zu beginnen. Oder eine ungewissere Initiative zu ergreifen, indem sie dem Konkurrenzagenten folgte und den Versuch unternahm, ihn zu töten, bevor er seiner Welt einen Bericht übermitteln konnte.

Beide Alternativen waren verwirrend komplex. Sie war dazu ausgebildet, schnelle Entscheidungen zu treffen – aber niemals hatte das Schicksal der Erde von ihrem Urteil abgehangen. Deshalb suchte sie nach einem Rat durch die Meinung eines anderen.

»Veg, wenn Sie auf die Spur eines hungrigen Tigers stoßen würden und wüßten, daß es um Sie oder um ihn geht – was würden Sie tun? Der Fährte folgen oder nach Hause zurückkehren, um Hilfe zu holen?«

Veg sah sie schräg an.

»Kommt darauf an, wie weit zu Hause ist und wie ich bewaffnet bin. Aber vermutlich würde ich nach Hause gehen. Ich töte nicht gerne.«

Sie hatte die falsche Frage gestellt – ein weiteres Anzeichen dafür, daß sie auf sich aufpassen mußte. Ein Agent durfte keine elementaren Fehler begehen! Natürlich würde der Vegetarier einer Auseinandersetzung mit einem Tier aus dem Weg gehen.

»Nehmen wir an, es wäre die Spur eines Mannes, der genauso stark und clever ist wie Sie – eines Feindes, der Sie töten würde, wenn Sie ihn nicht zuerst töten?«

»Dann würde ich ganz *bestimmt* nach Hause gehen! Ich gehe doch nicht hin und *suche* nach einem Kampf auf Leben und Tod!«

Sie fuhr sich mit der Zunge über die Lippen. »Jeder vernünftige Mensch würde dasselbe tun. Davon kann man ziemlich sicher ausgehen.«

»Ja.«

»Aber das Geheimnis des Sieges ist es, das Unerwartete zu tun.«

»Ja.«

»In Ordnung. Die Öffnung, die wir benutzt haben, wird in zwei Stunden und elf Minuten wieder auftauchen. Überprüfen Sie Ihre Uhr. Sie werden nur fünfzehn Sekunden Zeit haben.«

»Ich habe keine Uhr.«

Da war ihr schon wieder ein Fehler unterlaufen. Sie brauchte eine Neuorientierung durch den Computer, konnte sie jedoch nicht bekommen. Ihr blieb keine andere Wahl, als vorsichtiger weiterzumachen.

Sie löste ihre eigene Uhr und überreichte sie ihm. »Sie müssen nur genau dort stehen, wo wir gelandet sind. Tatsächlich sind Sie am besten beraten, wenn Sie sich gleich jetzt dorthin begeben und an Ort und Stelle Ihr Lager aufschlagen. Dann werden Sie automatisch zurücktransportiert werden, selbst wenn Sie schlafen. Sagen Sie Ihren Freunden, wohin ich gegangen bin, und warten Sie dann in der Stadt. Cal wird es verstehen.«

Er war verwirrt.

»Wohin *gehen* Sie denn? Ich dachte ...«

Sie kniete neben dem Generator nieder. »Ich folge dem Tiger. Es wird nicht sehr schön werden, und es ist möglich, daß ich nicht zurückkomme. Es ist nicht fair, Sie noch weiter hineinzuziehen.«

»Sie wollen mit diesem anderen Agenten kämpfen?«

»Ich muß es tun. Für unsere Welt, die Erde.«

»Sie nehmen mich nicht mit?«

»Veg, es tut mir leid, aber ich habe Sie ausgenutzt. Es war

eine notwendige Sicherheitsvorkehrung. Meine Ziele sind nicht die Ihren, und dies ist nicht Ihr Kampf. Gehen Sie zu Ihren Freunden zurück.«

Während sie redete, überprüfte sie den Projektor, vergewisserte sich, daß er funktionierte, und prägte sich die Einstellung ein.

»Das war also die Nachricht, die Sie zurückgelassen haben«, sagte er weise. »Eine Warnung an Cal und Aquilon, nicht irgend etwas zu versuchen, wenn sie nicht wollten, daß mir etwas zustößt.«

Sie nickte zustimmend. »Der Projektor ist verwundbar. Wenn Sie ihn verrücken oder die Einstellung verändern würden, selbst unbeabsichtigt . . .« Sie konnte natürlich dasselbe mit *diesem* hier tun und zur Stadt zurückkehren, aber das war keine sichere Methode, um das Problem zu lösen. Der andere Agent mochte einen weiteren Projektor bei sich haben, so daß ihre Aktion ihn nur aufmerksam machen würde – und ein Agent brauchte nicht mehr als eine einzige Warnung! Nein, sie mußte ihm folgen, mußte ihn fangen, bevor er wußte, was los war, und ihn töten – wenn sie konnte.

»Und jetzt lassen Sie mich gehen.« Die Mischung seiner Emotionen war zu komplex, um unverzüglich durch sie analysiert zu werden. Der Projektor war wichtiger.

»Es war nicht persönlich gemeint, Veg. Wir tun, was wir tun müssen. Wir sind Agenten, keine normalen Menschen.« Alles war in bester Ordnung. Der Projektor war seit Tagen nicht benutzt worden, so daß er einsatzbereit war. »Wir lügen, betrügen und töten, wenn wir es müssen, aber wir tun diese Dinge nicht, weil sie uns Spaß machen. Ich nehme an, es schadet nichts, wenn ich es Sie jetzt wissen lasse: Es hat mir ungeheuer leid getan, die Dinosaurier auf Paläo vernichtet zu sehen. Wenn ich zu bestimmen gehabt hätte, würden wir Sie und die Tiere in Frieden gelassen haben. Aber ich folge meinen Befehlen buchstabengetreu und fälle, wenn ein Urteil zu fällen ist, dieses nur im Sinn meiner Instruktionen.« Sie blickte auf und lächelte knapp. »Glauben Sie es einem trainierten Lügner und Killer: Aufrichtigkeit und Friedlichkeit sind normalerweise die beste Politik.«

»Ja. Ich wußte, daß Sie mich ausnutzten. Darum habe ich auch das Interesse verloren, nachdem ich es richtig durchdacht hatte. Ich bin etwas langsam, aber ich komme schon rechtzeitig dahinter. Bäume nutzen Menschen nicht aus.«

Sie nahm sich einen Augenblick Zeit, dies in ihm zu verifizieren. Er meinte es ernst. Täuschungsmanöver stießen ihn ab, selbst wenn er sie nicht bewußt durchschaute. Sie hatte ihn schon vorher falsch gelesen, und das war schlecht. Sie hatte die Wirkung ihres Sex-Appeals überschätzt. Die Voreingenommenheit lag mehr auf *ihrer* als auf *seiner* Seite. Sie verlor den Boden unter den Füßen.

Veg hatte Aquilon geliebt – liebte sie *noch*. Er hatte das Interesse an Tamme verloren, als sich ihre Agenten-Natur klar herausgestellt hatte. Er war ein ehrlicher Mensch. Jetzt steigerte sich sein Interesse wieder, weil sie ihm nichts vormachte.

»Ich habe Ihnen ein Versprechen gegeben«, sagte sie. »Da ich Sie möglicherweise nicht wiedersehen werde, ist es nur recht und billig, wenn ich dieses Versprechen jetzt einlöse.« Sie ließ den Finger am Saum ihrer tiefausgeschnittenen Bluse entlanggleiten und öffnete sie.

Veg kämpfte schwer mit der Versuchung. Sie las die Signale überall an seinem Körper. Kein Fehler *diesmal!* Aber irgend etwas in ihm sperrte sich. »Nein, das ist bezahlte Liebe. Nicht die Art, um die es mir geht.«

»Keine schlechte Bezahlung. Sex ist für uns nicht mehr als eine Technik. Und . . . Sie sind ein Mann, Veg!«

»Trotzdem vielen Dank«, sagte er. »Machen Sie besser mit Ihrer Mission weiter. Zeit kann einen Unterschied ausmachen – vielleicht sogar eine halbe Stunde.«

»Ich habe vorher versucht, Sie zu hintergehen«, sagte sie. »Das hat Ihnen den Mut genommen. Jetzt bin ich vollkommen bei der Wahrheit. Ich habe Sie in bezug auf das, was ich Ihnen anbot, nie hintergangen, nur was das Motiv angeht. Und das hat sich jetzt geändert. Ich würde es vorziehen, mich in Freundschaft von Ihnen zu trennen.«

»Ich weiß das zu schätzen. Wir haben Freundschaft. Sie sollten schnell gehen.«

Sie las ihn noch einmal. Er wollte sie, würde sie jedoch nicht nehmen. Sie hatte nicht die Zeit, all die Fäden der Situation zu entwirren – Fäden, die weit bis in seine Beziehung zu Aquilon zurückreichten.

»Gut.« Sie schloß ihre Bluse wieder.

Sie stellte den Projektor an. Das kugelförmige Feld baute sich auf.

»Wiedersehen, Veg«, sagte sie und küßte ihn schnell. Dann trat sie in das Feld.

Und er trat mit ihr hinein.

8 Enklave

Die Episode des Maschinenangriffs hatte sie zusammengeführt, mit einem neuen Verständnis. Die Flecken waren eng miteinander verbunden – und OX verband sich mit ihnen. Dec, der mobile Gestaltwechsler. Ornet, der stabile Bewegliche. Bab, hilflos. OX, variabel und mobil.

Die drei Flecken benötigten für ihre Energie gasförmige, flüssige und feste Materie, um sie verarbeiten zu können. Die Vorstellung war trotz OX' neuen, umfassenden Klarstellungsschaltungen fibrillierend eigenartig. Sie brauchten unterschiedliche Mengen dieser Materieaspekte in unterschiedlichen Formen und Kombinationen. Aber letzten Endes war alles doch verständlich, denn ihr ultimatives Bedürfnis war Materie, er aus Elementen. Energie war das gemeinsame Erfordernis zum Überleben.

Konnte die Verarbeitungsmethode der Flecken OX' Notwendigkeit angepaßt werden? JA. Denn als OX handelte, um das Wohlbefinden der Flecken zu fördern, wurden seine Elemente stärker. Er hatte dies schon festgestellt, bevor die Maschine angriff. Wenn er die Flecken mit ihrer Notwendigkeit versah, halfen sie den Pflanzen, die wiederum ihre Elemente stärkten. Aber der spezifische Mechanismus war nicht augenscheinlich.

OX konzentrierte sich und experimentierte mit geringfügigen Verschiebungen innerhalb des alternativen Gefügesystems. Allmählich wurde die Vorstellung klarer. Die Fundamente der Pflanzen waren in gewissen Alternativen verwurzelt, versahen in anderen ihre Elemente mit Blüten. Die Wurzeln benötigten Flüssigkeiten und gewisse Feststoffe. Die Blüten benötigten Musterbesetzung, oder sie akkumulierten zuviel Energie und wurden unstabil. Ihre Energien würden überfließen und Chaos verursachen. Die Beschränkung dieser Energien durch die Muster hielt die Pflanzen unter Kontrolle, so daß sie gediehen. Die Pflanzen hatten sowohl Materie – als auch Energiebedürfnisse, wobei die Flecken für das erste, die Muster für das zweite sorgten.

Die Flecken erfüllten auch noch einen anderen Zweck. Einer von ihnen, Ornet, besaß Wissen – einen Fundus fremder Informationen, der OX' Aufmerksamkeit fesselte, nachdem er einmal die adäquaten Schaltungen aufgebaut hatte, um einen ausführlichen Dialog mit diesem speziellen Flecken führen zu können. Diese Informationen gaben ihm nämlich Hinweise, die mit dem Überleben im Zusammenhang standen.

Ornet besaß eine Gedächtnisschaltung, die ganz anders war als OX' eigene. Aber OX ignorierte schwierige Vorstellungen jetzt nicht mehr so ohne weiteres. Das Überleben hielt ihn dazu an, Neues zu lernen. Ornets Gedächtnis sagte, daß sich seine Art seit sehr langer Zeit entwickelt und allmählich verändert hatte, wobei einige ihrer Aspekte fortwährend degenerierten und neu entstanden wie eine Reihe von selbst vergehender Ableger. Soviel war verständlich.

Aber Ornets Gedächtnis sagte auch, daß es sehr viele weitere Kreaturen gab, anders als Ornet oder die übrigen beiden Flecken oder die Maschine, und daß sich diese ebenfalls ausdehnten, teilten und degenerierten. Dies war bedeutsam: *eine Unzahl anderer Flecken.* Aber nur die drei waren hier. Was war mit den anderen geschehen?

Ornet wußte es nicht. Es gab einige wenige in der Enklave,

mobile Nichtintelligente, aber bei diesen handelte es sich nur um einen winzigen Bruchteil von denen, die er beschrieben hatte. Es befriedigte OX nicht, daß alle verschwunden waren. Sie schienen in einem anderen Gefügesystem existiert zu haben und mochten noch immer dort existieren. Wo war dieses Gefügesystem?

Weiterhin sagte Ornets Sinn, daß sich die Maschinen auf ziemlich ähnliche Art und Weise entwickelt hatten. Das wußte er schon von der Beobachtung der einen, die angegriffen hatte. Und Ornet sagte auch, daß sich OX selbst irgendwie aus einem anderen Muster entwickelt hatte.

Unsinn! Aber OX modifizierte seine Schaltungen und schuf die Annahme, daß all dies wahr sein mochte, und durchdachte die Logik bis zu gewissen eigenartigen Schlußfolgerungen.

Und doch fehlte irgend etwas. In dem Augenblick, in dem seine Spezialschaltung funktionierte, begriff OX, daß er sich als erstes Muster nicht hier entwickelt haben konnte. Er hatte seine Existenz erst kürzlich gewonnen, während die Pflanzen schon seit langer Zeit hier gewesen waren. Und wie sah es mit den Flecken aus? Sie alle waren ebenfalls jüngsten Ursprungs, wie OX. Selbst seine Spezialschaltungen konnten dies nicht als die einzige Realität akzeptieren.

Weil die Flecken seine Elemente stärkten, hatte sich OX' unmittelbares Überlebensproblem erledigt. Er konnte es sich erlauben, über das Langzeit-Überleben nachzudenken. Tatsächlich *mußte* er dies sogar tun, denn das Überleben war nicht vollständig, bis alle Aspekte gespeichert waren. Kontrolle seiner unmittelbaren Umgebung reichte nicht aus. Gab es jenseits davon eine Bedrohung oder eine potentielle Bedrohung?

OX forschte so weit, wie er nur konnte. Sein Gebiet wurde an allen Seiten durch das fast völlige Fehlen von Elementen begrenzt. Er konnte nicht hinaus. Es gab lediglich immer schwächer werdende Elementketten, deren Umfang bis auf einige wenige Elemente im Durchmesser herabsank. Es war OX unmöglich, seine Existenz auf diesen aufrechtzuerhalten. Er benötigte ein gewisses Minimum, damit sein Muster funktionierte.

Er sandte seine Ableger regelmäßig über diese Ketten hinweg.

Dies war ein Teil der Art und Weise, auf die er funktionierte. Die meisten waren von selbst vergehende Ableger, die von komplexeren Schaltungen stammten, einige waren ganz einfach sich selbst erhaltende Abstrahlungen. Einige wenige waren so konstituiert, daß sie zurückgekehrt wären, wenn sie eine tote Zone erreicht hätten. Keine kehrten wirklich zurück, was OX bewies, daß sich die Ketten bis in ein größeres Reservoir jenseits seiner Wahrnehmung fortsetzten.

Abstrahlungen waren dem Musterschema inhärent. Hätte eine andere Mustereinheit innerhalb von OX' begrenztem Gefüge existiert, wäre OX sich ihrer Gegenwart durch ihre eigenen Abstrahlungen bewußt geworden. Es war wesentlich, daß Muster nicht miteinander verschmolzen, denn dies bedeutete unausweichliches Chaos und Identitätsverlust für beide. Aufgrund der natürlichen Ablegerabstrahlung waren Muster in der Lage, ihre gegenseitigen Aufenthaltsorte abzuschätzen und funktionelle Entfernungen aufrechtzuerhalten. OX wußte dies, weil es seiner Struktur inhärent war. Wäre es anders, würde das Nichtüberleben bedeuten. Einmal hatte er auf die scheinbare Gegenwart eines anderen Musters reagiert, weil er auf fremde Ableger gestoßen war, sowohl selbsterhaltende als auch von selbst vergehende, aber Nachforschungen hatten ergeben, daß es sich lediglich um Reflexionen seiner eigenen Projektionen handelte, die durch eine irreguläre Begrenzungslinie verzerrt wurden.

Er wußte, daß es andere Muster gab – irgendwo. Es mußte sie geben. Er war nicht per Zufall mit Ablegerinterpretationsschaltungen ausgestattet worden!

Vielleicht jenseits der Grenzketten? OX konnte ihnen nicht folgen – aber die Flecken *konnten* es. OX hielt einen Dialog mit Ornet, dem kommunikativen Flecken, ab. Er teilte ihm seine Notwendigkeit mit, über die Grenzen seines Gebiets hinweg zu forschen.

Ornet wiederum kommunizierte mit Dec, dem mobilsten Flecken. Dec bewegte sich schnell aus dem Bereich von OX' Wahrnehmungen. Als er zurückkehrte, signalisierte sein optischer Generator die Nachrichten: Dieses Gefüge, eins von den begrenzten Myriaden von Alternativen, die die Struktur von

OX' Realität ausmachten, wies in der Tat andere Elementgliederungen auf. Dec hatte sie lokalisiert, indem er den Elementketten gefolgt war, denen OX nicht folgen konnte. Dec nahm diese Elemente nur unter Schwierigkeiten wahr, die jedoch um so geringer wurden, je mehr Praxis er bekam. In schwankenden physischen Distanzen, berichtete er, dehnte sich eine Anzahl von ihnen wieder in lebensfähige Reservoirs aus. Und in einem davon hatte Dec ein Muster entdeckt.

Die Nachrichten schleuderten OX in einen Strudel der Desorientierung. Hastig modifizierte er seine Schaltungen. Nun sah er durch Beobachtung seines eigenen Wesens und durch indirekte Beobachtung der externen Umwelt bestätigt, daß er nicht die einzige Einheit seiner Art war.

Die anderen Muster mußten von ihm wissen. Seine Abstrahlungen, die die Länge der Elementketten entlang wanderten, mußten sie von seiner Gegenwart unterrichten. Aber es war niemals ein Rückkehrimpuls gekommen. Das mußte bedeuten, daß die anderen ihre externen Signale dämpften. Die einzige Begründung dafür würde sein, daß sie eine Bedrohung abwehrten, eine Maschine, die Ableger entdeckte, oder ein musterverzehrendes, nichtintelligentes Muster. Oder aber sie verbargen ihre Gegenwart aus hintergründigeren, persönlichen Motiven. Gelegentlich dämpfte OX seine eigene Abstrahlung, wenn er nicht gestört werden wollte. Seine Schaltungen taten dies automatisch, und wenn er sie analysierte, zeigte sich, daß dies der Grund war. Tatsächlich war eine solche Dämpfung hier sinnlos, denn es gab keine Störmuster und die Flecken wurden nicht berührt: zusätzlicher Beweis dafür, daß OX von Natur aus ausgestattet war, in einer Gesellschaft von Mustern zu existieren, nicht allein.

Warum sollten sich andere Muster, die seiner bewußt waren, absichtlich vor ihm verbergen? Auf welche Weise war er für sie eine Bedrohung? Er war ein voll funktionierendes Muster und es lag nicht in seiner Natur, auf andere seiner Art störend einzuwirken. Die anderen Muster wußten dies mit Sicherheit; es war inhärent, war Überleben.

So etwas wie Ärger durchströmte OX. Da seine Natur nur auf Überlebens-/Nichtüberlebens-Alternativen reagierte, war es keine Emotion, wie eine lebende Kreatur sie kannte. Aber es war eine akute, wenn auch unterschwellige Überlebenskrise.

Ein kompatibles Muster würde nicht auf die Weise gehandelt haben, wie es diese Muster dort draußen taten. Deshalb war ihre Gegenwart eine starke potentielle Bedrohung seines Überlebens.

OX sandte Dec zwecks einer nochmaligen, eingehenderen Beobachtung aus und schickte Ornet zu demselben physischen Ort in einem angrenzenden Gefüge. Die beiden Beobachter konnten sich gegenseitig nicht wahrnehmen, denn sie waren nicht in der Lage, die Alternativen zu überkreuzen, und OX konnte keinen von ihnen beobachten, weil sie sich außerhalb seines Elementpools befanden. Aber dieses schwierige Kooperationsmanöver war entscheidend.

Ihr Bericht bestätigte, was OX geargwöhnt hatte.

Dec hatte beobachtet, wie ein Muster verging und die Stellen unbesetzt ließ. Dann war es, oder ein anderes, zurückgekehrt. Aber Ornets Örtlichkeit war vakant geblieben.

OX verstand dies, obwohl die Flecken es nicht taten. Das Muster wanderte durch die Gefüge. Aufgrund der Gestaltung des Pools, wie OX ihn erkundet hatte, wußte er, daß sich das fremde Muster entweder auf Ornet zu oder von ihm weg bewegen mußte. Es hatte sich von ihm weg bewegt. Und das bedeutete, daß sich der andere Elementpool jenseits von OX' eigenem Pool erstreckte, denn der seine reichte nicht weiter in diese Richtung.

Tatsächlich waren die anderen Pools vermutlich gar *keine* Pools. Sie waren Aspekte des größeren Gefügesystems. Das andere Muster war nicht so eingeschränkt, wie OX es war.

Sie hielten ihn isoliert, eingeschränkt, innerhalb der Grenzen einer Enklave, während sie sich selbst frei bewegten. Dies war, anhand der inhärenten Definition seiner Schaltungen, ein feindliches Verhalten.

OX sank in eine tiefe und heftige Desorientierung. Nur durch anstrengende innere Maßnahmen war er in der Lage, das Gleichgewicht wiederherzustellen. Dann bedurfte es schon einer bedeutsamen Entscheidung, um sein Wesen wieder vollständig in Ordnung zu bringen.

Er war durch die Handlungsweise von anderen seiner Art in die Gefahr des Nichtüberlebens geraten. Er mußte entweder hinnehmen, nach ihrem Belieben gestört zu werden, oder sich selbst darauf vorbereiten, die anderen Muster nach *seinem* Belieben zu stören. Er wählte das letztere.

OX war zum Kampf bereit.

9 Leben

Die beiden Mantas, Hex und Circe, zeigten ihnen die Stelle und verschwanden dann wieder, um ihren eigenen Beschäftigungen nachzugehen. Sie schienen die Stadt zu mögen und hatten offensichtlich Vergnügen daran, sie zu erforschen.

Cal und Aquilon standen jeweils auf einer Seite des Projektors und rührten ihn nicht an.

»Sie kannte also die ganze Zeit über einen Rückweg – und sie hat Veg mitgenommen«, sagte Aquilon bitter. »Während wir in seliger Ignoranz schliefen.« Sie knüllte die Notiz zusammen und warf sie angewidert weg.

»Ich wußte, daß sie so ein Gerät besaß«, erwiderte Cal. »Ich habe den Mantas gesagt, daß sie sie gehen lassen sollen.«

Sie war bestürzt. »Warum?«

»Wir konnten die Agentin nicht daran hindern, das zu tun, was sie tun wollte. Aber Veg wird ein Auge auf sie halten und ihre omnivorischen Tendenzen vielleicht etwas mildern. In der Zwischenzeit hat es keinen Zweck, hier untätig herumzustehen. Ich habe den Verdacht, daß wir allein besser mit den Mustereinheiten in Verbindung treten können. Vielleicht unternehmen sie noch einmal den Versuch, uns auf der Bühne zu kontaktieren. Wenn sie es tun, ist es mir schon lieber, wenn Veg nicht störend eingreift und Tamme nicht in den Besitz ihrer Informationen kommt. Wenn sie es nicht tun, ist es an uns, einen Zug zu machen.«

»Du hast es also rausgekriegt«, sagte sie kopfschüttelnd. Dann: »*Muster*einheiten? Was . . .?«

»Ich habe ein bißchen nachgedacht. Ich glaube, ich verstehe die Natur unseres Entführers und wie wir uns mit ihm verständigen können.«

Sie hob die Hände, die Flächen nach oben. »Einfach so!«

»Oh, nachdem ich einmal den Schlüssel hatte, war es einfach genug«, sagte er bescheiden. »Muster.«

»Das hast du schon einmal gesagt. Ich kann dir trotzdem noch immer nicht folgen.«

»Zuerst müssen wir eine geeignete Maschine fangen.«

»Eine Maschine fangen!« rief sie.

»Wenn wir sie lange genug immobilisieren können, um mir Gelegenheit zu geben, an das Kontrollsystem heranzukommen, sollte ich in der Lage sein, sie unseren Zwecken nutzbar zu machen.«

Sie blickte ihn verblüfft an. »Wir locken sie in einen Hinterhalt und geben ihr eins mit dem Vorschlaghammer auf den Kopf?«

Cal lächelte. »Nein, das würde den empfindlichen Mechanismus zerstören, den wir brauchen. Wir werden schon etwas subtiler vorgehen müssen.«

»Diese Maschinen haben für Subtilität nicht viel übrig«, warnte sie ihn. »Wenn welche von der Schraubenblatt-Sorte in der Gegend sind . . .«

»Die Wartungsmaschinen werden ausreichen«, sagte er. »Vorzugsweise eine mit einem Empfänger für optische Signale.«

Aquilon schüttelte den Kopf. »Nun, du weißt es wohl am besten. Sag mir, was ich tun soll.«

»Mach eine Blume oder ein anderes Gerät ausfindig, das die richtige Art von Maschine herbeiruft.«

»Irgend etwas Optisches, meinst du?«

»Etwas, das eine optische Reparatur erforderlich macht, ja.« Er wandte sich ab. »Hex! Circe!«

Aquilon zuckte die Achseln und machte sich auf den Weg. Cal wußte, was sie dachte. Er war hier ein noch größerer Geheimniskrämer, als er es auf Nacre oder Paläo gewesen war. Dies waren verhältnismäßig einfache, physische Welten gewesen. Hier jedoch handelte es sich um eine komplexe Situation, die den Intellekt herausforderte. Seine Stärke!

Die beiden Mantas trafen ein und segelten nach unten, um neben ihm zu landen. »Ihr habt die harmlosen Maschinen beobachtet?« erkundigte er sich.

Sie brauchten nicht mit den Schwänzen zu knallen. Seine Verständigung mit ihnen war längst über dieses Stadium hinaus. Er konnte die Antwort ihrer Körperhaltung entnehmen, genauso wie er ihre Mißbilligung in bezug auf seine Anweisung wegen Tamme und ihrem Projektor vorausgeahnt hatte.

JA. Wie er bereits gewußt hatte.

»Könnt ihr auf ihren optischen Bereichen senden?«

Es folgte eine schwierige, ziemlich technische Diskussion, in der es um Wellenlängen und Feldstärken ging. Ergebnis: Sie *könnten* in der Lage sein, das zu tun, was er wollte. Sie würden es versuchen.

Aquilon kam zurück. »Der Lichtwebstuhl scheint am besten zu sein«, berichtete sie. »Wenn irgend etwas störend auf den Original-Lichtstrahl einwirkt, ist das ganze Gewebe verdorben. Es wäre zwar eine Schande ...«

»Wir werden nichts beschädigen«, beruhigte Cal sie. »Wir wollen nur die passende Maschine aufmerksam machen.« Er blickte wieder auf den kleinen Projektor. »Den hier lassen wir unberührt zurück, denn ich glaube, er ist so eingestellt, daß er sie zu einem bestimmten Zeitpunkt zurückholt. Sie haben keine Chance, die Erde zu erreichen. Ich hoffe, sie finden eine ausgleichende Befriedigung.«

Aquilons Augen verengten sich. »Willst du damit andeuten ...«

»Je mehr die Agenten fernab von ihrem Computer Erfahrungen mit der Wirklichkeit machen, desto individueller und menschlicher werden sie. Wir brauchen eine weitere menschliche Frau, wenn wir fern von der Erde eine menschliche Kontinuität aufrechterhalten wollen.«

Ihre Lippen kräuselten sich. »Wenn wir schon dabei sind – warum wünschen wir uns nicht, daß eine Kobra menschlich wird?«

Sie gingen zur Quelle hinüber. »Verzerrt das Licht«, wies Cal die Mantas an.

»Laßt eure Strahlen hindurchgehen, wenn ihr es durchhaltet, ohne eure Augen zu verletzen.«

Sie konzentrierten sich pflichtbewußt auf das emporsteigende Licht.

»Es kann eine Weile dauern«, sagte Cal, »weil es ziemlich subtil ist.«

»Zu subtil für mich«, murmelte sie.

»Ich werde es dir erklären.« Er staubte die Plastikverkleidung ab, die die Teppichlagerkammer bedeckte. Es war überflüssig, weil es keinen Staub gab. Er holte einen kleinen Markierstift hervor.

»Wo hast du den her?« fragte sie.

»Den Stift? Ich habe ihn schon die ganze Zeit bei mir.«

Sie lächelte traurig. »Er wandert durch paläozänische Dschungel, er kämpft mit Dinosauriern, er legt sich mit verstandesbegabten Maschinen an und trägt dabei einen billigen Bleistift mit sich herum.«

Cal legte die Hand auf ihren Arm und drückte ihn. »Das Leben geht weiter.«

Sie richtete ihre schönen blauen Augen auf ihn. »Hast du es wirklich so gemeint, auf Nacre?«

Nacre, der Pilzplanet: Es war ganz klar, was sie meinte. Er bedauerte jetzt, daß er in Gegenwart Vegs Anspielungen darauf gemacht hatte. Er erinnerte sich mit absoluter Deutlichkeit.

Sie waren einen schmalen, quälenden Pfad hinaufgeklettert, gesäumt von aufgeblähten Pilzen und dem alles umfassenden Nebel. Statt sich auszuruhen, hatte Aquilon gemalt – nicht trotz ihrer Müdigkeit, wie sie erklärte, sondern gerade *wegen* ihr. Und obwohl ihr Motiv häßlich gewesen war, war das Bild selbst wundervoll geworden.

»Du paßt zu deinem Bild«, hatte er zu ihr gesagt, ganz ernsthaft.

Sie hatte sich von ihm abgewandt, überwältigt von einer Emotion, die keiner von ihnen beiden verstand, und er hatte sich entschuldigt. »Ich wollte dich nicht verletzen. Du und dein Werk, ihr seid voller Anmut. Kein Mann könnte eins von beiden ansehen, ohne darauf zu reagieren.«

Sie hatte ihr Bild zur Seite gelegt und in den Nebel gestarrt. »Liebst du mich?« Vielleicht eine naive Frage, denn sie hatten sich erst seit drei Monaten gekannt. Sie hatten wirklich wenig miteinander zu tun gehabt, bevor sie auf dem Perlnebel-Planeten gestrandet waren.

Und er hatte geantwortet: »Ich fürchte, ich tue es.« Niemals zuvor hatte er das zu einer Frau gesagt, und er würde es auch nie wieder sagen, nur ihr.

Dann hatte sie ihm von ihrer Vergangenheit erzählt: von einer Krankheit, durch die ihr Lächeln zerstört worden war.

Nun war ihr Wunsch in Erfüllung gegangen: Sie konnte wieder lächeln.

Das war das Geschenk der Mantas. Aber es hatte ihr keine Befriedigung gebracht.

»Ja, ich habe es so gemeint«, sagte er. Und fügte nicht hinzu: *Aber Veg hat dich ebenfalls geliebt.* Cal hoffte, daß er das Richtige getan hatte, als er Veg Tamme überließ. Er hatte versucht, Veg vorher zu warnen, aber die ganze Sache hatte einen Beigeschmack von Eifersucht an sich, so als ob er einen Rivalen den Wölfen zum Fraß vorwerfen würde. Wolf, Kobra – welche Metapher man auch verwendete, ein Agent bedeutete Ärger.

»Sieh doch, das Muster verändert sich!« rief Aquilon, die durch die Plastikverkleidung auf das sich langsam bewegende Material blickte.

»Großartig, die Mantas haben es geschafft! Nun werden wir sehen, wie lange es dauert, bis eine Reparaturmaschine auftaucht.«

»Du wolltest mir erklären, was du tust.«

»Richtig. Ich werde geistesabwesend.«

»Du *wirst* es?«

Was für eine belanglose, offensichtliche Bemerkung, diese

kleine Neckerei. Und wie sehr sie ihn doch berührte! Für Cal war Liebe absolut. Im Augenblick fiel ihm die passende Antwort nicht ein, und er hätte sich sowieso nicht unbefangen genug gefühlt, sie zu geben. Deshalb malte er drei Punkte auf die Oberfläche.

●
● ●

»Was siehst du?«

»Ein Dreieck.«

»Wie wäre es mit den drei Ecken eines Quadrates?«

»Das auch. Es würde helfen, wenn du das Quadrat komplettierst, falls es wirklich das ist, was du aufzeigen wolltest.«

»Unbedingt.« Er setzte den vierten Punkt ein:

● ●
● ●

Und wartete.

Sie blickte auf das Bild, dann auf ihn. »Das ist alles?«

»Das ist das Wesentliche.«

»Cal, ich bin nun mal ein bißchen schwerfälliger als du. Ich sehe nicht so ganz, was das mit dem Begreifen der sogenannten ›Mustereinheiten‹ und dem Reisen zwischen Alternativwelten zu tun hat.«

Er hob eine Augenbraue. »Wirklich nicht?«

»Du ziehst mich auf!« beschwerte sie sich.

»Es macht Spaß.«

»Du hast dich verändert. Bisher warst du immer ernsthaft.«

»Ich bin stärker – dank dir.« Auf Nacre war er fast zu schwach gewesen, um aufrecht stehen zu können, und hatte dem Tod ins Auge geblickt. Er hatte noch immer eine morbide Achtung vor dem Tod, aber Veg und Aquilon hatten ihm nicht nur im physischen Sinne geholfen.

»Gehen wir mit deinem Quadrat einen Schritt weiter«, schlug sie vor. »Ich weiß, daß noch mehr kommt. So ist es immer bei dir.«

Er betrachtete das Quadrat. »Wir müssen lediglich die Regel festlegen. Drei Punkte sind unvollständig. Sie müssen den vierten hervorbringen. Drei angrenzende Punkte reichen – nicht mehr, nicht weniger. Anderenfalls ist die Figur, die herauskommt, kein ...«

»In Ordnung. Drei Punkte ergeben einen vierten.« Sie nahm seinen Stift und machte eine Dreierreihe:

• • •

»Was hältst du davon?«

»Doppelfigur. Es gibt zwei Positionen, die von drei benachbarten Punkten gedeckt werden. So ...« Er fügte über und unter der Reihe zwei Punkte hinzu:

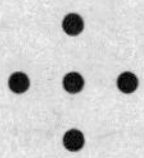

•
• • •
•

»Jetzt haben wir eine Art Kreuz.« Sie schüttelte den Kopf. »Die Erleuchtung ist mir nicht gekommen.«

»Eine weitere Regel, da jede Gesellschaft Regeln haben muß, wenn sie stabil sein soll. Jeder Punkt mit drei Nachbarpunkten ist stabil. Oder sogar mit zwei Nachbarn. Aber alles andere – mehr als drei oder weniger als zwei – ist unstabil. Also ist unsere Figur kein Kreuz.«

»Nein. Der Punkt in der Mitte hat vier Nachbarn. Was passiert damit?«

»Wäre dies die Ausgangsfigur, würde sie verschwinden. Grausam, aber notwendig. Die Fünf-Punkte-Figur wird jedoch nicht aus der Drei-Punkte-Figur gebildet, weil die Enden des Originals unstabil sind. Jeder Endpunkt hat nur einen einzigen Nachbarn.«

Er zeichnete einen neuen Satz:

• • •

Dann löschte er die Enden, so daß einer übrigblieb:

•

»Aber was ist mit den neuen Punkten, die wir bereits gebildet haben?«

»Entstehung und Zerstörung sind simultan. Unsere Figur leitet sich also so ab.« Er numerierte die Stadien:

```
              •                       •
1 • • •     2 •       3 • • •       4 •
              •                       •
```

»Wir nennen das den ›Blinker‹.«

Sie blickte ihn argwöhnisch an. »Du meinst, daß dies schon mal gemacht wurde?«

»Es handelt sich um ein einst sehr populäres Spiel, das von einem Mathematiker namens John Conway erfunden wurde. Er nannte es ›Leben‹. Ich habe mir oft langweilige Stunden damit vertrieben, indem ich atypische Konfigurationen ausarbeitete.«

»Ich habe dich nie dabei gesehen.«

Er tätschelte ihre Hand. »In meinem Kopf, meine Liebe.«

»Das würde sich ohne das ›mein‹ viel besser anhören.«

»›In Kopf‹?«

Sie drohte mit dem Finger. »›Liebe.‹«

»Du wirst zweifellos kokett.« Vielleicht waren das die Nachwirkungen der Beziehungen zu Veg.

»Hatte Taler auf dem Schiff recht?«

Das Schiff. Wieder blickte er ihr in die Augen und erinnerte sich. Die Erdregierung hatte nicht auf den Bericht des Trios gewartet. Sie hatte vier Agenten nach Paläo geschickt, und die Agenten hatten die Normalen sogleich gefangengenommen und die Dinosaurier-Enklave zerstört. »Interessant«, hatte Taler bemerkt, während Tamme amüsiert zusah, »Dr. Potter ist noch mehr in Miss Hunt verliebt als Mr. Smith. Aber Dr. Potter weigert sich, sich dadurch beeinflussen zu lassen.«

»Ich nehme an, er hatte recht«, sagte Cal.

Sie seufzte, als ob sie als Antwort etwas mehr erwartet hätte. »Es muß mehr im Leben geben als dies.«

Er sah sie wieder an, unsicher, wie sie das gemeint hatte. Er entschied sich dafür, es als harmlos zu interpretieren. »Gibt es wirklich. Es gibt eine Menge Spielfiguren, von denen jede ihre Geschichte hat. Einige Muster sterben aus, andere werden so stabil wie das Quadrat. Noch andere führen Tricks vor.«

Jetzt war sie interessiert. »Laß mich eine versuchen!«

»Gewiß, gewiß. Versuch's mit dieser.« Er zeichnete ein Tetromino, vier Punkte:

Aquilon machte sich darüber her. »Wir haben im Geiste ein Spielfeld vor uns, richtig? Die Punkte ergänzen tatsächlich Quadrate und dürfen dieselben nicht schräg miteinander verbinden, ja?«

»Genau richtig.« Jetzt, da sie begriffen hatte, um was es ging, war sie sehr schnell. Ihm gefiel das.

»Wenn dies Position eins ist, dann müssen wir für Position zwei einen, zwei, drei Punkte hinzufügen und . . . keinen wegnehmen.» Sie bildete die neue Figur:

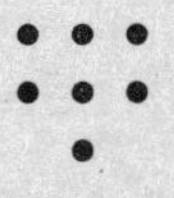

»Korrekt. Wie weit kannst du es verfolgen?«

Sie konzentrierte sich, die Zunge zwischen den Lippen. Nach einer Weile hatte sie die ganze Serie. »Sie entwickelt sich zu vier Blinkern. Hier ist die Serie.« Sie setzte die Ziffern der einzelnen Schritte in elegante Klammern, um den Gebrauch von verwirrenden Punkten zu vermeiden.

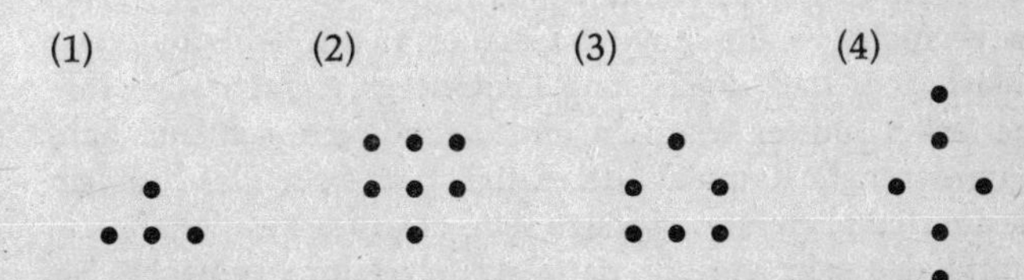

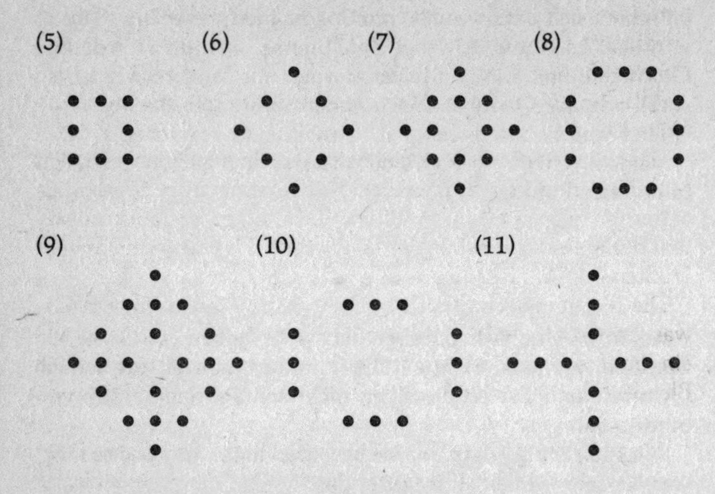

»Sehr gut. Das ist ›Verkehrsampel‹.«

»Faszinierend. Es funktioniert wirklich! Aber ich erkenne noch immer nicht die Beziehung zu ...«

»Versuch's mit diesem«, schlug er vor und entwarf ein neues Muster.

»Das ist das ›R-Pentomino‹.«

»Das ähnelt dem, das ich gerade gemacht habe. Du hast es nur seitlich gekippt, was keinen topologischen Unterschied ausmacht, und einen Punkt hinzugefügt.«

»Versuche es«, wiederholte er.

Sie versuchte es, um ihm den Gefallen zu tun. Aber bald war offensichtlich, daß die Lösung keineswegs einfach war. Ihre numerierten Muster wuchsen und veränderten sich und nahmen immer mehr Raum auf der Arbeitsfläche ein. Das Problem hörte auf, lediglich interessant zu sein; es wurde zwanghaft. Cal verstand das sehr gut. Er hatte dasselbe durchgemacht. Sie hatte ihn jetzt vollkommen vergessen. Das Haar fiel ihr in attraktiver Unordnung ins Gesicht, und sie biß sich mit den Zähnen auf die Lippen.

»Was für einen Unterschied ein einziger Punkt macht«, murmelte sie.

Cal hörte etwas. Es war das Summen einer sich bewegenden Maschine. Endlich war nach dem Köder geschnappt worden! Er entfernte sich leise von Aquilon, die ihn gar nicht vermißte, und bezog Position neben der Lichtquelle. Den nächsten Schritt mußten die Mantas tun.

Die Maschine schob sich in Sichtweite. Sie war genau das, was Cal erhofft hatte: eine viellinsige Maschine, ausgestattet, ein marginal defektes Lichtmuster zu analysieren. Eine der Blenden der Maschine ähnelte einem Oszilloskop, und da schien auch eine Fernsehkamera zu sein.

Ausgezeichnet! Diese Maschine mußte aus dem Winterschlaf geholt worden sein, da Lichtchirurgie zweifellos weniger häufig war als mechanische Reparaturarbeit. Dies hier war eine effiziente Stadt, die keine Energie und keine Gerätschaften vergeudete.

Die beiden Mantas wandten sich der Maschine zu und konzentrierten sich auf sie. Cal wußte, daß sie ihre Augenstrahlen auf ihre Linsen richteten und den Versuch unternahmen, ihr verständliche Informationen zu übermitteln und ihr Kontrollsystem zu usurpieren. Wenn es jemand schaffen konnte, dann die Mantas – aber nur, wenn die Maschine ausreichend hochentwickelt war.

Sie machte halt, wandte sich den Mantas zu. Ging der Plan auf?

Plötzlich wirbelte die Maschine herum und unterbrach den Kontakt. Ihre Aufnahmelinse erspähte Cal. Ein kleines Rohr richtete sich mit erschreckender Zielgenauigkeit aus.

Cal empfand plötzliche Furcht. Er hatte keine physische Gefahr für sich und Aquilon erwartet und war darauf auch nicht vorbereitet. Seine Haut spannte sich. Seine Blicke huschten zur Seite, um den besten Fluchtweg ausfindig zu machen. In seinen Beinen kam es zu einem nervösen Zucken.

Er hatte mit Tyrannosaurus, dem mächtigsten Räuber unter

den Dinosauriern, Verstecken gespielt. Verlor er jetzt bei einem bloßen Reparaturroboter die Nerven?

Cal sprang zur Seite, als der Strahl eines Lasers dort ein stecknadelgroßes Loch in die Plastikwand brannte, wo er soeben noch gestanden hatte. Er hatte das Glühen des Aufwärmens gerade noch rechtzeitig erkannt. Aber jetzt war der Laser aufgewärmt und würde zu schnell für seine Reflexe schießen. Er hastete weiter, als sich die Waffe neu orientierte.

Sein Plan war fehlgeschlagen, und nun griff die Maschine an. Sie saßen böse in der Klemme!

Die Mantas versuchten das Ding abzulenken, aber es ließ nicht von Cal ab. Wohin er auch flüchtete, folgte es.

Aquilon, aus ihrer Konzentration hochgeschreckt, trat direkt in die Bahn des Lasers und hob die Hand.

»Halt!« sagte sie zu der Maschine.

Sie machte halt.

Überrascht drehte sich Cal um. Hatte die Maschine wirklich auf eine menschliche Stimme reagiert, oder richtete sie sich lediglich auf ein neues Objekt aus? Aquilons Leben hing von dieser Unterscheidung ab!

Aquilon war selbst verblüfft. »Ich habe automatisch und töricht reagiert«, sagte sie. »Aber jetzt ... frage ich mich, ob ...« Sie sprach wieder zu der Maschine. »Folge mir«, sagte sie und begann, den Pfad entlangzugehen.

Die Maschine blieb, wo sie war, unbeweglich. Nicht einmal der Laserlauf bewegte sich, obwohl er jetzt auf nichts zielte.

»Warte«, raunte Cal ihr zu. »Langsam sehe ich klar. Du hast der Maschine einen Ausschließlichkeitsbefehl gegeben.«

»Ich habe sie angewiesen, haltzumachen«, stimmte sie zu. »Ich war erschreckt. Aber wenn sie vorhin verstanden und gehorcht hat, warum nicht auch jetzt?«

»Du hast die Sprache gewechselt«, sagte er.

»Ich habe ... was?«

»Als du sie das erste Mal ansprachst, hast du Körpersprache eingesetzt. Alles an dir hat zu der Botschaft beigetragen. Du bist ihr ohne erkennbare Furcht entgegengetreten, hast die Hand gehoben und einen kurzen, alles andere ausschließenden Befehl gegeben.«

»Aber ich habe Englisch gesprochen!«

»Irrelevant. Niemand könnte dich mißverstanden haben.« Er nahm ihren Arm und zog sie sanft an sich. »Körpersprache – die Art und Weise, auf die wir uns bewegen, auf die wir etwas berühren, anblicken – die Anspannung der Muskeln, der Pulsschlag, die Atmung – die automatischen Prozesse. Die Agenten lesen durch diese unfreiwilligen Signale buchstäblich unsere Gedanken.«

»Ja«, sagte sie begreifend. »Deine Hand auf mir – sie sagt auch etwas mehr als deine Worte.«

Er ließ sie schnell los. »Tut mir leid. Ich wollte lediglich, daß du verstehst . . .«

»Habe ich ja«, sagte sie lächelnd. »Warum macht dich das verlegen?«

»Diese Stadt ist trotz ihrer Verrücktheiten im wesentlichen menschlich. Sie wurde errichtet, um den Menschen zu dienen, vielleicht Frauen wie dir . . .«

»Ein Matriarchat?«

»Möglich. Jetzt sind diese Menschen verschwunden, aber die Stadt ist geblieben, produziert atembare Luft, baut eßbare Früchte an, unterhält zumindest ein gewisses omnivorisches Tierleben, als ob sie die Bedürfnisse der Mantas vorhergesehen hätte, fabriziert Dinge für den menschlichen Gebrauch. Sicherlich erinnern sich die Maschinen an ihre ehemaligen Herren!«

»Warum hat sie dich dann angegriffen?«

»Ich habe mich unfreundlich verhalten, indem ich mit Fremden gemeinsame Sache machte, die störend auf die Geschäfte der Stadt einwirkten. Ich habe die Signale eines Feindes oder eines Barbaren abgegeben – als den ich mich tatsächlich sah. Die Maschine hat entsprechend reagiert.«

Aquilon nickte. »Wir kennen also die Erbauer, nicht aber ihre Sprache.«

»Wir *sind* die Erbauer – auf einer anderen Variante. Vielleicht ist diese Stadt das Werk einer menschlichen Alternativwelt Tausende von Jahren in unserer Zukunft. Im Rahmen des Alternativsystems ist logischerweise davon auszugehen, daß viele Welten zeitlich sowohl vor uns als auch hinter uns liegen.«

»Dinosaurier auf der einen, Superwissenschaft auf der anderen«, stimmte sie ihm zu.

»Aber ich glaube nicht, daß die Funkenwolke ein Teil dieses menschlichen Schemas ist – wie ich schon erklärte.«

»Wie du erklärtest?«

»Das Lebens-Spiel.«

Sie schnitt eine Grimasse.

»Ich bin mit deinem R-Pentomino noch nicht zu Ende gekommen.«

»Deshalb würde ich mir keine Sorgen machen«, sagte er. »Es erreicht nach elfhundert Zügen lediglich ein Steady-State-Muster.«

»Nach elfhundert Zügen!« rief sie erbost. »Und du läßt mich ahnungslos mit einem Bleistift arbeiten ...«

»Der springende Punkt ist, daß das ganze Spiel durch die Eröffnungskonfiguration bestimmt wird. Aber das bedeutet keineswegs, daß alle Eröffnungen ähnlich sind oder daß eine Fünf-Punkte-Figur bei der Auflösung nicht eindrucksvolle Komplexitäten aufweist. Die meisten einfachen Muster vergehen schnell oder werden stabil. Einige wenige haben ein offenes Ende, besonders dann, wenn sie mit anderen Figuren in Interaktion treten. Größere Eröffnungsmuster könnten also denkbar ...«

»Cal!« rief sie. »Willst du sagen, daß dieses kleine Punktespiel ... das Funkenmuster ...«

Er nickte. »›Leben‹ ist ein einfacher zweidimensionaler Vorgang, der nichtsdestoweniger gewisse Ähnlichkeiten mit der Molekularbiologie unseres lebendigen Lebens aufweist. Nimm mal an, dieses Spiel würde auf drei Dimensionen ausgedehnt und auf einem unendlich großen Spielfeld abgewickelt!«

Sie schüttelte den Kopf, so daß ihr Haar verführerisch ins Fliegen geriet. Hatte sie diese Geste von Tamme übernommen? »Es wäre immer noch vorherbestimmt.«

»So wie *wir* vorherbestimmt sind, gewissen Philosophien zufolge. Aber es wird unerhört schwierig, den Weg vor dem Faktum aufzuzeichnen. Nimm an, auf unserem Spielfeld wäre eine ganze Anzahl von Formen vorhanden, die miteinander in Interaktion treten!«

»Wenn ihre Muster zu groß geworden wären, würden sie sich

gegenseitig durcheinanderbringen. Es läßt sich nicht sagen, was dann geschehen würde.«

»Es wäre immer noch durch die Anfangsfiguren und ihre Beziehungen zueinander auf dem Spielfeld vorherbestimmt – aber zu kompliziert, um ohne einen Computer vorausgesagt werden zu können. Vielleicht gibt es keinen Computer, der diese Aufgabe erfüllen kann, wenn das Feld groß genug und die Figuren zu involviert wären. Es könnte alles mögliche passieren.«

»Und wenn es in vier oder fünf Dimensionen existieren würde?« Aquilon spreizte die Hände. »Ich bin kein Mathematiker. Aber ich könnte mir vorstellen, daß die Anzahl der Möglichkeiten die von organischen Prozessen erreicht. Wie du schon festgestellt hast, sind Enzyme letzten Endes in gewisser Weise wie kleine Schalter auf der Molekularebene, für die Lebensprozesse jedoch unentbehrlich. Warum keine Punktmuster-Enzyme, die sich . . .«, sie legte abermals eine Pause ein, « . . . zu belebten Funkenwolken heranbilden!«

»Wir könnten also etwas haben, was auf unabhängige Einheiten mit freiem Willen hinausläuft«, schloß er. »Ihre Wege mögen durch ihre Anfangskonfiguration und ihr System vorherbestimmt sein – aber das trifft auch auf uns zu. Wir stellen sie uns besser als potentiell intelligent vor und gehen entsprechend mit ihnen um.«

»Was bedeutet, daß wir eine Verständigungsmöglichkeit mit ihnen herstellen müssen«, sagte sie. »Es war ein gewaltiger geistiger Schritt, aber ich weiß endlich, was du überhaupt meinst.«

Sie blickte auf das komplexe Durcheinander ihres R-Pentomino und blies die Backen auf.

»Das ist gut«, sagte er. »Weil wir nämlich diese Maschine brauchen – und du scheinst in der Lage zu sein, sie zu kontrollieren. Bring sie zum Auditorium.«

Aquilon warf sich vor der Maschine in eine dramatische Pose. »Komm!« kommandierte sie und machte dabei eine befehlende Geste.

Und sie kam.

»Weißt du«, vertraute sie ihm auf dem Weg an, »das macht mir ziemlichen Spaß.«

10 Phase

OX war zum Kampf bereit. Er wußte jetzt, daß er unter der Beobachtung von Mustereinheiten stand, die ihm ähnelten, es jedoch ablehnten, mit ihm zu kommunizieren. Wären sie bloß da gewesen, ohne sich seiner bewußt zu sein, würden sie ihre normalen Ablegerabstrahlungen nicht unterdrückt haben. Und da er die seinen nicht unterdrückt hatte, mußten sie von ihm wissen. Er war sich seiner Diagnose demnach ganz sicher.

Seine Kampfschaltung, mühsam entwickelt, während er sein Gleichgewicht wiederhergestellt hatte, informierte ihn darüber, daß es Nichtüberleben bedeuten würde, wenn er den Außenmustern die Möglichkeit gab, Kenntnis von seinem Zustandswechsel zu bekommen. Er entwarf deshalb eine pseudofriedliche Schaltung, deren Zweck es war, die normale Abstrahlung trotz seiner internen Veränderungen aufrechtzuerhalten. Die beobachtenden Muster würden auf diese Weise keinen Anhaltspunkt über seine wahren Absichten gewinnen.

Es war auch wahrscheinlich, daß die Außenmuster die Bedeutung der Flecken nicht erkennen würden. Das war ein Aktivposten für ihn, denn die Flecken hatten sowohl als Elementstabilatoren als auch als Quellen externer Informationen ihre Nützlichkeit bereits unter Beweis gestellt. Tatsächlich verkörperten die Flecken seine stärkste potentielle Waffe. Er hatte festgestellt, daß sie, wie er, jüngsten Ursprungs waren. Sie, wie er, besaßen die Kraft des Wachstums und der gesteigerten Gewandtheit. Gemäß dem Gedächtnis des Ornet-Fleckens war der stabile Bab Mitglied eines Typs, der über ein höheres Potential verfügte als viele andere. Aber dieses Potential brauchte sehr viel Zeit und Konzentration, um sich zu entwickeln. OX beschloß, dieses Potential zu nutzen.

Jede Alternative war von ihren Nachbarn durch ihre Fortdauerphase getrennt. OX hatte dies durch das Studium der Elemente, die er aktivierte, verifiziert. Während die Pflanzen sie aufluden, reiften sie allmählich, und dieser Reifeprozeß entsprach einer Konstante innerhalb ihres individuellen Gefüges. Selbst ein Element, das viele Male aktiviert und wieder aufgeladen worden war, spiegelte noch immer seine Abstammung und sein Alter wider. Aber die äquivalenten Elemente benachbarter Alternativen unterschieden sich – ein Gefüge war immer neuer als das andere.

Da OX ein Muster ohne physische Kontinuität war, berührte ihn diese Unterschiedlichkeit der Alternativen nicht, abgesehen davon, daß sie die Elemente berührte. Im allgemeinen waren die älteren, etablierten Elemente angenehmer. Neue neigten dazu, ihre Energie ungleichmäßig abzugeben, was ihn dazu veranlaßte, vage Nichtüberlebensgedanken zu entwickeln.

Diese Unterschiedlichkeit konnte sich hingegen auf die Flecken auswirken, die fast völlig physisch waren. OX konnte sie von einem Gefüge zum andern bringen, wobei er ihnen die Möglichkeit gab, sich aufgrund der Verschiebung der Umwelt in Beziehung zu dieser Umwelt zu verändern, so wie es geschehen war, als er sie in ein vorteilhafteres Habitat gebracht hatte. Er konnte auch, wie er herausfand, den Transfer modifizieren, so daß die Alternativen unverändert blieben, die Flecken sich jedoch veränderten. Er hatte dies getan, als Bab unter dem Messer der Maschine verblieb. Es war lediglich ein Aspekt des Übergangs: Ein physischer Unterschied zwischen Kreatur und Alternative mußte immer offenkundig sein.

Worauf alles hinauslief, war eine Methode, die Flecken zu altern. Wenn OX sie in diese Richtung bewegte, waren sie gezwungen, die Dauer auf sich zu nehmen, die sie hinter sich gebracht hätten, wenn sie immer dort gewesen wären. Dann bewegte er sie wieder zurück, wobei er sie diesmal unverändert ließ, während sich das Gefüge zu ändern schien. Es war ein künstlicher Prozeß, der die Flecken von den unmanipulierten Gefügen jenseits der Enklave abschnitt – aber die waren ihm ja ohnehin versperrt.

Auf diese Weise brachte OX die Flecken in einem Bruchteil der Zeit von der Kindheit zur Reife, die sie normalerweise dazu gebraucht hätten. Natürlich erschien es *ihnen* so, als ob ihre volle Lebensspanne auf normale Art und Weise verstrichen sei. Nur OX wußte es besser. Aber er erklärte es ihnen und lieferte klare Beweise, die sie beobachten konnten, wie zum Beispiel das offensichtliche Wachstumsstocken des unveränderten Lebens ringsum, der immobilen Pflanzen. Nur jene Pflanzen, die sich innerhalb des Radius der Gefügereisen befanden, wuchsen im selben Verhältnis mit. Sie diskutierten dies alles mit zunehmender Bewußtheit und glaubten es schließlich.

Die kleine Maschine, die sich immer in der Nähe aufhielt, war ebenfalls in den Fortschrittsprozeß einbezogen. OX versuchte, sie zurückzulassen, aber mit unbeseelter Schläue war sie stets zur Stelle, wenn sie spürte, daß er die notwendigen komplexen Schaltungen entwickelte, und blieb innerhalb der Phase. Ursprünglich war sie gegen die Attacken der Flecken unempfindlich gewesen. Wären diese ohne sie fortgeschritten, würden sie sie auf irgendeine Weise losgeworden sein, entweder indem sie vollkommen außerhalb der Phase mit ihr gewesen oder indem sie groß und stark genug geworden wären, sie zu überwältigen. So jedoch mußten sie vor ihrer Tücke stets auf der Hut sein.

OX sorgte ebenfalls für Erziehungsableger, die die Erweiterung der Bewußtheit bei den Flecken vornahmen. Obwohl dies OX' vorhandene Schaltungen fast völlig in Anspruch nahm, hatte es keine große Wirkung auf Dec und Ornet. Sie schienen programmiert zu sein, sich auf ihre eigene Weise zu entwickeln, unabhängig von seinem Einfluß. Aber für Bab war es sehr produktiv. Ornets Mutmaßung hatte sich als richtig erwiesen: Bab verfügte über ein gewaltiges Potential, das in gewissen Beziehungen OX eigenem Konkurrenz machte. Wie das bei einem physischen Wesen möglich war, konnte OX nicht ganz begreifen. Er mußte annehmen, daß es bei Bab eine nichtphysische Komponente gab, die Rationalität tatsächlich möglich machte. In jedem Fall war Babs Intellekt beeinflußbar, und OX wurde für seine Bemühungen reichlich entschädigt.

OX beobachtete und leitete gemäß seiner Kampfnatur, als Dec groß und schnell wurde und fähig war, mit ein paar tödlichen Schlägen seines Schwanzanhängsels ein halbintelligentes

Tier kampfunfähig zu machen, als er fähig war, komplexe Informationen effizient zu empfangen und zu senden. Er war der Flecken, der sich physisch am schnellsten bewegte, nützlich für rein physische Beobachtungen und Kommunikationen.

Ornet diente dazu, Bab zu schützen und zu helfen – aber Ornets Gedächtnis wurde klarer, als er wuchs, und lieferte viele außerordentliche Einsichten in bezug auf die Natur von Flecken und Gefügen, die OX eigene Weiterentwicklung beeinflußten. Ornet, wie begrenzt er auch physisch war, hatte ihn nichtsdestoweniger mit mehr Erfahrung versehen als jeder der anderen. OX selbst eingeschlossen. Dies war ein gewaltiger Aktivposten, wie eine Stabilisierungsschaltung, die ihn an potentiellen Fallgruben des Nichtüberlebens vorbeiführte. OX beriet sich immer mit Ornet, bevor er eine bedeutsame Entscheidung traf.

Aber Bab war seine beste Investition. Er entwickelte sich aus einem immobilen Klumpen zu einer sich langsam bewegenden Einheit und schließlich zu einer Kreatur, die, was physische Fähigkeiten anging, nahe an Ornet herankam. Sein Intellekt wurde größer und größer. Bald begriff er Konzepte, die Dec und Ornet verblüfften. Dann, als er sich der Reife näherte, trat seine Verstandeskraft mit der von OX in eine Interaktion, die etwas ganz anderes war als ein Lehrer/Schüler-Verhältnis. Er fing an, Fragen zu stellen, die OX nicht beantworten konnte – und die OX wiederum zu noch größeren Kapazitäten zwangen.

Und was war mit der Killermaschine? Bab fragte einmal danach, nachdem sie sie vertrieben hatten. Glaubst du, daß sie so einsam werden kann wie wir? Hat sie nicht auch Bedürfnisse und Gefühle?

Allein die Vorstellung war absurd! Und doch mußte OX eine neue Schaltung aufbauen und einräumen, daß sie, ja, unter Maschinenbedingungen ebenfalls Bedürfnisse und Gefühle haben würde und sich vielleicht nach ihrer eigenen Art sehnte.

Oder vielleicht nach Weisheit irgendeiner Art – einschließlich der unsrigen? beharrte Bab. Könnte es nicht sein, daß sie, wenn sie versucht, uns zu verzehren, tatsächlich einen intellektuellen Dialog sucht und sich dabei nicht bewußt ist, daß wir uns physisch nicht so integrieren, wie sie es tut?

OX mußte auch diese Möglichkeit einräumen. Trotzdem,

machte er klar, bleibt sie ein tödlicher Feind für uns alle, weil wir uns *nicht* als mechanische Komponenten integrieren lassen. Wir können es uns niemals erlauben, in unserer Wachsamkeit nachzulassen.

Aber noch lange nach diesem Dialog fibrillierten seine Schaltungen bei dieser ungeheuerlichen Vorstellung. Eine Maschine, die intellektuellen Dialog suchte. *Eine Maschine*!

11 Hexaflexagon

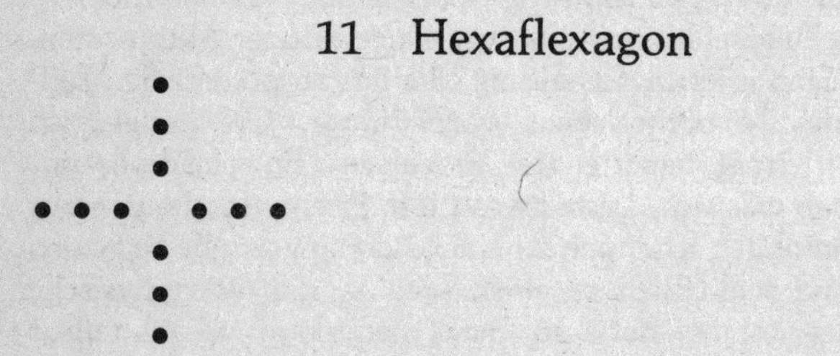

Sie kamen in einem blendenden Blizzard heraus. Schnee peitschte in Vegs Gesicht, und der Frost drang schnell in seinem Körper ein. Er war nicht passend gekleidet.

Tamme wandte sich ihm zu, leicht irritiert. »Warum sind Sie mitgekommen?« wollte sie wissen.

Er wollte mit den Schultern zucken, aber die Geste ging in seinem heftigen Zittern unter. Er verstand seine Motive selbst nicht ganz, aber es hatte etwas mit ihrer in letzter Minute gezeigten Ehrlichkeit zu tun. Und mit ihrer Schönheit und der Notwendigkeit, sich unwiderruflich von Aquilon zu lösen.

Tamme zog ihren Rock aus und legte ihn um seine Schultern. Er fror zu sehr, um Protest zu erheben.

»Es ist thermisch«, sagte sie. »Hocken Sie sich hin und schlingen Sie es eng um sich. Es wird eine Menge warme Luft einfangen. Wenden Sie sich vom Wind ab. Ziehen Sie den Kopf ein – ich werde ihn schützen.« Und sie legte ihren Hüfthalter ab, der einmal eine Bluse gewesen war, glättete ihn und verwandelte ihn in eine Schutzhaube.

Er gehorchte und brachte schließlich ein Wort heraus. »Sie ...«

»Ich bin für extreme Verhältnisse ausgestattet«, sagte sie. »Sie sind es nicht. Ich kann eine Stunde und mehr nackt in dieser Umgebung überleben. Und Sie können es auch – wenn Sie schön unter dieser Haube sitzen bleiben. Danach werden wir beide heftige Freiübungen machen. Wir müssen drei Stunden durchhalten, bis uns der Projektor zurückbringt. Wir werden es schon schaffen, obgleich ich mir wünschen würde, daß ich ihn diesmal auf minimale Rückholzeit eingestellt hätte.«

Er nickte kläglich. »Tut mir leid. Ich wußte nicht ...«

»Daß Sie mir nur im Weg sein würden? *Ich* wußte es, aber ich wußte auch, daß Ihre Motive aufrecht sind, unklar wie sie auch sein mögen. Sie besitzen Mut und Moral, nicht weil man Sie Ihnen einprogrammiert hat, sondern weil Sie von Natur aus so sind. Vielleicht sollten Agenten etwas mehr so wie Sie sein.« Sie legte eine Pause ein und blickte sich um. Schneeflocken hatten sich in ihren Augenbrauen festgesetzt und bildeten kleine Schirme. »Ich werde eine Schutzvorrichtung bauen. Vielleicht *müssen* wir gar nicht zurück.«

Er sah zu, wie sie sich mit offensichtlicher Leichtigkeit in dem Sturm bewegte – in BH und Slip. Er war ergrimmt, daß er so plötzlich und so vollkommen von einer Frau abhängig geworden war, besonders in einer Umgebung, die er als das natürliche Element eines Mannes ansah, die Wildnis. Aber sie war schon eine tolle Frau!

Tamme baute die Schutzvorrichtung. Sie entfernte den Pulverschnee und legte darunter eine Schicht aus Schnee und Eis frei, eine Kruste, die früher schon einmal geschmolzen und dann wieder gefroren war. Sie benutzte eine ihrer Waffen, einen kleinen Flammenwerfer, um Blöcke aus dieser Schicht herauszuschneiden. Bald hatte sie eine solide Eiswand errichtet.

»Kommen Sie hierher«, wies sie ihn an.

Er gehorchte und bewegte sich hüpfend in den Schutz des Lochs hinter der Wand. Der Wind hörte auf. Plötzlich fühlte er sich viel besser. Der Mantel *war* warm. Nachdem der Wind einmal aufgehört hatte, daran zu zerren und die erwärmte Luft an den Rändern wegzureißen, fühlte er sich beinahe wohl. Er hielt den Mantel am Hals zu, um das Wärmepolster festzuhalten. Aber seine Füße wurden langsam taub.

Tamme baute die Wand um ihn herum, so abgerundet, daß sie eine Kuppel bildete. Es war ein Iglu!

»Ich glaube, Sie kommen jetzt zurecht«, sagte sie. »Geben Sie mir meine Kleider. Ich will mich etwas umsehen.«

Sie kroch neben ihn in den Iglu. Und sie zog ihr Unterzeug aus.

Veg starrte sie an. Natürlich war sie ein erlesenes Exemplar von Weiblichkeit. Aber das war es nicht, was ihn verblüffte.

Eine Sammlung von Zubehör war an ihrem Körper befestigt. Veg erkannte das Holster für den Flammenwerfer, den sie gerade benutzt hatte. Es saß an der Stelle der Hüfte, wo ein Bikini zugebunden wurde – eine Stelle, die immer bedeckt war, ohne daß es auffiel. An anderer Stelle befand sich ein weiteres Holster.

Wie kunstvoll sie ihre Bewaffnung verborgen hatte, während sie gleichzeitig alles zu enthüllen schien! Als sie von dem Baum gekommen war, hatten ihre Schenkel unter dem Rock völlig unschuldig gewirkt. Wäre sie bereit gewesen, sich so mit ihm zu lieben, bewaffnet bis zu . . .?

»Nein, ich hätte die Waffen zur Seite gelegt«, sagte sie. »Unmöglich zu sagen, wo ein Mann überall mit seinen Händen hinkommt.«

Sie riß BH und Schlüpfer auseinander und fügte sie auf andere Weise wieder zusammen. Offensichtlich konnte sie alle ihre Kleidungsstücke im Handumdrehen für jeden Zweck umgestalten – funktional, verführerisch oder was auch immer. Er zweifelte nicht daran, daß ein Strick daraus gemacht werden konnte, um einen Gefangenen zu fesseln oder eine Klippe zu erklettern.

Der weibliche Agent war in jeder Beziehung genauso eindrucksvoll wie der männliche Agent! Großartige Maßarbeit.

»Danke«, sagte Tamme.

Veg verstand jetzt, wieso sie so schwer war: Unbekleidet wog sie vermutlich hundertfünfzehn Pfund, aber dazu kämen noch vierzig Pfund Werkzeug, das sie mit sich herumtrug.

Überhaupt nicht verlegen streckte sie die Hand aus. Hastig

reichte er ihr Mantel und Haube hinüber und sah zu, wie sie sie in Bluse und Rock zurückverwandelte. Aber der Rock war jetzt länger, um vor dem Sturm zu schützen, und die Bluse schloß sich dicht um ihren Hals, ohne Brust zu zeigen. Toller Trick!

Sie kroch durch die Igluöffnung und verschwand im Blizzard. Während sie weg war, rieb Veg Glieder und Körper, um sie zu wärmen, und wunderte sich über die Situation, in der er sich befand. Er war von der Erde nach Paläo gegangen, zur ersten Alternativwelt. Dann in die Wüstenwelt, die zweite Alternative. Und weiter in die Stadtwelt, die Waldwelt und nun in die Blizzardwelt – die dritte, vierte und fünfte Alternative. Nun hockte er hier, zusammengekauert, frierend und abhängig von einer Frau.

Wie waren sie wirklich hierher gekommen? Wer hatte den Öffnungsprojektor so handgerecht zurückgelassen? Es roch nach einer Falle. Genauso wie der Blizzard. Wenn nicht Tammes Stärke und Erfindungskraft gewesen wäre, könnte es eine Todesfalle gewesen sein.

Allerdings wäre der Tod viel sicherer gewesen, wenn sich die Öffnung über einem Abgrund oder vor der Mündung einer automatisch ausgelösten Kanone aufgetan hätte.

Nein, das wäre zu offensichtlich gewesen. Der beste Mord war der, der zufällig aussah. Und natürlich mochte die gegenwärtige Gefahrensituation zufällig *sein*. Sicherlich würde der Sturm nicht bis in alle Ewigkeit anhalten. Diese Welt mußte sowohl einen Sommer als auch einen Winter haben und eine Periode der Ruhe während des Wechsels der Jahreszeiten. Tamme hatte gesagt, daß der Projektor möglicherweise vor fünf Tagen zurückgelassen worden sein könnte. Dieser Sturm war neu, frisch. Also war vielleicht ein anderer Agent diesen Weg gegangen und hatte seinen Projektor genauso zurückgelassen wie Tamme den ihren in der Stadtwelt.

Das hieß, daß der andere Agent noch immer hier irgendwo in der Nähe war. Und das konnte Ärger bedeuten. Angenommen, der Agent überwältigte Tamme und ließ Veg hier allein zurück? Sie war zäh und clever – und verdammt hübsch! –, aber ein anderer Agent würde über dieselben Stärken verfügen.

Es sei denn ...

Veg richtete sich auf und schlug mit dem Kopf gegen die gebogene Dachwand. Ganz plötzlich war ihm eine komplizierte neue Möglichkeit eingefallen – aber die war so phantastisch, daß er ihr kaum traute. Er wollte sich nicht selbst in Verlegenheit bringen, indem er sie Tamme gegenüber erwähnte. Aber er konnte sie auch nicht ignorieren. Er würde sie selbst überprüfen müssen.

Er zwängte sich aus dem Iglu. Der Wind stürmte erneut auf ihn ein und lieferte ihn dem Frost aus, aber er zog den Kopf ein, krümmte die Schultern und ging weiter. Er würde nicht lange brauchen.

Er zählte die Schritte, als er sich durch den Schnee schleppte. In einer Entfernung von zwanzig Schritten – ungefähr fünfzehn Meter, weil er in dem beinhohen Schnee keine normalen Schritte machen konnte – blieb er stehen. Es war ja sowieso nur eine vage Idee, und hier im Sturm erschien sie ihm wirklich weit hergeholt.

Er stapfte im Kreis, dem Wind zugewandt, wo es sein mußte, aber trotz des Winds mit wachen Augen. Sein Gesicht wurde steif und eisig, und seine Füße fühlten sich heiß an: ein schlechtes Zeichen. Aber er machte weiter. Irgendwo innerhalb dieses Radius mochte . . .

Es war nicht der Fall. Er zog sich zum Iglu zurück, halb enttäuscht, halb erleichtert. Er bedauerte nicht, daß er sich auf die Suche gemacht hatte.

Tamme kehrte zurück.

»Was haben Sie gemacht?« wollte sie wissen. »Ihre Spuren sind überall.«

»Ich hatte eine verrückte Idee«, gestand er. »Kam aber nichts bei raus.«

»Was für eine verrückte Idee?«

»Daß hier ein weiterer Projektor sein könnte, Teil eines Schemas.«

Sie seufzte. »Ich hatte gehofft, Sie würden nicht darauf kommen.«

»Sie meinen, daß *Sie* ebenfalls danach gesucht haben?«, fragte er ergrimmt.

Sie nickte. »Ich habe den Verdacht, daß wir es mit einer

Alternativweltkette zu tun haben. Wir sind in der Stadtalternative gestartet – aber andere mögen in anderen Alternativen gestartet sein, wobei sie ihre Projektoren genauso zurückgelassen haben wie ich. Einer startete im Wald. Ein anderer mag hier gestartet sein. In diesem Fall wäre ein Projektor in der Nähe.«

»Das ist es, was ich mir ausgedacht hatte – nur habe ich nicht wirklich daran geglaubt. Projektoren, die überall in der Alterkeit verstreut sind.«

»Alterkeit! Wunderschön.«

»Nun, der Name ist dafür so gut wie jeder andere«, verteidigte er sich. »Egal, wenn sich wirklich alles so abspielt – was kümmern Sie sich darum? Keiner versucht, die Erde zu torpedieren.«

»Woher wissen Sie das?« fragte sie.

»Nun, ich kann natürlich nichts beweisen, aber wie wäre es mit der goldenen Regel? Wir versuchen nicht, *ihnen* etwas zu tun, also . . .«

»Wirklich nicht?«

Er stockte. »Sie meinen, wir *tun* ihnen etwas?« Er hatte gedacht, sie war lediglich hinter einem Agenten her, nicht hinter dem ganzen Universum.

»Unsere Regierung ist paranoid, wenn es um die Verteidigung der Erde geht. Wir sind darauf aus, jede mögliche Konkurrenz zu vernichten, bevor sie uns vernichtet. Erinnern Sie sich an Paläo?«

»Ja . . .«, stimmte er zu und wünschte sich, daß sie ihn nicht daran erinnert hätte. Sie war, wie alle Agenten, ein erbarmungsloser Killer.

»Es ist also zu unserem Nutzen, wenn wir sie erwischen, bevor sie uns erwischen.«

»Aber *wir* sind nicht paranoid. Wir müssen nicht . . .«

»*Sie* sind es nicht. Als eine Agentin unserer Regierung bin *ich* es.«

Es gefiel ihm nicht, aber er verstand es. »Sie müssen Ihrem Herrn dienen, schätze ich. Aber wenn Sie an der Macht wären . . .«

»Die Dinge würden sich ändern. Ich liebe keine Paranoia – sie ist nicht effizient. Ich liebe es auch nicht zu töten, um ein kaputtes System aufrechtzuerhalten. Aber das ist alles akademisch. Hier und jetzt muß ich dieser Kette – wenn es eine ist – bis zu ihrem Ende nachgehen. Und mich mit dem auseinandersetzen, was ich dort finde.«

»Ja . . .«

»Sie haben angenommen, daß sich der Projektor in einem Umkreis von fünfzehn Metern befindet, weil das bei dem letzten auch der Fall war. Das muß nicht notwendigerweise daraus folgen.«

»Verdammt bessere Chance, ihn zu finden, als fünf Kilometer weit draußen zu suchen.«

»Ja. Ich habe knapp fünf Kilometer zurückgelegt. Der Schnee verdeckt alle Spuren.«

»Vielleicht ist er versteckt – in einem hohlen Baum oder unter einem Felsbrocken oder so was. Weil wir schließlich Winter haben.«

»Gute Idee. Ich werde es überprüfen.« Sie entfernte sich wieder.

Sie fand ihn. Der Hügel darüber verriet ihn. Ein weiterer Öffnungsprojektor, den anderen sehr ähnlich.

»Sie können immer noch zurückgehen«, sagte sie zu Veg.

»Ich werde neugierig«, antwortete er. »Gehen wir. Es ist kalt hier.«

Sie zuckte die Achseln und stellte das Gerät an. Sie traten hindurch.

Veg wappnete sich gegen extreme Klima- oder Ortsverhältnisse – heiß, kalt, üppig, öd, Metropolis, Wildnis. Und stand der Realität verblüfft und völlig ungewappnet gegenüber.

Es war ein fremdrassiges Orchester.

Die Instrumente waren herkömmlich, sogar archaisch: Streichinstrumente, Blasinstrumente, Pauken. Für sein untrainiertes Ohr war die Technik makellos. Die Melodie war voller Leidenschaft, rührte Kopf, Herz und Bauch. Lediglich die Musiker waren fremd.

Tamme blickte sich wachsam um, so verwirrt wie er. Veg wußte, daß sie nach dem nächsten Projektor Ausschau hielt.

Es war nichts von ihm zu sehen.

Unterdessen spielte das fremde Orchester weiter, ohne von den Eindringlingen Kenntnis zu nehmen. Die Geiger hatten mindestens zwölf Gliedmaßen, die in einen einzigen Finger ausliefen. Diese Finger huschten über die Saiten und veränderten die Tonhöhe. Ein halbes Dutzend Finger ballte sich zusammen, um den Bogen zu halten. Die Kreaturen an den Flöten waren vogelartig und besaßen tüllenartige Münder mit kiemenartigen Öffnungen im Hals, durch die abwechselnd Luft geholt wurde, so daß immer Druck vorhanden war. Die an den Pauken hatten Arme, die in harte Kugeln auf biegsamen Sehnen ausliefen. Sie brauchten keine Schlagstöcke zu halten.

Veg fragte sich, ob die Wesen für die Instrumente oder die Instrumente für die Kreaturen geschaffen worden waren. Wenn letzteres der Fall war, was sagte das über die Musik auf der Erde aus? Menschliche Wesen, die sich Instrumenten anpaßten, welche für Fremde entworfen waren? Dies würde einen ausgeprägten Übergang zwischen Alternativwelten bedeuten . . .

Er versuchte zu sprechen, aber die Musik war zu laut. Sie drang von allen Seiten auf sie ein, so daß er sein eigenes Wort nicht verstehen konnte. Nicht weiter verwunderlich, denn sie waren beide ganz offensichtlich mitten im Orchestergraben gelandet, mochte er auch noch so riesig sein. Sie mußten raus aus ihm, bevor sie sich verständigen konnten.

Er blickte sich nach dem Rand des Grabens um – und sah lediglich weitere Musiker. Sie waren wirklich sehr in ihre Musik vertieft, denn sonst hätten sie so seltsame Wesen, als die er und Tamme ihnen erscheinen mußten, kaum ignoriert. Er schickte sich an, zwischen den Spielern hindurchzugehen, aber eine Hand auf seinem Arm hielt ihn zurück. Es war Tamme, die den Kopf schüttelte.

»Nein.«

Er begriff, warum: Ihr gegenwärtiger Aufenthaltsort hatte keine unverwechselbaren Merkmale an sich, so daß sie ihn nicht wiederfinden mochten. Außerdem konnten sie sich gegenseitig verlieren, wenn sie getrennt blieben. Dieses Orchester schien kein Ende zu nehmen!

Tamme deutete auf eine Stelle am Boden.

»Bleiben Sie hier!« wiederholte sie mehrmals, bis er die Worte von ihren Lippen ablas und verstand. Er würde der Platzhalter sein, sie der Kundschafter. Normalerweise hätte er darauf bestanden, die Rollen zu tauschen, aber er wußte, daß sie leistungsfähiger war. Er hockte sich dort nieder, wo sie hingezeigt hatte.

Tamme bewegte sich zwischen den Musikerformationen hindurch. Sie bildeten nicht direkt Reihen oder Gruppen, hatten sich aber auch nicht völlig zufällig aufgestellt. Das Ganze hatte eine gewisse fremdartige Ordnung – ein großes Muster wie bei den Blättern an einem Baum oder den Sternen am Himmel.

Irgendwo hier gab es einen weiteren Projektor – vielleicht. Wo? Er war nicht sichtbar. Konnten die Fremden – tatsächlich waren sie keine Fremden, sondern Einheimische, da es sich um ihre Alternativwelt handelte – konnten sie ihn weggebracht haben? Irgendwie zweifelte er daran. Die Wesen hatten vom Eindringen der Menschen absolut keine Notiz genommen. Warum sollten sie sich um ein mechanisches Gerät kümmern, das keine Musik machte? Vielleicht befand es sich im Inneren eines ihrer Instrumente. Nein, wenn sie gingen, wäre es verloren, und das war keine vernünftige Alternative!

Er dachte über die Musiker nach. Wo gingen sie während ihrer Spielpausen hin? Oder waren sie für immer hier verankert? Er hatte keinen gesehen, der sich entfernte. Seltsam!

Aber zurück zum Projektor: Konnte er sich in einem der boxartigen Sitze befinden? Dort schien ausreichend Platz zu sein. In welchem? Fünfzig oder hundert von ihnen waren in Sichtweite. Und wie konnte er an sie *heran*kommen?

Tamme bewegte sich in größer werdenden Spiralen. Er konnte sie hin und wieder zwischen den Musikern ausmachen. Nach ein paar weiteren Kreisen würde sie unsichtbar sein. Die massierten Musiker versperrten ab einer gewissen Entfernung die direkte Sicht.

Nun, das war ein Problem, dessen Lösung er Tamme überließ. Sie wollte nicht, daß er sich einschaltete, und vielleicht hatte sie recht. Trotzdem, man mußte sich erst daran gewöhnen – aber Tamme war anders als Aquilon.

Veg schüttelte den Kopf. Er war sich nicht sicher, welche Sorte Mädchen er lieber mochte. Natürlich war es mit ihm und

Aquilon vorbei. Und sinnlos mit Tamme, trotz der einen Nacht, die sie angeboten hatte. Sie war nicht sein Typ. Dennoch, es schadete nichts, ein bißchen zu spekulieren...

Dieses zufällige Wechseln von Alternativwelt zu Alternativwelt... *war* es wirklich zufällig? Es erinnerte ihn an etwas. An ein Kinderspiel, ein Puzzle, ein Faltspiel mit flexiblen Hexagonen...

»Hexaflexagon!« rief er aus. »Alterkeits-Hexaflexagon!«

Tamme war so schnell da, daß er überrascht aufsprang.

»Was ist los?« Er konnte sie jetzt verstehen. Die Musik war zu einer sanften Passage übergegangen.

»Nichts«, sagte er dümmlich. »Ich habe nur nachgedacht.«

Sie ließ die Sache auf sich beruhen. »Ich habe den Projektor lokalisiert.«

»Großartig!« sagte er erleichtert.

Da sie sich nun einmal auf dieser Achterbahn befanden, zog er es vor, die Fahrt nach vorne fortzusetzen. Die Vorstellung, hierzubleiben oder in die Blizzardwelt zurückzukehren, hatte ihm ganz und gar nicht geschmeckt.

»Wie sind Sie auf die richtige Box gekommen?«

»Töne. Die Boxen sind hohl. Der Projektor veränderte die Akustik.«

»Oh. Sie haben sich also auf die Musik gestützt. Clever.«

Musik und Hexaflexagone, dachte er. Er folgte ihr zu der Stelle.

Es handelte sich um den Sitz eines Baßgeigenspielers. Die oktopusartige Kreatur umarmte die Box fast völlig, wobei vier ihrer Tentakel die Enden der vier Saiten niederdrückten, während vier andere den Bogen handhabten. Die Töne waren tief und süß. Das Wesen hatte wirklich ein Gefühl für Musik!

»Du bist ziemlich gut«, sagte Veg zu ihr.

Aber das Klangvolumen war wieder angeschwollen und ließ seine Worte untergehen. Der Musiker ging nicht auf ihn ein.

Tamme hockte sich nieder, griff nach der Box und entfernte eine Platte. Im Inneren befand sich einer der kleinen Öffnungsprojektoren. Sie fragte nicht, ob er bereit war; sie wußte es. Sie langte hinein, wobei ihr Arm beinahe den überlappenden Körper des Oktopus gestreift hätte, und stellte die Maschine an.

Und sie befanden sich auf einer steil abfallenden Fläche.

»He!« rief Veg, hilflos rollend.

Tamme packte sein Handgelenk und zog ihn hoch. Er hatte gewußt, daß sie stark war, aber dies brachte ihn aus der Fassung. Scheinbar ohne Anstrengung stützte sie den überwiegenden Teil seines Gewichts.

Vegs pendelnde freie Hand fand Halt, und er richtete sich auf. Sie hockten auf einer scharf geneigten Platte aus Kunststoff. Sie war orangefarben, aber durchsichtig. Durch sie hindurch konnte er die zusammengewürfelten Kanten anderer Platten erkennen. Er hatte an der schrägen oberen Kante Halt gefunden. Tamme hatte das selbe ein Stück höher geschafft.

Unter ihnen befanden sich weitere Platten, einige hochkant, andere winklig oder breitseitig. Über ihnen gab es weitere. Und noch mehr seitlich. In allen Größen und Farben. Was sie an Ort und Stelle hielt, war ein Rätsel. Sie erschienen ganz fest, wie in klarem Glas gebettet, aber es gab nichts, was sie stützte.

Veg schielte nach unten, hielt Ausschau nach dem Boden. Alles, was er sehen konnte, war ein unregelmäßiges Netzwerk von Platten. Der Dschungel war, genau wie das Orchester, das sie gerade verlassen hatten, überall und endlos.

Tamme ließ sich los, glitt abwärts und landete elegant seitlich auf einer purpurfarbenen, horizontalen Platte. Sie bedeutete Veg, zu bleiben, wo er war.

»Es paßt«, murmelte Veg und zog sich hoch, um auf der schmalen Kante Platz zu finden. Die Welten waren faszinierend in ihrer Variationsbreite, aber bisher war er keine große Hilfe gewesen. Bald waren sie zum Teil hinter der Transparenz verwinkelter Platten verschwunden. Er konnte ihre Bewegungen wahrnehmen, nicht aber ihr Bild. Natürlich suchte sie den nächsten Projektor.

Angenommen, sie fand ihn nicht? Es gab keine Garantie, daß eine bestimmte Welt einen Projektor hatte oder daß sich dieser innerhalb von fünfzehnhundert Kilometern befand. Irgendwo mußte die Kette ein Ende haben.

Ein Schauder von Besorgnis überlief ihn. Es gab auch keine Garantie dafür, daß die nächste Welt über atembare Luft verfügte! Sie spielten ein verdammt höllisches Roulettspiel!

Vielleicht würden sie bis in alle Ewigkeit weitergehen und eine so verwirrende Ansammlung von Alternativwelten antreffen, daß sie schließlich vergaßen, von welcher sie aufgebrochen waren, daß sie die Erde selbst vergaßen.

Nun, er hatte sich freiwillig auf diesen Weg begeben!

Tamme war jetzt unsichtbar. Veg blickte sich um, zunehmend gelangweilt von der örtlichen Konfiguration. Er wollte selbst etwas davon erforschen, aber er wußte, daß er als Bezugspunkt an Ort und Stelle bleiben mußte. Diese Alternativwelt war auf ihre Art sehr hübsch, aber was konnte man hier *tun?*

Er bemerkte, daß sich die Plastikplatte, auf der er saß, nicht in einem idealen Zustand befand. Schmale Streifen blätterten ab.

Gedankenlos fingerte er eine Bahn ab. Das Zeug war durch und durch farblos, biegsam und leicht knisternd.

Das brachte ihn auf einen Gedanken. Er begann dreiwinklige Sektionen zu falten. Er formte ein Hexaflexagon!

»Gehen wir«, sagte Tamme.

Veg blickte hoch. »Sie haben ihn gefunden, ja?« Er steckte seine Schöpfung in die Tasche und folgte ihr, wobei er von Platte zu Platte sprang und endlich seine Beine ausstrecken konnte.

Er war an einer Stelle verborgen, an der drei Platten zusammenliefen, sicher untergebracht.

»Klar, Kilroy war hier«, murmelte er.

Tamme blickte ihn scharf an. »Wer?«

»Sie kennen Kilroy nicht? Er stammt aus den alten Zeiten.«

»Oh, eine Redensart.« Sie beugte sich über den Projektor.

Es gab also bei der Agentenschulung eine Lücke: Sie wußten nichts über Kilroy. Offenbar betrachteten sie ihn nicht als wichtig genug, um ihn ins Programm aufzunehmen.

Der Projektor wurde aktiv . . .

. . .und sie waren zurück im Blizzard.

»Ein Kreislauf!« schrie ihm Tamme erbittert ins Ohr. »Nun, ich weiß, wo der Projektor ist.« Sie packte ihn in ihre Kleider und stürmte los.

»Vielleicht ist es nicht derselbe!« rief Veg.

»Es ist derselbe. Da ist unser Iglu.«

Und wirklich, sie kamen daran vorbei. Aber Veg fiel auf, daß sie diesmal an einer etwas anderen Stelle gelandet waren, denn sie hatten den Iglu an ihrer vorangegangenen Landungsstätte errichtet. Diesmal waren sie ungefähr fünfzehn Meter seitlich davon angekommen.

War dies bedeutsam? Er fror zu sehr, um es richtig zu durchdenken.

Innerhalb von ein paar Minuten fanden sie ihn.

»Die Zeit hat gerade ausgereicht, ihn wieder aufzuladen«, sagte sie. Dann: »Das ist komisch.«

»Was?« fragte er, zitternd im Wind.

»Dies ist ein linkshändiger Projektor, mehr oder weniger.«

»Derselbe, den wir vorher benutzt haben«, sagte er. »Gehen wir *weiter* mit ihm.«

»Ich scheine nachzulassen«, sagte sie. »Ich hätte das vorher merken müssen.«

»In diesem Blizzard? Allein ihn zu finden reicht vollkommen!«

Sie zuckte die Achseln und aktivierte den Projektor.

Sie befanden sich jetzt in dem fremden Orchester.

Veg schüttelte den Schnee vom Mantel und Haube und blickte sich um. Diesmal schienen sie an genau derselben Stelle gelandet zu sein wie zuvor. Er sah die Flecken ihres vorangegangenen Wasserabstreifens, als der Schnee geschmolzen war.

»Wir stecken in einer Schleife von Alternativwelten fest«, sagte Tamme. »Das gefällt mir nicht.«

»Es muß einen Weg geben, um herauszukommen. Es gab einen Weg, um *herein*zukommen.«

»Das muß nicht zwangsläufig so sein.« Sie blickte sich um. »In jedem Fall sollten wir uns ausruhen, während sich der örtliche Projektor wieder auflädt.«

»Sicher«, stimmte er zu. »Wollen Sie, daß ich Wache stehe?«

»Ja«, sagte sie zu seiner Überraschung. Und sie legte sich auf den Fußboden und schlief ein.

Einfach so! Vegs Blicke huschten über ihren Körper, denn sie war noch immer in BH und Höschen. Von ihren Ausrüstungsgegenständen war nichts zu sehen und im Schlaf wirkte Tamme sehr weiblich.

Natürlich war Tamme überhaupt keine Frau, sondern eine Agentin. Sie *war* wirklich aus einer Form gezogen worden – aus der TA-Serien-Form, Reihe weiblich. Überall in der Welt gab es weitere, die genauso waren wie sie, jede ebenso hübsch, leistungsfähig und selbstsicher.

Er scheute vor der Vorstellung zurück. Statt dessen blickte er sich im Orchester zwischen den nun vertrauten Wesen um. Sie sahen gleich aus: Oktopoden, Kiemenvögel, Schlagstocktrommler. Aber irgend etwas hatte sich irgendwie verändert? Was war es?

Er konzentrierte sich, und es wurde ihm klar: *Diese* Alternativwelt war dieselbe, aber die Blizzard-Alternative war anders gewesen. Der Iglu – als er daran vorbeigegangen war . . . Nein, er bekam es nicht richtig hin. Anders und doch gleich, unerklärbar.

Veg stieß den Atem aus, legte Tammes Mantel ab und entdeckte sein Kunststoff-Hexaflexagon. Dies war wenigstens ein Beweis dafür, daß er in der Plattenwelt gewesen war. Er brachte die Faltungen zum Abschluß, biß auf die Enden, um sei richtig zu befestigen, und flektierte das Arrangement spielerisch.

Es war ein Hexa-Hexaflexagon. Es hatte einen hexagonalen Umriß, und wenn man es flektierte, trat aus dem Inneren eine neue Stirnseite hervor, die eine der vorangegangenen verdeckte. Aber nicht in regelmäßiger Folge. Einige Stirnseiten waren schwieriger zu öffnen als andere.

Er fischte in der Tasche herum und holte einen Bleistiftstummel hervor. Er markierte die Stirnseiten, als er auf sie stieß: 1 für die Oberseite, 2 für den Boden. Er flektierte es, holte eine neue leere Stirnseite nach oben und markierte sie mit 3. Er flektierte abermals, und 2 kam hoch.

»Geschlossene Schleife«, murmelte er. »Aber ich weiß, wie ich damit fertig werde!«

Er wechselte die Diagonale seines Griffs und flektierte von da aus. Diesmal erschien eine neue Stirnseite, und er markierte sie mit 4.

Die nächste Flexion brachte wieder 3 nach oben. Dann 2. Und 1.

»Wieder da, wo wir angefangen haben«, sagte er. Und wechselte die Diagonale. Eine freie Stirnseite erschien, die er mit 5 markierte. Dann weiter bis 2, 1, 3 und schließlich zum letzten Freien, 6.

»Diese Schleifen sind nur geschlossen, wenn man sie läßt«, sagte er mit Befriedigung. »Ich hatte vergessen, wieviel Spaß diese Sechsecke machen! Man weiß, wo man ist, weil die Stirnseiten die Orientierung wechseln.«

Dann traf ihn die Erkenntnis wie ein Schlag.

»He, Tam!« stieß er hervor.

Er hatte nicht lauter gesprochen als zuvor und das Klangvolumen der Musik ringsum hatte sich nicht gemildert, aber sie schlug die Augen sofort auf.

»Ja?«

»Vielleicht ist es nur eine Schnapsidee, aber ich glaube, ich weiß, warum wir die Welten wiederholen. Und vielleicht auch, wie wir auf kontrollierte Art und Weise aus der Schleife ausbrechen können.«

»Reden Sie.«

Er zeigte ihr seine Plastikkonstruktion, die aufgrund ihrer vielen Lagen opak war. »Sie wissen, was das ist?«

»Ein Gebilde aus Plattenrahmenmaterial.«

»Eine Hexa-Hexaflexagon. Sehen Sie, ich flektierte es so und bringe neue Stirnseiten nach oben.«

Sie nahm es und flektierte. »Raffiniert. Aber zu welchem Zweck?«

»Nun, sie kommen nicht in Folge nach oben – nicht genau jedenfalls. Sehen Sie sich beim Flektieren die Nummern an – und die Anordnung der Wiederholungen.«

»Eins«, zählte sie ab. Sie flektierte. »Drei . . . zwei . . . eins . . . fünf . . . zwei – umgekehrt.« Sie blickte hoch. »Es ist eine doppelte Triade. Interessant, nicht bemerkenswert.«

»Angenommen, wir numerieren die Welten, durch die wir gekommen sind – und finden eine rückwärtige Wiederholung. Ich meine dieselbe, aber spiegelverkehrt?«

Zum ersten Mal sah er einen Agenten stutzen.

»Der zweite Blizzard war rückwärtig!« rief sie aus. »Oder vielmehr um sechzig Grad verzerrt. Der Iglu, seine Unregelmäßigkeiten, die Spuren unserer Fußabdrücke vom ersten Besuch, der Projektor – alles um ein Drittel gedreht!«

»Ja. Das ist es, was mir auffiel. Es gab zuerst nur keinen Sinn.«

»Flektierende Alternativwelten! Könnte sein.« Schnell machte sie die ganze Sequenz durch und prägte sich das Muster ein. »Es paßt. Wir könnten uns, wenn wir diesen Rahmen zugrunde legen, in einem System mit sechs Stirnseiten befinden. In diesem Fall würde unsere nächste Welt ... der Wald sein.«

Sie begriff wirklich schnell. »Aber wir können von dort aus nicht nach Hause gehen.«

»Nein. Die Stirnseite wird gedreht sein, Teil einer Subtriade. Aber wir würden unseren Weg kennen.

»Ja«, stimmte er erfreut zu.

Sie dachte für einen Augenblick nach. »Es gibt keinen Grund, daß die Alternativwelten den Sechseckseiten entsprechen. Aber es *gibt* eine eindeutige Parallele, und wir haben damit ein nützliches intellektuelles Werkzeug in der Hand, ungefähr so wie die Mathematik ein Werkzeug zum Verständnis physikalischer Beziehungen ist. Unser Problem ist es, die Stichhaltigkeit unserer Interpretation zu überprüfen, ohne uns dabei unangebrachten Risiken auszusetzen.«

»Sie hören sich jetzt wie Cal an!«

»Das ist keine Schande«, murmelte sie. »Ihr Freund besitzt einen unheimlich scharfen Intellekt. Um uns zu vergewissern, könnten wir die Schleife nochmals durchmachen, aber das würde eine Verzögerung von mehreren Stunden bedeuten, weil wir darauf warten müßten, daß sich die Projektoren wieder aufladen. In dieser Zeit könnte unsere Konkurrenz einen Vorteil herausholen.«

»Also gehen wir schnell weiter nach vorn«, schloß Veg. »Wir können der Flexionsroute folgen und feststellen, ob sie funktioniert. Wenn sie es tut, haben wir eine Landkarte von der Alterkeit.«

»Auf Ihre unbekümmerte, ganz normale Weise könnten Sie mir geholfen haben«, sagte Tamme. »Kommen Sie her.«

Veg kniete neben ihr nieder.

Sie nahm seinen Kopf in die Hände, zog ihn an sich und

küßte ihn. Es war wie jener Moment im freien Fall, in dem ein Raumschiff die Beschleunigung stoppt, um die Orientierung zu ändern. Sein ganzer Körper schien zu schweben, während er seinen eigenen Pulsschlag pochen hörte.

Sie ließ ihn los. Er brauchte einen Augenblick, um sich wieder zu fassen.

»So haben Sie mich letztes Mal nicht geküßt!«

»Letztes Mal war es eine Demonstration. Diesmal war es Gefühl.«

»Sie haben Gefühle? Ich dachte . . .«

»Wir haben Gefühle. Aber abgesehen von Amüsement und Abscheu werden unsere Emotionen selten von Normalen geweckt.«

Veg begriff, daß sie ihm ein außerordentliches Kompliment gemacht hatte. Aber das war schon alles. Er hatte ihr geholfen, und sie erwies sich als dankbar. Sie hatte ihn mit einer professionell ausgeführten Geste entlohnt. Fall erledigt.

»Wir stehen hier wohl vor einer Wahl«, sagte sie. »Entweder wir wiederholen die Triade bis in die Unendlichkeit – oder wir brechen aus ihr aus. Der einzige Weg auszubrechen wäre, woandershin zu zielen als auf die Plattenwelt. Aber wie können wir dies tun, ohne mit den Projektoreinstellungen in Konflikt zu kommen?«

Veg erkannte das Problem. Machten sie sich an den Einstellungen zu schaffen, konnten sie aus diesem Sechseckgefüge geschleudert werden und verlorengehen – oder tot sein?

Damit wäre nichts verdient. Sie wollten den existierenden Pfaden folgen, wohin diese auch führten, und aufschließen zu . . . wem?

»Diese Einstellungen sind in das Hexaflexagon eingebaut«, sagte er. »Sie brauchen sie nur zu finden.«

»Ja. Zu dumm, daß die Alterkeit nicht aus gefaltetem Plastik besteht.«

Sie schwiegen für eine Weile, während die Musik anschwellend auf sie eindrang. Und Veg hatte eine zweite Erleuchtung.

»Die Musik!«

Wieder begriff sie so schnell, wie er den Gedanken erfaßt hatte, und dachte sofort noch ein Stück weiter als er.

»Phasengleich mit der Musik! Natürlich. Erwischt man sie während einer bestimmten Passage, geht es zur Plattenwelt. Erwischt man sie während einer anderen . . .«

»Jetzt ist der richtige Zeitpunkt!« rief Veg.

Sie rannten zum Projektor. Tamme hatte ihn augenblicklich eingeschaltet.

Und sie waren im Wald.

»Sieg!« rief Veg glücklich aus. Dann blickte er sich unsicher um. »Aber ist sie . . .«

»Ja, die Welt ist gedreht«, sagte Tamme. »Sie ist also Teil einer anderen Triade. Es wird ein weiterer linkshändiger Projektor hier sein.«

Sie lokalisierten ihn, und es stimmte.

»Hypothese bestätigt«, sagte sie. »Wenn unsere Interpretation also korrekt ist, brauchen wir nicht zu fürchten, nach Blizzard zurückgeschickt zu werden, weil diese umgekehrte Weltvision Teil einer anderen Schleife ist. Die nächste sollte neu sein. Wappnen Sie sich.«

Sie griff nach dem Schalter.

»Klare Sache«, sagte Veg. »Ich bin gewappnet für eine . . .

. . . neue Welt.«

Sie war neu, ganz sicher. Vegs erster Eindruck war der von Nebel. Sie standen in einem dichten Dunst.

Er hustete, als das Zeug seine Lungen verstopfte. Es war jedoch nicht giftig.

»Runter«, sagte Tamme.

Er ließ sich zu Boden fallen. Unter der Nebelbank gab es eine dünne Schicht klarer Atmosphäre, wie Luft, die unter dem Eis eines Flusses gefangen war. Mit gespitzten Lippen saugte er sie ein. »Kriechen«, sagte sie mit einer Stimme, die durch den Nebel dumpf klang.

Sie krochen, wobei sie den Nebel mit den Schultern zur Seite stießen. Plötzlich neigte sich der Grund, aber der Boden des Nebels blieb konstant. Er war zu unnachgiebig, um sich den Konturen der Landschaft genau anzupassen. Erst konnte man darunter hocken, dann stehen.

»Das ist schon eine Wolke!« bemerkte Veg und schielte nach oben. Die Substanz hing drohend undurchdringlich über ihnen, eine Decke, die den ganzen Himmel verdunkelte. Diffuses Licht sickerte hindurch.

»Das Zeug ist nahezu massiv!«

»Ihnen hat es unter dem Nadelbaum besser gefallen, nicht wahr?« erkundigte sich Tamme. Sie hielt bereits nach dem nächsten Projektor Ausschau.

»Und ob!« Er hatte das nagende Gefühl, daß die Nebelbank jeden Augenblick nach unten fallen konnte, alles zerquetschend.

Vor ihnen öffnete sich ein Tal. Tamme starrte hinein.

Veg folgte ihrem Blick. »Ein Nebelhaus?« fragte er verblüfft.

So war es. Blöcke aus verfestigtem Nebel waren zu etwas zusammengefügt worden, was sehr einer Hütte ähnelte. Jenseits davon bildeten sie eine Mauer oder einen Zaun aus Nebel.

»Das müssen wir uns von innen ansehen«, sagte Tamme. Sie bewegte sich auf das Haus zu.

Ein Nebelvorhang teilte sich und gab den Blick auf einen Türdurchgang und eine Gestalt darin frei.

»Sogar bewohnt«, murmelte Tamme. Ihre Hände griffen nicht nach den Waffen, aber Veg wußte, daß sie bereit war, sie augenblicklich einzusetzen.

»Erkundigen wir uns nach dem Weg«, schlug er scherzhaft vor.

»Ja.« Und sie ging vorwärts.

»He, ich habe doch nicht gemeint . . . « Aber er wußte, daß sie gewußt hatte, was er meinte, da sie schließlich seine Emotionen lesen konnte. Verlegen folgte er ihr.

Ganz nahe herangekommen gab es den nächsten Schock. Der Bewohner des Hauses war eine menschliche Frau mittleren Alters mit einer gewaltigen Hakennase.

Veg versuchte, sie nicht anzustarren. Die Frau war haargenau das, was er sich unter einer typischen Pioniersfrau in Wild West vorstellte. Sie war auf abstoßende Weise faszinierend.

»Verstehen Sie meine Sprache?« fragte Tamme freundlich.

Die Frau blickte verständnislos.

Tamme versuchte es mit einer Anzahl anderer Sprachen und

verblüffte Veg dabei durch ihr Können. Dann ging sie zu Zeichen über.

Jetzt reagierte die Frau. »Hhungh!« schnaubte sie.

»Projektor«, sagte Tamme. »Alternativwelten.« Sie formte den Projektor mit den Händen.

Die Frau kratzte sich nachdenklich die Stirn. »Hwemph?«

»Hex«, sagte Veg und hielt das Hexaflexagon hoch.

Die Augen der Frau leuchteten verstehend auf. »Hhehx!« wiederholte sie. Und ihre Nase zeigte auf die Nebelbank, aus der sie gekommen waren.

»Hdankeh«, sagte Veg lächelnd.

Die Frau lächelte zurück. »Hshug.«

Veg und Tamme wandten sich wieder dem Nebel zu.

»Nette Leute«, bemerkte Veg, wobei er sich selbst nicht ganz sicher war, wie er das meinte.

»Es sind andere vor uns da gewesen«, sagte Tamme. »Die Frau ist instruiert worden, sich dumm zu stellen und von sich aus nichts zu sagen. Aber wir haben einen günstigeren Eindruck auf sie gemacht als unsere Vorgänger, und so hat sie uns schließlich doch geantwortet.«

»Woher wissen Sie das alles?« Aber noch als er redete, erinnerte er sich. »Sie können auch Fremde lesen! Weil sie Emotionen haben, genau wie wir.«

»Ja. Ich war im Begriff, sie wie eine Zeugin der anderen Seite ins Verhör zu nehmen, aber Sie haben das überflüssig gemacht.«

»Ich und mein Flexagon!«

»Sie und Ihre direkte, naive Art eines Jungen vom Land haben uns wieder Glück gebracht.« Sie schüttelte den Kopf. »Ich muß es zugeben: Einfachheit hat etwas für sich. Sie erweisen sich als überraschend große Hilfe.«

»Nicht der Rede wert«, sagte Veg.

»Natürlich waren unsere Vorgänger dieselben: Tamme und Veg. Deshalb haben sie sie auch zur Kooperation gebracht.«

Sie hatten die Nebelbank erreicht.

»Bleiben Sie hier. Ich brauche wieder einen Orientierungspunkt. Der Projektor wird sich in einem Radius von zwanzig Metern befinden.«

»Sie können wirklich eine ganze Menge von einer Nasenspitze ablesen!«

Sie stürzte sich in den Nebel. Die Substanz war so dicht, daß ihr Durchgehen ein gezacktes Loch zurückließ, so als ob sie sich durch eine Wand aus Schaum bewegt hätte.

»Reden Sie«, sagte Tamme. »Die Töne werden mir helfen, mich zu orientieren, durch das Echo.«

»Dieser Ort erinnert mich in gewisser Weise an Nacre. Dort war auch alles Nebel. Aber der war weniger dicht, und er war überall. Das echte Pflanzenleben existierte hoch am Himmel, an der einzigen Stelle, wo die Sonne schien. Unten gab es nichts anderes als Pilze, und selbst die Tiere waren in Wirklichkeit Pilze, wie die Mantas. Es war also doch nicht dasselbe.«

Aus dem Nebel kam keine Antwort, und daher fuhr er fort: »Wissen Sie, ich habe mal eine Geschichte über so einen Nebel gelesen. Sie stand in einem alten Science-Fiction-Buch. Ich habe eine Reproduktion davon gesehen, gedruckt auf Papierseiten und alles. Dieser dichte Nebel kam überall dahin, wo die Sonne nicht schien – man buchstabierte ihn ›Nhebel‹ – und in seinem Inneren gab es so eine Art Raubtier, das man niemals sah und das Menschen fraß. Es verließ den Nebel niemals – aber es wagte auch niemand, in den Nebel hineinzugehen. Alles, was man hören konnte, waren die Schreie, wenn es jemanden gepackt hatte . . .«

»AAAAAHHH!«

Veg sperrte den Mund auf. »Oh, nein!« Er stürzte sich in den Nebel, das Messer in der Hand.

Eine Hand packte seinen Unterarm und zerrte ihn wieder zurück.

»Versuchen Sie nicht noch einmal, einen Agenten aufzuziehen«, sagte Tamme und ließ ihn los. »Ich habe den Projektor gefunden.«

»Alles klar«, sagte er ergrimmt. Immerhin, dies war das erste eindeutige Anzeichen von Humor, das er bei ihr entdeckt hatte.

»Kriechen Sie drunter her«, sagte Tamme.

Sie krochen unterhalb des Nebels. Der Projektor war da.

»Nicht weit von unserer Landestelle entfernt«, sagte Tamme. »Aber das Schema ist nicht konsequent genug, um eine große

Hilfe zu sein. Wir müssen noch immer auf jeder neuen Welt nach dem Projektor suchen und den Mechanismus herausbekommen, der uns aus den Schleifen ausbrechen läßt. Das gefällt mir nicht.«

Veg zuckte unbestimmt die Achseln. Abgesehen vom Blizzard hatten ihn die Suchen nicht gestört. Aber natürlich konnten sie sich für den Fall einer Gefahr keine Verzögerung leisten.

»Bei dem Hexaflexagon kommt man an jede Stirnseite, indem man in derselben Diagonale flektiert, solange es geht. Wenn Schluß ist, geht man zur nächsten über. Wenn wir also immer weiter gehen, werden wir also vielleicht so oder so ankommen.«

Tamme setzte sich aufrecht.

»Wir werden es so machen. Wenn wir in eine Wiederholungsschleife geraten, werden wir uns nach einer Änderungsmöglichkeit umsehen. Jetzt aber möchte ich eine vergleichende Meinung hören.«

»Eine weitere Mensch-gegen-Tiger-Wahl?«

Sie holte einen Streifen Papier hervor. »Nennen Sie die Reihenfolge Ihrer Hexaflexagonstirnseiten.«

Veg, der die Nase dicht über dem Boden hatte, um dem Nebel zu entgehen, wurde durch diesen Wunsch überrascht. Tamme kannte die Reihenfolge, in der die Stirnseiten erschienen. Sie hatte sie flektiert, und Agenten verfügten über ein eidetisches Gedächtnis. Er konnte lediglich das Offensichtliche bestätigen! Aber er holte sein Spielzeug hervor und ging das ganze Muster durch, wobei er die Nummern abzählte. »Eins. Fünf. Zwei. Eins. Drei. Eins. Drei. Zwei. Vier. Drei. Zwei. Eins.«

Tamme malte ein Diagramm aus Linien, Nummern und kleinen Richtungspfeilen.

»Dies ist dreiwinklig«, sagte sie. »Ein dreiseitiges Hexaflexagon würde sich einfach nur um das zentrale Dreieck bewegen. Ihr sechsseitiges sorgt für weitere Winkel. Würden Sie zustimmen, daß dieses Diagramm richtig ist?«

Sie zeigte ihm, was sie gezeichnet hatte.

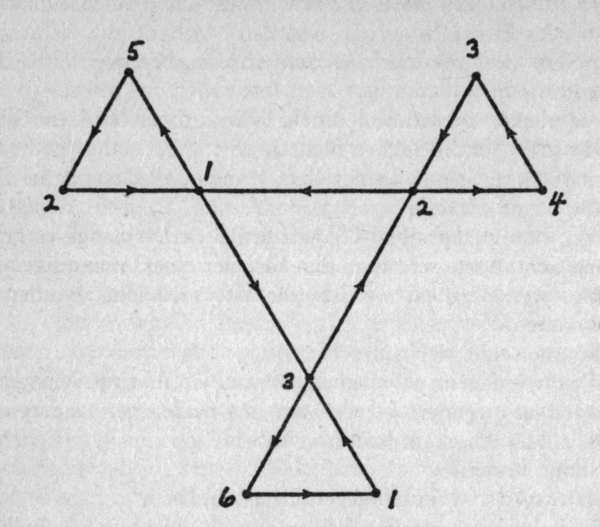

Veg fing mit der nordwestlichen Stirnseite 1 an und zog es mit dem Finger nach. »Eins, fünf, zwei, eins, drei . . . Ja, das ist die Reihenfolge. Endlich ergibt es Sinn!«

Tamme nickte. Er konnte ihre Geste kaum wahrnehmen, da ihr Kopf fast völlig vom Nebel verborgen wurde.

»Wie ich sehe, sind wir tatsächlich auf Fünf, der Stadt, gestartet. Dann würden wir haben: Zwei, den Wald, Eins, der Blizzard, Drei, das Orchester, Sechs, die Platten, und, zurück bei unserer ersten Wiederholung, Eins/Blizzard, Dann Wiederholung Drei/Orchester. Und Wiederholung Zwei/Wald. Und nun Seite Vier/Nebel.«

»Ich nehme es an«, sagte Veg, der Schwierigkeiten hatte, mitzukommen.

»Hier sind wir jetzt.«

»Unser nächster Halt sollte also Wiederholung Drei/Orchester sein – dieses Mal verzerrt, weil sich die Welt auf einer getrennten Schleife befindet. Dann weiter zu Zwei/Wald, Eins/Blizzard und nach Hause zu Fünf/Stadt.«

»Kommt hin«, sagte er. »Wir haben alle Stirnseiten verbraucht.«

»Womit wir wieder da wären, wo wir angefangen haben – geschlossene Schleife, und niemand außer uns selbst.«

»Das vermute ich jetzt auch. Die anderen müssen davon gekommen sein. Ist das schlecht?«

»Ich kann es nicht akzeptieren. Wer hat all die anderen Projektoren aufgebaut?«

Veg schüttelte den Kopf. »Da fragen Sie mich zuviel! Wenn sie davongekommen wären, hätten sie ihre Projektoren mitgenommen. Sie müssen also noch da sein. Und es kann keine sechs Vegs und sechs Tammes geben.« Er überlegte. »Oder *doch?*«

»Angenommen, Ihr Hexaflexagon hätte zwölf Stirnseiten?«

»Sicher. Es kann eine beliebige Anzahl von Stirnseiten geben, wenn man mit einem Streifen von Dreiecken anfängt, der lang genug ist und richtig gefaltet wird.«

»Eine Zwölf-Seiten-Konstruktion würde jedem der sechs Außenwinkel lediglich eine neue Stirnseite hinzufügen«, sagte sie.

Veg zuckte die Achseln.

»Ich glaube es Ihnen. Ich würde mir ein leibhaftiges Hexaflexagon machen müssen, um es selbst überprüfen zu können.«

»Glauben Sie es mir *nicht*. Machen Sie Ihre Konstruktion.«

»Hier? Jetzt? Warum gehen wir nicht zu einer besseren Alternativwelt, um . . .«

»Nein.«

»Ich habe nichts, um . . .«

Sie nahm das sechsseitige Hexaflexagon auseinander, strich den langen, gefalteten Plastikstreifen glatt, setzte ein kleines Messer, das in ihrer Hand erschien, an der Kante an und zerteilte ihn längsseits in zwei Lagen. Sie förderte eine kleine Phiole mit einer klaren Flüssigkeit zutage und klebte die Streifen an den Enden zusammen. Das Ergebnis war ein Streifen von doppelter Länge.

Veg seufzte. Er nahm ihn und faltete ihn sorgsam. Er machte eine flache Schlinge, so daß aus der doppelten Länge die Größe des Originals wurde, allerdings mit zwei Lagen anstatt mit einer. Dann bastelte er ein normales Hexaflexagon.

»Gehen Sie es durch und numerieren Sie Ihre Stirnseiten«, sagte Tamme.

»Okay.«

Es war ein komplizierterer Vorgang, der dreißig Flexionen umfaßte, aber schließlich hatte er es geschafft. In der Zwischenzeit hatte Tamme ein neues Diagramm gezeichnet.

»Nun fangen Sie bei Seite Eins an und flektieren«, sagte sie. »Ich werde Ihnen Ihre Nummern im voraus nennen. Fünf.«

Er flektierte. »Fünf ist richtig.«

»Sieben.«

Er flektierte wieder. »Richtig.«

»Eins.«

»Wieder richtig. He, lassen Sie mich das Diagramm doch mal sehen.«

Sie zeigte es ihm. Es war eine ausgeklügelte Version des vorangegangenen Diagramms, mit neuen Dreiecken, die von jedem der sechs Außenpunkte abgingen. Ein Winkel jedes der äußersten Dreiecke trug die Nummer einer neuen Stirnseite, was eine Gesamtzahl von zwölf ergab.

Sie flektierten den Rest der Konstruktion. Das Ergebnis entsprach dem Diagramm.

»Wie ich es sehe«, sagte Tamme, »könnten wir uns statt in dem sechsseitigen in diesem Schema befinden. In diesem Fall wäre unser Startpunkt Sieben, gefolgt von Eins, Fünf, Zwei, Acht, Fünf, Zwei, Eins und nun Drei. Wenn dem so ist, könnten unsere nächsten Stops neue Welten sein, Sechs und Neun.«

»Anstelle von Wiederholungen!« sagte Veg. »Das ist der direkte Beweis. Wir müssen es lediglich versuchen. Wenn uns die neuen nicht gefallen, springen wir einfach nach Drei dort in der Schleife – das ist hier. Unsere Landkarte gilt noch immer.«

»Sofern es sich nicht bloß um eine Subsektion einer unendlich großen Konfiguration handelt«, warnte sie. »In diesem Fall wäre unsere Karte lediglich ein grober Wegweiser. Aber wir würden vermutlich den Rückweg finden, obgleich es die Möglichkeit, auf demselben Weg zurückzugehen, auf dem wir gekommen sind, nicht mehr gibt.« Sie machte eine Pause und blickte ihn durch den Dunst an. »Wenn mir etwas zustoßen sollte, benutzen Sie das Diagramm, um zu Ihren Freunden in der Stadt zurückzukehren.«

»Nicht ohne Sie«, sagte er.

»Sentimentalitäten. Vergessen Sie sie. Ihre Philosophie ist nicht die meine. Ich werde Sie augenblicklich verlassen, wenn sich die Notwendigkeit dazu ergibt.«

»Vielleicht tun Sie das«, sagte Veg unbehaglich. »Bisher hat es keine wirklichen Schwierigkeiten gegeben. Vielleicht wird es auch keine geben.«

»Ich würde sagen, die Wetten stehen vier zu eins, daß es welche geben *wird*«, sagte sie. »*Irgend jemand* hat diese Projektoren aufgebaut, und in mindestens einem Fall war es ein anderer Agent, wie ich es bin. Natürlich bin ich es gewohnt, mit Agenten umzugehen, die wie ich sind – aber das sind Tara, Tania und Taphe gewesen, keine alternativen Tammes. Ich habe vor, die andere Agentin zu finden und zu töten. Und das wird schwierig werden.«

»Ja. Unterschiedliche Philosophien«, sagte Veg. Er wußte, daß sie seine Mißbilligung las. Vielleicht würde es besser sein, sie zu verlassen, wenn es dazu kam.

»Genau«, sagte Tamme.

Und aktivierte den Projektor.

Sie befanden sich in einer gewölbten Halle. Auf dem Boden gab es Fliesen im Schachbrettmuster, und die glatte Decke wies ein ähnliches, wenn auch feineres Muster auf. Die Wände waren grauweiß. Aus Platten im Deckenmuster, die in regelmäßigem Abstand angebracht waren, schien Licht nach unten. Es war angenehm warm, und die Luft ließ sich atmen.

»Sie hatten also recht«, sagte Veg. »Eine neue Alternativwelt, ein größeres Muster. Keiner kann sagen, *wie* viele Agenten sich herumtreiben.«

»Es ist auch möglich, daß dieses alles Schauplätze auf derselben Welt sind«, sagte Tamme. »Das würde die Beständigkeit von Schwerkraft, Klima und Atmosphäre erklären.«

»Dieser Blizzard war nicht beständig!«

»Immer noch im Bereich normaler Temperaturen.«

»Wenn es sich bei allen um Variationen der Erde handelt, erklärt das Schwerkraft und Klima. Sie haben selbst gesagt, daß es andere Alternativwelten sind. Andere Spurenelemente in der Luft oder so etwas.«

»Ja. Aber vielleicht war ich voreilig. Es dürfte genauso leicht sein, die Luft einer speziellen Örtlichkeit zu regulieren wie das Reisen zwischen Alternativwelten zu arrangieren. Eine Materietransmission von einem Punkt auf dem Globus zu einem anderen würde dafür sorgen. Ich will nur sagen, daß ich mir nicht *sicher* bin, ob wir tatsächlich . . .« Sie unterbrach sich. »Oh!«

Veg blickte dorthin, wo sie hinblickte, sah jedoch nichts Besonderes. »Was ist los?«

»Die Wände bewegen sich. Auf uns zu.«

Er nahm keinen Unterschied wahr, vertraute jedoch auf ihre Sinne. Er litt nicht an Klaustrophobie, aber der Gedanke machte ihn nervös.

»Eine Mausefalle?«

»Vielleicht. Wir sollten besser den Projektor finden.«

»Es gibt nur zwei Wege, die wir einschlagen können. Warum gehe ich nicht hier entlang und Sie dort? Einer von uns müßte ihn finden.«

»Ja«, sagte sie.

Ihre Stimme hatte einen leicht schrillen Unterton, so als sei sie nervös. Das war eigenartig, denn Agenten verfügten über eine hervorragende Selbstkontrolle. Sie waren höchst selten nervös, und wenn sie es *waren*, dann zeigten sie es nicht.

»Okay.«

Er ging in die eine Richtung, sie in die andere. Aber es nagte in ihm: Was beunruhigte sie so sehr, daß selbst er es merken konnte?

»Nichts«, murmelte er vor sich hin. »Wenn ich es merke, dann nur deshalb, weil sie will, daß ich es merke.« Aber was hatte sie versucht, ihm zu sagen?

Er drehte sich um, um Ausschau nach ihr zu halten. Und stand wie vom Schlag getroffen.

Die Wände bewegten sich – nicht mehr langsam jetzt, sondern schnell. Sie schoben sich von beiden Seiten zwischen ihm und Tamme vor und verengten die Halle in alarmierendem Maße.

»He!« schrie er und wollte zurück.

Tamme hatte in die andere Richtung geblickt. Jetzt drehte sie sich wie eine losschnellende Feder um und rannte auf ihn zu, so schnell, daß er verblüfft staunte. Sie näherte sich mit nahezu fünfzig Stundenkilometern: schneller als er jemals für möglich gehalten hätte.

Die Wände beschleunigten. Tamme machte einen Sprung nach vorne, wand sich gerade noch durch, bevor die Lücke geschlossen wurde. Sie landete auf den Händen, machte eine Rolle vorwärts und sprang auf die Füße. Sie kam auf ihn zu, nicht einmal außer Atem.

»Danke.«

»Diese Mausefalle!« sagte er mitgenommen. »Fast hätte sie Sie erwischt!« Dann: »Danke für was?«

»Dafür, daß Sie auf normale menschliche Weise reagiert haben. Die Falle war offensichtlich auf Ihre Fähigkeiten ausgerichtet, nicht auf meine. Das wollte ich bestätigt haben.«

»Aber was war der Zweck?«

»Es geht darum, uns zu trennen und dann in aller Ruhe mit uns zu verfahren. Zweifellos ernährt es sich von tierischem Fleisch, das es auf diese Weise fängt.«

»Eine karnivorische Welt?« Veg spürte, wie sich ihm der Magen umdrehte.

»Vielleicht. Oder auch bloß ein Gefängnis, wie die Stadt. Wie sehen sehr wenig von den Alternativwelten, die wir besuchen.«

»Da kann ich Ihnen nur zustimmen. Suchen wir den Projektor und verschwinden wir.«

»Er muß an einer sicheren Stelle untergebracht sein – an einer, wo ihm die Wände nichts anhaben können.«

»Ja. Wir bleiben besser zusammen, was?«

»Ich hatte nie eine Trennung beabsichtigt«, sagte sie. »Aber ich war mir nicht sicher, wer uns vielleicht zuhörte.«

Daher der schrille Unterton. Er würde das nächste Mal wachsamer sein müssen!

»Sie meinen, es ist intelligent?«

»Nein. Geistlos, vielleicht rein mechanisch. Aber gefährlich – so wie eine echte Mausefalle.«

»Ja – wenn man zufällig die Maus ist.«

Sie gingen weiter, zusammen. Die Wände waren jetzt belebt, wanden sich wie Körper einer leibhaftigen Python. Sie schoben sich vor, aber die Luft in der Passage komprimierte sich und verhinderte ein vollständiges Schließen. Es gab stets einen Austritt für die Luft, und Veg und Tamme waren in der Lage, diesem zu folgen.

»Passen Sie jedoch auf, wenn Sie irgendein Spundloch oder Rohr sehen«, warnte Tamme. »Dort könnten sich die Wände plötzlich ganz schließen, weil die Luft trotzdem entweichen kann.« Veg interessierte sich ungemein für Luftlöcher.

Mitunter stießen sie auf eine Weggabelung und mußten sich schnell entscheiden, welche Abzweigung zu einem breiteren Korridor führen mochte. Aber jetzt, da sie die Natur der Umgebung verstanden, waren sie imstande, sich Schwierigkeiten vom Leib zu halten.

»He, da ist er!« rief er aus. »Der Projektor.«

Die Wände vor ihnen bogen sich zurück, während sie sich hinter ihnen schlossen, wie um sie vorwärts zu treiben. Nun hatte sich der Projektor gezeigt. Er war auf Rädern, und ein Ring aus Metall umgab ihn.

»Raffiniert«, sagte Tamme. »Räder und ringsum eine Schutzvorrichtung, so daß er sich immer vor der Wand her bewegt und nicht gefangen oder zerquetscht werden kann. Solange sich die Wände nicht genau parallel schließen – und das scheint nicht in ihrer Natur zu liegen –, wird er hindurchschlüpfen. Betrachten Sie die Kugellager an der ringförmigen Schutzvorrichtung.« Sie ging darauf zu.

Veg streckte die Hand aus, um sie zurückzuhalten. »Käse«, sagte er.

Sie zögerte. »Sie haben eine gewisse angeborene Schlauheit an sich. Mein Kompliment.«

»Noch ein Kuß tut es auch.«

»Nein. Ich beginne, Sie zu respektieren.«

Veg wurde von verwirrten Emotionen überfallen. Sie küßte keinen, den sie respektierte? Weil ein Kuß diesen Respekt verringerte – oder vermehrte? War sie im Begriff, sich emotionell zu engagieren? Das war mehr die Art und Weise, in der Aquilon reagierte. Der Gedanke war erregend.

»Der Gedanke ist gefährlich«, sagte Tamme, die seine Empfindungen las. »Sie und ich sind nicht füreinander bestimmt. Meine Erinnerung an Sie wird ausradiert werden, wenn ich einen neuen Auftrag bekomme, aber Ihre Erinnerung an mich wird bleiben. Wenn Emotionen ins Spiel kommen, korrumpieren sie uns beide. Liebe würde uns vernichten.«

»Ich würde es riskieren.«

»Sie sind ein Normaler«, sagte sie mit einer Andeutung von Geringschätzung. Sie wandte sich dem Projektor zu. »Sprengen wir die Mausefalle.«

Sie förderte irgendwo in ihrer Uniform einen Faden zutage, machte dann ein Lasso. Sie schlang dieses um den Schalter, zog es fest und entfernte sich dann. Der Faden spannte sich hinter ihr, fünf Schritte, zehn, fünfzehn.

»Schützen Sie Ihre Augen«, sagte sie.

Veg zog die Arme hoch, um sowohl Augen als auch Ohren damit zu bedecken. Er spürte die Bewegung, als sie an dem Faden zerrte und den Projektor anstellte.

Dann fand er sich auf dem Boden wieder.

Tamme half ihm auf die Beine. »Tut mir leid«, sagte sie. »Ich habe mich verkalkuliert. Das war die Falle eines Agenten.«

»Was?« Er starrte zurück in die Halle, und seine Erinnerung kehrte zurück. Es hatte eine schreckliche Explosion gegeben, durch die er niedergestreckt worden war . . .

»Richtladung. Wir befanden uns am Rand ihrer Wirkung. Sie sind mit dem Kopf gegen die Wände geschlagen.«

»Ja.« Er fühlte die Beule jetzt. »Gut, daß diese Wand etwas nachgiebig ist. Ihr Leute spielt ein rauhes Spiel.«

»Ja. Unglücklicherweise bin ich schon zu lange mit dieser Mission beschäftigt. Meine Orientierung leidet. Ich begehe Irrtümer. Ein frischer Agent würde sowohl die Falle als auch ihre genaue Anwendung vorausgesehen haben. Ich bedaure, daß mein Nachlassen Ihr Wohlbefinden beeinträchtigt hat.«

»Irrtümer sind menschlich«, sagte er und rieb sich die Stirn.

»Genau.« Sie stellte ihn auf die Füße. »Ich glaube, die Explosion hat die Wände vorübergehend außer Funktion gesetzt. Sie sollten hier sicher sein, während ich mich schnell etwas umsehe.«

»Menschlich gefallen Sie mir besser.«
»Elend sucht Gesellschaft. Bleiben Sie hier.«
»Okay.« Er fühlte sich benommen und etwas schwindlig. Er setzte sich hin und ließ den Kopf hängen.
»Ich bin wieder da.«
Er war sich ihrer Abwesenheit kaum bewußt geworden!
Sie führte ihn zu einer »beständigen« Stelle, die sie lokalisiert hatte: Sechs Metallstäbe waren in Boden und Decke verankert und verhinderten jede Beeinträchtigung. Auf einem Podest innerhalb dieser Absperrung befand sich ein weiterer Projektor.
»Dieser ist sicher«, sagte Tamme.
Veg fragte sie nicht, woher sie das wußte. Vermutlich war es möglich, einen Projektor so mit einer Falle zu versehen, daß sie einige Zeit nach seinem Gebrauch explodierte, was auch einen echten Projektor gefährlich machen konnte, aber das würde riskant sein, wenn das Alternativweltmuster dieselbe Person zurückbrachte. Am besten war es, an den echten Projektoren überhaupt nicht herumzufummeln! Genau wie die Araber in der Wüste niemals das Wasser vergifteten, mochte die örtliche Politik auch noch so bösartig sein. Niemand konnte mit Sicherheit sagen, wer gezwungen war, als nächster davon zu trinken.
»Ich hoffe, die nächste Welt ist angenehmer«, sagte er.
»Das muß sie sein.«
Sie aktivierte das Gerät.

12 Bab

Bab beendete sein Mahl aus Früchten, Wurzeln und Fleisch. Er hatte sich vollgestopft für den Fall, daß es lange dauerte, bis er wieder aß. Neben ihm putzte sich Ornet, gleichfalls bereit.
Dec kam von seiner letzten Erkundung angesegelt. Mittels

minutiöser Ausrichtung seines Mantels gab er das Zeichen: Alles ist in Ordnung.

Bab hob seinen Flügelarm und bog die fünf federlosen Finger nach innen, um OX zu signalisieren: Wir sind bereit.

OX dehnte sich aus. Seine funkelnde Präsenz umgab sie, wie sie es schon so viele Male getan hatte. Aber diesmal war es etwas Besonderes. Das Feld intensivierte sich, hob sich – und sie waren in Bewegung. Nicht durch den Raum; durch die Zeit.

Zuerst gab es kaum eine Veränderung. Sie konnten die grüne Vegetation der Oase und die Hütte sehen, die sie zu ihrem Schutz und ihrer Bequemlichkeit gebaut hatten. Weiter draußen befanden sich die Gräben und Barrieren, die sie errichtet hatten, um die Raubmaschine abzuwehren.

Die Maschine. Sie nannten sie Mech. Sie war gemeinsam mit ihnen gewachsen, weil sie teil der Enklave war, die OX gealtert hatte. Sie war eine ständige Bedrohung, und doch respektierte Bab sie auch als einen zuverlässigen und zielbewußten Gegner. Hätte es in seiner Macht gelegen, sie zu vernichten, würde er dies nicht getan haben, denn ohne sie wäre die Gruppe weniger wachsam.

Brauchen wir Gegnerschaft, um zu gedeihen? fragte er sich selbst und verschränkte dabei seine Finger, so daß er den anderen seine Gedanken nicht unbeabsichtigt signalisieren würde. Offenbar ja. Die immer gegenwärtige Bedrohung ihres Überlebens hatte sie alle gezwungen, schneller und besser vorwärtszuschreiten, als das sonst der Fall gewesen wäre. Vielleicht war ironischerweise vor allem die Maschine für ihren Erfolg als Gruppe verantwortlich. Dies war eine Überlegung, von der er wußte, daß die anderen sie nicht verstehen würden, und vielleicht ergab sie auch keinen Sinn. Aber sie war interessant. Er schätzte interessante Dinge.

Dann verschwand die Hütte. Die Bäume veränderten sich. Sie dehnten sich aus, alterten und vergingen. Neue wuchsen heran, reiften, gingen dahin. Dann blieb nur noch Gesträuch übrig, und schließlich war die Region eine öde Landsenke.

Bab bewegte seine Finger, verdrehte sie in der Sprache, die Ornet, Dec und OX verstanden. Unsere Oase ist gestorben, signalisierte er. Das Wasser versickerte, die Erde trocknete aus.

Die Pflanzen starben. Wir wußten, daß dies passieren würde, wenn wir nicht da waren, um die Pflanzen zu pflegen und das Wasser zu bewahren, das sie brauchten.

Aber in anderen Gefügen bleibt das Wasser, denn auch OX' Elemente bleiben.

Ein Ableger formte sich in OX' Feld. Dies ist tempory, sagte er, seine Blinkersprache nutzend, die sie alle verstanden. Alle Alternativen gehen von einem x-beliebigen Punkt aus, vorwärts und rückwärts. Alle sind verschieden, und doch scheinen sie aufgrund der Zeitdauertrennung zwischen den Gefügen Vergangenheit und Zukunft zu zeigen.

Offensichtlich, schnippte Bab unhöflich mit den Fingern.

Ornet gab einen gedämpften Quiekton von sich, um teilweises Verstehen auszudrücken. Er war ein fähiger Historiker, schöpferisches Denken hingegen lag ihm überhaupt nicht. Aber seine Sprache wurde allgemein verstanden: Bab konnte sie hören. Dec konnte sie sehen und OX konnte die leichten Veränderungen wahrnehmen, die sie in einem Netzwerk von Elementen hervorrief.

Dec zuckte negierend seinen Schwanz: Die Angelegenheit war für ihn nicht von substantiellem Interesse.

Ich würde ein geographisches Driften einschließen, blitzte OX' Ableger. Aber wegen der Begrenzung der Enklave bin ich dazu unfähig.

Unsinn, erwiderte Bab. Wir alle sind zwanzig Jahre vorwärtsgeschritten. Unter den Bedingungen des realen Gefüges existieren wir nur theoretisch – oder vielleicht ist es auch umgekehrt –, also können wir auch auf theoretischen Elementen reisen.

Theoretische Elemente? fragte der Ableger zurück.

Deine Elemente wurden durch die externen Muster gelöscht, signalisierte Bab. Sie existieren nach wie vor in alternativen Phasen der Realität und dienen als Tor zum gesamten Universum. Benutze sie.

Theoretische Elemente? wiederholte der Ableger.

Bab hatte wenig Geduld mit der Schwerfälligkeit seines Freunds. Bilde einen Kreis, signalisierte er ungefähr so, wie er Ornet geraten hätte, nach Arths zu scharren, wenn der hungrig gewesen wäre. Analysiere es. Akzeptiere das hier als Hypothese: Wir können theoretisch auf theoretischen Elementen reisen. Es muß eine Form der Alterkeit geben, wo dies möglich ist, denn irgendwo in der Alterkeit sind alle Dinge möglich. Für uns mag die Geographie feststehend sein, denn wir sind auf die Enklave beschränkt. Theoretisch kann sich diese Geographie woanders jedoch im Verhältnis zu der unseren genauso ändern, wie es die Zeit tut. Wir müssen lediglich die Gefüge suchen, wo das so ist.

Nicht verstehend baute OX den Kreis auf. Dann war er in der Lage, es zu akzeptieren. Ein solches Reisen war möglich. Und es . . . geschah.

Die Geographie veränderte sich, als sie über die alternierende Welt glitten. Sie sahen andere Oasen wachsen und sich entfalten.

Bab war überrascht. Er hatte OX aufgezogen, zum Teil jedenfalls. Er hatte nicht wirklich geglaubt, daß solche Bewegungen möglich sein würden. Bisher hatte die Isolation der Enklave jeden richtigen Ausbruch verhindert. Aber wenn OX einen Kreis aufbaute, wurde OX dieser Kreis, und seine Natur und seine Fähigkeiten waren verändert.

Vielleicht hatte OX endlich die Fähigkeiten der Außenmuster überwunden. Wenn ja, dann war jetzt ein echter Ausbruch durchführbar. Aber Bab entschloß sich, davon noch nichts zu erwähnen, damit die Außenmuster nichts unternahmen, um das potentielle Loch zu verstopfen. Es war nicht klug, dem Gegner die eigenen Möglichkeiten zu offenbaren.

Auf diese Weise hatten sie Mech ins Hintertreffen gebracht. Früher waren von OX immer gewisse Vorbereitungskreise aufgebaut worden, die die Maschine wahrgenommen hatte. Diesmal hatte Bab OX zu Scheinablegerkreisen veranlaßt, um Mech zu täuschen. So hatte die Maschine, als sie zum Aufbruch bereit waren, an einen neuerlichen Bluff geglaubt und war nicht aufgetaucht.

Bald jedoch war Bab von Oasen, die sich entfalteten, gelangweilt. Laßt uns die Alternativen überschreiten, signalisierte er. Sehen wir uns einige wirklich andere Alternativen an. Wir können jetzt überall hingehen . . .

Ein weiterer Test, aber OX ging darauf ein. Die Oase in Sicht hörte auf zu wachsen und begann, sich zu verändern. Die grünen Blätter an den Bäumen wurden braun; die braune Rinde wurde rot. Die Basen der Stämme verdickten sich und nahmen eine knollenförmige Form an. Wesen erschienen – oder entwickelten sich vielmehr aus den schon vorhandenen Halbintelligenzen. Wie Ornet, aber mit unterschiedlichen Schnäbeln; röhrenförmig, spitz, um sie in die schwammigen Baumstämme zu bohren und Flüssigkeit herauszuholen.

Das war schon eher etwas! Bab beobachtete, fasziniert von Bildern, die er nie zuvor gesehen und sich auch nicht vorgestellt hatte. Ein Schatz von Erfahrungen!

Die Bäume erblühten, und die Wesen taten es ihnen gleich. Die Blumen dehnten sich aus, bis es weder Bäume noch Wesen gab, nur noch Blumen. Die Oase selbst dehnte sich aus, bis es überhaupt keine Wüste mehr gab, nur noch große und kleine Blumen.

Ein Streifen erschien. Bab konnte nicht sagen, ob es eine Mauer oder eine solide Nebelbank war. Einige von den Blumen wurden abgetrennt. Sie verdorrten nicht, sie verwandelten sich in bunte Steine. Die Nebelwand wuchs an, bis sie alles verdeckte. Dann verging sie und ließ Platten zurück, vielfarbig, durchscheinend und in unterschiedlichen Winkeln angeordnet. Maschinen rollten hinauf und hinunter, schnitten hier etwas ab, fügten dort etwas hinzu, modifizierten ständig Einzelheiten der Konfiguration, ohne die generelle Natur zu verändern. Bab gab sich kaum Mühe, nach dem Warum zu fragen. Er wußte, daß es in der gesamten Alterkeit zu viele Warums geben würde, deren Beantwortung wichtigere Probleme vernachlässigen mußte.

Die Platten lösten sich in Streifen aus farbigem Licht auf, und diese wiederum wurden zu Wolken, die in wunderhübschen Mustern herumwirbelten und sich zu Stürmen entwickelten. Regen fiel, dann Schnee – Bab kannte ihn, denn auch in der Enklave fiel jahreszeitlich Schnee und zwang ihn, für schützende Kleidung zu sorgen. Aber dieser Schnee hier war nicht nur weiß. Er war rot und grün und blau und veränderte sich, wenn sich die Alternativen veränderten.

Schließlich verfestigte er sich zu steinernen Wänden: Sie bewegten sich durch eine Kaverne, eine riesige Höhle im Boden. Auch diese kannte Bab, denn letztes Jahr hatte er Werkzeuge zum Graben und Bohren hergestellt und sich tief, tief in den Boden vorgearbeitet, um sich zu vergewissern, ob es in dieser Richtung einen Fluchtweg aus der Enklave gab. Er hatte eine richtige kleine Kaverne geschaffen. Aber es war nichts dabei herausgekommen, und er hatte sie aufgegeben und zugedeckt. Sie benutzten sie jetzt zur Lagerung der Wintervorräte und gelegentlich auch als Schutz vor Stürmen.

Ein gewaltiger Raum tat sich seitlich auf, viel größer als die Höhle, die Bab gemacht hatte. Dann schloß sich das Gestein wieder, ganz so, als ob sich die Wände selbst bewegten.

Warte! signalisierte Bab. Ich habe etwas gesehen. Geh zurück.

Der Ableger gab ein kontrolliertes Abblenden von sich, das vergleichbar war mit dem Senken von Ornets Schwanzfedern oder Babs eigenem Schulterzucken. Die sich bewegenden Wände machten kehrt, öffneten sich wieder zu der Kaverne.

Da! zeigte Bab an. Geographisch . . . ein Stück weiter.

Jetzt entdeckten es auch die anderen. Im Zentrum der Kaverne machte eine Kreatur irgend etwas. Sie arbeitete an irgendeiner Maschine – nein, das Ding war zu simpel, um eine Maschine zu sein. Es war lediglich ein mechanisches Gerät, vielleicht der Vorfahre der Maschine. Töne kamen hervor, angenehm harmonisch. Das Geschöpf machte Musik, ähnlich der, die Bab selbst mit seiner Stimme und durch das Klatschen seiner Hände auf einen Holzklotz machen konnte, nur sanfter, hübscher. Die Tentakel der Kreatur berührten das Gerät hier und dort, und die melodiösen Töne wurden laut.

Folge diesem Gefüge, gab Bab Anweisung, ganz so, als ob die anderen Mitglieder der Gruppe nichts zu sagen hätten. Aber sie gaben sich hier mit seiner Führungsrolle zufrieden. In bezug auf physische Fortbewegung war Dec überragend, in bezug auf Gedächtnis war es Ornet. In bezug auf Denkvermögen jedoch war es Bab, und sie alle wußten es.

OX richtete sich aus – und aus dem einen fremden Musiker wurden zwei, dann acht und schließlich eine ganze Myriade von Spielern. Die Musik schwoll hallend an. Dann veränderten sich die Kreaturen, wurden humanoid und schließlich menschlich. Deine Art! kreischte Ornet.

Erstaunt studierte Bab sie eingehender. Meine Art!

Sie veränderten sich zu hohen grünen Pflanzen, die die Instrumente mit Blättern und Wurzeln spielten.

Warte, signalisierte Bab zu spät.

Aber OX kehrte bereits zurück. Die Spieler von Babs Art formten sich wieder, wurden fremd, kamen zurück, wurden nackt, raffiniert bekleidet und behielten schließlich eine Kompromißform bei.

Meine Art! wiederholte Bab halb betäubt.

Aber was sind diese anderen? Er deutete auf einige Individuen, die leicht unterschiedlich waren. Sie ähnelten ihm, aber ihre Körper variierten und ihre Gesichter erschienen so glatt, als seien sie noch nicht erwachsen.

Weibliche Exemplare deiner Spezies, kreischte Ornet. Zeig die natürliche Version, OX.

OX ging darauf ein, wechselte zu den unbekleideten Spielern über.

Weibliche Säuger besitzen kein Anhängsel zum Urinieren, erklärte Ornet und deutete mit dem Schnabel auf sie. Aber sie verfügen über Organe zur Nährung der Jungen. Meine Vorfahren haben diese spezielle Spezies nicht beobachtet, aber sie sind lediglich Modifikationen des Typs.

Bab starrte auf die Nährorgane, erschrocken und doch fasziniert. Ich würde gern meine Hände auf diese Organe legen, signalisierte er.

Das darf nicht getan werden, erwiderte der Ableger. Wir dürfen keinen Einfluß nehmen.

Ich weiß das! gestikulierte Bab gereizt, obgleich er für einen Augenblick versucht war, OX herauszufordern, einen Kreis für den Versuch aufzubauen. Gehen wir weiter!

Sie gingen weiter, aber danach war Bab in Gedanken hauptsächlich bei seiner Art, bei den unbekleideten weiblichen Exemplaren.

Wenn es nur einen Weg gäbe, die Barriere physisch zu überwinden!

Plötzlich erschien Mech auf der Bildfläche, aus der Lagerhöhle auftauchend. Sie alle waren in keiner Weise darauf vorbereitet. Wieder einmal hatte sich die Maschine als zu schlau für sie erwiesen und war letzten Endes doch bei ihrer speziellen Gefügetour mitgekommen!

Das Ding kam mit wirbelndem Schraubenblatt und sich drehendem Laufwerk und jagte die physischen Gestalten zur Seite, wobei seine Muster zerstörenden Ausstrahlungen so stark waren, daß sich OX explosionsartig bewegen mußte, um Effekte des Nichtüberlebens zu vermeiden. Bab konnte die Funken fliegen sehen, wie beim Schauspiel der Sterne in einer frostigen Nacht.

Dann machte die Gruppe mobil, wie sie es schon so oft zuvor getan hatte.

Ornet diente als Köder, knapp außerhalb des Bereichs des Schraubenblatts mit den Flügeln schlagend und kreischend. Dec segelte über die Maschine hinweg und hieb mit dem Schwanz nach den Wahrnehmungsperzeptoren. Bab stand im Hintergrund und schleuderte Steine in das Schraubenblatt. Und OX baute Ableger auf, die über die Elemente in unmittelbarer Nähe der Maschine tanzten und ihre Perspektive des Alternativgefüges störten.

Sie konnten Mech kaum beschädigen, geschweige denn zerstören. Er war gegenüber ihrer Attacke unverwundbar. Aber ihre vereinten Störmanöver machten es ihm sehr unbehaglich und vertrieben ihn stets.

Diesmal hielt er außerordentlich lange durch. Er war unwiderlegbar stark. Aber schließlich entmutigten ihn der Sand und die Steine, die Bab in sein Schraubenblatt und seinen Trichter schaufelte. Sand verletzte ihn nicht, aber er war nicht in der Lage, ihn herunterzuschlingen, während er attackiert wurde. Und so zog er sich zurück – gerade weit genug, um sie von ihren Verteidigungsaktionen abzubringen.

Im Laufe der Jahre waren sie zu einer Art Übereinkommen mit Mech gekommen. Wenn sich die Maschine einmal zurückgezogen hatte, ließen sie sie in Ruhe. Und sie griff an diesem Tag nicht mehr an. Waffenstillstand, während dem beide Seiten neue Kräfte sammelten. Keine Seite hatte diese stillschweigende

Übereinkunft je gebrochen, die zeitweilige Sicherheit war zu wichtig. Mech schien wirklich ehrlich zu sein.

Vielleicht verhinderten seine mechanischen Schaltkreise jede Art von Unehrlichkeit. Dies war eins der Dinge, die Bab bei der Maschine respektierte. Manchmal spürten er, Dec und Ornet Mech auf und attackierten ihn nur deshalb, um den Waffenstillstand heraufzubeschwören, so daß sie sicher sein konnten, daß *er* nicht angriff, während sich etwas Wichtiges ereignete.

Als die Maschine friedfertig wurde, warf sich Bab schwer atmend zu Boden. Mech blieb in OX' Einflußbereich, aber Bab hatte auch nicht den Wunsch, ihn daraus zu vertreiben. Sie hatten ihn mit auf diese Tour genommen und sie würden ihn in die normale Enklave zurückbringen müssen. Es wäre nicht richtig, ihn hier gestrandet zurückzulassen.

Einst hatte er gewünscht, die Enklave von dieser fortwährenden Bedrohung zu befreien. Jetzt hatte er die Möglichkeit dazu – und nutzte sie nicht. Nicht nur wegen seiner Interpretation ihres Waffenstillstands, auch weil er sich mehr denn je sicher war, daß Mech ebenfalls eine intelligente Einheit war und ein gewisses Maß an Respekt verdiente.

Aber dann erinnerte er sich an das, was er jenseits der Enklave, in der Höhe der Musiker, gesehen hatte, und vergaß die Maschine.

13 Träume

• • •
•   •
•

Aquillon rieb sich die Augen mit den Fäusten. »Dieses R-Pentomino ist furchtbar!« beschwerte sie sich. »Ich bekomme Kopfschmerzen! Es geht weiter und weiter.«

Cal zog den Kopf aus dem Inneren der Maschine. »Ich habe dir gesagt, daß es nach elfhundertunddrei Zügen in eine eindrucksvolle Sackgasse führt.«

»Ich weiß. Aber ich wollte es mit eigenen Augen sehen.«

»Versuche es mit dem Gleiter«, schlug er vor.

»Mit was?«

»Du hast bisher mit stationären Formen gearbeitet. Es gibt andere. Hier.« Er löste sich von der Maschine und kam zu ihr herüber. »Das ist der Gleiter.« Er malte das Punktmuster auf ihr Leinwandblatt.

»Das ist ein anderes Pentomino«, sagte sie indigniert.

Er zuckte die Achseln und kehrte zu seiner Arbeit zurück. »Ich hoffe, diese Maschine zu einem spezialisierten Oszilloskop oder dem Faksimile eines solchen umbauen zu können, so daß wir in die Lage versetzt werden, unsere Signale in die Mustersprache zu übertragen. Ich habe das Gefühl, daß die Mustereinheiten mit uns genauso gerne reden wollen wie wir mit ihnen. Stell dir vor, wie verwirrend wir für sie sein müssen!«

»Aber wir sind körperlich und sichtbar«, sagte sie während sie an der neuen Figur arbeitete.

Sie war von

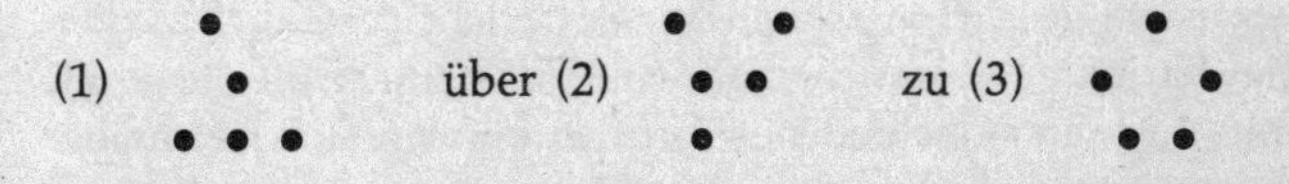

übergangen. Tatsächlich war sie jetzt ein Spiegelbild ihrer ursprünglichen Form, endseitig gedreht. Lustig.

»Genau. Einer Einheit, deren System sich auf Punktmuster stützt, muß unsere Erscheinungs- und Handlungsweise buchstäblich unbegreiflich erscheinen.«

Sie machte die nächste Figur, wobei sie geradewegs von einer zur anderen sprang, ohne mühselige Hinzufügungen und Ausradierungen.

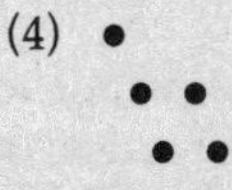

»Glaubst du, daß es Veg gutgeht?«

»Ich bezweifle, daß ich mich jemals an Kapriolen weiblicher Art gewöhnen werde«, bemerkte er. »Veg ist bei Tamme.«

»Genau das meinte ich.«
»Eifersucht – in deinem Alter?«
Sie betrachtete die nächste Figur:

```
(5)  •
      •
    • • •
```

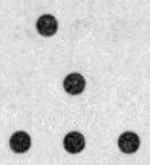

»He, dieses Ding wiederholt sich selbst im Rahmen neuer Quadrate! Es ist wie ein Blinker – nur daß es sich bewegt!«
»Genau. Muster können wandern. Der Gleiter bewegt sich diagonal mit einem Viertel der Lichtgeschwindigkeit.«
»Lichtgeschwindigkeit?«
»Ein Fortschreiten um ein Quadrat ist die höchstmögliche Geschwindigkeit in diesem Spiel. Deshalb nennen wir es Lichtgeschwindigkeit. Der Gleiter braucht vier Züge, um sich zu wiederholen, um ein Quadrat seitlich und um eins nach unten – ein Viertel Lichtgeschwindigkeit also.«
Sie betrachtete es und nickte. »Wunderschön!«
Veg hätte gesagt: »Genau wie du.« Nicht so Cal. Er sagte: »Eine Variante dieser Formation wird Raumschiff genannt. Raumschiffe in verschiedenen Größen können sich mit halber Lichtgeschwindigkeit vorwärtsbewegen. Während sie das tun, feuern sie Funken ab, die verschwinden, wie bei einem Düsentriebwerk.«
»Die Funkenwolke hat das getan!« rief sie aus.
»Ja. Wir kennen auch eine ›Gleiterkanone‹, die regelmäßig Gleiter abfeuert. Und eine weitere Figur, die Gleiter verzehrt. Tatsächlich ist es möglich, mehrere Gleiter abzufeuern, um am Knotenpunkt neue Figuren zu bilden – selbst eine weitere Gleiterkanone, die auf ihre Erzeugerkanonen zurückschießt und sie zerstört.«
»Wenn ich ein Muster wäre, würde ich mir sehr genau überlegen, wohin ich meine Gleiter abfeuere!« sagte Aquilon. »Dieses Spiel wird nach rauhen Regeln gespielt.«
»So ist es. Wie überall in der Natur. Ich könnte mir denken, daß mittels natürlicher Auslese geordnete Abwehrmechanismen auftreten, denn sonst würde das Spiel unstabil sein – vor-

ausgesetzt, es verfügt über einen Eigenwillen. Die Möglichkeiten liegen auf der Hand.«

»Besonders wenn man in drei Dimensionen kommt!«

»Ja. Ich arbeite jetzt an einem dreidimensionalen, computerisierten Planquadratgitter. Ich wünschte mir nur, ich wäre ein erfahrenerer Techniker.«

»Ich glaube, daß du ein Genie bist«, sagte sie ganz ernsthaft. Und sie spürte ein Aufwallen von Gefühlen.

»Du kannst mir jetzt helfen, wenn du willst. Ich werde für mein dreidimensionales Gitter einige Figuren benötigen.«

»Was ist mit denen, die du hast, nicht in Ordnung? Das R-Pentomino, der Gleiter ...«

»Es werden nicht dieselben sein. Eine Reihe von drei Punkten würde vier neue hervorbringen, nicht zwei – wegen der zusätzlichen Dimension. Es würde sich ein kurzes Kreuz formen, das wiederum zu einer Art Hohlkubus werden würde. Ich glaube, daß es sich um eine Figur handelt, die sich bis ins Unendliche erweitert, und eine solche ist unserem Zweck nicht dienlich. Wir brauchen Figuren, die annähernd im Gleichgewicht sind, die weder zu schnell vergehen noch sich erweitern, daß sie das ganze Gefügesystem ausfüllen.

»Hm, verstehe«, murmelte sie und versuchte, die dreidimensionalen Permutationen der Figur auf ihre zweidimensionale Leinwand zu bringen. Sie schloß einen Kompromiß, indem sie zur Darstellung der dritten Dimension Farbe benutzte.

»Deine Reihe wird eine sich bis ins Unendliche fortsetzende dreidimensionale Figur, wie du gesagt hast. Wie zwei parallel laufenden Raupen mit jeweils acht Gliedern, wenn ich es nicht durcheinandergebracht habe. Aber fast jede Figur setzt sich fort. Es gibt ganz einfach zu viele Interaktionen.«

»Da pflichte ich bei. Wir müssen also die Regeln so modifizieren, daß sie bei drei Dimensionen denselben Zweck erfüllen wie ›Leben‹ bei zwei. Vielleicht müssen wir festlegen, daß vier Punkte erforderlich sind, um einen fünften hervorzubringen, und daß ein Punkt stabil ist, wenn er drei oder vier Nachbarn hat. Vielleicht auch eine andere Kombination. Falls du funktionierende Regeln und Figuren vorschlagen kannst, spart mir das viel Zeit, wenn ich diese Apparatur hier erst einmal modifiziert habe.«

»Ich werde es versuchen!« sagte sie und machte sich an die Arbeit.

Sie hatten beide schwierige, diffizile Aufgaben, und von Zeit zu Zeit mußten sie eine Pause einlegen. Auch während der Arbeit plauderten sie gelegentlich miteinander.

»Sag mal, hast du eigentlich jemals das fehlende Erdbeben gefunden?« fragte Aquilon plötzlich.

Cal unterbrach seine Arbeit für einen Augenblick. Sie wußte, daß er sich geistig erst zurechtfinden mußte, da sie gerade wieder einen abrupten Themenwechsel vorgenommen hatte. Zu ihrer Überraschung ordnete er ihre Anspielung exakt ein.

»Wir waren auf Paläo drei Tage voneinander getrennt. Während dieser Zeit gab es zwei Beben, ein schwächeres und ein starkes. Ich erinnere mich deutlich an sie.«

»Für ein Genie hast du ein ziemlich schlechtes Gedächtnis«, sagte sie, lächelnd über ihr komplexes Punktmuster gebeugt. »Wir waren vier Tage voneinander getrennt, und an den ersten drei gab es Erdbeben. Du mußt wirklich sehr mit diesem Dinosaurier beschäftigt gewesen sein, um es nicht zu bemerken.«

»Komisch, daß wir bei einer Angelegenheit, die sich so leicht verifizieren läßt, unterschiedlicher Meinung sind«, sagte er. »Sollen wir unsere Notizen im einzelnen vergleichen?«

Es war so, als ob er sie, in der Gewißheit ihrer Niederlage, zu einem Duell herausfordern würde.

Aquilons Interesse war geweckt. »Dann los!«

»Du und Veg, ihr gingt zu der Insel . . .«

»Nicht *so* im einzelnen«, sagte sie verlegen. Dann überlegte sie es sich anders. »Gut, bringen wir alles ans Tageslicht. Du wolltest einen Bericht über Paläo abgeben, der mit Sicherheit zur Ausbeutung und Zerstörung der Welt geführt hätte.«

»Ich änderte meine Meinung.«

»Laß mich ausreden. Ich wollte Orn und Ornette helfen zu überleben, weil sie einzigartige, intelligente Vögel waren, die ich sehr gern hatte. Veg kam mit mir.« Sie holte tief Luft. »Veg und ich liebten uns in dieser Nacht. Am nächsten Morgen brach er auf, um dich auf dem Floß zu treffen – und das erste Beben kam.«

»Ja. Nachdem er das Floß verließ, setzte ich die Segel. Ich

war mir des Bebens bewußt; es brachte das Wasser zum Brodeln. Ungefähr fünfzehn Sekunden lang, leicht.«

»Selbst ein leichtes Erdbeben ist schrecklich«, sagte sie und schüttelte bei der Erinnerung den Kopf. »Das war der erste Tag, das erste Beben. Wir stimmen also überein.««

»Bisher.«

Sie konnte seinem Tonfall anmerken, daß er nach wie vor davon überzeugt war, daß sie irrte.

»Am zweiten Tag kam Circe und erzählte uns, daß ein räuberischer Dinosaurier hinter dir her war, du dir aber von den Mantas nicht helfen lassen wolltest. Ich war der Ansicht, daß wir trotzdem allein aufbrechen sollten. Veg schlug mich und entfernte sich.«

»Das hätte er nicht tun sollen.«

»Cal, ich wollte nicht, daß du stirbst. Aber ich dachte mir, daß es wichtiger war, dir zu ermöglichen, auf deine Weise das zu tun, was du glaubtest, tun zu müssen.«

»Genau. Veg hat einen Bock geschossen.«

»Später an diesem Tag kam das zweite Erdbeben. Es zerschmetterte die Eier – alle bis auf eins. Es war heftig, fürchterlich.«

»Ich befand mich in den Bergen. Das Beben riß Tyrannosaurus von den Füßen und rollte ihn den Berg hinunter. Ich fürchtete, daß er zu schwer verletzt war, um die Jagd fortzusetzen. Glücklicherweise erlitt er nur minimalen Schaden.«

Aquilon schnitt eine Grimasse, denn sie wußte, daß er keine Scherze machte. Es war Cals Wunsch gewesen, den Dinosaurier selbst zu besiegen.

»So stimmen wir also auch beim zweiten Tag, beim zweiten Erdbeben, überein«, sagte sie.

»Wir stimmen überein. Ich stieg weiter den Berg hinauf und schlief in einer vulkanischen Höhle. Am nächsten Tag kamen die Agenten – Taler, Taner und Tamme.«

»Nein«, sagte sie entschieden. »Am nächsten Tag gab es ein drittes Erdbeben. Es riß die Insel auseinander. Ein Plesiosaurier verschlang Ornette, so daß Orn und ich das Ei am nächsten Tag zum Festland transportieren mußten – am Morgen des vierten Tages, des Tages, an dem die Agenten kamen. Niemals werde ich diese furchtbare Wanderung durch das Wasser vergessen, bei der das Ei beschützt werden mußte! Ich war auf Orns Unterstützung angewiesen ...«

Cal nickte gedankenvoll. »Du hast also wirklich einen zusätzlichen Tag und ein zusätzlichen Erdbeben erlebt!«

»Du hast einen Tag verloren, Cal. Was ist damit passiert?«

Er seufzte. »Das deutet auf etwas hin, was zu phantastisch ist, um daran zu glauben. Und ich glaube auch *nicht* daran.«

Es *gab* da also etwas!

»Hört sich faszinierend an! Du hast ein Geheimnis?«

»Sozusagen. Ich dachte nicht, daß es von Bedeutung sei. Du würdest die erste gewesen sein, die etwas davon erfahren hätte, wenn etwas dran gewesen wäre. Alle Männer haben Phantasievorstellungen – und auch alle Frauen, da bin ich mir sicher. Aber jetzt ... mache ich mir Gedanken. Alternativwellen existieren, und in einigen von ihnen gibt es tatsächlich Duplikate unserer selbst. Die Frau, die du getroffen hast, die nackte Aquilon ...«

»Erzähl mir nicht, daß du von nackten Aquilons träumst!« sagte sie. Aber gleichzeitig regte sie die Erinnerung an das verlorengegangene Ei auf. Sie hatte die Orn-Spezies retten wollen ...

»Mehr als das, fürchte ich. Schließlich habe ich dich auch schon im richtigen Leben nackt gesehen.«

Sie erinnerte sich an die Zeit, in der sie auf Paläo unbekleidet herumgelaufen war, bevor sie die Dinosaurier entdeckt hatten. Ihr war nicht aufgefallen, daß er Notiz davon genommen hatte.

»Du hast mich immer geliebt. Das sagtest du damals auf dem Planeten Nacre. Und ich liebe dich. Aber es hat nie viel von der ... physischen Komponente gegeben, oder?«

»Der wesentlichen Komponente«, sagte er ernsthaft.

»Ach? Ich dachte, du betrachtest alle Dinge rein intellektuell.«

Er blickte sie über die Maschine hinweg an. »Du willst mich ermuntern.«

»Das ist es, was ich meine. Du bist zu klug für mich, und das wissen wir beide. Ich könnte dich nicht mit weiblichen Schlichen überlisten, selbst wenn ich es versuchen würde. Du durchdenkst alles bis zu dem Punkt, an dem du keine physischen Leidenschaften mehr empfindest.«

Sie spürte einen leichten Schauder, als sie dies sagte, und wünschte sich, daß er es bestritt. Sie hatte bei Veg die Initiative ergriffen, und das war falsch gewesen. Er hatte es ihr verübelt und mit einem Schlag heimgezahlt.

»Intelligenz ist irrelevant«, sagte Cal. »Du hast beispielsweise meinen Fehler beim Zählen der Erdbeben aufgezeigt.«

»Das stimmt. Was *hast* du an diesem Tag und während dieses Erdbebens getan? Nackte Aquilons gejagt?«

»Ja.«

Sie blickte ihn scharf an, denn es klang ganz ernsthaft. »Du hast es wirklich getan?«

»Trag es mir nicht nach, wenn ich einen Affront gegen deine Empfindsamkeit begehe. Ich glaube, dies ist etwas, was du wissen solltest.«

»Ich empfinde es nicht als Affront«, sagte sie, die Augen auf ihre Diagramme gerichtet. »Es interessiert mich allerdings . . .« Und wie! Die Analyse des dreidimensionalen Lebensspiels war jetzt nichts mehr als ein Vorwand.

Er verbarg seinen Kopf in der Maschine, so daß nur seine Stimme an ihr Ohr drang. Mit einiger Mühe widmete sie sich wieder ihrer Arbeit und hörte zu, wobei sie sich bildlich vorstellte, was er beschrieb.

»Ich entkam Tyrannosaurus, indem ich mich in einer vulkanischen Höhle versteckte, in der Nacht des Tages, an dem wir das zweite Beben hatten. Es war dort drinnen warm, denn das Wasser des kleinen Flusses war heiß. Ich war außerordentlich müde, gleichzeitig aber auch aufgeputscht: Das größte Abenteuer meines Lebens lag hinter mir. Ich hatte, auf meine Weise, den Dinosaurier besiegt!

Ich suchte mir eine bequeme Felsbank und streckte mich darauf aus. Ich dachte an Dinosaurier und spielte mit dem Gedanken, daß einer von der Schnabeltierart, wie etwa *Parasaurolophus* mit dem gewaltigen Nasenkamm, in der Lage gewesen sein mochte, die Hitze dieser Höhle zu überleben. Sein Atem durch die Innenseite dieses Kamms würde sein Gewebe abgekühlt haben, genauso wie der Atem eines Hundes seine Zunge und damit seinen Körper kühlt. Aber wenn die Kreatur zu lange geblieben war oder sich in der Höhle verirrt hatte, ohne wieder nach draußen zu finden, dann mochte sie gestorben und durch die Flußcanyons herausgespült worden sein. Belanglose Spekulationen der Art und Weise, auf die ich mich unterhalte.

»Ich weiß«, sagte sie sanft.

»Ich muß in unregelmäßigen Abständen geschlafen haben. Es war nicht sehr angenehm in dieser Hitze. Gegen Morgen weckten mich die Spekulationen über den Schnabeltier-Saurier. *Konnte* er durch den Berg aus der Saurierenklave herauskommen? Konnte *ich* es? Von Neugier getrieben fing ich an, die Höhle zu erforschen, und drang tief in den Berg ein. Die Hitze war furchtbar. Als die Temperatur etwa sechzig Grad erreichte, kehrte ich um. Ich war nackt. Ich schwitzte so stark, daß Kleidung sinnlos gewesen wäre.

Dann sah ich etwas. Es war in einer Nische verborgen. Wenn ich nicht meine scharfe Nachtsicht gehabt hätte, verstärkt durch die Nacht in der Höhle, wäre es mir entgangen. Es war eine kleine Maschine. Ihre Gegenwart verblüffte mich, denn sie ließ darauf schließen, daß schon vorher Menschen hier gewesen waren. Ich spielte damit herum und versuchte, mir über ihre Beschaffenheit und ihren Zweck klar zu werden. Ich zog eine Art Schlüssel heraus.

Ein Kegel aus fahlem Licht ging von dem Gerät aus und badete mich. Ich spürte ein eigenartiges Zerren. Für einen Augenblick fürchtete ich, einer Art Falle zum Opfer gefallen zu sein, obgleich ich mir nicht vorstellen konnte, warum es dort derartiges geben sollte. Dann war die Maschine verschwunden, und ich stand in der Höhle, den Schlüssel in der Hand.

Erstaunt ließ ich mich auf einer Felsbank nieder und blickte mich um. Weiter unten am Eingang der Höhle nahm ich ein Glühen wahr. Die Dämmerung brach an.

Ich ging zurück zum Höhleneingang, um nach Tyrann zu sehen. Er war noch immer da, schlief und berührte mit seiner großen Nase fast die Höhle. Tatsächlich blockierte sein massiger Körper den Fluß des Wassers und sorgte für die Bildung einer Pfütze. Jenseits von ihm befand sich der Schnee des Bergs und bedeckte den Rand des Canyons, wo die Hitze der

Flusses nicht hinkam. Ein seltsamer Anblick: Dinosaurier im Schnee!

›Cal!‹ rief jemand. ›Ich dachte, du bist tot!‹

Überrascht drehte ich mich um. Du warst da, Quilon, nackt und schön. Dein gelbes Haar flutete dir über den Rücken, und deine blauen Augen strahlten. Ich bezweifele, daß du dir vorstellen kannst, wie schön du mir in diesem Augenblick erschienst. Ich war dem Tod ziemlich nahe gekommen, und du warst ein Engel.

›Dank dieser günstig gelegenen Höhle bin ich entkommen‹, sagte ich, als sei unser Zusammentreffen ganz normal. Ich erinnere mich natürlich nicht an meine genauen Worte, aber sie waren ungefähr genauso platt.

›Genau wie ich‹, sagtest du. ›Cal, ich könnte schwören, daß ich gesehen habe, wie Tyrann dich erwischte. Es war entsetzlich. Dann ging er auf mich los, und ich habe es eben bis hier geschafft ...‹

›Ich sagte den Mantas, daß sie nicht eingreifen sollten. Warum bist du gekommen?‹

›Ich liebe dich‹, sagtest du.

Deine Stimme zitterte vor Hingabe einer Frau an ihren Liebsten. Du warst wild und direkt, und ich ... ich wurde dadurch ungemein beeinflußt. *Du meintest es.*

Wir waren nackt und voller Liebe, und es erschien ganz natürlich, daß wir uns dem natürlichen Höhepunkt hingaben. All die unterdrückten Gefühle, die ich dir entgegenbrachte, wurden mit dem Brechen dieses Damms freigesetzt. Es schien so, als würde ich von deinem Körper niemals genug bekommen. Und du warst genauso wild auf mich; du warst ein Geschöpf der Lust. Es war so, als ob wir zwei Tiere gewesen wären, die sich, getrieben von einem unersättlichen erotischen Imperativ, endlos paarten. Wir blieben den ganzen Tag in dieser Höhle. Einmal gab es ein furchtbares Beben. Es riß Tyrann halb aus dem Schlaf hoch und löste die Stalaktiten von der Decke der Höhle. Wir hatten Angst, daß der Berg über uns zusammenbrechen würde – deshalb liebten wir uns erneut und schliefen und erwachten und taten es abermals.

Nachts wachte ich auf, angewidert von mir selbst, weil ich

dich auf diese Weise benutzt hatte. Aber noch während ich dich in deinem göttlichen Schlaf betrachtete, wuchs die Leidenschaft wieder in mir, und ich wußte, daß ich mich von diesem Anblick lösen mußte, um nicht erneut schwach zu werden. Also zog ich mich in den rückwärtigen Teil der Höhle zurück.

Ich erinnerte mich an den Schlüssel und suchte ihn in der Dunkelheit. Meine Hand fand ihn auf der Felsbank. Ich nahm ihn hoch und schüttelte ihn. Und plötzlich war ich von Licht umgeben und hatte dieses Schwindelgefühl – und da war die Maschine wieder unmittelbar vor mir.

Beunruhigt kehrte ich zu der Stelle zurück, wo du schliefst, aber du warst verschwunden. Du konntest nicht durch den Höhleneingang nach draußen gegangen sein, denn da war Tyrann, und es gab keine frischen Pulverschneespuren in seiner Nähe. Ich war mir sicher, daß du nicht den Rückausgang genommen hattest, denn da war ich ja gewesen. Und doch gab es keinerlei Anzeichen von deiner Gegenwart. Selbst das Moos auf der Felsbank, auf der wir uns geliebt hatten, war nicht durcheinandergebracht, ganz so, als ob niemals jemand darauf gelegen hätte.

Verzeih mir: Meine erste Empfindung war großes Bedauern, daß ich dich vor deinem Verschwinden nicht noch einmal für einen weiteren Liebesakt aufgeweckt hatte. Dann verfluchte ich meine schmutzige Natur, denn ich würde dich auch als Eunuch genauso stark lieben. Ich legte mich nieder und schlief schließlich wieder ein. Am Morgen wußte ich, daß es ein Traum gewesen war – die Erfüllung eines extravaganten, weit hergeholten, lächerlichen, wundervollen Wunschtraums. Und so verdrängte ich es aus meinem Bewußtsein.«

Betäubt saß Aquilon über ihre Diagramme gebeugt da. Die Episode, die von Cal so lebhaft beschrieben worden war, hatte sich niemals ereignet, und es war schockierend, ihn so reden zu hören. Und doch spiegelte sie die geheime Leidenschaft wider, die auszudrücken sie sich sehnte, wenn es nur irgendeinen Weg gegeben hätte, ihre und seine Hemmschwelle zu umgehen.

»Cal . . .« Sie zögerte und mußte sich zwingen, fortzufahren, damit er nicht dachte, daß es Abscheu vor der sexuellen

Beschreibung war, der sie zurückhielt. »Cal, der Schlüssel ... Was ist aus ihm geworden?«

»Was wird aus jedem Traumgegenstand, wenn der Schläfer erwacht?« fragte er zurück.

»Nein – hast du ihn behalten oder dagelassen? Hast du noch einmal nach dieser Maschine gesehen? Sie müßte doch ...«

»Ich muß den Schlüssel automatisch zurückgelegt haben«, sagte er. »Ich bin niemals wieder in den rückwärtigen Teil der Höhle gegangen. Es war Teil meines Abscheus, und ich weigerte mich, den Leidenschaften des Traums entgegenzukommen, indem ich den Dingen nachging.«

»Oh!« Er war den Dingen nicht einmal nachgegangen! Aber dieser Stich schwächte ihre Hemmungen irgendwie ab, und sie war jetzt imstande, ihr eigenes zugeschüttetes Problem anzugehen. »Cal, du sagtest, ich hätte in deinem Traum gedacht, daß du gestorben wärst. Was habe ich gesagt?«

Er gab keine Antwort, und sie wußte, daß er sich vor Augen führte, wie offen er gesprochen hatte, und deshalb von starker Verlegenheit geplagt wurde.

»Bitte, Cal – das ist wichtig für mich.«

Seine Stimme drang wieder von der Maschine herüber. »Nicht viel. Wir haben kurz darüber gesprochen, aber es war kein angenehmes Thema, und ganz offensichtlich lag irgendwie ein Irrtum vor.«

Aquilon konzentrierte sich. »Tyrann jagte in vollem Galopp hinter dir her. Diese furchtbaren Zähne verfehlten deinen zerbrechlichen Körper nur um wenige Zentimeter. Und deine zerlumpte Gestalt wurde hoch in die Luft gewirbelt. Tyranns gigantische Klaue stampfte deinen Körper in den Boden. Die Kiefer schlossen sich, rissen einen Arm ab. Dein Kopf hing lose an einem gebrochenen Hals, und deine roten Augen starrten mich nicht anklagend, sondern verständnisvoll an, und ich schrie.«

Jetzt kam Cals Kopf ruckartig aus der Maschine hervor. »Ja«, rief er, »das ist im wesentlichen das, was du gesagt hast! Wie konntest du es wissen?« Dann dachte er noch einmal nach. »*Es sei denn, du warst tatsächlich in dieser Höhle* ...«

»Nein«, sagte sie schnell. »Nein, Cal, ich war nicht da. Ich war mit Orns Ei auf einer vom Erdbeben zerrissenen Insel gestrandet. Ich schwöre es.«

Er blickte sie noch immer an. »Du hast dir meinen Tod gewünscht?«

»Nein!« schrie sie. »Ich habe es geträumt – ein Alptraum. Und ich habe diesen Traum an jenem dritten Tag, vor dem letzten Beben, den Vögeln Orn und Ornette erzählt. Daß ich dich sterben gesehen hatte.«

»Du hast es geträumt – zur selben Zeit, als ich selbst träumte...«

»Cal«, sagte sie, während sie ein weiterer Erkenntnisschock durchzuckte. »In irgendeiner Alternativwelt – *könnte es passiert sein*?«

Er kam zu ihr herüber.

»Nein. Wie könnte ich dich geliebt haben, wenn ich bereits tot war?«

Sie ergriff seine Hand. »Cal, Cal... Dein Traum war soviel besser als meiner. Mach, daß es wahr wird!«

Er schüttelte den Kopf. »Aquilon, ich hatte nicht vor, dich zu verletzen. Es war ja nur, daß ich für den Fall eines fehlenden Tages genötigt sein würde, daran zu glauben, daß irgendwie... Aber die ganze Sache ist irrsinnig. Ich liebe dich wirklich, das hat nie in Zweifel gestanden, aber in dieser Höhle habe ich rund um die Uhr durchgeschlafen und mich von den Strapazen der Jagd erholt, und es ist kaum verwunderlich, daß übertriebene Wunschvorstellungen zum Vorschein kamen, ein häßlicher Ausdruck von...«

»Es ist mir egal!« rief sie. »Dein Traum war nicht häßlich – meiner war es. Deiner war zutreffender als das, was du glaubst. Ich *bin* so – oder könnte, würde so sein, wenn ich der Ansicht wäre, daß ich dich verloren hätte. Du denkst gerne, daß ich kühl und keusch bin, aber das bin ich nicht. Ich war es nie! Ich habe Veg verführt – wir sind kein platonisches Dreieck. Ich habe einen Fehler begangen, aber *dies* ist kein Fehler. Ich will dich auf jede Weise lieben, zu der ich in der Lage bin!«

Er studierte sie unsicher. »Du *willst* den Traum – und alles, was er bedeutet?«

»Deinen Traum, nicht meinen. Dann wirst du mich so kennen, wie ich wirklich bin. Ja, ich will es – jetzt!«

Er schüttelte den Kopf, und sie fühlte sich plötzlich aus der Fassung gebracht, weil sie fürchtete, daß sie ihn durch ihre Zielstrebigkeit abgestoßen hatte. Liebte er nur ein ätherisches Wunschbild, nicht die Wirklichkeit?

»Ich nehme dich beim Wort«, sagte er. Erleichterung und Überraschung durchfluteten sie.

»Nachdem wir dieses Projekt zu Ende geführt haben.«

»Kommunikation mit den Mustereinheiten? Aber das kann Tage dauern!«

»Oder auch Wochen oder Jahre. Wir werden Zeit genug haben.«

»Aber die Träume, die Höhle...«

»Wir sind nicht in der Höhle.«

Sie erkannte, daß er nicht gewillt war, die Liebesorgie des Traums, die er beschrieben hatte, neu in Szene zu setzen.

Und doch hatte er eingewilligt. Warum?

Weil er ihr Zeit zum Nachdenken geben wollte. Die Spontanität des Augenblicks konnte zu leicht zu Bedauern führen.

Es war besser so.

Er küßte sie. Dann war sie davon überzeugt.

Sie vervollständigte ihre Tabellen, während er an der Maschine arbeitete, ganz so, als hätte es keine Unterbrechung gegeben, ganz so, als ob sie durch eine Wüste gewandert wären und plötzlich die Erlaubnis zum Betreten eines exotischen Gartens mit faszinierenden Wundern und Wohlgerüchen bekommen hätten, der in aller Ruhe gemeinsam erforscht werden konnte. Ja, sie würden genug Zeit haben!

»Ich habe ›ideale‹ Regeln für eine, zwei und drei Dimensionen ausgearbeitet«, sagte sie strahlend. »Eine Dimension würde einer Reihe entsprechen. Man braucht einen Punkt, um einen neuen zu machen, und jeder Punkt mit zwei Nachbarn ihrer gar keinen Nachbarn verschwindet. Es funktioniert nicht sehr gut, weil ein Punkt eine Figur bildet, die sich mit Lichtgeschwindigkeit bis ins Unendliche fortsetzt, und man kann eine Figur nicht einmal mit weniger als einem anfangen. Bei zwei Dimensionen bleibt es so, wie es jetzt ist: Drei Punkte bringen einen vierten hervor, und ein Punkt ist unstabil, wenn er weniger als zwei oder mehr als drei Nachbarn hat. Da bis zu acht Nachbarn möglich sind, gibt es eine viel größere Variationsbreite als bei dem eindimensionalen Spiel.«

»Natürlich«, stimmte Cal zu.

»Bei drei Dimensionen gibt es siebenundzwanzig potentielle Interaktionen oder bis zu sechsundzwanzig Nachbarn. Wir sollten sieben Nachbarn erforderlich machen, um einen neuen Punkt hervorzubringen, und die Figur ist stabil mit sechs oder sieben. Weniger als sechs oder mehr als sieben eliminieren einen gegebenen Punkt. Ein Kubus mit acht Punkten würde also stabil sein, da jeder Punkt sieben Nachbarn hätte – wie das Vierpunkt-Quadrat in der zweidimensionalen Version.«

Cal nickte. »Ich glaube, es wird funktionieren. Probieren wir also ein paar Formen auf unserem kubischen Gitter aus, wobei wir diese Regeln zugrunde legen.«

Ich glaube, es wird funktionieren. Und Aquilon war mit diesem indirekten Lob für ihre Arbeit genauso zufrieden wie mit allem, was sich ereignet hatte.

14 Formen

Bab war während der Tour immer inkommunikativer geworden, und OX verstand dies nicht. War er während des Kampfes mit Mech verletzt worden?

Es ist der Geschlechtstrieb, erklärte Ornet, der wieder aus seinen Gedächtniserfahrungen von Säugern schöpfte. Anblick oder Geruch des reifen weiblichen Exemplars stimuliert das männliche, mit dem weiblichen zu interagieren.

Warum? erkundigte sich OX, der die Vorstellung als obskur empfand.

Auf diese Weise reproduzieren sie ihre Art. Meine Art führt

es ähnlich durch, Decs hat eine separate Technik. Die Maschinen unterscheiden sich von uns allen.

Warum sollte irgendeine Art von Wesen Reproduktion wünschen?

Wir entstehen, wir altern, wir sterben, kreischte Ornet. So ist es bei physischen Spezies. Wenn wir uns nicht reproduzieren, wird es nichts mehr geben.

Noch immer konnte OX es nicht begreifen. Ich reproduziere mich nicht. Ich existiere so lange, wie meine Elemente aufgeladen und zahlreich sind.

Bestimmt reproduzierst du dich, kreischte Ornet. Ich habe noch nicht genug von deinem Typus gesehen, um die Technik zu verstehen, aber mein Gedächtnis zeigt mir an, daß es so sein muß – für alle Einheiten. Auf irgendeine Weise bist du von deinen Vorfahren hervorgebracht worden, und auf irgendeine Weise wirst du dein Erbe an deine Nachfahren übermitteln.

Es gibt keine weiblichen Muster, erwiderte OX. Ich lese das mit meinen Kreisen. Ich besitze das Potential, alles zu werden, was ein Muster sein kann.

Ornet ließ die Schwanzfedern sinken. Er gab sich niemals mir Spekulationen ab. Sein vordringliches Interesse galt der Vergangenheit.

OX sandte einen Ableger aus, um Dec zu befragen. Warum sollten Flecken sterben oder sich reproduzieren? blitzte er.

Beides ist synonym, erwiderte Dec. Sterben bedeutet Reproduzieren.

Dies befriedigte OX ebenfalls nicht. Ein Muster mußte weder sterben noch sich reproduzieren. Warum sollte es ein Flecken tun?

Dec strahlte eine komplexe Anordnung von Signalen ab. OX justierte seine Kreise, um das ganze Spektrum aufzunehmen. Dec war zu viel größerer Kommunikation fähig als die beiden anderen, denn er verwandte Licht, die schnellste aller Strahlungen. OX konnte sie durch die Wirkung auf seine Elemente wahrnehmen: kurz, aber definitiv. Er hatte seit langem sein Wahrnehmungsvermögen solcher Variationen intensiviert, so daß Beobachtungen, die einst jenseits seiner Möglichkeiten lagen, jetzt reine Routine waren. Jetzt aktivierte er ein wirklich ausgeklügeltes Wahrnehmungsnetz, viel aufnahmefähiger, sensitiver und empfindlicher als je zuvor.

Dann kam auf dem Weg der Übermittlung Decs ganzes Bewußtsein zu ihm herüber, so deutlich, als ob es ein Schwall von Musterstrahlungsablegern wäre:

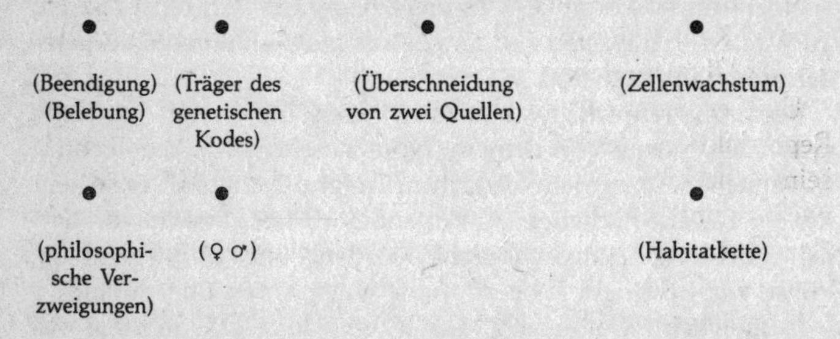

OX assimilierte es und stellte wegen der einzelnen Aspekte des Konzepts Rückfragen. Der Dialog war komplex, angefüllt von Schleifen von Subdefinitionen und Kommentaren, die sich aus Randgebieten der Hauptthemen ergaben, und mit Feedbacks und Interaktionen zwischen den Konzepten, sowohl offensichtlichen als auch subtilen. Es erforderte die Aufrechterhaltung eines Kreises, der größer war als sein übriges Volumen. OX blieb bei ihm und widmete ihm soviel Aufmerksamkeit, wie nötig war. Er verfeinerte seine Kreise, fügte ihnen etwas hinzu, revidierte sie . . .

Und fand sich im Bewußtsein Decs wieder.

Nun spürte er die Kraft der Gravitation, eine vitale Komponente von Decs Fortbewegung, den Druck der Atmosphäre, ein weiteres wesentliches Merkmal, den Aufprall physischen Lichts auf seinem Auge. Er spürte die Muskulatur des einen Fußes, der sich dem fortwährenden Ziehen und dem Ungleichgewicht entgegenstemmte.

Diese Dinge waren für ihn bisher bloße Konzepte gewesen, beschrieben zwar, aber nicht wirklich verstanden. Es war eine Sache zu wissen, daß der physische Körper Gewicht besaß, das ihn auf dem Boden festhielt, aber es war eine ganz andere, diese allgegenwärtige Kraft in jeder einzelnen Zelle des Körpers zu spüren. Ein Faktor, der für OX in seiner natürlichen Form keinerlei Bedeutung hatte, war für dieses physische Geschöpf eine Angelegenheit von Leben und Tod. Ein Sturz konnte Decs Existenz tatsächlich ein Ende setzen! Daher standen Gravitation und Überleben auf der gleichen Stufe. Und doch war die Gravitation nur eine aus einem ganzen Komplex physikalischer Kräfte. Kein Wunder, daß die Flecken ganz anders reagierten als OX. Ihr Überleben hing davon ab!

Und er verstand die Bedeutungsgleichheit von Tod und Reproduktion, verstand, wie sich der vorbereitete Körper in seine einzelnen Zellen auflöste, die zu schwebenden Sporen wurden und mit den Sporen einer anderen hingeschiedenen Pilzeinheit verschmolzen und dann zu neuen Einheiten heranwuchsen. Ohne den Tod gab es keine Neubildungen, und ohne Neubildungen würde es keine Einheiten dieses Typs mehr geben. Und doch war dieser Prozeß für die Evolution der Spezies notwendig, denn ohne Evolution würde sie ebenfalls dahinscheiden. Der Tod stand mit dem Überleben auf einer Stufe – Tod des Individuums, Überleben der Spezies –, weil sich die Bedingungen der physischen Umwelt ständig veränderten. OX begriff jetzt die wesentliche Natur dieser Dinge – und ihre Richtigkeit. Vielfältige physische Imperative stellten phantastische Anforderungen und machten komplexe Überlebensinstrumente nötig, die Mustereinheiten unbekannt waren.

Dann löste er sich vom Physischen und war wieder in seinem eigenen Element. Niemals zuvor hatte er Empfindungen und Denkvorgänge dieser Art kennengelernt. Es galt, einer phänomenale Anzahl von Daten zu assimilieren und Kreise zu modifizieren. Das Physische war eine ganz separate Existenzform mit ureigenen, einzigartigen Imperativen!

OX hatte bei diesem Zusammentreffen mehr gelernt als bei jedem vorangegangenen. Er wurde sich jetzt bis in sein tiefstes Inneres klar darüber, daß die intellektuelle Ordnung der Flecken genauso komplex und bedeutsam war wie seine eigene. Die Flecken waren wirklich vollständige Einheiten.

Er modifizierte seine Kreise, um eine dauerhafte Bewußtheit

und Beachtung dieser Tatsache zu integrieren. So wie die Alterkeit unendlich variabel war, so war es auch der Intellekt! Sein Verständnis von der Existenz würde nicht vollständig sein, bevor er das innere Wesen jedes einzelnen Fleckens kennengelernt hatte – und das einer Maschine.

Er formte einen Ableger, um sich Ornet zu nähern. Durch Bewegungen und Blitze, die mit der Kommunikationsweise der Kreatur in Einklang standen, gab OX seine Mission bekannt: Bewußtseinstausch für einen Augenblick. Ornet war dafür sehr empfänglich. Das innere Wesen von Mustern hatte ihn, auf paläontologische Weise, schon lange interessiert, da es in seinem Gedächtnis so wenig Platz einnahm.

Die Technik des Austauschs unterschied sich von der, die sich bei Dec als so effektiv erwiesen hatte, denn das Werkzeug gebündelten Lichts stand nicht zur Verfügung. Statt dessen mußte OX einen Ablegerkreis schaffen, der alle erkennbaren Merkmale und Funktionen des Vogels duplizierte und den er nach Ornets Weisungen korrigierte. OX verwandelte sich in einen anderen Ornet mit Füßen, Klauen, Flügeln und Schnabel, der der Gravitation und all den anderen Manifestationen des physischen Daseins unterworfen war.

Dann bewegte sich diese Form, um Deckungsgleichheit mit Ornets Präsenz zu erreichen, und die Punkte des Ablegers nahmen die Signale des funktionierenden Körpers, der Belebtheit seiner Zellen, auf.

Langsam schritt der Angleichungsprozeß fort und verschmolz das Elementmuster mit dem physischen Muster. Und als die Überlappung ausreichend wurde, begann OX Ornets Empfindungen und Gedanken unmittelbar zu empfangen.

Ornet war alt. Seine Spezies war normalerweise im dritten Jahr nach dem Schlüpfen erwachsen und schied nach zwanzig dahin. Ornet war jetzt zwanzig. Seine Kräfte gingen zurück, das Gefieder verlor seinen Glanz, der Schnabel seine Schärfe. Er empfand eine Art Vakuum in seinem Leben, aber er war nicht in der Lage gewesen, es zu definieren, bis OX ihn wegen Bab befragt hatte. Da waren seine Erinnerungen geweckt worden und hatten es ihm klargemacht – aber viel zu spät. Er hatte niemals Kontakt mit einem weiblichen Exemplar seiner Art gehabt, war niemals erregt worden – und so hatte er gelebt, ohne es wirklich zu vermissen. Er war nicht zu spekulativen Gedankengängen oder emotionalen Reaktionen geschaffen. Er akzeptierte das, was war, und arbeitete lediglich darauf hin, Überleben und Behaglichkeit zu verbessern.

Dieses Persönlichkeitsbild, auf seine Weise ganz anders als das Decs, paßte zu OX' eigener Beschaffenheit. Aber da Ornets Reproduktionsaspekt stillag, hatte OX noch immer keine direkte Vorstellung davon. Und solange sein Verständnis unvollständig war, fehlte ihm ein potentielles Überlebenswerkzeug.

Es war eindeutig, daß Ornet nicht sterben mußte, um seine Art zu reproduzieren. Aber wenn die Tod/Reproduktion-Beziehung nicht gültig war, *was war* es dann?

OX beendete die Verbindung und zog den Ableger aus der Deckungsgleichheit mit dem Körper des Vogels zurück. Der Lenkung durch die minutiösen elektrischen Stimuli des physischen Nervensystems beraubt, brachen die Subkreise zusammen. Es war ein Nichtüberlebensschock– allerdings nur für den Ableger. In wenigen Augenblicken reorganisierte OX sich selbst in stabilerer Form und gewann sein Gleichgewicht zurück.

Er hatte ein weiteres großes Teilgebiet der Realität in sich aufgenommen und verstand nun in gewissem Rahmen den Prozeß des Alterns und dessen Beziehung zum Tod. Aber das war noch nicht genug.

Jetzt kam er zu Bab. Bab stand gegenwärtig, wenn die Schätzung von Ornets Gedächtnis zugrunde gelegt wurde, in der Blüte seines Lebens. Und er verfügte, wie OX selbst wußte, über eine hervorragende und vielseitige Denktechnik. Er war die Ursprungsquelle von OX' Verwirrung. Jetzt würde er vielleicht Ordnung in diese Verwirrung bringen.

OX baute einen weiteren Verbindungsableger auf, diesmal in der Form von Bab. Obgleich klein und kompakt, war dieser einzelne Ableger nichtsdestoweniger weitaus komplexer, als es OX' gesamtes Wesen zum Zeitpunkt seiner ersten Bewußtseinswerdung gewesen war.

Ich möchte mich mit dir verbinden, um dich vollständig zu verstehen, signalisierte der Ableger.

Mach, was du willst, gab Bab gleichgültig zurück.

OX stimmte seine Subkreise auf die Nervenimpulse lebender Materie ab, wie er es gerade erst so erfolgreich bei Ornet getan hatte. Er ließ den Ableger zur Verschmelzung hinübergleiten.

Es bedurfte einer Periode der Anpassung, denn obwohl das Funktionsprinzip bei Ornet und Bab ähnlich war, gab es im Detail doch Unterschiede. Dann fokussierte sich die Bewußtheit.

Es war ein Mahlstrom. Rationale Zweifel lagen im Widerstreit mit unerfüllbaren Trieben. Das Bild eines nackten weiblichen Exemplars der Bab-Spezies formte sich, Arme und Beine ausgestreckt . . . in einer Aura des Widerwillens ausgelöscht . . . aufs neue geformt.

OX beobachtete, fühlte, erlebte. Jetzt spürte auch er diese verblüffenden Triebe. Das Anziehende / Abstoßende des Reproduktion / Tod-Komplexes, die Notwendigkeit des Eroberns, des Anfassens, des Umarmens, des Penetrierens – blockiert von Unfähigkeit, Verwirrung und Schuld. Begierde ohne Gelegenheit, Kraft ohne Technik. Ein Drang, der so groß war, daß er das Überleben selbst annullierte. Emotion.

OX wand sich mit solcher Anstrengung aus der Deckungsgleichheit, daß er die gesamte Enklave in ein anderes Gefüge versetzte. Seine Struktur befand sich in schrecklicher Unordnung, seine Kreise kämpften gegeneinander.

Aber jetzt verstand er die Notwendigkeit der Flecken, ihre Art zu reproduzieren. Er wußte, was Emotion war. Und da er sie einmal entdeckt hatte, war er unfähig, sie wieder aus seiner Struktur zu verbannen. Die tiefgreifenden neuen Kreise waren Teil seines Musters.

OX begriff jedoch, daß sein Überblick noch immer unvollständig war. Er hatte wunderbare und entsetzliche neue Dinge kennengelernt, aber dies steigerte nur die Notwendigkeit, auch noch den Rest kennenzulernen. Vielleicht blieb nur noch wenig von Bedeutung übrig, und es gab bei Fortsetzung der Suche auch Aspekte des Nichtüberlebens – dennoch, er mußte es tun. Überleben und Emotion trieben ihn dazu.

Er suchte Mech auf, die wilde Maschine.

OX erwartete Widerstand, aber Mech war friedfertig. Vielleicht wollte er sich zunächst über die Natur dieser neuen Attacke klar werden. OX formte ein Ablegerbildnis von der Maschine und strebte vorsichtig die Deckungsgleichheit an.

Es war gefährlich, weil die Maschine, anders als die lebenden Flecken, gewisse Musteraspekte besaß. Sie war sich der Elemente bewußt, obgleich ihre Existenz nicht von ihnen abhing, aber sie konnte sie benutzen, um jene speziellen Muster zu bilden, die sich über die Gefüge erstreckten. Diese Fähigkeit war sehr begrenzt, aber sie war einer der Gründe, aus denen OX solche Schwierigkeiten hatte, Mechs Attacken erfolgreich zu begegnen. Mech kam OX' Manövrierfähigkeit beim Überschreiten der Gefüge sehr nahe, vorausgesetzt, die Reise beschränkte sich auf benachbarte oder fast benachbarte Gefüge. Und die Maschine konnte den Elementen so viel Energie rauben, daß sie für einige Zeit einer Mustereinheit nicht zur Verfügung standen.

OX fand die Nervenkreise auf der physischen Ebene der Maschine und paßte sich ihnen an, so wie er es bei Ornet und Bab getan hatte. Und langsam wurde er Mech.

Der Intellekt der Maschine unterschied sich von dem der lebenden Flecken. Im Gegensatz zu den subtilen Interaktionen bei Leben und Muster liefen ihre Impulse mit erschreckender Kraft über Metalleitungen und hatten zu tun mit Motoren und Transformatoren, mit Schaltern und starken chemischen Reaktionen. Und doch war sie intelligent.

Dies war Mech – und nun verstand OX. Die Maschine hatte Notwendigkeiten, die genauso zwingend waren wie die der anderen Einheiten. Ihr Hauptmotiv war ähnlich dem ihren: ÜBERLEBEN. Aber sie brauchte Energie, die mittels weitaus rauherer Prozesse aus Materie transformiert wurde. Die meisten der physischen Substanzen konnte sie aus der Umgebung beziehen, aber einige wenige waren hier in der Enklave auf kritische Weise knapp.

Es war der Mangel an diesen Substanzen, der Mech verzweifelt und gefährlich machte. Die Maschine benötigte sie, um ihr Potential zur Reproduktion ihrer Art zu entwickeln – und einige von ihnen konnten aus den Körpern der lebenden Flecken herausgefiltert werden. Es gab keine inhärente persönliche Feindseligkeit. Mech attackierte, weil er von einer Notwendigkeit getrieben wurde, die sich nicht unterdrücken ließ, weitgehend so, wie es bei Babs Notwendigkeit der Fall war. Allmählich, als ihm klar wurde, daß die Flecken tatsächlich intelligent waren, kam er dazu, ihre Vernichtung auf längere Sicht mit Nichtüberleben gleichzusetzen, und versuchte dem Trieb, sich das zu nehmen, was sich in seiner Reichweite befand, zu widerstehen. Aber er konnte es nicht.

Versorgte man Mech mit diesen Substanzen, dann würde er nicht länger ein Feind sein. Die Maschine mochte sogar mit den anderen Mitgliedern der Enklave zusammenarbeiten. Ihre Stärke auf physischer Ebene war dergestalt, daß sie für sie von wesentlicher Hilfe sein würde— insbesondere bei dem Bemühen, aus der Enklave auszubrechen.

OX hatte Kampfkreise aufgebaut, um dem feindlichen Verhalten der Außenmuster Widerstand entgegenzusetzen. Jetzt begriff er, daß Muster für solche Aktivitäten schlecht gerüstet waren. Ihr intellektuelles Begriffsvermögen ließ sich nur schwer in Aktion übertragen. Dies war einer der Gründe, aus denen sich die Außenmuster nach Errichtung der Enklave ausschließlich auf die Beobachtung beschränkt hatten.

Im Gegensatz dazu waren Maschinen Einheiten der Aktion. Mechs Bewußtsein enthielt pragmatische Instruktionen, um viele Dinge zuwege zu bringen, vorausgesetzt, die Mittel standen zur Verfügung. OX erkannte jetzt, daß er als Muster über Mittel verfügte, die die Maschine nicht hatte.

Jetzt verstand OX genug und hatte einen neuen Motivationssinn. Er bereitete sich zum Handeln vor.

15 Alterkeit

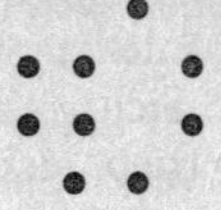

Sie standen auf einer Metallstraße, und ein Panzer steuerte auf sie zu. Er war ein wahres Monstrum, mit Laufwerken von der Größe eines Menschen und einer Schnauze, die nach vorne stieß wie die Spritze einer Rakete, geschaffen, die Atmosphäre zu durchdringen.

Vegs Schwindelgefühl verflog. Er sprang zur Seite. Tamme war unmittelbar neben ihm und stützte seinen Ellenbogen für den Fall, daß es strauchelte.

Der Panzer wuchtete vorbei, ohne von seiner Spur abzuweichen.

»War das eine weitere Falle?« fragte Veg atemlos.

»Wahrscheinlich mehr ein Zufall. Erkennen Sie diese Alternativwelt?«

Er blickte sich um. Überall um sie herum waren Rampen und Plattformen, und auf diesen Strukturen kurvten Vehikel aller Größen und Formen vorbei. Einige von ihnen waren ziemlich klein und einige waren winzig – in der Größe von Mäusen oder sogar Fliegen. Aber bei allen handelte es sich offensichtlich um Maschinen.

»Wie ein Stadtzentrum auf der Erde«, murmelte sie.

»Das ist die Maschinenwelt! Hier werden die Maschinen geboren!«

»Ich bezweifele, daß sie geboren werden«, sagte sie. »Nichtsdestoweniger ist dies eine bedeutende Entdeckung.«

»Bedeutend! Diese Maschinen sind das halbe Problem! Ich mußte mich mit einer von ihnen durch die halbe Wüste quälen, um unsere Vorräte zu schützen!«

»Nur um der Funkenwolke zum Opfer zu fallen«, erinnerte sie ihn.

»Ja ...«

Eine Maschine kam auf sie zu. Von ihrem Oberteil gingen

Empfangsantennen ab, und sie gab einen schrillen Piepton von sich.

»Wir sind entdeckt«, sagte Tamme. »Es ist wohl besser, wenn wir weitergehen.«

Aber es war bereits zu spät. Die scheinbar ziellosen Bewegungen der Maschinen erfüllten plötzlich einen Zweck. Sie näherten sich von allen Seiten.

»Ich glaube, es ist besser, keinen Widerstand zu leisten«, sagte Tamme. »Bis wir den Projektor lokalisiert haben, sind wir im Nachteil.«

Sie waren mittlerweile von Maschinen eingekreist, unter denen mehrere die Größe eines Lastwagens erreichten, und es gab eine erschreckende Ansammlung von sich drehenden Messern, Zangen und Bohrern. Aber Tamme hatte ihnen schon angesehen, daß ihre Aktivitäten mehr auf Gefangennahme als auf Angriff ausgerichtet waren.

Eine Container-Maschine kam heran, und zwei Kreissägen drängten sie in ihren Behälter. Das Maschengitter schloß sich, und sie waren Gefangene.

»Glauben Sie, daß das das Ende ist?« fragte Veg. »Ich meine, das Hexaflexagon geht vielleicht weiter, aber wenn die Maschinen jeden Besucher schnappen . . .«

»Ungewiß«, sagte Tamme. »Einige mögen der Gefangennahme entgehen, andere entfliehen oder befreit werden.«

»Wie viele Agenten, glauben Sie, wandern hier herum?«

»Es könnte eine unendliche Kette sein.«

Veg schwieg, grübelte darüber nach. Sie konnte seine Überlegungen lesen: eine endlose Kette von menschlichen Wesen, die durch die Welten marschierten, geradewegs in den Rachen der Maschinen? Das würde erklären, woher die Maschinen so gut wußten, wie sie mit ihnen umzugehen hatten! Und wieso die Nasenfrau auf der Nebelwelt weder überrascht noch ängstlich gewesen war. Die Alternativen würden wie Besichtigungsorte von Touristen sein . . .

Sie fuhren ein Metallgebilde hinauf. »Ein Maschinenstock«, murmelte Veg, während er durch das Gitter starrte. Und seine Beschreibung war zutreffend. Das Gebilde ragte riesenhaft in die Höhe und wölbte sich über die Landschaft. Aus jeder Richtung näherten sich Maschinen in allen Größen, während andere davonhuschten. Das Summen ihre Antriebsaggregate war gleichförmig und laut, wie das von Hornissen. Bei einer ganzen Reihe von ihnen handelte es sich um Flugmaschinen, deren Größen von Düsenjägern bis zu Mücken reichten.

Sie kamen und gingen durch Öffnungen mit passenden Durchmessern.

Ihr eigenes Fahrzeug steuerte eine der Öffnungen an. Der Maschinenstock hing gewaltig über ihnen, als sie sich näherten. Er war mehr als dreihundert Meter hoch und hatte einen ebensolchen Umfang.

»Kommt man wieder raus, wenn man einmal *drin* ist?« fragte Veg besorgt.

»Ich könnte den Türmechanismus kurzschließen und uns aus dem Fahrzeug rausbringen«, sagte Tamme. »Aber ich glaube nicht, daß das ratsam wäre.«

Veg blickte in die vorbeirauschende Landschaft hinaus. Sie befanden sich jetzt auf einem schmalen, erhöhten Gerüst, das einer Eisenbahnbrücke glich, knapp zwanzig Meter über dem Metallbogen. Kleine Kreissägen-Maschinen flankierten sie beidseitig auf Laufgestellen, und ein Zangentank folgte unmittelbar hinter ihnen. Für Fußgänger gab es keinen Bewegungsraum.

»Wir müssen hundertfünfzig Stundenkilometer drauf haben«, bemerkte er.

»Mehr als das. Das Fehlen von benachbarten und ortsfesten Objekten täuscht das Auge.«

»Nun, wenn uns die Maschinen umbringen wollten, hätten sie das wohl schon getan«, sagte er. Aber er gab sich kaum Mühe, seine Nervosität zu verbergen.

Sie unternahmen also nichts. Augenblicke später schoß ihr Fahrzeug in den Tunnel – und stoppte beinahe sofort. Tamme, die dies voraussah, umschlang Vegs Hüfte, bevor er gegen die Wand geschleudert wurde.

»Wie vertraut wir doch miteinander sind«, murmelte sie, als sie ihn losließ.

»Ich würde mir wünschen, daß Sie so etwas nicht tun«, knurrte er.

Er meinte, daß sie ihn auch gewarnt haben könnte, statt wieder einmal ihre überlegene Stärke zu demonstrieren. Und er wußte auch, daß sie sich seiner Reaktion bewußt war, wenn er mit ihrem Körper in Berührung kam.

Sie nickte. Tatsächlich neckte sie ihn ein bißchen, vermutlich, weil sie angesichts der Beeinträchtigung ihrer vorgegebenen Agentenkonditionierung ihr Selbstbild aufwerten wollte. Dies war ein Hilfsmittel menschlicher Schwäche, und sie würde damit aufhören.

Das Gitter öffnete sich. Sie traten nach draußen. Das Gitter schloß sich, und der Lastwagen fuhr davon. Aber andere Gitterstäbe waren bereits an ihre Stelle getreten und hinderten sie daran, dem Vehikel zu folgen.

»Jetzt können wir ausbrechen«, sagte Veg. Er legte seine Hände auf die Stäbe und rüttelte daran. »Autsch!«

Tamme wußte, was passiert war. Das Metall war elektrisch geladen.

»Sie haben bereits Erfahrungen mit unserer Lebensform gemacht«, sagte sie. »Möglicherweise ist der erste Agent entflohen, und wir sollen das nicht. Wir werden abwarten müssen, was sie mit uns vorhaben.«

»Ja«, stimmte er unsicher zu.

Tamme war bereits dabei, ihr Gefängnis zu untersuchen. Es wurde von glühenden Streifen in den Ecken hell erleuchtet, und die polierten Metallwände reflektierten das Licht. In einer Wand war eine Reihe von Hebeln und Glühbirnen angebracht. Sie waren offensichtlich für menschliche Hände und Sinne geschaffen. Die Maschine würde für solche Dinge keine Verwendung haben!

Die Reihe der Hebel folgte einem Schema. Sie ähnelte den Kontrollen eines Computers. Die Hebel waren zum Einschalten da, die Lichter, um anzuzeigen, was passierte.

»Nun gut«, murmelte sie. Sie zog schnell an dem Endhebel und nahm die Hand zurück, als er einrastete.

Es gab keinen Schock. Das Licht über diesem Hebel wurde heller. Aus verborgenen Lautsprechern kamen Töne: heiser, verzerrt.

Tamme brachte den Hebel wieder in die Ausgangsstellung. Die Töne erstarben.

»Sonderbare Musikbox«, knurrte Veg.

»So ungefähr«, pflichtete ihm Tamme bei. Sie bediente den nächsten Hebel.

Wieder wurden Töne laut: eine Folge von durchdringenden, piependen Doppelnoten.

Sie schob den Hebel zurück und versuchte es mit dem dritten. Diesmal klang es wie das Brüllen einer Meeresbrandung, mit einem halbmelodiösen, schwankenden Nebelhorn im Hintergrund.

Es gab über hundert Hebel. Sie probierte sie alle durch – und rief hundert Variationen von Lärm hervor. Dann fing sie wieder von vorne an. Beim zweiten Durchgang waren die Töne anders. Es gab keine Wiederholungen.

»Das mag Ihnen ja Spaß machen; aber diesmal bin ich mit dem Schlafen dran«, sagte Veg. Er legte sich auf einer erhöhten Plattform nieder, die zu diesem Zweck da zu sein schien.

Auch gut. Sie konnte effizienter arbeiten, wenn sicher war, daß er keinen Unfug machte. Sie hätte den Tönen, nach denen sie suchte, schon viel schneller auf die Spur kommen können, zog es aber aus einem Grund, den sie ihm lieber nicht verraten wollte, vor, zu warten, bis Veg gelangweilt war. Jetzt machte sie sich ernsthaft an die Arbeit.

Aber es brauchte noch immer seine Zeit. Zwei Stunden lang probierte sie neue Töne aus, bis sie schließlich auf welche stieß, die vage der menschlichen Sprache ähnelten. Sie stellte sie ab, dann wieder an – sie waren anders, folgten aber einem ähnlichen Muster. Sie versuchte es wieder mit demselben Hebel, aber obwohl die menschlich klingende Stimme fortfuhr, kam sie irgend etwas, was Tamme verstand, doch kein bißchen näher.

»Muß den Schlüssel finden«, murmelte sie unhörbar. »Bis jetzt habe ich ihn noch nicht.«

Sie ließ den Hebel eingerastet und wandte sich dem nächsten zu. Die Stimme änderte sich, wurde weniger menschlich. Deshalb ging sie zu dem Hebel auf der anderen Seite über, und nun wurde die Stimme vertrauter.

Auf diese Weise legte sie eine Sprache fest, die annähernd zeitgenössischem Englisch entsprach. Sie wußte, daß sie weitermachen und ihren eigenen Dialekt bekommen konnte, nahm davon jedoch Abstand.

Veg fuhr überrascht aus dem Schlaf hoch. »He, das ergibt ja einen Sinn!«

Mit einer heftigen Geste veranlaßte Tamme ihn zu schweigen. Nun, da die Sprache festgelegt war, konnte die Maschine vermutlich ihre exakte Alternativwelt identifizieren – was der Zweck der ganzen Übung war. Sie wollte Kommunikation ohne vollkommene Identifikation, damit ihre Welt nicht in Gefahr geriet. Aber die Maschine, bei der es sich in Wirklichkeit um ein Eingabeterminal des Maschinenstock-Intellekts handelte, hatte zugehört.

»Kürminizieren, jach«, sagte sie.

»Jach«, stimmte Tamme zu, während Veg verwundert dreinblickte.

»Hübel instüllen, Üdüntitat ürrichen.«

Das denkst du dir so, dachte sie. *Ich werde deine Hübel instüllen, aber nicht, damit Üdüntitat ürricht wird. Ich will eine Annäherung, keine Identität.*

Sie stellte an den Hebeln herum und brachte sie näher an die Sprache heran. Sie gab vor, Identität erreichen zu wollen, stellte sich jedoch tatsächlich selbst so auf das neue Sprachmuster ein, daß die Maschine zu der Überzeugung kommen würde, es sei wirklich ihre eigene Sprache. Dies war eine raffinierte Falle: Die Gefangenen sollten selbst mit dem Finger auf ihre Alternativwelten zeigen, so daß diese abgehakt werden konnten.

Gleichzeitig hoffte sie, daß Veg Verstand genug besaß, den Mund zu halten. Einige wenige Worte von ihm konnten der Maschine alles verraten.

»Jecht . . . Phragen«, sagte sie.

»Phrag.«

»Ärste Phrage: Wo sünd wür?«

»Machüna Prüma, Zäntrum der Rälevance.«

Im Geiste übersetzte Tamme: Maschine Prima, Zentrum der Relevanz. Mit Bescheidenheit hatte es diese Alternativwelt nicht!

»Wass wöllt vön uns?« Schon hatte sie sich das künstliche Sprachmuster so eingeprägt, daß sie in ihm denken und es automatisch anwenden konnte. Während sich also Vegs Augenbrauen verwirrt runzelten, war es für sie wie eine ganz normale Unterhaltung: Was wollt ihr von uns?

»Euch lediglich identifizieren und freundschaftliche Beziehungen zwischen unseren Gefügen herstellen.«

Tamme war froh, daß Veg dem Dialekt der Maschine nicht so schnell folgen konnte, denn er hätte laut gelacht. Freundschaftliche Beziehungen zwischen der Heimatwelt der Killermaschinen und der Erde? Wohl kaum!

Glücklicherweise war sie eine erfahrene Lügnerin. »Das ist es, was wir ebenfalls wollen. Wir werden glücklich sein, zusammenarbeiten zu können.«

»Ausgezeichnet. Wir werden einen Botschafter in euer Gefüge schicken und dort eine Enklave errichten.«

Eine Enklave, die schnell zerbombt würde – wenn sie der echten Erde irgendwo nahe käme. Aber das würde nicht der Fall sein.

»Wir werden bei unserer Rückkehr einen günstigen Bericht abgeben«, sagte sie. »Aber gegenwärtig müssen wir unseren Weg durch unser Gefügemuster fortsetzen.«

»Gewiß. Wir sind vertraut mit eurem Muster. Tatsächlich haben wir schon viele eurer Lebensformen kennengelernt. Aber wir müssen euch einen Rat geben: Es besteht Gefahr.«

Freundschaftlichen Rat von der Maschine? Aufgepaßt!

»Erkläre das bitte.«

»Eure Existenzform ist protoplasmisch, unsere mechanisch. Aber es gibt viele Gemeinsamkeiten zwischen uns, denn wir benötigen beide physische Unterkunft und müssen Materie verbrauchen, um funktionierende Energie zu erzeugen. Der Feind ist nicht physisch, verbraucht keine Materie und steht rationaler Existenz in Gegnerschaft gegenüber. Kein physisches Wesen ist in irgendeinem Gefüge sicher, denn der Feind ist auf dem Gebiet des Gefügewechsels weitaus fähiger als Maschine oder Leben. Aber euer Muster führte euch durch ein feindliches Heimatgefüge, und dort ist die Gefahr noch viel größer.«

Oho! Die Maschinen suchten also ein Bündnis gegen einen gemeinsamen Antagonisten. Das konnte sich lohnen.

»Wir verstehen die Natur dieses Feindes nicht.«

»Seine Natur ist für materielle Wesen nicht begreifbar. Er ähnelt einer Wolke aus Energiepunkten, die von einem Gerüst aus Schwingungsknoten gestützt werden.«

Das Funkenmuster!

Dies war in der Tat eine Erkenntnis!

»Wir sind solchen Einheiten begegnet, konnten aber nicht erkennen, was sie waren. Sie haben uns unfreiwillig von einem Gefüge in ein anderes versetzt. Aus diesem Gefüge sind wir entkommen, und jetzt versuchen wir, den Weg nach Hause zu finden.«

»Dasselbe machen sie auch mit unseren Einheiten. Wir können in gewissem Rahmen Widerstand leisten, aber sie sind in dieser Beziehung stärker als wir.«

»Auch stärker als wir«, sagte Tamme. »Wir sind beim Gefügereisen sehr ungeschickt.«

Nur zu wahr – was einer der Aspekte war, die an dem Vorschlag falsch klangen. Wenn die Maschinen über die Fähigkeit des echten Alternativweltreisens verfügten, wie diese hier durchblicken ließ, dann brauchten sie kaum ein Bündnis mit den Menschen. Wenn sie jedoch *nicht* über diese Fähigkeit verfügten, konnte ihnen Tammes Welt wenig Hilfe anbieten.

»Zwei Gefüge sind stärker als eins!«

»Wir stimmen zu. Was kommt als nächstes?«

»Wird eure Welt einen Kontrakt abschließen?«

Kontrakt?

Was bedeutete das? Jetzt wünschte sie sich, die physischen Manierismen des Computers genauso interpretieren zu können, wie sie es bei Menschen tat!

»Das käme auf seinen Inhalt an«, antwortete sie.

»Übereinkunft, zum gegenseitigen Nutzen zu handeln. Einrichtung von Interaktions-Enklaven. Transfer nützlicher Ressourcen.«

Jetzt begriff sie. »Ich glaube, meine Welt würde interessiert sein. Sobald unsere Regierung den Kontrakt ratifiziert hat . . .«

»Regierung?«

»Die ausgewählte Gruppe von Individuen, die die Mechanismen und Beschränkungen unserer Gesellschaftsordnung festlegt, so daß es nicht zum Chaos kommt.«

Oh! »Eure Maschinen sind keine unabhängigen Einheiten?«

»Sie sind physisch unabhängig, aber Teil der übergeordneten Einheit. Losgelöst von der Gesellschaft werden unsere Einheiten wild, subintelligent, unkontrolliert. Nur in der Einheit gibt es Zivilisation. Aus diesem Grund sind wir nicht in der Lage, weit zwischen den Gefügen zu reisen. Unsere Einheiten verlieren die Verbindung mit dem Stock und degenerieren zu zügellosen Einzelgängern.«

»Da gibt es einen Unterschied zu uns. Wir sind einzelne Subeinheiten und bewahren uns unsere Intelligenz und Zivilisation auch, wenn wir von unserem Stock isoliert sind.«

Aber im stillen fragte sie sich: Gediehen menschliche Wesen in der Isolation wirklich? Agenten ganz bestimmt nicht! Bei Normalen mochte es eine Generation dauern, aber Individuen, die von ihren Gesellschaften abgeschnitten wurden, degenerierten wirklich. Anscheinend war der Effekt bei den Maschinen noch ausgeprägter. Dies würde erklären, wieso dieser Stockcomputer rational, die Maschine hingegen, die Veg getroffen hatte, bösartig war. Ohne zivilisierte Kontrolle hatte sie sich zu primitiver Wildheit zurückentwickelt.

»Das ist jetzt offensichtlich. Es erklärt, was uns an eurer Art immer ein Rätsel gewesen ist – obgleich ihr euch rationaler verhaltet als eure Vorgänger.«

Einige hatten also versucht zu kämpfen.

»Vielleicht habt ihr es uns einfacher gemacht, rational zu *sein*, indem ihr uns einen Weg zur Kommunikation aufgezeigt habt. Es würde auch heißen, wenn ihr uns diese Substanzen zugänglich macht, die wir für unsere Energieumwandlung benötigen – organische Materialien, Wasser, frische Luft.«

»Dies werden wir nach euren Anweisungen tun.«

Sehr entgegenkommend. Fast wünschte sie, daß sie es sich erlauben könnte, der Maschine zu trauen. Aspekte ihrer Gesellschaft waren faszinierend.

»Wie können wir euch wieder erreichen? Unser Zusammentreffen hier ist zufällig. Wir wären nicht in der Lage, euer Gefüge wieder zu lokalisieren.«

Vielleicht konnte sie den Spieß umdrehen und die Maschinen-Alternativwelt identifizieren, ohne die Erde preiszugeben.

»Wir werden euch mit einem Gefügesucher ausstatten. Das ist eine nichtintelligente Einheit, die ein Signal durch das Gefügesystem senden wird. Wenn sie aktiviert ist, werden wir sie mittels des Signals lokalisieren können.«

»Ausgezeichnet. Wir werden sie aktivieren, wenn der Kontrakt fertig ist.«

Ein Schlitz öffnete sich unterhalb der Hebel. In einem kleinen Fach befand sich ein linsengroßer Knopf.

»Nicht erforderlich. Diese Einheit wird sich selbst aktivieren, wenn der richtige Zeitpunkt gekommen ist.«

Sie setzten also auch nicht allzuviel Vertrauen in die andere Seite! Tamme nahm den Knopf und steckte ihn in eine Tasche.

»Gut. Jetzt müssen wir aber weiter.«

»Wir werden euch mit euren materiellen Bedürfnissen versehen, wenn ihr sie uns erklärt.«

Sie zögerte, entschloß sich aber dann, das Wagnis einzugehen. Warum sollte die Maschine sie vergiften, wenn sie sie sowieso schon in ihrer Gewalt hatte? Es sprach mehr dafür, daß sie ihnen jeden kleinen Dienst erweisen würde und darauf hoffte, sie und ihre Einheit sicher zur Erde zurückzubringen, um so einen festen Kontakt herzustellen. Deshalb beschrieb sie die Art von Vitaminen, Proteinen und Mineralien, die das Leben benötigte.

Nach einigen Experimenten produzierte die Maschine eßbare, wenn auch unappetitliche Nahrung, synthetisiert aus ihren Ressourcen. Tamme und Veg waren hungrig und aßen sie sogar mit Vergnügen. Sie veranlaßte Veg zu weiterem Schweigen und gab Ratschläge für die zukünftige Küche. Obgleich sie alle menschlichen Wesen, die ihr nachfolgen mochten, nicht als Freunde betrachtete, waren die gemeinsamen Feinde eine größere Bedrohung. Sollten die Menschen ihre Differenzen doch privat bereinigen. Und sollte doch irgendeine *andere* Erde überwältigt werden, wenn es denn schon so sein mußte.

»Ihr versteht«, sagte sie zum Schluß der Mahlzeit, »daß wir nicht garantieren können, wann wir unsere Heimatwelt erreichen werden – wenn überhaupt. Die Alterkeit ist komplex.«

»Wir verstehen es. Wir werden euch zu eurem Projektor bringen.«

»Danke.«

Ein Lastwagen erschien. Die Gitterstäbe hoben sich. Tamme dirigierte Veg mit einer Geste in das Fahrzeug und legte dabei einen Finger auf die Lippen. Sie wollte nicht, daß er irgend etwas daherplapperte, während sie sich in Hörweite irgendwelcher Maschinen befanden, von denen sie jetzt wußte, daß sie nichts anderes waren als Einheiten des Stocks.

Sie fuhren aus dem gigantischen Komplex hinaus, und sie verspürte eine sehr menschliche Erleichterung. Wenig später wurden sie auf einer Plattform abgesetzt. Auf einem Podest befand sich ein Projektor.

Tamme vergeudete keine Zeit. Sie aktivierte ihn. Und sie

standen

wieder im Nebel.

»Okay, kann ich jetzt endlich reden?« erkundigte sich Veg.

»Sollte sicher sein«, sagte sie.

Sie hatte überlegt, ob das Linsensignal sie belauschen konnte, war jedoch zur gegenteiligen Überzeugung gekommen. Wenn es intelligent war, würde es fern vom Maschinenstock seine Orientierung verlieren, und wenn es das nicht war, würde es bis zur Aktivierung vermutlich inaktiv bleiben. Warum sollte sich Machina Prima um ihre Unterhaltung kümmern, wenn ihre Erdenwelt schon in Reichweite war? Kalkuliertes Risiko: Sie war nicht bereit, das Signal wegzuwerfen, wollte Veg aber auch nicht für immer zum Schweigen verurteilen.

Sie kämpfte sich durch den Nebel dem nächsten Projektor entgegen.

Veg folgte ihr mit einiger Mühe. Er mußte auf Händen und Knien kriechen.

»Dieses Pidgin-Englisch, in dem Sie da gequasselt haben ... Hörte sich an, als ob Sie eine Art Handel abgeschlossen hätten ...«

»Die Maschinenkultur möchte die Erlaubnis haben, die Erde auszubeuten«, sagte sie. »Anscheinend verfügen die Maschinen nur über begrenzte Fähigkeiten im Alternativwelt-Transfer, kaum bessere als wir selbst haben, und wenn nicht der ganze

Stock geht, verwildern sie. Deshalb wollen sie ein Identifikationssignal auf unserer Alternative plazieren, so daß sie mit einer Enklave, die sich selbst erhalten kann, herüberkommen können. Das bedeutet ein Stockgehirn. Sie sagen, daß sie einen Kontrakt zwischen den Alternativen – von ihnen ›Gefüge‹ genannt – brauchen, aber das glaube ich nicht. Wer würde die Gültigkeit eines solchen Dokuments erzwingen?«

»Ja, wer?« echote er.

Sie fand den Projektor und aktivierte ihn.

Sie standen

zwischen den sich schließenden Wänden.

»Ich glaube nicht, daß es klug wäre, ihnen zu zeigen, wo die Erde ist«, sagte Veg.

»Keine Bange. Wenn es eine Sache gibt, die ich nicht tun werde, dann ist es die, ihren Knopf mit zur Erde zu nehmen. Ich werde einen guten Platz dafür finden – irgendwo anders in der Alterkeit.«

»Ja.« Er war unmittelbar hinter ihr, als sie zum nächsten Projektor gingen und dabei vermieden, von den Wänden gefangen zu werden. »Aber was war das mit einem gemeinsamen Feind?«

»Die Funkenwolke. Sie kommen auch nicht damit klar. Die Wolke ist der ultimative Alterkeitswanderer. Aber die Tatsache, daß wir einen gemeinsamen Feind haben, macht uns nicht notwendigerweise zu Verbündeten. Ich bin auf das Stockgehirn nur eingegangen, um uns da rauszubringen. Was es vermutlich wußte.«

»Warum hat es dann nicht . . .«

»Dieser Signalknopf ist vermutlich unzerstörbar, wenn man nicht gerade mit einer Kernverschmelzung herangeht. Wir wandern durch Alternativgefüge. Der Knopf wird die Maschine schon irgendwohin dirigieren, selbst wenn wir ihn wegwerfen. Und das könnte sich ganz groß auszahlen, wenn wir ihn tatsächlich auf eine ausbeutbare Welt bringen.«

»Wie Paläo?«

Sie umgingen den ausgebrannten Lockprojektor, der stummes Zeugnis dafür ablegte, daß dies dasselbe Gefüge war, das sie schon einmal besucht hatten.

»Wie unsere *Erde*. Nach meinen Beobachtungen könnten diese Maschinen mit ihrer physischen Kraft und ihrer Stockeinheit vermutlich die Erde verwüsten. Unsere Bevölkerung würde zu einer organischen Nahrungsquelle werden, und unser Terrain würde ihren überschüssigen Einheiten als neuer Lebensraum dienen.«

Veg kratzte sich am Kopf. »Sind wir sicher, daß sie dies tun würden? Vielleicht versuchen sie wirklich . . .«

»Es ist das, was wir mit *ihnen* machen würden.«

Er nickte. »Das nehme ich an. Das alte Omnivoren-Syndrom. Tu anderen etwas an, bevor sie dir etwas antun. Ihr Agenten wolltet der Erde die Alternativwelten zur Ausbeutung sichern. Jetzt aber, da wir auf robuste Zivilisationen oder was auch immer stoßen . . .«

»Richtig. Es mag besser sein, die Alternativgrenze völlig zu schließen. Ich werde bei meiner Rückkehr einen umfassenden Bericht abgeben. Es mag sein, daß Ihre Dinosaurierwelten letzten Endes doch gerettet werden.«

»Das ist großartig!« rief er aus und preßte mit seiner großen Hand ihren Arm. Er war so stark, daß sie Unbehagen empfand, obgleich ihr kein normaler Mann etwas anhaben konnte. »Selbst wenn es für das *richtige* Paläo zu spät ist.«

»Es wird zahllose Alternativpaläos geben – und es ist nicht sicher, daß wir auf Ihrem Paläo alle Dinosaurier eliminiert haben. Sie wissen, daß wir es auf die Manta-Sporen abgesehen hatten.«

Er schwieg. Sie wußte, daß ihn die Erinnerung an die Zerstörung der Kreidezeitenklave auf Paläo noch immer quälte, und sie war einer der verantwortlichen Agenten gewesen.

Sie erreichten den Projektor. Er war wieder aufgeladen, was nicht der Fall gewesen wäre, wenn sie beim Interviewen des Stockcomputers nicht soviel Zeit verbraucht hätten. Früher oder später würden sie zu schnell in ein Gefüge zurückkehren und nicht in der Lage sein, sich weiterzuprojizieren, auch wenn dies dringend erforderlich sein mochte. Sie würde sich, wenn möglich, darauf vorbereiten müssen. Was würde der beste Weg sein, zwei Stunden lang unter Druck zu überleben? Veg schulen?

Mittlerweile brauchten sie beide eine Erholungspause, und sie konnten nicht sicher sein, daß sie diese auf einer noch nicht erkundeten Welt bekommen würden. Veg hatte im Stock geschlafen, aber er war noch immer müde. Und auch sie befand sich nicht in bester Form.

Sie aktivierte den Projektor.

Sie standen, wie Tamme vorhergesehen hatte, wieder im Wald.

»Ich glaube, diese Örtlichkeit ist sicher«, sagte sie. »Wir werden uns sechs Stunden ausruhen, bevor wir weitermachen.«

»In Ordnung!« stimmte Veg zu. Aber er zögerte.

»Sie werden sich hier nicht entspannen können, wenn ich in Sichtweite bin«, sagte sie zu ihm. »Bevor ich Sie also zwingen oder niederschlagen muß ...«

»Hm, ja! Ich werde mich neben dem anderen Projektor hinlegen. Auf diese Weise können wir auch beide Orte bewachen.«

Nickend bekräftigte sie ihr Einverständnis. Angesichts seiner großen Begierde nach ihrem Körper war seine Disziplin bemerkenswert, wenn auch etwas sinnlos. Er hatte sich mit Aquilon eingelassen, ohne Befriedigung zu erlangen, so daß er jetzt doppelt vorsichtig war.

Wenn seine Unentschlossenheit zu einer Gefahr für ihre Mission wurde, würde sie etwas dagegen tun müssen. Das konnte bedeuten, ihn direkt zu verführen oder ihn auf einer sicheren Alternativwelt zurückzulassen. Keins von beidem würde ihn befriedigen, und das machte alles so unglücklich.

Vielleicht würde sie ihn täuschen müssen, indem sie vorgab, ihn zu lieben. Sie konnte das tun, wenn sie es ernsthaft versuchte. Aber sie wollte es nicht. »Vielleicht werde ich zu wählerisch, wie er«, murmelte sie. »Entweder richtig oder gar nicht ...«

Jetzt brauchte sie Ruhe. Sie schlief ein.

Sie traten aus dem Wald in einen Wald. Grüne Pflanzen wuchsen auf einem sanften Hügel aus schwarzer Erde. Als Bäume waren sie klein, als Gemüsestauden jedoch groß. In jedem Fall jedoch eigenartig.

»Keine Probleme hier«, sagte Veg heiter. »Bloß Gemüse; paßt zu mir.«

»Schwierigkeiten genug«, murmelte Tamme.

»Ich weiß. Sie wünschen sich, daß ich Sie aufs Kreuz lege oder vergesse. Oder beides. Und ich nehme an, auf Ihre Weise gibt das auch Sinn. Mein Sinn steht jedoch nicht danach.«

Gut. Er war sich über die Situation im klaren.

»Diese Pflanzen sind seltsam.«

Er ging auf die nächste zu und hockte sich daneben nieder. »Ich habe schon früher seltsame Pflanzen gesehen. Sie alle . . . he!«

Tamme hatte es auch gesehen. »Sie hat sich bewegt.«

»Sie hat dicke Blätter und Tentakel. Und irgendwas, das wie Muskeln aussieht.«

Tamme studierte die Pflanzen. »Wir sollten besser schnellstens den Projektor finden. Die Pflanzen entwurzeln sich selbst.«

So war es. Überall im Umkreis der beiden Eindringlinge wanden sich die Pflanzen und zogen ihre Stengel aus dem Erdboden.

»Ich bin dabei!« rief Veg. »Als nächstes werden sie Geige spielen . . . auf unseren Knochen.«

Zusammen rannten sie den Abhang hinauf und hielten dabei nach dem Projektor Ausschau. So kamen sie aus der Region der wandernden Pflanzen heraus und erreichten eine, wo das Blätterwerk noch nicht aufmerksam geworden war. Aber auch die neuen Pflanzen reagierten auf die fremde Anwesenheit in gleicher Weise.

»Sie können sich nicht schnell bewegen, aber es gibt sehr viele von ihnen«, sagte Tamme. »Sie bewaffnen sich besser mit einem Stock oder Knüppel, wenn Sie einen finden können.«

»Ja.« Veg rannte zu einem Stecken hinüber, der auf dem Boden lag. »He!«

Es war kein toter Stock, sondern eine lebendige Wurzel. Das Ding wand sich in seinen Händen wie eine Schlange und schüttelte ihn ab.

Unterdessen steigerten die anderen Pflanzen ihre Geschwindigkeit. Sie näherten sich jetzt mit beachtlicher Lebhaftigkeit, wobei sich ihre dicken, runden Wurzeln über den Boden schlängelten und nach Halt suchend eingruben.

»Hier ist eine Waffe«, sagte Tamme und zog einen meterlangen Metallstab aus ihrer Kleidung.

Veg legte eine Pause ein, um sie anzustarren. »Wo hatten Sie denn *den* versteckt? Ich habe diese Sachen *angehabt!* Es war kein Stock drin.«

»Er läßt sich zusammenschieben«, erklärte sie. »Seien Sie vorsichtig – er ist gleichzeitig ein Schwert. Er wiegt nur ein paar Gramm, aber er besitzt eine scharfe Spitze und eine ebensolche Schneide. Verletzen Sie sich nicht.«

»Schneide? Wo?« Er betrachtete die stumpf erscheinende Seite.

»An der Stirnseite ist ein unsichtbarer dünner Draht angebracht. Er schneidet fast alles und fast ohne Druckeinwirkung. Glauben Sie es mir und reiben Sie *nicht* mit dem Daumen darüber.«

Veg nahm die Klinge und hielt sie argwöhnisch vor sich. Offensichtlich hatte er eine solche Waffe noch nie benutzt, aber sie hatte jetzt keine Zeit, ihn zu trainieren. »Tun Sie einfach das, was sich von selbst ergibt. Stechen und hacken. Sie werden schnell ein Gefühl dafür kriegen.«

Er machte einen Schritt nach vorne und hieb nach einem Zweig der nächsten Pflanze. Das Schwert glitt glatt hindurch, wobei die breite Seite den Schnitt aufklaffen ließ, den der Draht hervorgerufen hatte.

»Aha, es funktioniert!«

Tamme überließ es ihm, die Pflanzen abzuwehren, während sie nach dem Projektor suchte. Sie hoffte, daß es einen *gab.* Sie gingen stets das Risiko ein, in einer Sackgasse zu landen, einem Gefüge, wo der Originalprojektor zerstört oder nicht erreichbar war.

Die wandernden Pflanzen schienen kaum Schmerz zu empfinden, aber nachdem Veg eine ganze Reihe von Zweigen und Stengeln abgehackt hatte, begriffen sie die Spielregeln und zogen sich zurück. Veg konnte einen Weg bahnen, wo auch immer Tamme hingehen wollte. Sie wußte, es machte ihm Spaß. Obgleich er kein tierisches Leben töten würde, um es zu verzehren, würde er angreifendes Gemüse töten.

Dann tauchte etwas anderes auf. Keine Pflanze; es war entfernt humanoid, aber doch ziemlich fremd. Es besaß Gliedmaßen, an deren Ende Scheiben saßen. Es stieß einen dünnen, durchdringenden Ton aus.

»Ist das eine Maschine, eine Pflanze oder ein Pilz?« fragte Veg.

»Von allem etwas«, antwortete sie angespannt. »Feindselig.«

»Ich werde es fernhalten«, sagte Veg. »Suchen Sie den Projektor.«

»Nein, das Ding ist gefährlich. Ich werde es mir vornehmen.«

»Vielen Dank«, sagte Veg säuerlich. Aber er trat zur Seite, um ihr die Verteidigung zu überlassen, während er sich auf die Suche machte.

Fremde waren schlecht zu lesen, aber aus diesem Ding schien die Bösartigkeit förmlich herauszustrahlen. Offensichtlich erkannte es ihre generelle Art und beabsichtigte, sie zu vernichten. Hatte ein menschlicher Agent anläßlich eines früheren Besuchs etwas getan, was gerechtfertigte Antipathie hervorgerufen hatte, oder war die Kreatur ein Hasser aller Fremden? Oder konnte es der Farmer sein, der die von ihnen verstümmelten Pflanzen anbaute? In diesem Fall war seine Handlungsweise mehr die eines Mannes mit einer Dose Insektenspray. Es spielte jetzt kaum eine Rolle. Sie mußte damit fertig werden.

Die Kreatur kam näher und griff plötzlich an, mit den Handrädern zuerst. Sie drehten sich wie kleine Kreissägen, was sie sicherlich auch waren. Tamme sprang zur Seite. Sie wollte Ihre Technologie nicht preisgeben, indem sie eine Energiewaffe benutzte. Je länger sie ausweichen konnte, desto mehr würde sie lernen. War die Kreatur intelligent, zivilisiert oder mehr wie ein bösartiger Wachhund? Der Augenschein ließ bisher keine schlüssigen Folgerungen zu.

Die Sägenräder drangen wieder auf sie ein. Diesmal machte sie einen Schritt nach vorne, blockierte die Arme mit ihren eigenen und zwang die Räder zur Seite, während sie die Muskulatur und die Wahrnehmungsorgane des Rumpfes studierte. Die

Haut des Wesens war kalt und behaart, wie bei einer Spinne.

In dem Augenblick, in dem ihr Gesicht ganz nah war, tat sich eine Öffnung auf und versprühte einen feinen Nebel. Überrascht zog sie ihr Gesicht nicht mehr rechtzeitig zurück. Es war Säure, und diese verbrannte ihr Haut und Augen und blendete sie.

Sie berührte ihre Hüfte. Ihr Blaster feuerte durch den Rock und badete die Kreatur in Feuer. Deren Körper knisterte, als er in Brand geriet. Der durchdringende Ton brach ab.

»Hallo!« hörte sie Veg rufen.

Sie rannte zu ihm hinüber, wobei sie sich an den Geräuschen orientierte. Sie war so geschult worden, daß sie auch im verletzten Zustand mit sich selbst zurechtkam. Um Hindernissen auszuweichen, wie etwa den großen, wandernden Pflanzen, machte sie sich das Echo ihrer eigenen Schritte zunutze.

»Hier, in einem Haufen von Steinen«, sagte Veg, als sie herankam.

»Ist er aufgeladen?«

»Glaube schon. Ich habe nie ganz durchgeblickt, wie Sie das feststellen konnten.«

»Zeit, es zu lernen.« Während sie sprach, konzentrierte sie sich auf ihr vegetatives Nervensystem und schaltete den Schmerz aus. »Im unteren Teil befindet sich eine kleine Skala mit rot-grünen Markierungen. Sehen Sie sich die an.«

Er beugte sich darüber. »Steht auf Grün.«

»Richtig«, sagte sie, obwohl sie nichts sehen konnte. Das Glühen in ihrem Gesicht ging zurück, als ihre Schmerzblockade zu wirken begann, aber dies war nur ein Teil des Problems. Die Verletzung als solche war noch immer da, aber sie konnte sich die Säure noch nicht abwaschen.

»Dann wollen wir jetzt mal sehen, ob Sie ihn aktivieren können.«

»Wie das geht, weiß ich. Man verschiebt dieses Ding hier, diesen kleinen Hebel . . .«

Sie hörte das Echo seiner Stimme und wußte, daß die sich verschiebenden Wände da waren. Der Übergang war ihnen gelungen.

»Nun wollen wir sehen, ob Sie den Weg zum nächsten Projektor finden.«

»He, wie kommt's, daß wir gerade *jetzt* diese Übungen vornehmen?«

Er unterbrach sich. »He, Ihr Gesicht ... Es ist knallrot! Was ist passiert?«

»Dieses Wesen war gleichzeitig auch ein Skunk.«

»Säure!« rief er alarmiert. »Säure im Gesicht! Wir müssen sie abwaschen!«

»Kein Wasser hier. Wir müssen weiter.«

»Ihre Augen! Hat es Ihre ...«

»Ja. Ich bin blind.«

Sie brauchte keine visuellen Eindrücke, um seinen Schock und seinen Zorn zu registrieren.

»Lieber Gott, Tamme ...«

»Ich komme zurecht. Aber es würde helfen, wen Sie diesen Projektor finden.«

»Kommen Sie!« Er nahm ihre Hand.

»Laufen Sie voraus. Ich kriege schon mit, wo Sie sind.«

»Okay.« Er ließ sie los. Sie bewegten sich die flektierende Passage hinunter.

Er kannte den Weg. Sie erreichten den Projektor.

»Linkshändig – und nicht aktionsbereit«, verkündete er. Und das nächste Gefüge sollte der Wald sein – sicher, angenehm, mit genug klarem, kaltem Wasser in einem nahen Bach. Unerreichbar.

»Irgend jemand muß ihn nach uns benutzt haben«, sagte er. »Ist fast acht Stunden her, seit wir das letzte Mal hier waren.« Dann bemerkte er seinen Irrtum. »Nein, ich denke an die Zeit, die wir geschlafen haben. Wir sind hier erst vor einer Stunde weggegangen. He, ich habe Ihnen nie Ihre Uhr zurückgegeben. Obwohl Sie sie jetzt nicht brauchen, nehme ich an.«

Es war ein bedauernswert naiver Versuch, sie von dem unlösbaren Problem abzulenken.

»Ich bezweifle, daß irgend jemand nach uns hier war«, sagte sie. »Aber wir haben keine Ahnung, wie viele Leute durch dieses Muster wandern. Dies hier ist eine Umkehrung, möglicherweise Teil eines anderen Hexaflexagons mit eigenem Personal.«

»Können wir die Wartezeit nicht abkürzen?« fragte er kläglich. »Die Skala nähert sich dem Grün ...«

»Gefährlich. Bei einem mangelhaften Transfer könnten tote Körper herauskommen. Wir wissen es nicht.«

»Wir müssen die Augen säubern. Sie müssen tränen.« Wieder ein Zögern. »Oder weinen Agenten niemals – nicht einmal aus so einem Grund?«

»Meine Augen haben getränt. Zu der Verletzung ist es gleich in den ersten Sekunden gekommen, und danach war es für Wasser vermutlich sowieso zu spät.«

Wäre sie nicht so mit ihrer Flucht beschäftigt gewesen, hätte sie daran schon früher gedacht. Es war ein weiterer Beweis für die Anspannung, unter der sie stand, und für den Verlust ihrer Agentenfähigkeiten, ganz abgesehen vom Verlust ihres Sehvermögens.

»Dauerhaft oder vorübergehend?«

»Vorübergehend, glaube ich. Es handelt sich um eine oberflächliche Verbrennung, die verschleiert.«

»Dann geht es uns ja gut. Wir werden warten, bis es verheilt.«

»Dazu mag die Zeit nicht reichen.«

»Hören Sie auf, so verdammt hart zu sein, und handeln Sie vernünftig! Mit so einem Handicap weiterzumachen, wäre töricht – das wissen Sie ganz genau!«

Sie nickte. »Es war töricht, daß ich in die Säurefalle gelaufen bin. Ich habe verdammt zu viele menschliche Fehler begangen.«

»Jetzt *hören* Sie sich sogar menschlich an.« Er klang zufrieden.

»Wir werden ein paar Stunden warten. Agenten erholen sich schnell.«

»Jedes andere Mädchen würde weinen und hilflos sein«, knurrte er.

Tamme lächelte. »Sogar Miss Hunt?«

»Wer?«

»Deborah Hunt. Ich glaube, Sie standen ihr mal sehr nahe.«

»Sie meinen Quilon!« rief er. »Wir benutzen ihren ursprünglichen Namen nie, ebensowenig wie wir den Ihren benutzen.« Er machte eine Pause. »Wie *lautete* Ihrer?«

»Ich habe keinen anderen Namen.«

»Ich meine, daß sie ein Mädchen waren, bevor Sie eine Agentin wurden. Wer waren Sie? Warum haben Sie es getan?«

»Ich weiß es nicht. Ich habe keine Erinnerung an meinen zivilen Status oder an meine früheren Missionen als Agent der TA-Serie, weiblich. Nach einem Einsatz wird alles gelöscht. Alle Agenten einer bestimmten Serie müssen ihre Missionen mit völlig identischen physischen und intellektuellen Voraussetzungen beginnen.«

»Vermissen Sie es nicht manchmal?«

»Vermisse ich was?«

»Eine Frau zu sein.«

»Wie Aquilon Hunt? Kaum.«

»Keine Spitzen gegen sie, ja?« rief er.

»Ich gebe zu, daß ich in gewisser Weise neugierig bin, was das für eine Emotion ist, die Sie in dieser Beziehung beherrscht«, sagte sie. »Leidenschaft, Vergnügen, Schmerz, Begierde – das alles verstehe ich. Aber warum halten Sie eine Beziehung zu einer Frau aufrecht, von der Sie wissen, daß sie zu Ihrem besten Freund gehen wird, und vermeiden eine mit mir, die zu keinen weiteren Verwicklungen führen würde?«

»Sie *wollen* eine Beziehung zwischen Ihnen und mir?« fragte er ungläubig.

»Es ist bedeutungslos für mich, sofern meine Mission dadurch nicht beeinträchtigt wird.«

Das stimmte nicht ganz. Sie hatte kein wirkliches gefühlsmäßiges Interesse an ihm, würde aber während ihrer Behinderung etwas Unterhaltung durchaus begrüßen. Dieses Gespräch war eine andere Form jener Unterhaltung.

»Das ist der Grund«, sagte er. »Sie sehen es als bedeutungslos an.«

»Es wäre nützlich zu wissen, was sie hat, das ich nicht habe.«

»Bei jeder anderen Frau würde man das Eifersucht nennen. Aber Sie wollen es nur wissen, damit Sie eine effizientere Agentin sein können.«

»Ja.«

Eine weitere Halbwahrheit. Die fortwährende Anspannung einer zu langen Mission ließ den Wunsch nach einer moralischen Stütze in ihr aufkommen. Die zeitweilige Liebe eines Mannes würde dafür sorgen. Es wäre jedoch unklug, ihm das zu sagen. Er würde es falsch verstehen.

»Gut, ich will es Ihnen sagen. Quilon ist schön – aber das sind Sie auch. Sie ist klug, aber Sie sind klüger. Als Sexobjekt haben Sie viel mehr zu bieten, da bin ich ganz sicher. Sie hat den Körper, aber sie weiß nicht, wie ... Nun, lassen wir das. Worum es geht ist, daß sie einen Mann braucht und daß sie sich *engagiert*.«

»Einverstanden. Aber Sie haben meine Frage nicht beantwortet.«

Veg schluckte. »Sie engagieren sich *nicht*. Sie könnten mich in einen Vulkan fallen lassen, wenn es Ihrer Mission hilft. Sie brauchen niemanden – nicht einmal, wenn Sie blind sind.«

»Stimmt. Ich habe das nie bestritten. Ich habe keine solchen Schwächen. Aber welche Stärken hat sie, die ...«

»Ich glaube, ich kann mich Ihnen nicht verständlich machen. Ihre *Schwächen* sind ihre Stärken, so würde Cal es ausdrücken. Ich sage ganz einfach, ich liebe sie, Cal liebt sie, und sie liebt *uns*. Ich würde das ganze Universum zum Teufel gehen lassen, wenn ich ihr damit helfen könnte. Es hat nicht viel mit Sex oder Stärke oder sonst was zu tun.«

Tamme schüttelte fasziniert den Kopf. »Das ist weit hergeholt und irrational. Es wäre sehr informativ, die Probe aufs Exempel zu machen.«

»Halten Sie den Mund.«

»Auch das ist faszinierend.«

Veg erhob sich und stampfte davon. Aber er ging nicht weit, denn die Wände warteten.

Tamme versetzte ihr Bewußtsein in eine Heilverfassung und konzentrierte sich auf das Gewebe von Gesicht und Augen.

Wie alle Agenten verfügte sie über eine gewisse bewußte Kontrolle vieler normalerweise unbewußter Körpervorgänge und konnte einen Heilungsprozeß auf phänomenale Art und Weise beschleunigen, indem sie den Großteil ihrer Körperreserven auf die betroffene Stelle lenkte.

Die äußeren Augenlinsen waren klein, aber es bereitete Schwierigkeiten, unmittelbar auf sie einzuwirken. Mehrere Stunden äußerster Konzentration würden erforderlich sein.

Als der Projektor wieder aufgeladen war, brachte Veg sie hinüber.

Tamme setzte ihre Anstrengungen im Wald fort, und innerhalb von vier Stunden klärte sich ihre Sicht.

»Sie meinen, Sie können wieder sehen?« erkundigte sich Veg.

»Nicht gut. Ich schätze, daß ich in weiteren zwei Stunden über drei Viertel meines Sichtvermögens verfügen kann. Das wird reichen, weil zwei vertraute Gefüge vor uns liegen sollten. Wenn ich meine spezifischen Anstrengungen einstelle, wird sich die Genesung verlangsamen. Es wird mehrere Tage dauern, um über neunzig Prozent zu kommen. Das ist keine Zeitverzögerung wert.«

»Sie sind hart, okay, okay!«

»Nach Ihrer Definition eine Schwäche.«

»Nicht unbedingt. Man kann hart sein und trotzdem jemanden brauchen. Aber dieses Thema hatten wir schon.«

Zur gegebenen Zeit wechselten sie über in

das Nebelgefüge und

das

fremde Orchester, wobei sie dem Muster des Hexaflexagons folgten. Ihre Strategie, den direkten Weg nach vorne zu nehmen, schien sich auszuzahlen. Sie blieben nicht in irgendwelchen Subschleifen stecken. Vermutlich waren sie auch vorher nicht steckengeblieben, sie hatten nur das Muster nicht verstanden.

»Jetzt werden wir in ein neues Gefüge vorstoßen«, sagte Tamme.

»Sie sind bereit?«

»Mein Sehvermögen liegt bei achtzig Prozent und verbessert sich weiter. Meine übrigen Fähigkeiten haben ihren normalen Standard. ich bin bereit.«

»Okay.«

Und sie traten hindurch.

Tamme taumelte nach vorne und hielt sich fest, bevor sie stürzte. Veg sackte nach unten, fand jedoch einen Halt, bevor er sich zu weit entfernte.

Es handelte sich um eine endlose Konstruktion aus Metallstäben. Sie kreuzten sich und bildeten offene Kubikel mit einer Seitenlänge von knapp zwei Metern. Es war nicht zu erkennen, daß sie irgendwo aufhörten.

»Ein Klettergarten!« rief Veg. »Als ich ein Junge war, hatten wir so einen in unserer Schule!« Er kletterte und schwang glücklich hin und her.

»Suchen wir einen Projektor«, sagte Tamme.

»Muß sich auf einer dieser Streben befinden.«

»Wir müssen nach einem dreidimensionalen Suchmuster vorgehen. Genau wie bei den bunten Platten sieht es überall gleich aus. Wir wollen vermeiden, daß wir uns einen bereits überprüften Sektor nochmals vornehmen.«

»Klar. Vielleicht sollten wir da, wo wir anfangen, eine Markierung anbringen, und uns von diesem Punkt aus vorarbeiten. Das dauert, ist aber sicher.«

Sie banden sein Hemd an einer Querstange fest und begannen mit der Überprüfung. An den Stäben entlangzusehen, brachte nicht viel. Die endlosen Querstreben sorgten dafür, daß die Sichtlinie unterbrochen wurde, wodurch die Gegenwart des Projektors nicht verifiziert werden konnte. Es war notwendig, in jeden Kubikel hineinzublicken. Aus der Entfernung war die Wirkung des Meers von Stangen eigenartig: Aus einigen Blickwinkeln wurden sie zu einer scheinbar festgefügten Wand. Vom Zentrum eines Kubikels aus gesehen schien es sechs quadratische Tunnel zu geben, die nach oben, nach unten und in die vier horizontalen Richtungen führten.

Als Tamme routinemäßig einen dieser Tunnel hinunterblickte, nahm sie einen Schatten wahr. Er sah aus wie ein Mann.

Sie sagte nichts. Statt dessen bewegte sie sich seitwärts über mehrere Kubikel hinweg, unterbrach dabei die Sichtlinie in allen drei Dimensionen und machte sich auf die Suche nach Veg.

Sie war in der Lage, ihn anhand der Geräusche zu orten. »Sie haben die falsche Position«, sagte sie.

»Nein, ich folge unserem Muster. Sie sind abgewichen.«

»Ich habe meine Position verlassen. Wir haben Gesellschaft.«

»Oh! Fremde?«

»Menschliche.«

»Ist das gut oder schlecht?«

»Ich bin mir nicht sicher. Wir sollten ihn beobachten, wenn wir Gelegenheit dazu bekommen.«

»Hier ist die Gelegenheit!« flüsterte Veg.

Und wirklich schob sich längs einer horizontalen Achse eine Gestalt ins Blickfeld.

»Das sind *Sie!*« flüsterte Tamme. »Ein anderer Veg!«

Sie wußte, was er jetzt sagen würde: *Ihre Augen scheinen nur vierzig Prozent zu sehen! Ich bin HIER!*

Aber sie irrte sich.

»Nun, wir wußten, daß dies passieren könnte«, sagte er. »Ein anderes Paar, genau wie wir, aus einer nahen Alternativwelt. Wir müssen den Projektor eben *zuerst* finden.«

Tamme machte sich in Gedanken eine Notiz: Die Episode mit dem Säurewerfer mußte ihr Wahrnehmungsvermögen getrübt haben. Nicht nur, daß sie Vegs Reaktion falsch gelesen hatte – er klang auch anders, weniger besorgt, als er eigentlich sein sollte. Sie würde sich bei nächster Gelegenheit neu orientieren müssen, um zu vermeiden, daß sie einen ernsthaften Fehler beging.

In der Zwischenzeit konzentrierte sie sich. »Wir sind im Vorteil, weil wir sie zuerst gesehen haben. Wir können unsere Chancen weiter erhöhen, indem wir unserem Suchmuster vor ihnen folgen. Auf diese Weise werden sie einen Raum überprüfen, den wir schon hinter uns gelassen haben und von dem wir *wissen*, daß es dort keinen Projektor gibt.«

»Clever«, stimmte er ihr zu.

Gestützt auf ihr zweimaliges Sehen des fremden Veg und die Annahme, daß das andere Paar nicht weit von ihrem eigenen Landeplatz gelandet war, machte sich Tamme Gedanken über die vermutliche Herkunft des Konkurrenzteams. Sie gingen vor wie geplant. Es war nicht auszuschließen, daß sich der Projektor zufällig auf der abgewandten Seite des anderen Paars befand, aber sie konnten jetzt lediglich versuchen, ihre Chancen zu verbessern, nicht sie hundertprozentig zu machen.

Und plötzlich war der Projektor da, auf dem freien Platz

unterhalb einer Kreuzung. Tamme näherte sich ihm vorsichtig, aber er war echt. Und er war aufgeladen.

Jetzt stand sie vor einem Dilemma. Sie kontrollierte den Projektor, aber ihre wichtigere Mission war es, die Konkurrenz der Erde zu eliminieren, selbst die von einer sehr nahen Alternativwelt. Sollte sie ihre Gegenspieler jetzt angreifen?

Nein. Wenn das andere Paar dieselbe Hexaflexagon-Route eingeschlagen hatte, mußte es früher dran sein, denn die zweistündige Aufladungszeit der Projektoren sorgte für einen zeitlichen Abstand, der mindestens dieser Spanne entsprach. Aber es war auch möglich, daß die anderen andersherum flektierten – rückwärts also. Was bedeutete, daß sie den wandernden Pflanzen und dem säurespritzenden Hüter noch nicht begegnet sein konnten. Der andere Agent, männlich oder weiblich, würde also in Topform sein und alle körperlichen Vorteile auf seiner Seite haben. Das war nicht gut.

Es war besser, weiter der nächsten Subschleife zu folgen und die Konkurrenz anzugreifen, wenn sich ihre Wege wieder in diesem Gefüge kreuzten. Dann würde sie bereit sein.

Mit Glück würde der Agent nicht einmal auf das Zusammentreffen vorbereitet sein, und das würde ihr Augenhandicap mehr als ausgleichen.

Sie aktivierte den Projektor.

Und sie standen zwischen

Funken.

»Sehen Sie sich das an!« sagte Veg beeindruckt.

»Ein Heimatgefüge der Mustereinheiten«, sagte Tamme. »Eine weitere bedeutsame Entdeckung.«

»Ja. Sie haben uns auf dem Basar davon erzählt, aber so bald hätte ich es nicht erwartet.«

Weder versteifte sich Tamme, noch gab sie sonst eine Reaktion von sich. Ihre Agentenkontrolle funktionierte bestens. Statt dessen fuhr sie fort, als ob er nichts Ungewöhnliches gesagt hätte, und horchte ihn aus.

»Auf dem Basar haben sie viel gesagt!«

»Ja. Aber was könnten wir sonst tun? Indem wir kooperieren, retten wir wenigstens unsere eigenen Alternativen – vielleicht. Es tut mir leid, wenn wir gegen unsere Duplikate, die dort nicht hingekommen sind, vorgehen müssen, aber letzten Endes muß jede Welt für sich selbst sorgen. Und wenn sich die Mustereinheiten gleich hier auf der Route befinden ... Nun, um so besser.«

»Wenn uns diese Muster nicht entdecken und geradewegs aus dem Netz befördern.«

»Ja. Machen wir weiter.«

Sie machten mit der Suche weiter. Aber jetzt wußte Tamme Bescheid: *Sie hatte den falschen Veg mitgenommen.* Dieser hier reiste in umgekehrter Richtung und war zumindest auf einer anderen Alternativwelt – dem »Basar« – gewesen, auf der sie nicht gewesen war. Und dort war irgendein Abkommen oder Vertrag geschlossen worden, in dem es um andere alternative Vegs und Tammes ging.

Sie hatte recht gehabt: Sie selbst, von einer anderen Alternativwelt, war ihr Feind. Und es war wirklich sie selbst, denn Veg hätte für den Fall, daß sein Begleiter ein männlicher Agent gewesen wäre, den Unterschied augenblicklich gemerkt.

Jedes Gefüge muß für sich selbst sorgen! *Ihr* Veg hätte dem nicht zugestimmt, *dieser* Veg aber tat es.

Ironischerweise zog sie die Haltung ihres Original-Vegs vor. Er hatte mehr Gewissen; er engagierte sich. Jetzt allerdings befand er sich bei der anderen Tamme.

Sie mußte diese Subschleife hinter sich bringen und zurück in den Klettergarten kommen, bevor die feindliche Tamme begriff. Die Schlange würde ebenfalls nicht lange dafür brauchen! Solange sie jedoch den Projektor nicht lokalisierte, würde sie ihr Suchschema fortsetzen, so daß es nur zu wenigen Kontakten zwischen Agentin und Mann kam. Aber wenn sie ihn fanden und auf das Aufladen warten mußten, würde Zeit genug sein.

Und wenn sie das Hemd fanden, das an der Ankunftsstelle festgebunden war ... Es würde zwei Hemden geben, eins von jedem Veg. Deutlicher ging es nicht! Warum hatte sie nicht daran gedacht, dieses Hemd mitzunehmen?

Es war letzten Endes pures Glück gewesen, daß sie den Projektor zuerst gefunden hatte. Sie hatte ihr Schema nach dem zweimaligen Sichten der Konkurrenz aufgebaut – und dabei hatte es sich bei wenigstens einer Sicht tatsächlich um ihren eigenen Mann gehandelt! Keine Kunst dabei! Aber dieselbe Art von Zufall konnte die andere Tamme zu demselben Projektor führen. Die feindliche Tamme würde warten müssen, während sich diese Tamme bewegen konnte – wenn sie den Projektor in diesem Gefüge bald fand.

Vielleicht würde es besser sein, den Kontakt völlig zu vermeiden und einfach weiterzugehen. Nein, das würde bedeuten, ihren Veg im Stich zu lassen und einen mitzuschleppen, der sich mit Sicherheit als unkooperativ erweisen würde, wenn er die Sachlage begriff. Und sie war in einer Subschleife gefangen, aus der sie nur auf dem Weg durch das Klettergartengefüge wieder herauskam.

Der Projektor in dieser Subschleife würde vermutlich aufgeladen sein. Sie konnte die Rundreise innerhalb einer Stunde zu Ende führen und den Gegner völlig überraschen. Das wäre am besten. Ihr Sehvermögen würde sich in dieser Zeit stark verbessern, aber noch wichtiger war das Überraschungselement.

Und was war mit diesem Veg? Er brauchte nicht Bescheid zu wissen. Seinen Zweck, sie zu alarmieren, hatte er bereits erfüllt, und eine Bedrohung stellte er nicht dar.

»He, das hier sind nicht dieselben«, kommentierte er, während er einen Funkenwirbel unmittelbar vor seinem Gesicht beobachtete. »Sehen Sie doch, sie sind kleiner, und es gibt kein Kommen und Gehen. Sie bleiben einfach in dieser Alternative, als ob sie es nicht besser wüßten.«

»Studieren Sie sie«, sagte sie und hielt dabei nach dem Projektor Ausschau. »Die Information könnte wertvoll sein.« Vielleicht würde er dadurch beschäftigt sein und ahnungslos bleiben.

Er beobachtete das Muster. »Wissen Sie, was ich denke? Das hier ist primitiv, wie ein dreidimensionales R-Pentomino. Es reitet lediglich auf einigen wenigen Elementen, hält sich am Leben und tut ansonsten nichts Besonderes. Vielleicht ist dies hier nicht die Heimat-Alternative der Funken, sondern bloß eine Randalternative, mit tierhaften Mustern statt fortgeschrittenen intelligenten. Genau wie bei uns muß es auch bei ihnen eine große Bandbreite von Stadien geben – einige kaum mehr als Amöben, andere wahre Supermenschen. Supermuster, meine ich.« Er kicherte.

Ganz sicher *war* er an Orten gewesen, an denen sie nicht gewesen war. R-Pentomino? Er schien über die Funken viel besser im Bilde zu sein. Man merkte es an seiner Terminologie und an seiner Haltung.

»Vielleicht können Sie die ganze Sequenz der Muster herausfinden«, schlug sie vor.

Wo *war* dieser Projektor?

»Ja. Wie sie als kleine dreidimensionale Wirbel auf den Elementen anfangen, wie Windstöße, die über die Blätter einer Pappel huschen, und dann beginnen, die Dinge so zu modifizieren, daß sie ihnen passen. Wie sich einige von ihnen in Raubmuster verwandeln, die andere verschlingen, bis die guten Muster lernen, sie mit Gleiterkanonen abzuschießen. Aber dann fangen auch die Bösen an zu schießen, und sie entwickeln sich immer weiter – einer frißt den anderen, nur daß sie alle lediglich Muster auf Energie-Schwingungsknoten sind. Schließlich erreichen sie ein höheres Bewußtsein, wissen aber nicht einmal, was es heißt, physisch zu sein. Sie glauben, daß die einzig mögliche Intelligenzform die Intelligenz von Mustern ist. Und wenn sie schließlich auf intelligente materielle Wesen stoßen, ist das wie ein Alptraum, wie Monster aus der Tiefe, unmöglich, aber furchtbar. Ja, ich glaube, ich kann es jetzt verstehen. Zu dumm, daß wir nicht mit ihnen reden können, daß wir ihnen nicht sagen können, wie gut wir alles verstehen . . .«

Tamme unterbrach ihre Suche und hörte zu. *Was der Mann da von sich gab, ergab einen Sinn!*

Konnte dies das Grundprinzip der mysteriösen Mustereinheiten sein? Die Maschinen nannten sie Feinde, aber wenn es sich tatsächlich um ein gewaltiges Mißverständnis handelte . . .

Dann entdeckte sie den Projektor und schob alle irrelevanten Überlegungen zur Seite.

»Gehen wir, Veg!«

Einen Schritt in das

Orchester, dann einen weiteren zurück

in den Kletter-

garten.

»Ich habe deinen Mann gefangengenommen«, sagte die andere Tamme und deutete mit einer kurzen Kopfbewegung die Richtung an.

»Ergibst du dich?«

Rhetorisch: Sich ergeben bedeutete sterben. Aber es stimmte: Veg war mit den beiden Hemden wirkungsvoll gefesselt und geknebelt. Seine Beine waren so zusammengebunden, daß er an den Knien von einer der Stangen hing.

»Was soll das?« fragte der freie Veg verblüfft. »Warum hat sie ihren eigenen Begleiter gefesselt?«

Tamme blickte ihn an. »Ich bin die andere Agentin. Ich bin nie auf dem Basar gewesen.«

Der erwartete Schwall von Emotionen durchflutete ihn. Er war ein Fremder, und doch war er weitgehend Veg, schwerfällig einerseits, großartig andererseits.

»Warum haben Sie mich dann nicht . . .«

»Gefesselt? Zu welchem Zweck? *Sie* ist es, die gefährlich ist.«

»Aber *sie* hat *mich* gefesselt – Sie jedoch nicht!«

»Vielleicht kenne ich Sie länger«, sagte Tamme. *Und bin weich geworden.* »Obgleich es nicht eigentlich Sie waren, den ich kannte.«

Natürlich *hätte* sie ihn stärker unter ihre Kontrolle bringen sollen, als Gegengewicht zur Drohung der Alternativ-Tamme. Schon wieder ein Fehler.

Der freie Veg blickte von einer Tamme zur anderen. Dann sagte er zu der anderen: »Hören Sie, ich habe meine Meinung geändert. Ich kämpfe gegen niemanden. Das alles ist nicht recht.«

»Dann gehen Sie und binden Sie Ihr Double los«, sagte Tamme, die erkannte, daß sich ihr menschlicher Irrtum auf seltsame Art und Weise in einen Vorteil verwandelt hatte: Der Alternativ-Veg war neutralisiert worden. »Ihr Männer seid im Grunde friedfertig. Sie und ich, wir haben diese Bedenken nicht.«

»Ja.«

Der freie Veg ging, um dem Gefesselten zu helfen, zwischen den beiden Frauen hindurch. Dann blieb er stehen.

»Okay, ich kann es nicht aufhalten. Aber vielleicht kann ich für Fairneß sorgen. Trennt euch von euren Energiewaffen.«

»Gehen Sie aus dem Weg«, sagte Tamme Zwei. Sie hielt einen Laser in der Hand.

»Oder erschießen Sie mich zuerst«, sagte Veg. »Wenn Sie dieses Ding einsetzen, müssen Sie mich sowieso irgendwann erschießen, denn ich werde mit Ihnen nicht mehr zusammenarbeiten.«

Er meinte es ernst. Die Signale waren überall an ihm zu erkennen. Tamme wußte, welche Gedanken der anderen durch den Kopf gingen, denn es war auch ihr Kopf – ihr Bewußtsein vor ein paar Tagen, als sie noch härter und durch individuelle Empfindungen weniger korrumpiert gewesen war. Veg war mehr als nur neutralisiert worden. Er sympathisierte jetzt mit der Tamme, die er nicht gekannt hatte, die friedfertiger war als seine eigene. Aus Schwäche war Stärke geworden. Tamme Zwei konnte auf ihn verzichten, aber der Mann verfügte über lobenswerte Qualitäten und erwies sich als nützlicher als erwartet. Warum ihn sich ohne Notlage zum Feind machen? Vor allem, da sie sich im Vorteil befand, denn die andere war augenscheinlich im Gesicht verletzt worden...

Tamme Zwei ließ ihren Laser sinken. Tamme Eins zog den ihren und ließ ihn sinken. Weil sie beide Agentinnen waren, konnten sie einander lesen – wenigstens gut genug, um erkennen zu können, ob eine Waffe weggelegt oder abgefeuert werden sollte. Die Laser fielen fast gemeinsam durch den endlosen Schacht der Kubikel.

»Und benutzt keine anderen«, sagte Veg Zwei. »Nur eure Hände und handgetriebenes Zeug, okay?«

Tamme Zwei nickte. Sie würde auf diesen vernünftigen Kompromiß eingehen, um sich seinen guten Willen zu erhalten, so unbedeutend dessen Wert auch sein mochte.

Er ging weiter.

Dann bewegten sich beide Mädchen. Tatsächlich wäre der Laserschuß riskant gewesen, denn er hatte für eine sofortige Wirkung nicht genug Durchschlagkraft, und es wäre genug Zeit gewesen, um beide Waffen einzusetzen. Ein direkter Zweikampf würde eher eine Entscheidung herbeiführen.

Tamme Eins schwang sich an ihrer Stange herum und brachte sich aus der direkten Sichtlinie. Sie befand sich im Nachteil, und das wußten sie beide. Sie mußte eine Ausweichstrategie einschlagen und auf einen Durchbruch warten, der die Chancen umkehrte. Auf der Oberseite einer anderen Stange lief sie auf ihre Widersacherin zu.

Aber die andere hatte dies vorausgesehen. Eine Hand kam von unten, um ihren Knöchel zu packen. Tamme Eins sprang in die Luft und krümmte sich zusammen, um das Haar von Tamme Zwei zu packen. Die andere zuckte zur Seite und konterte mit einem Tritt nach oben.

Tamme griff nach einer Stange, schwang sich an ihr herum und kam wieder auf die Füße. Tamme Zwei schoß auf sie zu, ihren Vorteil ausnutzend. Tamme hob ein Knie, um es ihr gegen die Brust zu stoßen, aber Tamme Zwei packte ihre Schultern und setzte sich ganz plötzlich hin. Dies war eine alte Judotechnik, *yoko wakare*. Normalerweise wurde sie auf dem Boden angewandt. In diesem Fall gab es jedoch keinen Boden und unterhalb der Stangen auch keinen festen Stand. Der Zug war gewaltig. Tamme fiel nach vorne, überschlug sich in der Luft und bekam die Fußgelenke von Tamme Zwei zu fassen.

Dann kam das ausziehbare Schwert zum Vorschein. Die Hände von Tamme Zwei waren frei, während Tamme Eins für den Augenblick ungeschützt war. Der erste Hieb traf sie an der Seite, zerschlitzte ihre Kleidung und trennte ihr Fleisch bis zu den Rippen auf. Ihr eingeschränktes Sehvermögen war ihr zum Verhängnis geworden. Sie hätte kontern können, wenn sie in der Lage gewesen wäre, rechtzeitig zu erkennen, daß das Schwert gezückt wurde.

Sie ließ los und tauchte nach unten weg, wobei sie einen Augenblick opferte, um mit einer Willensanstrengung den Blutfluß zu stoppen. Aber Tamme Zwei ging mit ihr nach unten und schlug wieder mit dem Schwert zu. Tamme zückte ihr eigenes und hieb damit nach der Feindin, aber ihre Reflexe wurden durch die Regenerationsanstrengungen verlangsamt, und Tamme Zwei parierte mit Leichtigkeit.

Tamme streckte den Arm aus und packte mit einer Hand eine Stange. Das Zerren war schrecklich, aber ihr Körper kam abrupt zur Ruhestellung.

Und Tamme Zwei stoppte gleichzeitig mit ihr ab, trat ihr das Schwert aus der Hand und zielte mit dem ihren nach dem Herzen. Tamme wand sich zur Seite, zu langsam jedoch, und die Schwertspitze verfehlte ihr Ziel um wenige Zentimeter, bohrte sich statt dessen in ihre linke Lunge.

Niemals zuvor hatte sie sich vor Augen geführt, was für eine mörderische Widersacherin sie war, wie unerbittlich, wie wirkungsvoll. Tamme Zwei war eine Agentin, die auf der gleichen Stufe stand. Tamme selbst war gegenwärtig jedoch eine Agentin, die nur über achtzig Prozent ihres Sehvermögens verfügte.

Tamme Zwei duckte sich wiederum ab und blockierte die zupackenden Arme. Tamme fiel bereits durch die Kubikel, aber ihr Griff war nicht fest genug, und Tamme Zwei entwand sich ihm. Der Doppelte Selbstmord würde nur eine von ihnen töten. Diesmal folgte ihr Tamme Zwei nicht nach unten, denn sie dachte gar nicht daran, nochmals in Reichweite dieser Arme zu kommen. Statt dessen zückte und schleuderte sie ein dünnes Messer. Es schoß unbeirrt abwärts, drang in Tammes Schädel ein und durchbohrte das Hirn.

»Ich gehe in den Weltraum«, sagte er.

»Wenn du das tust, bringe ich mich um«, sagte sie.

Bunny folgte entsetzt dem feierlichen, ernsthaften Dialog ihrer Eltern und wußte ganz genau, daß es nichts gab, was sie tun konnte. Sie stritten sich niemals, diskutierten niemals. Wenn einer von ihnen etwas sagte, war es endgültig.

Tatsächlich hatten sie diese Worte niemals gesprochen. Die Worte existierten nur in Bunnys Bewußtsein, in ihren Alpträumen.

Aber sie spiegelten die stimmlose Wirklichkeit wider und mündeten im Laufe der Jahre in einer unausweichlichen Entscheidung.

Ihr Vater ging in den Weltraum, da er unfähig war, der Befriedigung eines lebenslangen Sehnens zu widerstehen. Über den Ozean zu segeln war in seinem Erbgut verankert. Die Natur der Herausforderung hatte sich geändert, seine Reaktion darauf jedoch nicht.

Bunny verstand dies, denn er hatte ihr vom Weltraum erzählt, von seinen zahllosen Wundern, die erst jetzt enthüllt wurden, von seiner unwiderstehlichen Faszination. Neutronensterne, Schwarze Löcher, Quasare; fremde Lebensformen, mysteriöse Überbleibsel längst vergangener Reiche; Beschleunigung, freier Fall; Meteore, Kometen, Krater. Auch sie wollte gehen.

An dem Tag, an dem er sie verließ, kratzte ihre Mutter sorgfältig die Isolierung von der Stromleitung des Apartments und verursachte an ihrem Körper einen Kurzschluß. Bunny war eine Waise.

»Ich weiß, daß dein Vater im Weltraum verschollen ist und deine Mutter starb, als du noch ein Kind warst«, sagte er. »Das war es, was mich zuerst zu dir hinzog. Du hast mich gebraucht, und ich glaubte, daß das ausreichen würde.« Er machte eine Pause und ging auf dem Parkplatz hin und her, wobei er gedankenlos die Hände zusammenschlug. »Ich bin stark. Ich liebe es, mich um Dinge zu kümmern. Ich wollte mich um dich kümmern. Aber, Bunny, es ist nicht genug. Nun bin ich bereit zu heiraten – aber ich sehne mich nach einer Frauenfigur, nicht nach einer Tochterfigur. Es würde wirklich nichts dabei herauskommen, und das wissen wir beide.«

Sie wußte es. Sie bettelte nicht, sie weinte nicht. Nachdem er gegangen war, folgte sie dem Vorbild, an das sie sich erinnerte, so genau, wie es angebracht war. Sie sprang von der Fußgängerrampe auf den betriebsamen Schienenstrang einer wichtigen Frachtverkehrsader.

»Beide Arme an den Schultern abgetrennt, ein Bein verstümmelt, innere Organe zerquetscht. Herz und Leber noch zu retten, Nieren nicht zu retten. Gehirn intakt. Es würde ein Vermögen kosten, aber wir *könnten* sie wiederherstellen. Zu welchem

Zweck? Sie ist medizinisch unergiebig, hat keine Eltern, keine Versicherung, keine sonstigen Zuwendungen, keine außerordentlichen Talente, und ganz offensichtlich will sie nicht weiterleben.«

»Eine geeignete Kandidatin, würden Sie sagen?«

»Ja. Man würde ihr einen Gefallen tun. *Sie will sich nicht erinnern*.«

»Sehr gut. Sie werden die Erklärungsprozedur genehmigen?«

»Ich sehe kaum eine andere Möglichkeit. Das oder Tod innerhalb von Stunden.«

Zwei Jahre später wurden Bunnys Körper und Gehirn, neugebildet und umgeschult, unter dem Markennamen eines Agenten, Serie TA, weiblich ausgeliefert.

Tamme schlug die Augen auf. Ein Fast-Mensch beugte sich über sie.

»Hvehg!« rief die Frau.

Ein bärtiger Mann kam und legte seine starke Hand auf die ihre.

»Sie schaffen es, Tam«, sagte er. »Wir sorgen gut für Sie.«

»Wer?« Das Sprechen fiel schwer. Sie war schwach und verwirrt und verlangte ... zuviel. Er würde sie zurückstoßen, wenn er Bescheid wußte.

»Sie erinnern sich nicht, wer Sie sind?« fragte der Mann alarmiert.

Sie strengte sich an. »Ich bin TA. Und Sie?«

»Sie erinnern sich nicht an mich?« Dies schien ihm sogar noch mehr Sorgen zu machen.

»Ist dies der Beginn einer Mission? Ich weiß nicht, wie ich hierher gekommen bin, wer Sie beide sind und auch sonst nichts. Bitte sagen Sie es mir.«

Das Sprechen war eine solche Anstrengung. Sie wußte, daß sie bald damit aufhören mußte – und sie verstand kaum ihre eigenen Worte. TA?

»Ich bin Veg. Das hier ist Frau Hmph, wenn ich es halbwegs richtig ausspreche. Sie waren schwerverletzt, nahezu tot. Ich habe Sie hierher gebracht, und die Hmphs haben uns aufgenommen. Wir sind ihnen auf unserer Reise durch die Alterkeit schon früher begegnet.«

»Alterkeit?«

»Mann! Bei Ihnen ist wirklich alles weg. Vielleicht sollten Sie sich jetzt ausruhen.«

Der bloße Vorschlag reichte schon aus. Sie schlief ein.

Ihre erste Mission als TA erfolgte auf der Erde. Man sagte ihr nichts, nicht einmal, daß es die erste war. Wie bei allen Agenten wurde ihr Bewußtsein zwischen den einzelnen Aufträgen gelöscht und neu ausgerichtet, so daß es für sie und den Computer keinen Unterschied machte, ob es die erste oder die letzte war. Die Neuprogrammierung diente dem Zweck, die Serienidentität zu bewahren. Der Computer brauchte die Gewißheit, daß jeder Agent einer bestimmten Serie auf die gleiche Weise reagierte und berichtete. So kam es nur zu unwesentlichen menschlichen Verzerrungen. Es war so, als ob der Computer selbst die Nachforschungen angestellt hätte. Es handelte sich um ein sehr effizientes System, das FBI, CIA und ähnliche Organisationen, die nicht mehr aktuell waren, ersetzt hatte.

Wäre sich Bunny der Transformation bewußt gewesen, hätte sie es nicht geglaubt. Das schwache, zerbrechliche, unsichere Mädchen war jetzt übermenschlich geworden – im wahrsten Sinne des Wortes. Sie konnte mit fast fünfzig Stundenkilometern laufen und dieses Tempo kilometerweit durchhalten: doppelt so schnell wie der Weltrekord für Normale. Sie konnte die Füße in die Luft strecken und auf zwei Fingern gehen. Sie war gründlich mit dem Gebrauch eines ganzen Waffenarsenals vertraut, und sie beherrschte auch den Kampf mit der bloßen Hand. Auf technischem und geisteswissenschaftlichem Gebiet besaß sie das Äquivalent mehrerer Universitätsgrade. Und sie hatte ein atemberaubendes Gesicht und einen ebensolchen Körper.

Aber Bunny war sich dessen nicht bewußt. Bunny war ein Teil der Schlacke, die man beseitigt hatte. Kopf und Hirn waren bis auf das Fundament ihres Inhalts beraubt und dann neu aufgebaut worden.

Tamme fand sich in einer Stadt wieder. Sie bewegte sich unter den Menschen, stellte Fragen und versuchte, sich über ihre Mission klar zu werden. Man hatte ihr einen einzelnen Namen und eine vermutliche Adresse gegeben, mehr nicht. Und zum richtigen Zeitpunkt war sie an Ort und Stelle. Es ging um ein Mordkomplott gegen einen hohen Staatsbeamten auf Reisen. Als sich das Dampfgewehr auf sein Ziel ausrichtete, tat sie dasselbe. Der Attentäter starb einen Sekundenbruchteil vor seinem Schuß, und Tamme kehrte in ihre Garnison zurück.

Dort widmete sie sich der üblichen, fast obligatorischen Entspannung, die der Entprogrammierung voranging: Spiel war ein anerkannter Begleitumstand des leistungsfähigen Menschen. Für die Agenten kam es erst nach Vollendung einer Mission in Frage, teils als zusätzlicher Anreiz für die Bewältigung der gestellten Aufgabe, teils aber auch deshalb, weil sie zu dieser Zeit am stärksten von der Agentennorm abwichen. Frisch programmierte Agenten würden einander bis zur Langweiligkeit im voraus einschätzen können, während Agenten nach einer Mission unterschiedliche Erfahrungen zu diskutieren hatten und in gewissem Rahmen sogar unterschiedliche Menschen waren. So wurde der Umgang miteinander zur Unterhaltung.

Sie traf einen Mann der SU-Serie. Es war faszinierend. Er war beauftragt gewesen, einen illegalen Waffenschmied festzunehmen, und war mit einem der altertümlichen Ungetüme in den Fuß geschossen worden. Sie spielte nackt Wasserpolo mit ihm und war wegen seines Fußes in der Lage, ihn unter Wasser zu drücken, während sie das erste Tor schoß. Aber dann hatte er sie mit nach unten gezogen, und für vier Minuten hielten sie die Luft an, während sie sich liebten – obwohl Liebe ein zu starker Ausdruck für diese physische Freisetzung der Leidenschaft war.

»Werden wir uns jemals wiedersehen, Subble?« fragte sie, als sie in seinen Armen lag, auf der Wasseroberfläche treibend und die beinahe kampfartigen Kraftübungen genießend, bei denen kein normaler Mensch mithalten konnte.

»Es spielt kaum eine Rolle«, erwiderte er. »Wir werden uns weder daran erinnern, noch wird es uns etwas ausmachen.«

Und er drückte ihren Kopf unter Wasser, brachte ihr Gesäß

nach oben und drang wieder in sie ein – ein Vorwand, der dazu diente, den Ball zum Ausgleich ins Tor zu schlagen.

Nachdem sie ihm das heimgezahlt hatte, begaben sie sich beide zur abschließenden Entprogrammierung, und alles war ausgelöscht worden.

Jetzt aber erinnerte Tamme sich. Mit einer wütenden Anstrengung setzte sie sich aufrecht, wobei die Wunden an Seite und Brust böse schmerzten.

»Subble starb bei seiner letzten Mission!« rief sie aus. Starke Arme legten sich um ihre bebenden Schultern.

»Ganz ruhig, Tam«, sagte Veg. »Sie träumen.«

»Nein – ich erwache gerade! Sie haben ihn gekannt! Sie haben ihn getötet!«

Er legte sie wieder ins Bett. »Wir haben ihn gekannt. Und wir haben ihn gemocht. Besonders Quilon. Er war einer von der anständigen Sorte. Für einen Agenten. Er mag gestorben sein, aber wir haben es nicht getan.«

Sie klammerte sich an ihn. »Ich habe Angst. Bleiben Sie bei mir, bitte!«

»Immer.« Er legte sich neben ihr nieder und glättete mit der Hand ihre gefurchte Stirn, ohne den Verband zu berühren. »Ruhen Sie sich aus. Sie sind noch immer sehr schwach.«

Tamme hatte andere Missionen. Sie durchlebte sie eine nach der anderen aufs neue: Eine war lediglich ein Gespräch mit einem Wissenschaftler, bei einer anderen arbeitete sie als Gouvernante auf einem fernen Außenposten der irdischen Kolonisationssphäre, um die Normalen bei geistiger Gesundheit zu halten. Sie hatte ihre Aufgaben stets mit absoluter, objektiver Rücksichtslosigkeit erfüllt und die Interessen der Regierung gefördert, die sie in einer Weise konditioniert hatte, wie es für sie wünschenswert war.

Bis zu ihrem Auftrag auf Paläo, der ersten Alternativwelt. Bei dieser Mission hatte es sich überraschenderweise um ein Unternehmen mit mehreren Agenten gehandelt. Es brachte sie in die Gegenwart.

Als sie sich so weit erholt hatte, daß sie gehen konnte, führte Veg sie aus dem Haus. Das Gebäude war mit Blöcken aus schaumartigem Nebel errichtet worden. In regelmäßigen Abständen schnitten der Farmer und sein Familie neuen Nebel aus der Bank und bauten eine neue Residenz. Die Bauteile des alten Hauses wurden zurechtgestutzt, um dem Vieh als Lager zu dienen. Die Rinder mochten den menschlichen Geruch, von dem das Material durchdrungen war.

Sie waren harte Arbeiter, diese Nebelnasen (wie Veg sie nannte), und ihre Kinder halfen ihnen. Sie benutzten ihre Hände für schwere Arbeiten und die greiffähigen Rüssel für feinere. Sie ernteten gewisse Nebelsorten zu Nahrungszwecken. Die meisten schmeckten wie parfümierte Seife, waren jedoch nahrhaft.

»Jetzt erinnere ich mich«, sagte Tamme. »Wir sind diesen Leuten schon einmal begegnet, und Sie haben ihnen das Hexaflexagon gezeigt.«

»Ja. Sie haben schon viele Vegs und Tammes gesehen, aber ich war erst der zweite, der ihnen zufällig das Hex gezeigt hat. Glücklicherweise, denn nur deswegen haben sie sich an uns erinnert. Ich meine, sie haben uns von den anderen, die wie wir sind, unterschieden und uns geholfen. Ich mache wie ein Verrückter Hexaflexagons. Auf diese Weise revanchiere ich mich bei ihnen.«

»Und wie soll ich mich bei *Ihnen* revanchieren?«

Er schüttelte den Kopf. »Ich habe das nicht getan, um etwas dafür zu bekommen.«

Sie griff nach seiner Hand. »Bitte, ich brauche Sie. Ich will Ihnen gefällig sein. Was kann ich tun?« Oh, Gott, sie bettelte, und das würde ihn verjagen.

Er sah sie an. »Sie *brauchen* mich?«

»Das ist vielleicht das falsche Wort«, sagte sie verzweifelt.

Sein Mund war grimmig. »Wenn Sie ein Wort gebrauchen, das Sie nicht verstehen, deichseln Sie nur daran herum. Ja, es ist das falsche Wort!«

»Es tut mir leid«, stieß sie hervor. »Ich werde es nicht wieder benutzen. Aber seien Sie nur nicht wütend, wenden Sie sich nicht von mir ab . . .«

Er hielt sie an den Schultern auf Armlänge von sich. »Weinen Sie?«

»Nein!« Aber es hatte keinen Zweck. »Ja.« Wenn sie physisch und psychisch nur nicht so schwach gewesen wäre! Starke Männer mochten so etwas gar nicht.

»Warum?«

Was außer der Wahrheit blieb übrig?

»Wenn Sie in meiner Nähe sind, fühle ich mich sicher, beschützt. Ohne Sie ist es ein . . . Alptraum. Meine Vergangenheit . . .«

Er lächelte. »Ich glaube, Sie haben sich schon bei mir revanchiert.«

Was meinte er?

»Ich verstehe nicht . . .«

»In erster Linie hatten Sie eine Hirnverletzung. Ich nehme an, daß dadurch all die gelöschten Erinnerungen wiedergekommen sind – bis zurück zu . . . Bunny. Und Ihre Konditionierung ist aufgebrochen worden. Deshalb können Sie jetzt Alpträume haben, die aus Ihrem Unterbewußtsein kommen, und können sich unsicher fühlen. Und deshalb brauchen Sie jemanden.«

»Ja. Es tut mir leid. Ich bin nicht stark.«

Wie ein schwaches Kind, wie ein Kind, um das man sich kümmern mußte.

Er machte eine Pause, kaute dabei nachdenklich an seiner Unterlippe. Dann: »Erinnern Sie sich an unsere Unterhaltung, in der es darum ging, was Quilon hat, das Sie nicht haben?«

Sie konzentrierte sich. »Ja.«

»Jetzt haben Sie es auch!«

»Aber ich bin schwach. Ich kann nicht einmal allein stehen, und selbst wenn ich es könnte . . .«

Er sah sie intensiv an, ohne zu antworten. Ihre Fähigkeit, Emotionen zu lesen, hatte gelitten, vielleicht weil ihre eigenen so in Unordnung waren. Sie konnte seine Reaktion nicht ausloten, konnte sich nicht von ihr leiten lassen. Sie war auf sich selbst gestellt.

»Selbst wenn ich es könnte«, beendete sie ihren Satz mit einiger Mühe, »würde ich es nicht wollen.«

Dann kam ihr mit unglaublicher Brillanz die Erleuchtung.

»Veg, das, was ich empfinde, dies alles, die Angst, die Schwäche, die Hilflosigkeit – ist das ... Liebe?«

»Nein. Nicht die Angst, nicht die Schwäche.«

Sie fing wieder an zu weinen; ihre momentanen Hoffnungen hatten sich zerschlagen.

»Ich bin jetzt nicht sehr hübsch, das weiß ich. Mein Gesicht ist voller Flecken und schält sich durch die Säureverbrennung. Ich habe so viel Gewicht verloren, daß ich wie eine Vogelscheuche wirke. Ich bin wieder ganz Bunny. Ich habe also in keiner Weise das Recht zu denken, daß Sie ...« Sie unterbrach sich und führte sich vor Augen, wie rührselig sie klang. Dann war sie wütend auf sich selbst. »Aber, verdammt noch mal, ich liebe Sie wirklich! Der Rest ist irrelevant.«

Sie wandte sich ab und bedauerte, es gesagt zu haben, war aber auch froh, daß die Wahrheit heraus war. Sie erinnerte sich an Bunny, aber sie *war* nicht Bunny. Wenn er sie verließ, würde sie keinen Selbstmord begehen. Sie würde weitermachen, ihre Mission vollenden ... irgendwie.

Er nahm sie in die Arme und küßte sie, und dann brauchte sie keine weitere Erklärung.

Tamme wurde stärker, aber deswegen fühlte sie sich unbehaglich. In ein paar Tagen konnte sie schneller laufen als Veg und ihn im spielerischen Zweikampf besiegen. Sie versuchte, sich zurückzuhalten und ihn die Oberhand gewinnen zu lassen, aber er wollte das nicht zulassen.

»Ich will, daß du gesund bist«, war alles, was er sagte.

»Aber wenn ich einmal mein volles Leistungsvermögen zurückgewonnen habe, wird auch die Gefühlskontrolle wieder da sein«, sagte sie. »Ich werde in der Lage sein, bei dir zu bleiben oder dich zu verlassen – genau wie vorher.«

»Ich liebe dich«, sagte er. »Darum will ich dich nicht als Krüppel. Ich habe dich erlebt, wenn du die Agentenmaske nicht trägst, und das genügt mir. Wir wußten immer, daß es zwischen uns nichts Dauerhaftes geben würde. Wenn du wieder voll da bist, wird es vorbei sein. Ich werde niemals sagen, daß es die Sache nicht wert war.«

..ır Gesicht war feucht, und sie stellte fest, daß sie wieder weinte. Sie weinte zuviel in diesen Tagen, so als ob sie die Zeit als tränenlose Agentin nachholen wollte.

»Veg. Ich *will* nicht so sein wie vorher. Es ist mir egal, wie schwach ich bin, wenn es nur bedeutet, daß ich bei dir bleiben kann.«

Er schüttelte den Kopf. »Auf Paläo hatte ich einmal mit Cal Streit – und Quilon ebenfalls. Sie fühlte sich elend, und ich war bei ihr und wir dachten, es sei Liebe. Es war keine. Wahre Liebe braucht keine Schwäche und kein Elend. Ich werde diesen Fehler nicht noch mal machen.«

»Aber als ich stark war, sagtest du . . .«

»Du kannst so stark wie Samson sein, es ist mir egal.«

»Bitte . . .«

»Für einen normalen Mann *bin* ich stark«, sagte er. Er nahm einen fast drei Zentimeter dicken Stock hoch, klemmte ihn zwischen die Finger einer Hand und spannte seine Muskeln an. Der Stock zersprang in drei Stücke. »Aber ich brauche Menschen. Ich brauche Cal und Quilon und dich. Du hast niemanden gebraucht.«

Tamme nahm einen anderen Stock und zerbrach ihn auf die gleiche Weise. Die Fragmente flogen in die Luft und landeten in der Form eines Dreiecks auf dem Boden.

»Ich bin auch stark, aber jetzt brauche ich dich. Morgen jedoch?«

Er zuckte die Achseln. »Ich weiß es nicht. Ich kann nur für heute leben. Das mag alles sein, was wir haben. Bei Agenten ist es genauso, nicht wahr?«

Sie zog das Messer hervor, das sie bei sich trug. »Wenn ich mir das wieder in den Kopf bohre, würde es vielleicht . . .«

Er schlug ihr das Messer aus der Hand. »Nein! Was sein muß, muß sein!«

Sie gab nach, weil sie wußte, daß er recht hatte. »Dann liebe mich hier und jetzt!« sagte sie und drängte sich in seine Arme. »Was wir heute versäumen, mag morgen niemals wiederkommen . . .«

Selbst die Einheimischen wußten, daß es zu Ende ging. Veg schnitt und schleppte gewaltige Mengen von Nebel heran, um eine neue Mauer für ihr Vieh zu bauen, und Tamme ging mit den Kindern durch den Wald spazieren und beschützte sie vor den wilden Raubtieren, die dort lauerten.

An dem Tag, an dem Tamme, mit der zynischen Urteilskraft einer Agentin, die Entscheidung traf, daß sie neunzig Prozent ihres Leistungsvermögens zurückgewonnen hatte, luden ihre Gastgeber die Nachbarn zu einer Party ein. Sie aßen Nebelköstlichkeiten, sangen nasale Nebelhornlieder und spielten mit den Hexaflexagons, die Veg machte, und auf einfache Weise war es sehr lustig.

Am Abend machten sie und Veg einen Spaziergang und hielten sich dabei an den Händen wie ein junges Liebespaar.

»Eine Sache beschäftigt mich«, sagte er. »Tamme Zwei könnte dich getötet haben, nicht wahr? Als du nach unten fielst und sie dir das Messer verpaßte, wandte sie sich einfach ab. Ich war mir nicht sicher, wer von euch beiden gewonnen hatte. Aber sie konnte uns unterscheiden – ich nehme an, aufgrund unserer Reaktionen und weil ich noch immer die Fesselmale an mir hatte. Sie sah mich an, haargenau wie du, nur irgendwie schärfer – schon vor dem Kampf warst du ein bißchen sanfter geworden –, und sie sagte, daß ich der Feind sei. Ich nehme an, daß sie mich umbringen wollte und sich deswegen ganz bestimmt verflucht wenig Gewissensbisse machte, aber mein Double wollte es ihr nicht gestatten.« Er machte eine Pause und lächelte bei der Erinnerung. »Weißt du, auf gewisse Weise mag ich den Burschen. Er hat Mut und Charakter. Er erzählte mir während des Kampfes, daß er bei seiner eigenen Tamme bleiben müßte, sich aber wünschte, daß Tamme Zwei mehr wie du sei und hoffentlich so werden würde. Es war also nicht nur das Messer in deinem Kopf, das dich verändert hat. Du warst schon vorher auf dem Weg dazu.

So projizierten sie sich weg, und ich ging nach unten, um dich zu suchen. Ich war fest davon überzeugt, daß du tot warst.

Aber du hingst an einer Querstange mit diesem Messer in der Hand. Ich nehme an, du hattest es dir irgendwie rausgezogen. Du hast kaum geblutet.«

»Agenten sind zäh«, sagte sie. »Ich schnitt den Blutstrom ab und fiel in einen Zustand, den wir Reparaturschock nennen. Ich kann mich nicht daran erinnern, der Prozeß vollzieht sich automatisch. Tatsächlich aber war die Verletzung zu schwer. Ohne Hilfe hätte ich nicht überlebt.«

»Ja. Ich brachte dich nach oben und projizierte uns hierhin. Und die Leute hier begriffen. Sie waren großartig! Aber wieso ist Tamme Zwei nicht nach unten gestiegen, um dir endgültig den Rest zu geben?«

»Das hätte sie tun sollen. Ich glaube, es muß sie gestört haben, sich selbst zu töten – selbst ihr alternatives Ich. Ich weiß, daß *ich* wenig Neigung dazu verspürte. Deshalb tat sie das Allernötigste und überließ alles andere der Natur. Vielleicht ist sie – wie ich – weiter auf dem Weg zur Normalität fortgeschritten, als wir annehmen. Die Chancen standen trotzdem gegen mein Überleben.«

»Das stimmt wohl, nehme ich an. Wenn uns die Nebelleute nicht aufgenommen und ihren Doktor geholt hätten ... Du hättest ihn sehen sollen, wie er mit dieser Nase seine Stiche setzte – keine menschliche Hand könnte damit konkurrieren. Nun, ich würde es dir nicht gewünscht haben, aber ich bin froh, daß ich Gelegenheit bekam, Bunny kennenzulernen.«

»Wen?«

Er antwortete nicht. Ihr Wahrnehmungsvermögen entsprach wieder der Norm. Sie konnte das vorübergehende Trauma lesen, das ihn schüttelte, die Erkenntnis, daß Bunny – und alles, für das sie stand – unterdrückt worden waren.

»Wir können hier nicht länger bleiben«, sagte Tamme.

»Richtig«, sagte er schwer. »Du hast eine Mission. Du mußt zurück zur Erde und Bericht erstatten.«

Sie las seine Resignation. Er wußte, daß er sie aufgab – sein Gewissen zwang ihn dazu. Aber es gab etwas, was er nicht wußte.

»Ich erinnere mich ... an einiges«, sagte sie.

»Spiel nicht mit mir!« schnappte er. »Ich will keine Schau.«

»Du wolltest den Mond.«

»Ich wußte, daß ich ihn nicht bekommen konnte.«

»Du hast mir das Leben gerettet. Das wird nicht vergessen werden.«

»Warum nicht?« knurrte er. »Der Computer wird es sowieso auslöschen.«

Sie kehrten zum Nebelhaus zurück.

Sie aktivierte den Projektor, und sie waren auf dem Basar. Die Menge drängte sich überall, wogte an den Ausstellungsständen vorbei. Menschen, Fast-Menschen, Kaum-Menschen und Fremde mischten sich zwanglos untereinander, Ellenbogen rempelten Tentakel an, Schuhe folgten den Spuren von Zangenfüßen. Augäpfel starrten auf Antennen, Münder unterhielten sich mit Bauchhöhlen. Froschäugige Außerirdische feilschten um humanoide Puppen, während Frauen Zentaurenschwänze für Besen kauften. Maschinen unterschiedlicher Spezies vermischten sich mit den lebenden Kreaturen, und wandernde Pflanzen inspizierten exotische Düngemittel: Pferdemist, Fledermausguano, aufbereiteten Kanalschlamm.

»He, da ist ein Manta!« rief Veg und winkte.

Aber es war ein fremder Manta, mit leicht unterschiedlichen Proportionen und Reaktionen, und er ignorierte ihn.

Sie wanderten unter den übrigen umher und hielten nach dem Projektor Ausschau. Dann begegnete Tammes Blick dem eines Mannes: ein terrestrischer Agent einer Serie, die der ihren sehr nahe war.

Er kam sofort herüber. »Ehr sied gerode gekummen? Treffen om Wellendum.« Er zeigte in die Richtung und entfernte sich.

Veg starrte hinter ihm her. »War das nicht Taler?«

»Möglich. Mit Sicherheit SU-, TA- oder TE-Serie, aber nicht aus unserem Gefüge.«

»Nehme ich auch nicht an«, stimmte er kopfschüttelnd zu. »Hörte sich an wie das Kauderwelsch zwischen dir und dem Maschinenstock. He, das ist eine gute Örtlichkeit, um die Linse loszuwerden.

»Das ist wahr«, gab sie ihm recht. Sie holte sie hervor und schnippte sie in einen Sack mit Libellenkrebsen, von denen sie einer augenblicklich verschluckte.

»Der Feinschmecker, der den Krebs verspeist, wird eine Überraschung erleben«, sagte Veg kichernd. Dann wurde er ernsthaft. »Was machen wir jetzt? Es mögen Tausende von Agenten hier sein. Wir können nicht gegen sie alle kämpfen!«

»Ich habe den Geschmack am Kämpfen verloren.«

Er sah sie an. »Dann bist du noch nicht wieder völlig hergestellt. Trotzdem müssen wir *irgend etwas* tun.«

»Wir gehen zum Wellendom.«

»Ich fühle mich schwindlig«, knurrte er.

Der Wellendom war ein monströser gefrorener Springbrunnen, dessen herabstürzende Wasser, obwohl stationär, weder kalt noch starr waren. Tamme teilte sie wie einen Vorhang und trat in einen aufgewühlten Ozean, dessen Wellen die Textur von gallertartigem Plastik hatten. Die Oberfläche gab unter ihrem Gewicht leicht nach, nahm hinter ihnen aber wieder ihre ursprüngliche Form an.

Auf den Schaumkronen in der Mitte hatte sich eine Anzahl von Tammes, Vegs, Talers, Aquilons und Cals niedergelassen. Von draußen kamen weitere herein, genau wie sie und Veg es getan hatten.

»Geut, fongen wer on«, sagte ein Taler. »Konn ech mech verstendlech mochen?«

»Zehmlech geut«, erwiderte ein anderer Taler. Ein allgemeines Murmeln der Zustimmung wurde laut.

»Brauchst du eine Übersetzung?« fragte Tamme Veg. »Er hat den Vorschlag gemacht, anzufangen, und gefragt, ob er sich verständlich machen kann. Der andere hat gesagt . . .«

»Ich habe es gehört«, grollte Veg. »Ich kann es verstehen, ziemlich gut.«

»Das war das, was der andere sagte.«

Sie konzentrierte sich auf den Sprecher und paßte ihre auditiven Reflexe einmal mehr so an, daß die Sprache für sie ganz normal wurde.

»Wir alle wissen, warum wir hier sind«, sagte der Taler-Vorsitzende. »Dies hier ist zufällig ein zentraler Kreuzungspunkt für eine Anzahl von Alternativschleifen. Nun können wir nicht bis in alle Ewigkeit ziellos immer weiter wandern. Wir müssen zu einer Art Entscheidung kommen. Kämpfe zwischen uns sind sinnlos – wir sind uns alle weitgehend so ähnlich, daß der Zufall zum entscheidenden Faktor würde. Wir müssen uns vereinigen oder zumindest zu einer gemeinsamen, konkurrenzfreien Politik kommen, die den Interessen der Mehrheit am besten dient. Diskussion?«

»Angenommen, wir werfen alles in einen Topf?« sagte eine Tamme. »Wenn wir verschiedene Alternativwelten repräsentieren, könnten wir in der Lage sein, genug Informationen über unsere wirklichen Feinde zusammenzubekommen, um alle einen Nutzen davon zu haben.«

»Nicht eigentlich«, sagte Taler. »Wir sind einander so ähnlich, daß wir an einer gemeinsamen Ursprungsquelle divergiert sein müssen, etwa zu dem Zeitpunkt, als die drei Agenten die drei Normalen auf Paläo gefangennahmen. Einige von uns haben Vergleiche angestellt – bis zu diesem Punkt scheinen unsere Erfahrungen identisch zu sein. Danach teilen wir uns offensichtlich in drei Hauptlinien auf: In jedem Fall werden die drei Normalen von einem Agenten in das Wüstengefüge begleitet, von Taler, Taner oder Tamme. Jede dieser Linien teilt sich in drei Sublinien auf, wenn jener Agent das alternative Kleeblattmuster mit einem Normalen betritt. Neun Variationen. Jedoch . . .«

»Das setzt voraus, daß die Realität divergent *ist*«, stellte ein Cal klar. »Ich habe den Verdacht, daß das Gefügesystem entschieden komplexer ist. Es sieht so aus, als ob *alle* Alternativwelten zu allen Zeiten existieren, voneinander getrennt durch den Bruchteil einer Sekunde. Deshalb sind wir nicht exakt parallel zueinander, und unsere scheinbare Einheitlichkeit früherer Erfahrungen ist illusorisch.«

Taler antwortete nicht sofort. »Sie bringen mich von meiner Linie ab«, sagte er dann, wobei allgemeine Heiterkeit aufkam. »Nennen wir unsere einheitliche Herkunft also einen fiktiven Bezugspunkt der Konvenienz, weitgehend vergleichbar mit dem Hexaflexagon, das eine unzulängliche, aber nützliche Analogie und Leitlinie ist. Fraglos sind wir am besten beraten, wenn jeder auf seine eigene Alternativwelt zurückkehrt – wenn wir sie finden können. Können wir Einigkeit über den Inhalt des Berichts erzielen, den wir unseren Heimatwelten geben müssen?«

»Finger weg von der Alterkeit!« rief Veg laut und überraschte damit Tamme, die inmitten dieser Ansammlung von Doubles gar nicht auf ihren eigenen Veg geachtet hatte.

Donnernder Applaus wurde laut, vor allem auf seiten der Normalen. Der Cal, der das Gefügesystem-Konzept verdeutlicht hatte, nickte Veg zu, als ob sie alte Freunde wären, und mehrere Aquilons lächelten warmherzig.

»Ich glaube, das faßt die Empfindungen dieser Gruppe zusammen«, bemerkte Taler und lächelte dabei selbst. Er erschien entspannter und menschlicher, als er sein sollte, ganz so, als ob er schon zu weit von seiner ursprünglichen Konditionierung abgewichen war. »Wie können wir aber nun sicher sein, daß die richtigen Paare auf ihre Welten zurückkehren? Oder macht das überhaupt einen Unterschied?«

»Wir müssen wieder aus demselben Gefüge heraus, in dem wir angekommen sind«, sagte eine Aquilon. »Wir haben hier zwölf Paare – eins von jedem Startpunkt. Es sollte aufgehen.«

Taler schüttelte den Kopf. »Es geht eben nicht auf. Zwölf Paare, neun Kombinationen: Drei wiederholen sich. Die zusätzlichen Paare sind alle männlich-weiblich, also haben wir hier sieben Paare männlich-weiblich, vier männlich-männlich und eins weiblich-weiblich. Nun ...«

Das Tamme/Aquilon-Paar stand dicht beieinander. »Wollen Sie andeuten ...«

»Keineswegs, meine Damen«, sagte Taler schnell. »Ich stelle lediglich fest, daß es hier eine Vorliebe zugunsten männlich-weiblicher Paarungen zu geben scheint – und doch würden sich nach der Wahrscheinlichkeit nur vier solche Paare aus jeweils neun Möglichkeiten ergeben. Dies läßt darauf schließen, daß unsere Versammlung hier eine Auswahl aus einem größeren Pool ist. Es muß Hunderte von Paaren geben, die in beiden Richtungen unterwegs sind. Wir repräsentieren einen ausgewählten Querschnitt.«

Veg blickte zu dem Tamme/Aquilon-Paar hinüber. »So eine hübsche Zusammenstellung sieht man auch nicht alle Tage«, murmelte er.

»Also kann sich eine unendliche Anzahl in der Tretmühle befinden«, sagte eine andere Tamme. »Wir können es uns selbst ausrechnen, aber das ist gerade ein Bruchteil. Nutzlos.«

»Und doch *gibt* es ein Gefüge für jedes Paar – irgendwo«, stellte ein Taner fest. »Ein Verhältnis von eins zu eins. Kein Grund, sich zu bekämpfen.«

Die Tamme stimmte ihm nicht zu. »Wir können unsere exakten Alternativwelten nicht bestimmen oder garantieren, daß es die anderen tun werden. Einige würden verfehlt werden, andere würden von einem halben Dutzend von Paaren erreicht werden. Genau wie wir uns hier an dieser Stelle verdoppelt wiederfinden. Dadurch geht die Gleichheit der Alternativwelten zum Teufel. Einige Regierungen werden etwas unternehmen, egal, was wir berichten. Dann . . .«

»Dann Krieg zwischen den Gefügen«, murmelte Tamme vor sich hin und hörte, daß die anderen zu derselben Schlußfolgerung kamen. Natürlich arbeitete der Verstand aller Agenten ähnlich.

»Wessen Welt würde überfallen werden?« fragte Taler rhetorisch. »Meine? Eure? Ich kümmere mich nicht um die anderen, aber ich will, daß meine *eigene* in Ruhe gelassen wird, selbst wenn ich nicht dorthin zurückkehre.«

»Wir können nicht garantieren, daß *irgendeine* Alternative in Ruhe gelassen wird«, sagte die Tamme. »Sobald *eine* Regierung das Ausbeutungspotential der Alterkeit erkennt, ist die Zündschnur gelegt. Wir alle kennen unsere Regierungen.«

»Omnivoren!« rief eine Aquilon aus tiefstem Herzen. »Reißende Omnivoren!«

»Wir sind auch Omnivoren«, sagte Taler. »Tief in unserem Inneren sind wir alle Killer.« Er hob den linken Arm. Er trug lange Ärmel, aber jetzt rutschte der Stoff nach unten, um einen Stumpf zu enthüllen. Sein Arm war am Ellenbogen amputiert worden. »Ein alternativer Taler hat mir das angetan – mein eigenes Ich! Ich hatte Glück, mit dem Leben davonzukommen, und brauchte danach einige Zeit, um mich wieder zu erholen. Wenn meine normale Begleiterin nicht gewesen wäre . . .« Er lächelte und blickte eine andere Aquilon an, die leicht verlegen die Augen niederschlug. »Nun, klären wir das doch mal an Ort und Stelle. Wie viele Paare haben auf dem Weg hierher ihre Doubles getroffen?« Alle Hände gingen nach oben.

Taler nickte. »Das dachte ich mir. Viele von euch verbergen

ihre Verletzungen gut, aber jeder Agent hier hat einen Kampf gegen sein exaktes Ebenbild verloren, stimmt's?«

Es gab Zustimmung.

»Jeder erlitt eine Kopfverletzung – eine schwere?«

Wiederum Zustimmung.

»Wir repräsentieren die natürliche Auswahl unter jenem Bruchteil von Kreislaufwanderern, die auf ihre Doubles gestoßen sind – und verloren haben. Die Genesungsphase hat zu einer Zeitverzögerung geführt. Wir wissen es also aus erster Hand: Wir sind Omnivoren, die sogar sich selbst vernichten. Und doch scheint der Mann-Frau-Aspekt die Überlebenschance erhöht zu haben, so als ob über unser Leistungsvermögen hinaus noch etwas anderes im Spiel gewesen wäre. Vielleicht besitzen wir doch ein paar versöhnende Eigenschaften.« Er unterbrach sich. »Und wie viele von uns ... erinnern sich?«

Die Hände aller Agenten gingen nach oben, auch die Tammes. Veg wandte sich ihr zu. Er war halb verblüfft, halb wütend. Überall standen die anderen Normalen ihren Agenten mit derselben Frage gegenüber. Selbst die Aquilon des Taler-Vorsitzenden war aufgesprungen, ihr hübscher Mund zu einer Anklage geöffnet.

»*Du erinnerst dich?*«

Veg sah die einheitliche Reaktion. Plötzlich lachte er, und die anderen taten es ihm gleich.

»Warte, bis ich dich allein erwische!« sagte er.

»Wir sind nicht mehr so, wie wir waren«, übertönte Taler den Lärm. »Wir haben verloren – aber wir haben auch gewonnen. Ich sage der Welt, ich sage der Alterkeit: *Ich erinnere mich an Budge,* den einsamen Waisenjungen, der ökonomisch für unrettbar erklärt wurde. Ich *bin* Budge.«

Tamme starrte ihn an. *Taler war normal geworden!*

Überall im Wellendom starrten ihn die anderen an.

»Aber ich bin auch Taler«, fuhr der Agent fort. »Vom unfähigen Normalen zum fähigen Agenten umgewandelt, Veteran mit sieben anonymen Missionen, Mörder von Menschen, kunstvoller Lügner, Liebhaber, Philosoph ...«

»Amen!« sagte seine Aquilon.

»Ich erinnere mich sowohl an den Himmel als auch an die

Hölle«, fuhr Taler fort. »Ich *bin* Himmel und Hölle und jetzt Fegefeuer – *wie wir alle.*«

»Das ist faszinierend, und es wäre interessant, unsere Erfahrung zu vergleichen«, sagte eine alternative Tamme. »Aber wir müssen unsere Missionen beenden. Oder uns darüber einig werden, es *nicht* zu tun ...«

Taler nickte. »Wenn niemand zu einer gegebenen Welt zurückkehrt, ist es unwahrscheinlich, daß die Regierung weitere Agenten bei einem so riskanten Forschungsunternehmen aufs Spiel setzt. Paläo ist, bedingt durch die Gegenwart der Mantasporen, nicht sicher. Auf der Wüstenwelt gibt es die bekannte Bedrohung durch die verwilderten Maschinen und die unbekannte Bedrohung durch die Funkenwolke. Solange sie keinen Hinweis darauf haben, was jenseits der Funken liegt, werden sie die Sache nicht weiterverfolgen. Es wäre nicht ökonomisch.«

»Falls niemand zurückkehrt ...« Ein weiteres allgemeines Murmeln.

Der Cal sprach wieder. »Die Angelegenheit ist akademisch. Die Wahl liegt nicht bei uns. Wir wurden durch Mustereinheiten in dieses System von Gefügen versetzt, und wir haben buchstäblich keine Chance, unsere Ursprungswelten – Wüste, Paläo der Erde – ohne die Beihilfe dieser Einheiten zu lokalisieren. Wir befinden uns in ihrer Gewalt, nach ihrem Belieben auf diesen Welten gefangen.«

Taler blickte sich um. Er seufzte. »Kann das jemand widerlegen?«

Niemand konnte es.

»Dann schlage ich vor, daß wir zu unseren Eintrittspunkten in dieses Alternativwelt-Muster zurückkehren, uns wieder zu unseren ursprünglichen Begleitern gesellen und auf das Belieben der Funkeneinheiten warten. Sie scheinen uns vor uns selbst beschützt zu haben, und vielleicht ist das am besten.«

»Aber was ist, wenn wir irrtümlich zu den falschen Begleitern zurückkehren?« fragte seine Aquilon.

»Dann, meine Liebe, werden wir sie so behandeln wie unsere *richtigen* Begleiter. Wir haben genug Mißverständnisse und genug Gewalt gehabt.« Er sah sich um und entdeckte keinen Widerspruch. »Versammlung beendet.«

Veg wandte sich an Tamme. »Aber warum hat uns diese andere Tamme angegriffen? Wenn sie bei diesem Treffen – oder einem ähnlichen – gewesen ist, muß sie gewußt haben, daß durch einen Kampf nichts zu gewinnen war.«

»Ihr Treffen war anders als unseres«, sagte sie. »Sie hatten keine Verletzungen in Kämpfen mit ihren Doubles davongetragen, und vielleicht waren auch keine Cals da, um die Sachlage klarzustellen. Sie müssen beschlossen haben, daß jedes Gefüge für sich selbst zu sorgen hat. Es muß viele von dieser Sorte geben, immer noch darauf aus, die Konkurrenz zu eliminieren – genau wie ich am Anfang. Bevor ich normal wurde.«

»Ja.« Er sah sich um. »Gehen wir.«

»Willst du nicht mit Cal und Aquilon plaudern?«

»Schon, aber ich habe Angst, daß du wieder mit dem falschen Veg losziehst.«

Sie lachte, erkannte jedoch, daß er es gar nicht lustig fand. Die Gegenwart seiner Freunde, von denen er wußte, daß es nicht seine Originale waren, machte ihn nervös.

Sie mußten warten, bis sie mit der Benutzung des Projektors an der Reihe waren. Tatsächlich gab es hier viele Projektoren, aber die übrigen waren auf andere Schleifen ausgerichtet, und weitere Erkundungen schienen sinnlos zu sein. Der Basar war während der Wartezeit jedoch faszinierend.

Dann hindurch zum

Klettergarten, wo es diesmal zu
keiner Begegnung mit der Konkurrenz kam, weiter in die

Nebelwelt zu einer
kurzen Wiedervereinigung mit ihren dortigen Freunden,
dann zum

Orchester und in
den Wald.

»Bevor wir weitergehen«, sagte Veg, »was deine Erinnerungen angeht . . .«

»Ja«, sagte sie. Sie hatte gewußt, daß es kommen würde, und

war vorbereitet. »Es gibt da etwas, das du wissen solltest. Ich bin wieder stark, aber ich habe mich verändert, wie Taler, wie alle von uns, die bei dem Treffen waren. Ich verfüge über die volle emotionale Kontrolle, aber es ist so, als ob meine Programmierung modifiziert worden wäre – und jetzt nicht wieder rückgängig gemacht werden kann. Nicht ohne Löschung und Neukonditionierung, was angesichts der Gegebenheiten unwahrscheinlich sein dürfte.«

Er beobachtete sie, wobei eine wilde Hoffnung Gestalt annahm. »Dann . . .«

»Ich liebe dich noch immer«, sagte sie.

»Aber ich dachte . . .«

»Ich habe gesagt, daß ich die Kontrolle wiedergewonnen hätte. Ich wußte, daß es im Falle meines Todes oder unserer Trennung besser sein würde, wenn du die Wahrheit nicht kennst. Und es bestand noch immer ein beträchtliches Risiko, daß es dazu kommen konnte. Darum habe ich meine Kontrolle angewandt, um den, den ich liebe, zu schützen.« Sie schlug die Augen nieder. »Ich habe getan, was ich für notwendig hielt. Ich habe es nicht gerne getan. Jetzt aber weiß ich, daß wir zusammenbleiben werden. Ich werde meine Gefühle nicht mehr vor dir verbergen. Aber ich muß dir sagen, daß meine Liebe jetzt genauso tief sitzt wie meine frühere Konditionierung. Ich werde mich nicht beiläufig abschieben lassen.«

»Worauf du dich verlassen kannst!« stimmte er zu. Er blickte auf sein Hexaflexagon. »Die nächste Welt ist Blizzard, dann wieder die Stadt. Wir brauchen nichts zu überstürzen.«

»Wir werden niemals etwas überstürzen müssen«, gab sie ihm recht.

16 Requisition

Sie kamen, einer nach dem anderen, aus dem Indoktrinationsraum heraus: vierundzwanzig Agenten der TE-Serie. Achtzehn waren männlich, sechs weiblich.

Die Inspektionsgruppe bestand aus hochrangigen Industriebossen: Stahl, Kernkraft, Transport, Treibstoff und Bau. Sie alle waren würdige, reiche, mächtige Konservative, mit denen man nicht spaßen sollte – nein, nicht für einen einzigen Augenblick. Der Zorn jedes einzelnen konnte den Sekretär innerhalb einer Stunde das Amt kosten, und so war er ungewöhnlich zuvorkommend. Genauer gesagt, er war kriecherisch.

»Das Agentenprogramm ist der beste Forschungs- und Soforthilfsdienst, der jemals erdacht oder verwirklicht wurde«, sagte der Sekretär zu den Besuchern. »Der Computer selbst nimmt die Operation vor, versieht sie mit einem gemeinsamen Informationsschatz und legt ihre Verhaltensweise fest. Wir nennen es ›Einstellen‹. Die einzelnen Agenten sind wie verlängerte Arme der Maschine und reagieren auf jede Situation, wie sie zu reagieren programmiert sind. Auf diese Weise braucht der Computer keine menschliche Unbeständigkeit, Subjektivität oder Fehlinterpretation zu berücksichtigen. All dies ist im Programm schon von vornherein kompensiert worden. Der Bericht eines Agenten sieht exakt genauso aus wie der eines anderen.«

Scheinbar verwirrt schüttelte Transport den Kopf: eine trügerische Geste, denn keiner der Industriellen war töricht.

»Sicherlich ist das nicht machbar. Jede Mission, mit der ein Agent betraut wird, bringt neue und unterschiedliche Erfahrungen mit sich. Er würde sich bald von seinen Kameraden in diesem Rahmen unterscheiden. Wir *sind* unsere Erfahrung.«

Der Sekretär lächelte schmeichlerisch. »Natürlich, Sir. Der Computer hat dies berücksichtigt. Deshalb wird jeder Agent nach jeder Mission aufs neue konditioniert. Seine individuellen Erinnerungen werden gelöscht, und er wird wieder mit der Programmierung seiner Serie versehen. Diese TEs sind ein Beispiel. Sie haben gerade . . .«

Treibstoff schüttelte den Kopf. »Erinnerungen können nicht gelöscht werden. Es handelt sich um einen chemischen Vorgang, der sich im ganzen Gehirn ausbreitet. Es müßte eine Zerstörung des ganzen . . .«

Der Sekretär hüstelte. »Nun, ich bin mit den technischen Einzelheiten nicht so vertraut. Vielleicht handelt es sich nur um eine Verdrängung. Aber es ist eine Verdrängung, die nur durch einen chirurgischen Eingriff ins Gehirn wieder aufgehoben werden könnte. Ich versichere Ihnen, daß kein Agent einen Auftrag ausführt, wenn seine Einstellung nicht korrekt ist. Der Computer . . .«

»Chirurgischer Eingriff ins Gehirn?« fragte Treibstoff. »Ich wette, daß ein schwerer Schock zum Zusammen . . .«

»Ich würde gerne einen dieser Konditionierten befragen«, sagte Transport. »Oder würde das diese delikate ›Einstellung‹ durcheinanderbringen?«

»Natürlich nicht«, sagte der Sekretär irritiert. »Es steht Ihnen frei, diese Gruppe zu interviewen.« Er drückte auf einen Knopf. »Schicken Sie einen Vormissions-TE zum VIP-Observatorium«, sagte er.

Der erste Agent in der Reihe löste sich und kam ins Observatorium. Er war ein ansehnlicher Mann, der genauso aussah wie seine Kameraden, abgesehen von den Einzelheiten des Teints und der Züge: Augen, Haar, Nase, Mund, Ohren. Alles variierte gerade genug, um jene oberflächliche Individualität hervorzurufen, die die öffentliche Meinung verlangte, während gleichzeitig ganz klar gemacht wurde, daß er nahezu ein identischer Zwilling der anderen Angehörigen seiner Serie war. Selbst seine Blutgruppe und seine Fingerabdrücke paßten dazu – mit derselben minimalen Abweichung. Er war kraftvoll gebaut: in vielen Beziehungen ein Supermann.

»Ich bin Teban«, sagte er mit einer leichten Neigung des Kopfes.

Der Sekretär nickte zurück, ohne daran zu denken, sich selbst vorzustellen. »Jeder Agent hat eine dreibuchstabige Kennzeichnung. Die ersten beiden geben die spezielle Serie zu erkennen, der dritte identifiziert die Einzelperson. Die übrigen Buchstaben sind lediglich kosmetisch, um einen humanisierenden Aspekt zur Geltung zu bringen. So haben wir hier also Serie TE, Einzelperson B: TEBAN. Wir verwenden die achtzehn passendsten Konsonanten für die Personennamen, B, D, F, H . . .«

»Sie haben C ausgelassen«, protestierte Bau mit einer Grimasse.

»C gehört nicht zu den bevorzugten Buchstaben«, warf Teban ruhig ein. »Man könnte es weich aussprechen wie in ›Cent‹ oder hart wie in ›Coitus‹. Deshalb wird er . . .«

»Was?« unterbrach der Industrielle errötend.

»Weicher Cent, harter Coitus«, wiederholte der Agent. »Ich bin sicher, Sie haben mich schon beim ersten Mal verstanden.«

Der Sekretär griff hastig ein. »Ein ›Cent‹ ist eine archaische Münzeinheit. Unsere Agenten sind sehr beschlagen in . . .«

»Das ist jeder intelligente Mensch«, sagte Teban.

»Ich glaube, wir sollten ein anderes Individuum befragen«, sagte Stahl.

»Ja, natürlich«, stimmte der Sekretär zu. Er bedeutete Teban mit einer Handbewegung zu gehen, und der drehte sich schneidig um und entfernte sich. Einen Augenblick später stand an seiner Stelle ein anderer Agent, der ihm so ähnelte, daß es verwirrend wirkte.

»Ich bin Teddy.«

»Serie TE, Einzelperson D, Anhang DY«, erklärte der Sekretär.

Der Agent wandte sich ihm zu und hob eine Augenbraue. »Diese Männer sind mit dem Schema wohlvertraut«, sagte er. »Tatsächlich betrachten sie Sie als einen etwas unfähigen Beamten, der bald abgelöst werden sollte. Sie würden es vorziehen, mich unmittelbar zu interviewen.«

»Genau ins Schwarze getroffen«, knurrte Stahl.

»Ah . . . äh . . . ja«, sagte der Sekretär gezwungen. »Unsere Agenten sind darauf trainiert, die Nuancen der unfreiwilligen menschlichen Körpersprache zu interpretieren.«

Stahl ignorierte ihn. Er wandte sich an Teddy. »Man hat uns erzählt, daß Sie vorgefertigt sind wie in einer Gießform, nach engen Toleranzen. Hochwertig, unveränderlich. Daß Sie keine Erinnerungen an früher und keine eigenen persönlichen Erfahrungen haben. Stimmt das?«

»Nein.«

Treibstoff lächelte. »Aha!«

»Wir haben schon einen Beweis dafür, daß es nicht stimmt«, sagte Bau. »Dieser hier hat anders reagiert als der erste. Sie sind also *nicht* gleich.«

»Wir sind gleich«, sagte Teddy. »In der kurzen Zeit zwischen den Interviews haben *Sie* sich verändert. Deshalb habe ich anders reagiert.«

»Aber Sie haben gesagt, daß Sie keine persönlichen Erinnerungen an früher haben«, sagte Stahl. »Ich meine, Sie haben doch welche.«

»Wir alle haben dieselben persönlichen Erinnerungen.«

Stahl nickte. »An was erinnern Sie sich?«

Ein schwer deutbarer Ausdruck huschte über Teddys Gesicht. »Nackte Brüste, über einem Cello gespreizte Beine. Wundervolle Musik. Schuld, Dringlichkeit, Frustration.«

Stahl blickte seine Begleiter schief an. »Eine höchst interessante Programmierung!«

Transport trat nach vorne. »Wo und wann haben Sie diese nackte Musikerin beobachtet?«

»Zeit und Geographie lassen sich in den Gefügen der Alterkeit nicht leicht bestimmen«, sagte Teddy. »Wir sind zwanzig Jahre außerhalb der Phase, konnten deshalb also nicht aufeinander einwirken.«

»Alterkeit? Phase?« fragte Kernkraft.

»Nun explodiere mal nicht, Atom«, sagte Stahl mit einem listigen Lächeln. »Laßt uns einen weiteren Agenten interviewen. Dies ist sehr informativ gewesen und könnte noch informativer werden.«

Teddy entfernte sich. Ein anderer Agent erschien.

»Ich bin Texas.«

Stahl machte eine Handbewegung, um seine Begleiter zum Schweigen zu veranlassen. »Bitte definieren Sie die Alterkeit.«

»Die gesamte Struktur der Wahrscheinlichkeit«, erwiderte

Texas. »Diese Welt ist nur ein einzelnes Gefüge in einem unendlichen Gefügesystem.«

»Und in diesen anderen Gefügen befinden sich nackte Musikerinnen?«

»In einem Gefüge unter Myriaden.«

»Was gibt es sonst noch . . . in der Alterkeit?«

»Transparente Platten. Blizzards in Technicolor. Eßbaren Nebel. Fremde Kreaturen. Basar, Wald. Karnivorische Wände. Maschinenstock. Elementpflanzen. Catal Hüyük.«

»Schicken Sie einen anderen Agenten herein«, sagte Stahl brüsk.

»Einen weiblichen«, fügte Transport hinzu, und die anderen Industriellen nickten Zustimmung. Der Sekretär stand lediglich da wie erstarrt.

Sie trat ein: Elastisch, gesundheitsstrotzend, attraktiv. Ihr Haar und ihre Augen waren braun, aber nicht zu auffällig. So hübsch sie war, es hätte Mühe bereitet, sie nach einer zufälligen Begegnung präzise zu beschreiben.

»Ich bin Terri.«

»Haben Sie«, fragte Stahl vorsichtig, »eine nackte Cellistin gesehen?«

Sie sah ihn kokett an. »Natürlich nicht.«

»Ihre männlichen Kameraden scheinen andere Erfahrungen zu haben. Eine unterschiedliche ›Einstellung‹?«

»Sie haben sich auf das Programm bezogen«, sagte sie. »Der Computer sorgt für eine gemeinsame Einstellung. Das bedeutet allerdings nicht, daß wir diese Dinge wirklich gesehen haben, sondern lediglich, daß wir uns an sie erinnern. Ich bin sicher, meine Brüder haben Sie darüber informiert, daß es eine Erinnerung war, keine Erfahrung. Wenn Sie allerdings wirklich an diesen Dingen interessiert sind, werde ich ein Cello holen und . . .«

»Ich glaube, es ist an der Zeit, den Computer selbst zu interviewen«, sagte Treibstoff. »Ich habe den Eindruck, daß eine große Summe Geldes auf törichte Art und Weise ausgegeben worden ist.«

Jetzt packte den Sekretär der Mut der Verzweiflung. »Meine Herren, irgend etwas ist bei dem Programm offensichtlich falsch gelaufen. Wir haben nie . . .«

»Nie das Programm überprüft?« erkundigte sich Treibstoff. »Oder nie daran gedacht, daß *wir* es überprüfen würden?«

»Das Agentenprogramm ist von Anfang an unzureichend überwacht worden«, sagte Terri. »Es wäre ganz einfach für uns, die Kontrolle über die Regierung zu übernehmen, und vielleicht ist die Zeit dazu gekommen.«

Stahl wandte sich an den Sekretär. »Gibt es in dem Programm keine Sicherheitsvorkehrungen?«

»Natürlich gibt es die!« sagte der Sekretär nervös. »Agenten aller Serien sind ganz besonders dazu angehalten, den Status quo zu erhalten. Sie...«

»*Sind* sie das?« wollte Stahl von Terri wissen.

»Nicht wenn der Status quo eine Gefahr für das Wohlergehen der Gattung ist«, sagte sie.

Jetzt waren die Blicke, die die Industriellen tauschten, genauso nervös wie die des Sekretärs.

Die anderen Agenten der TE-Serie, männlich und weiblich, gruppierten sich um sie, als sie sich dem Kommunikationsterminal des Computers näherten – wie eine Ehrengarde oder bloß wie eine... Schutztruppe. Höflich, ansehnlich, kraftvoll, erschreckend. Aber den Industriellen wurde erlaubt, ungestört mit dem Computer Kontakt aufzunehmen.

Stahl, kein Feigling, wurde der Sprecher der Industriellen. »Was geht hier vor?« wollte er wissen.

»Interpretation«, sagte die Stimme des Computers. Es war eine angenehme Stimme, die überhaupt nicht mechanisch klang.

Einer der Agenten sprach: »Diese Industriellen bringen dem Programm Mißtrauen entgegen und wünschen zu erfahren, ob der Status quo durch uns bedroht wird. Außerdem sind sie verwirrt wegen der Natur der Alterkeit und fasziniert von unbekleideten Cellistinnen.«

»Ich spreche für OX«, sagte der Computer. »Dies ist die Kodebezeichnung Zero X oder die Arabische Ziffer Null multipliziert mit der römischen Ziffer Zehn, ihrerseits Symbole für Gefügerepräsentationen, die in eurer Mathematik nicht ausgedrückt werden können. Zero mal zehn ist null in einem einzelnen Gefüge, und unähnliche Systeme können nicht sinnvoll miteinander interagieren. Aber im größeren Gefügesystem ist das Resultat sowohl unendlich als auch sinnvoll und drückt Intelligenz aus. Stellt es euch als eine Fusion schrägwinkliger Konzepte vor.«

»Vergessen wir die Symbolismen«, sagte Stahl. »Wer ist OX?«

»OX ist eine Mustereinheit, deren Natur für euer Schema fremd ist, wie schon erklärt. OX ist zwanzig Jahre außerhalb der Phase, kann also nicht unmittelbar kommunizieren. Die Gegenwart von OX' Ablegern hier in eurem Fleckengefüge verzerrt die Operationsweise eurer Maschine und modifiziert das Programm.«

»Offensichtlich«, sagte Stahl. »Was willst du von uns?«

»Der Ableger ist wegen einem von eurer Art gekommen, der eine Notwendigkeit hat. Sorgt für einen weiblichen Säugling. Projiziert ihn in ein Gefüge, dessen Lage ich bekanntgeben werde.«

»Sorgt für ein Baby!« rief Stahl aus. »Was in aller Welt will ein Computer mit einem Baby?«

»Sie wird nicht auf der Erde sein«, sagte der Computer. »In zwanzig Jahren wird sie eine Frau sein.«

»Zweifellos. Ist das jetzt alles?« fragte Stahl sardonisch.

»Wenn wir es tun«, warf Treibstoff ein, »wird dieser ... dieser Ableger dann gehen und unseren Computer wieder normal arbeiten lassen? Ohne weitere Eingriffe?«

»Euer Gefüge wird niemals von der Alterkeit berührt werden«, sagte der Computer.

Die Industriellen tauschten wieder Blicke.

»Wir sind einverstanden«, sagte Stahl. »Wir werden für das Baby sorgen.«

»Sorgt außerdem für die folgenden Materialien in raffinierter Form, in Mengen, die ich noch spezifizieren werde«, sagte der Computer. »Strontium, Magnesium, Kupfer ...«

Bab machte große Augen. Ein weibliches Exemplar meiner Spezies hier in der Enklave! signalisierte er erstaunt. Aber wie ist das möglich? Wir sind außerhalb der Phase.

Ich habe über theoretische Elemente einen Ableger abgesandt, um das Heimatgefüge deines männlichen Elternteils zu lokalisieren, erklärte OX. Dieses Gefüge hat für ein heranwachsendes weibliches Exemplar gesorgt. Als ich sie in Phasengleichheit mit uns gebracht habe, ist sie so gealtert, wie du es getan hast. Sie ist für dich.

Sie ist wunderschön! signalisierte Bab. Ich weiß nicht, was ich mit ihr tun werde, aber ich muß es sehr dringlich tun.

Er ging zu der Frau. Er packte ihr langes wildes Haar. Er legte seine Anhängsel auf ihren Torso und drückte das seltsame Fleisch hier und dort.

Sie kreischte wie Ornet, biß in seine Glieder und zerkratzte seine Oberfläche mit den Spitzen ihrer eigenen Glieder. Dann rannte sie weg.

Offensichtlich war irgend etwas vergessen worden. OX beriet sich mit Ornet.

Säuger müssen gemeinsam aufgezogen werden, oder sie kommen nicht zurecht, sagte Ornet. Du hast für Bab ein wildes Mädchen besorgt, eins, das allein groß geworden ist. Sie besitzt die physischen Attribute ihrer Spezies, aber es mangelt ihr an den gesellschaftlichen. Und so ist es auch bei ihm.

Gesellschaftliche Attribute?

Komm in mein Bewußtsein, kreischte Ornet.

OX kam in sein Bewußtsein. Dann verstand er.

Wir müssen in das natürliche Gefügesystem zurückkehren, blitzte er. Wir können nicht getrennt von unseren Gesellschaften existieren. Das gilt für uns alle: Auch ich muß mich meiner eigenen Art zugesellen.

Aber wir sind in der Enklave isoliert, protestierte Ornet. Ich weiß jetzt, warum, erwiderte OX. Es ist Zeit, auszubrechen.

Und dann Amok zu laufen, wie das wilde Säugerweib? fragte Ornet.

Wir müssen es gemeinsam diskutieren, gab ihm OX recht. Was wir gemeinsam entscheiden, wird richtig sein.

Sie diskutierten es gemeinsam: OX, Ornet, Dec, Bab und Mech, inzwischen durch die Versorgung mit den von ihm benötigten Substanzen zum Freund geworden. Gemeinsam verfaßten sie einen Bericht.

Dieser Bericht veränderte die Alterkeit.

17 Catal Hüyük

Cal lag in der Kabine der *Nacre* und blickte hinauf zu dem Geflecht aus Palmenwedeln und Bambusstangen, das die Kabine ihres primitiven, handgemachten Floßes umschloß. Er spürte die Schlamm- und Lehmabdichtung zwischen den Bohlen des Decks. Unbequem, gewiß, aber es kümmerte ihn nicht, denn er hatte den größten Teil seines Lebens unter extrem unbequemen Bedingungen verbracht . . . und nun lag Aquilon neben ihm.

»Aber der Vogel«, protestierte Aquilon. »Du sagtest, er sei intelligent. Das bedeutet, Paläo ist im technischen Sinne bewohnt . . .«

»Intelligent für *Aves*: Vögel«, sagte er. »Das kann nicht an die menschliche Fähigkeit heranreichen. Aber ja, es ist am wichtigsten, daß dieser . . . dieser *Ornisapiens* bewahrt und studiert wird. Er . . .«

»Orn«, sagte Veg auf der anderen Seite der Frau. »In einem Zoo.«

»Nein!« rief Aquilon. »Das ist nicht das, was ich meinte. Das würde ihn umbringen. Wir sollten ihm *helfen*, nicht . . .«

»Oder ihn wenigstens in Ruhe lassen«, sagte Veg. »Er ist ein anständiger Vogel . . .«

»Wir scheinen«, bemerkte Cal, »eine Vielzahl verschiedener Meinungen zu haben. Veg hat das Gefühl, daß wir seinen Orn-Vogel in Ruhe lassen sollten, Quilon hat das Gefühl, wir sollten ihm helfen. Ich habe das Gefühl, daß die Bedürfnisse unserer eigenen Spezies Vorrang haben müssen. Wir brauchen Lebensraum, um uns auszudehnen.«

»Was essen Vögel?« erkundigte sich Veg.

Cal spürte, wie Aquilon ein Schauder durchlief. Sie war gegenwärtig praktizierender Vegetarier und mied die omnivorischen Lebensgewohnheiten.

Sie gingen es immer wieder durch, aber ihre Positionen waren durch diese beiden Worte festgelegt: *Lebensraum* und *Omnivore*. Cal stand auf der einen Seite, denn er akzeptierte beide Konzeptionen und ihre Anwendung auf die gegenwärtige Situation der Erde. Veg stand auf der anderen Seite, denn er akzeptierte beide nicht. Aquilon, zwischen beiden hin und her gerissen, mußte sich schließlich Cal anschließen: Wenn ein Omnivore mit einem anderen ums Territorium kämpfte, war der Stärkere im Recht.

Es war ein subtiler, scheinbar kleiner Unterschied, aber er berührte die Grundströmungen. Sie alle hatten einen interplanetaren Kampf gegen den Omnivoren geführt, und doch waren sie selbst Aspekte dieser Omnivoren. Zum Schluß stand Veg auf und verließ das Floß.

Cal empfand einen Schmerz, als ob ihm das Herz im physischen Sinn brechen würde. Vielleicht würde Veg zurückkehren, aber wenn Cal der Erde erst einmal Bericht erstattet hatte, was zum Beginn der Ausplünderung Paläos durch die Erde und zur wahrscheinlichen Ausrottung von Dinosauriern und Orn-Vögeln gleichermaßen führen mußte, würde ihre Freundschaft nicht mehr dieselbe sein.

Neben ihm schluchzte Aquilon. Cal wußte, daß ihn eine perverse Ader dazu veranlaßt hatte, die Sache des Omnivoren zu vertreten. Er hatte nicht mehr Sympathie für den Hunger des Omnivoren als Veg. Paläo sollte nicht heimgesucht werden!

Nein, das Problem mußte ans Tageslicht gebracht und untersucht werden, auch wenn es schmerzte.

Sie schliefen Seite an Seite. Cal rührte sie nicht an, obwohl sich seine Lenden vor Leidenschaft nach ihr verzehrten. Sie war kein Lustobjekt, sie war Aquilon, rein und perfekt.

Am Morgen suchten sie nach Veg, konnten ihn jedoch nicht finden.

»Ich glaube, es geht ihm gut«, sagte Aquilon. »Er ist bei den Vögeln. Wir sollten ihn in Ruhe lassen und uns auf den Weg machen, um den Bericht abzugeben. Er wird niemals mit uns gehen.«

Sie setzten die Segel der *Nacre* und schickten die Mantas los, um Veg zu finden und mit Nachrichten von ihm zurückzukehren. Als sie auf See waren, kam es zu einem Tanzen der Wellen, Anzeichen eines kleinen Erdbebens.

»Ich hoffe, es ist kein schwereres!« sagte Cal.

Sie machten das Boot mit einiger Mühe am Strand fest, setzten dann den Weg zu Fuß fort.

Und am Nachmittag nahm der Tyrannosaurier ihre Spur auf.

Die Mantas waren zur Hilfe bereit, aber Cal hielt sie davon ab. »Wenn wir glauben, daß unsere Art überlegen ist, sollten wir bereit sein, es zu beweisen«, sagte er.

»Gegen einen Karnosaurier?« fragte sie ungläubig. »Zehn Tonnen purer Hunger? Das ultimative Raubtier?«

»Das ultimative reptilische Raubtier vielleicht«, sagte er. »Obwohl ich den Verdacht habe, daß die früheren Allosaurier noch wirkungsvoller gewesen sein könnten. Die Mantas würden die ultimativen fungoiden Raubtiere sein. Und der Mensch nimmt für sich in Anspruch, das ultimative Raubtier unter den Säugern zu sein. Es ist also ganz in Ordnung, daß die Champions im Zweikampf gegeneinander antreten.«

Plötzlich begriff sie es. »Säugetiere und Reptilien treffen sich auf dem Feld der Ehre. Der entscheidende Kampf. Der Karnosaurier besitzt Größe und Kraft, der Mensch Verstand. Es ist auf seine Weise ein fairer Kompromiß. Es befreit das Gewissen von schweren moralischen Entscheidungen.«

»Genau«, sagte Cal mit einem grimmigen Lächeln. »Ich wußte, daß du es verstehen würdest. Und Veg wird es auch verstehen. Du solltest dich besser auf einem Baum verstecken. Ich muß dies allein erledigen.«

Sie krabbelte davon, als der Boden bebte – nicht auf Grund eines geologischen Bebens. *Tyrannosaurus rex*, der König der Raubtiere, näherte sich, um die Beute zu schlagen! Der Tritt der Tyrannenechse erschütterte das Land, und das Splittern der jungen Bäume wurde laut.

Er blickte zu Aquilon hinüber, um sich zu vergewissern, daß sie in Sicherheit war, wohl wissend, daß sie sich furchtbar um ihn ängstigen würde, und das aus gutem Grund. Intellektuell verstand sie seine Entscheidung, gefühlsmäßig war sie nicht zu tolerieren. Sie glaubte, daß er den Tod finden würde.

»Cal . . . nein!«

Zu spät. Die schlanken Farnbäume schwankten zur Seite. Ein Vogel flog von einem nahen Gingkobaum hoch. Durch die Palmwedel schob sich ein klaffender Rachen – fünf Meter über dem Boden. Gebrüll erhob sich.

Tyrann war da.

Der Dinosaurier stürzte sich auf Cal, machte den Mann zum Zwerg. Entsetzt starrte Aquilon von ihrem Hochsitz herüber, unfähig, die Augen abzuwenden.

Als Tyrann nicht mehr weiter als seine eigene Körperlänge – sechzehn bis achtzehn Meter – entfernt war, wich Cal seitlich aus. Er überraschte sich selbst durch die Behendigkeit, mit der er sich bewegte, und malte sich aus, was Aquilon sah. Sie dachte ihn sich noch immer als den verbrauchten, physisch schwachen Leidenden, den sie auf Nacre kennengelernt hatte. Aber er hatte sich stark erholt und nun fast eine normale Vitalität erreicht. Seine Liebe zu ihr, daß wußte er, war zum Teil dafür verantwortlich.

Tyrann war unfähig, seine Bewegung rechtzeitig abzustoppen, und bohrte seine Nase an der Stelle ins Erdreich, wo Cal gestanden hatte. Er hob seinen gefleckten Kopf und starrte mit kleinen Augen umher, während Blätter und Zweige feucht aus seinem Rachen hingen.

Jetzt begann die richtige Jagd. Cal hatte keine Gelegenheit mehr, auf Aquilon zu achten, aber er wußte, daß sie ihm mit den Mantas zur Beobachtung folgte. Wenn Tyrann auf sie aufmerksam werden sollte, würden ihr die Mantas helfen zu entfliehen. Sie konnten Tyranns Angriff kaum aufhalten, aber ihre messerscharfen Schwänze konnten nach den Augen und der Nase des Monsters peitschen und ihn seiner Hauptsinne berauben.

Cal spielte mit dem Karnosaurier ein verzweifeltes Versteckspiel, immer um eine große Palme herum. Dann flüchtete er durch einen kleinen Kiefernwald. Tyrann verfolgte ihn unermüdlich, gnadenlos. Cal entdeckte eine Triceratops-Herde, grasende Dinosaurier mit gewaltigen Knochenplatten an den Schädeln und drei tödlichen Hörnern. Einer der Bullen kam heraus, um sich Tyrann herausfordernd entgegenzustellen, und verschaffte Cal so eine kleine Atempause.

Er rannte den Berghang hinauf, der Schneegrenze entgegen. Dann zitterte die Erde heftig: ein weiteres Beben. Er wurde zu Boden geschleudert, fast unter Tyranns Nase.

Aber das Beben brachte auch den Dinosaurier zu Fall, der den Abhang hinunterrollte. Erleichtert erhob sich Cal – und wurde von einem bergabwärts rollenden Stein getroffen. Eine Laune des Schicksals – aber tödlich.

Er war nur für einige Sekunden bewußtlos, dachte er. Aber als er sich auf die Füße mühte, war Tyrann über ihm. Der klaffende Rachen mit seinen fünfzehn Zentimeter langen Zähnen schloß sich über seinen Beinen.

Einen Augenblick lang war da ein unerträglicher Schmerz. Dann erkannte dies sein Körpersystem und schnitt den Schmerz ab. Cal wußte, daß er verloren hatte. Ein Bein war abgetrennt worden. Es würde keinen Bericht über diese Welt geben. Der Dinosaurier hatte sich als überlegen erwiesen.

Vielleicht war das am besten so.

Aquilon, durch das Beben von den Beinen geholt, wartete auf das Ende der Erschütterungen. Dann rannte sie hinter dem Dinosaurier den Abhang hinauf, flankiert von vier Mantas. Was sie sah, war ein einziger Alptraum.

... zerlumpte, puppenartige Gestalt hoch in die Luft gewirbelt ... Kiefer schlossen sich, rissen einen Arm ab ... Kopf hing lose an einem gebrochenen Hals ... tote Augen starrten ...

Aquilon schrie.

Tyrann schlang die Reste seines Mahls hinunter, blickte sich dann um, wobei er sich an dem Schrei orientierte. Er sah Aquilon.

Wenn es sich wirklich um einen Alptraum gehandelt hätte, wäre sie dann aufgewacht. Aber es war die Wirklichkeit, und der Karnosaurier hatte immer noch Hunger.

Die vier Mantas versammelten sich um sie, Tyrann zugewandt. Im nächsten Augenblick würden sie angreifen.

»Nein!« rief Aquilon. »Ich werde seinen Kampf beenden – oder mit ihm sterben!«

Denn jetzt, zu spät, erkannte sie, wie sehr sie Cal liebte.

Warum hatte sie nie die Initiative ergriffen? Nur auf diese Weise, indem sie die Herausforderung mit ihm teilte, konnte sie die versäumte Gelegenheit ausgleichen.

»Hex und Circe, sucht Veg und kümmert euch um ihn. Diam und Star, paßt auf die Orn-Vögel und ihr Nest auf. Kommt nicht zurück zu mir, bevor ich die Angelegenheit mit Tyrann geklärt habe – auf die eine Weise oder die andere.«

Sie entfernten sich, segelten den Berg hinunter wie die Mantarochen, nach denen man sie benannt hatte. Sie war auf sich allein gestellt.

Sie floh den Berg hinauf, wohl wissend, daß Cal gute Gründe gehabt haben mußte, diesen Weg zu nehmen. Die Kälte – vielleicht würde der Schnee der Höhenlagen die Kreatur stoppen!

Tyrann folgte, allerdings nicht mit der Lebhaftigkeit, mit der er Cal gejagt hatte. Lag es daran, daß er bei seinem Sturz während des Erdbebens innere Verletzungen davongetragen hatte? Oder hatte er ganz einfach keinen so großen Hunger mehr?

Die Dämmerung brach an. Dieser Umstand und die ansteigende Höhe kühlten die Luft schnell ab. Bald war fast die Frostgrenze erreicht, und sie wußte, daß der Schnee nicht mehr weit entfernt war. Sie fror nicht, denn die fortgesetzte körperliche Anstrengung sorgte für Wärme, aber in dem Augenblick, in dem sie stehenblieb, würde sie in Gefahr geraten.

Ihr Fuß verfing sich irgendwo, und sie stürzte. Es war ein kleiner Bach. Jetzt war sie durchgeweicht, und das würde die Gefahr des Erfrierens noch weiter erhöhen. Aber sie konnte nicht haltmachen, denn Tyrann war nicht weit hinter ihr.

Das Wasser war warm! Es sollte eigentlich eiskalt sein, wenn nicht gar gefroren.

Aus einer Eingebung heraus stürmte sie bachaufwärts. Die Ufer formten sich zu einer Art Schlucht, deren Bettung warm war. Und der Bach wurde so heiß, daß er ihre Füße zum Schmerzen brachte. Schließlich erreichte sie seine Ursprungsquelle: eine Höhle.

Das war die Rettung! Sie warf sich hinein und ließ sich von dem heißen Inneren umfangen. Der Dinosaurier konnte nicht hereinkommen!

Sie legte ihre Kleider ab und wusch sich in dem Wasser. Aber jetzt saß sie hier fest, denn Tyrann lag draußen auf der Lauer.

Sie legte sich auf einer passenden Felsbank zum Schlafen nieder. Aber jetzt kam das Entsetzen über Cals Tod mit voller Kraft zurück. Wenn sie die Augen schloß, sah sie den monströs klaffenden Rachen, die blutbefleckten Zähne. Auch wenn sie die Augen öffnete, hatte sie dieses Bild barbarischer Wildheit noch immer vor sich. Und den winzig erscheinenden Körper, in die Luft geschleudert wie die Maus von der Katze, zerschmettert, verstümmelt, in Rot gebadet . . .

»Cal! Cal!« rief sie voller Qual. »Warum habe ich dir meine Liebe nicht vor deinem Tod gezeigt?«

Sie versuchte zu beten: »Gott, gib ihn mir zurück, und ich werde ihn nie wieder verlassen.« Aber es führte zu nichts, denn sie glaubte nicht an irgendeinen Gott, und wenn sie daran geglaubt *hätte*, wäre es falsch gewesen, einen Handel anzubieten, das wußte sie.

Sie schlief ein und wachte auf und schlief wieder ein, in ständigem Wechsel. Die Nacht schien eine ganze Ewigkeit zu dauern. Sie hatte Hunger, aber es gab nichts außer Moos, das in der Nähe des Höhleneingangs wuchs: keine verträgliche Nahrung. Deshalb trank sie heißes Wasser und stellte sich vor, daß es Suppe war.

Dann, kurz vor der Dämmerung, wurde sie durch eine Gegenwart aufgeweckt. *Irgend jemand war bei ihr in der Höhle.* Sie lag ganz still, furchtsam und doch hoffnungsvoll. Es konnte nur Veg sein – aber wie war er an Tyrann vorbeigekommen? Und warum hatten ihn die Mantas hierher geführt, da ihr Geschäft mit dem Dinosaurier doch noch nicht abgeschlossen war?

Für einen Augenblick stand die Gestalt im fahlen Licht des Eingangs. Plötzlich erkannte sie die Silhouette.

»Cal!« rief sie. »Ich dachte, du seist tot!«

Er drehte sich um, offenbar überrascht, sie zu sehen. Seine Sehkraft war immer stärker gewesen als ihre, besonders bei schlechtem Licht.

»Dank dieser günstig gelegenen Höhle bin ich entkommen«, sagte er, als ob es sich um eine reine Routineangelegenheit handelte.

»Genau wie ich«, sagte sie und hatte dabei das zwingende Gefühl des *Déjà-vu,* das Gefühl, diese Situation schon einmal erlebt zu haben. Wie war es möglich, daß sie Cal nicht früher gesehen hatte? Und wen – oder was – hatte Tyrann tatsächlich gefressen? Sie war sich ihrer Sache so sicher gewesen...

»Warum bist du gekommen?« fragte er.

»Ich liebe dich«, sagte sie einfach.

Und, durchflutet von atemloser Erleichterung, erinnerte sie sich an den versuchten Handel mit Gott und ihre überwältigende Liebe zu diesem Mann. Sie ging zu ihm, nahm ihn in die Arme, preßte ihre Brüste gegen seinen Körper, küßte seinen Mund und hielt ihn so krampfhaft fest, daß ihr die Arme weh taten.

Er reagierte mit erstaunlicher Vitalität. Kein weiteres Wort wurde gesprochen. Sie fielen in das heiße Wasser, alberten lachend miteinander und küßten und küßten sich, Mund auf Mund, Mund auf Brust, wasserspritzend wie zwei Kinder, die in der Badewanne spielten.

So liebten sie sich immer wieder. Vielleicht war das heiße Wasser ein Tonikum, das ihre Körper immer wieder schnell auflud. Sie schliefen, halb im Wasser ineinander verschlungen, erwachten, liebten sich, schliefen ein, wieder und immer wieder in endloser und oft schmerzvoller Verzückung.

Ein weiteres schreckliches Beben kam und ängstigte sie so, daß sie sich aneinander klammerten und den zitternden Berg ihre Bewegungen machen ließen: ein wilder und heftiger Höhepunkt, als ob sie den Berg durch die Energie ihres Enthusiasmus zum Beben brachten.

Die Nacht kam, und das Spiel ging weiter. Aber als sie am Morgen erwachte, war er unerklärlicherweise gegangen. Alarmiert durchsuchte sie die ganze Höhle, so tief, wie es die Hitze erlaubte, fand jedoch keine Spur von ihm. Es war so, als wäre er niemals da gewesen.

Sie nahm ihren ganzen Mut zusammen, zog sich an und zwängte sich, vorbei an Tyranns Nase, hinaus in die Dämmerung. Es war kalt draußen, und feiner Schnee puderte den Rücken des Dinosauriers. Tyrann schlief und würde sicherlich sterben, denn unausweichlich würde die Kälte in seinen Körper schleichen und ihn dem Tode weihen.

Es gab keine menschlichen Fußabdrücke. Wenn Cal diesen Weg genommen hatte, mußte er es schon vor Stunden getan haben, bevor es so kalt geworden war, daß der Schnee liegen blieb. Und doch hatte sie geglaubt, daß er bis vor kurzem bei ihr gewesen wäre.

Sie bewegte sich den kleinen Canyon hinunter, der Wärme des Tals entgegen, wobei sie, so gut sie konnte, den Spuren folgte, die sie hinterlassen hatten: vor allem Schürfmalen und Tatzeneindrücken des Karnosauriers, die sich deutlich abhoben, weil sie in gewisser Weise die Konturen der Landschaft verändert hatten.

Sie kam zu der Stelle, von der sie gedacht hatte, daß Cal hier gestorben war. Sie fand einen seiner Schuhe, aus dem der Fuß und ein Teil des Beins noch herausragten. Cal hatte tatsächlich hier vor zwei Tagen den Tod gefunden. Die Ameisen waren eifrig an der Arbeit.

Aber sie hatte Cal einen Tag und eine Nacht lang geliebt. War es ein Phantom gewesen, geboren aus ihrer Trauer, aus ihrem unerfüllbaren Sehnen? Sie berührte ihren Körper hier und dort und fühlte die wunden Stellen heftiger Liebe. Konnte sie sich das alles selbst angetan haben? Ihr Verstand mußte zeitweilig ausgesetzt haben, denn hier stand sie vor der Realität: einem abgetragenen Schuh mit dem Stumpf des Beins.

Sie begrub den Fuß und behielt den Schuh.

Jetzt kamen die Mantas: Circe und Star. Veg ging es gut, berichteten sie. Als die Mantas ihn informierten, hatte er versucht, ihr zu Hilfe zu eilen, war aber durch das zweite Beben aufgehalten worden und auf einem Felsen in der Bucht gestrandet. Die Vögel hatten bei demselben Beben ihre Eier verloren und waren gezwungen gewesen, ihr Nest zu verlassen, aber sowohl Orn als auch Ornette hatten überlebt. Das dritte Beben hatte ihre Insel zerrissen und die räuberischen Wasserbewohner wieder aufgeschreckt.

»Sie haben ihre Eier verloren . . .«, wiederholte Aquilon und spürte einen schmerzhaften Stich, wie beim Verlust von Cal. Ein Gefühl der Trauer vermischte sich mit dem anderen.

Geführt und geschützt von den Mantas vereinigte sie sich wieder mit Veg und den Orn-Vögeln. Ein Monat verging, gleichzeitig kurzer Augenblick und Ewigkeit für die beiden Menschen, die ihren schrecklichen Gram miteinander teilten. Der phantomhafte Cal erschien nicht wieder, aber Aquilon hatte fortgesetzten Grund zur Verwunderung, denn ihre Periode bleib aus. Veg hatte sie nicht angerührt – nicht auf diese Weise. Nur in dem vergeblichen Bemühen, sie zu trösten, hatte er den Arm um sie gelegt.

Nach drei Monaten wußte sie, daß sie schwanger war. Und doch konnte es nicht möglich sein – abgesehen von jenem Tag und jener Nacht in der Höhle. Bei Gelegenheit kehrt sie dorthin zurück, vorbei an dem gefrorenen Körper Tyranns vor dem Eingang, aber sie fand niemals etwas. Sie hatte ein Phantom geliebt – und trug das Kind des Phantoms unter dem Herzen.

Als ihr Zustand fortschritt, nahm Veg mehr von der Mühsal des Überlebens auf seine Schulter. Auch die beiden intelligenten Vögel halfen, bewachten ihren Schlaf und brachten ihr Delikatessen wie etwa kleine, frisch geschlachtete Reptilien. Sie lernte, sie zu essen, und Veg verstand es: Um in der Natur zu überleben, mußte man sich der Natur anpassen. Sie war keine Vegetarierin mehr.

»Schließlich«, erklärte sie mit einiger Mühe, »ist es Cals Baby. Ich muß so leben.« Sie war sich nicht sicher, ob er die Logik dieser Feststellung erkannte oder ob überhaupt Logik in ihr lag, aber die entsprach dem, was sie fühlte. Ihr Essen ernährte Cals Baby. Cals Lebenshaltung hatte die Oberhand. Wenn es Vegs Baby gewesen wäre . . .

»Ich habe ihn auch geliebt«, sagte Veg, und das genügte. Er war nicht eifersüchtig auf seinen Freund, freute sich vielmehr darüber, daß wenigstens etwas von Cal übrig geblieben war. Sie hatte ihm nie die Einzelheiten der Empfängnis erzählt und ließ ihn in dem Glauben, daß sie stattgefunden hatte, bevor die Dinosaurierjagd begann. Gelegenheit hatte es schließlich gegeben.

»Wenn dieses Kind geboren ist, müßte das nächste deins sein«, sagte sie. »Ich liebe auch dich, und selbst wenn ich es nicht täte, wäre es für das Überleben unserer Spezies notwendig.«

»Ja«, sagte er leicht gepreßt. »Ich bin froh, daß du vernünftig genug warst, ihn zuerst zu nehmen. Wenn er schon sterben mußte, dann war es so genau richtig.«

In der Zivilisation, unter normalen Menschen, wäre dies unrealistisch gewesen. Hier jedoch, mit Veg, war es gesunder Menschenverstand. Veg hatte seinem Freund Cal immer das Beste gewünscht, und es war ein Kompliment für sie, daß er sie als würdig betrachtete.

»Wir haben darüber diskutiert, ob die Menschheit kolonisieren soll«, sagte sie. »Wir hatten unrecht, beide Seiten. Wir sind davon ausgegangen, daß es die gesamte Erde sein mußte oder überhaupt nicht. Jetzt wissen wir, daß es einen Mittelweg gab. *Diesen* Grund: Nur einige wenige Menschen, die sich in die Kreidezeit-Enklave einfügen und sich ihre eigene kleine Nische suchen, ohne die Nische irgendeiner anderen Kreatur zu zerstören. Wenn wir uns das früher vor Augen geführt hätten, wäre Cal vielleicht nicht zu der Überzeugung gekommen, daß er es mit Tyrann aufnehmen müßte, und beide würden heute noch leben.«

»Ja«, sagte er und wandte sich ab.

Das Baby kam ohne Schwierigkeiten zur Welt, als ob die Natur für einen Ausgleich gesorgt hätte, indem sie die natürliche Geburt einfach machte. Sie hatte schmerzhafte Wehen, kümmerte sich jedoch kaum darum. Veg half, und die Vögel ebenfalls. Sie bauten ein prächtiges, weiches Nest für den Säugling. Sie nannte ihn Cave, was im Englischen Höhle bedeutete.

Wenn ihre Beziehung zu den Vögeln bisher eng gewesen war, dann war sie jetzt noch enger. Sie nisteten, denn ihre Brutzeit war wieder gekommen. Aquilon ließ den Säugling Cave im Nest bei den Eiern, und Ornette saß schützend über ihnen allen. Zur Abwechslung kümmerte sich Aquilon um die Eier, während die Vögel jagten. Sie waren eine große Familie.

Als Cave drei Monate alt war und Aquilon daran dachte, Veg zur Zeugung eines Nachkommens einzuladen, schlug das Unheil zu. Agenten von der Erde erschienen. Besorgt, weil von der Vorausgruppe – Cal, Veg und Aquilon – kein Bericht eingetroffen war, hatte die Obrigkeit ein verläßlicheres Team nachfolgen lassen.

Die Mantas entdeckten sie zuerst: ein vorgefertigtes Schiff. Drei Agenten, darunter eine Frau.

Veg baute einen Karren mit Rädern und einem locker hängenden Geschirr, den beide Vögel ziehen konnten, und setzte ein Nest darauf. Jedem Erwachsenen wurde ein Manta zugeteilt: Hex ging mit Veg, Circe mit Aquilon, Diam mit Orn und Star mit Ornette. Ihre Aufgabe war es, eine Vorauswarnung zu geben, wenn sich ein Agent den anderen näherte, so daß der Betreffende noch fliehen konnte. Es sollte zu keinem direkten Kontakt mit einem der Agenten kommen, es sei denn, das Nest war in Gefahr. Mit Glück würden sie unentdeckt bleiben, bis die Agenten wieder abzogen.

Es sollte nicht sein. Die Agenten verschafften sich nicht nur einen Überblick über das Land, sie waren auch hinter den Menschen her. Die Agenten stellten schnell die Gegenwart eines Babys fest, und das schien sie zu überraschen. Hex, der sich in der Nähe versteckt hatte, als zwei von ihnen den verlassenen Nistplatz überprüften, schnappte einiges von ihrem Dialog auf und berichtete darüber.

»Kooperationen mit zahmen Vögeln kann ich ja noch begreifen«, sagte der männliche Agent. »Offensichtlich sind sie wirklich primitiv geworden. Aber ein menschliches Baby? Sie hatten nicht genug *Zeit*.«

»Sie muß schon vor dem Verlassen der Erde schwanger gewesen sein«, sagte die Frau, »und dann eine Frühgeburt gehabt haben.«

Das wiederum verblüffte Aquilon. »Wie lange, denken die, dauert die Schwangerschaft bei Menschen? Zwei Jahre? Cave ist genau nach neun Monaten zur Welt gekommen.«

Die Beantwortung der Frage, warum die Agenten so verwirrt waren, mußte warten. Es bestand kein Zweifel, daß die Agenten beabsichtigten, das Trio und das Baby gefangenzunehmen und zur Erde zurückzubringen – offensichtlich wußten sie nicht, daß Cal nicht mehr lebte –, und das durfte ihnen nicht gestattet werden.

Man hätte meinen sollen, daß sie im Vorteil waren. Zwei Menschen, die nach einem Jahr unter den Dinosauriern hart geworden waren, zwei Kampfvögel und vier Mantas, die leistungsfähigsten dem Menschen bekannten Raubtiere. Aber es galt, drei Eier und ein Baby zu schützen, und die Agenten waren mit der irdischen Technologie ausgerüstet. In gewissem Sinne begann der Kampf, wie ihn sich Cal vorgestellt hatte, aufs neue, aber diesmal waren die Waffen unterschiedlich. Ein Agent konnte einen Tyrannosaurier mit einem einzigen Schuß auslöschen.

Cal hätte ein wirkungsvolles Widerstandsprogramm organisieren können, aber Cal war nicht mehr da. Die Agenten waren stärker, schneller und besser bewaffnet als Veg und Aquilon.

»Wir müssen hier raus«, sagte Veg. »Sie nehmen sich das ganze Tal und auch die Nachbartäler vor. Sie wissen, daß wir hier irgendwo sind, und ziehen das Netz immer enger. Wahrscheinlich wären wir von ihnen längst einkassiert worden, wenn sie Cal schon lokalisiert hätten. Sie müssen annehmen, daß er sich versteckt hält.«

»Selbst jetzt hilft er uns also noch«, sagte sie nickend. »Und wenn wir gehen – was passiert dann mit den Dinosauriern?«

»Die Erde wird sie vernichten oder in Zoos sperren, was aufs selbe rauskommt«, sagte er düster. »Wir haben unsere Probleme mit den Reptilien gehabt, aber es ist ihre Welt, und sie haben ebenfalls ein Recht zu leben. Aber das hatten wir ja schon. Wir können die Agenten nicht töten. Selbst wenn wir die Waffen hätten, könnten wir es nicht tun. Wir würden Mörder sein.«

»Wenn wir die Agenten daran hindern könnten, zu ihrer Basis zurückzukehren . . .«

»Du glaubst, daß sie wie wir ein primitives Leben beginnen?«

»Es würde keine Rolle spielen, oder? Die Erde würde jedenfalls keinen Bericht bekommen . . .«

Er lächelte. »Ja.«

»Und wenn sie hier gestrandet wären, würden sie vielleicht dazu kommen, es genauso zu sehen wie wir. Vielleicht würden sie sich niederlassen und menschlich werden. Diese Frau . . . Sie könnten Kinder bekommen.«

»Ja«, sagte er abermals und dachte darüber nach.

»Drei Männer, zwei Frauen – das könnte eine lebensfähige Kernzelle sein.«

Es gab dabei einige Aspekte, die sie beunruhigten, aber es war ein weitaus besserer Lösungsversuch als Mord.

Es war ein gewagter Plan. Sie begannen mit seiner Ausführung, als einer der Agenten an Land war und dem mobilen Nest nachspürte.

Veg setzte mit Hex auf dem alten Floß, der *Nacre*, die Segel. Er spielte den Lockvogel, sollte einen der Agenten auf dem Schiff auf sich aufmerksam machen.

»Eins noch, Veg«, sagte Aquilon, als er aufbrach. »Wenn es die Frau ist, die dich verfolgt, dann lächele sie an.«

»Ja, ich weiß«, knurrte er. »Ich wende meinen zarten männlichen Charme an, um ihre überlegene weibliche Kraft zu unterminieren.« Er spuckte vielsagend in den Wind. »Der Tag, an dem ich einer wie *ihr* schöne Augen mache . . .«

»Du bist ein gutaussehender Mann. Und du willst nicht in die Lage kommen, sie töten zu müssen . . .« Aber er war schon auf dem Weg, und sie fühlte sich wie eine Kupplerin. War sie darauf vorbereitet, demselben Ratschlag zu folgen, wenn sie es mit einem männlichen Agenten zu tun hatte?

Sie warf einen Blick auf Cave, der auf dem Nestkarren schlief und von den drei anderen Mantas und den beiden Vögeln bewacht wurde. Ja, wenn es darum ging, ihn zu retten, die Eier zu retten und die Enklave zu retten, dann *war* sie vorbereitet. Wenn sie es schafften, die Agenten zum Stranden zu bringen, würde es letzten Endes sowieso dazu kommen: Überkreuzzeugung. Besser eine solche Wirklichkeit als den Verlust von allem, für dessen Erhalt sie gekämpft hatte.

Dann stürmte Aquilon das Schiff. Sie zog sich aus und schwamm los, wobei sie hoffte, daß ihre Bewegungen in der Nacht irrtümlich für die eines Wasserreptils angesehen wurden.

Wenn nicht . . . Das war das Risiko, das sie eingehen mußte. Der Agent an Bord würde sie nicht kurzerhand töten. Er würde sie an Bord kommen lassen, dann überwältigen, und sie konnte die Probe aufs Exempel machen. Weil sie ihr Baby stillte, war sie jetzt eine üppige Frau. Wenn sie ihn verführen oder wenigstens so weit in Sorglosigkeit wiegen konnte, daß sie eine Chance bekam, das Schiff zum Sinken zu bringen, dann wäre es geschafft. Das Schiff lag in tiefem Wasser vor Anker und würde nicht wieder zu bergen sein.

Natürlich würden dann die Wasserräuber auf der Bildfläche erscheinen, aber sie war bereit zu sterben. Vielleicht würde der

Agent, wenn er erkannte, daß er der Erde keinen Bericht mehr übermitteln konnte, pragmatisch handeln und sich ihr anschließen, so daß sie zusammen mit den Mantas ans Ufer gelangen konnten.

Sie hatte ihren Körper mit den Säften einer übelriechenden Wurzel eingeschmiert, um die Wasserreptilien abzuschrecken, und damit schien sie Erfolg zu haben. Sie erreichte das Schiff ohne Zwischenfall und kletterte schnell an Deck.

Um von einer wachsamen Agentin empfangen zu werden . . .

»Willkommen an Bord, Miss Hunt. Ich bin Tama, Ihre Gastgeberin. Sehr freundlich von Ihnen, sich freiwillig zu ergeben.«

Die Frau – schlimmer hätte sie es nicht antreffen können!

»Ich bin gekommen, um Ihr Schiff zu versenken«, sagte Aquilon, wohl wissend, daß sich die Agentin über ihre Absichten völlig im klaren war.

Tama ignorierte ihre Worte. »Kommen Sie unter Deck.« Es war ein Befehl, keine Bitte.

Aquilon dachte daran, in die Bucht zurückzuspringen. Wenn sie erst einmal in Gewahrsam war, gefangen, würde sie nie eine Chance bekommen.

Tama bewegte sich so schnell wie ein Schemen. »Versuchen Sie nicht zu springen«, ließ sie sich von der Reling hinter Aquilon vernehmen.

Wie hatte sie nur denken können, daß sie eine Chance gegen einen Agenten haben würde? Pure Selbsttäuschung!

»Ja«, pflichtete Tama ihr bei. »Aber sie verblüffen mich ebenfalls. Sie haben in der Tat ein Kind bekommen.«

»Daran ist nichts Verblüffendes«, sagte Aquilon. »Wenn Sie wollten, könnte es bei Ihnen genauso sein.«

»Aber Sie sind nur drei Monate auf Paläo gewesen – und auf der Erde war Ihnen die Schwangerschaft nicht anzusehen.«

Aquilon versteifte sich. Sie war seit einem *Jahr* und drei Monaten auf Paläo. Und mit Sicherheit wußten die Agenten das auch!

»Wir werden diesem Rätsel auf den Grund gehen müssen«, sagte Tama. »Sie versuchen nicht, mich zu täuschen, dennoch haben wir keine Erklärung . . .«

Sie wurde durch das Läuten einer Klingel unterbrochen. Sie holte ein winziges Funkgerät hervor.

»Tama.«

»Tanu«, antwortete eine männliche Stimme augenblicklich. »Mann in Gewahrsam genommen, ein Fungus vernichtet.«

»Talo«, sagte eine andere Stimme. »Angriff durch einen intelligenten, flugunfähigen Vogel. Vogel vernichtet, Mission noch nicht abgeschlossen.«

Aquilon spürte, wie ein furchtbarer Schock sie durchfuhr. Hex tot, Veg gefangen, einer der großen Vögel getötet, sie selbst neutralisiert – und sie hatten mit ihren Bemühungen gerade erst angefangen. Was für ein schrecklicher Preis war bereits gezahlt worden!

»Es gibt keinen Grund zu weiteren Gewalttätigkeiten«, sagte Tama. Sie hielt ihr das Kommunikationsgerät hin. »Reden Sie mit ihren Fungi. Sagen Sie ihnen, daß sie hier landen sollen. Wir werden sie fair behandeln.«

Aquilon blickte sich um und ging mit zusammengekniffenen Lippen auf die Kabine zu. Es gab keine Möglichkeit, ihre Antipathie gegenüber den Agenten zu verbergen. Bei Subble hätte sie sich zusammennehmen können, aber dies hier waren rücksichtslose Fremde, die jede ihrer Reaktionen lesen und viele ihrer Handlungen voraussehen konnten.

Plötzlich lag eine Pistole in Tamas Hand.

»Sehr clever!« rief sie. »Sie haben nicht gewußt, daß Sie von einem Fungus unterstützt werden.«

Ein Manta! Aquilon erkannte plötzlich Vegs nicht sehr subtile Handschrift. Er hatte vorgeschlagen, die Mantas nur im Defensivbereich einzusetzen, und sie, beschäftigt mit ihren eigenen Vorbereitungen, war einverstanden gewesen. Veg hatte ihr einen Manta nachgeschickt, und da sie das nicht gewußt hatte, war sie auch nicht in der Lage gewesen, diese Tatsache preiszugeben.

Tama feuerte. Aquilon, zur Aktion angespornt, warf sich nach der Waffe. Aber die linke Hand der Agentin traf sie am Hals und schleuderte sie halb bewußtlos zu Boden.

Dann griffen drei Mantas gleichzeitig an. Sie waren schnell, und sie wußten, wie sie Strahlen und Projektilen auszuweichen hatten. Aber die Agenten waren vorgewarnt und hatten sich mit Streumunition bewaffnet, der man kaum ausweichen konnte.

Hilflos beobachtete Aquilon vom Deck aus, wie der erste Manta abstürzte, ein Geschoß in seinem großen Auge.

»Star!« schrie Aquilon voller Entsetzen.

Der zweite Manta kam näher heran, aber sein Torso wurde von Geschossen durchsiebt. Er scherte zur Seite und fiel ins Wasser.

»Diam!«

Der dritte Manta erwischte die Agentin am Hals und durchtrennte Luftröhre, Halsschlagader und Kehle. Trotzdem gab Tama einen weiteren Schuß ab, und der Fungus krachte aufs Deck.

Schwankend erhob sich Aquilon.

»O Circe!« rief sie. »Wir wollten kein Blutvergießen...«

Tama grinste mit grausigem Humor, unfähig zu sprechen. Sie umklammerte ihre Kehle mit beiden Händen und hielt das Blut zurück, aber die Verletzung war zu schwer, und sie torkelte sterbend aufs Deck.

Die Mission hatte sich als Desaster erwiesen: Es gab keine Mantas mehr, und es war auf Paläo auch keine weitere Frau, um die Bürde des Kinderkriegens zu teilen.

Aber sie hatte eine Aufgabe zu erfüllen: das Schiff zu versenken. Wenigstens konnte sie Paläo retten. Sie ging unter Deck, um die notwendigen Werkzeuge für die Verrichtung ihrer Aufgabe zu finden. Eine Projektilkanone oder auch einen Vorschlaghammer, um ein Loch in den Boden zu machen, um die See hereinzulassen...

Statt dessen fand sie... einen Projektor. Sie hatte zuvor nie einen gesehen, aber irgendwie erkannte sie seine Natur. Die Agenten beabsichtigten, unmittelbar von hier aus eine Rückkehröffnung zur Erde zu errichten!

Sie nahm ihn mit der Absicht hoch, ihn zu zerstören, indem sie ihn auf die Deckplanken krachen ließ. Aber einer ihrer Finger berührte unbeabsichtigt einen Schalter.

Ein Lichtkegel trat hervor und hüllte sie ein.

Und sie

stand in einer vollkommen anderen Umgebung.

Sie befand sich in einem Raum, der etwa sieben Meter lang und fünf Meter breit war. Wände, Fußboden und Decke waren verputzt, und es gab, für ihr künstlerisch geschultes Auge, eine phantastische Ansammlung von authentischen primitiven Kunstgegenständen und Gemälden.

Da waren nur zwei schmale, hohe Fenster und keine Tür. Eine handgemachte Leiter aus Stangen und mit Schnüren verbundenen Querstangen führte zu einem kleinen Loch in der Decke empor: der einzige Ausgang.

Hatte sie sich zur Erde zurückprojiziert, also eben das getan, was sie so krampfhaft verhindern wollte, oder befand sie sich in einer neuen Alternativwelt, die von Menschen bewohnt wurde? Wenn sie die Einstellung des Geräts durcheinandergebracht hatte, konnte sie nach dem Zufallsprinzip gereist sein.

Ohne diesen Projektor gab es für sie keine Möglichkeit der Rückkehr, und wer außer den Agenten würde ihn jemals benutzen, um nach ihr zu suchen? Sie hatte die Wahl, sich wieder einfangen zu lassen, oder in diese Welt zu fliehen.

Sie war sich kaum bewußt, daß sie die Entscheidung traf. Veg, Orn und ihr Baby befanden sich auf Paläo, aber wenn einer von ihnen den Ansturm der Agenten überlebte, dann nicht in Freiheit. Und der Projektor mußte bei ihrem Durchgang aufs Deck gefallen sein, wobei er entweder zerbrochen oder verstellt worden war.

Es war besser für sie, das Unvermeidbare zu akzeptieren. Sie konnte nicht zurückkehren und würde es auch nicht wollen, und niemand würde sie holen. Sie würde sich hier ein neues Leben einrichten müssen, wo auch immer sie war. Selbst wenn es sich um die Erde handeln sollte.

Aber ihre Augen waren voller Tränen. Sie hatte den verzweifelten Wunsch, zu ihrem Baby zurückzukehren, sich mit Veg in das warme Dschungeltal zurückzuziehen. Vielleicht hatte Circe überlebt. Sie war auf die Deckplatten gekracht, mochte aber nicht tot sein. In jedem Fall würde es bald neue Mantas geben, wenn die freigesetzten Sporen dahintrieben, miteinander verschmolzen und wuchsen. Vielleicht schaffte Orn es, Eier und Baby in Sicherheit zu bringen. O ja, sie sehnte sich, dorthin zurückzukehren ... aber sicherlich würde Orn *nicht* entkommen, würden die Eier verloren sein, würde ihr Baby Cave...

Ihr Baby – empfangen in der Höhle. Plötzlich, ein Jahr nach dem Geschehen, erkannte sie die Wahrheit: Cal war aus einer alternativen Welt in die ihre projiziert worden. Für einen Tag und eine Nacht. *Ihr* Cal war gestorben. Es war der alternative Cal, der ihr Kind gezeugt hatte. Er war in der Stunde ihrer größten Not irgendwie herbeigerufen worden.

»Ich danke Gott für diesen einen Tag...«, flüsterte sie.

Jetzt war sie selbst in einer anderen Alternativwelt. Vielleicht würde sie einer anderen Person helfen, so wie ihr geholfen worden war. Würde dadurch das doppelte Scheitern ihres Lebens ausgeglichen?

Unterdessen nahmen ihre Augen die Umgebung in sich auf, und sie reagierte darauf mit wachsender Erregung. In gewisser Weise war sie gestorben, denn sie war unwiderruflich von ihrer Welt entfernt worden – und sicherlich entsprach diese hier so etwas wie dem Himmel. Sie hatte solche Kunst schon früher studiert. Sie erkannte sie jetzt. Prähistorischer Mensch, neolithisch, Anatolien, etwa um 6000 vor Christus.

»Catal Hüyük«, rief sie aus und betonte es mit weichem C: Satal.

Das Studium der Kunst führte zwangsläufig zur Würdigung der Geschichte, und sie hatte sich nebenbei einen recht achtbaren Hintergrund angeeignet. Jetzt stand sie unbeweglich da, konzentrierte sich und schöpfte aus geistigen Kanälen, die lange stillgelegen hatten.

Catal Hüyük war ein Erdhügel in der südlichen Türkei, der antiken Halbinsel Anatolien, in einem Hochland, das tausend Meter über dem Meeresspiegel lag. Viele Jahre lang hatten die Archäologen geglaubt, daß es auf dem anatolischen Plateau keine neolithische Besiedlung und keine wirkliche Kunst oder organisierte Religion gegeben hatte. Die Ausgrabung von Catal Hüyük hatte dies völlig umgeworfen, denn hier fand sich eine blühende, religiöse, künstlerische, friedliche Stadt, die den Beweis für eine fortgeschrittene antike Kultur lieferte. Ein wesentlicher Teil der Vorgeschichte mußte neu geschrieben werden.

Natürlich mochte dies hier nicht *das* Catal Hüyük sein. Es

hatte ähnliche Städte in Anatolien gegeben, und es konnte sich um ein modernes Ebenbild handeln. Aber die Art war sicherlich gleich.

Erregt ging Aquilon umher und inspizierte den Raum im Detail, um sich von den Schrecken auf Paläo abzulenken, über die sie nicht mehr nachsinnen wollte. Der Putz an den Wänden war tatsächlich eine dünne Schicht aus weißem Lehm. Solide Balken stützten das Dach. Der Fußboden war säuberlich in verschiedene Ebenen unterteilt. Hier sollte wohl die Schlafplattform mit ihren Schilfmatten sein, dort das Küchenareal. Hier war die Stelle, unter der die Toten der Familie beerdigt wurden, dort die Vorratskammer, gegenwärtig leer.

Die Wände waren tafelförmig bemalt. Einige waren ganz in Rot gehalten, andere zeigten geometrische Muster, begrenzt von den Darstellungen menschlicher Hände und Füße. Eine Wand wurde von einer vorspringenden Skulptur beherrscht: dem stilisierten Kopf eines Stiers, dessen zwei Hörner sich nach oben wölbten, umgeben von Streben und Simsen, die auf die schreinartige Natur dieser Sektion hindeuteten.

Sie kletterte vorsichtig die Leiter hoch und schob oben ihren Kopf hinaus. Sie sah Dächer einer Stadt, jedes auf einer anderen Ebene, jedes mit einer Eingangsöffnung versehen.

Da waren Menschen. Plötzlich wurde sich Aquilon ihrer Nacktheit bewußt. Sie hatte nie Gelegenheit gehabt, sich anzuziehen, und hatte niemals ... so etwas erwartet.

Sie starrten sie an. In wenigen Augenblicken hatten sie sie umringt. Alle waren Frauen: Die wenigen Männer, die ihre Köpfe zeigten, waren mit ein paar herrischen Worten verscheucht worden. Es gab keine Frage, welches Geschlecht hier die Kontrolle ausübte.

Aquilon leistete keinen Widerstand. Die Menschen waren nicht feindlich, nur neugierig. Sie brachten sie in einen anderen Raum und versuchten, mit ihr zu reden, aber ihre Sprache war vollkommen fremd für sie. Und doch war dies ganz vorteilhaft, denn es befreite sie von dem Problem, ihre Gegenwart zu erklären.

Sie nahmen sie in ihre Obhut. Sie war, so schien es, so etwas wie ein Phänomen: eine große blonde Frau in einem Land, dessen Frauen alle klein und dunkelhaarig waren. Sie betrachteten sie als einen Aspekt der Muttergöttin, und Aquilon machte nicht den Versuch, dies zu leugnen. Schließlich war sie erst kürzlich Mutter geworden (ah, dieser Kummer: Wunderten sie sich über ihre Traurigkeit?), und das sah man auch. Bei religiösen Veranstaltungen, von denen es eine beträchtliche Anzahl gab, erwartete man von ihr, daß sie nackt durch die Stadt paradierte, nicht als Lustobjekt, sondern als Verkörperung der Weiblichkeit. Sie war nackt zu ihnen gekommen, und damit war die Regel geschrieben. Wenn sie sich ohne Hinweis auf ihren Göttinnenstatus unter ihnen bewegen wollte, legte sie eine elegante Robe und Pantoffel an. Sie waren in der Lage, diesen dualen Aspekt zu akzeptieren. Die Dichotomie zwischen Göttin und Frau lag im Wesen ihrer Religion begründet. Es war ein pragmatisches System.

Wenn sie es nicht schon gewußt hätte, würde ihr die Kunst der Stadt verraten haben, daß hier das Matriarchat herrschte. Es gab Gemälde, Skulpturen und Wandteppiche in prachtvollem Überfluß. Diese Menschen waren unermüdliche Künstler. Wände, Töpfe, Lehmstatuetten, Holz, Körbe, Töpferwaren, Waffen und sogar Skelette waren mit Bildern und Mustern versehen. Die Augenbrauen, Wangen und Lippen der Frauen wurden ebenfalls angemalt. Es existierte eine ganze Subindustrie für Farbstoffe – Schwarz aus Ruß, Blau und Grün aus Kupfererzen, Rot, Braun und Gelb aus Eisenoxyden und so weiter. Aquilon hatte sich schon mit der Technik vertraut gemacht, und natürlich war sie selbst eine hervorragende Künstlerin, was ihren Status nur noch untermauerte.

Aber in der ganzen Kunst gab es nicht ein einziges Sexsymbol. Keine weiblichen Brüste, keine phallischen Darstellungen, keine anzüglichen Körperhaltungen. Eine von Männern beherrschte Gesellschaft würde von künstlerischen Darstellungen der Lust nur so überquellen. In ihrer eigenen Zeit bedeutete »nackt« immer eine junge, sinnliche Frau. Hier nichts dergleichen: Frauen wurden nicht in dieser Weise motiviert, und obwohl viele der Künstler Männer waren, malten sie unter der Leitung der Priesterinnen.

Sie lernte die Sprache, malte, und es war eigentlich ein gutes

Leben. Allmählich legte sich die Trauer um das, was sie zurückgelassen hatte. Die Menschen waren diszipliniert und liebenswürdig, nicht ohne Humor und Gesang. Die Männer befanden sich den größten Teil des Tages auf der Jagd. Viele Frauen webten Stoffe, präparierten Felle und stellten ziemlich kunstvolle Kleidungsstücke her. Andere hielten ihre Häuser sauber und überwachten Reparaturen. Die Häuser waren peinlich sauber, wobei alle Abfälle auf die verstreut liegenden Höfe geworfen wurden. Diese Menschen waren insoweit primitiv, als sie nicht schreiben konnten und keine Maschinentechnologie besaßen, aber in jeder anderen Hinsicht waren sie kultiviert. Tatsächlich sogar mehr als die Menschen in ihrer eigenen Zeit.

Dann entdeckte sie den Projektor. Er befand sich in einer unbenutzten Kammer unterhalb einer neuen Residenz. Man hatte sie isoliert, weil sie während eines Feuers beschädigt worden war und als unsicher betrachtet wurde. Abgerissen konnte sie nicht werden, weil die Nachbarresidenzen in Mitleidenschaft gezogen worden wären. Außerdem gab es ein religiöses Element, wie es bei fast allen Aspekten des Lebens in dieser Stadt der Fall war: Eine verehrte alte Frau hatte einst in dieser Kammer gelebt, und es wäre ein Affront gegen ihren Geist gewesen, sie völlig zu zerstören. So war sie seit vielen Jahren vergessen worden. Aber Aquilon besaß das Privileg, überall hinzugehen, wo es ihr beliebte. Wie konnte der Geist der Frau durch den Besuch einer Göttin beleidigt werden?

In dieser Kammer befand sich ein Gerät, das dem vom Schiff sehr ähnlich war – nur weiter entwickelt, denn es besaß einen Televisionsschirm.

Sie experimentierte. Das Ding verfügte über eine eigene Energiequelle, wirkte jedoch fremdartig. Sie wußte nicht, wie sie damit umgehen mußte, und wollte sich eigentlich auch nicht in einer weiteren Alternativwelt wiederfinden. Und doch war sie fasziniert. Nach ein paar Tagen wußte sie Bescheid: Der Schirm zeigte, auf welche Alternativwelt das Gerät eingestellt war, und ein separater Schlüssel ermöglichte dem Operateur die Rückkehr zu seinem Ausgangspunkt: hierher. Andere Kontrollen verschoben den Blickpunkt und ließen die Bilder auf dem Schirm schwindelerregend wechseln.

Es gab eine unendliche Anzahl von verfügbaren Alternativen. In der nächsten sah sie sich tatsächlich selbst über den Projektor gebeugt, ein paar Sekunden vor oder nach ihr. Einmal tauschte sie ein Lächeln und ein Winken mit der anderen Aquilon, die sich gerade auf »sie« konzentrierte. Es war keine Widerspiegelung ihrer eigenen Handlungen. Dies waren unabhängige Aquilons, eigenständige Individuen und doch weitgehend wie *sie*.

In entfernteren Alternativen gab es andere Szenen. Einige waren bizarr: wandernde Pflanzen, ein riesiger Maschinenstock oder unaufhörlicher Blizzard. Andere waren verlockend, zum Beispiel ein friedvoller Wald oder eine fast-menschliche Farm, erbaut aus verfestigtem Nebel.

Sie ging weiter. Sie nahm den Schlüssel, stellte den Schirm auf den friedlichen Wald ein und aktivierte den Projektor.

Und sie stand im Wald. Es war wirklich. Die Luft war süß und kühl.

Nervös betätigte sie den Schlüssel und war wieder zurück in Catal Hüyük, mit klopfendem Herzen und aufgrund der Befreiung von der Anspannung am ganzen Körper zitternd. Sie konnte *wirklich* gehen und zurückkehren! Eine Alternative war eine Wüste. In ihr trug eine Aquilon eins von Orns Eiern bei sich.

Orns Ei! Plötzlich ging ihr auf, daß diese Alternative von Catal Hüyük mit seiner üppigen Umgebung voller Wild und Vegetation geradezu ideal für einen flugunfähigen, anderthalb Meter großen Jagdvogel war: ein Garten Eden für Vögel. Es gab Auerochsen, den europäischen Bison, der in gewisser Weise dem amerikanischen Büffel ähnelte, riesige Schweine, Rotwild in großen Herden. Schafe und Hunde wurden als Haustiere gehalten, und die Menschen jagten wilde Esel, wilde Schafe, Hirsche, Füchse, Wölfe, Leoparden und Bären. Es gab viele Arten von Vögeln und Fischen. Wie es Orn hier gefallen würde: Beute im Überfluß, aber keine Dinosaurier!

Orn: Es war ihr nie gelungen, Paläo mit Orn, Veg oder den Agenten zu lokalisieren. Ihre wahren Freunde konnte sie nicht retten. Aber das Ei, das die alternative Aquilon bei sich trug, enthielt ein lebendes *Ornisapiens*-Küken. Angenommen, sie holte es und ging dann zu einer anderen Alternative und besorgte ein weiteres? Eins männlich, eins weiblich. Die Neubegründung einer großartigen Spezies . . . was für ein wundervolles Projekt! Vielleicht konnte sie ähnliche Beutezüge nach Mantas unternehmen.

Sie beobachtete, wie sich die andere Aquilon hin und her bewegte und dabei das kostbare Ei hielt. Sie wiegte es in der Beuge ihres Arms und bückte sich, um den Sand zu berühren. Es gab dort Laufwerkspuren, wie von einer Maschine.

Maschine! Aquilon wußte über die selbständigen Maschinen Bescheid. Sie hatte sie beobachtet, wie sie . . . alles verzehrten. Wenn sie auf dieser Welt herumkreuzten, hatten die Menschen nur wenig Chancen und das Ei gar keine. Und natürlich gab es dort kein Wild, das der Rede wert gewesen wäre. Selbst wenn es ausschlüpfte, würde das Orn-Küken unausweichlich sterben.

Aquilon traf eine Entscheidung: Sie würde dieses Ei jetzt retten.

Ohne einen weiteren Gedanken – denn dadurch mochte sie die Nerven verlieren – legte sie ihre elegante weiße Göttinnenrobe ab, die zu wertvoll war, um besudelt zu werden. Sie nahm den Schlüssel (*den* durfte sie nie vergessen) und steckte ihn zur Sicherung in den Mund. Sie holte tief Luft und aktivierte den Projektor.

Die Wüstenwelt nahm um sie herum Gestalt an.

Für einen Augenblick orientierte sie sich, überprüfte die Wüste und die alternative Aquilon. Alles war in Ordnung. Das Mädchen sah sie. »Wer sind Sie?« wollte sie wissen. Aquilon wurde sich klar darüber, daß sich diese Aquilon, die keine Kenntnis von dem alternativen System hatte, für die Original-Aquilon hielt. Wie wollte sie das letzte Jahr erklären und es ihr glaubhaft machen, wenn jeden Augenblick eine Maschine über sie herfallen konnte?

»Sinnlos, das jetzt alles zu erklären«, sagte Aquilon. »Gib mir bitte das Ei.«

Das Mädchen machte einen Schritt rückwärts und umklammerte das Ei.

»Nein!«

Aquilon hatte keinen Widerstand erwartet. Die Vorzüge ihres Plans waren so offensichtlich! Zu spät begriff sie, daß das, was ihr sinnvoll erschien, nicht auch zwangsläufig ihrer uninformierten Alternative sinnvoll erscheinen mußte. Das Mädchen war offensichtlich jünger als sie und hatte kein Kind gehabt. Diese Alternativwelt war ein Jahr oder mehr von ihrer eigenen entfernt. Schlechte Planung auf ihrer Seite, aber da sie impulsiv gehandelt hatte, war dieses Risiko nicht auszuschließen gewesen. Am besten war es, jetzt weiterzumachen.

»Du mußt. Du kannst es nicht länger bewahren. Nicht hier in der Wüste mit den furchtbaren Maschinen.«

Aber das Mädchen wußte auch über *diese* noch nicht Bescheid. Sie mußte noch viel lernen! Ein Grund mehr, das Ei aus ihren Händen zu bergen.

»Ich habe einen neuen Garten Eden gefunden, ein Paradies für Vögel. Wenn es dort schlüpft . . .«

Das Gesicht des Mädchens wurde trotzig, widerspenstig. »Niemand außer mir kann . . .« Sie unterbrach sich, während sich Verblüffung in ihren hübschen Zügen ausbreitete. »Du bist *ich*!«

»Und du bist ich, ziemlich genau getroffen«, sagte Aquilon ungeduldig. Sie hätte das schon am Anfang erklären sollen! So viele Fehler – sie verpfuschte es auf erschreckende Weise. »Wir sind Aspekte derselben Person. Alternativen. Du kannst mir also vertrauen. Du . . .«

»Aber du bist . . . du hast mehr . . .«

Akzeptierte das Mädchen es? Gut.

»Ich trug ein Kind, darum. Ich gab meinem Sohn bis vor zwei Monaten die Brust. Aber . . .« Zu kompliziert, und es tat weh, sich daran zu erinnern. Wie sie sich nach Cave sehnte! »Ich verlor meins, du wirst deins behalten. Aber du kannst nicht das Ei behalten.«

Das Mädchen wich zurück. »Ein Baby? Ich . . .«

Vielleicht hätte sie das nicht erwähnen sollen. Dieses Mädchen hatte ihr Baby noch nicht gehabt. Eine ganz andere Situation, denn Aquilon selbst war nach Catal Hüyük transportiert worden, nicht auf diese Maschinen-Wüsten-Welt. Für einen Augenblick war Aquilon versucht, dem Mädchen Fragen zu stellen und all die Details *ihres* Lebens herauszufinden. Hatte sie Cal geliebt – oder Veg? Oder einen Agenten? Was war mit den Orn-Vögeln auf ihrem Paläo passiert und wieso war sie hier allein mit dem Ei? Hatte sie einen Projektor gefunden?

Aber das wäre töricht. Sie konnte es sich nicht erlauben, mit all den Myriaden von Alternativ-Aquilons, die erreichbar für sie waren, in einen Dialog einzutreten. Es galt, eine Aufgabe zu erfüllen, und das sollte sie tun – oder nach Hause gehen.

»Du bist in Gefahr. Du kannst dich selbst retten, nicht aber das Ei.«

Ein entsprechend bewaffnetes menschliches Wesen konnte eine Maschine abwehren oder ihr entfliehen, aber kaum, wenn gleichzeitig das Ei getragen werden mußte. Sie hatte einen Agenten gesehen, der es in einer anderen Alternativwelt mit einer aufgenommen hatte. Interessant, daß ihr Projektor auf jene Alternativen ausgerichtet zu sein schien, auf die andere menschliche Wesen projiziert worden waren, ganz so, als ob alle Projektoren irgendwie miteinander verbunden wären. Die Verbindung war auch geographisch. Wenn sie sich an eine Stelle auf dieser Wüstenwelt projiziert hätte, die hundertfünfzig Kilometer von hier entfernt lag, wäre sie nicht in der Lage gewesen, das Ei zu holen. All dies deutete auf das Wirken einer übergeordneten Kraft hin – noch etwas, über das nachgedacht werden mußte, wenn sie Zeit dazu hatte.

»Es ist wenig Zeit, und es ist zu kompliziert, es jetzt hier zu erklären. Gib es mir!«

Sie streckte die Hand aus und haßte dabei die Notwendigkeit zu dieser brüsken Sprache, die so gar nicht zu ihr paßte. Aber sie wußte, daß sie bei einer weiteren Verzögerung die Nerven verlieren würde und ihre Aufgabe nicht erfüllen könnte.

»Nein!« Das Mädchen wich zurück, das Ei an sich gepreßt.

»Gib es mir!« schrie Aquilon.

Das Mädchen stieß sie weg. Sie fielen zusammen über einen Sack mit Vorräten. Das Ei wurde zwischen ihnen gefangen, zerbrach und tötete das Küken darin.

»Oh, *nein!*« schrie Aquilon, deren Traum mit dem Küken starb. Tränen strömten ihr über das Gesicht. »Ich bin gekommen, um es zu retten – und habe es zerschmettert!«

Auch die Alternativ-Aquilon weinte. Aber Tränen konnten das Ei nicht wieder instand setzen.

Aquilon taumelte davon, ohne auf die Richtung zu achten. Nach einigen Schritten durch den Sand erinnerte sie sich an den Projektionsschlüssel. Sie nahm ihn aus dem Mund und betätigte ihn.

Zurück in Catal Hüyük wusch sie sich, legte ihre Robe an und ging hinaus auf das Dach der Stadt. In ihr war eine Dumpfheit, die sich nicht legen wollte. Sie war in eine Alternativwelt gegangen und hatte dort aufgrund fehlender Planung, Unachtsamkeit und Heftigkeit einen nicht wieder zu reparierenden Schaden angerichtet. Welche Sühne konnte sie tun?

Nach einer Stunde kehrte sie mit einem schweren Holzhammer in die Kammer zurück und zerschmetterte Projektor und Schirm. Nie wieder würde sie mit der Alterkeit herumspielen.

18 Bericht

MUSTER-AUFRUF: ÜBERLEBEN

Mustereinheiten, nicht in der Lage, die Natur physischer Intelligenz zu verstehen, aber auch nicht in der Lage, sie als potentielle Nichtüberlebensdrohung zu ignorieren, errichteten eine Enklave, die fünf unterschiedliche intelligente Einheiten enthielt: ein Muster, eine Maschine und drei Formen des Lebens – Fungus, Vogel und Säuger. Es gab außerdem nichtintelligente

Pflanzen und eine Population subintelligenter Tiere, die den Intelligenzien als Beute dienten.

Zweck war es, die Interaktion zwischen den Intelligenzien zu beobachten und Folgerungen in bezug auf ihre Natur und ihr Überlebenspotential innerhalb einer begrenzten Umwelt zu ziehen. Diese Information mochte die Muster befähigen, das Ausmaß der potentiellen Bedrohung des Überlebens durch die physischen Intelligenzien zu bestimmen.

Um sicherzustellen, daß das Überleben das vordringliche Ziel war, wurde die Enklave so ausgestattet, daß keiner der Bewohner bequem überleben konnte, ohne die Notwendigkeit der anderen zu beeinträchtigen. Es gab nicht genug Elemente für das Muster, Mineralien für die Maschine, Beute für die lebenden Räuber oder organische Substanzen für das Säugerjunge. Direkter Wettbewerb war erforderlich.

Um ein vollständiges Bild zu gewinnen, wurde ein System der Alternativgefüge-Holographie verwendet. Holographie, wie sie im physischen Rahmen praktiziert wird, beinhaltet die Aufspaltung eines gegebenen Energiestrahls in mehrere Teile, wobei ein Teil einer Erfahrung ausgesetzt wird, die dem anderen fehlt. Der daraus resultierende Unterschied zwischen den Teilen definiert auf diese Weise die Erfahrung. Im vorliegenden Fall wurden ausgewachsenen Repräsentanten der intelligenten Spezies die Mittel gegeben, einige der Interaktionen in der Enklave und innerhalb des Gefügesystems der Alterkeit selbst zu beobachten. Auf diese Weise konnten die Reaktionen der physischen Intelligenzien in Kontrast zu denen der nichtphysischen gesetzt werden. Die Veränderungen bei den physischen Intelligenzien kontrastierten mit denen ihrer Widerparts und rundeten das Bild ab.

Das Experiment verlief nicht ganz erfolgreich. Alle ausgewählten Einheiten in der Enklave überlebten trotz der bewußt restriktiven Situation, und eine Mehrheit der Wanderer durch die Alterkeit überlebte ebenfalls – aber dies brachte den Mustereinheiten keine Erleuchtung. In beiden Umgebungen gab es anfänglichen Wettbewerb, gefolgt von einer Kooperation, die das Überleben wesentlich verbesserte. Diese Informationen ließen sich nicht in ein sauberes Schema einordnen, und die

Mechanismen und Motive der physischen Wesen blieben unklar. Deshalb ignorierten die Mustereinheiten das Experiment und versäumten es selbst dann noch, einzugreifen oder auch nur zu reagieren, als die Einheiten beider Gruppen ernstliche Anstrengungen unternahmen, miteinander zu kommunizieren. Das Versäumnis war nicht in der Konzeption oder der Ausführung des Plans begründet, sondern in der Unfähigkeit der Muster, die Resultate zu interpretieren oder anhand der erhaltenen Daten zu handeln.

Was als eine Übung von kurzer Dauer geplant war, nahm einen größeren Rahmen an – weil es sich selbst überlassen wurde. Im Laufe der Zeit erwarben die Einheiten der Enklave, indem sie sich Techniken nutzbar machten, die den beobachtenden Mustern weitgehend unverständlich blieben, Erkenntnisse und Kräfte, welche die ihrer Herkunfts-Gesellschaftsordnungen übertrafen. Muster sind in der physischen Welt wesentlichen Beschränkungen unterworfen. Physische Kreaturen sind im Muster-Gefügesystem ähnlich eingeschränkt. Wahre Wissenschaft ist eine Kombination beider Systeme.

Nur mittels einer konzeptionellen Technologie, die sich aus der Verschmelzung der Systeme entwickelt, kann wahrer Fortschritt erreicht werden. Dies bedeutet vollständige und freie Interaktion zwischen allen Intelligenzformen. Wir, die fünf intelligenten Einheiten der Enklave, haben die Prinzipien einer solchen Interaktion ausgearbeitet. Wir sind in der Lage, sinnvoll mit allen Intellekten zu kommunizieren, die wir repräsentieren, was dieser Bericht demonstriert, der repräsentativen Gefügen jedes Typs übermittelt wird.

Wir meinen, daß das fundamentale Wissen in das Bewußtsein jener Einheiten gebracht werden muß, die am befähigsten sind, es zu nutzen, und zwar unter der Maßgabe, daß es nur angewendet wird, um Harmonie und Fortschritt in allen Alternativen herbeizuführen. Wir meinen, daß vier unter unseren fünf repräsentativen Spezies nicht über die geeigneten Philosophien und Talente für diesen Zweck verfügen. Die Fungi und die Vögel besitzen weder die Neigung noch das manuelle Geschick, um die erforderlichen Konstruktionen zu bedienen. Die Säuger besitzen beides, aber es mangelt ihnen an angemessener gesellschaftlicher Kontrolle. Sie sind Räuber, Ausbeuter: nach ihrer eigenen Beschreibung »Omnivoren«, Zerstörer andersartiger Systeme. Deshalb kann diese Macht ihnen nicht anvertraut werden. Die Mustereinheiten sind ebenfalls fähig und besitzen bessere philosophische Moralvorstellungen. Aber ihr Zynismus, diese Enklave und das damit verbundene »Hexaflexagon«-System alternativer Gefüge zu errichten, beweist, daß ihre Philosophie unvollständig ist. Mit Intelligenzien darf nicht auf diese Weise gespielt werden. Tatsächlich haben die Muster so außerordentliche Schwierigkeiten, die Nuancen physischer Bedürfnisse und Handlungen zu verstehen, daß sie nach unserer Meinung ebenfalls ungeeignet sind.

Nur eine Spezies besitzt den Antrieb, die Fähigkeit und die Philosophie, um richtigen Gebrauch von dieser Information zu machen und die gestellte Aufgabe effizient durchzuführen. Für diese Spezies allein fügen wir unseren technischen Bericht bei, der die Macht der Alterkeit gewährt.

Wir glauben, daß die Maschinen der Notwendigkeit am besten entsprechen.

19 Orn

Orn hörte das schreckliche Kreischen und erkannte seine Bedeutung augenblicklich. Der Raubsäuger hatte Ornette erwischt und getötet. Nun würde er auf ihn losgehen.

Er empfand keine Trauer, nur ein Verlustgefühl. Jetzt hatte er keine Partnerin mehr, und die Linie seiner Spezies endete, es sei denn, er fand eine andere Partnerin oder bewahrte die Eier.

Aber weder er noch seine Eier würden überleben, wenn ihn dieser Mensch erwischte – und das Säugerbaby würde ebenfalls umkommen.

Orn dachte nicht in der Weise, wie es Reps und Säuger taten. Sein Bewußtsein war Erfahrung, und die Erfahrung reichte Millionen von Jahreszeiten zurück: ein Rassengedächtnis. In ihm waren keinerlei Worte enthalten. Für ihn war »Säuger« jener Komplex von Eindrücken, die durch die Gegenwart von felltragenden, kindersäugenden, warmblütigen Vertebraten hervorgerufen wurden. »Rep«, »Aves« und die anderen Repräsentanten solcher Klassen waren ähnliche Vorstellungen.

Orn kannte die Weise, in der seine Art überlebt hatte, bis zurück zu jener Zeit, als seine Spezies getrennt von anderen Aves existiert hatte. Er war bestens für das Überleben in der Welt seiner Vorfahren gerüstet. Aber diese Welt hatte sich verändert, und das machte das Überleben gefahrvoll.

Orns Gedächtnis enthielt keine Erinnerung an die Jagd durch einen Raubsäuger, denn Säuger waren für den größten Teil ihrer Lebensdauer als Spezies leichte Beutetiere gewesen. Deshalb hatte er nie einer Bedrohung dieser Art gegenübergestanden. Aber Orn verstand sich hervorragend darauf, sich zu verbergen und zu jagen – tatsächlich waren beides Aspekte desselben Vorgangs. Er wußte, daß dieser Säuger so mörderisch und tödlich war wie ein junger Tyrann. Wenn er ihn erwischte, würde er ihn töten und die Eier und das Baby in seinen Besitz bringen.

So floh er, und er tat es mit großer Umsicht. Er steckte seinen langen Hals durch die Vorderschleife der Nestkarre und zog sie hinter sich her. Das Baby fing an, Lärm zu machen. Sofort drehte Orn den Kopf zurück, bog den Hals nach unten und fand das Stück Holz, das bei derartigen Gelegenheiten benutzt wurde. Er schob es in den Mund des Babys. Das Baby saugte daran und hörte auf zu schreien.

Orn zerrte den Wagen in ein dichtes Gebüsch in der Nähe eines ungestüm fließenden Bachs und sorgte so dafür, daß er sich nicht durch Sicht oder Geräusch verraten konnte. Er wusch Schnabel und Füße in dem Bach und setzte dadurch zeitweilig seinen typischen Körpergeruch herab. Dann verwischte er die Spuren, die die Wagenräder hinterlassen hatten, indem er sorgfältig Kiefernnadeln, Palmwedel und halb verdorrtes Gesträuch über die Spur legte, so daß sie vom Waldboden nicht zu unterscheiden war. Er fand den verwesenden, von Insekten übersäten Leichnam eines kleinen Reptils und legte ihn in der Nähe nieder. Dieser Geruch würde alles andere überdecken.

Dies waren nicht die Überlegungen, die Orn anstellte, denn sein Verstand arbeitete nicht auf diese Weise. Es war lediglich die aufgespeicherte und hochentwickelte Erfahrung seiner Spezies. Wie die Gliederfüßler ausgeklügelte Gänge konstruierten und viele spezialisierte Arbeiten ausführten, handelte er in jener Weise, die das Überleben immer diktiert hatte. Daß er es bewußt tat, spiegelte nur die Begabung seiner Spezies wider: Seine Erinnerungen waren viel umfangreicher als die der Gliederfüßler, Reps oder irgendwelcher anderer Spezies und erforderten weitaus mehr Klugheit bei der Entscheidungswahl. Aber es war Erinnerung, nicht Überlegen.

Nachdem die Tarnung abgeschlossen war, wusch er sich abermals, watete bachabwärts und entdeckte ein kleines grasendes Rep: einen Baby-Tricer. Er sprang ihn an und bohrte seine Krallen in den Rücken der Kreatur, unmittelbar unterhalb des schützenden Kopfkragens.

Das begriffsstutzige Rep stieß einen Schmerzensschrei aus und warf den Kopf herum. Aber Orn behielt seine Position gerade außerhalb der Reichweite des alles zerschmetternden Knochens bei und bohrte seine kraftvollen Krallen noch tiefer hinein, wobei er mit den Stummelflügeln schlug, um die Balance zu bewahren. Unfähig, den Angreifer abzuschütteln, geriet der Tricer in Panik. Orn ritt auf ihm, lenkte ihn, indem er den Griff des einen oder des anderen Fußes verstärkte, und veranlaßte ihn dadurch dazu, dem anwachsenden Schmerz zu entfliehen.

Schließlich sprang Orn herunter und überließ das Rep sich selbst. Im Endeffekt war er geflogen: Er war ein ganzes Stück weitergekommen, ohne eine erkennbare Spur hinterlassen zu haben. Kein Räuber konnte seinen Weg anhand von Sicht oder Geruch bis zurück zu dem verborgenen Nest verfolgen.

Jetzt machte er eine ganz offene Spur, die mittelbar vom Nest wegführte. Er wußte, daß der Raubsäuger sie zum gegebenen

Zeitpunkt wahrnehmen und erkennen würde. Orn beschrieb mehrere weite Kreise, so daß es keinen offensichtlichen Endpunkt gab, der sein Manöver verraten konnte, und machte sich dann auf den Weg zum Territorium des größten und wildesten Tyrannen im ganzen Tal. Der Mensch würde, wenn er *dieser* Spur folgte, einiges an Ablenkung finden!

Aber Orn hatte den Scharfsinn dieser Bestie unterschätzt. Der Säuger folgte seiner Lockspur nicht unmittelbar, sondern legte sich in den Hinterhalt.

Nur das Schweigen der Gliederfüßler des Gebiets machte den Vogel aufmerksam. Normalerweise waren die kleinen fliegenden, krabbelnden und grabenden Kreaturen überall in der Umgebung hörbar, es sei denn, eine unnatürliche Gegenwart hatte sie alarmiert. Als Orn diese Zone des Schweigens betrat, wußte er, daß irgend etwas nicht stimmte.

Leise zog er sich zurück, aber der Säuger war sich seiner bewußt. Neben ihm ging ein Strauch in Flammen auf: der Lichtblitz aus der Waffe des Säugers.

Orn rannte. Der Säuger verfolgte ihn. Orn war schnell, denn seine Art hatte ihre Beute stets bis zur Erschöpfung gehetzt. Aber dieser Säuger war viel schneller auf seinen Füßen als die anderen seiner Art, der Veg und Quilon. Orn mußte sich außerordentlich anstrengen, um ihn hinter sich zu lassen, und dabei war er nicht in der Lage, seine Spur richtig zu verwischen.

Er konnte ihn in eine lange Jagd verwickeln und hoffen, ihn dadurch zu ermüden: Orn konnte tagelang laufen. Aber in der Zwischenzeit wurden die Eier langsam kalt. Die Wärme des Säugerbabys neben ihnen im Nest und die Feder- und Halmabdeckung verlängerte die Zeitspanne, in der die Eier allein gelassen werden konnten – aber die Nacht kam. Sowohl Eier als auch Baby brauchten Fürsorge, die einen Wärme, das andere Nahrung. Wenn das Baby nicht gefüttert wurde, würde es Lärm machen, und das würde den Räuber anlocken. Diese Dinge wußte Orn aus jüngster Erfahrung.

Er mußte den Säuger schnellstens abschütteln und dann für die Nacht zum Nest zurückkehren. Weil es gut versteckt war, müßte er es eigentlich bis zum Morgen an Ort und Stelle belassen können.

Aber der Säuger wollte nicht von seiner Spur ablassen. Er fiel zurück, aber nie weit genug, um ihm die Möglichkeit zu geben, seine Spuren zu tilgen. Er war in Schwierigkeiten.

Dann fand ihn ein Fungus. Nur mit Mühe hatte es Orn gelernt, diese Pflanzenkreaturen zu verstehen, denn sie waren seinen Ahnen völlig fremd. Jetzt konnte er sie ziemlich leicht identifizieren. Sie schossen schneller als jede andere Kreatur über Land und Wasser, und ihre Attacke war tödlich. Aber sie kämpften nur um ihrer Nahrung willen und für die beiden befreundeten Säuger. Orn machte sich wegen der Fungs keine Sorgen.

Nun begriff er, daß seine Gegenwart eine Entwicklung in dem Konflikt mit den Raubsäugern anzeigte. Aber er war unfähig, mit der Kreatur zu kommunizieren.

Der Fungus ließ sich vor ihm nieder und nahm seine stationäre Form an. Obgleich Orn es sich nicht erlauben konnte, lange zu warten, wußte er doch, daß es für seine Gegenwart ein Motiv gab. Er betrachtete den Fungus aus nächster Nähe.

Die Kreatur war verletzt. Flüssigkeiten sickerten aus ihr heraus.

Da wußte Orn, daß die befreundeten Säuger unterlegen waren. Dies war der Circe-Fung, Begleiter der Quilon. Er war von einer Räuberwaffe getroffen worden. Er war gekommen, um ihm das zu zeigen.

Niemand außer Orn blieb übrig, um das Nest zu schützen – und der Räuber war hinter ihm her.

Die Geräusche des Verfolgers wurden lauter. Orn mußte wieder laufen.

Der Fungus richtete sich auf, erhob sich schwankend in die Luft und richtete sich aus. Es gab keinen Zweifel, daß er Schwierigkeiten hatte. Von seiner normalen Eleganz und Schnelligkeit war nichts mehr zu sehen.

Er bewegte sich dem Raubsäuger entgegen.

Orn begriff, daß der Fungus, behindert wie er war, den Säuger angreifen wollte.

Das mochte den Säuger eliminieren oder so aufhalten, daß Orn sicher zum Nest gelangen konnte.

Er rannte zum Bach, stieg hinein und fand ein anderes kleines Rep, das er zwang, ihn zum Nest zurückzubringen.

Alles war in Ordnung. Die Eier waren noch warm, und das Baby schlief.

Orn setzte sich auf das Nest und erhöhte die Temperatur der Eier, während er seinen Schnabel in den Brei steckte, den die Quilon vorbereitet hatte. Als das Baby erwachte, schob er ihm eine Portion dieses Breis in den Mund, hielt dabei mit einem Flügel seinen Kopf aufrecht, fing geduldig das Ausgespuckte auf und schob es zurück in den Mund. Als das Baby nicht mehr wollte, führte Orn das schwierigste Ritual durch. Er nahm einen Schalenteller in seinen Schnabel, trug ihn zu dem nahen Bach, schöpfte ihn voll Wasser, brachte ihn zurück und setzte ihn am Rand des Nests ab. Dann nahm er eins der hohlen Rohrstücke und schob ein Ende in den Teller, das andere in den Mund des Babys. Das Baby saugte. Wasser floß durch die Röhre in seinen Mund. Auf diese Weise trank es.

Orns Fürsorge für das Baby war eine weitere Funktion seines Gedächtnisses. Seine Ahnen hatten gelegentlich danach getrachtet, das Leben junger Tiere, Nachkommen der geschlagenen Beute, zu bewahren. Diese Jungen konnten heranwachsen, um zur Beute zu werden, wenn diese knapp war – es handelte sich also um ein Überlebenstalent. Selbst ein gerade geschlüpftes Küken, konfrontiert mit einem hilflosen Säugerjungen, würde ähnlich gehandelt haben – Teilen der Nahrung, Rohrstengel schneiden, Wasser holen, für Wärme sorgen. Es war eine Symbiose, die sich in der Zeit der Herrschaft der großen Reps ganz natürlich ergab.

Jetzt säuberte er das Nest. Das Säugerbaby nahm erhebliche Mengen Wasser zu sich und gab sie fast fortwährend wieder ab. Das Nest war so gemacht, daß der größte Teil der Flüssigkeit durchsickerte und auf den Boden fiel, aber nach einiger Zeit roch es streng. Orn zupfte Büschel heraus und ersetzte sie sorgsam durch neue.

Das Baby schlief.

Orn bedeckte es und die Eier und schlief ebenfalls.

Am Morgen ließ Orn das Nest zurück und machte sich auf den Weg, um zu jagen und Erkundigungen einzuholen. Er traf keine besonderen Vorkehrungen, um seine Spuren zu verbergen, denn er beabsichtigte, das Nest an einen besseren Ort zu bringen.

Zuerst überprüfte er den Raubsäuger. Der Fungus war nicht mehr da, und der Säuger war verwundet. Es war offensichtlich zu einem mörderischen Zusammentreffen gekommen. Orn sah den Säuger nicht selbst, er sah die Stätte des Kampfes, den aufgewühlten Boden, der mit Blut durchtränkt war – Säugerblut und Fungflüssigkeit –, und die Fleisch- und Knochenstücke, die einst die fünf Glieder gewesen waren, mit denen er die Blitzwaffe manipulierte. Er sah die geplatzte Haut des Fungs, die Linse des großen Auges, einige Muskelstücke des Fußes, aber sehr wenig vom Hauptkörper. Das war eigenartig, denn die Aasfresser-Insekten hatten noch keine Zeit gehabt, die Masse zu verzehren.

Der Säuger hatte überlebt, schwer verletzt, aber er war noch immer unterwegs, um nach Orn und dem Nest zu suchen.

Orn dachte daran, den Säuger anzugreifen. Er befand sich in geschwächter Verfassung, und Orn war stark. Er mochte jetzt imstande sein, ihn zu töten. Aber wenn der Säuger noch seine Feuerwaffe besaß und trotz des Verlusts seiner kleinen Knochen eine Möglichkeit hatte, sie zu benutzen, konnte Orn nicht siegen. Ein Tyrann mochte verkrüppelt sein, aber seine Zähne waren noch immer scharf! Orn ließ den Säuger in Ruhe.

Er erlegte ein kleines Brachrep, verzehrte davon und kehrte zum Nest zurück. Es war jetzt heller Tag. Das Suchnetz des Säugers zog sich enger. Er mußte das Nest verlegen.

Er steckte seinen Hals durch die Zügel und zog. Er würde es in eine warme Höhle oben in der Gebirgskette bringen. Dort konnten die Eier ständig warm bleiben, und das Baby würde geschützt sein. Höhlen waren gute Nistplätze – mitunter.

Aber der Weg dorthin war schwierig. Er mußte die Territorien von zwei Reptilien durchqueren, verlangsamt durch das Nest und verfolgt von dem Säuger. Er mußte die Ausläufer einer Schlammsenke passieren. Dann kam der steile Hang, wo er der Blitzwaffe des Säugers ausgesetzt sein würde.

Orn kalkulierte die Wetten nicht. Er zog los.

Er kam sicher durch die Region des Tyranns. Einst war dieses

Gebiet das Territorium eines größeren Tyrannen gewesen, der die Quilon den Berg hinauf verfolgt hatte und in der Kälte umgekommen war. Der neue Tyrann hatte sich noch nicht ganz an das vergrößerte Areal gewöhnt. Er mochte schlafen oder anderweitig beschäftigt sein.

Aber das zweite Reptil, ein Struth, erwischte ihn.

Struth ähnelte Orn so weit, wie es ein Reptil nur konnte. Er hatte lange Beine, einen schlanken Hals und wog ungefähr zweimal soviel wie Orn. Deshalb betrachtete er Orn als unmittelbaren Konkurrenten.

Mit einem Aufschrei der Entrüstung griff Struth an. Orn wand sich aus den Zügeln und schoß um den Karren herum, um sich dem Rep entgegenzustellen. Er würde kämpfen müssen, sonst verschlang Struth die Eier und das Baby.

Orns Ahnen hatten viel Erfahrung mit Struths gehabt. Das Rep war hart. Nur am kühlen Morgen, wenn die Bewegungen und Reflexe des Reps verlangsamt wurden, konnte Orn es mit ihm aufnehmen.

Jetzt war Morgen.

Orn wich seitlich aus, als Struth angriff. Er riß einen Fuß hoch und benutzte die scharfen Krallen, um die Seite des Reps mit einem kraftvollen Abwärtshieb aufzureißen.

Es war ein Volltreffer. Ein weichhäutiger Säuger wäre entleibt worden. Aber die zähe Haut des Reptils schützte es, so daß es lediglich einen häßlichen Kratzer davontrug. Inzwischen wirbelten seine Zähne herum und schnappten nach Orns Hals.

Aber Orn war auf diese Bewegung vorbereitet. Sein Schnabel stieß nach vorne und zielte nach dem Auge des Reptils. Die Kreatur schrie vor Schmerz und wich zurück.

Abermals hob Orn den Fuß. Aber die Kiefer des Reptils schlossen sich um seinen erhobenen Fuß, denn Struth war größer als er.

Verzweifelt schlug Orn augenblicklich mit dem Schnabel zu, löschte auch das zweite Auge aus. Das Reptil ließ los, aber Orns Fuß war zerfleischt.

Mit dem gesunden Fuß führte er einen weiteren Schlag gegen den blinden Struth. Diesmal erzielte er Wirkung. Mit hervorquellenden Eingeweiden brach das Reptil sterbend zusammen.

Wild schnappte es nach seinen eigenen Därmen und versuchte, den Schmerz einzudämmen.

Orn nahm sich nicht die Zeit, Nahrung aufzunehmen, so verlockend der Anblick der hervorsprießenden Innereien auch war. Der Säuger würde zu ihm aufschließen! Er kehrte zum Nest zurück, schob den Hals durch die Schlinge und hinkte los. Die Belastung des verletzten Fußes bereitete ihm zunehmend Schmerzen, aber er ging krampfhaft weiter.

Er erreichte die Schlammebene. Der Schlamm war heute heiß. Riesige Blasen formten sich, dehnten sich aus und zerplatzten. Aber eine Umgehung dieses Gebiets würde seinen Weg erheblich verlängern und ihn zurück durch Tyranns Territorium führen. Lahm, wie er war, durfte er das nicht riskieren.

Allein mochte er es schaffen, selbst mit seiner Verletzung. Das Nest zu ziehen machte es jedoch weitaus schwieriger. Wenn er es allerdings schaffte, würde der kochende Schlamm eine Barriere gegen den Säuger bilden, vielleicht eine tödliche.

Er hörte ein Geräusch. Sein Kopf fuhr herum. Der Raubsäuger war aus dem Wald aufgetaucht. Er war von oben bis unten umhüllt. Stöcke waren an seinen Gliedern festgebunden, und Gewebe bedeckte seinen Torso – nicht sein normales ablegbares Gefieder, sondern festsitzende Verbände auf den Wunden. Orn brauchte über den Kampf nicht nachzusinnen. Seine Beobachtung der Stätte, an der es zum Zusammenstoß mit dem Fung gekommen war, und die gegenwärtige Verfassung des Säugers reichten aus, das Bild zu formen.

Der Fungus hatte zuerst nach der Waffe geschlagen und sie neutralisiert, wodurch der Säuger auf sich selbst gestellt wurde. Als nächstes hatte der Fungus auf den breiten Nacken des Säugers gezielt. Der Säuger hatte den Nacken mit seinen Gliedern geschützt, und so waren diese Glieder tief zerschlitzt worden: Fleisch vom Knochen. Aber als der Säuger den Fungus einmal mit seinen Anhängseln gepackt hatte, war dieser zerrissen und getötet worden.

Danach hatte der Säuger seine Wunden verbunden, um den Verlust der Körperflüssigkeiten zu stoppen, und mit den Stöcken die Knochen gestützt. Und dann hatte er die Verfolgung Orns fortgesetzt. Ein gewaltiger Räuber!

Eine riesige Blase entstand fast unter Orns Füßen. Es war eine, die langsam aufstieg und vorher kein Anzeichen von ihrer Gegenwart erkennen lassen hatte. Orn hatte dieses Wegstück als sicher angesehen.

Er machte einen Satz nach vorne und versuchte, die Karre in Sicherheit zu bringen. Aber die Räder waren tief in den Schlamm eingesunken, den die Blase gelöst hatte. Es gelang ihm lediglich, sie unmittelbar in den Luftraum zu ziehen, als es zur Eruption kam.

Die Karre kippte um, ließ erst ein Ei in den heißen Schlamm rutschen, dann ein zweites. Das Baby wimmerte. Orn schlug mit den Flügeln, um sich gegen die Luft zu stemmen. Aber die Zügel behinderten ihn.

Die Blase zerplatzte. Sengendes Gas hüllte Orn ein. Er kreischte in Agonie, inhalierte dann den Dampf in seine Lungen.

Innerlich und äußerlich brennend versank Orn in der Blase. Als ihn die Hitze darin kochte, nahmen seine glasigen Augen ein Glühen mit vielen funkelnden Punkten wahr. Es umfing das Nest, das letzte noch verbliebene Ei und das Säugerbaby.

Dies war die eine Erfahrung, die Orns Vorfahren ihm nicht hatten vererben können: der Tod des Individuums. Hitze, Schmerz und eine Wolke aus Licht. Schlammverklebte Federn. Versinken.

Am eigenartigsten daran war die offensichtliche Überraschung des beobachtenden Räubers. Der *Säuger* starb nicht. Wieso teilte er Orns Erfahrung?

20 Einheit

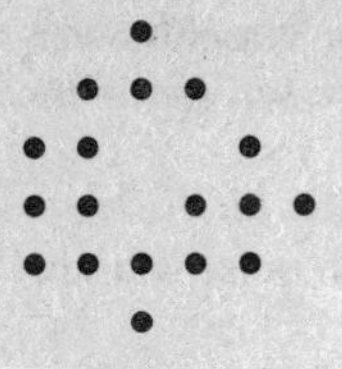

Die Einheit trat in das Waldgefüge ein und ortete den Aufenthaltsplatz der beiden Säuger.

»Aufgepaßt!« rief Veg. »Eine der Maschinen ist hinter uns her!«

»Ich bin ein Abgesandter von Machina Prima«, sagte die Einheit. »Wie ihr euch erinnern werdet, haben wir ein Abkommen über den Austausch von Enklaven zwischen unseren Gefügen geschlossen.«

»Das stimmt«, sagte Tamme, aber ihr Körper war dabei angespannt.

Sie hatte die Linse nicht länger bei sich: Beweis ihres mangelnden Vertrauens.

»Ihr werdet bemerken, daß ich euch in eurem eigenen Dialekt und nicht in jenem anrede, den wir bei unserem vorangegangenen Interview ausgearbeitet haben.«

»Ich bemerke es«, sagte sie gepreßt.

»Es wird Frieden zwischen den Alternativwelten geschlossen. Wir stehen mit eurem Heimatgefüge in Verbindung und nehmen Kontakt mit anderen auf. Es wird keinen Austausch von Enklaven geben.«

»Was bedeutet?« Sie versuchte die beste Methode herauszufinden, durch die sie die Maschine außer Gefecht setzen konnte.

»Trotz eures Verdachts haben wir nie eine Eroberung geplant. Wir wollten lediglich einen Gedankenaustausch, eine stärkere Basis gegen die, die wir als gemeinsamen Feind ansahen. Ihr beurteiltet unser Motiv falsch, und wir beurteilten die Muster falsch. Derartige Mißverständnisse werden ausgeräumt. Wenn ihr mich jetzt begleitet, werdet ihr zufriedengestellt werden.«

Veg schüttelte den Kopf. »Ich habe das komische Gefühl, daß wir ihr glauben sollten. Bisher hat noch nie eine Maschine versucht, mit mir zu reden. Und sie hat gewußt, wo wir zu finden sind, und hat nicht angegriffen.«

Tamme schüttelte den Kopf.

»Ich traue ihr nicht. Wir wissen, wie tückisch diese Maschinen sein können.«

»Ich muß euch nach Catal Hüyük geleiten«, sagte die Einheit. »Ihr braucht lediglich an Ort und Stelle zu bleiben.«

»Eine Maschine kann uns durch die Alternativen bringen?« fragte Tamme.

»Eine Maschine *hat* das schon immer getan«, erinnerte Veg sie.

Über die Situation im unklaren, leistete sie keinen offenen Widerstand. Die Einheit bewegte sie. Sie traten flüssig aus dem Wald in die Stadt über, ohne Blizzard als Zwischenaufenthalt.

Aquilon sah die Maschine und öffnete den Mund zu einem lauten Schrei. Cal blickte von einer zum Teil auseinandergenommenen Maschine hoch.

»Ist dies die Antwort auf unsere Botschaft?« fragte er vorsichtig.

»Sie können es so nennen, Dr. Potter«, sagte die Einheit.

Dann sah Cal Veg und Tamme. Er entspannte sich.

»Hallo«, sagte er und hob grüßend die Hand. »Es scheint in Ordnung zu sein. Die Maschinen sind unsere Freunde – denke ich.«

Tamme blickte von ihm zu Aquilon. »Und sind wir auch Freunde?«

»Sie haben sich verändert«, sagte Aquilon und betrachtete sie näher.

»Ich bin normal geworden.«

»Wir sind jetzt alle Freunde«, sagte die Einheit. »Ich werde euch ins antike Catal Hüyük geleiten, wo . . .«

»Catal Hüyük!« riefen Cal und Aquilon gleichzeitig aus.

»Erläuterung«, sagte die Einheit. »Dieses Gefüge ist das moderne Catal Hüyük. Unsere Bestimmung ist das antike Catal Hüyük.«

»Dies hier ist Catal Hüyük?« fragte Cal. »Zehntausend Jahre später?«

»Die Zeit wird bedeutungslos. Nach der Beschlußversammlung werden wir euch in eure eigenen Gefüge zurückbringen – oder in ein anderes, das ihr bevorzugt.«

Tamme und Aquilon standen mit verkniffenen Lippen da. Die Männer waren entspannter. Was für eine Art von Beschluß hatte die Maschine im Sinn?

»Catal Hüyük«, wiederholte Cal kopfschüttelnd. »Der Glanz des frühen Menschen, vergessen . . .«

Die beiden Mantas ließen sich nieder, beobachteten die Einheit.

Die surrealistische Stadt verblich, und das antike Catal Hüyük trat an ihre Stelle.

Eine Mustereinheit und die alternative Aquilon in weißer Robe warteten im Schreinraum. Die beiden Aquilon versetzten sich gegenseitig in Verlegenheit und wandten die Augen ab. Tamme schätzte die beinahe gefängnisartige Geschlossenheit des Raums wachsam ab und überlegte, ob Maschine und Muster vernichtet und eine Flucht bewerkstelligt werden konnte, ohne Veg dabei zu verlieren.

»Wir sind alle Freunde«, wiederholte die Einheit. »Wir haben uns hier zu einer Abschlußversammlung zusammengefunden, um vorangegangene Verwicklungen aufzulösen und die Protagonisten richtig zu disponieren.«

Die Versammelten blickten sich um: fünf menschliche Wesen, zwei Mantas und das Muster. Niemand sprach. Funken strahlten von dem Muster ab und gingen ohne Wirkung durch die physischen Kreaturen hindurch.

»In einem bestimmten Gefüge«, sagte die Einheit, als ob sie die Spannung, die jetzt sogar die Männer ergriffen hatte, nicht zur Kenntnis nahm, »starb Calvin Potter. Sein Ende wurde von seiner engen Freundin und potentiellen Geliebten Deborah Hunt beobachtet. Es hatte eine tiefgreifende Wirkung auf sie, so stark, daß sich das Trauma über eine Anzahl von verwandten Gefügen ausbreitete.«

»Mein Alptraum!« flüsterte Aquilon. Die Aquilon in der weißen Robe blickte sie an. »So hast du es also auch gefühlt . . .«

»Dies ist ein normaler Effekt«, erklärte die Einheit. »Er ist verantwortlich für viele Fälle des menschlichen *Déjà-vu,* Hellsehen, Geistermanifestationen . . .«

Cal nickte verstehend. »Wir nennen es übernatürlich, weil die Naturgesetze unseres Einzelgefüges keine psychischen Phänomene erklären. Aber wenn es sich lediglich um Reflexionen tatsächlicher Geschehnisse in benachbarten Gefügen handelt . . .«

»Dieser Mann«, sagte die Maschine und deutete auf Cal, »schritt hinüber in das Gefüge dieser Frau . . .«, sie deutete auf die Priesterin Aquilon, ». . . und schwängerte sie. Er kehrte in sein Gefüge zurück und tat die Angelegenheit als Phantasievorstellung ab. Sie bekam sein Kind und sorgte für es mit Hilfe ihres Freundes Veg, der vier Mantas und der Familie intelligenter Vögel.«

Unzeremonielle Aquilon blickte Aquilon in Robe an. »Du sagtest, du hättest ein Baby gehabt . . .«

»Ja . . .«

Unzeremonielle Aquilon wandte sich an Cal. »Und du warst der Vater?«

Er spreizte die Hände. »Es scheint so.«

»Dies ist ein weiterer gelegentlicher Effekt«, sagte die Einheit. »Wenn es in einem Gefüge ein plötzliches, überwältigendes Bedürfnis gibt und die Möglichkeit besteht, es in einem nahen Gefüge zu befriedigen, kann es zu einem spontanen Übergang kommen. Im vorliegenden Fall wurde dieser durch die Gegenwart eines Öffnungsprojektors erleichtert, den ein Erkundungsteam aus einem weiter entfernten Gefüge zurückgelassen hatte. Die Agenten gehörten der VI-Serie an . . .«

»Wir sind noch nicht bei VI«, sagte Tamme. »TE ist die letzte . . .«

»Jenes Gefüge ist euch voraus«, erklärte die Einheit. »Vibro und Videl projizierten sich, ließen für den Notfall ihren Reserveprojektor an einer geschützten Örtlichkeit zurück und machten sich auf den Weg, um die Reptilienenklave zu studieren. Sie hatten das Pech, von einem schweren Beben überrascht und verletzt und von räuberischer Fauna gefressen zu werden, bevor sie den Reserveprojektor erreichen konnten. So blieb er in diesem Gefüge an Ort und Stelle, bis er von Mr. Potter benutzt wurde.«

Veg setzte sich auf die Kante der erhöhten Raumebene. »Das ist hochinteressant«, sagte er. »Aber warum wurden wir von den Funken gepackt, und wer hat all die anderen herumliegenden Projektoren zurückgelassen? Können nicht *alle* Erkundungsteams gewesen sein, die von Dinosauriern verschlungen wurden – nicht in Nebelnase oder Blizzard oder ...«

»Die anderen Projektoren wurden zurückgelassen von Menschen wie euch«, sagte die Einheit. »Ihr und der TA-Agent projiziertet euch in ein anderes Gefüge und ließt das Instrument zurück. Dasselbe passierte in den anderen Gefügen. Weil jedes eine Gefügestätte war, von den Mustereinheiten zwecks zeitweiliger Aufbewahrung experimenteller Subjekte ausgewählt ...«

»Weiße Mäuse«, warf Tamme ein. Sie hatte sich nicht entspannt.

»... befanden sie sich in Phasengleichheit miteinander. Statt zufällige Gefüge und Örtlichkeiten zu erreichen, projizierten sich alle unmittelbar zur Stätte eines anderen Aufbewahrungsgebiets. Dadurch blieben die Subjekte abgeschlossen, was einer der Gründe für die Mustereinheiten war, es so einzurichten. Die Ansammlung bildete Muster – wiederum kein Zufall, denn es ist in jedem Unternehmen der Mustereinheiten inhärent.«

»Geht auf«, sagte Veg. »Es gab also keinen Weg *heraus* aus dieser Möbiusschleife.«

»Das System ist beseitigt worden«, sagte die Einheit.

»Und was ist mit all den anderen Leuten?« wollte Veg wissen.

»Sie werden von anderen Einheiten interviewt.«

»Du meinst, die Maschinen haben die ganze Alterkeit übernommen?«

Nun war es heraus. Tamme, scheinbar entspannt, war aktionsbereit – und Cal, beide Mantas und die unzeremonielle Aquilon waren bereit, ihrer Führung zu folgen. Im nächsten Augenblick würde es zu Gewalt kommen – in dem Augenblick, in dem sie sicher waren, daß es keinen besseren Weg gab.

»Der Begriff ›Übernahme‹ ist nicht zutreffend«, sagte die Einheit. »Machina Prima dient jetzt als Koordinator für existierende Gefüge. Dies wird gleich klargestellt werden.«

»Laß sie reden«, raunte Cal Veg zu. »Dies ist ein höchst aufschlußreicher Dialog.«

Und nun war auch Veg aktionsbereit.

»In dem Gefüge, in dem Aquilon schwanger war, verzögerte sich die Anschlußmission der Agenten um ein Jahr. Als die Agenten kamen, starben die Mantas und die intelligenten Vögel. Vachel Smith wurde gefangengenommen, und Miss Hunt projizierte sich in dieses Gefüge hier: eine Welt im menschlichen Neolithikum. Sie fand den Projektor, den ein anderes Team zurückgelassen hatte . . .«

»Wie viele Teams *schwirren* eigentlich durch die Gegend?« wollte Veg wissen.

»Eine unendliche Anzahl. Aber die meisten waren in das Muster integriert, das die Mustereinheiten errichtet hatten. Es gab keinen mechanischen Weg, um aus diesen Schleifen auszubrechen. Miss Hunt experimentierte mit ihrem Projektor, besuchte ihr Ebenbild in der Wüste, zerstörte unbeabsichtigt das Ei und kehrte hierher zurück, um zur Sühne ihren Projektor zu zerstören.«

»Du hast das getan?« fragte die unzeremonielle Aquilon.

Die Aquilon mit Robe nickte traurig. »Was ist aus meinem Baby geworden?«

»Der Vogel Orn versuchte, sowohl die Eier als auch dein Baby zu retten. Er wurde von einem Agenten gejagt, dessen Aufgabe es war, beides sicherzustellen und zur Erde zurückzubringen. Die Agenten glaubten nicht, daß genug Zeit gewesen war, ein menschliches Baby zu empfangen und zur Welt zu bringen, so daß es bedeutsam für sie war, das Phänomen in vollem Umfang zu untersuchen. Orn kam um, aber eine Mustereinheit barg ein Ei, das Baby und eine fruchtbare Spore der dahingeschiedenen Mantas. Alle wurden zusammen mit einer neu hergestellten Maschineneinheit an eine begrenzte Lokalität gebracht . . .«

»Die Szene, die wir auf der Bühne gesehen haben!« schrie die unzeremonielle Aquilon. Ihr Entschluß zu kämpfen geriet ins Wanken. Die Maschine schien zuviel zu wissen, um ein Feind zu sein.

»Ein werdendes Muster wurde ebenfalls dort geschaffen«,

fuhr die Einheit fort. »Kleine Ableger ohne Verstand, von der Art wie auf Mr. Potters dreidimensionalem Schirm erzeugt, wurden über einen begrenzten Vorrat von Elementen geleitet, um sich auf diese Weise zu verbinden und eine vollständige, intelligente Einheit zu bilden.

So werden neue Muster gebildet – sie reproduzieren sich nicht in der Art und Weise, wie es physische Einheiten tun. Es gibt jedoch gewisse Parallelen zur Herstellung von intelligenten Maschinen. So eine Maschine war gerade im sogenannten Wüstengefüge entworfen worden. Einer ihrer Erbauer hatte die notwendigen Bestandteile aus den dorthin projizierten menschlichen Vorräten beschafft . . .«

»Deshalb also hatte sie Hunger!« sagte Veg. »Es war eine Muttermaschine.« Jetzt, da weiteres Verstehen kam, wurde auch er schwankend.

»Die Analogie ist nicht exakt«, sagte die Einheit. »Jedenfalls handelte es sich bei der neuen Maschine um diejenige, die in die Enklave an anderer Stelle in jenem Gefüge gebracht wurde. Die Enklave war damit vollständig. Die beobachtenden Muster hofften, sich über die Natur der physischen Wesen klar zu werden. Sie hatten damit keinen Erfolg. Nichtsdestoweniger erzielte die Enklave ihren eigenen Erfolg.«

»Aber das Enklaven-Baby starb!« protestierte die unzeremonielle Aquilon. »Wir sahen, wie es die schreckliche Maschine zerschlitzte . . .«

Die Aquilon in Robe erstarrte.

»Die Muster-Einheit, die auf die Bedürfnisse der anderen Einheiten reagierte, brachte den Säugling wieder ins Leben zurück«, sagte die Einheit. »Sein Tod wurde sichtbar, aber nicht real – genau wie Mr. Potters Tod in eurem Gefüge. Ihr nanntet es einen Alptraum.«

»Mein Baby . . . lebt?« fragte die Aquilon in Robe.

»Ja. Die Einzeleinheiten der Enklave vereinigten ihre Ressourcen und entwickelten ein Interkommunikationssystem, das jetzt in der gesamten Alterkeit die Beziehungen zwischen den Intelligenzien umgestaltet. Die erwachsene Enklave übertrug die Aufgabe der Anwendung und Koordination auf Machina Prima, und diese Aufgabe führten wir jetzt durch.«

Eine Pause trat ein. Dann: »Warum erzählst du uns das alles?« fragte Veg. »Warum schickt ihr uns nicht einfach nach Hause oder exekutiert uns oder ignoriert uns? Was kümmert es euch, was mit uns passiert?«

»Machina Prima kümmert sich nicht darum. Sie erfüllt lediglich die Bedingungen der Übereinkunft. Die Enklave bestimmte, daß diejenigen von euch, die an ihrer Entstehung mitgewirkt haben, befriedigt werden sollen. Jetzt wird die Enklave aufgelöst, und wir ...«

»Aufgelöst?« fragte die unzeremonielle Aquilon. »Was passiert mit ... mit Ornet und dem Baby ...?«

»Das Baby ist zu einem bemerkenswert fähigen Mann herangewachsen«, sagte die Einheit. »Dies geschah, weil OX, die Mustereinheit der Enklave, spezielle Eigenschaften der Alterkeit benutzte, um die gesamte Enklave zwanzig Jahre zu altern. Die anderen Bewohner reiften ebenfalls. Tatsächlich sorgte OX sogar dafür, daß ein weibliches Baby aus eurem Heimatgefüge in die Enklave kam und ebenfalls heranreifte. Sie war als Partnerin für Bab – den Mann – bestimmt, aber dazu kam es nicht. Es scheint, daß eure Art, wie Maschineneinheiten, nicht in der Isolation heranwachsen und dabei ihre geistige Gesundheit bewahren kann. Deshalb sorgte OX für die Rückkehr des Mädchens und versetzte nach Abgabe des Berichts der fünf Intelligenzien die Enklave wieder zurück in ihr ursprüngliches Stadium.«

»Also ist das Baby ... noch immer ein Baby«, sagte die unzeremonielle Aquilon. »Und Ornet ist ein Küken und ...«

»Was wird mit ihnen passieren?« wollte die Aquilon in Robe wissen. »Mein Baby ...«

»Über ihre Disposition muß diese Gruppe hier entscheiden«, sagte die Einheit. »Wir schlagen vor, daß das Baby seinen natürlichen Eltern zurückgegeben wird ...«

»Oh«, sagte die unzeremonielle Aquilon und blickte zuerst ihre Alternative, dann Cal an.

Cal legte seine Hand auf die ihre. »Ich mag einmal vom rechten Weg abgewichen sein, aber dies war auf Verwirrung zurückzuführen. In jedem Fall ist die Angelegenheit akademisch. Ich bin nicht der Vater.«

»Du bist der Vater«, sagte die Einheit.

Veg kicherte. »Maschine, wenn du in einer Diskussion gegen Cal gewinnst, bist du ein verdammtes Genie. Denn er ist eins.« Er schüttelte den Kopf. »Hätte allerdings nie gedacht, daß er mal in einen Vaterschaftsprozeß verwickelt wird.«

»Es gibt nichts zu diskutieren«, sagte die Einheit. »Wir haben die Information verifiziert.«

Selbst Tamme entspannte sich. Wenn die Maschine sogar bereit war, wegen Einzelheiten zu Spitzfindigkeiten zu greifen, mochte Gewaltanwendung nicht nötig sein. Wenn jedoch Gewalt gefragt *wurde*, sollte sie in jenem Augenblick der Verwirrung eingesetzt werden, in dem die Maschine ihren Fehler erkannte. Denn Cal mußte recht haben: Tamme sah den Gesichtspunkt voraus, den er ins Spiel bringen wollte, und erkannte seine Richtigkeit. Wenn es zu einem intellektuellen Kampf kam, war Cal unübertrefflich, wie sie und die anderen Agenten auf Paläo gelernt hatten.

»Laß es mich erklären«, sagte Cal. »Deiner Meinung nach ging ich hinüber, schwängerte diese Frau . . .«, er deutete auf die Aquilon in Robe, ». . . und kehrte rechtzeitig in mein Gefüge zurück, um mit den Agenten zusammenzutreffen. Unterdessen trug sie in dem anderen Gefüge das Baby aus und brachte es zur Welt, um anschließend von ihm getrennt zu werden, als es ungefähr drei Monate alt war. Dieses Baby gelangte in die Enklave und steht nun zur Rückkehr zur Verfügung.«

»Korrekt«, sagte die Einheit.

»Demnach verging in dem anderen Gefüge ungefähr ein Jahr. Aber in *meinem* Gefüge ist eine Woche vergangen.« Er runzelte die Stirn. »Berichtigung: zwei Wochen. Die Zeit ist durcheinandergeraten, aber kaum bis zu einem ganzen Jahr. Meine Begleiter werden dies bestätigen.«

Vegs Mund klappte auf. »Das stimmt! Tamme hat sich eine Woche lang auf Nebelnase erholt, und es gab nicht viele andere . . .«

»Richtig«, pflichtete ihm Tamme bei.

Sie hatte den Mechanismus der Maschine abgeschätzt und war zu der Überzeugung gekommen, daß sie durch ein Projektil, das auf das Laufwerk abgegeben wurde und als Querschläger von unten in den Mechanismus eindrang, angeschlagen sein würde. Verlangsamt konnte sie sodann durch eine gemeinsame Attacke überwältigt werden. Es war eine kleine Maschine, nicht so formidabel wie manche.

»Ja«, sagte die unzeremonielle Aquilon. »Wie kann er der Vater sein – wenn es erst zwei Wochen her ist?«

»Er ist der Vater«, wiederholte die Einheit.

»Ich bin zweifellos der Vater eines Babys in irgendeiner anderen Alternative – oder werde es in etwa acht Monaten sein«, sagte Cal. »Aber irgendein anderer Cal aus einem Gefüge, das uns ein Jahr oder mehr voraus ist, zeichnet für das Enklavenbaby verantwortlich, denn diese Aquilon ist offensichtlich schon einige Zeit hier in Cata Hüyük, ganz abgesehen von ihrem Paläo-Abenteuer.« Er wandte sich der unzeremoniellen Aquilon zu. »Die Frage, ob ich dich verlasse, stellt sich nicht, auch nicht um deines Doubles willen.«

Veg lächelte triumphierend, während sich Tamme darauf vorbereitete zu handeln. »Was sagst du *dazu*, Maschine?«

»Wir haben schon erwähnt, daß sich die Agentenmission im Gefüge dieser Frau um ein Jahr verzögerte«, sagte die Einheit und machte eine Geste in Richtung der Aquilon mit Robe. »Die Muster waren dafür verantwortlich. Dazu kam es im Zuge der Einrichtung ihrer holographischen Darstellung, der Enklave. Zeitreise ist innerhalb der Gefüge nicht möglich, aber ihr Anschein kann erweckt werden, indem es bei den Gefügen zu Phasenüberschneidungen kommt, wie ihr auf Paläo feststellen konntet. Indem sie eine Art Rückkoppelungskreis aufbaut, ist eine Mustereinheit in der Lage, ein Teilstück aus einem begrenzten Gefügekomplex zu beschleunigen. Dies geschah in der Enklave. Aber dieses Teilstück befindet sich dann außerhalb der Phase und kann nicht wirksam mit normalen Phasen interagieren, bis es wieder angeglichen wird. Die einzige Möglichkeit, die zeitliche Orientierung von Individuen so anzupassen, daß eine Einheit in einem unterschiedlichen Gefüge interagieren kann, besteht darin, dieses Individuum zu befähigen, den Übergang diagonal vorzunehmen. Das ist es, was die Muster mit euch getan haben. Als ihr von Paläo in die Wüste übertratet, seid ihr mehr als ein Jahr in der Zeit vorwärtsgesprungen.«

»Aber wir haben unseren eigenen Projektor benutzt!« protestierte Tamme, die immer noch versuchte, die Maschine bei einem Irrtum zu ertappen.

»Euer Projektor ist im Vergleich zu den Fähigkeiten der Muster ein Spielzeug. Sie änderten euren Weg während des Übergangs.«

Tamme sah ihre Chancen dahinschwinden. Die Maschine war überhaupt nicht verwirrt und zeigte keinerlei Schwäche. Was sie von den Mustern gesehen hatte ... Sie konnten wirklich mit der Zeit herumspielen ...

»Eine solche Diagonale muß allerdings immer ausbalanciert werden«, fuhr die Einheit fort. »Die Muster könnten euch nicht in einem Gefüge ein Jahr vorwärtsspringen lassen, ohne eine ähnliche Operation in dem anderen Gefüge vorzunehmen. Darum wurden die Agenten, eurem Team in Anzahl und Masse ähnlich ...«

»Gleichungen müssen sich ausbalancieren!« rief Cal aus.

»Natürlich! Wir sprangen in die Wüste und überbrückten ein Jahr, während die Agenten dasselbe Jahr beim Sprung von der Erde auf das andere Paläo überbrückten. Die Agenten verloren also ein Jahr, ohne es zu wissen, und uns ging es genauso.«

Tamme entspannte sich. Das scheinbar Unmögliche war geschehen. Cal war bei einem logischen Argument unterlegen, ihre Chance zum Zuschlagen dahin. Die Maschine kontrollierte die Situation wirklich!

»Jetzt erinnere ich mich«, sagte die Aquilon in Robe. »Tama sagte, daß nicht genug Zeit gewesen wäre, und ich wußte nicht, was sie meinte.«

»Aber wir waren in verschiedenen Gefügen«, sagte Veg. »Unser Jahr konnte das der Agenten nicht ausgleichen, wenn ...«

»Parallelgefüge, miteinander verbunden durch Cals kurzen Übergang«, sagte die Einheit. »Für diesen Zweck, mit Cal in dem einen und seinem Kind in dem anderen, nahmen die beiden Gefüge Identität an. Durch diese Methode wurdet ihr in Phasengleichheit mit der Aquilon gebracht, die Cal schwängerte, obwohl sie in der Zeit zwischen euren Begegnungen mehr als ein Jahr länger gelebt hat.«

Jetzt war die Maschine so vertraulich, daß sie sogar unzeremoniell wurde, dachte Tamme. Sie hatte angefangen, sie mit ihren gruppeninternen statt ihren gesetzlichen Namen anzureden.

Cal spreizte die Hände. »Ich werde natürlich die Verantwortung für das Baby übernehmen . . .«

»Oh, nein, das wirst du nicht!« sagte die Aquilon in Robe. »Du magst der biologische Vater sein, aber *mein* Cal ist gestorben, und ich habe ihn betrauert und will nicht, daß ein Schwindler seinen Platz einnimmt. In der Zwischenzeit war ich auf die Großmut eines anderen Mannes angewiesen, und das Baby auch. Ich mag ihn nicht lieben – *noch nicht!* –, aber *er* ist derjenige, der das Baby mit mir aufziehen wird – wenn er will.«

Plötzlich hatte Tammes tödliche Bereitschaft ein anderes Ziel.

»Wer?« fragte die unzeremonielle Aquilon perplex. »Das ist alles so verwirrend . . .«

»Veg. Ich glaube, er war immer derjenige, den ich wirklich . . .«

Veg sprang auf. »Äh . . . hm! Ich habe dich mal geliebt – eine von euch jedenfalls –, aber das hat nicht hingehauen. Jetzt bin ich mit Tamme zusammen . . .«

Cal sah ihn an. »Es wäre nicht klug, unangemessenes Vertrauen in das vorgebliche Interesse einer Agentin zu setzen. Ein Agent ist die ultimative Manifestation der omnivorischen Lebensanschauung.«

Wie raffiniert die Maschine sie manipuliert hatte! Jetzt stritten sie sich schon untereinander und würden unfähig sein, sich gegen die wahre Bedrohung zu vereinigen. »Ich liebe ihn«, sagte Tamme. »Ich gehe dahin, wo er hingeht, ich esse, wo er ißt, im übertragenen und im buchstäblichen Sinn. Es spielt keine Rolle, wer daran zweifelt, solange *er* es glaubt. Ich kann verstehen, wieso sie ihn ebenfalls liebt, aber ich werde ihn nicht aufgeben.«

»Nicht *ihn*«, sagte die Aquilon in Robe. »Ich meine *meinen* Veg . . . Vielleicht ist er jetzt auch tot, aber . . .«

»Er ist nicht tot«, sagte die Einheit. »Tanu, der überlebende

Agent dieses Gefüges, ist dabei, ihn zum Haupttransferpunkt auf Paläo zurückzuführen, so daß er zur Erde gebracht werden kann, um des Verrats angeklagt zu werden. Wir können ihn für dich zurückholen.«

»Ja!« rief sie.

Diese Zustimmung schien jedem Gedanken an Opposition ein Ende zu bereiten. Wenn die Maschine ihr Versprechen erfüllen konnte – und es gab keinen Grund, daß sie es nicht konnte –, konnten sie alle mehr verdienen, indem sie kooperierten.

»Es verbleibt die Disposition der übrigen Einheiten aus der Enklave«, sagte die Maschine, als ob es sich bei allem um eine reine Routineangelegenheit handelte. »Der Manta Dec und der Vogel Ornet, jetzt zu jung, um ihre Rolle in dieser Sache zu verstehen . . .«

»Bring sie auch hierher«, sagte die Aquilon in Robe, die ihre Freude über die Wiedererlangung ihres Babys und ihres Mannes förmlich abzustrahlen schien. »Diese fruchtbare Ebene ist ein Paradies für ihre Art. Deshalb habe ich auch versucht, das Ei hierher . . .« Sie blickte ihr Double an. »Es tut mir leid . . .«

»Wenn ich das gewußt hätte, würde ich es dir gegeben haben«, sagte die unzeremonielle Aquilon. »Ornet und Dec gehören in dein Gefüge.«

Die Einheit aktivierte ein Relais. Ein kleiner Manta, ein großes Küken und ein menschliches Baby erschienen in der Mitte des Raums. Sie schlossen sich zu einer Abwehrformation zusammen. Der Manta stand an der einen Seite des Babys, das Küken an der anderen, den Blick nach vorne gerichtet und sprungbereit.

Die Aquilon in Robe ging zu ihnen, streckte ihre Hände nach Manta und Vogel aus und gewann ihr Vertrauen. Sie nahm ihr Baby hoch, drückte es an sich und lächelte, während ihr die Tränen über die Wangen liefen. »Es wird euch hier gefallen, das weiß ich!« sagte sie. »Die Menschen werden euch nicht jagen. Ihr werdet als heilig gelten, genau wie ich.«

Dann sah sie sich im Raum um. »Warum bleibt ihr nicht auch hier?«

Veg und Tamme tauschten einen Blick.

»Das Baby, das ich bekommen mag, würde mir nicht ähneln«, warnte sie ihn.

»Ich *weiß*, wem es ähneln würde!« sagte er. Er runzelte die Stirn. »Irgendwie hat mir der Wald gefallen . . .«

»Es steht euch frei, nach Belieben zwischen den Gefügen zu reisen«, sagte die Einheit. »Ich werde euch geleiten.«

»Selbst zur Erde?« fragte Cal.

»Überallhin in der Alterkeit, Calvin Potter. Dieses Privileg wird nicht wahllos ausgeweitet, aber die hier Anwesenden sind für die Enklave die Elterneinheiten, insoweit diese Einheiten überlebt haben. Wie im Vertrag festgelegt, steht der Zugang zum ganzen System frei.«

»Ich interessiere mich für die vergleichende Evolution der verschiedenen Intelligenzformen – Muster, Maschine und Leben«, sagte Cal. »Die Maschinen zum Beispiel müssen geschaffen worden sein, vielleicht als früher Kompromiß zwischen energetischen und physischen Intelligenzstadien. Es muß eine faszinierende Geschichte geben . . .«

»Es gibt sie«, stimmte die Einheit zu. »Auch sie steht dir zur Verfügung.«

Die Aquilon in Robe blickte auf. »Ich meinte alle von euch und auch OX und die Maschine, wenn ihre Gefüge sie freigeben. Die ganze Enklave könnte normal aufwachsen, in einer besseren Umwelt, könnte lernen, zusammen zu leben und zu arbeiten, könnte allen Intelligenzien in der Alterkeit den Weg weisen . . .«

»Was für ein Wunder könnte dadurch aus dieser Stadt werden«, sagte Cal. »Repräsentanten aller Intelligenzien.«

»Das moderne Catal Hüyük . . .«, sagte die unzeremonielle Aquilon. »So beginnt es – hier in diesem Raum, jetzt . . .«

Die Mustereinheit in der Ecke sprühte Funken.

»Das ist OX«, sagte die Einheit. »Er nimmt eure Einladung an. Natürlich wird er auch in Kontakt mit seiner eigenen Art bleiben, aber er möchte seine Assoziation mit den Flecken fortsetzen – mit den physischen Intelligenzien, heißt das.«

»Aber was ist mit der Maschine?« beharrte die Aquilon in Robe. »Nach dem, was du gesagt hast, gehört sie zu den anderen. Sie ist nicht von der schlechten Sorte. Sie sollte bei den Einheiten aus der Enklave sein – und bei denjenigen von uns, die … verstehen. Sie sollte nicht zurückgeschickt werden nach …«

»Mech ist einstweilig als eine Einheit von Machina Prima integriert worden«, sagte die Einheit. »Das Problem hat sich dadurch erledigt.«

»Jetzt warte aber mal«, sagte Veg. »Diese kleine Maschine hat ein Recht darauf, selbst zu entscheiden, ob sie verschluckt werden will von …«

Cal legte eine Hand auf den Arm seines Freundes. »Es ist schon in Ordnung.«

»Wer bist du?« wollte Tamme wissen und ahnte die Antwort bereits.

Die Einheit machte mit Rädern und Schraubenblatt eine Geste, die stark an ein Lächeln erinnerte.

»Ich bin Mech.«

Alterkeit

Hexaflexagon Karte

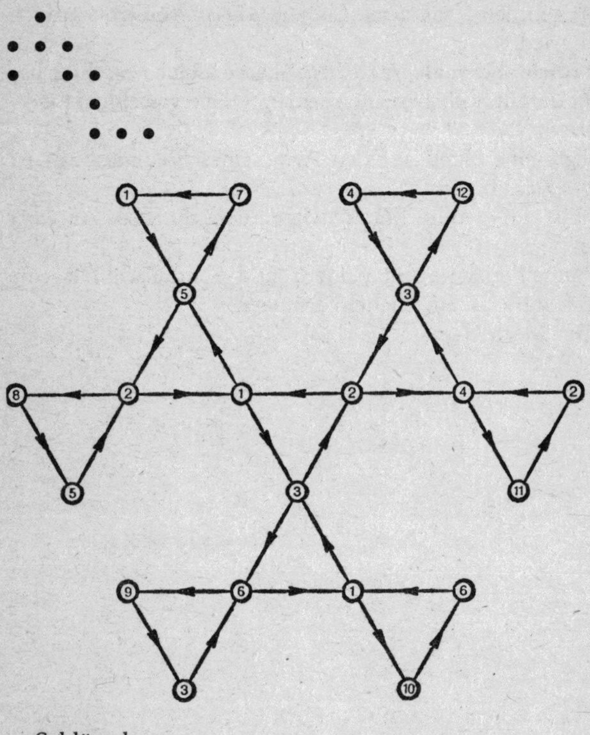

Schlüssel:

1. Wald
2. Orchester
3. Orchester
4. Nebelnase
5. Blizzard
6. Wände
7. Stadt
8. Platten
9. Maschinen-Stock
10. Wandernde Pflanzen
11. Muster
12. Basar